J. RIZZI

DER BROCKHAUS IN FÜNFZEHN BÄNDEN

DER BROCKHAUS

in fünfzehn Bänden

Vierzehnter Band

Tan – Vir

F. A. BROCKHAUS
Leipzig · Mannheim

Redaktionelle Leitung: Marianne Strzysch, Dr. Joachim Weiß

In Band 15 ist die Redaktion vollständig genannt.

Einbandgestaltung: James Rizzi

Einbandtypographie: Jürgen Sauerhöfer

Herstellung: Günter Schwab

Typographische Konzeption: Norbert Wessel

Satz: Bibliographisches Institut & F.A. Brockhaus AG
(PageOne Siemens Nixdorf)
und Mannheimer Morgen Großdruckerei
und Verlag GmbH

Druck: Neue Stalling GmbH, Oldenburg

Bindearbeit: Großbuchbinderei Lachenmaier, Reutlingen

Papier: 120 g/m² holzfrei, mattgestrichen, chlorfrei
der Papierfabrik Aconda Paper S.A., Spanien

Die Deutsche Bibliothek – CIP-Einheitsaufnahme
Der **Brockhaus**: in 15 Bänden /
[red. Leitung: Marianne Strzysch; Joachim Weiß]. –
Leipzig; Mannheim: Brockhaus.
Bd. 14. Tan – Vir. – 1999
ISBN 3-7653-2364-5

ISBN für das Gesamtwerk 3-7653-2350-0
Band 14: 3-7653-2364-0

Printed in Germany

tan, Funktionszeichen für Tangens, →Winkelfunktionen.

Tana *der* (finn. Teno), Fluss in Lappland, einschl. des Quellflusses Anarjokka 360 km lang, bildet auf 135 km die Grenze zw. Norwegen und Finnland, mündet in den 70 km langen **Tanafjord.**

Tanagra, altgrch. Stadt in Böotien, östlich von Theben, in deren Gräberfeld bemalte Terrakottastatuetten (4.–3. Jh. v. Chr.) gefunden wurden **(Tanagrafiguren).**

Tanagra: Figur einer Tänzerin im Mantel (um 250 v. Chr.; München, Staatliche Antikensammlung)

Tanaka, Kakuei, japan. Politiker, *Futuda (heute Nishiyama, Präfektur Niigata) 4. 5. 1918, †16. 12. 1993; Unternehmer, 1972–74 Vors. der Liberaldemokrat. Partei und MinPräs.; im Zusammenhang mit der Lockheed-Affäre (Bestechung durch amerikan. Flugzeugfirma) 1983 zu vier Jahren Haft verurteilt.

Tananarive [-'ri:v, frz.], bis 1976 Name von →Antananarivo.

Tänaron (Tainaron, Matapan), das südlichste Kap der Peloponnes; trug im Altertum ein Poseidon-Heiligtum.

Tanasee, größter See in Äthiopien, 1830 m ü. M., 3630 km², bis 72 m tief, vom Blauen Nil durchflossen; mehrere Klosterinseln.

Tanbur [auch tan'bu:r; pers.-arab.] *der* (Tambur), Bez. für oriental. Langhalslauten mit kleinem, bauchigem Schallkörper, drei oder vier Metallsaiten und zahlr. Bünden; sind im Orient seit dem 2. Jt. v. Chr. bekannt, seit dem 13. Jh. auch in Europa. Heute ist der T. v. a. von SO-Europa **(Tambura)** bis zum mittleren Orient, in N-Afrika und im Kaukasus verbreitet; in der ind. Musik als Borduninstrument verwendet.

Tandem [engl., von lat. tandem »auf die Dauer«, »schließlich«] *das,* Anordnung bei Maschinen, Fahrzeugen u. a., bei der zwei hintereinander geschaltete Antriebe auf die gleiche Welle, den gleichen Kurbeltrieb wirken (z. B. beim T.-Fahrrad für zwei Personen) oder ein Kurbeltrieb zwei Kolben mit gemeinsamer Kolbenstange bewegt.

Tandschur [tibetisch] *der,* neben dem →Kandschur die zweite, 225 Bde. umfassende Sammlung hl. Schriften des →Lamaismus; enthält v. a. Kommentare zu den Grundtexten des Kandschur (Buddha zugeschriebenen Lehren); daneben selbstständige Texte zu versch. Wissensgebieten (z. B. Astronomie, Chiromantie, Medizin, Philologie, Philosophie).

Tanezrouft [tanɛz'ruft], ausgedehnte, extrem trockene Fels- und Felsschutt-, Geröll- und Sandebene (300–400 m ü. M.) in der alger. Sahara, westlich des Ahaggar.

Tang [dän.] *der,* große, derbe, im Meer vorkommende Braunalgen und Rotalgen. Aus geerntetem T. werden industriell Jod, Alginate, Karrageen, Düngemittel, Vitaminpräparate und Pharmazeutika hergestellt.

Tang, chines. Dynastie (618–907); →China (Geschichte).

Kakuei Tanaka

Tanger
Stadtwappen

Tanga, Hauptstadt der Region T. in NO-Tansania, am Ind. Ozean, 187 600 Ew.; Stahlwalzwerk, Nahrungsmittel-, Textil- u. a. Ind.; Hafen, Flughafen. – Im 14. Jh. von pers. Kaufleuten gegründet.

Tanganjika, Teil von →Tansania.

Tanganjikasee, lang gestreckter Süßwassersee im Zentralafrikan. Graben (→Ostafrikanisches Grabensystem), zu Tansania, Sambia, Burundi und der Demokrat. Rep. Kongo, 773 m ü. M., 670 km lang, 22–80 km breit, 34 000 km², bis 1435 m tief, sehr fischreich. Abfluss ist der Lukuga; wichtigste Häfen: Kigoma, Kalemie, Bujumbura.

Tangaren: Der Violettblaue Organist (Größe etwa 10 cm) fällt mitunter in großen Schwärmen in Bananen- und Orangenplantagen ein

Tangaren [Tupí], den Ammern verwandte Singvogelfamilie Mittel- und Südamerikas, darunter farbenprächtige Arten wie der **Violettblaue Organist** (Euphonia violacea).

Kenzō Tange

Tange, Kenzō, japan. Architekt, *Imabari 4. 9. 1913; wurde u. a. durch das Friedenszentrum in Hiroshima (1949–55) und das Olympiastadion in Tokio (1961–64) international bekannt. Als Städtebauer schloss sich T. den Metabolisten an und trat mit dem Projekt der Erweiterung der Stadt Tokio (1959–60) sowie mit dem Plan für den Wiederaufbau von Skopje hervor (1965/66); 1967–70 Gesamtplanung für die Expo '70 in Ōsaka.

Tangens [lat.] *der,* eine →Winkelfunktion.

Tangente [zu lat. tangere »berühren«] *die,* **1)** *Geometrie:* eine Gerade, die eine Kurve in einem Punkt berührt, d. h. in diesem Punkt dieselbe Steigung wie die Kurve besitzt. Bei gekrümmten Flächen gibt es i. Allg. in jedem Punkt eine **Tangentialebene,** in der alle T. in diesem Punkt liegen.

2) *Musik:* bei versch. besaiteten Tasteninstrumenten ein Metall- oder Holzstift, der die berührte Saite abteilt (Drehleier), sie anschlägt (T.-Klavier) oder beides bewirkt (Klavichord).

Tanger (arab. Tandja), Hauptstadt der Prov. T., Marokko, an der Straße von Gibraltar, 363 000 Ew.; kath. Erzbischofssitz; Univ.; Schiffbau, elektrotechn., Fischkonserven-, Textil- u. a. Ind.; Fremdenverkehr; Freihafen und Handelsplatz; internat. Flughafen. T. gliedert sich in die Altstadt (Medina) mit Moschee (17. Jh.) und Kasba (15. Jh.), die Neustadt (ehem. Europäerstadt) und das Villenviertel Montagne im NW. – T., das antike **Tingis,** war in der röm. Kaiserzeit Hptst. der Prov. Mauretania Tingitana und blieb oström. Besitz bis zur arab. Eroberung (um 682); 1471–1580 portugies., bis 1656 span., 1661–84 britisch. Bei der Teilung Marokkos wurde T. durch den frz.-span. Marokkovertrag 1912 internat. Zone und entmilitarisiert (1923). 1941–45 war T. spanisch; 1956 kam es an Marokko.

Tangermünde, Stadt im Landkreis Stendal, Sa.-Anh., auf dem linken Elbufer, 10 600 Ew.; Faser- und Spanplattenwerk, Nahrungsmittelind.; Binnenhafen mit Reparaturwerft. – Gut erhaltene mittelalterl. Stadtbefestigung (um 1300) mit Neustädter, Hühnerdorfer und Elbtor; bed. Werke norddt. Backsteingotik sind die Stephanskirche (über Vorgängerbau 1376 bis Anfang 16. Jh.) und das Rathaus (15. Jh.); Fachwerkhäuser (17. und 18. Jh.). – Urspr. karoling. Reichsburg (um 808); später slawisch, 1009 als dt. Burg gen.; um 1200 Stadt, 1368 Hansemitgl.; 1373–78 brandenburg. Residenz Kaiser Karls IV. BILD Backsteinbau

Tango [span.] *der,* aus Argentinien stammender Gesellschaftstanz im $^2/_4$- oder $^4/_8$-Takt mit prägnant synkopiertem Rhythmus; wurde in Europa um 1910 als **T. argentino** bekannt; gehört im Tanzsport zu den Standardtänzen.

Tangshan [-ʃan], Stadt in der chines. Provinz Hebei, 160 km südöstlich von Peking, 1,04 Mio. Ew.; Ind.zentrum im Kohlenrevier Gailuan. – 1976 durch Erdbeben fast völlig zerstört (750 000 Tote geschätzt), ab 1978 wieder aufgebaut.

Tanguten, tibet. Volk in NW-China, Nomaden und Feldbauern; Buddhisten. Die T. errichteten im 10./11. Jh. ein eigenes Reich (nach chines. Quellen: Xixia) und kontrollierten den Verkehr zw. China und Innerasien.

Tangente 1)

Tanguy [tã'gi], Yves, amerikan. Maler frz. Herkunft, *Paris 5. 1. 1900, †Woodbury (Conn.) 15. 1. 1955; begann 1923 als Autodidakt zu malen, schloss sich 1925 in Paris dem Surrealismus an, emigrierte 1939 in die USA; stellte weite Ebenen mit Gruppen weicher, an Organisches erinnernder Körper dar, die ein fantast. Bild der Unendlichkeit geben.

Tanjore [tæn'dʒɔ:], Stadt in Indien, →Thanjavur.

TANJUG, Abk. für **T**elegrafska **A**gencija **N**ova **Jug**oslavija, 1943 gegründete jugoslaw. Nachrichtenagentur, seit 1991 nur noch für Serbien und Montenegro; Sitz: Belgrad.

Tank [engl.] *der,* **1)** *allg.:* Lager- und Transportbehälter für Flüssigkeiten oder Gase.

2) *Militärwesen:* im 1. Weltkrieg übliche Bez. für Panzerwagen.

Tank, Kurt, Flugzeugbauer, *Schwedenhöhe (heute zu Bromberg) 24. 2. 1898, †München 5. 6. 1983; entwickelte 1931–45 bei Focke-Wulf in Bremen u.a. die zweimotorige FW 58 »Weihe«, das viermotorige Langstreckenverkehrsflugzeug FW 200 »Condor« und den Jäger FW 190. In Argentinien (1947–55) und Indien (1956–67) baute er Überschalljäger.

Tangermünde: Neustädter Tor (um 1300)

Tangermünde Stadtwappen

Tanker (Tankschiff), Handelsschiff für den Transport von flüssigen oder flüssig gehaltenen Gütern. Nach Art der Ladung unterscheidet man Öl-, Chemikalien-, Gas- sowie Spezial-T. Mehrzweck-T. dienen zum wechselweisen oder kombinierten Transport unterschiedl. Flüssiggüter oder für kombinierte Schütt- und Flüssiggüter. **Super-T.** haben 100000 bis über 500000 tdw (→Deadweight) Tragfähigkeit. Bei **Erdöl-T.** ist der Tankbereich vorn und hinten durch Kofferdämme begrenzt, jede Tankabteilung ist durch Längsschotte unterteilt. Die Tanks sind mit Tankwaschanlagen sowie mit Inertgasanlagen ausgerüstet, die explosive Gasanreicherungen verhindern. Das Flüssighalten der Gase beim Transport in **Gas-T.** geschieht durch Kühlung, Druck oder durch Kombination von niedriger Temperatur und hohem Druck. – Um das Risiko der gefährl. Ölverschmutzungen durch T.-Unfälle oder Lecks zu verringern, gelten seit 1993 neue Sicherheitsvorschriften für den T.-Bau. Nach den von der International Maritime Organisation (IMO) festgelegten Normen müssen Öltankerneubauten ab 6000 tdw als Doppelhüllenschiffe mit doppelten seitl. Wänden und Doppelboden ausgelegt sein (bis 5000 tdw nur Doppelboden; über 30000 tdw mit 2m Abstand zw. Innen- und Außenwand). Ein anderes Sicherheitskonzept ist die Mid-Deck-Bauweise (T. mit Zwischendecks und seitl. Wassertanks). Viele Eigner entziehen sich den kostenaufwendigen Sicherheitsvorschriften, indem sie ihre T. unter →Billigflaggen fahren lassen. BILD S. 8

Yves Tanguy: »Nombres imaginaires« (1954; Privatbesitz)

Tankflugzeug, zur Luftbetankung verwendetes Militärflugzeug; meist militär. Variante ziviler Strahlverkehrsflugzeuge.

Tankstelle, Verkaufsstelle für Kfz-Kraftstoffe, -Schmiermittel und -Zubehör, meist mit Einrichtungen zur Durchführung von Wartungs- und Pflegearbeiten. Der in korrosionssicheren Tanks unterirdisch gelagerte Kraftstoff wird durch elektrisch betriebene Pumpen zu den Zapfsäulen gefördert und von dort über Durchflussmesseinrichtungen in den Zapfschlauch und die Zapfpistole gedrückt. – Seit 1. 1. 1993 sind für neu eingerichtete T. (Abgabe von mehr als 1000 m³ Ottokraftstoffe im Jahr) bei der Betankung Anlagen zur Rückführung gesundheitsgefährdender Kraftstoffdämpfe vorgeschrieben (→Saugrüssel).

Die erste deutsche **Tankstelle** *wurde 1923 in Hannover eröffnet. Bis Anfang der Dreißigerjahre war und blieb das Hauptverteilernetz für Benzin dasselbe, das die Haushalte mit Lampenpetroleum versorgte. Pferdetankwagen brachten den Kraftstoff zu den Abnehmern nach Hause, wo er, wie das Petroleum, in Holzfässern im Keller gelagert wurde.*

Tankwagen, Straßen- oder Schienenfahrzeug mit Spezialaufbauten (Tank, Messvorrichtungen, Pumpen) zum Transport von gasförmigen oder flüssigen Stoffen, die z.T. zu den gefährlichen Gütern zählen und daher die Einhaltung besonderer Sicherheitsvorkehrungen erforderlich machen.

Tanne (Abies), Gattung der Kieferngewächse mit rd. 40 Arten in den außertrop. Gebieten, v.a. in

Alain Tanner

Tannenhäher: Eurasiatischer Tannenhäher (Größe 30–34 cm)

den Gebirgen der N-Halbkugel; immergrüne, meist pyramidenförmig wachsende, bis 80 m hohe Bäume mit nadel- bis schmallinealförmigen, zerstreut oder zweizeilig stehenden Blättern, unterseits meist mit zwei weißl. Wachsstreifen; Zapfen aufrecht, Samen einseitig geflügelt. Wichtige Waldbäume sind u.a.: **Weiß-T.** (**Edel-T., Silber-T.**, Abies alba), bis 50 m hoch und bis 500 Jahre alt werdend, mit weißl. Rinde; in den Gebirgen S- und Mitteleuropas. **Nordmanns-T.** (Abies nordmanniana), bis 30 m hoch, mit schwärzlich grauer Rinde; im westl. Kaukasus, heute auch in Mitteleuropa verbreitet. **Himalaja-T.** (Abies spectabilis), bis 50 m hoch, mit breiter Krone und weit abstehenden Ästen; im Himalaja, in Sikkim und Bhutan. **Balsam-T.** (Abies balsamea), bis 25 m hoch, mit glatter schwarzer Rinde; in Nordamerika; liefert →Kanadabalsam. – Das weltweit zu beobachtende **T.-Sterben** wird auf unzureichende ökolog. Bedingungen (u.a. auf →sauren Regen) zurückgeführt (→Waldsterben).

Tannenberg (poln. Stębark), Dorf in der Wwschaft Olsztyn (Allenstein), Polen, Teil der Gemeinde Grunwald. – In der **Schlacht bei T.** (auch **Schlacht bei Grunwald**) erlitt der Dt. Orden am 15. 7. 1410 eine vernichtende Niederlage gegen ein polnisch-litauisches Heer. – Im 1. Weltkrieg wurde östlich von T. vom 26. 8. bis 31. 8. 1914 die russ. Narew-Armee unter A. W. Samsonow von der dt. 8. Armee unter P. von Hindenburg (Stabschef E. Ludendorff) durch Umfassung geschlagen. – Das 1927 errichtete T.-Denkmal wurde 1945 beim dt. Rückzug gesprengt.

Tannenhäher (Nucifraga caryocatactes), etwa 30 cm langer, dunkelbrauner, weiß getupfter Rabenvogel der Nadelwälder, u.a. der **Eurasiat. T.**; in Mittel- und Osteuropa nur in Gebirgen.

Tanker: Supertanker »Esso Hamburg«, Tragfähigkeit 253 000 tdw, Tankvolumen 310 000 m³ (Baujahr 1974)

Tanner, 1) [frz. ta'nɛːr], Alain, schweizer. Filmregisseur, *Genf 6. 12. 1929; Mitbegründer des neuen schweizer. Films, u.a. mit »Charles tot oder lebendig« (1969), »Der Mittelpunkt der Welt« (1974), »Messidor« (1979), »Niemandsland« (1985), »L'homme qui a perdu son ombre« (1991).

2) Väinö, finn. Politiker, *Helsinki 12. 3. 1881, †ebd. 19. 4. 1966; 1919–26 und 1957–63 Vors. der Sozialdemokrat. Partei, 1926–27 MinPräs., 1939–40 Außenmin.; unterzeichnete 1940 den Friedensvertrag zur Beendigung des Finnisch-Sowjet. Winterkriegs, trat 1941 für die Fortsetzung des Krieges gegen die UdSSR auf dt. Seite ein. Nach der Niederlage (1944) wurde er auf sowjet. Druck zu 5½ Jahren Gefängnis verurteilt (1949 entlassen).

Tannhäuser, Der [mhd. Tan[n]hûser], mhd. Dichter des 13. Jh. unbekannter Herkunft; sein Gönner war Herzog Friedrich II. von Österreich; schrieb Tanzlieder und parodist. Minnedichtung. – Die **T.-Sage** wird im späten 14. Jh. greifbar: Der Ritter T. wird von Frau Venus in ihren Zauberberg gelockt. Von seinem Gewissen geplagt, pilgert er nach Rom, wo ihm der Papst (Urban IV.) jedoch keine Vergebung gewährt. Als das Zeichen göttl. Verzeihung eintritt (Wunder vom grünenden Wanderstab), ist T. bereits in den Venusberg zurückgekehrt. Das Motiv wurde von der Romantik wieder aufgenommen (Oper von R. Wagner, 1845). BILD Manessische Handschrift

Tannine (Gallusgerbsäuren), Gruppe von natürl. Gerbstoffen, die in zahlr. Pflanzen und Galläpfeln, z.B. in Rosskastanie und Quebracho, vorkommen. T. bestehen aus farblosen, in Wasser löslichen Gemischen von chem. Verbindungen, in denen mehrwertige Alkohole oder Zucker mit Phenolcarbonsäuren verestert sind. Bei Reaktion mit Schwermetallsalzen entstehen salzartige, meist schwer lösl., dunkle Niederschläge **(Tannate)**. Aufgrund ihrer stark gerbenden und adstringierenden Wirkung werden die T. bei der Lederherstellung, in der Medizin als Magen-Darm-Mittel und als zusammenziehende Mittel verwendet.

Tannu-ola, Gebirgszug im SW der Tuwin. Rep., Russ. Föderation, an der Grenze zur Mongolei, 300 km lang, bis 3 061 m hoch.

Tansam (engl. Tanzam, Tanzania Zambia Railway), Eisenbahnlinie in O-Afrika von Daressalam (Tansania) nach Kapiri Mposhi (Sambia), 1857 km lang; 1970–75 (mit chines. Hilfe) gebaut.

Tansania (engl. Tanzania, amtlich Suaheli Jamhuri ya Muungano wa Tanzania, dt. Vereinigte Rep. T.), Staat in O-Afrika, umfasst den Festlandteil Tanganjika sowie die Inseln Sansibar, Pemba und Mafia, grenzt im NW an Burundi und Ruanda, im N an Uganda (z.T. Grenzverlauf durch den Victoriasee), im NO an Kenia, im O an den

Tansania

Fläche: 945 087 km²
Einwohner: (1995) 29,68 Mio.
Hauptstadt: Dodoma
Verwaltungsgliederung: 25 Regionen
Amtssprache: Suaheli
Nationalfeiertag: 26. 4.
Währung: 1 Tansania-Schilling (T. Sh.) = 100 Cents (Ct.)
Zeitzone: MEZ +2 Std.

Staatswappen

EAT

Internationales Kfz-Kennzeichen

Ind. Ozean, im S an Moçambique, im SW an Malawi und Sambia, im W an die Demokrat. Rep. Kongo (Grenzverlauf durch den Tanganjikasee).

Staat und Recht: Nach der Verf. von 1977 ist T. eine föderative Präsidialrepublik. Staatsoberhaupt, oberster Inhaber der Exekutive und Oberbefehlshaber der Streitkräfte ist der auf fünf Jahre direkt gewählte Präs. (einmalige Wiederwahl zulässig). Er ernennt den 1. Vizepräs. (zugleich Premiermin.) und den 2. Vizepräs. (zugleich Präs. von Sansibar), besitzt ein Vetorecht bei der Gesetzgebung und kann das Parlament auflösen. Die Legislative liegt bei der Nationalversammlung (169 direkt gewählte und 75 ernannte Abg.). Sansibar verfügt nach der Regionalverf. von 1985 über ein Repräsentantenhaus und eine (eingeschränkte) eigene Exekutive. Neben der Partei der Revolution (CCM), der früheren Einheitspartei, wurden am 1. 7. 1992 auch andere Parteien zugelassen.

Landesnatur: T. ist weitgehend ein Hochland in 1000–1500 m Meereshöhe, das durch Bruchstufen des Ostafrikan. Grabensystems und von meist erloschenen Vulkanmassiven gegliedert wird, als höchstes der Kilimandscharo mit 5895 m ü. M. (Kibo). Dem Hochland ist eine sich nach SO erweiternde Küstenebene vorgelagert, aus der im N die Usambaraberge (bis 2230 m ü. M.), im Zentrum die Uluguruberge (bis 2652 m ü. M.) aufragen. T. hat Anteil am Victoria-, Tanganjika- und Malawisee. An der Küste herrscht feuchtheißes trop. Klima, nach W kühleres trop. Hochlandklima. Die Vegetationszonen reichen von Trocken-, Dornbusch- und Feuchtsavanne bis zu immergrünem Bergwald. Dem Schutz der Tierwelt dienen die zum UNESCO-Welterbe erklärten Nationalparks Serengeti und Kilimandscharo, das Naturschutzgebiet Ngorongoro und das Wildreservat von Selous. Weiteres Bild Kilimandscharo

Bevölkerung: Rd. 90% der Bev. gehören zu den etwa 120 ethn. Gruppen der Bantu (größte Völker: Sukuma und Nyamwezi, ferner Nyakyusa, Hehe, Gogo, Chaga u. a.), außerdem leben in T. Masai, Tutsi, Araber, Inder, Pakistani und Europäer. – Es besteht allg. Schulpflicht vom 8. bis 14. Lebensjahr; Analphabetenquote bei Erwachsenen rd. 15%; Univ. in Daressalam, Agraruniv. in Sokoine. – Rd. 35% der Bev. sind Anhänger traditioneller Stammesreligionen, 34% Christen, 30% Muslime, ferner u. a. Hindus.

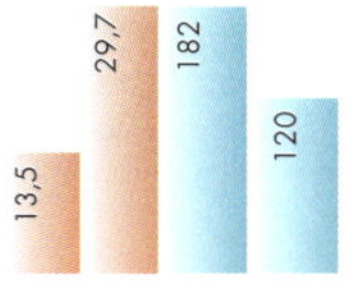

Bevölkerung (in Mio.) Bruttosozialprodukt je Ew. (in US-$)

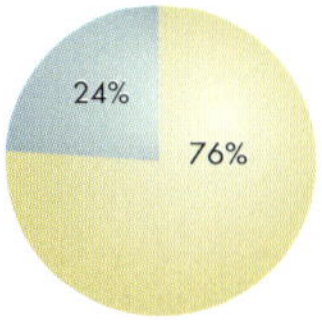

Stadt
Land
Bevölkerungsverteilung 1995

Wirtschaft, Verkehr: T. zählt zu den ärmsten Ländern der Erde und ist auf internat. Wirtschaftshilfe angewiesen. Wichtigster Wirtschaftszweig ist die Landwirtschaft; rd. 6% der Landesfläche sind Acker-, 45% Weideland (v. a. Rinderhaltung), 45% Wald. Überwiegend in bäuerl. Kleinbetrieben Anbau zur Eigenversorgung: v. a. Maniok, Mais, Reis, Hirse, Bananen; meist auf Plantagen für den Export: Baumwolle, Kaffee, Sisal, Cashewnüsse, Tabak, Tee, Pyrethrum; Gewürznelken (15% der Weltproduktion) auf Sansibar und Pemba. Binnenfischerei für Eigenbedarf. Zahlreiche Bodenschätze, bisher wenig genutzt (Steinkohle, Eisenerz, Gips, Phosphat); geringer Abbau von Gold, Zinn, Salz, Edelsteinen; Diamantenvorkommen fast erschöpft. Kleinbetriebe verarbeiten landwirtsch. Produkte; wenige Großbetriebe: Erdöl-

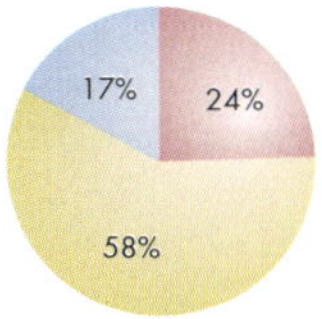

Industrie
Landwirtschaft
Dienstleistung
Bruttoinlandsprodukt 1995

Tansania: Savannenlandschaft südlich des Kilimandscharo mit Häusern der Chaga

raffinerie, Zementwerke, Dünger- und Textilfabriken. Tourismus zu den Nationalparks und den histor. Stätten der Suahelikultur, Kilwa und Songa Mnara (UNESCO-Weltkulturerbe). Hauptexportgüter: Kaffee, Baumwolle, ferner Tabak, Gewürznelken, Diamanten, Sisal. Import: Maschinen, Fahrzeuge, Nahrungsmittel. Haupthandelspartner: Großbritannien, Dtl., Japan. – Das Verkehrsnetz umfasst 2580 km Eisenbahnlinien (davon 980 km Strecke der →Tansam) und 82000 km Straßen. Haupthäfen: Daressalam, Tanga, Mtwara; internat. Flughäfen: Daressalam, bei Arusha und auf Sansibar; nat. Flugges. Air Tansania.

Julius Kambarage Nyerere

Ali Hassan Mwinyi

Benjamin William Mkapa

Geschichte: Nach der Ausbreitung des Islam entwickelte sich im Bereich der ostafrikan. Küste und auf den vorgelagerten Inseln die arabisch-islamisch geprägte Suahelikultur (ein Zentrum war die Stadt Kilwa). 1500–1650 stand das Gebiet unter portugies. Herrschaft. Danach entwickelte sich →Sansibar v.a. im 19. Jh. zum Zentrum einer von Arabern aus Oman begründeten Herrschaft. 1885 erwarb der Deutsche S. Peters für seine Kolonialgesellschaft Gebiete im Innern O-Afrikas, die die dt. Reichsreg. 1890 zum →Schutzgebiet Dt.-Ostafrika erklärte. Im Helgoland-Sansibar-Vertrag (1890) grenzten Dtl. und Großbritannien ihre Einflusssphären ab; Sansibar, das schon seit 1843 unter brit. Einfluss stand, wurde brit. Protektorat. Der größte Teil Dt.-Ostafrikas kam unter dem Namen Tanganjika 1922 als Völkerbundsmandat, 1946 als UN-Treuhandgebiet an Großbritannien. Nach der Entlassung Tanganjikas in die Unabhängigkeit (1961) und der Ausrufung der Rep. (1962) vereinigte sich Tanganjika mit Sansibar und Pemba 1964 zur Vereinigten Rep. von T. Unter Präs. J. Nyerere (1962–85) entwickelte sich dieses zum sozialistisch bestimmten Einparteienstaat. Außenpolitisch schloss sich T. der Bewegung der blockfreien Staaten an. Es unterstützte seit den 60er-Jahren die schwarzafrikan. Befreiungsbewegungen im südl. Afrika (→Frontstaaten). Jahrelange Spannungen mit Uganda lösten 1978 einen Krieg zw. beiden Staaten aus, der 1979 mit dem Sturz des ugand. Präs. Idi Amin Dada endete. 1985 wurde Ali Hassan Mwinyi zum Präs. gewählt (1990 bestätigt), der 1992 den Übergang zum Mehrparteiensystem einleitete. Im Okt./Nov. 1995 errang die Reg.partei (Partei der Revolution, CCM) zwei Drittel der Mandate, der Rest entfiel auf vier Oppositionsparteien. Bei den gleichzeitig abgehaltenen Präsidentschaftswahlen setzte sich B. W. Mkapa (CCM) durch (Amtsantritt: 23. 11. 1996).

📖 HECKLAU, H.: *Ostafrika (Kenya, Tanzania, Uganda). Darmstadt 1989.* – ASCHENBRENNER-WELLMANN, B.: *Ethnizität in Tanzania. München 1991.* – ENGELHARD, K.: *T. Gotha 1994.* – *T. Weite Savannen, Wiege der Menschheit, Beiträge v.* U. ACKERMANN *u.a. Frankfurt am Main 1994.* – MAIR, S.: *Polit. Wandel in T. Kenia, T. u. Uganda auf dem Weg zur Demokratie? Ebenhausen 1996.* – *Tanzania. Koloniale Vergangenheit u. neuer Aufbruch, hg. v.* U. VAN DER HEYDEN *u.* A. VON OPPEN. *Münster 1996.*

Tansanit *der,* Mineral, saphirblauer →Zoisit.

Tanta, Governoratshauptstadt in Unterägypten, im Nildelta, 374000 Ew.; Univ., islam. Hochschule; Handelszentrum v.a. für Baumwolle, Textilind.; Erdölraffinerie; Verkehrsknotenpunkt.

Tantal [nach der grch. Sagengestalt Tantalos] *das,* chem. Symbol **Ta,** Element aus der fünften Nebengruppe des →Periodensystems der chemischen Elemente; Ordnungszahl 73, relative Atommasse 180,9479, Dichte 16,677 g/cm^3, Schmelzpunkt 2996 °C, Siedepunkt 5425 °C. Das hellgraue, glänzende, sehr harte Schwermetall ist walz- und dehnbar. T. gehört zu den selteneren Elementen und steht in der Häufigkeit der chem. Elemente an 41. Stelle. In der Natur kommt es stets mit Niob in Form isomorpher Niobate und Tantalate (Niobit, Tantalit) im →Columbit vor, aus denen nach Aufschließen die Abtrennung vom Niob meist durch fraktionierte Kristallisation der Kaliumdoppelfluoride erfolgt. Freies T. erhält man durch Reduktion des Kaliumheptafluorotantalats, $K_2[TaF_7]$, z.B. mit Natrium. Wegen seiner hohen chem. Resistenz wird es für chem. Geräte, medizin. Instrumente, zur Herstellung von Elektrolytkondensatoren und als Legierungsbestandteil von Edelstählen verwendet. – In seinen Verbindungen tritt T. überwiegend mit der Oxidationszahl +5, daneben auch +4 und +3 auf. **T.-Pentoxid (»T.-Säure«),** Ta_2O_5, ist ein weißes Pulver, das u.a. zur Herstellung von opt. Spezialgläsern dient. T. bildet mit Halogenen in der Hitze Pentahalogenide. Das sehr harte **T.-Carbid,** TaC, besitzt einen sehr hohen Schmelzpunkt (3985 °C) und wird zur Herstellung von →Hartmetallen verwendet. Von techn. Inte-

Tanz: »Ball in Venedig«, elf Paare tanzen vor Zuschauern eine Pavane, Darstellung des italienischen Kupferstechers Giacomo Franco (2. Hälfte 16. Jh.; Kopenhagen, Den Kongelige Kobberstik Samling)

resse als Hartstoffe sind auch T.-Boride und T.-Nitride.

Tantalịt *der,* Mineral, → Columbit.

Tạntalos (lat. Tantalus), *grch. Mythos:* ein Sohn des Zeus und einer Nymphe, Liebling und Vertrauter der Götter, wurde wegen seines Vergehens (→ Pelops) von ihnen in die Unterwelt gestürzt. Dort muss er durstend im Wasser stehen, das zurückweicht, wenn er trinken will; über ihm hängen Zweige mit Früchten, die zurückschnellen, sobald er nach ihnen greift (Tantalosqualen).

Tantiẹme [frz. tãtj'ɛ:mə] *die,* **1)** Gewinn- oder Umsatzbeteiligung, die Vorstands- und Aufsichtsratsmitgliedern sowie leitenden Angestellten eines Unternehmens gewährt wird.

2) Urheberhonorar, → GEMA.

Tantrịsmus *der,* religiöse Strömung, die, seit dem 5. Jh. von Indien ausgehend, großen Einfluss auf Hinduismus und Buddhismus gewann: Die tantrist. Lehrtexte **(Tantras)** sehen in den Unterschieden zw. Makro- und Mikrokosmos, Universal- und Einzelseele, Mann und Frau keine wirkl. Dualität und beschreiben »Erlösung« als deren (v. a. sexuell aufgefasste) »Wiedervereinigung« zu dem urspr. ungeteilten Einen. Heilsweg ist das (geheime) Ritual mithilfe mag., z. T. auch orgiast. Praktiken. Im Hinduismus hat sich der T. v. a. mit dem Kult der Göttin → Durga verbunden, im → Buddhismus fand er seinen Niederschlag in Lehre und Praxis des Vajrayana (»Diamantfahrzeug«).

Tantung, Stadt in China, → Dandong.

Tanz, rhythm. Körperbewegung zu Musik- oder Geräuschbegleitung, auch die zum T. erklingende Musik oder deren vom T. gelöste Stilisierung in instrumentaler oder vokaler Form **(T.-Lied).** – Urspr. war der T. ein rein religiöser Akt, der oft auf göttl. Ursprung zurückgeführt wurde. Neben dem Opfer ist der T. wichtigster Bestandteil des Kultes. Dabei dient er häufig zugleich der Abwehr dämon. Einflüsse, z. B. bei Initiationsriten, beim Hochzeits-T. sowie bei Totentänzen. Daneben hat der T. auch die Bedeutung einer mag. Analogiehandlung, z. B. Fruchtbarkeitstänze.

Kult. und gesellige Tänze gab es in Altägypten und Mesopotamien. In der grch. Antike wurden der Reigen, der Einzel-T. und der chor. T. (z. B. im Drama) gepflegt. Der T. bildete mit Musik und Dichtung als »mousike« eine Einheit. Judentum und frühes Christentum kannten den sakralen T., den die Kirche im frühen MA. wegen seiner Weltlichkeit ebenso ablehnte wie die in kirchl. Sicht entarteten Tänze der Spielleute, Gaukler und des Volkes. Eine ständ. T.-Kultur entwickelte sich im 13. Jh. an den Fürstenhöfen. Ihre Formen waren der gruppenweise getanzte Reigen und der ihm oft vorangestellte Einzelpaar-T. Im Gesellschafts-T. des 15./16. Jh. setzten sich der langsame Schreit-T. (Basse Danse, Passamezzo, Pavane) und der schnelle, gesprungene Nach-T. (Saltarello, Tourdion, Gaillarde) durch.

Mit der Scheidung von → Volkstanz und höfisch-aristokrat. → Gesellschaftstanz seit dem 15. Jh.

Tantrismus: Zu den tantristischen Lehrtexten gehörendes Blatt, das die Initiationsgottheit Mahakala in ihren verschiedenen Erscheinungsformen beschreibt (16. Jh.; Köln, Privatsammlung)

entwickelte Letzterer eine Vielfalt von Paartänzen. – Im 17. Jh. erhielt das am frz. Hof neu eingeführte, von Berufstänzern unterstützte und später ausschl. von ihnen getragene Ballet de Cour, das Dichtung, Tanz, Vokal- und Instrumentalmusik miteinander verband, größte Bedeutung; aus ihm entwickelte sich der Kunst-T. – Im späten 18. und frühen 19. Jh. kamen neue Tänze auf, so z. B. der dt. T. und der Ländler, aus denen sich der Walzer entwickelte, ferner Polka, Mazurka, Rheinländer, Galopp und die frz. Gruppentänze Polonaise, Ecossaise und Française. Diese Tänze fanden Eingang in die Kunstmusik, ebenso die stilisierten Volkstänze Csárdás, Krakowiak, Furiant, Bolero, Tarantella und Fandango. – Im 20. Jh. trat auf dem Gebiet des Kunst-T. neben das klass. Ballett der **Ausdrucks-T.** (auch freier T.), der als eigenständiger, von musikal. Bindungen und akadem. Positionslehre befreiter Ausdrucksträger verstanden wurde. Wegweisend waren I. Duncan, É. Jaques-Dalcroze, R. von Laban und M. Wigman sowie die Wigman-Schüler H. Kreutzberg, G. Palucca und Y. Georgi. Die amerikan. Form des Ausdrucks-T., der →Moderndance (H. Holm, R. Saint Denis, T. Shawn, M. Graham), hat das moderne Ballett entscheidend geprägt und übte erhebl. Einfluss aus auf das →Tanztheater, das Anfang der 1970er-Jahre als neue Theater- und T.-Gattung in Dtl. entstand, wie auch auf dessen amerikan. Variante, den →Newdance. Weitere BILDER Gesellschaftstanz

Tanz: Mary Wigman

Tanztheater: Szene aus dem von Pina Pausch im Juli 1995 in Avignon choreographierten Bühnenwerk »Le sacre du printemps« von Igor Strawinsky

📖 *Methodik des klass. Tanzes, hg. v.* G. LÖRINC. *A. d. Ungar. Berlin (Ost) 1964.* – REBLING, E.: *Die Tanzkunst Indiens. Wilhelmshaven 1982.* – ENGL, S.: *Das neue Feeling. Eine Einführung für Liebhaber des T.es u. ihre Übungsleiter. Moers 1993.* – GÜNTHER, H. *u.* SCHÄFER, H.: *Vom Schamanentanz zur Rumba. Die Geschichte des Gesellschaftstanzes. Stuttgart* [3]*1993.* – KOCH, M.: *Salomes Schleier. Eine andere Kulturgeschichte des T.es. Hamburg 1995.*

Tanzlied, Gattungsbez. für im Hoch- und Spät-MA. verbreitete lyr. oder erzählende Lieder, die zum Tanz gesungen wurden, z. B. Refrainlieder (→Ballade, →Rondeau, →Virelai) und der →Leich (Tanzleich).

Tanzmaus, durch Mutation aus der ostasiat. Hausmaus hervorgegangene Zuchtform, die infolge krankhafter Veränderungen im Labyrinth (→Ohr) Zwangsbewegungen ausführt und sich dabei im Kreise dreht.

Tanzschrift, Aufzeichnung von Bewegungsabläufen im Tanz (Stellung, Haltung, Bewegungsrichtung) durch Worte, Zeichen, Ziffern und Bilder (Choreographie); in Europa seit dem 15. Jh. Am umfassendsten ist die 1926 von R. von Laban veröffentlichte und von A. Knust weiterentwickelte »Kinetographie Laban«.

Tanzsport (Turniertanz), wettkampfmäßige Form des Gesellschaftstanzes mit zehn Tänzen (fünf Standardtänze: langsamer Walzer, Tango, Wiener Walzer, Slowfox, Quickstep; fünf lateinamerikan. Tänze: Samba, Cha-Cha-Cha, Rumba, Paso doble, Jive); Partnerwettbewerb mit vier Wertungsgebieten (Musik, Balancen, Bewegungsablauf, Charakteristik). Eingeteilt in versch. Leistungsklassen, werden Einzel-, Mannschafts- und Formationswettbewerbe (6–8 Paare) ausgetragen; Platzzifferwertung. Weltmeisterschaften seit 1909, Europameisterschaften seit 1927.

Tanztheater, Sammelbez. für eine Gegenbewegung zum klass. Ballett, die in der Bundesrep. Dtl. Mitte der 1970er-Jahre durch die Arbeit von P. Bausch und H. Kresnik zunehmend an Bedeutung gewonnen hat; enge Wechselbeziehung von Tanz und Drama. In den USA ist die Bezeichnung →Newdance üblich. – Das T. befreit nicht nur den Tanz aus seiner bis dahin beschränkten Funktion als Einlage in Oper, Operette oder Musical, sondern steht auch für eine avantgardist. Ästhetik, die zwar auf tänzer. Trivialtraditionen von Revue, Vaudeville oder Musical fußt, denen sie aber durch Montagetechnik zeitgemäße Formen abgewinnt. Stilbildend wirkt dabei Bausch, die in ihren »Stücken« nicht einfach Bewegungen erfinden, sondern Bewegungsgründe sichtbar machen will. Die Alltagsgestik kann dabei eine ebenso große Rolle spielen wie Text und Gesang. Auch der Körper als Ausdrucksmittel wird im T. anders definiert. Die Musik, meist collagehaft aus den verschiedensten Elementen zusammengesetzt, hat oft nur noch eine begleitende Funktion. Entsprechend änderten sich die Inhalte, mit denen sich das T. auseinander setzt. Nicht zuletzt als Reaktion auf die Protestbewegung von 1968 ist v. a. in den Arbeiten Kresniks

TAP Air Portugal

Tapete (von links): handgedruckte Papiertapete aus Frankreich (um 1780) und Wachstuchtapete aus Deutschland (um 1820; beide Kassel, Deutsches Tapetenmuseum)

ein polit. Bezug erkennbar. T.-Ensembles bildeten sich neben Wuppertal z. B. in Bochum, Essen, Freiburg im Breisgau, Kassel, Riedenburg, Münster, Frankfurt am Main, Hamburg und Berlin; heute gibt es sie in vielen europäischen Ländern, in den USA und Lateinamerika.

📖 *Malerei u. Tanz, bearb. v.* R. SCHEIDL *u.* B. NISOLI. *Salzburg 1994. – Pina Bausch. Tanztheatergeschichten, bearb. v.* R. HOGHE, *u. a. Frankfurt am Main 1995.*

Taoismus, philosoph. Lehre in China, →Daoismus.

Taormina, Stadt und Seebad in der Prov. Messina, Italien, an der O-Küste von Sizilien, auf einer Terrasse des Monte Tauro, 10 100 Ew. – Ruinen eines grch. Theaters (3. Jh. v. Chr.). – T. ist das **Tauromenion** des Altertums, das 396 v. Chr. von Griechen gegründet wurde; 212 v. Chr. fiel es an Rom.

Tao-te-ching [-dʒiŋ], Hauptwerk des chines. Daoismus, →Daodejing.

TAP Air Portugal [-eər-], portugies. Luftverkehrsgesellschaft, gegr. 1934.

Tapajós [-ˈʒɔs] *der,* rechter Nebenfluss des Amazonas in Brasilien, entsteht aus zwei Quellflüssen in Mato Grosso, mündet bei Santarém; 650 km lang.

Tapete [grch.] *die,* urspr. aus gewebten Stoffen oder Leder, heute vorwiegend aus Papier hergestellte Wandverkleidung. Billige T. bestehen aus holzschliffhaltigem Papier; für beste T. werden nur gute, holzfreie Papiere verarbeitet. Bei **Leimdruck-T.** sind die Pigmentfarben mit pflanzl. Stärkeleim gebunden, bei abwaschbaren T. bestehen die Druckfarben aus Pigmentmassen und Leinölfirnis **(Öldruck-T.). Raufaser-T.** enthalten in der oberen Schicht eingepresste Fasern, Holzmehl und -späne. T. werden auf speziellen T.-Rotationshochdruckmaschinen, neuerdings auch im Offset-, Flexo-, Durch- und Tiefdruck gefertigt. **Präge-T.** wird auf der Prägemaschine ein Reliefmuster eingeprägt, wobei noch mehrere Farben mitgedruckt werden können. **Linkrusta-T.** tragen auf der Vorderseite eine Kunststoffdeckschicht; sie sind abwaschbar. **Velours-T.** erhalten eine wollige, samtartige Oberfläche durch Bestäuben einer vorgedruckten T.-Bahn mit Kunstfaserflocken. **Kunststoff-T.** sind abwaschbar. Das Rohpapier wird mit einer PVC-Schicht überzogen. Darauf wird auf einer Tiefdruckrotations- oder Flexodruckmaschine das Muster gedruckt und in einem weiteren Arbeitsgang heiß geprägt. Das Muster kann auch allein durch Heißprägung entstehen.

Geschichtliches: Schon das Altertum kannte textile Wandbehänge. Im frühen MA. wurden neben Bildteppichen Stoffbahnen, auf Rahmen befestigt und an Sockel und Decke genagelt, zur Wanddekoration verwendet. Vom 16. bis 18. Jh. waren die aus Spanien importierten Leder-T. gebräuchlich. Handbemalte Papier-T. wurden zuerst in China als Wandschmuck benutzt und schon im 16. Jh. nach Europa eingeführt. Im 18. Jh. waren mit Wachs grundierte Leinwand-T. üblich, die mit Ölfarben bemalt wurden. Mit dem Einsatz von Druckmaschinen begann die industrielle Fertigung von Tapeten. – Das T.-Museum in Kassel besitzt die bedeutendste T.-Sammlung der Erde.

📖 TEYNAC, F. *u. a.: Die T. Raumdekoration aus fünf Jahrhunderten. A. d. Frz. München 1982. – Das*

Taormina: Blick von den Ruinen des griechischen Theaters auf den Ätna; der aus dem 3. Jh. v. Chr. stammende Theaterbau wurde von den Römern im 1. Jh. n. Chr. (mit Ziegelsteinen) umgestaltet

Horst Tappert

dt. Tapetenmuseum Kassel, bearb. v. E. W. Mick. *Neuausg. München u. a. 1984.*

Tapiau, Stadt in Russland, → Gwardeisk.

Tàpies, Antonio, eigtl. A. T. Puig, katalan. Maler und Grafiker, *Barcelona 23. 12. 1923. Seine anfänglich von J. Miró und P. Klee beeinflussten Bilder nutzen Materialstrukturen und stellen eine archaisierte Welt dar. Seine Materialbilder, Skulpturen und Objekte erlangen z. T. myst. Charakter.

Tapioka [Tupí] *die,* → Maniok.

Tapire [Tupí] (Tapiridae), Familie der Unpaarhufer; in Wäldern SO-Asiens, Mittel- und Südamerikas, primitive Säugetiere, mit plumpen, rd. 1,8–2,5 m langem Körper, deren Kopf einen kurzen Rüssel aufweist. Zu den T. gehört u. a. der **Schabracken-T.** (Tapirus indicus) auf Malakka und Sumatra.

Tapisserie [frz., zu tapis »Teppich«] *die,* aus dem Französischen übernommene Bez. für Bildwirkerei, Sammelbegriff für alle in Wirk- oder T.-Technik hergestellten Gewebe. Als Folge der im 20. Jh. von Frankreich ausgehenden neuen Impulse für die Bildwirkerei spricht man bevorzugt bei der modernen Bildwirkerei von T.-Kunst.

Tarant: Blauer Tarant (Höhe bis zu 50 cm)

Tappert [frz.] *der,* vorn geschlossenes oder mit einem Brustschlitz versehenes Obergewand der männl. Tracht im 14./15. Jh., oft gegürtet.

Tappert, 1) Georg, Maler und Graphiker, *Berlin 20. 10. 1880, † ebd. 17. 11. 1957; gründete 1906 eine Kunstschule in Worpswede; Mitbegründer der »Neuen Sezession« in Berlin 1910 und der Novembergruppe 1918, ab 1913 Lehrer an der Kunstschule Berlin, ab 1933 Lehr- und Malverbot. T. malte unter dem Einfluss der Fauvisten v. a. expressive Akte und Figurenbilder, ab 1934 Landschaften.

2) Horst, Schauspieler, *Elberfeld (heute zu Wuppertal) 26. 5. 1923; gestaltete Bühnen- und Filmrollen, seit den 60er-Jahren v. a. beim Fernsehen (Kriminalserie »Derrick«, 1974–97).

Tapti *die,* Fluss in W-Indien, 720 km, kommt aus dem Satpuragebirge, mündet in den Golf von Khambhat.

Tara [italien. aus arab.] *die,* das Gewicht der Verpackung einer Ware. Durch Abzug der T. vom Bruttogewicht ergibt sich das Nettogewicht.

Tarant [italien.] *der* (Swertia), Gattung der Enziangewächse; die einzige einheim. Art ist der stark gefährdete, bis zu 50 cm hohe **Blaue T.** (Swertia perennis) mit meist schmutzig violetten Blüten; in Flachmooren und Sumpfwiesen.

Taranteln: Apulische Tarantel (Länge etwa 3–4 cm)

Tarantella *die,* süditalien. Volkstanz im 6/8- (auch 12/8- oder 3/8-)Takt, von Kastagnetten und Schellentrommel begleitet, in sich steigerndem Tempo getanzt; im 19. Jh. auf die virtuose Instrumentalmusik übertragen.

Taranteln [italien.], zusammenfassende Bez. für verschiedene trop. und subtrop., z. T. giftige Arten bis 5 cm langer Wolfsspinnen; am bekanntesten die **Apulische T.** (Lycosa tarentula), etwa 3–4 cm lang; verbreitet im Mittelmeergebiet; Biss für den Menschen schmerzhaft, aber ungefährlich.

Antonio Tàpies: Gemälde 48 (1956; Privatbesitz)

Taranto, italien. Name der Stadt → Tarent.

Tarascon [taras'kɔ̃], Stadt im Dép. Bouches-du-Rhône, S-Frankreich, am linken Rhoneufer, 11 200 Ew.; Obst- und Weinbau. – Schloss (15. Jh.), Kirche Sainte-Marthe (12.–15. Jahrhundert).

Tarasken, indian. Volk (rd. 95 000), das heute im Gebiet des Pátzcuarosees im Staat Michoacán (Mexiko) lebt, mit isolierter Sprache. Die T. hatten in vorkolumb. Zeit eine eigenständige Kultur und wurden 1522 von den Spaniern ohne Kampf unterworfen.

Tarasp, Kurort in der Schweiz, → Scuol.

Tarawa, Hauptatoll der Gilbertinseln, Kiribati, bestehend aus 15 Inseln (23 km^2), Hauptort: Bairiki.

Tarbeladamm, Erd-Fels-Schüttdamm am Indus, nordwestlich von Islamabad, Pakistan; Kronenlänge 2 470 m, Kronenhöhe 137 m, Basisbreite 800 m, 1978 eingeweiht. Der 80 km lange Stausee hat einen Stauinhalt von 13,7 Mrd. m^3.

Tapire: Schabrackentapir

Tarbes [tarb], Hauptstadt des Dép. Hautes-Pyrénées in SW-Frankreich, am Adour, 50 200 Ew.; Bischofssitz; Ingenieurhochschule; Gerbereien, Lederverarbeitung, Möbelind., Elektromaschinen-, Lokomotiv-, Raketenbau; Flughafen für Lourdes.

Tarbusch *der,* arab. für →Fes.

Tarde [tard], Jean Gabriel, frz. Soziologe und Philosoph, *Sarlat-la-Canéda (Dép. Dordogne) 12. 3. 1834, †Paris 12. 6. 1904; war 1875–94 Richter, ab 1894 Kriminalstatistiker, seit 1900 Prof. für Philosophie der Neuzeit am Collège de France; erklärte die Gesetze psychologisierend aus dem Drang der Individuen zur Imitation.

Tardenoisien [tardnwa'zjɛ̃] *das,* Kulturstufe der →Mittelsteinzeit.

Tardieu [tar'djø], **1)** André, frz. Politiker (Linksrepublikaner), *Paris 22. 9. 1876, †Menton 15. 9. 1945; enger Mitarbeiter von G. Clemenceau, wirkte maßgebend auf die Gestaltung des Versailler Vertrages; war einer der Hauptvertreter der polit. Mitte zw. den Weltkriegen (1926–34 mehrmals Min., 1929/30 und 1932 Ministerpräsident).

2) Jean, Pseud. Daniel Trevoux, frz. Schriftsteller, *Saint-Germain-de-Joux (Dép. Ain) 1. 11. 1903, †Créteil 27. 1. 1995; schrieb Lyrik, Dramen (Sammlung »Kammertheater«, 1955, erweitert 1966), die dem absurden Theater nahe stehen (»Die Liebenden in der Untergrundbahn«, 1954), auch brillante parodist. Texte (»Prof. Froeppel«, 1951) und Essays.

Tarent (italien. Taranto), **1)** Provinz in Apulien, Italien, 2437 km², (1995) 592300 Einwohner.

2) Hauptstadt von 1), 213200 Ew.; Marine-, Handels- und Ind.hafen am Golf von T.; Erzbischofssitz; Nationalmuseum, meteorolog. Observatorium, meereskundl. Inst.; Stahlindustriezentrum, Zementfabrik, Erdölraffinerie u.a. Ind.; Fischerei, Muschelzucht. – Dom (11. Jh., mehrmals umgebaut), Kastell (Neubau 1480 über Vorgängerbauten). – Das grch. **Taras,** im 8. Jh. v.Chr. gegr., wurde im 5. Jh. zur mächtigsten Handelsstadt Großgriechenlands; 123 v.Chr. röm. Kolonie **(Colonia Neptunia).** Seit dem 5. Jh. unter wechselnder Herrschaft, teilte es seit 1282 die Geschichte des Königreichs Neapel.

Target ['tɑːgɪt; engl. »Zielscheibe«] *das, Kern- und Hochenergiephysik:* bei Streuexperimenten das Medium (Festkörper, Flüssigkeit oder Gas), an dem durch Beschuss mit beschleunigten Teilchen Streuung und Umwandlung von Elementarteilchen sowie Kernreaktionen ausgelöst werden.

Târgoviște [tir'goviʃte] (früher Tîrgoviște), Hauptstadt des Kreises Dâmbovița, Rumänien, in der Walachei, am S-Rand der Karpaten, 100000 Ew.; Erdölind., Maschinenbau, Metall-, Nahrungsmittel-, Textilind.; nahebei Erdölfelder. – T., 1394 erstmals erwähnt, war vom Ende des 14. Jh. bis 1659 Residenz der Hospodare der Walachei.

Targum [hebr.] *das,* auch *der,* die Übersetzung der Bibel ins Aramäische.

Târgu Mureș ['tirgu 'mureʃ] (früher Tîrgu Mureș, dt. Neumarkt, ungar. Marosvásárhely), Hauptstadt des Kreises Mureș, Rumänien, an der Maros in Siebenbürgen, 166300 Ew.; Theater mit rumän. und ungar. Abteilung; Maschinenbau, Dünger-, Textil-, Nahrungsmittel- u.a. Industrie.

Tarif [frz. aus arab.] *der,* verbindl. Verzeichnis der Preis- bzw. Gebührensätze für bestimmte Lieferungen oder Leistungen (z.B. Verkehrs-, Strom-, Zoll-T.); auch Kurzbez. für den Tarifvertrag und den Tariflohn.

Tarifa, Hafenstadt in Andalusien, Prov. Cádiz, Spanien, an der schmalsten Stelle der Straße von Gibraltar, 15200 Ew.; Fischfang (Sardinen), Konservenindustrie. – T. hat maur. Gepräge mit Stadtmauer und Burg; südlich der Stadt die Felsinsel **Isla de T.** mit der **Punta Marroquí,** dem südlichsten Punkt Europas.

Tarif|autonomie, die Freiheit der Tarifvertragsparteien, ohne staatl. Einwirkung Verträge über Arbeitsentgelte und -bedingungen abzuschließen; Bestandteil der →Koalitionsfreiheit.

Tarifregister, Verzeichnis von Tarifverträgen, das beim Bundesminister für Arbeit und Sozialordnung und bei den entsprechenden Länderministern geführt wird; enthält Angaben über Abschluss, Änderung und Aufhebung von Tarifverträgen.

Tarifvertrag, der schriftl. Vertrag zw. Arbeitgebern und Gewerkschaften **(T.-Parteien, Tarifpartner)** zur Regelung arbeitsvertragl. Bedingungen (Inhalt, Abschluss und Beendigung von Arbeitsverhältnissen), von Rechten und Pflichten der T.-Parteien sowie zur Regelung von betriebl. und betriebsverfassungsrechtl. Fragen und gemeinsamen Einrichtungen der T.-Parteien. Maßgeblich dafür ist das T.-Gesetz (TVG) i.d.F.v. 25. 8. 1969,

André Tardieu

Jean Tardieu

Tarent 2) Stadtwappen

Tarascon: Das über einer Vorläuferburg errichtete Schloss stammt aus dem 15. Jahrhundert

das seit 1. 7. 1990 auch in den neuen Bundesländern in Kraft ist. Das Recht zum Abschluss eines T. folgt aus der in Art. 9 Abs. 3 GG garantierten Tarifautonomie.

Form und *Inhalt:* T. können nur zw. tariffähigen Parteien vereinbart werden und bedürfen der Schriftform. Tariffähig sind Gewerkschaften, einzelne Arbeitgeber, Arbeitgeberverbände, Handwerksinnungen sowie Spitzenorganisationen. Tritt ein T. außer Kraft, besitzt er für die tarifgebundenen Arbeitgeber und Arbeitnehmer jedoch Nachwirkung, bis ein neuer T. den beendeten Tarifvertrag ablöst. – Inhaltlich unterscheidet man → Manteltarifvertrag (Rahmen-T.) und Lohn-T. Jeder T. enthält zwei wesentl. Teile: die Regelungen der Rechtsbeziehungen der T.-Parteien zueinander (v. a. die Einwirkungspflicht, die gebietet, zur Wahrung der T. anzuhalten und diese durchzuführen) sowie die zentralen Regelungen der arbeitsvertragl. Rechte und Pflichten.

Geltung: Die zahlreichen T. gelten keineswegs ohne weiteres für alle Beschäftigten des betroffenen Bereichs. Vielmehr muss eine T.-Geltung hergestellt werden, und zwar 1) unmittelbar und zwingend wie ein Gesetz, wenn beide T.-Parteien organisiert sind (Tarifbindung kraft Organisationszugehörigkeit); für alle, die nicht organisiert sind, gilt der T. nicht. Waren Arbeitgeber und Arbeitnehmer bei In-Kraft-Treten eines T. tarifgebunden, so bleiben sie es, bis der T. endet; d. h., ein danach erfolgter Austritt aus dem Verbund einer T.-Partei zieht nicht sogleich das Erlöschen der Tarifbindung nach sich (§ 3 Abs. 3 TVG). 2) Der Bundes- und die Länderarbeitsminister können auf Antrag einzelne T. für allgemein verbindlich erklären (Tarifbindung kraft Allgemeinverbindlicherklärung eines T.). 3) Ein T. kann auch Anwendung finden, z. B. wenn er vertraglich vereinbart ist oder im Betrieb allg. angewendet wird (Tarifgeltung kraft einzelarbeitsvertragl. Vereinbarung, betriebl. Übung oder aus Gründen der Gleichbehandlung).

Andrei Tarkowski

Die Vereinbarungen eines T. sind Mindestregelungen, von denen nur zugunsten eines Arbeitnehmers abgewichen werden kann (Günstigkeitsprinzip), im Übrigen nur bei entsprechenden **(Tarif-)Öffnungsklauseln,** die ein Abweichen, bes. durch Betriebsvereinbarungen, zulassen.

In *Österreich* ist der **Kollektivvertrag** im Arbeitsverfassungs-Ges. 1974 (ArbVG) ähnlich geregelt. In der *Schweiz* werden T. **Gesamtarbeitsverträge** (GAV) genannt (Art. 356 ff. OR).

📖 DÄUBLER, W.: *Tarifvertragsrecht. Baden-Baden [3]1993.* – ADOMEIT, K.: *Regelung von Arbeitsbedingungen u. ökonom. Notwendigkeiten. Eine Untersuchung zu aktuellen Fragen des deutschen Tarifrechts. Landsberg a. Lech 1996.*

Tarik ibn Sijad, arab. Feldherr berber. Herkunft, † um 720; setzte 711 von Afrika nach Gibraltar (arab. **Djebel al-Tarik**) über, schlug am 19. 7. 711 bei Jerez de la Frontera die Westgoten unter Roderich und eroberte bis 714 den größten Teil der Iber. Halbinsel.

Tarim *der* (früher Dalimu), längster Fluss Innerasiens, in der Uigur. Autonomen Region Sinkiang, China, 2137 km lang, entsteht aus den Quellflüssen Aksu und Kaschgar (vom Tienschan) sowie Yarkand und Hotan (vom Kunlun Shan), fließt am N-Rand des T.-Beckens, versickert westlich des Lop Nur.

Tarimbecken, Senkungsfeld zw. den Bergketten des Tienschan, Pamir und Kunlun Shan, in der Uigur. Autonomen Region Sinkiang, China, durchschnittlich 1000 m ü. M. gelegen, etwa 975000 km² groß; steppen- und wüstenhaft (Takla-Makan-Wüste, rd. 330000 km²), von Nomaden bewohnt. Ackerbau ist nur in den Randoasen (Kaschgar, Hotan, Yarkand), einst Leitstationen der Seidenstraße, möglich; Erdölförderung; Kernkraftversuchsgelände am Lop Nur.

Tarkowski, Andrei Arsenjewitsch, russ. Filmregisseur, * Sawraschje (Gebiet Iwanowo) 4. 4. 1932, † Paris 29. 12. 1986; Exponent der russ. Filmkunst, verließ 1984 die Sowjetunion; drehte »Iwans Kindheit« (1962), »Solaris« (1971), »Andrej Rubljow« (1966–69), »Spiegel« (1974), »Stalker« (1978), »Nostalghia« (1983), »Opfer« (1986). Seine Gedanken zur Ästhetik und Poetik des Films stellte er in »Die versiegelte Zeit« (1985) zusammen.

Tarn, 1) *der,* Fluss in Südfrankreich, 375 km, entspringt in den Cevennen, durchbricht die Hochflächen der Causses in 400–600 m tief eingeschnittenen Schluchten, den Gorges du T., und mündet bei Moissac in die Garonne.

2) Dép. in Südfrankreich, 5758 km², (1990) 341800 Ew.; Hptst. ist Albi.

Tarn-et-Garonne [tarnegaˈrɔn], Dép. in SW-Frankreich, 3718 km², (1990) 199800 Ew.; Hptst. ist Montauban.

Tarnobrzeg [tarˈnɔbʒɛk], Hauptstadt der Wwschaft T., Polen, an der Weichsel, 50000 Ew.; Zentrum der Schwefelförderung und -verarbeitung. – Ende des 16. Jh. gegründet.

Tarnopol, Stadt in der Ukraine, → Ternopol.

Tarnów [-uf], Hauptstadt der Wwschaft T., Polen, im nördl. Karpatenvorland, an der Mündung der Biała in den Dunajec, 122200 Ew.; Stickstoffwerk, Maschinen-, Motorenbau, Glas-, Holzindustrie. – Rathaus (14./15. Jh.), Kathedrale (um 1400) u. a. Kirchen (15.–18. Jh.); Reste der Stadtmauern (14. Jh.). – 1105 erstmals erwähnt, erhielt um 1330 Magdeburger Stadtrecht.

Tarnowo, bis 1965 Name der bulgar. Stadt → Weliko Tarnowo.

Tarnowskie Góry [- kjɛ ˈguri] (dt. Tarnowitz), Stadt in der Wwschaft Katowice (Kattowitz), Polen, am N-Rand des Oberschles. Ind.gebiets, 73 700 Ew.; Wiege des oberschles. Bergbaus (im 13. Jh. auf Zink und Blei, seit dem 16. Jh. auf Silber); Zinkhütte, Maschinenbau, chem., Leichtind.; Bergbaumuseum. – 1526 Stadtrecht; 1922 kam es zu Polen.

Tarnung, *Biologie:* → Schutztracht.

Taro [polynes.] *der* (Kolokasie, Blattwurz, Zehrwurz, Colocasia), Gattung der Aronstabgewächse im trop. Asien; große Stauden mit meist knollig verdicktem Rhizom, Blütenkolben mit großer Blütenscheide. Von einer überall in den Tropen angebauten Art wird v. a. das bis 4 kg schwere, knollige Rhizom als wichtiger Stärkelieferant (Stärkegehalt zw. 15 und 26 %) genutzt; Verwendung gekocht oder geröstet bzw. zur Mehlherstellung oder als Futtermittel.

Tarock [italien.] *das* oder *der,* Kartenspiel für drei Personen mit der T.-Karte. **Groß-T.** wird mit 78 Karten gespielt: 52 gewöhnl. Blätter, 4 Cavalls (Reiter), 21 T. (Trumpfkarten) und ein Einzelblatt (»Narr«, Skües); **österr. T.** und **Cego** werden mit 54 Blatt der T.-Karte gespielt.

Tarpan [russ.] *der,* Bez. für zwei ausgerottete Unterarten des Prschewalskipferdes.

Tarpeia, *röm. Mythos:* Tochter des Kommandanten auf dem Kapitol, die die Sabiner in die Burg einließ und von ihnen als Verräterin getötet wurde; urspr. wohl etrusk. Totengöttin, deren Heiligtum am **Tarpejischen Felsen,** dem Westabhang des Kapitols, lag. Mörder und Hochverräter wurden bis zum 1. Jh. n. Chr. von diesem Felsen gestürzt.

Tarpune (Tarpone, Elopidae), Familie der Knochenfische, meist Meeresbewohner. Die größte Art ist der rd. 2 m lange **Atlant. T. (Tarpon, Silberfisch, Silberkönig,** Megalops atlanticus).

Tarquinia, Stadt in Latium, Prov. Viterbo, Italien, 14 000 Ew.; Museum mit bed. etrusk. Funden. – Altstadt mit Dom (1656 erneuert), zahlr. Kirchen des 13. Jh., Paläste (13. und 15. Jh.). – Nordöstlich von T. lag das antike **Tarquinii,** führend im etrusk. Zwölfstädtebund, im 3. Jh. v. Chr. von Rom unterworfen, im 8. Jh. n. Chr. von Sarazenen zerstört. Die Felsengrabkammern der Nekropole (u. a. Grab der Auguren, 2. Hälfte des 6. Jh. v. Chr.; Grab der Leoparden, frühes 5. Jh. v. Chr.; Grab der Stiere, 2. Hälfte des 4. Jh. v. Chr.) enthalten Fresken, die zu den Hauptwerken der etrusk. Malerei zählen. Weiteres BILD etruskische Kunst

Tarquinius, nach der Überlieferung zwei Könige Roms aus dem etrusk. Geschlecht der Tarquinier: **1)** Lucius T. Priscus, der Sage nach der fünfte König Roms (616–578 v. Chr.); Vater von 2), Sohn eines Einwanderers aus Korinth.

2) Lucius T. Superbus, der Sage nach der siebte und letzte König Roms (534–509 v. Chr.); Sohn von 1) und Schwiegersohn des Servius Tullius; durch Lucius Junius → Brutus vertrieben.

Tarragona, 1) Provinz in Katalonien, Spanien, 6 303 km^2, (1991) 538 000 Einwohner.

2) Hauptstadt von 1), an der Ostküste, 112 700 Ew.; Erzbischofssitz; Univ.; Erdölraffinerie, chem., Metall verarbeitende, Textil-, Tabak- u. a. Industrie. – Romanisch-got. Kathedrale (12./14. Jh., an der Stelle eines Jupitertempels), Befestigungsmauern aus iber., röm. und arab. Zeit, Ruinen eines röm. Amphitheaters und Prätorenpalastes; nördlich von T. röm. Aquädukt. – T., das iber. **Tarraco,** war die Hptst. der röm. Provinz Hispania Tarraconensis; 714–1117 zum maur. Machtbereich.

Tarrasa, Stadt in Spanien, → Terrassa.

Tarski, Alfred, amerikan. Logiker poln. Herkunft, * Warschau 14. 1. 1901, † Berkeley (Calif.) 26. 10. 1983; schuf mit »Der Wahrheitsbegriff in den formalisierten Sprachen« (1933) die Grundlagen für die log. Semantik; Beiträge zur mathemat. Logik, Mengenlehre, Algebra und Geometrie.

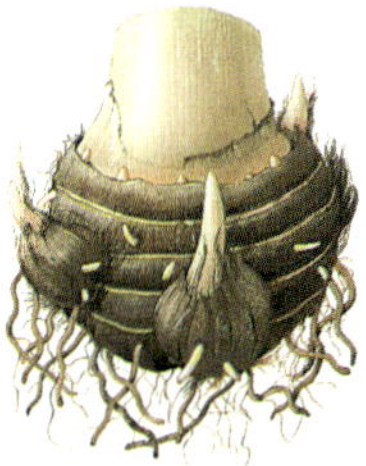

Taro: Rhizom

Tarragona 2) Stadtwappen

Tarquinia: Ausschnitt eines Freskos im Grab der Stiere (2. Hälfte des 4. Jh. v. Chr.)

2 B 15/14 E D C B

Tarsus, Stadt in der Türkei, in der fruchtbaren Ebene von Adana (Baumwollanbau) im W der Cukurova, 191300 Ew. – T. war Hptst. der röm. Provinz Kilikien; Geburtsort des Apostels Paulus.

Tartaren, fälschlich für →Tataren.

Tartaros [grch.] (lat. Tartarus), *grch. Mythos:* ein finsterer Abgrund, tief unter der Unterwelt, in den die olymp. Götter ihre Gegner stürzten.

Tartessos [grch.] (Tarsis), Region und Stadt (?) des Altertums an der span. SW-Küste, im Mündungsgebiet des T. (heute Guadalquivir); Ende des 2. Jt. v. Chr. von Phönikern, im 7. Jh. v. Chr. von Griechen erreicht; bed. wegen seiner Gold-, Kupfer- und Silberexporte sowie des Zinnzwischenhandels mit Britannien und der Bretagne. Die Stadt soll um 500 v. Chr. von den Karthagern zerstört worden sein. T. wurde früher oft mit Atlantis in Zusammenhang gebracht und mit der im A. T. genannten Stadt Tarschisch identifiziert, ihre genaue Lage ist nicht bekannt.

Giuseppe Tartini (Ausschnitt eines zeitgenössischen Gemäldes)

Tartini, Giuseppe, italien. Geiger und Komponist, * Pirano (heute Piran, Istrien) 8. 4. 1692, † Padua 26. 2. 1770; gründete 1728 in Padua eine Musikakademie. Seine Violintechnik (Bogenführung, Doppelgriffe, Triller) wurde Grundlage für das moderne Violinspiel. S. schrieb u. a. etwa 125 Violinkonzerte, 50 Triosonaten, 160 Violinsonaten (darunter die »Teufelstrillersonate« in g-Moll), geistl. Vokalmusik; theoret. Schriften.

Giuseppe Tartini

Wenn man Tartini glauben mag, hat der Teufel selbst ihn zu seiner »Teufelstrillersonate« inspiriert.

Als der Komponist sich 1714 vor den Häschern im Franziskanerkloster von Assisi verbarg (er hatte ein 15-jähriges Mädchen entführt), träumte ihm, er habe seine Seele dem Teufel verkauft. Dafür verlangte Tartini vom Fürsten der Hölle, dass der ihm mit der Geige aufspiele. Der Satan geigte ihm ein Stück, von dessen wilder Schönheit Tartini zutiefst ergriffen war. Wieder aufgewacht, versuchte er die Sonate niederzuschreiben. Er konnte sich zwar nicht an alles erinnern, gleichwohl ist die »Teufelstrillersonate« ein herrliches Bravourstück und – teuflisch schwer zu spielen.

Tartrate, die Salze und Ester der →Weinsäure.

Tartu (dt. Dorpat), Stadt in Estland, 105800 Ew.; neben Reval der wichtigste wirtsch. und kulturelle Mittelpunkt des Landes mit Univ. (1632 als Akademie gegr., seit 1802 Univ.), Landwirtschaftsakademie, botan. Garten; Maschinen- und Apparatebau, Leder- und Textilindustrie. – Roman. Domkirche; nach dem Brand von 1775 Wiederaufbau der Stadt im klassizist. Stil. – Die estn. Siedlung **Tarpatu** wird 1030 in der russ. Chronik als **Jurjew** erwähnt. 1215 vom Schwertbrüderorden erobert und in Dorpat umbenannt, wurde 1224 Bischofssitz; im 13.–16. Jh. bed. Hansestadt. Nach russ. Besetzung 1558 kam T. 1582 unter litauisch-poln., 1625 unter schwed., 1721 unter russ. Herrschaft.

Tartüff, Titelheld einer Komödie Molières (Uraufführung 1664, gedruckt 1669), Prototyp des religiösen Heuchlers.

Tarzan, Hauptfigur von Abenteuerromanen E. R. →Burroughs'; ein im Urwald aufgewachsener, stets siegreicher Dschungelheld; zahlr. Verfilmungen und Comics.

Taschaus (turkmen. Daschchowus), Hauptstadt des Gebiets T. im N Turkmenistans, 112000 Ew.; Baumwollentkernung, Teppich-, Bekleidungs-, Nahrungsmittelindustrie.

Täschelkraut, einige Kreuzblütler mit sehr kurzen (taschenförmigen) Schötchen, z. B. das →Hellerkraut.

Taschenbuch, urspr. ein kleines Buch meist literar. Inhalts, ähnlich dem →Musenalmanach; in Seide, Leder oder Pappe gebunden und mit Kupferstichen und/oder Vignetten illustriert; heute kleinformatiges, preiswertes Buch mit flexiblem Umschlag; in Dtl. nach englisch-amerikan. Muster (Pocketbook) erstmals 1950 eingeführt.

Taschendiebstahl, die Entwendung von Gegenständen aus Taschen oder Kleidungsstücken; als »einfacher Diebstahl« bestraft.

Taschengeld, im Familienrecht Teil des Unterhaltsanspruchs bes. des nicht verdienenden Ehegatten zur Befriedigung persönl. Bedürfnisse (§§ 1360 f. BGB). →Geschäftsfähigkeit

Taschenkrebs, eine Art der →Krabben.

Taschenmäuse (Heteromyidae), zu den →Taschennagern gehörende Familie bis 20 cm großer Nagetiere in Nordamerika.

Taschennager (Geomyoidea), amerikanische Überfamilie der Hörnchenverwandten mit äußeren Backentaschen; zwei Familien: →Taschenratten, →Taschenmäuse.

Taschenratten (Geomyidae), Familie der Taschennager; plumpe, etwa 35 cm lange, an Hamster erinnernde Grabtiere Nord- und Zentralamerikas, mit mächtigen Schneidezähnen, äußeren Backentaschen und kräftigen Krallen.

Taschenrechner, Sammelbez. für Digitalrechner in handl. Größe, ausgestattet mit einer Lumineszenzdioden- (LED-) oder Flüssigkristall- (LCD-)Anzeige, einer Eingabetastatur und einer netzunabhängigen Stromversorgung durch Batterien, Akkumulatoren oder Solarzellen. Die Leistungsfähigkeit von T. reicht von einfachen Geräten für die vier Grundrechenarten mit einem Konstantenspeicherplatz über Geräte mit einer unterschiedlich großen Zahl v. a. mathemat. Funktionen bis zu Geräten mit einem Arbeitsspeicher, die in einer Programmiersprache (meist BASIC) frei programmierbar sind. Darüber hinaus können T. mit

Zusatzeinrichtungen wie Steckplätzen für steckbare Festspeicher (ROM) und/oder Programm-Modulen für spezielle Aufgaben sowie Schnittstellen zum Anschluss an Drucker und/oder zum Koppeln mit Personalcomputern ausgerüstet sein.

Taschenspringer (Känguruhratten, Dipodomys), Gattung nachtaktiver, vorwiegend bräunl. bis dunkelbrauner Taschenmäuse in Nordamerika; Länge etwa 10–20 cm; Schwanz mit pinselartigem Ende.

Taschenspringer (Länge etwa 10–20 cm)

Taschilụmpo, Klosterstadt in Tibet, →Tashilumpo.

Taschkẹnt, Hauptstadt von Usbekistan, am W-Rand des Tienschan in einer Oase, 440–480 m ü. M., 2,12 Mio. Ew.; Usbek. Akademie der Wiss., Univ. (1918 gegr.) und etwa 20 weitere Hochschulen, astronom. Observatorium, Nawoibibliothek, zahlr. Museen und Theater, zoolog. und botan. Garten; versch. Industriezweige (¼ der usbek. Ind.produktion); internat. Handelsmesse; Verkehrsknotenpunkt an der Transkasp. Eisenbahn; Flughafen. – Eine der ältesten Städte Mittelasiens (früher auch **Tschatsch**); gehörte im 9./10. Jh. zum Sassanidenreich, im 14. Jh. von Timur erobert; später zw. usbek., kasach. und buchar. Khanaten umstritten, fiel 1809 an das Khanat Kokand; 1865 von Russland erobert, ab 1867 Hauptstadt des Generalgouv. Turkestan und ab 1930 usbek. Hauptstadt; 1966 durch Erdbeben nahezu vollständig zerstört. – Auf der **Konferenz von T.** (Jan. 1966) vermittelte die UdSSR eine indisch-pakistan. Gewaltverzichtserklärung im Kaschmirkonflikt.

Täschner, Ausbildungsberuf (drei Jahre) der Industrie und des Handwerks (Fein-T.); T. verarbeiten Leder, Kunststoffe u. a. Materialien zu Taschen sowie Galanteriewaren.

Tashilụmpo [-ʃ-] (Taschilumpo), Klosterstadt in Tibet, in der Nähe von Shigatse, Residenz des Pantschen Lama.

Tạsman, Abel Janszoon, niederländ. Seefahrer, *Lutjegast (Provinz Groningen) 1603, †Batavia (heute Jakarta) 10. 10. 1659; entdeckte 1642 Tasmanien und die Südinsel von Neuseeland, 1643 die Tonga- und Fidschiinseln.

Tasmạni|en (engl. Tasmania), Gliedstaat des Austral. Bundes, umfasst die Insel T. mit benachbarten Inseln, durch die Bass-Straße vom Festland getrennt, 67 800 km², (1995) 472 600 Ew.; Hptst. und Haupthafen ist Hobart. T. hat fruchtbare, grasbestandene Hochländer und bewaldete Gebirge (Mount Ossa, 1617 m ü. M.), steile Küsten. Die Bev. ist nach Aussterben der →Tasmanier fast rein brit. Abkunft. Reiche Bodenschätze: Abbau von goldhaltigem Kupfererz, Eisen-, Blei-, Zink-, Wolfram- und Zinnerzen; bed. metallurg. Ind., ferner Nahrungs- und Genussmittelind., Holzverarbeitung; Landwirtschaft v. a. in den Küstenniederungen; bed. Obstbau, daneben Schaf- und Rinderzucht; starke Holznutzung (Papierind.). Fremdenverkehr.

Die 1642 von A. J. Tasman entdeckte Insel hieß bis Mitte des 19. Jh. **Van-Diemen's-Land.** 1803 begann die europ. Besiedlung (z. T. Sträflinge). 1825 wurde das Gebiet verwaltungsmäßig von New South Wales getrennt und bildete eine separate Kolonie. 1853 wurden die Deportationen eingestellt. 1901 trat T. dem Austral. Bund bei.

Tasmạni|er, die seit 1876 ausgestorbenen Ureinwohner Tasmaniens, zu den Australiden gehörend; Wildbeuter.

Tạsmansee, bis 5267 m tiefer Meeresteil des Pazif. Ozeans zw. Australien, Tasmanien und Neuseeland.

Tạssaert [-sa:rt], Jean Pierre Antoine, fläm. Bildhauer, getauft Antwerpen 19. 8. 1727, †Berlin 21. 1. 1788; 1775 von Friedrich II., d. Gr., als Hofbildhauer nach Berlin berufen, wo er Leiter der königl. Bildhauerwerkstatt und Rektor der Akademie wurde. Sein Werk steht an der Wende vom Rokoko zum Klassizismus; sein späterer Realismus war von wesentl. Einfluss auf die Berliner Bildhauerschule. T. war Lehrer von G. Schadow.

Tassili N'Ajjer: Bogenschütze mit Hund, Felsmalerei aus der Rinderperiode, Höhe 26 cm (4./3. Jt. v. Chr.)

Tassili̯ N'Ajjer [-naˈdʒɛr], schluchtenreiches, fast vegetationsloses, extrem wüstenhaftes Bergland nordöstlich des Ahaggar, Algerien, bis 2554 m ü. M.; Fundort zahlr. Felsmalereien und Gravierungen, deren älteste aus der Zeit zw. 10000 und 5000 v. Chr. stammen. Die Felsbilder werden versch. Stilgruppen zugeordnet (Jäger-, Rinder-,

Pferde-, Dromedarperiode); UNESCO-Weltkulturerbe.

Tassilokelch (um 780; Kremsmünster, Schatzkammer des Benediktinerstifts)

Tassilo III., Herzog von Bayern (748–788), *um 741, †Lorsch 11. 12. (frühestens) 794; Agilolfinger, unter dem Verdacht, die Treue gegenüber dem Lehnsherrn verletzt zu haben, wurde er 788 von Karl d. Gr. abgesetzt (lebenslange Klosterhaft), sein Herzogtum dem Frankenreich eingegliedert.

Tassilokelch, der bedeutendste erhaltene Kelch des frühen MA. (um 780), ein Kupfergefäß, geschmückt mit eingekerbter und vergoldeter Ornamentik sowie niellierten Silberplatten; von Tassilo III. dem Benediktinerstift Kremsmünster gestiftet und dort seither aufbewahrt.

Tasso, Torquato, italien. Dichter, *Sorrent 11. 3. 1544, †Rom 25. 4. 1595; kam 1565 an den Hof der Este nach Ferrara (ab 1575 Hofhistoriograph). Dort entstand der größte Teil seiner Werke: das Schäferspiel »Aminta« (Uraufführung 1573, gedruckt 1580), die über 2000 Gedichte (meist Kanzonen und Sonette), v.a. aber sein Hauptwerk, das Epos »Das befreite Jerusalem« (1575, gedruckt 1581), das die heroische Schilderung der Befreiung des Hl. Grabes im 1. Kreuzzug mit zahlr. schmückenden Episoden verbindet. Religiöse Skrupel mündeten

Torquato Tasso: Ausschnitt eines Gemäldes des italienischen Künstlers Alessandro Allori (1590; Florenz, Uffizien)

in eine Selbstanklage T.s vor der Inquisition, zunehmend machte sich geistige Verwirrung bemerkbar, 1579–86 wurde er in einer Irrenanstalt festgehalten. Auf Betreiben des Fürsten Vincenzo I. Gonzaga freigelassen, führte er ein unstetes Wanderleben. Die meisten Werke seiner späten Schaffensperiode haben religiös-moralisierenden Charakter: Er überarbeitete sein Epos, wobei er alle unterhaltsamen Elemente tilgte (»Di Gerusalemme conquistada«, 1593), und schrieb das Schöpfungsepos »Le sette giornate del mondo creato« (entstanden 1592–94, hg. 1607). Von seiner Beschäftigung mit Dichtungstheorie zeugen die Abhandlungen »Discorsi del poema heroico« (1594). T. hinterließ außerdem Tragödien, philosoph. Dialoge und mehr als 1700 Briefe. Seine Dichtung steht am Anfang des literar. Barock. Er selbst ist Mittelpunkt zahlr. Dichtungen, am berühmtesten Goethes Schauspiel »Torquato Tasso« (1790).

📖 REGN, G.: *T. T.s zykl. Liebeslyrik u. die petrarkist. Tradition. Tübingen 1987.* – AURNHAMMER, A.: *T. T. im deutschen Barock. Tübingen 1994.*

Tassoni, Alessandro, italien. Dichter, *Modena 28. 9. 1565, †ebd. 25. 4. 1635; bekämpfte die Petrarca-Nachahmung und den übersteigerten barocken Stil und schuf mit »Der geraubte Eimer« (1622, vollständig 1624) für Italien die Gattung des heroisch-kom. Epos.

Tastatur [italien.] *die,* **1)** *allg.:* die Gesamtheit der Tasten eines Geräts (z.B. Schreibmaschine).

2) *Datenverarbeitung:* Eingabegerät für Computer.

3) *Musikinstrumente:* die →Klaviatur.

Taster, 1) *Elektrotechnik:* (Tastenschalter) Kontaktbauelement zum Schließen oder Unterbrechen elektr. Stromkreise.

2) *Messtechnik:* zirkelähnl. Gerät zum Abtasten, Vergleichen und Übertragen von Maßen. Der Begriff T. wird z.T. in der elektr. Messtechnik auch für Messgrößenaufnehmer verwendet.

3) *Zoologie:* die →Palpen.

Tastlähmung, die →Stereoagnosie.

Tastsinn (Fühlsinn), Fähigkeit, mithilfe spezialisierter →Tastsinnesorgane mechan. Einwirkungen an der Körperoberfläche wahrzunehmen. Mit dem T. nah verwandt sind Druck-, Vibrations- und Strömungssinn.

Tastsinnesorgane (Tastorgane, Fühlorgane, Tangorezeptoren), Sinnesorgane, die bei Tieren und Menschen mechan. Einwirkungen auf den Körper in Form von Berührungsempfindungen (Tastempfindungen) registrieren, v.a. Hautsinnesorgane **(Tastkörperchen).** Sie sind bevorzugt an Stellen lokalisiert, die für die Reizaufnahme entsprechend exponiert liegen, so beim Menschen gehäuft an den Fingerspitzen, bei Tieren v.a. am Kopf bzw. an der Schnauze (als Tasthaare), an den Antennen (Fühlern) oder Tentakeln sowie an den Beinen bzw. Pfoten und an den Flügeln (bei Gliederfüßern). Die T. kommen aber auch weit über den Körper verstreut vor. Die zw. den Zellen der Epidermis vieler Tiere (auch des Menschen) verteilt vorkommenden freien Nervenendigungen sind v.a. Schmerzrezeptoren.

Tat, Die, 1) kulturpolit. Monatsschrift mit religiös-eth. Zielsetzung, gegr. 1909, hg. von Eugen Diederichs (*1867, †1930) mit nationalkonservativer Orientierung, 1929–33 von H. Zehrer als Organ der radikal-konservativen Gemeinschaft des Tatkreises, seit 1933 von Giselher Wirsing (*1907, †1975); 1939–44 fortgesetzt unter dem Titel »Das 20. Jahrhundert«.

2) schweizer. sozialliberale Abendzeitung, erschien seit 1935 (bis 1939 als Wochenzeitschrift, bis

1978 als Tageszeitung) in Zürich; Hg. war der Migros-Genossenschafts-Bund.

TAT [Abk. für engl. **t**hematic **a**pperception **t**est], ein 1935–43 von Henry Alexander Murray (*1893, †1988) entwickelter projektiver Test zur Persönlichkeitsbestimmung: Der Proband soll zu einer Anzahl von Bildern Geschichten erfinden.

Tatabánya ['tɔtɔba:njɔ], Hauptstadt des Bezirks Komárom-Esztergom, N-Ungarn, 74000 Ew.; Zentrum des Braunkohlenbergbaus.

Tatar *das,* fein gehacktes oder geschabtes Rindfleisch, mit Eigelb und Gewürzen roh gegessen.

Tataren (fälschlich Tartaren), Mischvolk in Tatarstan auf der Krim und in Sibirien; aus Mongolen, Türken und Resten anderer Turkvölker sowie Wolgafinnen und Ostslawen entstanden; rd. 6,6 Mio.; urspr. die Bez. für einen Stamm der Mongolen, den Dschingis Khan vernichtete, später Bez. für die Goldene Horde und das aus ihr entstandene Volk.

tatarische Sprache, →Turksprachen.

Tatarstan (russ. Tatarskaja Respublika, Tatarien), Teilrep. der Russ. Föderation, am Samaraer Stausee der mittleren Wolga und unteren Kama, 68000 km², (1995) 3,75 Mio. Ew. (48,5% Tataren, 43,3% Russen, 3,7% Tschuwaschen, 0,9% Ukrainer); Hptst.: Kasan; Erdöl- und Erdgasförderung und deren Verarbeitung, Maschinen-, Lkw-Bau, Leicht- und Nahrungsmittelind.; 54% der Fläche sind Ackerland (bes. Getreide-, Futterpflanzenanbau); Rinder-, Pelztierzucht. Relativ gut ausgebautes Verkehrsnetz.

Tatauierung, →Tätowierung.

Tatbestand, 1) *Strafrecht:* als **Straf-T.** die Gesamtheit der Merkmale einer gesetzl. Deliktsbeschreibung in einer Norm, für die eine möglichst genaue Bestimmtheit erforderlich ist. Der **äußere T. (objektive T.)** umfasst alle äußerlich wahrnehmbaren Merkmale der Tat, der **innere T. (subjektive T.)** die dem äußeren Geschehen zugrunde liegenden seel. Vorgänge im Täter (z.B. den Tatvorsatz). Der T. hat insoweit eine rechtsstaatl. Garantiefunktion zugunsten des Täters, als eine Tat nur bestraft werden kann, wenn ihre Strafbarkeit bereits vor Begehung der Tat in einem gesetzl. T. bestimmt war (Grundsatz »nulla poena sine lege«). Einzelne Elemente des T.s nennt man **T.-Merkmale.** Über T.-Irrtum →Irrtum.

2) *Zivilprozessrecht:* gedrängte Darstellung des Sach- und Streitstandes im Urteil aufgrund der mündl. Verhandlung und der Akten.

Tate [teɪt], Allen, amerikan. Schriftsteller und Kritiker, *Winchester (Ky.) 19. 11. 1899, †Nashville (Tenn.) 9. 2. 1979; bildete mit J. C. Ransom den Kern der konservativen literar. Bewegung der »Fugitives«, einer Gruppe konservativer Schriftsteller des amerikan. Südens (→New Criticism); schrieb Essays, religiöse Lyrik, den Roman »Die Väter« (1938).

Tate Gallery ['teɪt 'gælərɪ], Museum für internat. moderne und für engl. Kunst in London, als Stiftung (1892) des brit. Fabrikanten Sir Henry Tate (*1819, †1899) 1897 eröffnet, mehrfach erweitert; seit 1988 Dependance in Liverpool.

Tateinheit, *Strafrecht:* die →Idealkonkurrenz.

Taten [türk. »Fremde«], Volksgruppe in N-Iran (rd. 220000 schiit. T.), im südl. Dagestan sowie im nördl. und zentralen Aserbaidschan (etwa 22000; z.T. Juden, z.T. Christen).

Alessandro Tassoni (zeitgenössischer Kupferstich)

Täter, *Strafrecht:* derjenige, der die Tat selbst (eigenhändige, unmittelbare Täterschaft) oder durch einen anderen (mittelbare Täterschaft) oder mit einem anderen gemeinschaftlich (→Mittäterschaft) begeht (§25 StGB). Der mittelbare T. benutzt zur Verwirklichung eines Verbrechenstatbestandes einen anderen, der z.B. wegen Schuldunfähigkeit nicht als T. verantwortlich gemacht werden kann. Vom Teilnehmer (→Anstiftung, →Beihilfe) unterscheidet sich der T. dadurch, dass er die Tat selber begehen will, während jener nur an einer fremden Tat mitwirken will (→Teilnahme).

Täter-Opfer-Ausgleich, die im Strafrecht geschaffene Möglichkeit, dass der Täter nach der Tat zu einem »Ausgleich« mit dem Opfer kommt, z.B. durch freiwillige Ersatzleistungen. Die Idee des T.-O.-A. stellt den Strafanspruch des Staates gegen den Täter zurück, um den durch die Tat gestörten Rechtsfrieden zugunsten einer die Wiedergutmachungsbelange des Opfers betonenden Sichtweise wiederherzustellen (§10 Abs. 1 Satz 3 Nr. 7 Jugendgerichts-Ges., §46a StGB).

Jacques Tati

Tati, Jacques, eigtl. J. Tatischeff, frz. Filmschauspieler und -regisseur, *Pecq (Dép. Yvelines) 9. 10. 1907, †Paris 4. 11. 1982; setzte die kom. Pantomime im Tonfilm ein. – *Filme:* Die Ferien des Herrn Hulot (1951); Mein Onkel (1958); Tatis herrliche Zeiten (»Playtime«, 1967); Trafic (1971).

Tatian, frühchristl. Apologet und Theologe, *in Mesopotamien um 120; Schüler des christl. Philosophen und Märtyrers Justin in Rom; wirkte nach 172 in Syrien oder Mesopotamien, beeinflusste die christlich-asket. Bewegung der Enkratiten; verfasste eine →Evangelienharmonie (»Diatessaron«), die in den Kirchen des östl. Syrien bis ins 5. Jh. in Gebrauch war. Eine spätere lat. Übersetzung bildete die Textgrundlage der 830 von Hrabanus Maurus im Kloster Fulda angeregten ahd. Übersetzung, die zu den großen Frühwerken der dt. Literatur gehört.

tätige Reue, *Strafrecht:* →Versuch.

Tatlin, Wladimir Jewgrafowitsch, russ. Künstler, *Moskau 28. 12. 1885, †ebd. 31. 5. 1953; Mitbegründer und Theoretiker des →Konstruktivismus; ab 1913 entstanden »Kontra-Reliefs«, seit 1915 drei-

Edward L. Tatum

Henry Taube

dimensionale Konstruktionen, die er an der Wand, auch übereck (»Eck-Kontra-Reliefs«), anbrachte; schließlich wurde er zum Vorkämpfer einer »Ingenieurkunst«, die in dem nicht ausgeführten »Monument für die III. Internationale« (1919/20; Modell rekonstruiert), einem drehbaren Kongressgebäude, gipfelte. Weiteres BILD Konstruktivismus

Tatmehrheit, *Strafrecht:* die →Realkonkurrenz.

Tatort, Ort, an dem eine Straftat begangen wurde bzw. an dem der strafbare Erfolg eingetreten ist (§ 9 StGB); maßgebend für den Gerichtsstand (§ 7 StPO).

Tätowierung (Tatauierung) [von tahitisch ta tatau »schlagen«] *die,* Musterung der menschl. Haut durch Einbrennen, -ritzen oder -stechen und das Einbringen von Farbstoff. Bei Naturvölkern als Schmuck-, Stammes- oder Standesabzeichen, auch als mag. Schutzmittel verbreitet.

Tatra *die* (slowak. und poln. Tatry), höchster Teil der Karpaten zw. Waag und Dunajec und deren Zuflüssen Arva und Popper. Die T. wird gegliedert in die **Westl. T.** (slowak. **Západné Tatry,** früher auch Liptauer T., slowak. Liptovské Tatry) und die eigentl. **Hohe T.** (slowak. Vysoké Tatry, poln. Tatry Wysokie), ein mächtiger Gebirgsstock aus Granit, der schroff aus dem Zipser Becken im S und ebenfalls steil aus dem Neumarkter Becken im N aufsteigt, mit scharfgratigen Gipfeln (Gerlsdorfer Spitze 2655 m ü. M.) sowie zahlr. Seen, hier Meeraugen genannt. Nordöstlich vorgelagert ist die **Belaer T.** (slowak. Belanské Tatry). Über den Kamm der Hohen T. verläuft die Grenze zw. Polen und der Slowakei. Den S-Rand des Liptauer und Zipser Beckens bildet die **Niedere Tatra** (slowak. Nízke Tatry; Dumbier 2045 m ü. M.) als Mittelgebirge. Die T. ist ein bed. Fremdenverkehrsgebiet (Nationalparks).

Tattersall [nach dem engl. Trainer Richard Tattersall, *1724, †1795, der die erste Reitschule und Pferdebörse mit Wettbüro gründete] *der,* Reithalle mit Reitschule; Unterricht auf zur Verfügung gestellten Pferden.

15. Tätowierung

ist in außereuropäischen Kulturen weit verbreitet. Besonders in Afrika findet sich die Narbentätowierung, bei der die Schmuckformen durch wiederholtes Verunreinigen der Wunden und Abreißen des Schorfs oder durch Einbrennen entstehen. Meist haben die Zeichen und Bilder magische Bedeutung oder symbolisieren die Aufnahme Jugendlicher in den Kreis der Erwachsenen. Dagegen erzählen die hauptsächlich in Ost- und Südostasien sowie in Ozeanien (aber auch regional in Amerika) verbreiteten Stichtätowierungen komplexe Geschichten, zeugen von gesellschaftlichem Rang oder heroischen Taten. Die Kunst des Hautstichs war v. a. in Polynesien und Japan hoch entwickelt. Seeleute machten sie in Europa bekannt.

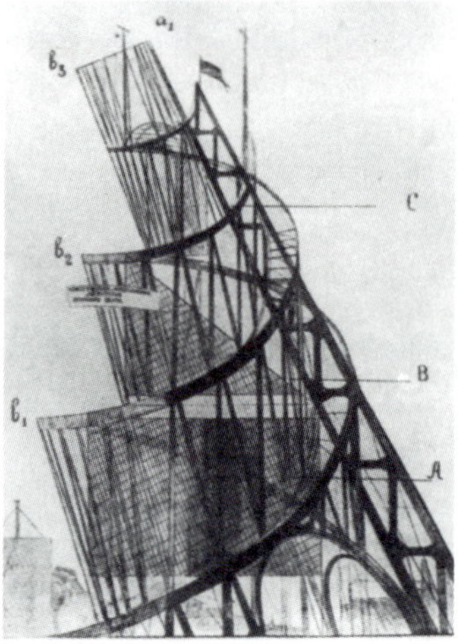
Wladimir Jewgrafowitsch Tatlin: Skizze des »Monuments für die III. Internationale« (1919/20)

Tatum ['teɪtəm], Edward Lawrie, amerikan. Biochemiker und Genetiker, *Boulder (Colo.) 14. 12. 1909, †New York 5. 11. 1975; entdeckte, dass bestimmte Vorgänge beim Aufbau der Zelle durch Gene reguliert werden; erhielt hierfür 1958 mit G. W. Beadle und J. Lederberg den Nobelpreis für Physiologie oder Medizin.

Tatung, Stadt in China, →Datong.

Tatverdacht, die Vermutung, dass jemand eine Straftat begangen hat. **Dringender T.** ist Voraussetzung der Untersuchungshaft (→Haft). Er besteht, wenn nach dem Stand der Ermittlungen die Wahrscheinlichkeit groß ist, dass der Verfolgte sich strafbar gemacht hat. **Hinreichender T.** ist erforderlich und ausreichend für die Eröffnung des Hauptverfahrens (→Strafprozess) gegen den Beschuldigten. Dies setzt die Wahrscheinlichkeit einer späteren Verurteilung voraus.

Tatzelwurm, bair.-österr. Bez. für →Drache.

Tatzmannsdorf, Bad, →Bad Tatzmannsdorf.

Tau [grch.] *das,* **1)** Τ, τ, der 19. Buchstabe des grch. Alphabets.

2) τ, physikal. Symbol für das →Tauteilchen.

Tau, →Seil.

Tau, Wasserniederschlag aus Wasserdampf, der in der Luft enthalten ist, bei Abkühlung von Luft und bodennahen Objekten (bes. nachts) unter den T.-Punkt.

Tau, Max, Schriftsteller, *Beuthen (heute Bytom) 19. 1. 1897, †Oslo 13. 3. 1976; emigrierte 1938 nach Norwegen; seit 1945 Cheflektor in Oslo; stellte sein Werk in den Dienst von Humanität und Völkerversöhnung (»Glaube an den Menschen«, R., 1948; »Denn über uns ist der Himmel«, R., 1955; »Trotz allem! Lebenserinnerungen aus 70 Jahren«, 1973); 1950 erster Preisträger des Friedenspreises des Dt. Buchhandels.

Taube (Columba), *Astronomie:* Sternbild des südl. Himmels.

Taube [tɔ:b], Henry, amerikan. Chemiker kanad. Herkunft, *Neudorf (Prov. Saskatchewan) 30. 11. 1915; arbeitete u. a. über Komplexionen und Koordinationschemie sowie über die Elektronenübertragung bei chem. Reaktionen, bes. bei der Bildung von Metallkomplexen. Hierfür erhielt er 1983 den Nobelpreis für Chemie.

Richard Tauber (um 1928)

Tauben (Columbidae), fast weltweit verbreitete Vogelfamilie mit kleinem rundl. Kopf und schmalem, am Grunde von einer Wachshaut bedecktem Schnabel. Die zwei Jungen (Nesthocker) werden anfangs mit einer schleimigen Absonderung der Kropfwand (Kropfmilch) ernährt. In Eurasien verbreitet sind die **Felsen-T.** (Columba livia) in vegetationsarmen Felslandschaften, in Wäldern die **Ringel-T.** (Columba palumbus) mit weißen Flecken an den Halsseiten, die blaugraue **Hohl-T.** (Columba oenas) sowie die **Turtel-T.** (Streptopelia turtur). In Städten auf Bäumen lebt die **Türken-T.** (Streptopelia decaocto).

T.-Rassen: Die urspr. aus der Felsen-T. gezüchteten Haus-T. werden in Europa als Hobby (v. a. als →Brieftauben) und zur Fleischgewinnung gehalten, z. B. die **Feld-T.,** die erste, der Felsen-T. noch sehr ähnl. Haustaubenrasse. Die später gezüchteten T.-Rassen werden nach äußeren Merkmalen und besonderen Nutzungseigenschaften in (je nach Autor versch.) Gruppen eingeteilt, u. a. Farben-T., Trommel-T., Formen-T., Huhn-T., King-T., Riesen-T., Römer-T., Struktur-T. und Warzen-T. Manche T.-Rassen neigen zur Verwilderung und haben sich mit Wild-T. vermischt. So sind die weltweit zu einer lästigen Plage gewordenen halb wilden **Stadt-T.** entstanden.

Kulturgeschichte: Im Altertum war die Taube dem Kult von Fruchtbarkeitsgöttinnen (Ischtar, Aphrodite) verbunden; sie gilt als Seelentier (→Seele); in der Bibel ist sie Opfergabe (seit Abraham), Sinnbild des Friedens (Noah), im N. T. Symbol des Heiligen Geistes. Seit dem 17. Jh. ist die T. mit dem Ölzweig polit. Friedenssymbol. In der Dichtung ist die T. Bild der Fruchtbarkeit, Gattenliebe und -treue (Turteltauben).

Max Tau: Filzstiftzeichnung (1970)

📖 Rösler, G.: *Die Wildtauben der Erde. Freileben, Haltung u. Zucht. Alfeld* ^{2}*1996.*

Taubenkropf, 1) (Hühnerbiss, Cucubalus), Gattung der Nelkengewächse mit der einzigen Art Cucubalus baccifer in Auenwäldern des gemäßigten Eurasiens; Staude mit grünlich weißen Blüten mit bauchigem Kelch und schwarzen Beerenfrüchten.

2) das Gemeine →Leimkraut.

Taubenschwänzchen (Taubenschwanz, Macroglossum stellatarum), eurasiat. tagaktiver, 4,5 cm spannender Wanderfalter (Schwärmer) mit dunklem Haarbusch am Hinterleibsende.

Taubensport, Wettfliegen von Brieftauben, die Zielstreckenflüge mit Tagesleistungen von 800 bis zu 1000 km (bei 60 km/h Durchschnitt) zurücklegen. Die Tauben werden von den Züchtern gemeinsam aufgelassen und fliegen zum Heimatschlag.

Taubenvögel (Columbiformes), Ordnung der Vögel, umfasst die Familien der →Dronten und der →Tauben; manche Zoologen ordnen auch die Flughühner den T. zu.

Taubenzecke (Argas reflexus), in voll gesogenem Zustand bis etwa 9 mm große, braune Lederzecke; saugt Blut vorwiegend an Tauben und Hausgeflügel, bei Nahrungsmangel auch am Menschen (kann Hautentzündungen, aber auch Kreislaufstörungen, Fieber und Allergien hervorrufen).

Tauber *die,* linker Nebenfluss des Mains, in Bayern und Bad.-Württ., 120 km lang, entspringt am Westfuß der Frankenhöhe, bildet zw. Rothenburg und Tauberbischofsheim ein steilwandig in die unterfränk. Muschelkalkplatte eingeschnittenes Tal mit Wein- und Obstbau **(T.-Grund),** mündet bei Wertheim.

Tauber, Richard, österr. Sänger (Tenor), *Linz 16. 5. 1891, †London 8. 1. 1948; erwarb Weltruf als lyr. Tenor, anfangs bes. als Mozart-Interpret, später auch in Operetten (bes. von F. Lehár) und Tonfilmen; emigrierte 1933 nach Österreich, 1938 nach Großbritannien (seit 1940 brit. Staatsbürger).

Tauben (von oben): Felsentaube, Ringeltaube und Turteltaube

Tauber-bischofsheim Stadtwappen

Tauberbischofsheim, Kreisstadt des Main-Tauber-Kreises, Bad.-Württ., 12 600 Ew.; Herstellung von Schulmöbeln, Bau von Holzbearbeitungsmaschinen und Transportgeräten, Textilind., Brauerei. – Ehem. kurmainz. Schloss (15./16. Jh., heute Museum). – Das 978 erstmals erwähnte T. wurde vermutlich zw. 1265 und 1285 Stadt.

Taubheit (Gehörlosigkeit), angeborener oder erworbener, völliger oder teilweiser Verlust des Hörvermögens. **Absolute T.** (Anakusis, Kophosis, Surditas) besteht bei einem Hörverlust für alle Schallreize, **prakt. T.** bei Einschränkung des Hörvermögens auf sehr laute Geräusche von mehr als 70 dB. Bei **angeborener T.** bleibt die normale Sprachentwicklung aus, und es kommt (ebenso wie bei Verlust des Hörvermögens vor dem achten Lebensjahr) zur →Taubstummheit. Bei den später erworbenen Formen der T. handelt es sich meist um eine Schädigung des Innenohrs oder der Hörbahnen als Folge einer Gehirnentzündung (z.B. durch Poliomyelitis-, Masern-, Mumps-, Diphtherieinfektionen). Der Grad der T. kann mithilfe eines Audiogramms überprüft werden. (→Hörgeschädigtenpädagogik)

Taubnessel: Purpurrote Taubnessel (Höhe 10–30 cm)

Täublinge (Russula), Gattung der Blätterpilze mit oft lebhaft gefärbten Hüten, hellen, sehr brüchigen Blättern (Lamellen) und Stielen. Roh mild schmeckende Arten sind essbar, z.B. der **Fleischrote Speise-T.** (Russula vesca); giftig ist der **Kirschrote Spei-T.** (Russula emetica) mit 3–8 cm breitem, meist kirschrotem Hut und reinweißen Lamellen.

Täublinge: Der auch roh essbare Fleischrote Speisetäubling kommt in Eichen- und Buchenwäldern vor

Taubnessel (Bienensaug, Lamium), Gattung der Lippenblütler in Europa, N-Afrika und der gemäßigten Zone Asiens; nesselblättrige, nicht brennende, locker behaarte Kräuter. Die **Purpurrote T.** (Lamium purpureum) hat z.T. rotviolette, bis 2 cm lange Blätter und purpurrote Blüten; die **Gefleckte T.** (Lamium maculatum), mit Ausläufern, bis 0,6 m hoch, hat karminrote, an der Unterlippe gefleckte Blüten; die **Weiße T.** (Lamium album) hat weiße, die **Gelbe T.** (**Goldnessel,** Lamium galeobdolon) gelbe Blüten.

Taubstummheit (Surdomutitas), das Ausbleiben der normalen Sprachentwicklung (oder Sprachverlust) bei intaktem Sprechapparat infolge in früher Kindheit erworbener oder angeborener Taubheit oder hochgradiger Schwerhörigkeit.

Taubwaran (Lanthonotus borneensis), sumpfbewohnende, bis 43 cm lange Echse auf Borneo, ohne äußere Ohröffnung.

Taucha, Stadt im Kr. Leipziger Land, Sachsen, 13 600 Ew.; Pumpen-, Bodenbearbeitungsgerätebau, Futtermittelwerk. – 979 erstmals genannt, um 1170 Stadtrecht.

Tauch|enten, Gruppe der →Enten, die ihre Nahrung beim Tauchen aufnehmen, u.a. die **Tafelente** (Aythya ferina), Kopf und Hals beim Männchen im Prachtkleid rostbraun.

Taucher (Tauchvögel), ungenaue Bez. für die →Seetaucher und →Lappentaucher.

Taucherkrankheit, die →Druckluftkrankheit.

Tauchgeräte, Geräte, die einen längeren Aufenthalt von Menschen (Tauchern) unter Wasser durch Versorgung mit Atemluft (Sauerstoffgeräte), Verringerung des Auftriebs, Schutz vor dem mit der Wassertiefe zunehmenden Druck (1,013 bar je 10 m) und der abnehmenden Wassertemperatur ermöglichen. Oberflächenabhängige T. (nur für Spezialaufgaben eingesetzt) sind durch Leinen oder Schläuche mit einem Stützpunkt über der Wasseroberfläche verbunden, z.B. **Helm-T.** und **Panzer-T.** Letztere sind druckfeste Metallrüstungen mit bewegl. Segmenten für Arme und Beine, in denen sich der Taucher unter normalem Luftdruck (Vorteil: keine Dekompressionszeiten erforderlich) in größeren Tiefen (bis 450 m) aufhalten kann. Das Atemgas wird mitgeführten Druckluftflaschen entnommen. Mit einem Kabel wird der Panzertaucher ins Wasser gelassen und nach dem Einsatz wieder an die Wasseroberfläche gezogen. – Die beim Sport- und Berufstauchen gebräuchlichsten Atemgeräte sind oberflächenunabhängige Tanks **(Druckluftgeräte),** in denen der Taucher die Atemluft (auf dem Rücken) mitführt (unter einem Druck von 200–300 bar in Druckluftflaschen bis 20 l Inhalt). Mithilfe eines an das Flaschenventil angeschlossenen Atemreglers **(Lungenautomat)** erhält der Taucher bei jedem Atemzug eine entsprechende Menge Luft mit dem der Tauchtiefe angepassten Druck.

📖 BARTMANN, H.: *T. Leichttauchgeräte, Helmtauchgeräte, Schnellrettungsgeräte, Kreislaufgeräte.* *Landsberg a. Lech 1993.* – LETTNIN, H. K. J.: *Tauchen mit Mischgas. Theorie, Technik, Anwendung.* *Berlin u. a.* ^{2}*1994.*

Tauchsport (Sporttauchen), Aufenthalt unter sportl. Gesichtspunkten im und unter Wasser bei Verwendung von Schwimmflossen, Brillenmaske und Schnorchel oder leichten Tauchgeräten; auch zur Beobachtung von Meerestieren und -pflanzen. Der T. umfasst wettkampfmäßig a) **Flossenschwimmen** in Schwimmbecken von 50 bis 1500 m sowie bis 8000 im Freiwasser (Einzel- und Staffelwettbewerbe); b) **Streckentauchen** in Schwimmbecken von 50 m (ohne Tauchgerät) bis 800 m (mit Tauchgerät; Einzelwettbewerbe); c) **Orientierungstauchen** von 600 bis 750 m mit oder ohne Orientierungspunkte, Lösen von Orientierungsaufgaben mit Kompass und Meterzähler, z. T. Kälteschutz (jeweils Einzel- und Mannschaftswettbewerbe); d) Unterwasserrugby. Es finden Europa- und Weltmeisterschaften statt.

Tauchvögel, →Taucher.

Tauern, 1) Hohe Tauern *Pl.,* Gebirgskette der Ostalpen, setzt sich aus der Venediger-, Granatspitz-, Glockner-, Sonnblick-, Ankogel- und Hafnergruppe zusammen; höchste Erhebung ist der Großglockner (3797 m ü. M.).

2) Niedere Tauern *Pl.,* nordöstl. Fortsetzung der Hohen T. zw. oberer Enns und oberer Mur; im Hochgolling 2863 m ü. M.; in den eiszeitl. Karen liegen viele kleine Hochseen.

3) *der,* Name einiger unvergletscherter Passübergänge in den Hohen T. und den Niederen T., Österreich: z. B. Krimmler T. (2634 m), Felber T. (2545 m), Radstädter Tauern (1739 m ü. M.).

Tauernautobahn, Autobahn zw. Salzburg und Villach, Österreich, 188 km, durchquert den Alpenhauptkamm (Niedere Tauern) im 6,4 km langen Tauerntunnel (1340 m ü. M.) und im 5,4 km langen Katschbergtunnel (1194 m ü. M.). ÜBERSICHT Alpenstraßen

Tauernbahn, 83 km lange, größtenteils eingleisige Gebirgsbahn in Österreich auf der Strecke Salzburg–Triest, zw. Schwarzach im Pongau und Spittal an der Drau, erbaut 1901–09, durchquert die Hohen Tauern im Tauerntunnel (8,6 km) zw. Böckstein bei Badgastein und Mallnitz (Kfz-Verladung).

Taufbecken (Taufbrunnen, Taufstein), ein Becken aus Stein, Metall oder Holz für das Taufwasser (→Taufe). T. wurden (bis auf wenige Ausnahmen) seit dem 11. Jh. in den Kirchen aufgestellt, als die Taufe nicht mehr in eigens für die T. gebauten Taufkirchen vollzogen wurde (→Baptisterium). Das T. hatte schon in roman. Zeit versch. Formen (runder oder polygonaler Kessel, Kelch, Schale) mit ornamentalem oder figürl. Schmuck, der sich auf den Taufritus bezieht. Die Gotik bevorzugte T. aus Bronze, auch aus Zinn. Ein Hauptwerk der italien. Renaissance ist der Taufbrunnen im Baptisterium in Siena (1419 ff.). Heute werden v. a. Taufschalen aus Edelmetallen verwendet. BILD S. 26

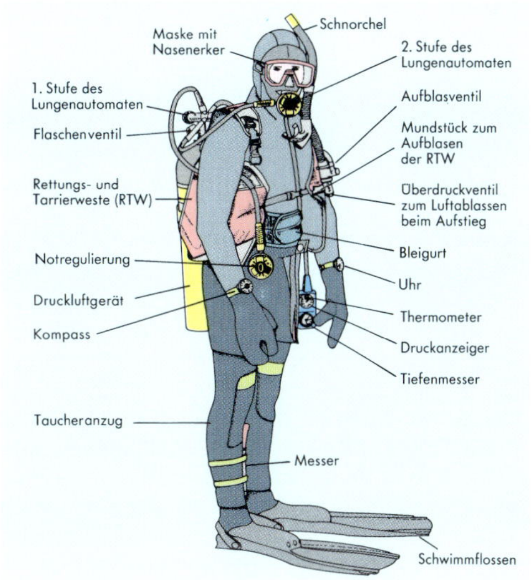

Tauchsport: Tauchausrüstung eines Sporttauchers

Taufe, der allen christl. Kirchen und Gemeinschaften gemeinsame Ritus der Aufnahme in die christl. Gemeinde (Kirche); theologisch als →Sakrament verstanden, durch das die Sünden (nach kath. Lehre auch die →Erbsünde) getilgt, der Hl. Geist empfangen und der **Täufling** in die besondere, unauflösbare Gemeinschaft mit Gott hineingenommen wird; im Rahmen der Taufliturgie unter Namensnennung, Fürbitte, Gebet, Glaubensbekenntnis und trinitar. Taufformel in der frühen Kirche und heute in den Ostkirchen durch dreimaliges Untertauchen des Körpers (Submersions-T.) oder dreimaliges Übergießen des im Taufbecken stehenden Täuflings (Immersions-T.) vollzogen; in den abendländ. Kirchen (mit Ausnahme der Baptisten) durch dreimaliges Begießen des Kopfes (Infusions-T.). Die T. hat ihren Ursprung in der von Jesus als Zeichen der Umkehr angesichts des (nahen) Gerichts Gottes bejahten jüd. Taufbewegung (→Johannes der Täufer), an die die urchristl. Taufpraxis unter Berufung auf die (historisch nicht verifizierbare) Tauftätigkeit Jesu (Joh. 3, 22) und seinen **»Taufbefehl«** (Mt. 28, 19) anknüpfte. Die älteste erhaltene Taufliturgie findet sich in der →Didache. In der frühen Kirche wurde die T. nach vorangegangenem **Taufunterricht** (→Katechese) als **Erwachsenen-T.** vollzogen; seit dem 3. Jh. setzte sich zunehmend, heute mit Ausnahme weniger Gemeinschaften (z. B. Baptisten, Mennoniten) ausschließlich die **Kind-** oder **Säuglings-T.** durch. Die T. ist unwiederholbar. Sie wird i. d. R. von den Geistlichen gespendet, kann jedoch in Ausnahmesituationen auch von (getauften oder ungetauften) Laien gespendet werden **(Nottaufe).**

Tauchenten: Tafelente, Männchen (Größe etwa 46 cm)

Taufliegen: Kleine Essigfliege (Körperlänge etwa 2 mm)

Täufer, die spiritualist. (→Spiritualismus), in ihren einzelnen Ausprägungen unterschiedl. (Neben-)Strömung der Reformation. Die T. verstanden sich als evang. Bewegung und erstrebten die Wiederherstellung des wahren Christentums, dessen wesentl. Grundlage sie in einer gerechten Sozialordnung sahen. In der Taufe sahen sie den bewussten individuellen Bekenntnisakt zum christl. Glauben, in der christl. Gemeinde den freiwilligen Zusammenschluss mündiger Christen. Sie verwarfen die Kindtaufe und erkannten nur die Erwachsenentaufe (Glaubenstaufe) an, deshalb polemisch **Wiedertäufer (Anabaptisten)** genannt. Die ersten T.-Gemeinden entstanden unabhängig voneinander in der Nordschweiz (1525 Zürich) und in Mittel-Dtl. T. Müntzer nahm chiliastisch-sozialrevolutionäre Vorstellungen des Täufertums auf, Johann Bockelson (*1509, †1536) und B. Knipperdolling versuchten diese im T.-Reich von Münster (1534/35) zu realisieren. Die sich seit dem 16. Jh. bildenden T.-Gemeinschaften (z.B. →Mennoniten, Hutterer) wurden von Anfang an oft grausam verfolgt; zur Auswanderung gezwungen, ließen sie sich v.a. in Nordamerika und Russland nieder, wo sich das Täufertum bis heute erhalten hat.

📖 Goertz, H. J.: *Die T. Geschichte u. Deutung.* *München ²1988.* – Staeck, F. u. Welsch, C.: *Ketzer, T., Utopisten. Pfaffenweiler 1991.*

Taufbecken: Bronzetaufbecken in der spätromanischen Pfarrkirche in Gadebusch (1450)

Tauferer Tal (italien. Valle di Tures), →Pustertal.

Taufgelöbnisse, formelhafte Glaubensbekenntnisse, verbunden mit der Absage an den Teufel oder den alten (»heidn.«) Glauben, die bei der Taufe gesprochen wurden. Sie gehören zu den ältesten erhaltenen dt. Sprachdenkmälern (zwei altsächsische, ein fränkisches T. aus dem 8./9. Jahrhundert).

Taufkirche, →Baptisterium.

Tau|fliegen (Essigfliegen, Drosophiidae), weltweit verbreitete Familie 1–5 mm langer Fliegen; Körper meist gelblich oder rötlich braun, häufig rotäugig; leben bes. in der Nähe faulender und gärender Stoffe (v.a. von Früchten). Die bekannteste Art ist die **Kleine Essigfliege** (Drosophila melanogaster; etwa 2 mm lang); Versuchstier für genet. Forschungen.

Tauglichkeit, *Wehrdienst:* bei der Bundeswehr Einteilung in wehrdienstfähig, vorübergehend nicht wehrdienstfähig, nicht wehrdienstfähig.

Tauler, Johannes, Mystiker, *Straßburg um 1300, †ebd. 16. 6. 1361; Dominikaner, Prediger und Seelsorger in Straßburg, Köln und Basel, Schüler Meister Eckharts, Vertreter einer praktisch-ethisch und willensmäßig bestimmten Mystik. Als echte Werke T.s gelten nur seine etwa 80 Predigten und einige Briefe.

Taumelkäfer (Drehkäfer, Gyrinidae), eine Familie der Käfer, →Schwimmkäfer.

Taumelscheibe, *Technik:* runde Scheibe, deren Ebene schräg zu ihrer Drehachse steht. In Kolbenmaschinen vollzieht ein auf der T. gleitender, parallel zur Drehachse geführter Kolben bei der Drehung der T. eine Hubbewegung. T. werden in Axialkolbenpumpen und -motoren von hydrostat. Antrieben verwendet.

Taunton ['tɔːntən], Hauptstadt der Cty. Somerset, England, 35300 Ew.; Maschinenbau, feinmechan., Textilindustrie; Verkehrsknotenpunkt.

Taunus *der,* der südöstl. Teil des Rhein. Schiefergebirges, zw. unterem Main und Rhein im S, dem Mittelrheintal im W, dem Lahntal im N und der Wetterau im O. Vom Hoch-T. (der »Höhe«) fällt der T. nach S steil ein und flacht nach N allmählich ab. Höchste Erhebungen sind Großer (879 m ü.M.) und Kleiner Feldberg (826 m ü.M.), Altkönig (798 m ü.M.) und Hohe Wurzel (614 m ü.M.). Während am Südhang das Klima den Obstbau begünstigt, ist der **Hoch-T.** eine Waldlandschaft. Die Hochfläche des **Hinter-T.** nimmt flächenmäßig den größten, flach zur Lahn abfallenden Teil des T. ein. Sie ist von den zur Lahn entwässernden Flüssen zerschnitten und in breite, flache Riedel zerlegt. Bei verhältnismäßig rauem Klima nimmt der Wald große Flächen ein, in die landwirtsch. Nutzflächen (Roggen-, Hafer-, Kartoffelanbau) eingestreut sind. Bekannte Heilbäder sind Wiesbaden, Bad Soden am T., Bad Homburg v.d. Höhe und Bad Nauheim. – Siedlungsspuren reichen von der Jungsteinzeit (Limburger Becken) bis zur La-Tène-Zeit (Ringwall auf dem Altkönig); vom 1. bis 3. Jh. verlief hier der →Limes.

Taunusstein, Stadt im Rheingau-Taunus-Kr., Hessen, 28100 Ew.; Maschinenbau-, Kunststoff-, Elektronikindustrie. – 1971/72 durch Zusammenschluss mehrerer Gemeinden entstanden.

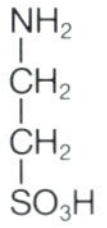
Taurin

Tauon *das,* das →Tauteilchen.

Taupo, Lake [leɪk-], mit 606 km² größter See Neuseelands, im Zentrum der N-Insel, 357 m ü. M., 606 km², bis 159 m tief.

Taupunkt, die Temperatur, bei der der Dampfgehalt eines Gas-Dampf-Gemisches (z. B. Luft mit Wasserdampf) bei fortschreitender Abkühlung maximal ist **(Sättigungstemperatur),** d. h., eine relative Feuchtigkeit von 100 % herrscht. Wird die Luft unter den T. abgekühlt, so tritt Übersättigung und →Kondensation ein (→Tau). Die Bestimmung des T. dient v. a. zur Messung des Feuchtigkeitsgehalts der Luft.

Taurin [zu grch. taũros »Stier«, »Ochse«] *das,* eine beim Abbau von Cystein entstehende Aminosulfonsäure, erstmals aus Ochsengalle dargestellt (Name!). Synthetisiertes T. dient zur Herstellung waschaktiver Substanzen.

Taurisker, kelt. oder teilweise keltisierte Völkerstämme des Altertums in den Ostalpen (Tauern), von Augustus unterworfen.

Tauroggen, Konvention von, zwischen dem preuß. General H. D. L. Yorck von Wartenburg (ohne Ermächtigung des preuß. Königs) und dem russ. General J. Diebitsch am 30. 12. 1812 in der Nähe der litauischen Stadt Tauroggen (heute Tauragẽ) geschlossene Vereinbarung, in der sich das preuß. Hilfskorps der frz. Großen Armee im Russ. Feldzug für neutral erklärte; markierte einen Wendepunkt in den Napoleon. Kriegen. Preußen löste sich aus den erzwungenen Bündnisverpflichtungen gegenüber Frankreich und nahm im Bündnis mit Russland (und später Österreich) im Frühjahr 1813 die Befreiungskriege auf.

Taurus [lat.] *der,* das Sternbild →Stier.

Taurus *der* (Toros Dağları), südl. Randgebirgssystem Anatoliens (Türkei), das steil aus dem Mittelmeer aufsteigt, nach dem inneren Hochland sanft absinkt; besteht aus dem **West-T.** (**Lyk. T.;** bis über 3 000 m ü. M.), dem **Mittel-T.** (O-Teil **Kilik. T.;** bis 3 585 m ü. M.) bis zur Kilik. Pforte (wichtigster Durchlass mit Straße und Eisenbahnlinie) und dem östlich davon gelegenen **Ost-T.** (**Äußerer Ost-T.** und **Innerer Ost-T.;** bis 4 168 m ü. M.).

Taus, Stadt in der Tschech. Rep., →Domažlice.

Taus, Josef, österr. Politiker, *Wien 8. 2. 1933; Jurist und Wirtschaftsfachmann, 1966/67 Staatssekretär, 1975–79 Bundesobmann der ÖVP; seitdem im Management von Ind.-Holdings tätig.

Tausch, den Regeln des Kaufs folgender gegenseitiger Vertrag, bei dem die Leistungen in individuellen Werten ohne Festlegung eines in Geld ausgedrückten Kaufpreises erfolgen (§ 515 BGB).

Tauschierung [italien. aus arab.], die Oberflächenverzierung von Metallgegenständen durch Einlegen andersfarbiger, meist edler Metalle. Das Muster wird mit dem Grabstichel in die Metalloberfläche eingraben oder auch eingeätzt und das Edelmetall fest eingehämmert (auch eingeschmolzen). Nach einem einfacheren Verfahren werden aufgeraute Stellen der Oberfläche mit Drähten (oder Plättchen) des Schmuckmetalls beschlagen. Die Verzierungsverfahren der T. sind zu unterscheiden vom →Damaszieren. – Schon im Altertum war die Bronze-T. bekannt, in Europa in der jüngeren Bronzezeit; Blütezeit in der islam. Kunst im ganzen Vorderen Orient; auch in O- und S-Asien (China, Japan, Indien) sehr verbreitet.

Tauschierung: Der islamische Bronzeleuchter, eine ägyptische Arbeit, wurde mit einer Tauschierung aus Silber versehen (um 1300; London, Victoria and Albert Museum)

Täuschung, 1) *Optik:* →optische Täuschungen.

2) *Recht:* →arglistige Täuschung, →Anfechtung, →Betrug.

Tauschwert, Begriff der →Arbeitswerttheorie.

Tauschwirtschaft, Volkswirtschaft, in der die Individuen entweder im Naturaltausch oder mithilfe von Geld (Kauf und Verkauf) Güter und Dienstleistungen gegenseitig übertragen. Eine Marktwirtschaft (»Verkehrswirtschaft« nach W. Eucken) ist immer auch T. , eine zentral geleitete Wirtschaft (Planwirtschaft) nur unter bestimmten Bedingungen (zentral geleitete Wirtschaft mit freiem Konsumguttausch oder mit freier Konsumwahl).

Tausendblatt (Myriophyllum), weltweit verbreitete Gattung der Meerbeerengewächse; Wasserpflanzen mit in Quirlen angeordneten, gefiederten Wasserblättern.

Tausendfüßer (Myriapoden, Myriapoda), seit dem Silur bekannte, heute v. a. in feuchten Biotopen weltweit verbreitete Klasse landbewohnender Gliederfüßer; gekennzeichnet durch einen deutlich abgesetzten Kopf, ein Paar Fühler und einen

Tausendundeine Nacht: Marc Chagall, »Die Nacht der Scheherazade«, Farblithographie (1948)

weitgehend gleichförmig gegliederten Körper, dessen Segmente fast alle ausgebildete Laufbeine tragen (bis zu 340 Beinpaare).

Tausendgüldenkraut: Echtes Tausendgüldenkraut (Höhe 15–30 cm)

Tausendgüldenkraut (Centaurium, Erythraea), Gattung der Enziangewächse auf der nördl. Halbkugel, in Südamerika und Australien; heimisch ist u. a. das 15–30 cm hohe **Echte T.** (Centaurium minus) mit hellroten Blüten; auf Wiesen und Waldlichtungen.

Tausendjähriges Reich, urspr. das Friedensreich nach der Wiederkunft Christi (→ Chiliasmus); im Nationalsozialismus programmatisch-propagandist. Bez. für den nat.-soz. deutschen Staat.

Tausendschön, gefüllte Zuchtform des → Gänseblümchens.

Tausendundeine Nacht (arab. Alf laila walaila), arab. Sammlung von Märchen, Romanen, Novellen, Liebes-, Schelmen-, Seefahrergeschichten u. a. (insgesamt über 300 Erzählungen) versch. Ursprungs, die von einer Rahmenerzählung ind. Herkunft umschlossen werden: Ein König, der von seiner Frau betrogen wurde, heiratet jeden Abend eine andere Frau und lässt jede am Morgen nach der Hochzeitsnacht töten. Die kluge Scheherazade fesselt ihn durch ihre Erzählungen durch 1001 Nächte und erreicht, dass er ihr das Leben schenkt. Die bekanntesten Märchen der Sammlung sind die von Sindbad dem Seefahrer, von Aladins Wunderlampe, von Ali Baba und den 40 Räubern. Schon aus dem 10. Jh. ist eine aus dem Persischen ins Arabische übersetzte ähnl. Sammlung mit Rahmenhandlung bezeugt, mit indischen u. a. Einflüssen.

📖 WALTHER, W.: *T. N. München 1987.*

Taut, 1) Bruno, Architekt, * Königsberg (Pr) 4. 5. 1880, † Ankara 24. 12. 1938, Bruder von 2); 1921–24 Stadtbaurat in Magdeburg, 1931–32 Prof. an der TH Charlottenburg, ging 1932 nach Moskau, wirkte ab 1933 in Japan und ab 1936 an der Kunstakademie in Istanbul. T. schuf Ausstellungsbauten (Glaspavillon der Werkbundausstellung in Köln, 1914), die den Baustoffen Stahl und Glas neue Formen abgewannen. Er wirkte wegweisend für die Reform des Siedlungsbaus (Berlin-Zehlendorf, 1926–31).

📖 *B. T., Retrospektive. Natur u. Fantasie, 1880–1938, bearb. v.* M. SPEIDEL, *Ausst.-Kat. Kulturhistor. Museum Magdeburg u. a. Berlin 1995.*

2) Max, Architekt, * Königsberg (Pr) 15. 5. 1884, † Berlin (West) 26. 2. 1967, Bruder von 1); 1945–53 Prof. in Berlin, baute v. a. Schulen (u. a. Darmstadt 1953–55), Verw.- und Wohnbauten (Reuter-Siedlung in Bonn, 1949–52); ein bed. Zeugnis expressionist. Baukunst ist ein Baldachingrab auf dem Friedhof Stahnsdorf bei Berlin (1920–23).

Tautavel [tota'vɛl] (katalan. Talteüll), Gem. in der Nähe von Perpignan, Dép. Pyrénées-Orientales, Frankreich; Zentrum zur Erforschung der Prähistorie mit Museum; nahebei Höhle Caune de l'Arago mit Steingeräten, Schädel- und Unterkieferresten des Homo erectus, Alter etwa 450 000 Jahre.

Bruno Taut: Glaspavillon der Werkbundausstellung in Köln (1914)

Tauteilchen (τ-Teilchen, Tauon), Symbol τ, 1975 zus. mit dem **Tauneutrino** entdecktes Elementarteilchen, ein schweres Lepton mit einer Ruhemasse von 1784,1 MeV/c^2 (c = Lichtgeschwindigkeit). T. und die zugehörigen Antiteilchen werden bei energiereichen Stößen von Elektron-Positron-Paaren gebildet und zerfallen nach einer mittleren Lebensdauer von $3 \cdot 10^{-13}$ s in Elektronen, Myonen, Neutrinos. (→Leptonen)

Tautenburg, Gemeinde im Saale-Holzland-Kreis, Thür., 300 Ew.; Karl-Schwarzschild-Observatorium mit dem größten dt. Teleskop (2 m Durchmesser).

Tautologie [grch. »das Dasselbesagen«] *die,* **1)** *Logik:* ein lediglich erläuterndes und nicht erkenntniserweiterndes Urteil (→analytisches Urteil). In der mathemat. Logik werden seit L. Wittgenstein alle klassisch logisch wahren Aussagen auch T. genannt, z.B. das →Tertium non datur.

2) *Stilistik:* Bez. einer Sache durch mehrere gleichbedeutende Ausdrücke; ähnlich dem →Pleonasmus.

Tautomerie [grch.] *die,* Eigenschaft bestimmter organ. Verbindungen, in zwei ineinander umwandelbaren, im Gleichgewicht stehenden Molekülformen (den **Tautomeren**) aufzutreten, die versch. chem. und physikal. Eigenschaften haben und sich deshalb (im Ggs. zu den Grenzstrukturen der →Mesomerie) gelegentlich isolieren lassen. Die T. ist als ein Grenzfall der Konstitutionsisomerie (→Isomerie) anzusehen. Bei Carbonylverbindungen mit aciden Wasserstoffatomen in α-Position zur Carbonylgruppe liegt ein Gleichgewicht zwischen Keto- und Enolform vor **(Keto-Enol-T.)**: $-CO-CH_2- \rightleftharpoons -C(OH)=CH-$. Die bei Zuckern auftretende **Oxo-Cyclo-T.** beruht auf dem Gleichgewicht zw. der offenen Aldehyd- bzw. Ketoform und der zykl. Halbacetalform.

Tauwetter, Bez. für die Auflockerung der ideologisch-polit. Reglementierung des kulturellen Schaffens in der UdSSR nach Stalins Tod (1953), benannt nach dem gleichnamigen Roman von I. Ehrenburg (1954). Das T. endete mit der Verurteilung J. Brodskis wegen »parasitärer Lebensweise« (1964) und den Prozessen (1966) gegen A. D. Sinjawski und M. M. Daniel.

Tauziehen (Seilziehen), Wettbewerb, bei dem zwei zahlenmäßig ident. Mannschaften den Gegner mithilfe eines Taus über eine Mittellinie zu ziehen versuchen; 1900–20 Olymp. Sportart.

Tavasten, ein Stamm der →Finnen.

Tavastland, schwed. Name für die finn. Landschaft →Häme.

Tavel, Rudolf von, schweizer. Schriftsteller, *Bern 21. 12. 1866, †ebd. 18. 10. 1934; schrieb in patriotisch-prot. Geist volkstüml. Erzählungen und Theaterstücke, wobei er die Berner Mundart bewusst in die Literatur einbrachte.

Taverne [italien., von lat. taberna »Hütte«] *die,* Weinschenke, Gaststätte.

Taviani, Paolo, italien. Filmregisseur, *San Miniato 8. 11. 1931; dreht gemeinsam mit seinem Bruder Vittorio (*1929) realist. Spielfilme, u.a. »Allonsanfan« (1974), »Mein Vater, mein Herr« (1977),

Max Taut: Das Baldachingrab (1920–23) auf dem Friedhof Stahnsdorf bei Berlin wurde Ende der 1980er-Jahre restauriert

»Die Nacht von San Lorenzo« (1982), »Kaos« (1984), »Die Wahlverwandtschaften« (1996).

Paolo Taviani

Vittorio Taviani

Taxation [lat.] *die,* die →Bodenschätzung.

Taxator [lat.] *der,* Sachverständiger, der Sachwerte abschätzt.

Taxco ['tasko] (T. de Alarcón), Stadt im Staat Guerrero, Mexiko, am S-Rand der Cordillera Neovolcánica, 37 000 Ew.; Silberbergbau und -verarbeitung; Fremdenverkehr. – Die an Hügeln gelegene alte Silberminenstadt mit geschlossenem kolonialzeitl. Stadtbild mit maler. Gassen und kleinen, mit roten Ziegeln gedeckten Häusern steht seit 1928 unter Denkmalschutz. Die Pfarrkirche Santa Prisca (1751–59) ist ein Hauptwerk des mexikan. Barock; im Innern hohe Schnitzretabel (um 1765).

Taxe [grch.] *die,* **1)** *allg.:* geschätzter Wert eines Gutes (Taxwert, →Schätzwert), eines Wertpapiers (→Taxkurs).

2) *Recht:* auf gesetzl. Grundlage behördlich festgelegter Preis oder Gebühr für Leistungen (z.B. Kurtaxe).

Taxco: Stadtansicht mit der barocken Pfarrkirche Santa Prisca (1751–59)

Cecil P. Taylor

Elizabeth Taylor

Frederick W. Taylor

Joseph H. Taylor

Tạxi [frz.] *das,* schweizer. auch *der,* bes. gekennzeichneter Pkw, der zur gewerbsmäßigen Beförderung von Personen auf öffentl. Straßen bereitgestellt wird. T. sind zur Ermittlung des Fahrpreises mit einem **Taxameter** ausgestattet und unterliegen der Genehmigungspflicht.

Taxie [grch.] *die* (Taxis), aktive Einstellung der Körperachse eines Organismus oder Richtungsbewegung (z.B. bei Mikroorganismen) zu Reizquellen. Die T. können auf die Reizquelle hin und von ihr weg (positive und negative T.) oder quer zu einem Reizfeld (elektr. oder magnet. Feldlinien) erfolgen. Nach der Art der die T. auslösenden Umweltwirkungen unterscheidet man u.a. **Chemo-, Photo-, Thermo-, Thigmo-** (auf Berührung), **Hygro-** (Feuchtigkeit) und **Geo-T.** (Schwerkraft).

Tạxifunk, → Funkdienst.

Tạxila (Sanskrit Takshashila), Ruinenstätte (UNESCO-Weltkulturerbe) in NO-Pakistan, 30 km nordwestlich von Rawalpindi; Ruinen dreier Städte (älteste Siedlungsreste 5. Jh. v. Chr.), buddhist. Klöster (u.a. Mohra Moradu, 2.–5. Jh. n. Chr.) sowie des Dharmarajika-Stupa (im Kern 3. Jh. v. Chr., im 1.–4. Jh. n. Chr. überbaut).

Tạxis [grch.] *die,* → Taxie.

Tạxkurs, geschätzter Kurs eines Wertpapiers, für das im amtl. Handel (mangels Umsatzes) keine Notierung erfolgte; im Kurszettel mit dem Zusatz »T« gekennzeichnet.

Taxonomie [grch.] *die, Biologie:* → Systematik.

Tạxus [lat.] *der,* Nadelholzgattung, → Eibe.

Tạxwert, → Schätzwert.

Tay [teɪ] *der,* längster Fluss Schottlands, 193 km, entspringt in den Grampians, bildet den See **Loch T.,** mündet in den **Firth of T.,** der bei Dundee von zwei Brücken überspannt wird; Wasserkraftwerke.

Tayacien [taja'sjɛ̃] *das,* Formengruppe der Altsteinzeit, ben. nach dem Ort Les Eyzies-de-Tayac im frz. Dép. Dordogne; kennzeichnend sind Abschlagwerkzeuge aus Silex und Felsgestein.

Taygetos *der* (im MA. Pentedaktylon), Hochgebirge in Griechenland, Peloponnes, trennt die Landschaften Lakonien und Messenien, im Hagios Elias 2407 m ü. M.

Taylor ['teɪlə], **1)** Brook, engl. Mathematiker, *Edmonton (heute zu London) 18. 8. 1685, †London 29. 12. 1731; Mitgl. der Royal Society; Untersuchungen von Reihenentwicklungen mathemat. Funktionen **(taylorsche Reihe).**

2) Cecil Percival, amerikan. Jazzpianist, *New York 15. 3. 1933; einer der führenden Musiker des amerikan. Freejazz.

3) Elizabeth, brit.-amerikan. Filmschauspielerin, *London 27. 2. 1932; ⚭ u. a. mit R. Burton (1964–74 und 1975/76), einer der erfolgreichsten Filmstars; übernahm erste Rollen schon als Kind (1942); seit

Taxila: Ruinen des buddhistischen Klosters Mohra Moradu (2.–5. Jh. n. Chr.)

1985 Vorsitzende der »American Foundation for Aids Research«. – *Filme:* Die Katze auf dem heißen Blechdach (1958); Cleopatra (1962); Wer hat Angst vor Virginia Woolf? (1966); Der Widerspenstigen Zähmung (1966); Die Rivalin (1973); Mord im Spiegel (1980).

4) Frederick Winslow, amerikan. Ingenieur und Betriebswirtschaftler, *Germantown (heute zu Philadelphia, Pa.) 20. 3. 1856, †Philadelphia (Pa.) 21. 3. 1915; Begründer der als **Taylorismus (T.-System)** bekannten Lehre von der wiss. Betriebsführung (→ Scientific Management); legte insbesondere die Grundlagen für → Arbeitsstudien und propagierte die Trennung von planender und ausführender Arbeit.

5) James Bayard, amerikan. Schriftsteller, *Kennett Square (Pa.) 11. 1. 1825, †Berlin 19. 12. 1878; zahlr. Reisen; verfasste eine metrisch genaue Übersetzung von Goethes »Faust« (1870).

6) Joseph Hooton jr., amerikan. Astronom und Physiker, *Philadelphia (Pa.) 29. 3. 1941; Prof. in Princeton; entdeckte 1974 zus. mit R. A. Hulse den ersten Doppelpulsar. Für ihre Untersuchungen an diesem System (Bestimmung der Bahndaten, indirekter Nachweis von Gravitationswellen u.a.), die die allg. Relativitätstheorie mit bislang nicht erreichter Präzision bestätigten, erhielten beide 1993 den Nobelpreis für Physik.

7) Paul, amerikan. Tänzer und Choreograph, *Alleghany County (Pa.) 29. 7. 1930; studierte u.a. bei M. Graham und D. Humphrey; gründete 1954 die P. T. Dance Company, mit der er zahlr. Tourneen in den USA und nach Europa unternahm. T., einer der bedeutenden Vertreter des Moderndance, trat mit fantasievollen Choreographien hervor, u.a. »Esplanade« (1975), »Minikin Fair« (1989), »Company B« (1991).

8) Richard Edward, kanad. Physiker, *Medicine Hat (Alberta, Kanada) 2. 11. 1929; seit 1970 Prof. an der Stanford University; erhielt 1990 mit J. I. Friedman und H. W. Kendall für seine bahnbrechenden Forschungen über die unelast. Streuung von Elektronen an Protonen und gebundenen Neutronen den Nobelpreis für Physik.

9) Zachary, 12. Präs. der USA (1849–50), * Montebello (Va.) 24. 11. 1784, † Washington (D. C.) 9. 7. 1850; nahm als Befehlshaber der amerikan. Truppen im Mexikan. Krieg (1846–48) nach mehreren siegreichen Schlachten (u. a. bei Buena Vista 22./23. 2. 1847) den N Mexikos ein; gewann 1848 als Kandidat der Whigs die Präsidentschaftswahlen. Seine kurze Amtszeit war geprägt durch die Auseinandersetzungen mit dem Kongress über den Status der neu erworbenen Gebiete und die Frage der Sklaverei.

Taylorismus [teɪlə-; nach F. W. Taylor], → Scientific Management.

taylorsche Reihe ['teɪlə-; nach B. Taylor] (Taylor-Entwicklung), die Entwicklung einer beliebig oft differenzierbaren Funktion $f(x)$ in eine Potenzreihe der Form

$$f(x) = \sum_{n=0}^{\infty} \frac{1}{n} f^{(n)}(a)(x-a)^n,$$

wobei $f^{(n)}(a)$ die n-te Ableitung von f an der Stelle a ist.

Taylor-Wulst ['teɪlə-; nach dem amerikan. Admiral David Watson Taylor, * 1864, † 1940] (Wulstbug), *Schifffahrt:* Verdickung des Unterwasserteils des → Vorstevens, der eine verringerte Wellenbildung und damit einen geringeren Widerstand zur Folge hat.

Tazette [italien.] *die,* Bez. für mehrere Arten der Gattung Narzisse mit doldenartig angeordneten Blüten; Topfpflanzen.

Tb, 1) *Chemie:* Symbol für → Terbium.

2) *Medizin:* (Tbc), Abk. für → **Tub**erkulose.

Tbilissi, Hauptstadt von Georgien, → Tiflis.

Tc, chem. Symbol für → Technetium.

TCDD, Abk. für 2,3,7,8-**T**etra**c**hlor**d**ibenzo**d**ioxin, → Dioxine.

Tchibo Holding AG [-'həʊldɪŋ-], Unternehmen der Nahrungs- und Genussmittelind., gegr. 1949, Sitz: Hamburg; Tochtergesellschaften und Beteiligungen: Eduscho GmbH & Co. KG, Reemtsma Cigarettenfabriken GmbH (63,12 %), Beiersdorf AG (25,87 %), Kaffee-Einkaufskontor W. Herz GmbH & Co. KG (49 %). Kapitaleigner ist die Familie Herz.

Tchicaya U Tam'si [tʃikajaytam'si], eigtl. Gérald Félix Tchicaya, kongoles. Schriftsteller, * Mpili (bei Brazzaville) 25. 8. 1931, † Bazancourt (Dép. Oise) 21. 4. 1988; lebte ab 1946 in Paris; schrieb Gedichte, Romane, Märchen und Dramen (»Feu de brousse«, Ged., 1957; »Das Geheimnis der Medusen«, R., 1982; »Ces fruits si doux de l'arbre à pain«, R., 1987). In seinen Romanen zeigt er sich als einer der eigenwilligsten afrikan. Erzähler; Erzähltechniken mündlich überlieferter Lit. und eine mythologisch fundierte Bildfülle verbinden sich mit grotesk-satirischen Elementen.

Tczew [tʃɛf] (dt. Dirschau), Stadt in der Wwschaft Gdańsk (Danzig), Polen, an der Weichsel, 59 000 Ew.; Werft, Maschinenbau, Nahrungsmittelind.; Verkehrsknotenpunkt. – D. erhielt 1260 lüb. Stadtrecht und kam 1308 an den Dt. Orden; 1466 wurde es polnisch, 1772 preußisch, 1920 wieder polnisch.

TDRS [Abk. für engl. **T**racking and **D**ata **R**elay **S**atellite], Serienbez. großer ident. Relaissatelliten der amerikan. Space Communications Company (Spacecom) und der NASA, die in der geostationären Erdumlaufbahn seit 1983 zur Bahnverfolgung von Raumflugkörpern sowie für die Signal- und Datenübertragung eingesetzt werden. Sie ermöglichen damit den Kontrollzentralen eine fast ständige Funkverbindung mit anderen Erdsatelliten und den bemannten Raumtransportern Spaceshuttle.

tdw [Abk. für engl. **t**ons **d**ead **w**eight, »Tonnen totes Gewicht«], → Deadweight.

Te, chem. Symbol für → Tellur.

Teach-in [ti:tʃ'in; engl. to teach »lehren«] *das,* von der Studenten- und Protestbewegung der 1960er-Jahre geprägte Bez. für eine Informationsveranstaltung mit demonstrativem Charakter.

Teakbaum ['ti:k-, engl.] (Tectona), Gattung der Eisenkrautgewächse in SO-Asien und auf den pazif. Inseln; wirtschaftlich wichtigste Art ist **Tectona grandis,** ein heute überall in den Tropen kultivierter, bis 50 m hoher Baum mit bis zu 60 cm langen ellipt. Blättern und weißen Blüten. Sein Holz **(Teakholz, Teak)** ist hart, termitenfest und wird für Furniere, Parkett und im Schiffbau verwendet.

Teamtheorie ['ti:m-] (engl. team theory), ein mathematisch fundierter Ansatz zur Lösung von Problemen der Information, Kommunikation und Entscheidungsfindung in Arbeitsgruppen.

Teamwork ['ti:mwə:k, engl.] *das,* Gruppenarbeit (Arbeitsorganisation; Vorhaben im Rahmen von Sozialarbeit und -pädagogik).

Tebaldi, Renata, italien. Sängerin (Sopran), * Pesaro 1. 2. 1922; wurde von A. Toscanini 1946 an die Mailänder Scala verpflichtet, sang an den bedeutendsten Opernbühnen der Welt; v. a. Verdi- und Puccini-Interpretin. BILD S. 32

Tecchi ['tekki], Bonaventura, italien. Schriftsteller und Kritiker, * Bagnoregio (Prov. Viterbo) 11. 2. 1896, † Rom 30. 3. 1968; Verfasser von psycholog. Novellen und Romanen (»Die Egoisten«, 1959); zahlr. Arbeiten zur deutschen Literatur.

Technetium [grch.] *das,* chem. Symbol **Tc,** radioaktives Element aus der siebten Nebengruppe des

Richard E. Taylor

Bonaventura Tecchi

→Periodensystems der chemischen Elemente; Ordnungszahl 43, relative Atommasse 98, Dichte 11,49 g/cm^3, Schmelzpunkt 2250 °C, Siedepunkt 4700 °C. T. ist ein silberglänzendes Schwermetall, das in seinem chem. Verhalten große Ähnlichkeit mit Rhenium zeigt. In der Erdkruste kommt T. in äußerst geringen Mengen als Zerfallsprodukt von Uran 238 vor. Künstlich erhält man das wichtigste, betastrahlende T.-Isotop ^{99}Tc in Kilogramm-Mengen als Spaltprodukt von Uran 235 in Kernreaktoren. Es wird in der →Szintigraphie u.a. medizin. Untersuchungen verwendet und hat Bedeutung als Katalysator bei chem. Prozessen, in der Supraleitungstechnik und zur Herstellung von Hochtemperatur-Thermoelementen. In Form der Pertechnetate (Salze der Pertechnetiumsäure; M^ITcO_4, M^I einwertiges Metallkation) wird es als Korrosionsinhibitor für Eisen und Stahl verwendet.

Renata Tebaldi (um 1970)

Technik [frz. aus grch.] *die,* i.w.S. eine besondere Art des Vorgehens oder der Ausführung einer Handlung (z.B. Mal-T.); i.e.S. die Menge der industriell (z.T. auch handwerklich) produzierten, also künstl., materiellen Gebilde (Werkzeuge, Maschinen, Apparate, Bauwerke u.a.). Die neuere interdisziplinäre T.-Forschung versteht unter T.: a) die Menge der nutzenorientierten, künstl., materiellen Gebilde (Artefakte oder techn. Sachsysteme); b) die Menge menschl. Handlungen und Einrichtungen, in denen Sachsysteme entstehen; c) die Menge menschl. Handlungen, in denen Sachsysteme verwendet werden. T. bezeichnet also nicht nur die von Menschen gefertigten Gegenstände, sondern auch deren Entstehungs- und Verwendungszusammenhänge und die dafür erforderl. besonderen Fertigkeiten. T. ist in diesem Sinne kein isolierter, selbstständiger Bereich, sondern eng mit Wirtschaft, Gesellschaft, Politik und Kultur verflochten. Oft wird heute T. gleichbedeutend mit →Technologie verwendet (z.B. Biotechnologie).

Anstelle der schlecht abgrenzbaren Ausdrücke Maschine, Gerät, Apparat ist heute als allg. Begriff das **techn. System** gewählt worden. Ein techn. System ist durch die Funktion gekennzeichnet, Stoff (Masse), Energie und/oder Information zu wandeln, zu transportieren und/oder zu speichern. Es ist stofflich-konkret und besteht aus Werkstoffen mit definierten Eigenschaften, die aus Systemen der (physikal., chem., biolog.) Verfahrens-T. hervorgehen. Von der Form her ist es ein räuml. Gebilde mit geometrisch definierter Gestalt und setzt sich aus Bauteilen mit geometrisch definierter Gestalt zusammen; die Gestaltgebung erfolgt in Systemen der Fertigungstechnik.

Geschichte: Sicher nachweisbar ist die Werkzeugherstellung schon für Homo habilis vor über 2,5 Mio. Jahren. In der Jungsteinzeit erschienen geschliffenes Steinbeil, Hacke mit geschliffener Schneide, Fiedelbohrer, Spindel und Webstuhl, Töpferei, Handmühle und im Übergang zur Metallzeit der Pflug. Revolutionierend war die Erfindung des Rades. Seit etwa 3000–2000 v.Chr. folgten gegossene und getriebene Kupfer- und Bronzewerkzeuge, seit etwa 1000 v.Chr. geschmiedete Eisenwerkzeuge. In den großen vorgrch. Kulturen (Ägypten, Mesopotamien) wurden techn. Großleistungen vollbracht bei der Nutzbarmachung von Euphrat, Tigris und Nil (Bewässerungs-, Deich-, Kanalbauten), bei der Lastenförderung auf Kufen und mit Rolle und Hebel (u.a. Pyramiden). Aus dem altägypt. Kulturkreis stammen u.a. Segelschiff, Papyrus, Bierbrauerei, Gerberei, Glas, Pergament, Waage, aus Vorderasien Rad, Blasebalg, Zange.

In der grch. Antike erlaubte der Stand der T. die Ausformung von Keramik, Plastik und Architektur zu hohem künstler. Rang. Zu den Erfindungen gehören z.B. einfache Maschinen, wie Drehstuhl als Vorläufer der Drehbank, Schöpfeimer, Tretttrommel, Zahnstange und -rad, Wasserrad, -orgel, Feuerspritze, Geschütz mit Luftdruck u.a. Die röm. T. erzielte v.a. im Straßen-, Brücken-, Aquädukten-, Kriegsmaschinen-, Hoch- und Bergbau Großleistungen. Aus dem alten China stammen Erfindungen wie Armbrust, Papier, Kummetgeschirr, Schießpulver, Eisenguss, Porzellan, Druck mit bewegl. Wortbild-Typen, Kompass für die Schifffahrt. Im alten Indien war die Stahlbereitung früh entwickelt. Auch das Spinnrad scheint zuerst in Indien erfunden worden zu sein.

Im MA. wurden tier. Muskelkraft (Kummetgeschirr), Wind und Wasser (Windrad, Wasserrad als Mühlenantrieb) stärker genutzt, das Segelschiff wurde verbessert. Spinnrad und Trittwebstuhl, Drehbank mit Wippe und Gewichtsräderuhr kamen auf. Die Bauhütten vollbrachten im Sakralbau hohe Leistungen. Im 13./14. Jh. wurde das Gusseisen erfunden, im 14. Jh. der Hochofen und das Schießpulvergeschütz. Dies und der Buchdruck (Mitte des 15. Jh.) beeinflussten die gesamte Kultur nachhaltig. Das wiss.-techn. Denken begann in der

Geschichte der Technik (Auswahl; Ereignisse zur Raumfahrt siehe Tabelle Raumfahrt)

1000000 bis 200000 v. Chr.	Feuererzeugung, Faustkeil, Holzlanze, Werkzeuge aus Stein, Holz und Knochen
8000 v. Chr.	Tongefäße in Anatolien; luftgetrocknete Ziegel in Jericho
7000 v. Chr.	Kupfergewinnung in Anatolien und Iran
6000 v. Chr.	Webstuhl in Anatolien; Schleuder als Fernwaffe
5000 v. Chr.	Bewässerungsbauten in Ägypten und Mesopotamien
4000 v. Chr.	seegehende Segelschiffe; Werkzeuge, Nägel und Waffen aus Kupfer und Bronze in Mesopotamien
3200 v. Chr.	Hakenpflug in Mesopotamien; Papyrus als Beschreibstoff
3000 v. Chr.	Holzpflug in Mesopotamien; Scheibenrad und Wagen in Mesopotamien
2800 v. Chr.	Spiegel aus poliertem Kupfer in Ägypten
2600 v. Chr.	Bau der ersten Stufenpyramide in Ägypten; Rösten sulfidischer Erze zur Kupfergewinnung
2300 v. Chr.	Sonnenuhr (Gnomon)
1800 v. Chr.	Streitwagen mit Speichenrädern
1200 v. Chr.	Bronzeguss in China
1100 v. Chr.	geschliffene Linsen (Lupen) in Mesopotamien und Kreta
650 v. Chr.	Münzprägung in Kleinasien (Lydien)
500 v. Chr.	In Mesopotamien sind galvanische Elemente bekannt; Wasserwaage
330 v. Chr.	Beschreibung des Flaschenzugs und der Kurbel durch Aristoteles
um 280 v. Chr.	der Leuchtturm von Pharos, eines der sieben Weltwunder
275 v. Chr.	Kolbenpumpe des Ktesibios
240 v. Chr.	archimedische Schraube zum Heben von Wasser
200 v. Chr.	In Syrien und Palästina ist die Wassermühle bekannt
180 v. Chr.	Druckwasserleitung von Pergamon
um 55 n. Chr.	Erfindung der Schraubenpresse in Rom
um 60	Fensterscheiben aus Glas
um 450	weißes Porzellan in China
um 650	Blockdruck in China
um 800	Wikingerboot mit Segel und Rudern
um 950	Turmwindmühlen in Spanien
968	Beginn des Silberbergbaus am Rammelsberg im Harz
um 1045	Druck von beweglichen Lettern aus gebranntem Ton in China
1144	erste Papiermühle in Europa
1195	Seekompass in Europa erwähnt
um 1280	Das Handspinnrad verdrängt die Handspindel
1284	die erste mechanische Turmuhr an der Kathedrale von Exeter (England)
um 1295	In Italien wird die Brille (Augenglas) erfunden
um 1300	Im Rheinland ist die Produktion von Gusseisen im Hochofen nachgewiesen (Luftzufuhr über Blasebalg)
1398	Elbe-Trave-Kanal vollendet
1436	Vollendung der Domkuppel in Florenz mit 42 m Spannweite
um 1445	Erfindung des Buchdrucks mit beweglichen Einzellettern aus Metall durch J. Gutenberg
um 1480	Flügelspinnrad zum Garnaufwickeln
1481	Vollendung der ersten europäischen Kanalschleuse
um 1500	Leonardo da Vinci entwirft eine Vielzahl technischer Konstruktionen, darunter sogar einen Flugapparat und einen Fallschirm
um 1505	Drehbank mit Fußantrieb
um 1510	Taschenuhr mit Federzug von Peter Henlein in Nürnberg hergestellt (»Nürnberger Ei«)
1524	Flügelspinnrad mit Tretantrieb
1556	erste Darstellung einer Holzschraube in der »De re metallica« von G. Agricola
1566	C. Torelli baut eine Drillmaschine
1568	J. Besson konstruiert eine Gewindeschneidmaschine
1589	W. Lee aus Cambridge erfindet die Strumpfwirkmaschine
um 1590	J. und Z. Janszen bauen ein Mikroskop
1592	G. Galilei verwendet ein Gasthermometer
1608	H. Lipperhev baut ein Fernrohr
1609	C. van Drebbel findet das Prinzip des Thermostaten
1623	W. Schickard baut in Tübingen eine Rechenmaschine
1629	C. Branca beschreibt das Prinzip einer Dampfturbine
1635	J. Locatelli erfindet eine Sämaschine
1639	G. Galilei beschreibt die Verwendung des Pendels für eine Uhr
1642	B. Pascal baut eine Rechenmaschine, die addieren und subtrahieren kann
1643	E. Torricelli verwendet ein Quecksilberbarometer
um 1650	O. von Guericke entwickelt die Kolbenluftpumpe
1655	H. Hautzsch baut eine Feuerspritze mit Windkessel
1658	R. Hooke führt die Spiralfeder für Uhren ein
1663	J. Gregory beschreibt das Spiegelteleskop
1664	D. Papin konstruiert einen Dampfkochtopf mit Sicherheitsventil
um 1665	In England werden Graphit-Schreibstifte verwendet
1671	G. W. von Leibniz entwirft eine Rechenmaschine zum Multiplizieren und Dividieren
1681	Das Wasserhebewerk von Marly wird fertiggestellt, mit ihm wird Wasser der Seine um 162 m gehoben
1687	G. Amontons erfindet das Hygrometer
1690	D. Papin baut eine atmosphärische Dampfmaschine
1691	E. Halley erhält ein Patent für eine Taucherglocke mit Luftschlauch
1701	Walzen von Feinblechen in England durch J. Hanbury
1708	E. W. von Tschirnhaus und J. F. Böttger erfinden das europäische Porzellan (Meißner Porzellanmanufaktur 1710)
1711	J. C. Le Blond erfindet den Dreifarbendruck; Th. Newcomen baut eine funktionsfähige atmosphärische Dampfmaschine
1716	J. N. de la Hire entwirft eine doppeltwirkende Wasserpumpe
1718	D. G. Fahrenheit konstruiert ein Quecksilberthermometer
1730	R. de Reaumur stellt ein Alkoholthermometer her
1731	P. van Musschenbroek beschreibt ein Pyrometer; J. Headly stellt einen Spiegelsextanten her
1733	J. Kay baut den Schnellschützenwebstuhl
1735	J. Harrison konstruiert sein erstes Schiffschronometer
1742	B. Huntsman erschmilzt Gussstahl
1746	J. Roebuck erfindet das Bleikammerverfahren zur Produktion von Schwefelsäure
1750	J. A. von Segner baut ein auf Rückstoßwirkung beruhendes Wasserrad
1751	Tiegelofenverfahren für den Stahlguss durch B. Huntsmann
1752	Blitzableiter von B. Franklin
1755	C. F. Weißenthal baut eine Nähmaschine
1758	Rippenstrickmaschine von J. Strutt für Strumpfwaren
1760	J. Merlin konstruiert Rollschuhe
1764	J. Hargraves baut die Spinnmaschine »Spinning-Jenny«, die Maschine kann acht Fäden gleichzeitig verspinnen
1765	J. Watt baut eine Niederdruck-Dampfmaschine

Geschichte der Technik (Auswahl; Fortsetzung)

1768 In England wird Gusseisen als Werkstoff im Maschinenbau eingesetzt
1769 Straßendampfwagen von J. Cugnot erreicht eine Geschwindigkeit von 3,6 km/h
1771 J. Wilkinson entwickelt den Kupolofen
1774 J. Wilkinson erhält ein Patent auf eine Zylinderbohrmaschine
1775 die erste in der Firma von M. Boulton und J. Watt hergestellte Dampfmaschine wird aufgestellt
1777 D. Bushnell entwickelt den Torpedo
1782 J. Watt baut eine doppeltwirkende Dampfmaschine; J. und E. Montgolfier führen öffentlich den Aufstieg eines Heißluftballons vor (Montgolfiere); J. Charles startet den Wasserstoffballon (Charliere)
1784 Drillmaschine von J. Wunderlich; J. Bramah baut ein Sicherheitsschloss; H. Cort erhält ein Patent auf das Puddelverfahren
1785 Patent auf den mechanischen Webstuhl von E. Cartwright; T. Bell führt den kontinuierlichen Walzendruck für Textilien ein
1787 Erstes Eisenschiff in der Firma von J. Wilkinson gebaut; J. Fitch konstruiert ein Dampfschiff mit Schraubenantrieb
1788 Raddampfer von W. Symington
1789 J. Watt erfindet den Fliehkraftregler
1790 J. Greenwood setzt einen Zahnbohrer ein; J. Watt benutzt ein Manometer
1791 N. Leblanc erhält ein Patent auf das Sodaverfahren; Patent für J. Barber für eine Gasturbine
1793 E. Whitney erfindet die Baumwoll-Entkernungsmaschine
1794 optische Telegrafenlinie (Chappe-Telegraf) Paris–Lille
1795 J. Bramah baut eine hydraulische Presse
1796 A. Senefelder erfindet den Steindruck
1798 N. L. Robert erhält ein Patent auf eine Papiermaschine; J. Stevens baut ein Dampfschiff
1800 R. Trevithick erhält ein Patent auf eine Hochdruck-Dampfmaschine
1802 F. A. Winson führt einen gasbeheizten Küchenherd vor
1804 N.-F. Appert entwickelt Konservierungsverfahren für Lebensmittel (Konservendose); R. Trevithick führt die erste einsatzfähige, auf Schienen fahrende Lokomotive vor
1805 lochkartengesteuerter Musterwebstuhl von J. M. Jacquard
1806 R. Wedgewood erhält ein Patent auf Kohle-Durchschreibpapier (»karbonisiertes Papier«)
1808 H. Davy findet das Prinzip der Lichtbogenlampe
1812 F. König konstruiert eine Schnellpresse für den Buchdruck, auf der 1814 die »Times« gedruckt wird
1814 G. Stephenson baut seine erste Dampflokomotive »Blucher«
1816 H. Davy erfindet die Sicherheitsgrubenlampe
1817 K. F. Drais von Sauerbronn führt sein Laufrad (Draisine) vor
1818 E. Whitney entwickelt eine Fräsmaschine mit automatischem Schlittenantrieb
1822 J. N. Niepce stellt das erste fotografische Positivbild auf Silberchloridbasis her; R. Roberts konstruiert den mechanischen Webstuhl
1825 Eröffnung der Eisenbahnlinie Stockton–Darlington, bei der Stephenson »Locomotion No. 1« sind erstmals die Treibräder über Kuppelstangen verbunden; W. Sturgeon erfindet den Elektromagneten
1826 J. Ressel erfindet die Schiffsschraube
1827 O. Pecqueur konstruiert ein Differenzialgetriebe
1829 J. Thorp baut eine Ringspinnmaschine; J. Heilmann baut eine Strickmaschine; Mikrometerschraube von H. Maudslay; J. Ressel erhält ein Patent auf Kugel- und Rollenlager
1830 C. Sauria und J. F. Kamerer stellen Phosphorzündhölzer her
1831 Mähmaschine mit rotierender Haspel von C. H. McCormick; Stiftendreschmaschine von S. Turner
1832 optische Telegrafenlinie Berlin–Koblenz (etwa 750 km mit 61 Stationen); elektromagnetischer Nadeltelegraf von P. Schilling von Canstadt
1833 Stahlpflug von J. Deere; Umkehrwalzwerk von J. Nasmyth; elektromagnetischer Nadeltelegraf von C. F. Gauß und W. Weber
1834 M. H. von Jacobi baut einen batteriegespeisten Elektromotor; S. Colt erhält ein Patent auf den nach ihm benannten Revolver; T. Henry entwickelt das elektrische Relais
1835 erste deutsche Eisenbahnlinie Nürnberg–Fürth
1836 F. Cavé baut einen Dampfhammer
1837 S. F. B. Morse erhält ein Patent auf den Schreibtelegrafen, für den er auch einen Punkt-Strich-Code aufstellt; C. Wheatstone erhält ein Patent auf den Fünf-Nadel-Telegraf
1838 H.-M. von Jacobi erfindet die Galvanoplastik
1839 L.-J.-M. Daguerre publiziert sein fotografisches Verfahren (Daguerreotypie); J. G. Bodmer konstruiert die Karusselldrehmaschine; C. Goodyear erfindet die Heißvulkanisation; W. R. Grove entwickelt die Brennstoffzelle
1840 C. Wheatstone baut einen Zeigertelegraf
1841 J. Withworth führt das genormte Gewindesystem ein
1843 Stapellauf des von J. K. Brunel erbauten ersten eisernen Schraubendampfers »Great Britain«; K. Hancock stellt Hartgummi her
1844 Telegrafenlinie zwischen Washington und Baltimore; A. Bain verwendet einen Lochstreifen in der Telegrafie
1845 Von J. Fitch wird eine Revolverdrehbank konstruiert
1846 Zeigertelegraf von W. Siemens; die von R. M. Hoe konstruierte Rotationsdruckmaschine wird eingesetzt (8 000 Bogen pro Stunde)
1848 R. C. Böttger entwickelt das Sicherheitszündholz; M. E. Staite erhält ein Patent auf ein Verfahren zum Lichtbogenschweißen
1849 W. Hunt stellt die Sicherheitsnadel vor; Überdruckturbine von J. B. Francis; R. W. Thompson erhält ein Patent auf einen Füllfederhalter
1850 I. Porro baut ein Prismenfernglas
1851 Stahlformguss von J. Mayer; I. M. Singer erhält ein Patent auf eine Nähmaschine mit automatischem Stoffschieber
1852 E. G. Otis erfindet den Personenaufzug; Prinzip der Wärmepumpe von W. Thomson gefunden; Telegrafenlinie London–Paris; Dampflokomobile von C. F. Calla; Gasmotor von C. Reithmann
1853 Fahrradantrieb mit Tretkurbel von P. M. Fischer; Rohrpostanlage in London von L. Clarke
1854 H. Goebel baut Glühlampen; Bleiakkumulator von W. J. Sinsteden
1855 Bessemer-Prozess zur Stahlerzeugung von H. Bessemer; Typendrucktelegraf von D. E. Hughes; Bunsenbrenner von R. W. Bunsen konstruiert
1857 Winderhitzer am Hochofen von E. A. Cowper
1859 Eisenbahnstellwerk von A. Chamberlain; L. Lemoine erhält ein Patent auf eine Dampfwalze
1860 J. J. E. Lenoir erhält ein Patent auf einen direkt wirkenden Gasmotor mit elektrischer Zündung; J. P. Reis erfindet das Telefon; A. Prandtl führt die Milchzentrifuge ein
1861 N. A. Otto baut den Viertaktmotor; Hochdruckdampfmaschine von O. Evans; Universalfräsmaschine von J. R. Brown; E. Solvay wird das Sodaverfahren patentiert
1862 A. Parkes stellt den ersten Kunststoff (Parkesin) her; R. J. Gatling baut das erste Maschinengewehr
1863 Rotationsdruckmaschine für den Buchdruck von W. Bullock; U-Bahn in London eröffnet; Kompressionskältemaschine von C. Tellier; L. Pasteur entwickelt Konservierungsverfahren (Pasteurisation)

Geschichte der Technik (Auswahl; Fortsetzung)

1864 Das Siemens-Martin-Verfahren zur Stahlerzeugung gelangt zur Einsatzreife
1866 Dynamomaschine von W. Siemens; R. Whitehead konstruiert den Torpedo
1867 verbesserter atmosphärischer Gasmotor von N. A. Otto und E. Langen; Schreibmaschine von C. Sholes; J. Monier erhält ein Patent auf Stahlbeton; E. Thomson entwickelt das Widerstandsschweißen; A. Nobel erfindet das Dynamit
1868 In Deutschland wird das metrische Gewinde eingeführt; Entwicklung des Lichtdrucks durch J. Albert; Trockenelement (Batterie) von G. Leclanché; Warmwasserbereiter von B. W. Maugham
1869 J. W. Hyatt stellt Zelluloid her; G. Westinghouse erhält ein Patent auf die selbsttätige Druckluftbremse
1870 W. W. Lyman erhält ein Büchsenöffnerpatent
1873 P. Remington nimmt die Produktion von Schreibmaschinen auf; C. M. Spencer konstruiert die automatische Revolverdrehbank; C. von Linde baut eine Ammoniak-Kältemaschine mit Kompressor
1875 Fahrrad mit Vollgummireifen, Freilauf und Rücktrittbremse
1876 A. G. Bell meldet sein Telefon zum Patent an; Viertaktmotor mit Verdichtung von N. A. Otto; Kühlschrank mit Ammoniak-Kältemaschine von C. von Linde
1877 T. A. Edison stellt den Phonograph und das Kohlemikrofon vor
1878 Kohlemikrofon von D. Hughes; einsatzfähiger Wechselstromgenerator von Z. T. Gramme
1879 W. Siemens konstruiert einen Elektrostahlofen und führt für Webstühle den Antrieb mit Elektromotor ein; T. A. Edison und J. Swan entwickeln unabhängig voneinander eine Kohlefaden-Glühlampe; J. R. Ritty erfindet die Registrierkasse
1880 H. Hollerith konstruiert eine Lochkartenmaschine; elektrisch angetriebener Aufzug von W. Siemens
1881 F. E. Ives gelingt die Farbfotografie
1882 In New York geht das von T. A. Edison entworfene erste Kraftwerk der Welt in Betrieb (Pearl-Street-Kraftwerk); H. Weely erhält ein Patent auf ein elektrisches Bügeleisen
1883 schnell laufender Benzinmotor von G. Daimler und W. Maybach; Gleichdruckturbine von C. G. de Laval
1884 Überdruckdampfturbine von C. A. Persons; Zeilensetzmaschine von O. Mergenthaler; erstes Kraftwerk in Berlin
1885 dreirädriges Kraftfahrzeug von C. Benz; Motorzweirad von G. Daimler; im Werk der Brüder R. und M. Mannesmann werden nahtlose Stahlrohre produziert; W. Stanley erfindet den Transformator für die Elektrotechnik; U-Boot von T. W. Nordenfelt; P. A. Regnault entwickelt den Druckknopf; Einzelbuchstaben-Setzmaschine (Monotype) von T. Lanston
1886 J. Cochrane erhält ein Patent auf eine Geschirrspülmaschine
1887 erste Rollfilmkamera von É. J. Marey; E. Berliner entwickelt die Schallplatte
1888 Luftreifen mit Ventil von J. B. Dunlop; Entwicklung der Spannbetonbauweise durch W. Doehring; Wechselstromzähler von O. Schallenberger; Wechselstrommotoren von N. Tesla und G. Ferraris; Verfahren zum Lichtbogenschweißen von N. G. Slawjanow
1889 Bau des Eiffelturms; Mehrfarben-Rotationsdruckmaschine (Buchdruck) von H. Marinoni; G. de Laval konstruiert die einstufige schnell laufende Gleichdruck-Dampfturbine
1890 A. Michelin führt den auswechselbaren Luftreifen für das Fahrrad ein; O. Lilienthal unternimmt Gleitflüge
1891 Hochspannungstransformator von N. Tesla; Elektroautomobil der Firma Morris und Salomon (USA); Filmaufnahmekamera von T. A. Edison
1892 R. Diesel erhält das Patent auf seinen Motor
1893 J. Elster und H. Geitel stellen die Photozelle vor; W. Judson erhält ein Patent auf einen Reißverschluss; W. Maybach konstruiert den Vergaser
1894 H. Junkers baut einen Gasdurchlauferhitzer
1895 A. S. Popow erfindet die Antenne; W. C. Röntgen entdeckt die nach ihm benannte Strahlung und erkennt auch die beiden wichtigsten Anwendungsgebiete: Medizin und zerstörungsfreie Werkstoffprüfung
1896 Eröffnung der Berliner U-Bahn; C. G. Curtis stellt seine im Gleichdruckverfahren mit Geschwindigkeitsabstufung arbeitende Dampfturbine vor
1897 K. F. Braun baut die erste Kathodenstrahlröhre; F. Hoffmann entwickelt das Aspirin; Schnelldrehstahl von F.-W. Taylor; technische Indigosynthese von K. Heumann; A. Spittler entdeckt den ersten Kaseinkunststoff »Galalith« (Kunsthorn) durch Härten von Milcheiweiß; in Dresden wird das erste Röntgengerät im Krankenhausbetrieb eingesetzt
1901 M. R. Hutchinson erhält ein Hörgerätepatent; Staubsaugerpatent für H. C. Booth; der von K. Gillette entwickelte Rasierapparat mit Wegwerfklingen kommt auf den Markt; erste Funkverbindung Europa–USA; erster Motorflug von G. Weißkopf (Whitehead); Dieselmotor mit Vorkammer und Einspritzung von F. Haselwander
1902 F. Lancester erfindet die Scheibenbremse; G. Gauthier konstruiert den Motorroller (»Sesselauto«); W. H. Carrier erhält ein Patent auf eine Klimaanlage
1903 erster Motorflug der Brüder O. und W. Wright
1904 C. Hülsmeyer erhält das Radar-Patent; J. A. Fleming entwickelt die Röhrendiode; Offsetdruck wird von J. W. Rubel zur Einsatzreife entwickelt
1905 G. Marconi erfindet die Richtantenne; erstes deutsches U-Boot; A. Büchli erhält ein Patent für den Turbokompressor (Turbolader); Turbotransformator von H. Föttinger
1906 Gasturbine von H. Holzwarth; Diesellokomotive von A. Klose; M. Dieckmann und A. Rosing gelingt die Bildübertragung mittels braunscher Röhre; L. de Forest und R. von Lieben entwickeln die Verstärkerröhre (Triode); Glühbirne mit Wolframwendel wird eingeführt
1907 L. Lumière entwickelt die Farbfotografie
1908 Kreiselkompass von H. Anschütz-Kaempfe; H. Grade fliegt mit seinem Eigenbauflugzeug
1909 L. Blériot überfliegt den Ärmelkanal; E. Forlani entwickelt das Tragflächenboot
1910 E. Mertens konstruiert eine Rotationstiefdruckmaschine; G. Claude erfindet die Neonröhre; H. Fabre baut ein Wasserflugzeug; Fernsehvorführung auf der Weltausstellung in Brüssel durch E. Ruhmer
1912 V. Kaplan konstruiert die nach ihm benannte Wasserturbine
1913 Haber-Bosch-Verfahren zur technischen Ammoniaksynthese ist produktionsreif (F. Haber und C. Bosch); A. Behm entwickelt das Echolot; im Automobilwerk von H. Ford wird das erste Fließband installiert
1914 E. Kleinschmidt erfindet den Fernschreiber
1915 erstes Ganzmetallflugzeug (»J 1«) von H. Junkers; P. Langevin erfindet das Sonar als Schallortungsverfahren
1917 S. D. Black und A. G. Decker konstruieren ihre elektrische Handbohrmaschine
1918 Überlagerungsempfänger von E. H. Armstrong
1919 H. Junkers konstruiert mit der »F 13« das erste Verkehrsflugzeug; J. Masolle, J. Engl und H. Vogt entwickeln das Triergonverfahren für den Tonfilm
1920 A. A. Griffith erfindet das Turboprop-Triebwerk; erste Rundfunksender in den USA

Geschichte der Technik (Auswahl; Fortsetzung)

1921 J. A. Larson baut den ersten Lügendetektor; von A. W. Hull wird das Magnetron (Elektronenröhre) zur Erzeugung von Mikrowellen erfunden
1923 elektrische Schreibmaschine von J. Smathers; Aufnahme des Rundfunks in Deutschland
1926 R. H. Goddard startet die erste Rakete mit Flüssigtreibstoff; M. von Ardenne entwickelt den Breitbandverstärker; Allradantrieb von G. Latil
1927 Nonstopflug von C. A. Lindbergh über den Atlantik; T. G. N. Haldane baut eine Wärmepumpe; G. J. M. Darrieus konstruiert den Windrotor mit senkrechter Achse
1928 J. W. Horton und W. A. Morrison bauen in den USA die erste Quarzuhr
1929 W. Bauer stellt Plexiglas her; H. Geiger und W. Müller konstruieren ein Elektronenzählrohr (»Geigerzähler«)
1930 Beginn der PVC-Produktion in Deutschland; M. von Ardenne realisiert die vollelektronische Bildübertragung; F. Whittle erhält ein Patent auf ein Düsentriebwerk
1931 J. Schick produziert den Elektrorasierer; die Bell Laboratories entwickeln das Telexsystem
1933 Elektronenmikroskop von E. Ruska u. a.
1934 W. H. Carothers entwickelt die Nylonherstellung (Patent 1935, Produktionsbeginn 1937); P. Shaw führt reflektierende »Katzenaugen« zur Fahrbahnmarkierung ein
1935 Herz-Lungen-Maschine von J. Gibbon; Radargerät von R. A. Watson-Watt; flugfähiger Hubschrauber von H. Focke
1936 K. Zuse baut seinen ersten, noch mechanischen Rechner
1937 C. Carlson erfindet die Xerographie; von G. Reber wird das erste Radioteleskop gebaut; die Golden Gate Brücke (San Francisco) wird vollendet
1938 Kugelschreiberpatent für L. Biró; Funknavigationssystem von H. Plendl; K. Zuse baut den »Z1«-Rechner mit Binärcode; F. Porsche baut den Prototyp des Volkswagens (»Käfer«)
1939 Photosetzmaschine von W. C. Huebner
1941 K. Zuse baut den programmgesteuerten Rechner »Z 2« mit 3 000 elektromechanischen Relais
1942 Kernreaktor von E. Fermi in Chicago
1946 J. P. Eckert und J. W. Mauchy entwickeln den Elektronenrechner »ENIAC«
1947 Das Raketenflugzeug »Bell XS-1« »durchbricht« die »Schallmauer«; P. M. Goldenmark konzipiert die Langspielplatte
1948 G. Gábor entwickelt die Holographie; J. Bardeen, W. Brattain und W. Shockley erfinden den Transistor; G. de Mestral erfindet den Klettverschluss; Sofortbildkamera (Polaroid) von E. H. Land entwickelt; Atomuhr von W. F. Libby
1949 erster elektronischer Rechner mit Programmspeicher (»BINAC«) in den USA
1951 erste Servolenkung in Automobilen (Chrysler); Feldionenmikroskop von E. W. Müller; J. André-Thomas entwickelt die Herz-Lungen-Maschine
1952 Die Firma Sony bringt ein Transistor-Kofferradio auf den Markt
1953 erster Überschall-Düsenjäger serienreif (»F 100 Super Sabre«)
1954 In den USA läuft das atomgetriebene U-Boot »Nautilus« vom Stapel; Entwicklung der Solarzelle durch G. L. Pearson, C. S. Fuller und D. M. Chaplin; F. Wankel konstruiert den nach ihm benannten Rotationskolbenmotor (1963 erste Kraftfahrzeuge mit Wankelmotor)
1955 Luftkissenfahrzeug (»Hoovercraft«) von C. Cockerell; N. S. Kapany stellt in London die ersten Glasfasern (Lichtleitfasern) her; C. H. Townes entwickelt den Maser (Mikrowellenverstärker)
1956 Im Auftrag von IBM entwickelt R. Johnson das erste kommerzielle Modell einer Computer-Festplatte
1960 T. H. Maiman entwickelt den ersten Laser (Rubinlaser)
1962 In den General-Motors-Werken werden die ersten Industrieroboter installiert; Nick Holonyak entwickelt die Leuchtdiode (LED)
1963 Von Philipps wird die Tonbandkassette eingeführt; W. Bruch entwickelt das Farbfernsehsystem PAL
1964 S. R. Hofstein und F. P. Heiman erfinden den Feldeffekttransistor
1965 R. Moog baut den ersten Synthesizer
1966 R. M. Dolby beschreibt seine Methode zur Unterdrückung des Bandrauschens
1968 erstes Überschall-Passagierflugzeug, die sowjetische Tupolew »TU-144«
1969 M. E. Hoff entwickelt den Mikroprozessor (Chip), dessen Markteinführung 1971 erfolgt; in den USA wird das ARPAnet, der Vorläufer des Internet, installiert
1970 Die Floppy Disk wird zur Datenspeicherung verwendet; AEG-Telefunken stellen die Bildplatte vor
1971 erster Taschenrechner (»Pocketronic«) von Texas Instruments; Markteinführung des Mikroprozessors durch die Firma Intel
1972 A. M. Cormack und G. N. Hounsfield entwickeln die Computertomographie
1973 G. N. Hounsfield erfindet den Scanner; die USA beginnen mit dem Aufbau des GPS (Global Positioning System)
1974 programmierbarer Taschenrechner von Hewlett Packard
1976 Nadeldrucker von IBM
1978 Von Apple wird das Diskettenlaufwerk für PC entwickelt
1981 Das Solarkraftwerk »Solar One« in Kalifornien geht ans Netz; das Betriebssystem DOS wird eingeführt
1982 Die Firma Bosch bietet das Antiblockiersystem (ABS) für Kraftfahrzeuge an; Entwicklung der Kernspintomographie
1983 Die Compactdisc (CD) wird angeboten; Fotokameras mit automatischer Scharfeinstellung (Autofokus); von Apple werden die Maus und die Menüsteuerung für PC eingeführt
1986 in Betriebnahme des 3 km langen Sturmflutwehrs Oosterschelde (Niederlande)
1987 Digital Audio Tape (DAT) in Japan entwickelt
1988 Geschwindigkeitsrekord des ICE mit 406,9 km/h; ISDN wird eingeführt
1989 Teilchenbeschleuniger LEP vom CERN; schnurlose Telefone in Deutschland nach dem CT1+-Standard; der Proton-Elektron-Speicherring HERA beim DESY (Hamburg) geht in Betrieb
1990 Rekord des Hochgeschwindigkeitszugs TGV Atlantique mit 515 km/h (Frankreich)
1991 CD-ROM werden als Speichermedium angeboten; digitale schnurlose Telefone in Deutschland
1993 erste Display-Camcorder auf dem Markt; erster Kühlschrank ohne FCKW und FKW (Deutschland)
1994 Der Kanaltunnel (Eurotunnel) wird eingeweiht (Baubeginn war 1987); Siemens baut den ersten europäischen Neurocomputer »Synapse-1«
1995 Über die Seinemündung bei Honfleur wird der »Pont de Normandie« eingeweiht (größte Schrägseilbrücke der Welt); in Deutschland wird das Fersehsystem PALplus gestartet
1996 Die Digital Versatile Disc (DVD) mit einer Speicherkapazität von 17 Gigabyte wird vorgestellt; in Kuala Lumpur (Malaysia) wird der »Petronas Tower« fertig gestellt (mit 451,90 m Höhe höchstes Gebäude der Welt); in Deutschland werden Kraftfahrzeuge mit Wasserstoffantrieb vorgestellt
1997 Hängebrücke über den großen Belt vollendet (Dänemark)

Renaissance (F. Brunelleschi, L. B. Alberti und Leonardo da Vinci). In der Textil-, der Berg- und Hütten-T. entstanden Großbetriebe.

Das 17. Jh. brachte die neue messende Physik (G. Galilei) und Fortschritte der experimentellen Naturwiss.; man kam zu neuen Lösungen technischer Aufgaben (erste einfache atmosphär. Dampfmaschine von D. Papin, 1690). In England bildete sich ein geregeltes Patentwesen. Der Merkantilismus begünstigte die stärkere Entwicklung des Manufakturwesens.

Im 18. Jh. begann man, die mathemat. Naturwiss. auf das techn. Schaffen anzuwenden. Günstige polit. und wirtsch. Verhältnisse gaben der engl. T. bald einen Vorsprung. J. Watt entwickelte eine Dampfmaschine (1765), die eine starke Steigerung der Wasser-, Kohlen- und Erzförderung und den Aufschwung der Textilind. ermöglichte. Die Verwendung des Kokses im Hochofenprozess, die Erfindung des Gussstahls u.a. machten die großtechn. Verwendung des Eisens möglich. Die Verfügbarkeit über Eisen und Energie führte zu neuen Arbeitsmaschinen.

Das 19. Jh. ist gekennzeichnet durch die umfassende Ausbreitung der Dampfmaschine, später der Verbrennungsmotoren mit weit reichenden Auswirkungen v.a. auf das Verkehrswesen, durch immer leistungsfähigere Arbeitsmaschinen und durch die steigende Anwendung der Wiss. auf die T., gefördert durch die zahlr. technischen Schulen und technischen Hochschulen. Seit dem späten 19. Jh. entwickelte sich die Elektro-T. in wenigen Jahrzehnten zu einem umfassenden Gebiet.

Im 20. Jh. spezialisierte sich die T. immer stärker. Die Massenfabrikation zusammengesetzter Gegenstände kam bes. seit dem 1. Weltkrieg auf. Die Stoff- und Werkstückzuleitung wurde durch das Fließbandsystem mechanisiert. Das Flugzeug eroberte den Luftraum, Dampf- und Gasturbine verdrängten die Dampfmaschine. Mit der Entwicklung der Hochfrequenz-T. (Funk-T., Hörfunk, Fernsehen, Radar, Fernwirk-T.) trat neben die T. der mit Bewegungsmechanismen arbeitenden Maschinen, der stat. Konstruktionen des Bauwesens und der Stoffe aufbauenden chem. Verfahren eine apparative elektron. T. (Elektronenröhre, Halbleiter-T., Mikroprozessor), die die Fortschritte der modernen Nachrichten-T., der Automatisierung, der Mikroelektronik (Prozessrechner, Computer, Industrieroboter) ermöglichte. Daneben war der Ausbau der chem. Großsynthesen wichtig (Ammoniak, flüssige Kohlenwasserstoffe, hochpolymere organ. Kunststoffe und Chemiefasern). Die Raketen-T., deren groß angelegte Entwicklung im 2. Weltkrieg begann, führte zur Raumfahrt. In der Energieversorgung trat neben die Wasserkraft und fossile Energiequellen die Kernenergie. Erneuerbare Energiequellen (Sonnenenergie, Erdwärme, Bioenergie, Windkraft) sind heute stärker im Gespräch. BILDTAFEL S. 38

📖 KÜFFNER, G.: *Faszinierende T. Mit Können u. Kniffen zum Meisterwerk. Frankfurt am Main 1993.* – BÖGE, A.: *Das Techniker-Hb., Beiträge v.* F. KEMNITZ *u.a. Braunschweig u.a.* [14]*1995. – Geschichte der T. in Schlaglichtern, hg. v.* W. CONRAD. *Mannheim u.a. 1997. – Propyläen-Technikgeschichte, hg. v.* W. KÖNIG, *5 Bde. Neuausg. Berlin 1997.* – ZIMMERLI, W. C.: *Technologie als »Kultur«. Hildesheim 1997.*

Technikbewertung, die umfassende Beurteilung einer bestehenden oder in Entwicklung befindl. Technik, die sich möglichst weitgehend an akzeptierten gesellschaftl. Normen orientiert. Besondere Probleme liegen in der Vergleichbarkeit von qualitativ versch. Werten und Risiken (ökonom., ökolog., techn., eth., ästhet. und soziale) sowie bei deren relativer Gewichtung. Die T. ist ein Bestandteil der Technikfolgenabschätzung.

Techniker *der,* Berufsbez. für versch. techn. Ausbildungsberufe des Handwerks (Radio- und Fernseh-T., Fernmelde-T., Zahn-T.) sowie für alle Berufe, die den Abschluss einer techn. Fachschule voraussetzen (staatlich geprüfter Techniker).

Technikfolgen|abschätzung, Abk. **TA,** eigtl. T. und Technikfolgenbewertung, interdisziplinäre Forschungsrichtung, die die Chancen und Risiken sowie die gesellschaftl. Folgen techn. Neuerungen untersucht. Mit der TA sollen Entscheidungsträgern in Politik und Wirtschaft Kriterien bei der Anwendung neuer Techniken an die Hand gegeben werden. Die TA umfasst dabei sowohl eine deskriptiv-abschätzende als auch eine normative Komponente.

Technikum *das, Bildungswesen:* 1) in Dtl. früher allg. Bez. für Ingenieurschulen (heute Fachhochschulen).

2) in der *Schweiz* die höhere techn. Lehranstalt (HTL); entspricht der Fachhochschule (Ausbildung diplomierter Ingenieure).

Technik|unterricht, bereits in der Grundschule ein in den Sachunterricht integrierter Unterrichtsbereich, dann v.a. in Hauptschulen (sowie integrierten Klassen für Haupt- und Realschüler) mit Aspekten der Arbeitswelt und Wirschaft verbundenes Unterrichtsfach (unterschiedl. Bez., z.B. Arbeit und Technik, Technik/Wirtschaft, techn. Werken, Arbeitslehre); soll eine erste Orientierung in der heutigen techn. Umwelt geben und den Grund für Technikverständnis legen.

Technikwissenschaften, die →Ingenieurwissenschaften.

Technische Anleitung, Abk. **TA,** Verwaltungsvorschrift, die im Sinne eines vorab ausgestellten Sachverständigengutachtens bindend ist, z.B. TA Abfall, TA Lärm, TA Luft.

Technik

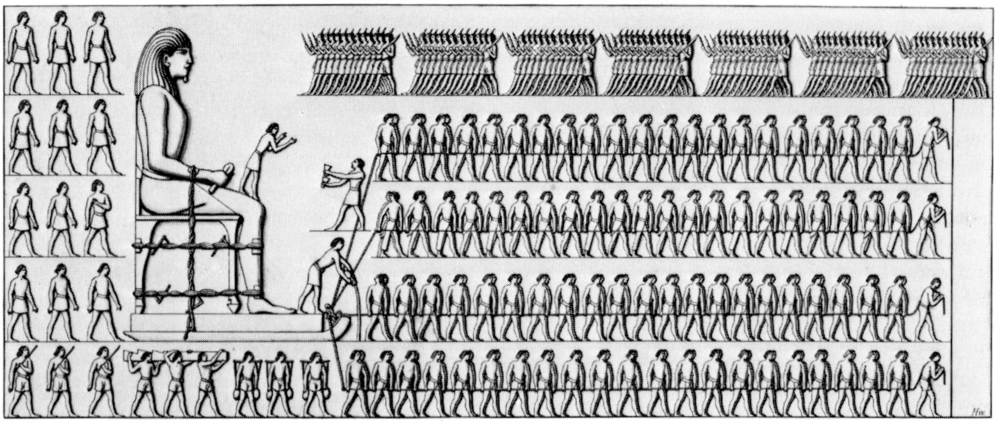

| 1

| 2

| 3

| 4

| **1** In den vorgriechischen Hochkulturen wurden technische Großleistungen vollbracht, hier der Transport eines Steinmonuments auf Kufen; die Zeichnung gibt die Darstellung eines um 2000 v. Chr. geschaffenen ägyptischen Felsenreliefs wieder | **2** Kehrrad zur Wasserförderung im Bergbau des 16. Jahrhunderts, Holzschnitt aus der 1556 in Basel erschienenen Abhandlung »De re metallica libri XII« (= Zwölf Bücher vom Berg- und Hüttenwesen) des deutschen Forschers Georgius Agricola | **3** Der Dynamoraum der ersten elektrischen Station in New York wurde 1882 von dem amerikanischen Pionier der Elektrotechnik Thomas A. Edison eingerichtet, Holzschnitt aus »Scientific American« (1882) | **4** Rudolf Diesel entwickelte 1893–97 den Dieselmotor; die Fotografie aus dem Jahr 1893 zeigt eine Vorführung auf dem Versuchsstand in der Maschinenfabrik Augsburg (Modell im Deutschen Museum in München)

tẹchnische Hilfe, →Entwicklungshilfe.

tẹchnische Hochschulen und tẹchnische Universitäten, wiss. →Hochschulen für Forschung und Lehre insbesondere in den Natur- und Ingenieurwiss. (Mathematik, Physik, Chemie, Bau-, Maschinen- sowie Bergbau- und Hüttenwesen, Elektrotechnik, Architektur, Landwirtschaft, Bio- und Geowiss., Pharmazie). Seit den 1950er-Jahren wurden den techn. Hochschulen (TH) und techn. Universitäten (TU) u.a. philosoph. und sozialwiss. Fachbereiche bzw. Fakultäten angegliedert, die z.B. ein Lehrerstudium ermöglichen.

tẹchnischer Fortschritt, Veränderungen und Neuerungen in der Technik, die sich in der Anwendung neuen techn. Wissens, in verbesserten oder neuartigen Methoden, Arbeitsabläufen, Fertigungsverfahren, Produkten u.Ä. niederschlagen. Kennzeichnend ist der zeitlich immer geringere Abstand techn. Innovationen (z.B. bei der Abfolge von Produktgenerationen zu beobachten), der auf eine zunehmende Beschleunigung des t. F. hinweist. T. F. erfolgt primär durch →Innovationen, führt zu Produktivitätssteigerungen sowie zu einer Veränderung der Kombination der eingesetzten Produktionsfaktoren. Der t. F. hat seit der industriellen Revolution in den Ind.staaten eine erhebl. Steigerung des Sozialprodukts, Arbeitserleichterungen, Arbeitszeitverkürzungen, höheres Lebensalter, Wachstum des materiellen Wohlstandes u.Ä. bewirkt. Seit der 2. Hälfte des 20. Jh. sind die negativen Begleiterscheinungen (Umweltzerstörung, nukleare Risiken, Arbeitsplatzverluste durch zunehmende Rationalisierung) stärker ins öffentl. Bewusstsein gerückt und haben eine zunehmende Beschäftigung mit der →Technikfolgenabschätzung veranlasst. Die Beschleunigung des t. F. ist eine wesentl. Aufgabe der Technologiepolitik.

📖 BURRUS, D. *u.a.: Technotrends. 24 Technologien, die unser Leben revolutionieren werden. Wien 1994.* – POPITZ, H.: *Der Aufbruch zur artifiziellen Gesellschaft. Zur Anthropologie der Technik. Tübingen 1995.*

tẹchnische Richtkonzentrationen, →TRK-Werte.

tẹchnischer Zeichner, Ausbildungsberuf der Industrie mit dreijähriger Ausbildungszeit.

Tẹchnisches Hilfswerk, Abk. **THW,** dem Bundesamt für Zivilschutz eingegliederte, nicht rechtsfähige Bundesanstalt; 1950 in Nachfolge der 1919 gegr. **Techn. Nothilfe** entstanden, heutiger Status seit 1953, Sitz: Bonn; Aufgaben: techn. Hilfeleistung bei Katastrophen und Unglücksfällen sowie bei Beseitigung öffentl. Notstände, Mitwirkung im erweiterten Katastrophenschutz.

tẹchnisches Zeichnen, die Anfertigung exakter, maßstabgerechter Zeichnungen von techn. Gegenständen, i.d.R. als Vorlagen für die Fertigung. Der Gegenstand wird meist durch eine senkrechte Parallelprojektion in allen zum eindeutigen Erkennen erforderlichen Ansichten maßstäblich dargestellt; seine Abmessungen sind aus der Bemaßung (Maßhilfslinien und Millimeterangaben) ersichtlich. Ist es nicht möglich, einen Gegenstand in dieser Darstellungsweise eindeutig wiederzugeben, so werden Schnittdarstellungen oder perspektiv. Darstellungen angewendet. Eine **technische Zeichnung** wird mit Bleistift oder Tusche auf weißem Zeichenkarton oder durchsichtigem Papier ausgeführt. Die Bedeutung von Liniendicke und -art sowie die Art der Schraffierung von Schnittflächen ist durch DIN-Norm festgelegt; Angaben für die Oberflächenbearbeitung, Rauheitsmaße, Toleranzen und die zu verwendenden Werkstoffe werden in die techn. Zeichnung eingetragen. – Die Anfertigung techn. Zeichnungen am →Reißbrett ist inzwischen durch das rechnergestützte Konstruieren (→CAD) ersetzt worden.

📖 HOISCHEN, H.: *T. Z. Grundlagen, Normen, Beispiele, darstellende Geometrie. Berlin [26]1996.*

Tẹchnische Überwachungs-Vereine, Abk. **TÜV,** Selbstverwaltungseinrichtungen der Wirtschaft und Sachverständigenorganisationen mit der Aufgabe der Beratung, Begutachtung, Prüfung und Überwachung auf den unterschiedl. Gebieten der Sicherheitstechnik (techn. Überwachung). Tätigkeitsbereiche sind u.a. Geräte- und Anlagensicherheit (z.B. Dampfkessel-, Druckgas-, elektr. Anlagen), Verkehrssicherheit (z.B. Kfz, Gütertransport), Fördertechnik (z.B. Aufzüge, Seilbahnen), Kerntechnik, Strahlenschutz, Umweltschutz (z.B. Gewässer-, Bodenschutz), Energietechnik, Werkstoffprüfung und Arbeitssicherheit sowie als neues Gebiet die Zertifizierung. In den letzten Jahren haben zahlreiche TÜV fusioniert, deren größter mit über 8000 Beschäftigten der TÜV Südwest ist. – Der erste dt. TÜV wurde 1866 als Dampfkessel-Überwachungs-Verein gegründet.

Technokratie [grch.] *die,* zumeist in krit. Absicht gebrauchte Bez. für eine Gesellschaft, in der die mit einer bestimmten Form des Technikgebrauchs gegebenen Sachzwänge gesellschaftl. und polit. Entscheidungen bestimmen. Dabei wird auch ohne öffentl. Diskussion festgelegt, welche Nebeneffekte und Technikfolgen im gesamtgesellschaftl. Zusammenhang als akzeptabel bezeichnet werden können. In extremer Ausformung führt T. zur Abschaffung demokrat. Kontrollmechanismen.

Technologie [grch.] *die,* erstmals 1769 von Johann Beckmann (*1739, †1811) eingeführter Begriff: »Wissenschaft, welche die Verarbeitung der Naturalien lehrt«. In den Ingenieurwiss. in Dtl. wurde der Begriff dann eingeschränkt auf die Bedeutung »Verfahrenskunde«. Er beinhaltet in die-

Technisches Hilfswerk

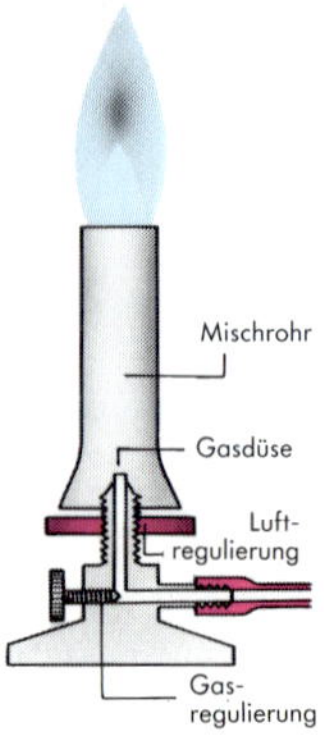

Teclu-Brenner

ser Form die Verfahren und Methodenlehre eines einzelnen ingenieurwiss. Gebiets oder eines bestimmten Fertigungsablaufs sowie ferner den **technologischen Prozess,** d.h. die Gesamtheit der zur Gewinnung und Bearbeitung von Stoffen notwendigen Vorgänge einschließlich der Arbeitsmittel, Werkzeuge, Arbeitsorganisation usw. (z.B. chem. T., Halbleiter-T). Heute wird mit T. daneben auch die Gesamtheit der techn. Kenntnisse, Fähigkeiten und Möglichkeiten, das techn. Wissen eines Gebietes bezeichnet, wobei diese Begriffsbelegung jedoch gleichbedeutend mit »Technik« ist (z.B. Raumfahrt-, Gentechnologie).

Technologiepolitik, die staatl. Maßnahmen, mit denen die Umsetzung von techn. Erfindungen in wirtschaftl. Anwendungen (techn. Innovationen) sowie die Verbreitung dieser Produkt- und Prozessinnovationen (Diffusion) unterstützt werden. Dazu dienen u.a. die Unterstützung technologieorientierter Forschungseinrichtungen und privatwirtschaftl. Innovationsprojekte (z.B. durch Zuschüsse und Steuervergünstigungen) und von Technologieparks, die die direkte Kooperation zw. Wiss., Forschung und Wirtschaft und so den Technologietransfer erleichtern sollen.

Technologietransfer, Weitergabe von techn. Wissen (z.B. Forschungs- und Entwicklungsergebnisse) für die Anwendung im Produktionsprozess; wird als planvoller, zeitlich begrenzter, privatwirtschaftlich, von Verbänden oder staatlich unterstützter Prozess verstanden, dem i.d.R. eine vertragl. Vereinbarung (z.B. Lizenzvertrag) zugrunde liegt. T. findet zw. Hochschulen, Erfindern, Forschungseinrichtungen und Unternehmen, innerhalb multinat. Unternehmen, zw. versch. Unternehmen, zw. Ind.ländern sowie zw. Ind.- und Entwicklungsländern statt. Dabei werden freie Technologien (z.B. Patente, Lizenzen) und gütergebundene Technologien (z.B. Spezialmaschinen, vollständige Fabrikanlagen) unterschieden. T. steigert den Nutzungsgrad einer Technologie und ist deshalb von großer Bedeutung für das wirtschaftl. Wachstum. In der Entwicklungspolitik stellt der T. darüber hinaus ein wichtiges Instrument dar.

Technomathematik, Gebiet der Mathematik, das sich mit der Anwendung moderner mathemat. Theorien auf techn. Probleme befasst. Schwerpunkt ist die mathemat. Modellierung (z.B. computergestützte Simulationen).

Teck *die,* Zeugenberg vor der Schwäb. Alb, 773 m ü.M., mit der Burg T. (größtenteils rekonstruiert). – Die 1152 bezeugte Burg war Sitz der Herzöge von T., einer Nebenlinie der Zähringer, deren Besitz nach ihrem Aussterben (1363 bzw. 1439) 1317/1381–86 bzw. 1495 (der Herzogstitel) an Württemberg kam.

Teckel, eine Hunderasse, →Dackel.

Teckellähme, die →Dackellähme.

Tecklenburg, 1) Stadt im Kr. Steinfurt, NRW, im Teutoburger Wald, 9200 Ew.; Kreismuseum mit Puppenmuseum, Freilichtbühne; Luftkurort.

2) ehem. westfäl. Grafschaft; kam von den ursprüngl. Grafen von T. (ab 1. Hälfte des 12. Jh.) 1263 an die Grafen von Holland (seit 1154/55 von Bentheim), 1329 an die Grafen von Schwerin (die den Namen T. weiterführten), ab 1557 erneut an Bentheim (ab 1606 Linie Bentheim-T.), nach Erbstreitigkeiten mit den Grafen von Solms-Braunfels großteils an diese (1696); 1707–29 preußisch.

Teclu-Brenner [nach dem österr. Chemiker rumän. Herkunft Nicolae Teclu, *1839, †1916], Gasbrenner mit einem nach unten erweiterten Mischrohr, durch das das Brenngas-Luft-Gemisch geleitet wird; unten ist der Brenner durch eine verstellbare Platte abgeschlossen, mit der die Luftzufuhr reguliert werden kann.

Tecumseh [engl. tɪˈkʌmsɪ], Häuptling der Shawnee-Indianer, *bei Old Piqua (Oh.) um 1768, ⚔ bei Thamesville (Ontario, Kanada) 5. 10. 1813; versuchte ab etwa 1805 mit einer Konföderation aller Stämme des Mittelwestens das Vordringen der weißen Siedler zu stoppen, scheiterte jedoch nach der Niederlage seiner Krieger am Tippecanoe River (7. 11. 1811); er fiel als Brigadegeneral in brit. Diensten.

Tedeum [lat.] *das* (Te Deum), kirchl. Lobgesang, nach den Anfangsworten »Te Deum laudamus« (Dich, Gott, loben wir; →ambrosianischer Gesang).

Tee [niederländ., aus malaiisch, letzlich chines.], **1)** als **echter Tee** die getrockneten Blattknospen

Tee

Bei der seit dem 15. Jahrhundert klassischen Form der japanischen Teegesellschaft wird in einem betont schlichten Raum unter Verwendung einfachen, erlesenen Geräts grüner Pulvertee zeremoniell zubereitet und genossen. Für die Teezeremonie gelangen die höchstens fünf Gäste über die Trittsteine eines gewundenen Gartenpfades in den schmucklosen 4½-Matten-Raum des Teehauses. Auf eine mehrgängige, leichte Kaiseki-Mahlzeit (verschiedene Delikatessen in kleinen Gefäßen auf separaten Lacktabletts serviert), zu der auch Reiswein getrunken wird, folgt eine kurze Erholungspause im Garten. Mit fünf Gongschlägen ruft der Hausherr die Gäste in den Teeraum zurück, in den man durch eine etwa 1 m hohe Tür auf den Knien in Demutshaltung hineinkriecht. Jetzt erst wird der starke Tee mit gemessenen Bewegungen bereitet und serviert. Vorher angebotene Süßigkeiten aus Reismehl mildern den Geschmack. Ein leichter, dünner Tee bildet den Abschluss der Zeremonie, die vollständig durchgeführt etwa vier Stunden dauert.

Die japanische Lebenshaltung und die Künste wurden durch die geistigen und ästhetischen Forderungen der Teezeremonie (Schlichtheit, Herbheit der Umgebung, Ehrfurcht, Harmonie, Reinheit, Stille) wesentlich bestimmt.

und jungen Blätter des → Teestrauchs, die je nach Herkunft und Qualität 1–5% Koffein, ferner Theobromin, Theophyllin, etwas äther. Öl und 7–12% Gerbstoffe enthalten. Beim Aufbrühen werden das Koffein und die Aromastoffe rasch, die Gerbstoffe, die auch die Bräunung bestimmen, erst nach und nach ausgezogen. Bei der Herstellung des **schwarzen T.** wird das Pflückgut nach dem Welken gerollt (um die Zellwände aufzubrechen) und dann in Gärkammern bei 35–40 °C über vier Stunden fermentiert. Das Trocknen erfolgt bei 85–125 °C. Beim **grünen T.** unterbleibt die Fermentation. Durch kurzes Dämpfen über siedendem Wasser bleibt die grüne Farbe erhalten. Grüner T. ist ebenso wie der halb fermentierte »gelbe« **Oolong-T.** v. a. in China und Japan verbreitet.

Wirtschaft: 1995 wurden weltweit 2,627 Mio. t T. geerntet, davon in Indien 715 000 t, in China 613 000 t, in Kenia 245 000 t, in Sri Lanka 242 000 t, in Indonesien 140 000 t und in der Türkei 135 000 t.

Kulturgeschichte: In China wurde der T. schon lange vor unserer Zeitrechnung verwendet. Erste japan. Belege über T. als Genussmittel stammen aus dem Jahre 729. Durch reisende Araber kam der T. nach Europa. 1610 brachten die Holländer von chines. Kaufleuten getauschten T. in ihre Heimat, 1660 verbreitete die Ostind. Kompanie den T. in England. In Dtl. bürgerte sich erst seit Beginn des 19. Jh. das T.-Trinken ein.

📖 Feldheim, W.: *T. u. T.-Erzeugnisse. Berlin u. a. 1994.* – Merzenich, B. *u. a.: T. Gewohnheiten, Konsequenzen. St. Gallen u. a. ²1994.* – Hobhouse, H.: *Fünf Pflanzen verändern die Welt. Chinarinde, Zucker, T., Baumwolle, Kartoffel. A. d. Engl. München ⁴1996.* – Schmidt, Rainer: *T. Der Guide für Kenner u. Genießer. München 1997.*

2) allg. Bez. für die getrockneten Teile bestimmter Pflanzen und den daraus bereiteten → Aufguss, z. T. auch längere Abkochung; wird teilweise als Arzneimittel benutzt, so Kamillen-, Pfefferminz-, Flieder-, Fenchel-, Lindenblüten-T. oder T.-Gemische wie → Brusttee.

Teehybriden, eine Gruppe von Kulturrosen (→ Rose).

Teenager ['ti:neɪdʒə, engl.] *der,* Jugendlicher zw. 13 (thir**teen**) und 19 (nine**teen**) Jahren.

Teepilz, aus Hefepilzen und Essigsäurebakterien zusammengesetzte symbiont. Mischkultur, die gesüßten schwarzen Tee in ein essigsäure-, gluconsäure- und vitaminhaltiges Getränk umwandelt; aus Asien stammend, gesundheitsfördernde Wirkung.

Teer, bräunl. bis schwarzes, zähflüssiges Gemisch organ. Verbindungen, das durch zersetzende therm. Behandlung (Pyrolyse) organ. Naturstoffe gewonnen wird. Je nach Ursprung unterscheidet man zw. Steinkohlen-, Braunkohlen-, Schiefer-, Holz-T. u. a. Durch Schwelung von Steinkohle erhält man **Tieftemperatur-T. (Schwel-T.).** Besondere Bedeutung hat **Hochtemperatur-T. (Kokerei-T.),** der bei der Verkokung von Steinkohle als schwarze, viskose Flüssigkeit anfällt. Seine Hauptbestandteile sind Naphthalin, drei- und vierkernige Aromaten und heterozykl. Verbindungen. Bei der T.-Destillation wird der Roh-T. in wasserhaltiges Leichtöl (Siedebereich bis 180 °C), Carbolöl (180–210 °C), Naphthalinöl (210–220 °C), Waschöl (230–300 °C), Anthracenöl (300–450 °C) und Pech aufgetrennt. Die **T.-Öle** dienen zur Gewinnung von Aromaten (z. B. Naphthalin, Anthracen, Phenanthren), als Imprägnieröle für den Holzschutz und zur Herstellung von Ruß. – Langfristige Einwirkung von T. auf die Haut kann zur Krebsbildung neigende Veränderungen hervorrufen; therapeut. Verwendung in → Teerpräparaten.

Teestrauch: blühender Zweig und Kapselfrucht (links unten), die schwarzbraune, etwa 1 cm große Samen enthält

Tee|rose, eine Rosenart, → Rose.

Teerpräparate, teerhaltige, äußerlich anwendbare Arzneimittel bes. gegen Hautkrankheiten, wirken juckreizstillend, keimtötend und durchblutungssteigernd.

Teersande, die → Ölsande.

Teerseife, Seife mit Nadelholzteer gegen Hautleiden.

Teesteuer, urspr. dem Bund zustehende Verbrauchsteuer auf Tee, die durch das Umsatzsteuer-Binnenmarkt-Ges. vom 25. 8. 1992 ab 1. 1. 1993 aufgehoben wurde.

Teestrauch (Camellia sinensis, Thea sinensis), in Assam und Oberbirma beheimatete Art der Kamelie; kleiner, immergrüner Baum oder Strauch mit 4–10 cm langen Blättern und weißen Blüten; zwei Varietäten: der 10–15 m hoch werdende **Assam-T.** und der meist nur 3–4 m hohe **Chines. T.;** in Kultur durch Schnitt in einer Höhe von 1–2 m gehalten, um die Ernte zu erleichtern. Der T. wird bes. zur Gewinnung von →Tee in Asien und O-Afrika kultiviert.

Tegucigalpa: Die Kirche Los Dolores wurde in den Jahren 1736-1815 erbaut

Teflon® [Kw.] *das,* ein Handelsname für →Polytetrafluoräthylen.

Tegel, Ortsteil im Bezirk Reinickendorf von Berlin mit dem internat. Flughafen Berlin-Tegel.

Tegernsee, 1) See in den bayer. Alpen, 725 m ü.M., 8,9 km², bis 72 m tief.

2) Stadt und heilklimat. Kurort im Landkr. Miesbach, Oberbayern, 732 m ü.M., 4200 Ew.; Fremdenverkehr. – Got. Kirche St. Quirin (Ende 15. Jh. auf ottonisch-roman. Vorgängerbau, ab 1678 barockisiert) mit Stuck und Fresken von H. G. Asam, Schloss (1823/24 durch L. von Klenze umgebaut). – Entstand um das bed. Benediktinerkloster T. (gegr. 746; 12.–15. Jh. reichsunmittelbar, 1803 säkularisiert); 1954 Stadt.

Esaias Tegnér: Lithographie des schwedischen Malers Leonhard Henrik Roos (1816)

Tegnér [tɛŋ'ne:r], Esaias, schwed. Dichter, *Kyrkerud (Värmland) 13. 11. 1782, †Växjö 2. 11. 1846; seit 1824 Bischof von Växjö. T.s Weltbild war durch Antike, dt. Klassik, Idealismus und durch das Nationalgefühl der nord. Romantik (»Svea«, 1811) bestimmt. Mit der Verserzählung »Frithjofs Sage« (1825) erlangte T. Weltruhm.

Tegucigalpa [-si'ɣalpa], Hptst. von Honduras, 900–1000 m ü.M., 670000 Ew.; Erzbischofssitz; Univ.; wiss. Akademie, Nationalarchiv, -museum; Textil-, Zucker-, Zigarettenind.; internat. Flughafen. – Kathedrale (1758–82), Kirche Los Dolores (1736–1815). – T. wurde 1578 in der Nähe heute erschöpfter Gold- und Silberminen gegründet; seit 1880 Hptst. von Honduras.

Teheran [auch -'ra:n] (pers. Tehran), Hptst. von Iran, am südl. Abfall des Elburs gelegen, 6,62 Mio. Ew. T. ist polit., kultureller und wirtsch. Mittelpunkt Irans mit mehreren Univ. u.a. Hochschulen, Museen, Kulturinst.; größter Teppichhandelsplatz der Erde; Konsumgüter-, Maschinen-, Kraftfahrzeug- u.a. Ind., Erdölraffinerie; internat. Flughafen: Mehrabad. – Zahlreiche Moscheen (u.a. Khomeini-Moschee, früher Schahmoschee, und Sepah-Salar-Moschee, beide 19. Jh.), Golestanpalast (18./19. Jh.; Museum), Basar (mit Bauten des 19. Jh.), moderne City. – T. wurde 1788 Hptst. Persiens. – Auf der **Konferenz von T.** (28. 11. bis 1. 12. 1943) zw. F. D. Roosevelt, W. Churchill und J. Stalin wurden die von Stalin geforderte Errichtung einer zweiten Front in Europa durch Landung alliierter Truppen in der Normandie und S-Frankreich im Sommer 1944 mit der gleichzeitigen sowjet. Offensive koordiniert, die sowjet. Beteiligung am Krieg gegen Japan in Aussicht gestellt und die »Westverschiebung« Polens zugunsten der Sowjetunion geplant.

📖 SEGER, M.: *T. Eine stadtgeograph. Studie. Wien 1978.*

Tehuantepec, Isthmus von [-teʊante'pɛk], Landenge zw. Atlant. und Pazif. Ozean, 216 km breit, bis 207 m ü.M. (Wasserscheide), bildet die naturräuml. Grenze zw. Nord- und Zentralamerika.

Teichhuhn, die →Teichralle.

Teichmolch, Art aus der Familie →Molche und Salamander.

Teichoskopie [grch. »Mauerschau«] *die,* Mittel v.a. des antiken und klassizist. Dramas, das dazu dient, bestimmte Szenen (z.B. Schlachten) durch eine Art synchroner Reportage (vom Turm u.Ä.) auf der Bühne zu vergegenwärtigen.

Teichralle (Teichhuhn, Gallinula chloropus), Art der →Rallen, lebt an stark bewachsenen Gewässern; Hals und Unterseite sind grau, der Rücken ist olivbraun, die Beine sind olivgrün, der Schnabel hat einen roten Stirnhöcker.

Teichrose (Mummel, Nuphar), Gattung der Seerosengewächse, in stehenden oder langsam fließenden Gewässern, in Nordamerika und Eurasien. Blüten meist mit vielen Honigblättern. In Mitteleuropa die geschützten Arten **Große T.** (**Gelbe T.**, Nuphar lutea) und die **Kleine T.** (Nuphar pumila).

Teichwirtschaft, die Bewirtschaftung von Teichen zur Zucht und Produktion von Speisefischen. **Karpfenteiche** benötigen nur einen geringen Wasserzufluss und sind, außer den zur Überwinterung tieferen Winterteichen, flach und warm (Sommertemperaturen über 20 °C). **Forellenteiche** werden als kleine, stark durchströmte 1,5–2 m tief ausgehobene Längsteiche mit senkrechten Wänden oder als Rundbecken angelegt (Sommertemperaturen unter 20 °C).

Teide, Pịco de [-ˈtɛjðe] *der,* mit 3718 m ü. M. höchster Berg Teneriffas.

Teigmaul, *Tiermedizin:* → Glatzflechte.

Teilbarkeit, *Mathematik:* Eigenschaft einer ganzen Zahl, → Teiler zu besitzen. Für natürl. Zahlen gelten bestimmte **T.-Regeln,** z. B. hat eine natürl. Zahl den Teiler 3 (oder 9), wenn ihre Quersumme durch 3 (oder 9) teilbar ist.

Teilbruch, → Partialbruch.

Teheran: Das Gebäude der Khomeinimoschee (früher Schahmoschee) wurde Anfang des 19. Jahrhunderts errichtet

Teilchen (Korpuskel, Partikel), Bez. für kleine Körper (z. B. Staub-T. oder Schwebe-T. in Gasen oder Flüssigkeiten, → Kolloide), kleinste Teile chem. Verbindungen und Elemente (Moleküle, Ionen, Atome), Bestandteile des Atoms (Elektronen, Atomkern) und Atomkerns (Nukleonen) sowie alle → Elementarteilchen. Atomare und subatomare T. lassen sich nicht mit den klass. physikal. Gesetzen, sondern nur mit denen der Quantenphysik beschreiben, wobei der → Dualismus von Welle und T. von besonderer Bedeutung ist.

Teilchenbeschleuniger (Beschleuniger, Akzeleratoren), Geräte und Anlagen zur Beschleunigung elektrisch geladener Teilchen (v. a. Elektronen, Protonen und ihre Antiteilchen sowie Atomkerne und Ionen) auf sehr hohe Energien (heute bis zu mehreren 1000 GeV), sodass sie Kern- und Elementarteilchenreaktionen auslösen oder

Teichrose: Die einheimische Große Teichrose ist geschützt

Brems- sowie Synchrotronstrahlung, z. T. auch bestimmte Elementarteilchenstrahlen, erzeugen können; die Beschleunigung erfolgt grundsätzlich durch elektr. Felder, die auf die Ladungen der Teilchen wirken. – Nach der Form der Teilchenbahnen unterscheidet man → Linearbeschleuniger und **Kreis-, Ring-** oder **Zirkularbeschleuniger.** Große T.-Anlagen, bei denen Teilchen versch. Ladungen auf ringförmigen (→ Speicherringe) oder linearen Bahnen diametral gegeneinander geführt und zur Kollision gebracht werden, werden auch als **Collider** bezeichnet. Die wichtigsten Kreisbeschleuniger für Elektronen sind das → Betatron, das → Mikrotron und das Elektronensynchrotron (→ Synchrotron), für Protonen, schwerere Atomkerne und Ionen das → Zyklotron, das Synchrozyklotron und das Protonensynchrotron. – T. haben v. a. in der Grundlagenforschung auf den Gebieten der Kern- und Hochenergiephysik große Bedeutung. Sie werden außerdem u. a. zur Herstellung bestimmter Radionuklide (z. B. in der → Schwerionenforschung), in der Medizin zur Strahlentherapie und in der Technik zur zerstörungsfreien Werkstoffprüfung eingesetzt.

Die wichtigsten großen T. und Speicherringanlagen befinden sich in W-Europa am → Deutschen Elektronen-Synchrotron (DESY) bei Hamburg, am → CERN bei Genf, in Russland bei Serpuchow

Teilbarkeit

Teilbarkeitsregeln

Für die Teilbarkeit einer natürlichen Zahl n gibt es einige »Faustregeln«: n ist teilbar durch
2, wenn n gerade ist;
3, wenn die Quersumme durch 3 teilbar ist;
4, wenn die letzten beiden Ziffern durch 4 teilbar oder 00 sind;
5, wenn die letzte Ziffer 0 oder 5 ist;
6, wenn n gerade und durch 3 teilbar ist;
8, wenn die letzten drei Ziffern durch 8 teilbar oder 000 sind;
9, wenn die Quersumme durch 9 teilbar ist.

am Inst. für Hochenergiephysik sowie in Nowosibirsk am Inst. für Kernphysik, in Japan am Nat. Laboratorium für Hochenergiephysik in Tsukuba und in den USA am Fermi National Accelerator Laboratory (FNAL) in Batavia (Ill.), am Brookhaven National Laboratory (BNL) in Brookhaven (N. Y.), an der Cornell University in Ithaca (N. Y.) sowie am Stanford Linear Accelerator Center (SLAC) in Stanford (Calif.).

📖 WILLE, K.: *Physik der T. u. Synchrotronstrahlungsquellen. Stuttgart ²1996.*

Teiler, *Mathematik:* ganze rationale Zahl, die in einer anderen ganzen Zahl enthalten ist, d.h. bei Teilung ohne Rest in ihr aufgeht (→Division), z.B. ist 3 T. von 6, man sagt, 6 ist durch 3 teilbar oder 3 teilt 6. Jede ganze Zahl *a* hat neben den echten (eigtl.) T. die trivialen (uneigtl.) T. $\pm a$ und ± 1. Natürl. Zahlen, die keine echten T. besitzen, heißen →Primzahlen. Haben zwei Zahlen keinen gemeinsamen T. außer der 1, wie 60 und 77, so heißen sie **teilerfremd;** zwei nicht teilerfremde Zahlen haben einen →größten gemeinsamen Teiler (g. g. T.).

Teilhabe (Methexis, Partizipation), zentrale Begriffe der platon. und scholast. Philosophie. T. charakterisiert das Bedingungsverhältnis zw. den Ideen, als der eigentl. Wirklichkeit, und den konkreten Einzeldingen der sinnl. Erfahrung: Diese gewinnen ihr Sein nur, weil sie am wahren Sein der Ideen teilhaben. – Augustinus übernahm den T.-Gedanken unter dem Begriff der Partizipation: Alles Seiende kommt nur durch T. an den Ideen im Geiste Gottes zustande. – Thomas von Aquin verwendete Platons T.-Gedanken in seiner Schöpfungslehre: Alle Dinge außer Gott sind nicht ihr eigenes Sein, sondern haben nur Sein durch T. an Gott, dem unendl. Sein.

Pierre Teilhard de Chardin

Teilhard de Chardin [tɛja:rdəʃar'dɛ̃], Marie-Joseph Pierre, frz. Paläontologe, Anthropologe, Philosoph und kath. Theologe, * Landsitz Sarcenat (Dép. Puy-de-Dôme) 1. 5. 1881, † New York 10. 4. 1955; seit 1899 Jesuit, seit 1922 Prof. am Institut Catholique in Paris; zw. 1923 und 1939 Teilnehmer an mehreren Forschungsreisen nach Asien und Afrika, in China an der Ausgrabung und Auswertung des Pekingmenschen beteiligt; seit 1951 Aufenthalt in New York; unternahm in seinem philosoph. Hauptwerk »Der Mensch im Kosmos« (1955) den Versuch einer universalen christl. Weltdeutung durch die Synthese von naturwiss. Evolutionstheorie und christl. Heilsgeschichte. Die göttl. Schöpfung (der Kosmos) wird als Entwicklungsprozess (Evolution) angesehen, in dessen Verlauf Materie und Geist als die zwei Zustände des einen »Weltenstoffes« von Anbeginn an in wechselseitiger Beziehung stehen, um schließlich im »Punkt Omega« zur Identität zu gelangen, indem sich die Materie im Menschen ihrer selbst bewusst wird.

📖 SCHMITZ-MOORMANN, K.: *P. T. de C. Evolution – die Schöpfung Gottes. Mainz 1996.*

Teilklage, eine Klage, mit der nur ein Teil eines Anspruchs gerichtlich geltend gemacht wird, z.B. um das Kostenrisiko zu vermindern. Die T. ist zulässig, soweit der Anspruch teilbar ist. Keine T. ist die **Teilungsklage,** durch die die Aufhebung einer Rechtsgmeinschaft (z.B. Erbengemeinschaft) und Aufteilung ihres Vermögens erstrebt wird.

Teilleistung, die Abtragung einer Schuld in Teilen. Der Schuldner ist, wenn nicht etwas anderes vereinbart ist, zu T. grundsätzlich nicht berechtigt (§ 266 BGB; anders nach Art. 39 Wechsel-Ges.). Über Kaufverträge, bei denen der Kaufpreis vereinbarungsgemäß in **Teilzahlungen** geleistet werden soll, →Verbraucherkreditgesetz.

Teilnahme, *Strafrecht:* die Mitwirkung bei der Straftat eines anderen, umfasst →Anstiftung und →Beihilfe sowie i.w.S. die →Mittäterschaft. Jeder Teilnehmer ist ohne Rücksicht auf die Schuld des anderen nach seiner Schuld strafbar. – Das *österr.* Strafrecht (§ 12 StGB) bezeichnet auch Anstifter und Gehilfen als Täter (Einheitstäterbegriff). Die *schweizer.* Regelung (Art. 24–26 StGB) entspricht der deutschen.

Teilnehmersystem, Betriebsart eines Rechensystems, bei der Mehrprogrammbetrieb (→Multiprogramming) und →Dialogbetrieb gekoppelt sind. Die einzelnen Teilnehmer sprechen das System i.d.R. von Datenstationen aus an. Die zugängl. Betriebsmittel werden den Benutzern in schnellem Wechsel in »Zeitscheiben« zugeteilt, sodass jeder von ihnen den Eindruck hat, er arbeite allein mit dem System **(Timesharing).**

Teilrente, →Rentenversicherung, →Unfallversicherung.

Teilung, 1) *Biologie:* →Zellteilung.

2) *Geometrie:* →goldener Schnitt, →harmonische Teilung.

Teilwert, nach § 6 Einkommensteuer-Ges. der Betrag, den der Erwerber eines ganzen Betriebes im Rahmen des Gesamtkaufpreises für das einzelne Wirtschaftsgut ansetzen würde, wenn er den Betrieb in der bestehenden Form fortführen wollte. Der T. ist wesentlich für die Ermittlung des Einheitswerts.

Teilzahlung, Ratenzahlung im Abzahlungsgeschäft (→Verbraucherkreditgesetz).

Teilzeit|arbeit (Teilzeitbeschäftigung), eine regelmäßige Wochenarbeitszeit, die kürzer ist als diejenige vergleichbarer vollzeitbeschäftigter Arbeitnehmer eines Betriebes (meist 35 und weniger Stunden). Die Reduzierung kann sich auf alle Tage beziehen oder ganze Arbeitstage betreffen; häufig ist die **Halbtagsarbeit,** bei der die Hälfte der betriebl. Arbeitszeit gleich bleibend vor- oder nachmittags erbracht wird. Die Arbeitszeitreduzierung kann neben der Wochenarbeitszeit auch auf andere Zeiträume bezogen werden, wobei sich hierfür eigene Begriffe gebildet haben: Monats- (→Kapovaz), Jahres- (Sabbatical), Lebensarbeitszeit. Neuerdings kann im Zusammenhang mit einer Teilrente T. vereinbart werden. Auch Jobsharing sowie geringfügige Beschäftigung sind Formen von T. Grundsätzlich gelten für T. dieselben arbeitsrechtl. Vorschriften wie für das Vollzeitarbeitsverhältnis, dürfen Teilzeitbeschäftigte gegenüber Vollzeitbeschäftigten nicht benachteiligt werden. Bei der Festlegung der Lage der Arbeitszeit hat der Betriebsrat ein Mitbestimmungsrecht. T. wird überwiegend von Frauen verrichtet. In Dtl. waren 1996 rd. 3 Mio. Personen in T. tätig.

Teilzeitschule, Schule, deren Unterricht den Schüler nur zu bestimmten Zeiten beansprucht, z. B. Berufsschulen, Abendschulen, im Unterschied zur Vollzeitschule.

Teilzeitwohnrecht, →Timesharing.

Teinach-Zavelstein, →Bad Teinach-Zavelstein.

Teint [tɛ̃, frz.] *der,* Beschaffenheit und Farbe der Gesichtshaut.

Teirlinck ['te:rlɪŋk], Herman, fläm. Schriftsteller, *Molenbeek-Saint-Jean (Region Brüssel) 24. 2. 1879, †Beersel (bei Brüssel) 4. 2. 1967; schrieb den ersten fläm. Großstadtroman (»Das Elfenbeinäffchen«, 1909) und seit 1940 Generationsromane; Gedichte.

Teixeira de Pascoais [tɛi'ʃeira ðə paʃ'kuaiʃ], portugies. Schriftsteller, →Pascoais.

Teja, letzter König (552–553) der Ostgoten, ⚔553; Nachfolger des →Totila; er unterlag dem byzantin. Feldherrn Narses in der Nähe des Vesuv und fiel in der Schlacht.

Tejo ['tɛʒu] *der,* portugies. Name des →Tajo.

Tekirdağ [tɛ'kirdɑ:] (früher Rodosto), Hptst. der türk. Provinz T. in Thrakien, 80 200 Ew.; Hafen am Marmarameer; Handelszentrum.

Tektite [grch.], dunkelgrüne und braune, rundl. bis tropfenförmige, selten bis faustgroße, schwer schmelzbare Gesteinsgläser mit genarbter oder pockiger Oberfläche aus tertiären und quartären Ablagerungen in unterschiedl. Fundgebieten, nach denen sie benannt sind, z. B. **Moldavite** (Böhmen-Mähren), **Australite, Billitonite** (Billiton, Indonesien). Ihr hoher Kieselsäuregehalt (70–80 %) unterscheidet sie von den bas. Meteoriten, ihr niedriger Wassergehalt (<0,05 %) von Impaktgläsern, die bei Einschlägen von Meteoriten entstehen. Der Ursprung der früher auch als Glasmeteorite bezeichneten T. wird heute auch auf den Einschlag großer außerterrestr. Körper zurückgeführt, wobei geschmolzenes oder verdampftes Gesteinsmaterial der Erde (bedingt durch →Stoßwellenmetamorphose) weiträumig ausgeschleudert wurde.

Tektogenese [grch.], *Geologie:* die →Orogenese.

Tektonik [grch.] *die* (Geotektonik), *Geologie:* Wiss.zweig, der sich mit dem Bau der Erdkruste, den Lagerungsverhältnissen der Gesteine, ihren Veränderungen im Laufe der Erdgeschichte sowie den Ursachen befasst, die diese Lagerungsveränderungen auslösen. Forschungsgegenstand der T. sind u. a. die Bruch-T. (Verwerfungen u. a.), Falten-T. (einschl. Überschiebungsvorgängen), Salz-T., Klein- oder Fein-T. (Mikro-T.), aber auch die Probleme einer Gesamtkonzeption der zugrunde liegenden Kräfte, wie sie die Kontraktions-, Expansions-, Oszillations-, Undations-, Unterströmungs-, Kontinentalverschiebungstheorie und heute v. a. die Platten-T. darstellen. Zu den großräumigen tekton. Erscheinungen gehören Orogenese, Epirogenese und Taphrogenese.

tektonische Beben, →Erdbeben.

Tektonit [grch.] *der,* durch tekton. Beanspruchung im Gefüge verändertes Gestein (Schiefer).

Tektonosphäre [grch.], bis in über 100 km Tiefe reichende obere Erdkrustenzone, in der sich die tekton. Vorgänge abspielen.

Telanaipura (früher Jambi), Provinz-Hptst. in Mittelsumatra, Indonesien, 301 400 Ew.; Hafen; in der Nähe Erdölförderung. – Seit dem 7. Jh. Hptst. des hinduist. Reiches Malaju, 1275 des javan. Reiches Singasari; seit 1643 niederländ. Einfluss.

Tel Aviv-Jaffa (hebr. Tel Aviv-Yafo), zweitgrößte Stadt Israels, an der Mittelmeerküste, besteht aus →Jaffa im S und Tel Aviv im N, 353 200 Ew.; wirtsch. und kultureller Mittelpunkt des Landes: zwei Univ., Musikakademie, Bibliotheken, Theater, Oper, Museen; bed. Diamantenbörse; in einem Umkreis von 25 km sind etwa 23 % aller Ind.betriebe (elektron., Leder-, Textilind.) Israels konzentriert; internat. Flughafen. – Der Stadtteil Jaffa ist arabisch geprägt, ein Teil des Basars ist erhalten; Große Moschee (1810), Franziskanerkloster St. Peter (1654), alter Hafen. Die moderne Großstadt prägen Bauten im internat. Formenkanon. – Tel Aviv wurde 1908 als Gartenvorstadt von Jaffa gegründet, 1949 mit Jaffa vereinigt. Bild S. 46

tele... [grch.], fern...

Tele|angi|ektasie [grch.] *die,* bleibende Erweiterung kleinster Blutgefäße der Haut, bes. im Gesicht; Symptom von Haut- (z. B. Rosacea) oder Leberkrankheiten und ein Zeichen der Altershaut.

Telebanking [-bæŋkɪŋ, engl.] *das,* die Abwicklung von Bankgeschäften mittels Personalcomputer und Modem oder eines multifunktionalen Telefons von der Wohnung bzw. dem Sitz des Bankkunden aus. Bei Privatkunden spricht man von **Homebanking,** bei Firmenkunden von **Officebanking.** Das T. ist Teil des →Electronic Banking.

Telebrief, →Telefax.

Tel Aviv-Jaffa: Blick über die am Mittelmeer gelegene Doppelstadt

Telecurietherapie [-kyˈri-] (Telegammatherapie), Strahlenbehandlung, bei der die Gammastrahlung eines Radionuklids (Caesium-137 oder Kobalt-60) aus einem Abstand von 50–80 cm in Form der Stehfeld- oder Bewegungsbestrahlung eingesetzt wird.

Telefax [Kw., zu Faksimile] *das,* Telekommunikationsdienst zur Übermittlung von Schriftstücken, techn. Zeichnungen u.a. Vorlagen über das Fernsprechnetz **(Fernkopieren).** Neben dem Fernsprechnetz kann zum Fernkopieren auch das →ISDN (jedoch nur mit speziellen ISDN-taugl. Geräten) verwendet werden. Die Nutzung des T.-Dienstes erfolgt mit einem Fernkopierer **(T.-Gerät)** oder über ein Faxmodem auch mit einem Personalcomputer. Mit analogen T.-Anlagen sind Übertragungsgeschwindigkeiten von maximal 9600 bit/s möglich, während mit ISDN-Anlagen bis zu 64000 bit/s erreicht werden können. Werden T. und Telefon/Anrufbeantworter an einem Anschluss betrieben, ist eine **Faxweiche** erforderlich. Aktive Weichen nehmen den Anruf entgegen und erkennen ein T. am **T.-Ton** cng (von engl. calling). Passive Weichen können den T.-Ton erst erkennen, nachdem der Anruf vom Telefon bzw. Anrufbeantworter übernommen wurde. Als **Fax** bezeichnet man das Faksimile des übertragenen Schriftstücks, das vom Fernkopierer des Empfängers ausgegeben wird. Ein öffentl. T.-Dienst mit Möglichkeiten der Briefpostzustellung am Empfängerort **(Telebrief)** wird in den Postämtern angeboten.

Telefon [grch.] *das,* der →Fernsprecher.

Telefonhandel, Effektenhandel zw. Banken im ungeregelten Freiverkehr außerhalb der Börsen. Die gehandelten Objekte sind entweder nicht oder noch nicht zum Börsenhandel zugelassen (Telefonwerte); für sie existiert kein amtl. Kurs.

Telefonkarte, →Münzfernsprecher.

Telefonseelsorge, in Großstädten von versch. Trägern (Kirchen, Sozialeinrichtungen) unterhaltene, i.d.R. ganztägig (24 Stunden) besetzte Einrichtung, die Menschen (in Notsituationen) die Möglichkeit bietet, sich anonym über das Telefon von geschulten Mitarbeitern beraten und ggf. seelsorgerisch begleiten zu lassen.

Telefon|überwachung, das Abhören und Aufzeichnen des Fernmeldeverkehrs durch eine staatl. Stelle. In Dtl. nur aufgrund der im Abhör-Ges. vom 13. 8. 1968 geregelten Voraussetzungen zulässig (→Brief-, Post- und Fernmeldegeheimnis).

Telegrafie [grch.] *die,* älteste Form der elektr. Nachrichtenübertragung auf Leitungen, später auch über Funk. Die **T.-Zeichen** haben nur zwei Zustände (z.B. Strom, kein Strom), die Übertragung erfolgt demnach in einem Binärcode mithilfe von Telegrafenalphabeten. In der drahtlosen T. werden die Signale durch Modulation oder Tastung eines Senders erzeugt und im Empfänger durch Demodulation hörbar gemacht. Die Weiterentwicklung der T. führte zum →Fernschreiber.

Telegrafie: zeitgenössische Darstellung der Flügeltelegrafenlinie von Claude Chappe in Paris

Die drahtlose T. entwickelte sich zum Funkfernschreiben. Für Funkverbindungen wurde auch der →Hell-Schreiber verwendet. Zur Mehrfachausnutzung der Übertragungswege im Fernmeldenetz setzt man →Multiplexverfahren ein.

Geschichte: Die systemat. Entwicklung begann 1791/92 mit dem opt. Flügeltelegrafen von Claude Chappe (*1763, †1805), bei dem an einem Mast bewegl. Flügel befestigt waren. Die Ablenkung einer Magnetnadel bildete die Grundlage elektromagnet. Telegrafen (C. F. Gauß, W. Weber, C. A. von Steinheil u. a.; 1833/36). S. Morse schaffte 1837 den Durchbruch. Die drahtlose T. begann etwa 1900 (K. F. Braun, G. Marconi u. a.). Der Bildtelegraf wurde 1901 von A. Korn entwickelt.

📖 *So weit das Auge reicht. Die Geschichte der opt. T., hg. v.* K. Beyrer *u. a. A. d. Engl. Karlsruhe 1995.*

Telegramm [grch.] *das,* in Telekommunikationsnetzen übermittelte und durch Boten, telefonisch, per Telefax oder Telex zugestellte Nachricht.

Telekinese [grch.] *die, Parapsychologie:* Fernbewegung, physikalisch vorläufig nicht erklärbare »psych.« Einwirkung eines Menschen auf materielle Dinge; heute meist unter den Begriff der Psychokinese gefasst.

Teleki von Szék [-se:k], Pál Graf, ungar. Politiker, *Budapest 1. 11. 1879, †(Selbstmord) ebd. 3. 3. 1941; 1920 Außenmin., 1920–21 sowie 1939–41 MinPräs., erreichte im 2. Wiener Schiedsspruch (1940) die Revision des Vertrags von Trianon; verfolgte eine Politik der bewaffneten Neutralität, geriet in Konflikt zw. brit. Anbindung und dt. Druck (Teilnahme am Krieg gegen Jugoslawien).

Telekobaltgerät, →Kobaltbestrahlungsgerät.

Telekolleg, Weiterbildungseinrichtung in Form eines Medienverbundsystems aus Fernsehsendungen, schriftl. Begleitmaterial und Gruppenarbeit (Kollegtag), z. T. auch mit Einsendung schriftl. Arbeiten zur Kontrolle.

Telekom, →Deutsche Telekom AG.

Telekommunikation, Abk. **TK** (frühere Bez. Fernmeldewesen, Nachrichtenwesen), Sammelbegriff für alle Formen der Nachrichtenübertragung mit Anlagen der Nachrichtentechnik sowie die organisator. Einrichtungen und rechtl. Regelungen zur Einführung, zum Betrieb und zur Nutzung.

Telekommunikationsgesetz, Gesetz vom 25. 7. 1996 mit dem Zweck, durch Regulierung im Bereich der Telekommunikation den Wettbewerb zu fördern und flächendeckend angemessene und ausreichende Dienstleistungen zu gewährleisten sowie eine Frequenzordnung festzulegen. Das T. enthält u. a. Regelungen über den offenen Netzzugang, Kundenschutz, die Nummerierung und die Benutzung von Verkehrswegen. Zur Wahrnehmung der aus dem T. und anderen Gesetzen folgenden Aufgaben wurde zum 1. 1. 1998 als Bundesoberbehörde die Regulierungsbehörde für Telekommunikation und Post, Sitz: Bonn, errichtet.

Telemachos, *grch. Mythos:* Sohn des Odysseus und der Penelope, von →Mentor erzogen; half seinem Vater, die Freier der Penelope zu besiegen.

Telemann, Georg Philipp, Komponist, *Magdeburg 14. 3. 1681, †Hamburg 25. 6. 1767; begann 1704 als Organist und Musikdirektor in Leipzig, war 1705/06 Kapellmeister in Sorau, danach Konzertmeister (1708 Hofkapellmeister) in Eisenach und ab 1712 Kapellmeister und Städt. Musikdirektor in Frankfurt am Main. Seit 1721 wirkte er als Kantor am Johanneum und als Musikdirektor der fünf Hauptkirchen in Hamburg. T. war einer der bedeutendsten Musiker seiner Zeit. Sein umfangreiches Werk zeichnet sich durch eingängige Melodik, Volkstümlichkeit und Eleganz der Form aus; u. a. etwa 40 (meist verloren gegangene) Opern, Oratorien, 46 Passionen, Messen, Psalmen; 1400 Kirchenkantaten, 70 weltl. Kantaten, 40 »Kapitänsmusiken«, Lieder, etwa 1000 (ca. 125 erhalten) Orchestersuiten, über 100 Solokonzerte für versch. Instrumente, Kammer-, Klavier- und Orgelmusik.

Georg Philipp Telemann: kolorierter Kupferstich des Zeitgenossen Georg Lichtensteger (1744)

📖 *G. P. T. Leben, Werk u. Umwelt in Bilddokumenten, hg. v.* W. Menke. *Wilhelmshaven 1987.* – Grebe, K.: *G. P. T. Reinbek 33.–34. Tsd., ⁸1992.*

Telemark, Provinz in S-Norwegen, 15315 km², (1995) 163100 Ew.; Verw.sitz ist Skien; bed. Energiegewinnung (Wasserkraftwerke), metallurg., elektrochem., Holz- und Papierind.; Wintersportgebiet.

Telematik [Kw. aus **Tele**kommunikation und Infor**matik**] *die,* Forschungsbereich, der sich mit

G. C. Lichtenberg treibt seinen Spott mit der **Teleologie**: *»Er wunderte sich, dass den Katzen gerade an der Stelle zwei Löcher in den Pelz geschnitten wären, wo sie die Augen hätten.«*

(Sudelbuch G, 71)

der wechselseitigen Beeinflussung und Verflechtung versch. nachrichtentechnischer Disziplinen befasst, insbesondere mit den auf den gleichen Basistechnologien (Digitaltechnik, Halbleitertechnologie, Mikro- und Optoelektronik) beruhenden Gebieten der elektron. Datenverarbeitung und der Telekommunikation; in der Verkehrstechnik auch **Verkehrstelematik** (→ Verkehrsleitsysteme).

Telemeter *das,* → Entfernungsmesser.

Telemetrie *die,* Übertragung elektr. Messwerte (→ Fernmessung).

Tele|objektiv, → fotografische Objektive.

Teleologie [grch.] *die,* Lehre von der Zielgerichtetheit und Zielstrebigkeit (auch → Finalität, → Zweckursache) im Universum insgesamt oder in seinen Teilbereichen, bes. bei Naturereignissen, menschl. Handlungen oder im Geschichtsverlauf. Der Gedanke einer T. geht auf Aristoteles zurück; in neuerer Zeit findet er sich im Neovitalismus im Begriff der Entelechie (→ Vitalismus).

Wilhelm Tell: Tells Apfelschuss, Holzschnitt des Meisters D.S. (1507)

Telepathie [grch.] *die, Parapsychologie:* die angeblich unmittelbare Übertragung seel. Vorgänge (Gefühle, Empfindungen, Antriebe, Gedanken) in einer Art Fernwirkung von einer Person auf eine andere ohne Vermittlung der Sinnesorgane.

Telephos, *grch. Mythos:* Sohn des Herakles und der Auge, König von Mysien, auf den die Könige von Pergamon ihr Geschlecht zurückführten (T.-Fries des Pergamonaltars).

Teleprompter [engl.] *der,* Vorrichtung, die es Fernsehmoderatoren ermöglicht, beim Blick in die Studiokamera Texte ablesen zu können. Die auf einem Monitor ablaufende Schrift wird dem Sprecher über einen einseitig durchlässigen Spiegel vor der Optik der Fernsehkamera dargeboten.

Telescopium [lat.] (Fernrohr), *Astronomie:* Sternbild am Südhimmel.

Teleshopping [-ʃɔpɪŋ, engl.] *das* (Homeshopping), Vertriebsform mithilfe audiovisueller Medien. Eine Form des T. sind spezielle Fernsehunterhaltungssendungen, bei denen Bestellungen über eingeblendete Telefonnummern getätigt werden; zunehmend über Onlinedienste (v.a. Internet, Bildschirmtext).

Teleskop [grch.] *das,* das → Fernrohr; auch Bez. für astronom. Instrumente, die kein sichtbares Licht untersuchen, z.B. → Radioteleskope.

Teleskopie *die,* Bestimmung der Einschaltquoten von Fernsehsendungen mit einem Zusatzgerät zum Fernsehapparat **(Teleskomat),** das von repräsentativ ausgewählten Fernsehteilnehmern durch Druck bestimmter Tasten bedient wird.

Telespiel, → Videospiel.

Telesto, ein Mond des → Saturn.

Teletext, Übertragung von Textnachrichten zus. mit dem Fernsehsignal und die Wiedergabe auf dem Bildschirm des Fernsehempfängers. Oberbegriff und z.T. Synonym für → Videotext.

Television [ˈtelɪvɪʒn, engl.], Abk. **TV,** engl. Bez. für → Fernsehen.

Telex [Kw. aus engl. **tel**eprinter **ex**change »Fernschreiberaustausch«] *das,* Telekommunikationsdienst zur Übermittlung von Fernschreiben über das T.-Netz (→ Fernschreiber). Der in Dtl. seit 1933 bestehende T.-Dienst wird heute zunehmend durch Telefax verdrängt. (→ Telegrafie)

Telgte, Stadt im Kr. Warendorf, NRW, 18600 Ew.; Wallfahrtsort; Heimatmuseum; Herstellung von Baubeschlägen, Textil-, graf. und Elektronikind.; bed. Pferdemarkt. – Kath. Stadtkirche St. Clemens (nach 1522 errichtet, 1868 erweitert), Wallfahrtskapelle (1654–57). – Seit 1238 Stadt.

Telinga, Volk in Indien, → Telugu.

Tell [arab.] *der* (Tall, pers. Tepe, türk. Hüyük), Ruinenhügel in Vorderasien aus den übereinander abgelagerten Siedlungsresten versch. Zeitstufen.

Tell, Wilhelm, Held der bekanntesten Schweizer Sage, ein Jäger aus dem Urner Dorf Bürglen. Er wird vom habsburg. Landvogt Geßler gezwungen, einen Apfel vom Kopf des eigenen Sohnes zu schießen. Die Figur des myth. Jägers, der auf sein eigenes Kind schießen muss, kommt u.a. in der german. Wieland-Sage, in der schott. und altnord. (→ Egill) Sage vor. In der Zentralschweiz taucht die

Wilhelm Tell

»Wir wollen sein ein einzig Volk von Brüdern, in keiner Not uns trennen und Gefahr«

Mit diesen beiden Zeilen beginnt der berühmte Rütlischwur aus Schillers Schauspiel »Wilhelm Tell«. In der 2. Szene des 2. Aktes haben sich die Eidgenossen aus Schwyz, Uri und Unterwalden auf einer Bergwiese, dem Rütli, versammelt. Alle wiederholen sie am Ende des Aktes die Worte des Schwurs, die ihnen der Pfarrer Rösselmann aus Uri vorspricht.

Sage im 15. Jh. auf; Aegidius Tschudis »Chronicon Helveticum« (1550; gedruckt 1734–36) und J. von Müllers »Gesch. der schweizer. Eidgenossenschaft« (5 Tle., 1786–1808) bilden Quellen zu F. Schillers Drama »W. T.« (1804). Zahlr. weitere literar. Bearbeitungen der T.-Sage; Opern von A. E. M. Grétry (1791), G. Rossini (1829).

Tell|atlas, nördl. Gebirgszug des → Atlas.

Tell el-Amarna, Ruinenstätte, → Amarna.

Teller ['telə], Edward, amerikan. Physiker ungar. Herkunft, * Budapest 15. 1. 1908; emigrierte 1935 in die USA; Arbeiten zur Kern- und Plasmaphysik. T. war maßgeblich an der Entwicklung der Wasserstoffbombe beteiligt; setzte sich für die Fortführung von Atomwaffenversuchen sowie für → SDI ein.

Tellerschnecken (Planorbidae), Familie der Wasserlungenschnecken; in Kleingewässern lebt die → Posthornschnecke.

Tell Halaf, Ruinenhügel in NO-Syrien am Oberlauf des Khabur (in aramäischer Zeit die Stadt **Guzana**), namengebend für die **Tell-Halaf-Kultur** (5./4. Jt. v. Chr.) in N-Mesopotamien; kennzeichnend ist eine Buntkeramik mit ein- oder mehrfarbigen geometr. Mustern.

Tellmuscheln, die → Plattmuscheln.

Tello, sumer. Ruinenstätte, → Lagasch.

Tellur [zu lat. tellus, telluris »Erde«] *das,* chem. Symbol **Te,** ein Element aus der sechsten Hauptgruppe des → Periodensystems der chemischen Elemente; Ordnungszahl 52, relative Atommasse 127,6, Dichte 6,25 g/cm^3, Schmelzpunkt 449,5 °C, Siedepunkt 989,8 °C. T. ist ein Halbmetall, das in zwei Modifikationen, als silberweißes, hexagonal kristallisierendes metall. T. und als braunschwarzes, amorphes T., auftritt. In seinem chem. Verhalten gleicht es weitgehend dem in der gleichen Gruppe über ihm stehenden Element → Selen, es zeigt jedoch einen stärker ausgeprägten metall. Charakter. T. steht in der Häufigkeit der chem. Elemente an 74. Stelle. In der Natur findet es sich in einzelnen sulfid. Erzen angereichert, z. B. als

Tell Halaf: Tonstatuetten mit Streifenbemalung, Höhe etwa 6 cm (6./5. Jt. v. Chr.; Berlin, Vorderasiatisches Museum)

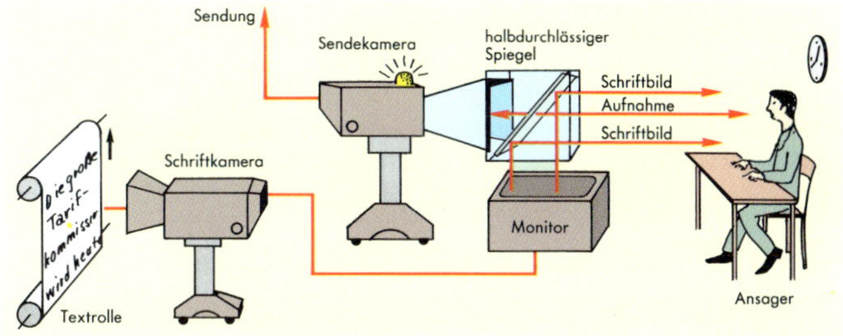

Teleprompter: Funktionsschema

Tellurobismutit, Bi_2Te_3, Tetradymit, Bi_2Te_2S. Nach Aufarbeitung sulfid. Erze bleibt es in Bleikammer- und Anodenschlämmen zurück und wird daraus durch Raffination gewonnen. T. wird als Legierungsbestandteil Stählen, Kupfer und Blei zur Erhöhung der Temperaturbeständigkeit, der Härte und Korrosionsfestigkeit zugesetzt und findet in hochreiner Form in der Halbleitertechnik Verwendung. – *Verbindungen:* T. tritt in seinen Verbindungen in den Oxidationszahlen −2, +2, +4 und +6 auf. **T.-Wasserstoff,** TeH_2, ist ein farbloses, unangenehm riechendes, sehr giftiges Gas. Seine wässrige Lösung reagiert schwach sauer und bildet die **Telluride,** die auch unmittelbar aus T. und den Metallen durch Erhitzen hergestellt werden können. **T.-Dioxid,** TeO_2, entsteht bei der Verbrennung von T. Mit starken Oxidationsmitteln geht es in **Tellursäure (Orthotellursäure),** H_6TeO_6, über, die stark oxidierend wirkt und deren Salze **Tellurate** genannt werden. Ihr Anhydrid ist das gelbe **T.-Trioxid,** TeO_3. – T.-Verbindungen sind giftig. Im menschl. Körper bewirken sie einen intensiven Knoblauchgeruch.

Edward Teller

Tellurimeter *das,* → Geodimeter.

tellurisch, die Erde betreffend.

Tellus [lat.] (Terra), die Erde; röm. Göttin der Erde, der grch. → Gaia entsprechend, stand in Kultverbindung mit → Ceres.

Telomerisation [grch.] *die, Chemie:* Spezialfall der radikal. Polymerisation (z. B. Styrol), bei der relativ kurze Molekülketten **(Telomere)** entstehen, deren Wachstum durch eine radikalbildende Substanz (z. B. Chloroform) begrenzt wird; dabei bringen die Radikale zunächst die Polymerisation in Gang, jedoch wird das Kettenwachstum des Polymers durch Anlagerung eines weiteren Radikals relativ rasch beendet.

Tel Quel [tɛl'kɛl], Ztschr. der frz. Avantgarde, die, 1960 von P. Sollers u. a. in Paris gegr., in den 1960er- und 1970er-Jahren als wichtiges Sprachrohr der literar. und philosoph. Moderne galt. Sie stellte 1982 ihr Erscheinen ein (Nachfolgerin: »L'Infini«).

Teltow [-to], **1)** *der,* flachwellige Grundmoränenlandschaft in Brandenburg und im S und W

Temesvar: Blick über den Domplatz mit der barocken Pestsäule, dahinter (von links) die aus dem 18. Jahrhundert stammenden Gebäude Altes Stadthaus, serbische Kathedrale und Palais des Prinzen Eugen

von Berlin, durchschnittlich 40–60 m ü. M.; Obst- und Gemüsebau.

2) Stadt im Landkreis Potsdam-Mittelmark, Brandenburg, südwestlich von Berlin, 15500 Ew., am **T.-Kanal** (37,8 km lang), der Havel und Spree verbindet. Max-Planck-Inst. für Kolloid- und Grenzflächenforschung; Forschungs- und Technologiezentrum für Elektronik; elektron. Ind., Bau von Straßenbaumaschinen. – T. wurde 1265 Stadt.

Teltow-Fläming [-to], Landkr. in Brandenburg, 2143 km², (1997) 150200 Ew.; Krst. ist Luckenwalde.

Howard M. Temin

Telugu [auch -ˈlu:gu] (Telinga), Volk im östl. Zentralindien (rd. 55 Mio.) und als Nachfahren von Auswanderern v.a. in Birma, Malaysia, Ost- und Südafrika sowie auf den Fidschi-Inseln und auf Mauritius. Die T. sind vorwiegend Hindus und gehören zahlr. Kasten an. Ihre Sprache, das **Telugu,** ist eine dravid. Sprache mit einer eigenen Schrift (→indische Schriften) und wird von 44,7 Mio. Menschen gesprochen; sie ist offizielle Sprache des ind. Unionsstaates Andhra Pradesh. Das T. ist seit dem 6. Jh. durch Inschriften bezeugt; das 16. Jh. war die Blütezeit der T.-Literatur.

Tema [ˈti:mə], Hafenstadt in Ghana, östlich von Accra, am Golf von Guinea, 110000 Ew.; größter Hafen und wichtigster Ind.standort des Landes: Aluminiumschmelze, Stahlwerk, Erdölraffinerie, Zementfabrik, Schiffswerft, Haushaltswaren-, Textil-, Nahrungsmittel-, chem. u. a. Industrie.

Tembe *die,* von Arabern eingeführte Viereckhütte oder -haus in Ostafrika um einen Hof; die Wände aus Pfählen, Stangen und Zweigen sind mit Lehm verstrichen, das flache Dach ist mit Erde bedeckt.

Temesvar [ˈtɛmɛʃva:r, ˈtɛmɛsva:r] (rumän. Timişoara, ungar. Temesvár, früher dt. Temeschburg), Hptst. des Kreises Timiş, Rumänien, in der Banater Ebene, an der ab T. schiffbaren Bega, 327800 Ew.; kultureller und wirtsch. Mittelpunkt des →Banats; Univ., Fachhochschulen, zahlr. Forschungsinstitute, Museum, Theater; Handelszentrum, bed. Ind.standort: Maschinenbau, chem., elektrotechn., Textil-, Nahrungsmittel-, Leder-, pharmazeut., Holz- und keram. Ind.; Verkehrsknotenpunkt, internat. Flughafen. – Huniade-Kastell (14./15. Jh., 1856 wiederhergestellt; Museum); kath. Domkirche (1736–54), in der Nähe barocke Pestsäule; serb. Kathedrale (1745–48); Altes Stadthaus (1731–34); Palais des Prinzen Eugen (18. Jh.); orth. Kathedrale (20. Jh.). – 1212 erstmals erwähnt (Burg), seit dem 14. Jh. Stadt, zeitweise Residenz der ungar. Könige; 1552–1716 Residenz des türk. VerwBez. T.; ab 1716 zu Österreich (Ungarn), Hptst. des Banats; kam 1919/20 an Rumänien. – Die Verhaftung des Priesters L. Tőkés (*1953) in T. am 17. 12. 1989 führte zum Ausbruch eines allg. Volksaufstands, der bald ganz Rumänien erfasste.

Temin, Howard Martin, amerikan. Biologe, *Philadelphia (Pa.) 10. 12. 1934, †Madison (Wis.) 9. 2. 1994; klärte bei Stoffwechseluntersuchungen an durch Viren infizierten Tumorzellen den Chemismus der Virusreplikation auf; erhielt 1975 (mit D. Baltimore und R. Dulbecco) den Nobelpreis für Physiologie oder Medizin.

Temirtau (bis 1945 Samarkandski), Ind.stadt in Kasachstan, am Samarkandastausee der Nura und am Irtysch-Karaganda-Kanal, 213000 Ew.; chem., Zementind., Eisen- und Stahlwerk.

Tempel [lat.] *der,* Kultbau, i. d. R. Mittelpunkt eines geschlossenen sakralen Bezirks. Alle Hochkulturen brachten charakterist. T.-Anlagen hervor.

Der urspr. aus Holz und Lehmziegeln, später aus Stein errichtete grch. T. bestand in seiner frühesten, dem myken. →Megaron entsprechenden Form aus einem rechteckigen, nur vom Eingang her erhellten Raum **(Cella),** in dem das Götterbild stand, und einer Vorhalle **(Pronaos)** mit zwei Säulen zw. den über die vordere Schmalseite vorgezogenen Längswänden (**Anten-T.;** →Ante). Bei einer anderen frühen Form des T. **(Prostylos)** wurde die Vorhalle durch eine vor der Eingangsseite stehende Säulenreihe gebildet. Wenn auch die Rückseite des Anten-T. oder des Prostylos eine vorgeblendete Säulenreihe erhielt, entstand der **Doppelanten-T.** oder der **Amphiprostylos.** Schon im 8. Jh. wurden T. mit einer ringsum laufenden Säulenhalle gebaut **(Peripteros),** später auch mit einer doppelten Säulenreihe **(Dipteros),** in hellenist. Zeit durch Fortlassen der inneren Säulenreihe zum Pseudodipteros entwickelt. Die Cella wurde durch meist zwei Säulenreihen in Längsschiffe unterteilt. Bei Verbreiterung der Front von vier auf sechs Säulen wurden an den Längsseiten bis zur Cellarückwand Säulenhallen durchgezogen oder der Cellawand Halbsäulen vorgeblendet, sodass sich ein **Pseudodipteros** ergab. Eine Sonderform war der von Säulen umgebene Rund-T. **(Tholos)**. – Die röm. Baukunst hielt lange am Holzbau und am italisch-etrusk. →Podiumtempel mit hoher Freitreppe und tiefer Vorhalle fest. Neue Lösungen fand sie im kuppelüberwölbten Rund-T. (→Pantheon). Giebel und Gebälk waren in der Antike farbig gefasst, die Giebelfelder oft auch mit Skulpturen geschmückt; ebenso die →Metopen und →Friese. Über den Aufbau des antiken T. →Säulenordnung. (→griechische Kunst, →römische Kunst)

Über die T. in Asien →Stupa, →Pagode, →Zikkurat; in Afrika →ägyptische Kunst, →Höhlentempel; in Amerika →Pyramide.

Wahrscheinlich auf phönik. Tradition ging der nur durch bibl. Beschreibungen bekannte T. von Jerusalem zurück, der unter König Salomo als israelit. Haupttheiligtum (Vorhof mit Brandopferaltar, Vorhalle, Hauptraum und →Allerheiligstem) errichtet wurde; 587/586 v. Chr. zerstört, nach dem babylon. Exil 520–516 v. Chr. wieder errichtet (Esra 3–6), von Herodes 19/18 v. Chr. erweitert, von Titus 70 n. Chr. erneut zerstört; nur die →Klagemauer blieb erhalten.

🕮 Busink, T. A.: *Der T. von Jerusalem, 2 Bde. Leiden 1970–80.* – Kähler, H.: *Der grch. T. Wesen u. Gestalt. Neuausg. Frankfurt am Main 1981.* – Kähler, H.: *Der röm. T. Raum u. Landschaft. Frankfurt am Main 1982.* – *Der Alte Orient. Geschichte u. Kultur des alten Vorderasien, hg. v.* B. Hrouda. *München 1991.*

Temperaturskala[*]

°C	°R	°F	K
100	80	212	373,15
90	72	194	363,15
80	64	176	353,15
70	56	158	343,15
60	48	140	333,15
50	40	122	323,15
40	32	104	313,15
30	24	86	303,15
20	16	68	293,15
10	8	50	283,15
0	0	32	273,15

[*] Vergleich der Temperaturskalen von Celsius, Réaumur, Fahrenheit und Kelvin mit dem Schmelzpunkt des Eises (Eispunkt) als untere und dem Siedepunkt des Wassers (Dampfpunkt) als obere Werte

Tempelhof, Bezirk von Berlin mit dem internat. Flughafen T. (1923 ff. angelegt).

Temperafarben [italien. tempera, zu temperare »mischen«], für →Temperamalerei verwendete Künstlerfarben, die aus anorgan. Pigmenten in Emulsionen aus trocknenden Ölen und wässrigen Bindemitteln (Lösungen von Eigelb oder alkalisch aufgeschlossenem Casein) bestehen. T. trocknen matt und deckend auf.

Temperamalerei, Malerei mit Temperafarben; vor dem Aufkommen der Ölmalerei im 15. Jh. vorherrschende Maltechnik. Auf Papier wird i. d. R. mit wasserlöslich bleibender **Gummitemperafarbe** gemalt, auf Tafeln oder Wänden mit unlöslich auftrocknender **Caseintemperafarbe** oder einer ihr ähnl. Kunststoffdispersionsfarbe.

Temperament [lat.] *das,* die für ein Individuum spezif., relativ konstante Weise des Fühlens, Erlebens, Handelns und Reagierens; auch der spezif. Grad der Antriebsstärke. – Versuche, T. mit körperl. Gegebenheiten (Mischung der »Körpersäfte«) in Beziehung zu setzen, gehen auf Hippokrates zurück; er unterschied vier **T.-Typen** (Sanguiniker, Choleriker, Phlegmatiker, Melancholiker). Neuere Versuche, Körperbau und T. aufeinander zu beziehen, finden sich bei E. Kretschmer.

Temperatur [lat.] *die,* **1)** *Meteorologie:* Klimaelement und Zustandsgröße der Luft, mit deren Hilfe sich bei bekanntem Druck die Energie der Atmosphäre und die Luftdichte ermitteln lassen. Ihr vertikaler Gradient bestimmt die Stabilität der Atmosphäre. Gemessen wird die T. mit strahlungsgeschützten Thermometern zu bestimmten Terminen. Sie zeigt i. d. R. einen Tages- und Jahresgang, wobei gewöhnlich gilt, dass die Amplitude über Land größer ist als über See und am Boden größer als in der freien Atmosphäre, was nachts und im Winter häufig zu Inversionen führt. Der Tagesgang ist mit tiefsten Werten um Sonnenaufgang und höchsten gegen 14 Uhr Ortszeit in den Tropen und Subtropen bes. ausgeprägt, während der Jahresgang, dessen Extreme 1 bis 2 Monate nach dem Tiefst- bzw. Höchststand der Sonne auftreten, in mittleren und polaren Breiten den Tagesgang übertrifft. Die höchsten T. (mehr als 50 °C) werden im Innern der Wüsten beobachtet, die höchsten Jahresmittel (etwa 28 °C) im Bereich der nordhemisphär. Savannen. Die tiefsten Werte (weniger als –80 °C, Jahresmittel –55 °C) treten v. a. an den Inlandstationen der Antarktis auf. (→Kältepole)

2) *Musik:* die temperierte →Stimmung.

3) *Physik:* die thermodynam. Zustandsgröße *T,* die den Wärmezustand eines Stoffes beschreibt. Im Ggs. zum allg. Sprachgebrauch sind die Begriffe T. und →Wärme streng zu unterscheiden. Während die Wärme als Energieform eine extensive Größe darstellt, ist die T. eine intensive Zustandsgröße und nimmt in einem System, das sich im therm. Gleichgewicht befindet, überall denselben

Tempel: Entwicklung des griechischen Tempels; 1–6 griechische Grundrissformen: 1 Antentempel, 2 Doppelantentempel, 3 Prostylos, 4 Amphiprostylos, 5 Peripteros, 6 Pseudoperipteros; 7 und 8 hellenistisch-römische Grundrissformen: 7 Dipteros, 8 Pseudodipteros

Shirley Temple (Szenenfoto aus dem Film »Der kleinste Rebell«, 1935)

Wert an. Nach der statist. Theorie der Wärme ist die T. ein Maß für die mittlere kinet. Energie der Atome bzw. Moleküle des Systems (→kinetische Gastheorie). Je höher die T., desto größer ist deren Bewegungsenergie. Am **absoluten Nullpunkt** (bei 0 K = −273,15 °C), der tiefstmögl. T. (**absolute** oder **thermodynam. T.** *T*), der man beliebig näher kommen, die man aber nie erreichen kann, haben die Teilchen keine Bewegungsenergie mehr. Die T. wird in den Einheiten der versch. **T.-Skalen** gemessen, die durch zwei (oder mehrere) Fundamentalpunkte festgelegt sind. Zu den **empir. T.-Skalen,** die auf der linearen Wärmeausdehnung beruhen, gehören neben der Celsius-Skale (→Grad Celsius) die Fahrenheit-Skale (→Grad Fahrenheit) und Réaumur-Skale (→Grad Reaumur). SI-Einheit der heute verbindl. **thermodynam. T.-Skale** ist das Kelvin (K). Sie ist von der Thermometersubstanz unabhängig und beruht auf dem 2. und 3. Hauptsatz der →Thermodynamik; ihre Fixpunkte sind der absolute Nullpunkt und der Tripelpunkt des Wassers (273,16 K). Ebenfalls am absoluten Nullpunkt beginnt die Rankine-Skale (→Grad Rankine). – Zur T.-Messung benutzt man z. B. Thermometer, Thermoelemente, Bimetallstreifen, Pyrometer. Die tiefsten bisher gemessenen T. liegen im Bereich von Mikrokelvin (→Tieftemperaturphysik). Die höchsten irdischen, bei Experimenten zur Kernfusion für sehr kurze Zeiten im Fusionsplasma erreichten T. liegen zw. 10^7 und 10^8 Kelvin.

Templerorden: Verbrennung von Templern, Buchmalerei aus einer französischen Weltchronik (14. Jh.; Besançon, Bibliothèque Municipale)

Temperaturkoeffizient, die relative Änderung einer physikal. Größe (z. B. Länge, Volumen, Druck, elektr. Widerstand) bei Änderung einer Temperatur.

Temperaturregler, Gerät zur Regelung eines eine Heizung oder Kühlung bewirkenden Masse- oder Energiestroms zwecks Einhaltung eines vorgegebenen Temperatur-Sollwerts. (→Thermostat)

Temperaturregulation, →Thermoregulation.

Temperatursinn (Wärmesinn, Thermorezeption), die Fähigkeit des Menschen und (wahrscheinlich) aller Tiere, mittels Thermorezeptoren in der Körperoberfläche bzw. Haut (auch Mund- und Nasenschleimhaut) die (örtl.) Unterschiede und Änderungen in der Umgebungstemperatur wahrzunehmen.

Temperaturstrahler, Strahlungsquelle, bei der die Energie der erzeugten elektromagnet. Strahlung **(Temperaturstrahlung)** ausschl. aus der Wärme des Körpers stammt und daher von seiner Temperatur abhängig ist; idealer T. ist der →schwarze Körper, techn. T. sind die Glühlampen.

Temperguss [engl.], Eisen-Kohlenstoff-Gusswerkstoff, der mehrere Tage oberhalb 900 °C im **Temperofen** geglüht wird. Dabei spaltet sich das harte Eisencarbid (Zementit) des weiß erstarrten Rohgusses in die weicheren Bestandteile Ferrit und Graphit auf. T. ist schmiedbar und eignet sich z. B. für Schlüssel, Ketten, Fittings, Muttern.

temperierte Stimmung, *Musik:* →Stimmung.

Tempern [engl.], Wärmebehandlung eines Werkstoffs, um bestimmte Eigenschaften zu erhalten, z. B. bei Glas das langsame Erwärmen oder Abkühlen, um Spannungen zu beseitigen; bei Metallen und Legierungen das Glühen bei bestimmter Temperatur und in bestimmten Gasen, um Spannungen auszugleichen und ein bestimmtes Gefüge oder besondere Oberflächeneigenschaften zu erhalten; bei Kunststoffen das Warmlagern zum Erzielen besserer Wärmebeständigkeit, Abbau innerer Spannungen, Vorwegnehmen einer Nachschwindung.

tempestoso [italien.], musikalische Vortragsbezeichnung: stürmisch, ungestüm.

Temple [templ], Shirley, *Santa Monica (Calif.) 23. 4. 1928; in den 1930er-Jahren berühmter Kinderstar des Hollywoodfilms; später Diplomatin.

Templerorden (Templer, lat. Fratres militiae templi), 1119 von Hugo von Payens in Jerusalem gegr. geistl. →Ritterorden, ben. nach seinem Domizil auf dem Tempelberg (seit 1291 auf Zypern); Ordenstracht: weißes Gewand mit rotem Tatzenkreuz; seit 1139 unmittelbar dem Papst unterstellt und mit Privilegien ausgestattet (Befreiung von allen Steuern), stieg der T. zeitweilig zum bedeutendsten Ritterorden des MA. auf und verfügte, bes. in Frankreich, über erhebl. Besitztümer. 1312 hob Papst Klemens V. den seit 1307 in Frankreich verfolgten T. auf.

Templewood of Chelsea ['templwʊd əv 'tʃelsɪ], Samuel John Gurney Hoare, Viscount (seit 1944), brit. Politiker, *London 24. 2. 1880, †ebd. 7. 5. 1959; 1910–44 Unterhaus-Abg. der Konservativen; bereitete als Staatssekr. für Indien (1931–35) die ind. Verfassungsreform von 1935 vor. Als Außenmin. (1935) schloss er mit Dtl. das Flottenabkommen; nach dem italien. Einfall in Abessinien (Äthiopien) im Okt. 1935 arbeitete er mit dem frz. MinPräs. P. Laval den »Hoare-Laval-Plan« aus, der u. a. die Abtretung großer Teile Abessiniens an Italien vorsah. 1936/37 Erster Lord der Admiralität; 1937–39 Innenmin.; 1940–44 Botschafter in Spanien.

Templin, Stadt im Landkr. Uckermark, Brandenburg, 13 900 Ew., am **Templiner See** (2,6 km²), der durch den Röddelinsee mit der Havel verbunden ist. Volkskundemuseum; Holzverarbeitung, Bekleidungsind. – Stadtmauer mit 51 Mauertürmen und Wiekhäusern sowie drei Toren (13./14. Jh., fast vollständig erhalten); Stadtkirche Maria Magdalena (15. Jh.), nach einem Stadtbrand (1735) 1749 wiederhergestellt. – Um 1250 entstanden; seit 1270 Stadt; war bis 1993 Kreisstadt.

Tempo [lat.] *das,* **1)** *allg.:* Geschwindigkeit, Schnelligkeit.

2) *Musik:* Zeitmaß, das den Geschwindigkeitsgrad eines Musikstückes bestimmt. Grundlegende Maßeinheit ist die Zählzeit (→Takt) bzw. Schlagzeit beim Dirigieren. Als mittleres T. gelten etwa 60–80 Zähl- bzw. Schlagzeiten pro Minute (etwa die normale Pulsfrequenz). T.-Vorschriften werden meist durch T.-Bez. gegeben. Zu den langsamen T. gehören largo, adagio, grave, lento, zu den mittleren andante, moderato, zu den schnellen allegro, vivace und presto. Eine Beschleunigung des T. fordern accelerando, stringendo, eine Verlangsamung ritardando, ritenuto. Eine Präzisierung des T. kann durch Metronomzahlen (→Metronom) oder Angabe der Dauer eines Musikstückes in Minuten und Sekunden erfolgen.

temporal [lat.], zeitlich, das Tempus betreffend.

Temporalsatz, *Grammatik:* Nebensatz, der eine zeitl. Beziehung zum Hauptsatz ausdrückt (ÜBERSICHT Syntax).

temporär [lat.], vorübergehend, zeitweilig.

Tempo rubato [italien.] (verkürzt: rubato), *Musik:* Bez. für Tempoverzögerungen und -beschleunigungen bei gleich bleibender Grundbewegung in der Begleitung **(gebundenes T. r.)** oder auf das Zeitmaß im Ganzen bezogen **(freies Tempo rubato).**

Tempus [lat.] *das,* Zeitform des Verbs (ÜBERSICHT Verb).

Temuco, Stadt im Kleinen Süden Chiles, am Río Cautín, 240 900 Ew.; Verw.sitz der Region La Araucanía; Bischofssitz; Hauptsitz der Südamerikan. Missionsgesellschaft und der Amerikan. Baptisten; Univ., Araukanermuseum; Mittelpunkt eines landwirtsch. Gebiets; Fremdenverkehr.

ten., *Musik:* Abk. für →tenuto.

Tenda, Colle di [italien.] (frz. Col de Tende), Pass zwischen Seealpen und Ligurischen Alpen, 1873 m ü. M. (italien.-frz. Grenze); verbindet Nizza und Ventimiglia mit Cueno und Turin. Fahrstraße mit 3,2 km langem Tunnel (Scheitelpunkt: 1316 m ü. M.). Die **T.-Bahn** Nizza–Cueno, mit 8,1 km langem Tunnel in 1037 m ü. M., ist reich an bemerkenswerten Ingenieurbauten.

Tendenz [frz. aus lat.] *die,* Hang, Neigung; sich abzeichnende Entwicklung; Darstellungsweise, die einer bestimmten (polit.) Absicht entspringt und mit der etwas bezweckt wird.

Tendenzbetriebe, *Arbeitsrecht:* Betriebe, die polit., koalitionspolit., konfessionellen, karitativen, erzieher., wiss. oder künstler. Bestimmungen sowie Zwecken der Berichterstattung und Meinungsäußerung dienen, z. B. Einrichtungen der polit. Parteien und Gewerkschaften, Presse- und Verlagsunternehmen. Das Betriebsverfassungs-Ges. gilt hier nur teilweise (§ 118), für Religionsgemeinschaften und ihre Einrichtungen gar nicht.

Tender [engl., gekürzt aus attender »Pfleger«] *der,* von Dampflokomotiven mitgeführtes Fahrzeug für Wasser- und Kohlenvorräte.

Tenderverfahren [engl. tender »Angebot«], Ausschreibungsverfahren zum Verkauf v. a. von Wertpapieren, aber auch von standardisierten (homogenen) Gütern. Beim **Preistender** gibt die verkaufende Institution eine bestimmte Gesamtverkaufsmenge und beim **Mengentender** einen bestimmten Preis vor.

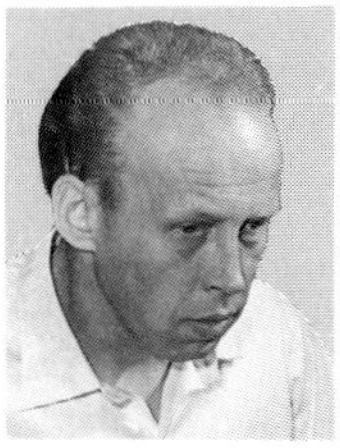
Wladimir Tendrjakow

Tendrjakow, Wladimir Fjodorowitsch, russ. Schriftsteller, *Makarowskaja (Gebiet Wologda) 5. 12. 1923, †Moskau 3. 8. 1984; schildert in seiner Prosa skeptisch und kritisch den sowjet. Alltag (»Begegnung mit Nofretete«, R., 1964; »Drei Sack Abfallweizen«, Erz., 1973; »Die Nacht nach der Entlassung«, R., 1974; »Die Abrechnung«, R., 1979; »Anschlag auf Visionen«, R., hg. 1987).

Teneriffa (span. Tenerife), größte der Kanar. Inseln, 2 057 km², 600 000 Ew. Die Insel ist vulkan. Ursprungs (Basalt, Phonolith); ihr Gipfel, Pico de Teide, 3 718 m ü. M., erhebt sich aus einem hufeisenförmigen Calderagebirge (»Las Cañadas«); Hptst. ist Santa Cruz de Tenerife; mildes Klima; reger Fremdenverkehr; zwei internat. Flughäfen (Los Rodeos im N, Reina Sofia im S). Wirtschaft: →Kanarische Inseln. BILD S. 54

Tenesmus [grch.-lat.] *der,* ständiger schmerzhafter Drang (Harn- oder Stuhlzwang) bei geringer oder ganz fehlender Entleerung (bei Ruhr, Blasenentzündung).

Tengelmann Unternehmensgruppe, Konzern des Lebensmitteleinzelhandels, gegr. 1867; Sitz: Mülheim a. d. Ruhr. Die im Besitz der Familie Haub befindl. T. U. besteht aus der Tengelmann Warenhandelsges., der Emil T. OHG, Heil-

Teneriffa: Der 3718 m hohe Gipfel Pico de Teide erhebt sich aus der Einsturzcaldera »Las Cañadas«; im Vordergrund verwitterter Lavastrom

bronn, sowie zahlr. Tochterges. und Beteiligungen, u. a. Kaiser's Kaffee-Geschäft AG und die OBI Bau- und Heimwerkermärkte.

Teng Hsiao-p'ing [- çiao-], chines. Politiker, →Deng Xiaoping.

Tengri Nur, Salzsee in Tibet, →Nam Co.

Tennessee 2) Flagge

Teniers [tə'ni:rs], David d. J., niederländ. Maler, getauft Antwerpen 15. 12. 1610, † Brüssel 25. 4. 1690; Schüler seines Vaters David T. d. Ä. (* 1582, † 1649), tätig in Antwerpen und seit 1651 in Brüssel, wo er Hofmaler und Verwalter der Kunstsammlung des Erzherzogs Leopold Wilhelm, nach 1656 des span. Statthalters Don Juan José de Austria war. 1662 Mitbegründer einer Kunstakademie in Antwerpen; malte, von A. Brouwer beeinflusst, das fläm. Volksleben, religiöse Szenen und Interieurs.

David Teniers d. J.: »Der verlorene Sohn« (1644; Paris, Louvre)

Tenkterer, Stamm der Rhein-Weser-Germanen; überschritt 56 v. Chr. den Rhein, wurde aber 55 v. Chr. von Cäsar zurückgedrängt. Die T. siedelten dann zw. Sieg und Lippe und gingen später in den Franken auf.

Tenn., Abk. für den Bundesstaat **Tenn**essee, USA.

Tennantit *das,* Mineral, ein →Fahlerz.

Tennengebirge, Gruppe der Salzburger Kalkalpen, Österreich, östlich des Durchbruchstals der Salzach, mit der →Eisriesenwelt; im Raucheck 2 431 m ü. M.; größtenteils unter Naturschutz.

Tennessee [tenə'si:, 'tenəsi:], **1)** *der* (T. River), linker und größter Nebenfluss des Ohio in den USA, 1 049 km, entsteht im Großen Appalachental durch Zusammenfluss von Holston River und French Broad River und mündet bei Paducah (Kentucky); schiffbar bis Knoxville. Erschließung durch die →Tennessee Valley Authority.

2) Abk. **Tenn., TN,** Bundesstaat im SO der USA, 109 152 km², (1995) 5,26 Mio. Ew. (16 % Schwarze); Hptst.: Nashville-Davidson; größte Stadt ist Memphis. T. umfasst das rd. 600 m hohe Cumberlandplateau mit dem Abfall zum Großen Appalachental und einen Teil der Mississippiebene mit dem Becken von Nashville. Fast die Hälfte des Staatsgebietes ist bewaldet. – Entscheidende Wirtschaftsimpulse gingen von der →Tennessee Valley Authority aus: Ausbau der Elektrizitätsgewinnung, der Infrastruktur, Industrialisierung. Bed. sind die chem. Ind., ferner Maschinen- und Kraftfahrzeugbau, Textil-, Holzind.; landwirtsch. Erzeugnisse: Tabak, Baumwolle, Sojabohnen, Mais; Forstwirtschaft; Bergbauprodukte sind Kohle, Pyrit, Zinkerz, Phosphat; bed. Fremdenverkehr (v. a. zum Great Smoky Mountains National Park und am T. River). – Im 16. Jh. von Spaniern erkundet; ab 1663 Teil der brit. Eigentümerkolonie Carolina; 1796 als 16. Staat in die Union aufgenommen. Im Sezessionskrieg gehörte es zu den abgefallenen Südstaaten und war Hauptkriegsschauplatz.

Tennessee Valley Authority ['tenəsi: 'vælı ɔ:'θɔrıtı], Abk. **TVA,** 1933 von der amerikan. Reg. errichtete Behörde; Sitz: Knoxville (Tenn.); betrieb im gesamten Tennesseestromgebiet Flussregulierungen (Bau von 51 Staudämmen und Talsperren), die Aufforstung des versteppten Bodens und Erzeugung elektr. Energie.

Tennis, Rückschlagspiel zw. Einzelspielern oder Paaren (Doppel, auch als Mixed); wird mit T.-Schlägern (Rackets) hauptsächlich auf einem Hart- oder Rasenplatz (engl. Lawn-T.) im Freien oder in Hallen, meist auf Spezialbelag, gespielt. Das Spielfeld ist 23,77 m × 8,23 m (Einzel) bzw. 23,77 m × 10,97 m (Doppel) groß und muss an allen Seiten einen hinreichend großen Auslauf haben. Ein filzüberzogener Gummihohlball (56,7–58,5 g schwer, 6,35–6,67 cm Durchmesser) ist derart über ein das Spielfeld halbierendes gespanntes Netz (in der Mitte mit der Oberkante 91,4 cm über der Spielfeldebene) zu schlagen, dass der Gegner den Ballwechsel nicht regelgerecht fortsetzen kann. Gegnerische Fehler zählen als Punkt (beim Aufschlag ist jeder Doppelfehler ein Punkt), die ersten drei Punkte werden als 15, 30 und 40 gezählt, der 4. Punkt entscheidet über das Spiel, vorausgesetzt, der Spieler hat zwei Punkte Vorsprung. Sechs gewonnene Spiele (bei zwei Spielen Vorsprung) ist gleichbedeutend mit dem Gewinn eines Satzes, zwei, z. T. auch drei (im Männereinzel und -doppel) gewonnene Sätze mit dem Sieg. Die Dauer eines Satzes wird bei entsprechendem Spielstand meist durch Tiebreak begrenzt: Beim Stand von 6 : 6 Spielen gewinnt derjenige den Satz, der zuerst sieben von zwölf (numerisch gezählten) Punkten (bei zwei Punkten Vorsprung) erreicht. – Olymp. Sportart 1886–1924 und ab 1988, Davispokal seit 1900 (Herren) und Fed-Cup seit 1963 (Damen), außerdem Grandslamturniere.

📖 TAFERNER, W. *u.* S.: *T. Technik, Taktik, Regeln. Niedernhausen 1994.*

Tenno [japan.] *der,* Titel des japan. Kaisers (→ Mikado). INFO S. 56

Tennstedt, Klaus, Dirigent, * Merseburg (Saale) 6. 6. 1926, † Heikendorf (bei Kiel) 11. 1. 1998; war 1979–82 Chefdirigent des NDR-Sinfonieorchesters, 1979–83 Gastdirigent des Minnesota Orchestra in Minneapolis, 1983–94 Chefdirigent des London Philharmonic Orchestra; v. a. Bruckner- und Mahler-Interpret.

Tennyson ['tenɪsn], Alfred, 1. Baron (seit 1884), gen. A. Lord T., engl. Dichter, * Somersby (Cty. Lincolnshire) 6. 8. 1809, † Aldworth House (bei Haslemere, Cty. Sussex) 6. 10. 1892. Seine Dichtung ist klangvolle Wortkunst; sie spiegelt T.s Abwendung vom Subjektivismus und seine Hinwendung zur viktorian. Alltagswelt. Er schrieb die sonettartige Folge »Freundes-Klage« (1850), den dramat. Monolog »Maud« (1855), das Idyll »Enoch Arden« (1864), die gedankentiefen »Königs-Idyllen« (1859), die die Schicksale von Artus und seiner Tafelrunde moralisch-allegorisch deuten.

Teno *der,* Fluss in Lappland, → Tana.

Tenochtitlan [tenotʃ-], Hptst. des Aztekenreichs, gegr. ab 1325 auf einer Insel im Texcocosee, eine der größten Städte des vorkolumb. Amerika (vor 1519 hatte T. etwa 250 000 Ew.); war urspr., kosmolog. Vorstellungen folgend, kreuzförmig angelegt mit rechtwinkligem Straßennetz. 1519–21 von den Spaniern unter H. Cortez erobert und zerstört; auf den Ruinen wurde die Stadt Mexiko erbaut. INFO S. 56

Tenor [lat.] *der,* **1)** *allg.:* zugrunde liegender Sinn, Wortlaut.

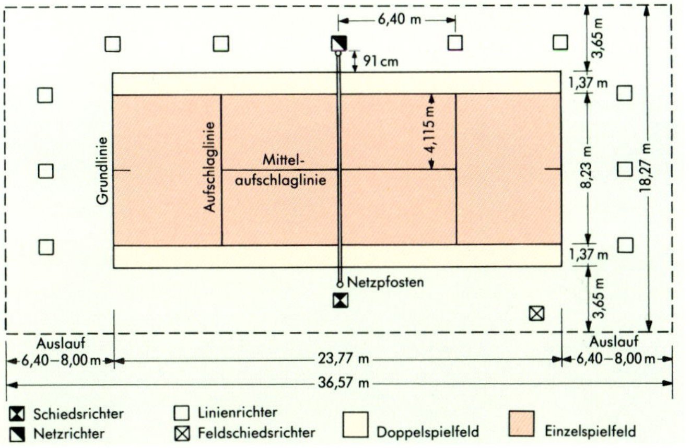

Tennis: Spielfeld

2) *Musik:* in der mehrstimmigen Musik bis zum 16. Jh. die Hauptstimme, von der bei der Improvisation oder Komposition eines Satzes ausgegangen wurde (→ Cantus).

3) *Recht:* als Teil des Urteils die Urteilsformel, die die Prozessentscheidung enthält.

Tennis

Warum sind Tennisbälle filzig?

Einer der Hauptgründe dafür, den Tennisball mit Filz zu überziehen, besteht darin, den Flug des Balls zu verlangsamen. Je flockiger der Filz ist, desto mehr Luftwiderstand bietet der Ball. Er fliegt etwas langsamer, aber auch konstanter. Außerdem ermöglicht der Filz eine bessere Schlagkontrolle. Jedes Mal, wenn der Ball auf die Bespannung des Tennisschlägers trifft, wird er für einen Moment zusammengepresst. Hätte er eine glattere Oberfläche, so würde er schneller wieder wegspringen, und der Spieler hätte geringere Möglichkeiten, den Flug des Balls zu beeinflussen.

Tenor [italien.] *der,* die hohe Männerstimme (Umfang c–a^1, bei Berufssängern A–c^2). Fächer der Bühnenpraxis sind lyr. T., jugendl. Helden-T., schwerer Helden-T. und T.-Buffo. T.-Bariton ist die Stimmlage zw. Helden-T. und hohem Bass. – Bei Instrumenten Tonlagenbez. für die entsprechende Mittellage (z. B. T.-Saxophon).

Tenorhorn, ein Bügelhorn (→ Bügelhörner) in Tubaform mit drei Ventilen.

Tenorschlüssel, *Musik:* in der Notenschrift der C-Schlüssel (→ Schlüssel).

Klaus Tennstedt

Tenside [zu lat. tendere, tensum »spannen«] (Detergenzien, grenzflächenaktive Stoffe, oberflächenaktive Stoffe), Substanzen, die die Grenzflächenspannung von Flüssigkeiten, in der Praxis meist Wasser, herabsetzen und dadurch die benetzende und emulgierende Wirkung stark erhöhen. Die wirksamen Ionen bzw. Moleküle der T. bestehen aus einer Wasser verdrängenden (hydrophoben) Kohlenwasserstoffkette und einer Wasser anziehenden (hydrophilen) Gruppe. Die hydrophile Gruppe ist bei **anion. T.** negativ geladen (z. B. $-\mathrm{COO}_3^-$, $-\mathrm{SO}_3^-$, $-\mathrm{O{-}SO}_3^-$); zu ihnen gehören neben den → Seifen z. B. auch die → Alkylbenzolsulfonate. **Kation. T.** enthalten meist eine quartäre Ammoniumgruppe ($-\mathrm{NR}_3^+$). Sie haben Bedeutung als Weichspüler, Korrosionsschutzmittel, Desinfektionsmittel oder bei der Herstellung von Bitumenemulsionen. **Amphotere T. (Ampho-T.)** enthalten anion. und kation. Gruppen. Wegen ihrer guten Hautverträglichkeit und der antimikrobiellen Wirkung werden sie in Kosmetika verwendet. **Nichtion. T.** tragen als hydrophile Molekülbestandteile Polyäthergruppen. Die Bedeutung nichtion. T. – bes. für Emulsionen und Reinigungsmittel – hat in den letzten Jahren zugenommen. Sie sind wenig empfindlich gegen Wasserhärte und haben geringe Neigung zur Schaumbildung. – Dem Umweltverhalten von T. kommt große Bedeutung zu. Nach dem dt. Waschmittel-Ges. dürfen Wasch- und Reinigungsmittel nur T. enthalten, die unter bestimmten Testbedingungen zu mindestens 90 % abbaubar sind. Aus ökolog. Gründen wird angestrebt, T. möglichst weitgehend aus nachwachsenden Rohstoffen herzustellen. Ergebnis dieser Entwicklung sind die aus Glucose und Fettalkoholen synthetisierbaren **Alkylglykoside,** die als nichtion. T. für Handspülmittel und Haarshampoos von Interesse sind.

Tenno

Die japanische Bezeichnung »ookimi« (»Großherr«) oder »sumera mikoto« (»Allmächtiger Herrscher«) für das Oberhaupt einer Uji-Koalition wurde während der Regierung des Kronprinzen Shōtoku zur Bezeichnung der Herrscherin Suiko (593–628) in »Tennō« umgewandelt, eine Übernahme des chinesischen »tian huang« (»Himmlischer Herrscher«). Gemäß der Sage sind die Tennō Nachfahren der Sonnengöttin Amaterasu, die bestimmt sind, »das Land der frischen Ähren des üppigen Schilfgefildes für immer und ewig zu regieren«. Seit der Taika-Reform (645) war »alles, was unter dem Himmel ist« (»tenka«), im engeren Sinne die japanischen Inseln und ihre angrenzenden Gebiete mit ihren Untertanen, Besitz der Herrscher. Sie hatten das Land zu »regieren«, wobei das Wort »matsurigoto« zugleich »regieren, verwalten« und »(religiöse) Zeremonien ausüben« bedeutet, ein Hinweis darauf, dass der Herrscher zugleich auch Priester war.

Tenochtitlán

Über die Lage der aztekischen Hauptstadt Tenochtitlán inmitten eines Sees berichtete Hernán Cortés 1520:

»Die Hauptstadt Tenochtitlán liegt in einem salzigen Landsee, und von jedem Punkte des Festlandes, von welcher Seite man auch kommen möge, sind es zwei Leguas (etwa 11 km). Sie hat vier Zugänge, alle über Steindämme führend, die von Menschenhand erbaut und etwa zwei Reiterlanzen breit sind. Die Stadt ist so groß wie Sevilla und Córdoba. Ihre Hauptstraßen sind sehr breit und gerade, einige sind zur Hälfte fester Boden, zur anderen Hälfte aber Wasser, auf dem die Boote fahren. Alle Straßen sind in größeren Zwischenräumen durchschnitten, sodass zwischen ihnen eine Wasserverbindung besteht. Alle diese Durchschnitte, wovon einige sehr breit sind, haben ihre Brücken aus starken, zusammenfügbaren Balken, sodass zehn Reiter in Front hinüberziehen können.«

Tẹnsor [lat.] *der,* **1)** *Anatomie:* (Spanner) Muskel, der eine Membran oder Faszie spannt, z. B. Musculus tensor tympani (spannt das Trommelfell).

2) *Mathematik, Physik:* (Affinor) eine in der Differenzialgeometrie und der theoret. Physik (z. B. Spannungs-T., Trägheits-T.) verwendete Verallgemeinerung des Vektorbegriffs. Während der → Vektor **(T. erster Stufe)** als einfachstes Beispiel eines T. gelten kann, gelangt man zur nächsthöheren Stufe von T. bei Betrachtung linearer Vektorfunktionen. Mithilfe von T. formulierte Gleichungen sind in jedem Koordinatensystem richtig.

Tentạkel [lat.] *der* oder *das, Zoologie:* Bez. für bewegliche, meist in der Umgebung der Mundöffnung stehende Körperanhänge bei niederen Tieren (Nesseltieren, Kopffüßern, Schnecken); dienen als Tastorgane **(Fühler)** dem Aufspüren der Beutetiere und als **Fangarme** oder **-fäden** zu deren Ergreifen und Einbringen in die Mundöffnung.

Tẹnuis [lat.] *die* (Tenues), stimmloser Verschlusslaut, z. B. [k, p, t]; Ggs.: → Media.

tenụto [italien.], Abk. **ten.,** *Musik:* Anweisung, die Töne ihrem vollen Wert entsprechend auszuhalten; Zeichen: waagerechter Strich über oder unter der Note.

Teotihuacán [teotiʊaˈkan], Ruinenstätte einer vorkolumb. Kultur, über deren Träger nichts bekannt ist. T. liegt 40 km nordöstlich der Stadt Mexiko, 2 300 m ü. M. Die Stadt wurde im 2. Jh. v. Chr. gegründet; um 600 n. Chr. 150 000 Ew., zw. 650 und 750 aufgegeben; schachbrettartig angelegt. Erhalten sind Pyramiden (u. a. Sonnen- und Mondpyramide), Paläste und Wohnhäuser, bed. Reliefschmuck und Wandmalereien. Von einem hoch entwickelten Kunsthandwerk zeugen u. a. Tonfiguren und Jademasken. T. ist Weltkulturerbe der UNESCO. (→ mesoamerikanische Hochkulturen)

Tephrịt [grch.] *der,* basaltähnl. Ergussgestein aus Plagioklas, Olivin, Pyroxen und Nephelin.

Tephro|chronologie [zu grch. téphra »Asche«], Methode der Gliederung und Datierung geolog. Ablagerungen mithilfe von durch Wind verbreiteten vulkan. Aschen, deren Herkunft und Alter bekannt sind; bes. im Quartär.

Tepịc [-k], Hptst. des mexikan. Staates Nayarit, 935 m ü. M., 207 000 Ew.; Bischofssitz; Univ.; Agrarzentrum (Zuckerrohr, Tabak u. a.).

Teotihuacán: Blick von der Mondpyramide auf die fast 2 km lange und 50 m breite Zeremonialstraße (»Totenstraße«), die 65 m hohe Sonnenpyramide (links) überragt die übrigen Bauwerke der vorkolumbischen Stadtanlage

Tepl, Johannes von, →Johannes von Tepl.

Teplice [-tsɛ] (dt. Teplitz, 1914–45 T.-Schönau, tschech. Teplice-Šanov), Stadt und Kurort im Nordböhm. Gebiet, Tschech. Rep.; 230 m ü. M., am Fuß des Erzgebirges, 53 100 Ew.; Maschinenbau, Textil-, Glas- und keram. Ind.; bei T. Braunkohlenbergbau; Heilbad mit heißen alkalisch-salinisch-radioaktiven Quellen. – Schloss (1585–1634, umgebaut; Museum), Johanneskirche (um 1700).

Teppich [von lat. tapes »Teppich«, »Decke«], Fußbodenbelag, auch Wandbehang oder Möbelbedeckung aus Wolle u. a. Tierhaaren, Seide, Baumwolle, Hanf, Jute, Kokosfaser, Sisal, Bast, Schilf oder Chemiefasern sowie Mischungen davon; auch Fellstreifen, Textilreste, Papier, Gold-, Silber- u. a. Metallfäden werden verwendet. Nach den Herstellungstechniken in Hand- oder Maschinenarbeit unterscheidet man Knüpf-, Web-, Wirk-, Nadel-(Tufting-), Nadelfilz-, Klebe-, Press-, Kaschier-, Stick- und Flockteppiche.

Maschinen-T. werden v. a. als schwere Web-T. und Tufting- oder Nadelfilz-T. hergestellt. Geknüpfte Maschinen-T. kamen um 1890 auf, sind aber heute selten. Gewebte Maschinen-T. (Web-T.) sind Pol-T. Neben der Grundbindung aus Kette und Schuss weisen sie eine oberflächenbildende Polkette für Fülle und Elastizität des Produkts auf. Bei **Ruten-T.** wird die Polkette zur Schlingenbildung über Ruten geführt. Sind die Ruten messerartig und schneiden die Schlingen auf, erhält man einen **Velours-(Tournai-)T.** Schlingen-T. werden **Bouclé-T.** gen. Bei Doppel-T. werden immer zwei gleichmustrige, gleichfarbige T. gleichzeitig hergestellt, die anschließend durchgeschnitten werden und deshalb immer geschnittene Schlingen haben. Langpol-T. werden nach versch. Verfahren als Wandbehänge gefertigt. – Bes. für **Auslegeware** werden die unterschiedlichsten Fertigungsverfahren angewendet, um eine Fläche zu erzeugen: Nähwirken, Wirken, Nadeln, Beflocken, Pressen, Tufting.

Handgefertigte T. sind **Knüpf-T.,** der **Kelim** oder **Karamani** und der **Allgäuer T.** (gewebt), der **Gobelin** und **Sumak** (gewirkt) sowie **Stick-** und **Applikations-T.** Zu den Knüpf-T. zählen **Orient-, Berber-T.** und die nord. **Rya-T.** Handgeknüpfte T. haben langen Pol und auf der Rückseite sichtbares Muster. Die Kettfäden werden in einem Knüpfstuhl senkrecht aufgespannt, die Knoten durch Umschlingen der Kettfäden mit kurzen Fadenstücken, deren Enden auf der Vorderseite als plüschartiger Pol herausstehen, gebildet. Man unterscheidet zwei Knotenarten: den **Türkischen (Ghordes-** oder **Smyrna-)Knoten,** bei dem jeweils zwei Kettfäden gleichartig umschlungen werden, und den **Persischen (Senneh-)Knoten,** bei dem jeweils zwei Kettfäden ungleichförmig umschlungen werden. Die mittlere

Teotihuacán

*Teotihuacán aus aztekischer Sicht, nach einem von dem Franziskaner Bernardino de Sahagún (*um 1499, †1590) aufbewahrten aztekischen Text:*

»Wie die Götter entstanden sind und wo sie entstanden sind, weiß man nicht. Nur so viel steht in Betreff ihrer fest, dass es einen Ort Teotihuacán gibt, wo, zur Zeit als es noch dunkle Nacht war, alle Götter sich versammelten und berieten, wer die Last des Regiments auf den Rücken nehmen solle. (...)
Und alle Leute bauten Pyramiden der Sonne und dem Mond; dann machten sie viele kleine Pyramiden, auf denen sie opferten. (...) Und wenn Herrscher starben, so begrub man sie dort. Darauf schüttete man ihm darüber eine Pyramide, die sich jetzt noch dort befindet. Die Pyramiden sind wie kleine Berge, aber mit der Hand gemacht. (...) Es ist nicht zu glauben, wenn man sagen wollte, es sei mit der Hand gemacht; es gab noch Riesen damals an vielen Orten. (...) Und man nannte den Ort Teotihuacán deswegen, weil es ein Begräbnisplatz der Könige war.«

Teppich: Der Knüpfteppich wurde in einer indo-islamischen Hofmanufaktur hergestellt und war höchstwahrscheinlich für offizielle Anlässe vorgesehen (1. Hälfte des 17. Jh.; Berlin, Museum für Islamische Kunst)

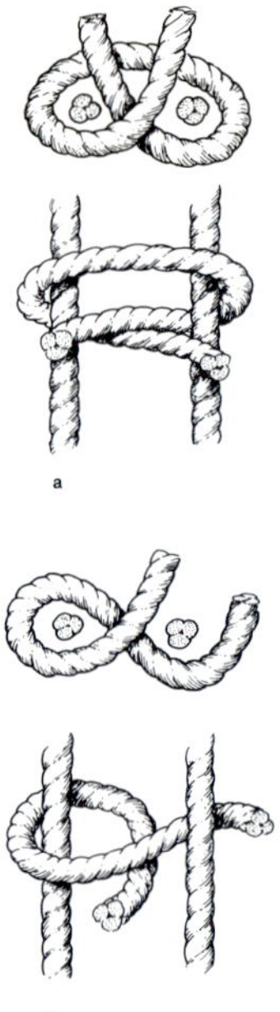

Teppich (Knotenarten): a Türkischer Knoten, b Persischer Knoten

Knotenzahl beträgt bei Orient-T. 100 000–200 000 je m², die höchste um eine Mio. je m², bei anderen Knüpf-T. meist weniger.

Die Bez. **Orient-T.** ist Handelsbegriff für handgearbeitete, sich in Motiv, Musterung und Farbe unterscheidende T. aus der Türkei, Iran, Afghanistan, dem Kaukasus, W-Turkestan, Pakistan, Indien, Zentralchina, O-Turkestan und Tibet. Provenienzen sind bei Orient-T. Gattungsbegriffe und bezeichnen Herkunft und Art näher. Sie werden abgeleitet von Orten (Kaschan, Kerman, Buchara), Prov. (Fareghan, Chorasan, Schirwan) und Volksstämmen (Bachtiaren, Turkmenen).

Geschichte: Der älteste erhaltene Orient-T. (5. Jh. v. Chr.) wurde in einem skyth. Grab in Pasyryk gefunden; seine hoch entwickelte Knüpfkunst lässt vermuten, dass die Knüpftechnik wenigstens 3 000 Jahre alt ist. Polit. und wirtsch. Kontakte zw. Asien und Europa hatten zur Folge, dass Orient-T. vereinzelt schon früh nach Europa kamen (Knüpf-T. aus China zur Römerzeit). Spätestens mit dem Vordringen des Islam gelangte der Orient-T. nach Spanien (8. Jh.), das selbst zu einem wichtigen Produzenten für Knüpf-T. wurde. Kreuzfahrer brachten vom Ende des 11. Jh. an Orient-T. nach Europa. Im 14. Jh. boten türk. Händler ihre T. in Brügge zum Verkauf. Die Beliebtheit der Orient-T. führte bereits im 16. Jh., zuerst in England und Frankreich, zu europ. Nachbildungen. Orient-T. wurden häufig auf Gemälden des 14.–16. Jh. dargestellt als Hoheitsembleme der Heiligen, Könige und Fürsten, auch als Veranschaulichung der Orientbeziehungen der Großkaufleute. Im 17. und 18. Jh. gehörte der Orient-T. zur Ausstattung von Schlössern. Mit der Verbesserung der Handelswege verbreitete er sich im 19. Jh. immer mehr und wurde Sammlerobjekt von Privatleuten und Museen und auch begehrter Einrichtungsgegenstand. Seit den 1920er-Jahren werden Orient-T. in westl. Ind.ländern maschinell nachgeahmt (Bányai-Knüpfmaschine). Neue handgeknüpfte Orient-T. entstehen v. a. in Indien, Pakistan, Nepal, Tibet, Rumänien, Bulgarien, wo eine Vielzahl von T.-Gattungen ungeachtet ihrer ursprüngl. Provenienzen nachempfunden wird. – Die frühesten Zeugnisse handgeknüpfter europ. T. gehen ins 3. bis 4. Jh. n. Chr. zurück. Im MA. überwog bei der Anfertigung von Bild-T. das Wirkverfahren (→Bildwirkerei). Knüpf-T. wurden bes. in Spanien und Frankreich hergestellt und gelangten von dort nach England. Im 17. Jh. wurden in Frankreich geknüpfte T. in viele Länder Europas exportiert. Weitere BILDER Bayeux, Dagestan, Einhorn, Jeanne d'Arc, Lurçat

🕮 ADRIAN, K.: *T. von den Anfängen der Teppichkunst bis heute. München 1993.* – *T. Muster, Datierung, Provenienzen, bearb. v.* E. MILANSEI *u. a. Aus dem Italien. München 1994.*

Teppichkäfer, andere Bez. für die Gattung →Kabinettkäfer.

Tequila [teˈki:la; nach der gleichnamigen mexikan. Stadt] *der,* →Meskal aus Jalisco.

Tẹra [grch.], Vorsatzzeichen **T,** der Vorsatz vor Einheiten für 10^{12} (Billion); z. B. 1 Terawatt = 1 TW = 10^{12} W.

Tẹramo, 1) Provinz in Mittelitalien, in den Abruzzen, 1 948 km², (1995) 285 700 Einwohner.

2) Hptst. von 1), 52 100 Ew.; Bischofssitz; Observatorium; Herstellung von Sanitärkeramik und Isolationsmaterial. – Kathedrale (12. Jh.).

teratogẹne Wirkung [grch.], Missbildungen erzeugende Wirkung von chem. Verbindungen (Arzneimittel), Infektionen (Röteln) oder physikal. Faktoren (ionisierende Strahlen) in der Frühschwangerschaft.

Teratologie [grch.] *die,* Lehre von den →Missbildungen.

Teratom [grch.] *das,* angeborene, durch Entwicklungsstörungen entstandene, oft organähnl. Mischgeschwulst, die aus versch. Gewebearten besteht; kommt am häufigsten in den Keimdrüsen (Eierstöcke, Hoden) vor.

Terbium [nach dem schwed. Fundort Yt**terb**y] *das,* chem. Symbol **Tb,** Element aus der Reihe der →Lanthanoide im →Periodensystem der chemischen Elemente; Ordnungszahl 65, relative Atommasse 158,9254, Dichte 8,253 g/cm³, Schmelzpunkt 1356 °C, Siedepunkt 3230 °C. T. ist ein silbergraues Metall, das sich chemisch wie die übrigen Lanthanoide verhält, mit denen zus. es auch in Form von Phosphaten (→Monazit) und Silikaten in der Natur vorkommt. In Verbindungen tritt T. meist dreiwertig, seltener auch vierwertig auf. Verwendung findet T. nur in geringem Umfang, u.a. für einige Laser und Festkörper-Elektronikelemente.

Terborch [tɛrˈbɔrx] (ter Borch), Gerard, niederländ. Maler, *Zwolle Ende Dez. 1617, †Deventer 8. 12. 1681. Während seine Porträtkunst (u.a. von D. Velázquez beeinflusst) um die Mitte der 40er-Jahre voll entwickelt war, fand er in der Genredarstellung seit 1650 zu seinem eigenen Stil. Er schilderte das Leben der patrizisch-bürgerl. Gesellschaft bei Unterhaltung, Musik und häusl. Beschäftigung. Weiteres BILD deutsche Geschichte

Terbrugghen [tɛrˈbryxə] (ter Brugghen), Hendrick, niederländ. Maler, *Deventer (?) 1588 (?), †Utrecht 1. 11. 1629; wurde nach einer Lehrzeit in Italien (bis 1614), zum bedeutendsten Vermittler der Kunst Caravaggios in Utrecht. In seinen großformatigen Halbfigurenbildern verbindet sich die realist. Charakterisierung und Lichtführung Caravaggios mit niederländ. Tradition.

Gerard Terborch: »Ein Knabe flöht seinen Hund« (um 1655; München, Alte Pinakothek)

Hendrick Terbrugghen: »Singender Lautenspieler« (1624; London, National Gallery)

Terceira [tərˈseira], Insel der Azoren, zu Portugal, 382 km², 59000 Ew.; Hptst.: Angra do Heroísmo; bis 1066 m ü.M.; agrar. Nutzung (Getreide, Wein, Viehwirtschaft).

TERCOM, Abk. für engl. **Ter**rain **Co**ntour **M**atching [»Geländekonturenvermessung«], auch für **Ter**rain **Com**parison [»Geländevergleich«], Verfahren zur Führung von Cruisemissiles; dabei wird das Höhenprofil des überflogenen Geländes mit den in einem Geländevergleichsrechner gespeicherten Bodenprofilen verglichen. Stimmen beide Werte überein, liegt der Flugkörper genau auf Kurs; weichen sie voneinander ab, korrigiert der TERCOM-Rechner die Flugbahn.

Terebinthe [grch.] *die,* Baum, →Pistazie.

Terek *der,* Fluss in Georgien und Russland, 623 km lang, entspringt der S-Flanke des zentralen Hochgebirgskaukasus und mündet mit Delta ins Kasp. Meer; zwei Wasserkraftwerke. Der **T.-Kuma-Kanal** (148 km) dient der Bewässerung.

Terenz, eigtl. Publius Terentius Afer, röm. Komödiendichter, *Karthago 185 v.Chr. (um 195?), †159; neben Plautus bedeutendster Vertreter der altröm. Komödie. Er wandelte das alte Singspiel zum Sprechdrama um und strebte Einheit der Handlung und Charaktere und Reinheit der Sprache (der röm. Aristokratie) an. Erhalten sind u.a. »Andria«, »Heautontimorumenos«, »Eunuchus«, »Phormio«, »Adelphoe«. Im Altertum und MA. gehörte T. zu den beliebtesten Schriftstellern (→Hrotsvith von Gandersheim). T. wirkte u.a. auf

L. Ariosto, N. Machiavelli, Molière und L. von Holberg.

Terenzbühne, Bühnenform (→Theater).

Terephthalsäure (1,4-Benzoldicarbonsäure), bei 300 °C sublimierende, in Wasser und den meisten organ. Lösungsmitteln sehr schwer lösliche aromat. Dicarbonsäure. T. und ihr Dimethylester sind wichtige Zwischenprodukte bei der Herstellung von Polyestern und Aramiden.

Terenz: Druckvorlage von Albrecht Dürer (1492/93; Basel, Kupferstichkabinett)

Teresa, Mutter, eigtl. Agnes Gonxha Bojaxhio, ind. Ordensgründerin alban. Herkunft; *Skopje 27. 8. 1910, †Kalkutta 5. 9. 1997; trat mit 18 Jahren den irischen »Loreto Sisters« (»Schwestern von Loreto«) bei; zunächst Lehrerin an einer Missionsschule des Ordens in Kalkutta, gründete dort 1950 die »Missionarinnen der Nächstenliebe«, eine dem Dienst an den Waisen, (Lepra-)Kranken und Sterbenden verpflichtete Schwesternkongregation (seit 1963 auch ein männl. Zweig), deren Generaloberin sie bis März 1997 war; in Indien als »Engel der Armen« verehrt, erwarb sie weltweit Achtung. – 1971 erste Trägerin des Friedenspreises des Papstes; 1979 erhielt sie den Friedensnobelpreis, 1985 die Friedensmedaille des Präs. der USA.

Mutter Teresa

📖 Allegri, R.: *M. T. Ein Leben für die Ärmsten der Armen. A. d. Italien. München u. a. 1993.*

Tereschkowa-Nikolajewa, Walentina Wladimirowna, sowjet. Kosmonautin, *Maslennikowo (Gebiet Jaroslawl) 6. 3. 1937; die erste Frau, die an einem Raumfahrtunternehmen teilnahm (16. bis 19. 6. 1963 in »Wostok 6« 48 Erdumkreisungen).

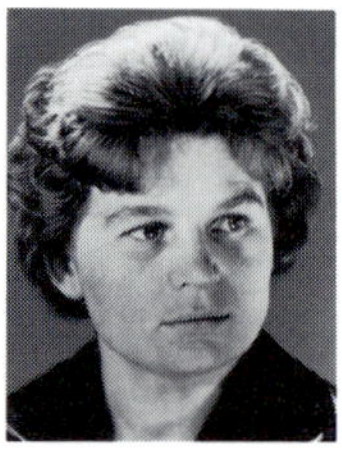

Walentina Tereschkowa-Nikolajewa

Teresina, Hptst. des Staates Piauí, NO-Brasilien, am Rio Parnaíba, 556 000 Ew.; Erzbischofssitz; Univ.; Handelszentrum, Verarbeitung landwirtsch. Produkte.

Terezín ['tɛrɛzi:n], Stadt in der Tschech. Rep., →Theresienstadt.

Terlan (italien. Terlano), Gemeinde in Südtirol, Prov. Bozen, Italien, an der Etsch, 3 100 Ew.; got. Kirche mit Freskenzyklus; Weinbau **(Terlaner).**

Term [frz.] *der,* **1)** *Mathematik:* Teil eines mathemat. Ausdrucks, z. B. ax in $y = ax + b$.

2) *Physik:* einem Energieniveau E_n eines quantenmechan. Systems, z. B. eines Atoms, Atomkerns oder Moleküls, zugeordnete Wellenzahl T_n (Energie-T.): $T_n = -E_n/(hc)$ (h plancksches Wirkungsquantum, c Lichtgeschwindigkeit). Die Gesamtheit der T. heißt Termschema.

Termes (Termez), Hptst. des Gebietes Surchandarja im SO Usbekistans, am von hier ab schiffbaren Amudarja (Hafen), 90 400 Ew.; Baumwollreinigung, Nahrungsmittelind.; Grenzbrücke nach Afghanistan. – Baudenkmäler aus dem 9.–12. Jahrhundert.

Termin [lat.] *der,* **1)** *allg.:* festgesetzter Zeitpunkt.

2) *Recht:* im Unterschied zur Frist der Zeitpunkt, an dem etwas geschehen oder eine bestimmte Rechtswirkung eintreten soll (Fälligkeit einer Kaufsumme); im Prozessrecht eine vom Gericht nach Tag und Stunde bestimmte Zeit, zu der Prozesshandlungen vorgenommen werden sollen.

Terminal ['tə:mınl, engl.] *der* oder *das,* **1)** *Datenverarbeitung:* (Endgerät, Datenendstation, Benutzerstation) eine Bedienungsstation für den Benutzer eines Computers (z. B. beim Dialogbetrieb), die mindestens eine Eingabeeinheit (Tastatur, Lichtgriffel), eine Ausgabeeinheit (Bildschirm, Drucker) und eine Einheit für den Datenverkehr mit dem Computer besitzt. **Intelligente T.** sind zusätzlich mit einer Verarbeitungseinheit ausgerüstet, die Routinearbeiten bei der Gestaltung der Datenausgabe und eine teilweise Bearbeitung der Eingabedaten unabhängig vom Zentralrechner im T. selbst durchführen kann.

2) *Verkehrswesen:* Abfertigungsgebäude eines Flughafens für Fluggäste oder Fracht (Fracht-T.); Umschlaganlage für Container in Häfen und an Bahnanlagen (Container-T., Roll-on-roll-off-Terminal).

Termin|einlagen (Termingeld), verzinsl. Einlagen mit fester Laufzeit (Festgelder) oder mit vereinbarter Kündigungsfrist (Kündigungsgelder) bei Kreditinstituten.

Termingeschäfte (Zeitgeschäfte), i. w. S. alle Geschäfte, die erst zu einem späteren Zeitpunkt, aber zu den am Tag des Vertragsabschlusses vereinbarten Bedingungen erfüllt werden (Lieferung, Zahlung); hierzu zählen auch Lieferungs- und Differenzgeschäfte. T. i. e. S. sind die Börsen-T. im Ggs. zum Kassageschäft. T. und Kassageschäfte können miteinander verknüpft werden. Ein T. ohne Gegengeschäft am Kassamarkt heißt Outright-Geschäft. Gegenstand von **Börsen-T.** sind Waren, Devisen, Wertpapiere (Terminpapiere) oder abstrakte Basiswerte (z. B. Aktienindizes). Unterschieden werden **feste T. (unbedingte T.),** die zum festgesetzten Termin abgewickelt werden müssen **(Fixgeschäft),** ggf. aber durch ein Prolongationsgeschäft gegen Zahlung einer besonderen

Vergütung (Deport) aufgeschoben werden können, und **bedingte T.,** die einen Rücktritt vom Geschäft gegen Zahlung einer Prämie (Reugeld) zulassen. Unterarten solcher **Prämiengeschäfte** sind das Vor- und das Rückprämiengeschäft, das Stellagegeschäft (Stellgeschäft) und das Nochgeschäft. Die wichtigsten Börsen-T. sind Optionsgeschäfte und Geschäfte mit Futures. T. dienen dazu, risikobehaftete Geschäfte abzusichern (Hedgegeschäft), vermutete zukünftige Preisveränderungen auszunutzen (Spekulation) oder Preisunterschiede zw. verschiedenen Märkten zu nutzen (Arbitrage). Bei Devisen-T. spielt neben der spekulativen Geldanlage v.a. der Schutz vor Kursverlusten, indem Wechselkursrisiken (Preisrisiken) abgedeckt werden, ein Rolle.

Terminologie *die,* die Fachsprache; Gesamtheit der Fachausdrücke auf einem Gebiet, wobei viele spezif. Bedeutungen vom allgemeinsprachl. Gebrauch abweichen.

Terminus [lat.] *der,* Fachwort; in der *Logik* Begriff, Begriffswort (Prädikator); **T. technicus,** Fachwort, Fachausdruck.

Termiten [frz.], in den Tropen und Subtropen verbreitete Ordnung Staaten bildender Insekten, nächstverwandt mit den Schaben und Fangheuschrecken (nicht dagegen mit den Ameisen, trotzdem umgangssprachlich als Weiße Ameisen bezeichnet); lichtscheu und wärmeliebend, Körper 0,2–10 cm lang (Eier legende Weibchen); Geschlechtstiere mit Facettenaugen und zeitweise geflügelt; Arbeiter und Soldaten ungeflügelt, fast stets augenlos; Mundwerkzeuge beißend-kauend (mit Ausnahme der Soldaten). – Bei T. gibt es ausgeprägte Gestaltformen (Kasten), v.a. 1) **Primäre Geschlechtstiere** (geflügelte Männchen und Weibchen): Diese erscheinen einmal im Jahr. Nach dem Hochzeitsflug gründen je ein Männchen und ein Weibchen eine neue Kolonie, sie bleiben als König und Königin zusammen und erzeugen alle anderen Koloniemitglieder. 2) **Ersatzgeschlechtstiere** (mit kurzen Flügelanlagen oder völlig ungeflügelt): Diese können bei Verlust der primären Geschlechtstiere aus Arbeiterlarven nachgezogen werden. 3) **Arbeiter** (fortpflanzungsunfähige, stets ungeflügelte Männchen und Weibchen): Sie machen i.d.R. die Masse des Volks aus und übernehmen gewöhnlich (zus. mit den Larven) alle Arbeiten, v.a. die Ernährung der übrigen Kasten. 4) **Soldaten** (fortpflanzungsunfähige Männchen und Weibchen) mit meist sehr kräftigen Mandibeln oder einem nasenartigen, ein Sekret ausscheidenden Stirnzapfen. Die T. legen ihre Nester meist unterirdisch oder in Holz an; mit zunehmendem Alter ragen die bei manchen Arten steinharten Bauten über den Erdboden hinaus, z.T. bis 6 m hoch. Das Baumaterial besteht aus zerkautem Holz, mit Speichel vermischtem Sand bzw. Erde oder Kotteilchen. – In trop. Gebieten wegen der Zerstörung von Holz (Möbel, ganze Gebäude) sehr schädlich und gefürchtet. Wenige Arten (z.B. die Erdholztermite) sind nach Europa vorgedrungen.

Termone [Kw.], geschlechtsspezif. Wirkstoffe in niederen Organismen, die nicht sekundäre Geschlechtsmerkmale, sondern die Geschlechtlichkeit selbst bestimmen: **Gyno-T.** (weiblich), **Andro-T.** (männlich).

Terms of Trade ['tə:mz əv 'treɪd, engl.], Maßzahl für die Austauschposition eines Landes im internat. Handel; i.d.R. ausgedrückt durch das Verhältnis der Ausfuhrpreisindizes zu den Einfuhrpreisindizes. Steigen z.B. die Ausfuhrpreise bei konstanten oder sinkenden Einfuhrpreisen oder sinken die Einfuhrpreise bei konstanten Ausfuhrpreisen, so verbessern sich die T. of T., weil für die gleiche Exportmenge mehr Importe getätigt werden können. Die Verschlechterung der T. of T.

Termiten (von links): Termitenbau, Königin und Arbeiter sowie Soldat (links) und Arbeiter von Erdholztermiten

Terrakotta: Frauenfigur mit Sonnenhut und Fächer, Arbeit aus der altgriechischen Stadt Tanagra (um 320 v. Chr.; Berlin, Antikensammlung)

durch den Preisverfall bei vielen Rohstoffen war eine wesentl. Ursache der Schuldenkrise.

ternär [frz.], aus drei Teilen (Elementen, Komponenten) bestehend, z.B. bestehen ternäre Verbindungen aus drei Elementen.

Ternate, Insel der N-Molukken, Indonesien, 137 km², etwa 120 000 Ew., Hauptort T.; 1722 m hoher tätiger Vulkan; Gewürznelken-, Pfeffer- und Muskatkulturen; seit dem 15. Jh. Sitz eines muslim. Sultans, der im 16. Jh. große Teile der Molukken und den Gewürzhandel beherrschte (seit Anfang des 17. Jh. Monopol der Niederländer).

Terni, 1) Provinz in Umbrien, Italien, 2122 km², (1995) 223 800 Einwohner.

2) Hptst. von 1), an der Nera, 108 700 Ew.; Bischofssitz; Eisen- und Stahlwerk, elektrochem., Kunststoff- u.a. Ind. – Ruine eines röm. Amphitheaters (32 n. Chr.), Kirche San Salvatore (spätröm. Zentralbau), Dom (Neubau 1635), Kirchen San Francesco (1265) und San Pietro (14. Jh.), Palazzo Carrara (17. Jh.), Palazzo Spada (16. Jahrhundert).

Ternitz, Stadt im Bezirk Neunkirchen, NÖ, 15 400 Ew.; Stahlwerk, Textilindustrie.

Ternopol (ukrain. Ternopil, dt. und poln. Tarnopol), Hptst. des Gebiets T., Ukraine, am Sereth, 232 000 Ew.; drei Hochschulen; Nahrungsmittel-, Baumwoll-, Porzellanind., Maschinenbau; Verkehrsknotenpunkt. – T. wurde im 16. Jh. als poln. Festungsstadt gegründet.

Terrakotta: Der »Shyam Rai«-Tempel im westlichen West Bengal in Indien wurde 1634 vollendet

Terpen [niederländ.], Wohnhügel, → Wurten.

Terpene, Gruppe von Naturstoffen, die durch Wasserdampfdestillation (äther. Öle) oder Extraktion aus Blüten, Blättern oder anderen Pflanzenteilen isoliert werden. Viele T. werden wegen ihres angenehmen Geruchs als Riechstoffe verwendet. T. sind Kohlenwasserstoffe, Alkohole, Äther, Aldehyde oder Ketone, deren Kohlenstoffskelett sich vom Isopren (C_5H_8) ableiten lässt. Je nach Anzahl der Isopreneinheiten erhält man **Hemi-T.** (C_5), **Mono-T.** (C_{10}), **Sesqui-T.** (C_{15}), **Di-T.** (C_{20}), **Tri-T.** (C_{30}), **Tetra-T.** (C_{40}) und **Poly-T.** T. sind z.B. Kampfer, Vitamin A, Menthol.

Terpentin|öl, farblose bis hellgelbe Flüssigkeit, die durch Destillation aus Kiefernharz **(Balsam-T.)** oder durch Wasserdampfdestillation aus harzreichen Holzabfällen **(Holz-T.)** gewonnen wird. T. enthält neben anderen Terpenen v.a. Pinene. Es wird als Lösungsmittel für Lacke, Schuhcreme und Bohnerwachs sowie zur Herstellung von Kampfer und Riechstoffen verwendet.

Terpineol *das,* ein Terpenalkohol, $C_{10}H_{18}O$, mit versch. Isomeren, der wegen seines fliederartigen Duftes in der Parfümerie verwendet wird.

Terpsichore [grch.], die Muse der chor. Lyrik und des Tanzes.

Terra [lat.] *die,* **1)** *allg.:* Erde, Land.

2) *röm. Mythos:* lat. Name der Erdgöttin (→ Tellus, → Gaia).

Terra di Siena [italien.] *die* (Sienaerde), früher bei Siena in der Toskana, heute auf Korsika und Sardinien gegrabenes goldgelbes Malpigment (Eisenoxidhydrat), das sich beim Brennen in rotbraunes Eisenoxid verwandelt und als **T. di S. gebrannt** zu den in allen Maltechniken verwendbaren Pigmenten gehört; auch synthetisch hergestellt.

Terrain [tɛˈrɛ̃, frz.] *das,* Gebiet, Gelände.

Terra incognita [lat.] *die,* unbekanntes Land, Neuland, unerforschtes Wissensgebiet.

Terrainfolgeflug [tɛˈrɛ̃-], der → Konturenflug.

Terrainfolge|radar [tɛˈrɛ̃-], Bordradar für militär. Flugzeuge und Flugkörper, das auch bei fehlender Sicht (Nacht oder Schlechtwetter) einen → Konturenflug ermöglicht.

Terrakotta [italien. »gebrannte Erde«] *die,* Bez. für Gegenstände wie Plastiken, Reliefs, Architekturverkleidung, Bauplastik, Gerätschaften aus gebranntem, unglasiertem Ton. Die Abgrenzung von T. (Relief und Plastik) zu → Tonplastik ist nicht klar zu ziehen. Sie begründet sich nicht auf Unterschiede in der Herstellung, sondern auf nat. Sprachgewohnheiten in der Fachliteratur. In der chines. und japan. Kunst spricht man meist von Tonplastik, die Bez. T. ist überwiegend für das Altertum, die Mittelmeerländer (v.a. Italien) sowie für Indien und Afrika gebräuchlich, jedoch kann auch die Bez. Ton verwendet werden. Gefäße aus Ton werden unter → Keramik zusammengefasst.

Die europ. T. erlebte ihre Blütezeit in der grch. Kleinplastik (Grabbeigaben, Weihgeschenke, später auch häusl. Zierrat). Hauptwerkstätten der archaischen und der klass. Epoche lagen auf Samos, Rhodos, Kreta, Melos, in Attika, Korinth, Böotien, Sizilien und Unteritalien. Dargestellt wurden Tiere, Menschen, Gottheiten. Zentren in hellenist.

Zeit waren →Tanagra (4./3. Jh. v. Chr.), Myrina (2./1. Jh. v. Chr.) und Alexandria (3. Jh. v. Chr. bis 4. Jh. n. Chr.); beliebt waren bes. weibl. Gewandfiguren, Niken, Eroten sowie Figuren und Szenen aus dem Volks- und Schauspielerleben. – Monumentale T.-Plastik gab es in Griechenland v. a. in archaischer Zeit, auf Zypern und in Italien (Etrusker) bis ins 1. Jh. Gleichzeitig wurden in Griechenland und Italien zahlr. Bauteile aus gebranntem Ton verwendet, v. a. Tonziegel, bes. reliefgeschmückte oder bemalte →Stirnziegel, Metopen und Friese. T.-Reliefplatten aus röm. Zeit werden nach der umfangreichen Sammlung des Marchese Campana (seit 1861 im Louvre) **Campana-Reliefs** genannt. – In Indien sind rot gebrannte Tonfiguren aus der Harappakultur überliefert, aus dem 4./3. Jh. v. Chr. graue handgeformte Figuren mit gemodelten Gesichtern und appliziertem Schmuck; als figuraler und dekorativer Tempelschmuck erreichte die T. in der Guptazeit ihren Höhepunkt, eine Spätblüte in den T.-Tempeln Bengalens. Früheste Zeugnisse in Afrika aus Nok (500 v. Chr.–200 n. Chr.).

📖 PFISTERER-HASS, S.: *Antike Terrakotten. Leipzig 1996.*

Terrarium [lat.] *das,* verschlossener Behälter zur Pflege kleiner Landtiere (meist Lurche und Kriechtiere, auch größerer Gliedertiere und kleinerer Säugetiere). Für amphibisch lebende Tiere wird ein **Aqua-T.** mit großem Wasserteil verwendet. Ein T. besteht meist aus einem Winkeleisengestell mit Glasscheiben, die z. T. durch Drahtgaze ersetzt sind. Für trop. Tiere wird der Boden durch Heizkabel erwärmt. – Auch Bez. für ein entsprechendes Gebäude zur Schaustellung.

Terra rossa [italien.] *die* (Mediterrane Roterde), im Mittelmeergebiet bes. auf reinen Kalkgesteinen verbreiteter Bodentyp mit hohem Tonanteil, durch Eisenoxidreichtum rot gefärbt.

Terra sigillata [lat. »gesiegelte Erde«; nach dem eingepressten Herstellerzeichen] *die,* rot gefirnisste Keramik. Die T. s. entwickelte sich aus einem hellenist. Geschirr. Sie erlebte ihre höchste Blüte in den reliefverzierten Gefäßen der Werkstätten in Arezzo (arretin. Keramik, etwa 40 v. Chr. bis 40 n. Chr.) und verbreitete sich im 1. Jh. in eigenen Werkstätten im ganzen Röm. Reich.

Terrassa (span. Tarrasa), Ind.stadt in Katalonien, Spanien, in der Prov. Barcelona, 161 700 Ew.; Museen; Textilind., Textilmaschinenbau. – Im Stadtteil Sant Pere drei roman. (urspr. westgot.) Kirchen, in Santa Maria Wandmalereien (12. Jahrhundert).

Terrasse [frz. aus lat.] *die,* **1)** *Bautechnik:* offene befestigte Plattform am Erdgeschoss eines Hauses (meist zum Garten hin orientiert), auch auf modernen Flachdächern (Dachterrasse).

2) *Geomorphologie:* meist ebene, lang gestreckte Fläche, durch welche die allg. Neigung eines Hanges unterbrochen wird. T. treten oft treppenförmig auf. Nach Vorkommen, Untergrund und Bildungsweise lassen sich versch. Arten unterscheiden, z. B. durch Erosion entstandene **Fluss-** oder **Tal-T.** (**Fels-T.,** wenn Felsgestein, **Schotter-, Aufschüttungs-** oder **Akkumulations-T.,** wenn ehem. Schotterlagen angeschnitten werden) und **Strand-** oder **Küsten-T.** (durch Brandungswirkung); **Land-T.** werden durch Denudation gebildet.

Terra sigillata: Die Schüssel mit Wellenbanddekor wurde auf einem Gräberfeld in Mannheim-Wallstadt gefunden (2. Jh. n. Chr.; Mannheim, Reiß-Museum)

Terrazzo [italien.] *der,* seit der Antike bekannter, fugenloser, geschliffener Betonestrich aus Natursteinsplitt und gefärbtem Mörtel; dient auch als Wandbelag und zur Herstellung von Terrazzoplatten.

terre des hommes [tɛːrdɛˈzɔm, frz.], Abk. **tdh,** internat. Hilfsorganisation für in Not geratene Kinder ohne Ansehen polit., rass. oder religiöser Unterschiede; gegr. 1959 in Lausanne. Die Projekte der Organisation (Gesundheits-, Bildungs-, Kinderschutzzentren, Ernährungsprogramme, Rehabilitationsmaßnahmen u. a.) werden fast ausschl. durch Spenden finanziert. tdh betreut rd. 320 Projekte in über 20 Ländern. Sitz der tdh Dtl. e. V. ist Osnabrück.

terre des hommes

Terres Australes et Antarctiques Françaises [ˈtɛrzoˈstraleãtarkˈtik frãˈsɛːz], frz. Überseeterritorium im südl. Ind. Ozean und in der Antarktis; umfasst die Kerguelen, die Crozetinseln, die Inseln Neu-Amsterdam, Saint-Paul und Adélieland; rd. 440 000 km²; Verw.sitz: Paris. Forschungsstationen.

terrestrisch [lat.], die Erde betreffend; zum Festland gehörend; auf dem Land auftretend.

Terrier [engl.] *der,* aus England stammende, formenreiche Rassengruppe von Haushunden (urspr. Jagdhunde) mit länglich-schmalem Kopf und kleinen Kippohren; u. a. **Airedale-T.,** 60 cm schulterhoch, rauhaarig; **Fox-T.,** 35–40 cm schulterhoch, Behaarung dicht, glatt, beim Rauhaar-Foxterrier (Drahthaar-T.) hart drahtig; **Schottischer T.** (Scotch-T.), klein (26–28 cm schulterhoch) mit Schnauzbart, langes, drahtiges Haar, meist schwarz.

Terrier: Schottischer Terrier (Widerristhöhe 26–28 cm)

terrigen [lat.-grch.], in oder auf der Erdkruste oder aus Festlandsmaterial entstanden.

territorial [lat.], zu einem →Territorium gehörig.

Territorialgewässer, →Küstengewässer.

Territorialitätsprinzip, Grundsatz, nach dem der räuml. Aspekt (meist das Hoheitsgebiet eines Staates) für die Rechtsgeltung und -anwendung ausschlaggebend ist. Auf der Gebietshoheit basierend, ist das T. ein Wesenszug des modernen Staates. Es herrscht vor im gesamten öffentl. Recht, insbesondere im Strafrecht; Ggs. Personalitätsprinzip. (→Universalprinzip)

Territorium [lat.] *das,* **1)** *allg.:* Gebiet, Land; im Völkerrecht Hoheitsgebiet eines Staates; auch ein (umgrenztes) Gebiet, das zu keinem Staat gehört.

2) *Geschichte:* im Hl. Röm. Reich vom Spät-MA. bis 1806 das Gerichtsgebiet, das seinen Inhaber (auch Reichsstädte oder kirchl. Körperschaften) als Landesherrn kennzeichnete. Hatte dieser auch die Landeshoheit inne, so wurde das T. zum **Territorialstaat.** Man unterscheidet auch »offene«, d.h. von fremden Herrschaften durchsetzte, und »geschlossene« Territorien.

3) *Staatslehre:* in manchen Staaten wenig entwickelte, dünn besiedelte, z.T. aber militärisch oder wirtsch. wichtige Gebiete, oft mit Sonderstatus, z.B. in Kanada.

4) *Zoologie:* (Revier) begrenztes Gebiet innerhalb des Lebensraumes einer Tierart.

Terror [lat. »Schrecken«] *der,* **1)** gewalttätige Form des polit. Machtkampfes. Als Staats-T. diktator. Regierungen dient T. der Unterdrückung der Opposition oder von Widerstandsbewegungen; seine Mittel sind z.B. Zwangsarbeit, Folter, Gehirnwäsche, Vertreibung von Minderheiten und »Liquidierung« polit. Gegner. Einzelne wie auch revolutionäre oder extremist. Gruppen bedienen sich des T. mit dem Ziel eines Umsturzes der bestehenden Staatsordnung (→Terrorismus).

2) (Terreur) die Schreckensherrschaft 1793–94 während der Frz. Revolution (→Frankreich, Geschichte).

Terrorismus [lat.] *der,* politisch motivierte Gewaltanwendung v.a. durch revolutionäre oder extremist. Gruppen und Einzelpersonen, die aufgrund ihrer zahlenmäßigen Unterlegenheit gegenüber dem herrschenden Staatsapparat mit auf bes. hervorragende Vertreter des herrschenden Systems gezielten, meist grausamen **direkten Aktionen** die Hilflosigkeit des Reg.- und Polizeiapparates gegen solche Aktionen bloßstellen, Loyalität von den Herrschenden abziehen und eine revolutionäre Situation schaffen wollen; sie unterscheiden sich durch die Nichtverfügbarkeit von Macht und Herrschaft und die Form der Gewaltanwendung vom staatlich angeordneten oder tolerierten Terror, der von Staatsorganen oder von durch diese gedeckten privaten Gruppen durchgeführt wird.

Seine theoret. Grundlage fand der T. v.a. im revolutionären →Anarchismus, dessen wichtigster Theoretiker, M. A. Bakunin, die Vernichtung jegl. Gesellschaftsform (»Pandestruktion«) forderte, woraus sein Schüler S. G. Netschajew die Kampfform der »Propaganda der Tat« entwickelte, die jede rächende Tat an einem Vertreter herrschaftl. Ordnung rechtfertigte. Zumindest zeit- und teilweise haben sich im 20. Jh. zur Befreiung von fremder Herrschaft die nat. Befreiungsbewegungen in der Dritten Welt, die →ETA, die →IRA, jüd. Organisationen im Kampf gegen Briten und Araber in Palästina vor 1948 (z.B. →Irgun Zwai Leumi) sowie die palästinens. Befreiungsorganisationen im Kampf gegen Israel terrorist. Mittel bedient. Die von palästinens. Gruppen zur polit. Erpressung unternommenen Flugzeugentführungen brachten v.a. in den 1970er-Jahren den Übergang zum internat. T. mit dem Phänomen der Zusammenarbeit von Terrororganisationen unterschiedlichster polit. Ausrichtung. Im Nahen Osten versuchen gegenwärtig (1997/98) versch. terrorist. Gruppen (v.a. Hamas), den israelisch-palästinens. Friedensprozess durch Anschläge auf größere Menschengruppen in Israel zu torpedieren.

In der Bundesrep. Dtl. hat sich der T. aus einem kleinen radikalen Teil der student. Protestbewegung gegen Ende der 1960er-Jahre entwickelt, die terrorist. Anschläge werden größtenteils der RAF (→Rote-Armee-Fraktion) zugeschrieben. Neben den linksextremist. Terrorbewegungen, deren Aktionen i.d.R. gegen einzelne Repräsentanten des staatl. und gesellschaftl. Systems gerichtet sind (z.B. auch seitens der ab Beginn der 1970er-Jahre aktiven »Roten Brigaden« in Italien und der

»Action directe« in Frankreich), sind insbesondere seit 1980 auch vermehrt neofaschist. bzw. neonazist. Terroraktionen zu verzeichnen – so v.a. in Italien (Attentat von Bologna), Frankreich (Synagogenattentat in Paris) und in Dtl. (v.a. Attentate auf Ausländer). 1993 begann in Österreich vonseiten rechtsextremist. Gruppen eine Serie von Briefbombenattentaten gegen bekannte Verfechter einer liberalen Ausländerpolitik oder gegen Angehörige von Minderheiten selbst. Mit terrorist. Angriffen auf türk. Einrichtungen suchten Anhänger der kurd. Autonomie bzw. der Unabhängigkeitsbewegung innerhalb und außerhalb der Türkei (bes. auch in Dtl.) ihrem Ziel mit Gewalt näher zu kommen, in der Türkei selbst auch unter der bewussten Inkaufnahme der tödl. Bedrohung von Touristen.

Mit dem Angriff auf hoch empfindl. und daher verwundbare Schaltstellen der heutigen Industriegesellschaft (Verwaltungs- und Kommunikationszentren, Drehpunkte und Einrichtungen des Verkehrswesens) erreichte der T. eine bis dahin unbekannte Dimension. Er bedroht mit seinen Anschlägen in Ballungszentren eine größtmögl. Zahl von Opfern auf engstem Raum. Mit einer hohen Zahl von Opfern verübten 1993 islam. Fundamentalisten einen Sprengstoffanschlag auf das World Trade Center in New York. Bei einem Anschlag der japan. Sekte Aum shin-rikyō mit dem Nervengift Sarin auf die U-Bahn in Tokio sowie bei einem Attentat amerikan. Rechtsextremisten auf ein Bürogebäude in Oklahoma City wurden 1995 viele Menschen getötet oder verletzt.

Recht: In der Bundesrep. Dtl. wurde zur Bekämpfung terrorist. Gewalttaten das Anti-Terror-Ges. vom 18. 8. 1976 erlassen, das die Bildung von →terroristischen Vereinigungen als neuen Straftatbestand (§129a) in das StGB einfügte. Vor demselben polit. Hintergrund wurde im Sept. 1977 das Kontaktsperre-Ges. (→Kontaktsperre) verabschiedet. Mit dem Ges. zur Bekämpfung des T. vom 19. 12. 1986 erfolgte u.a. eine Erweiterung und Verschärfung des §129a StGB. 1989 wurde die Kronzeugenregelung (→Kronzeuge) eingeführt. Der internat. Gefahrenabwehr und Straftatbekämpfung dient das Europ. Übereinkommen zur Bekämpfung des T. vom 27. 1. 1977.

📖 *Sozialprotest, Gewalt, Terror. Gewaltanwendung durch polit. u. gesellschaftl. Randgruppen im 19. u. 20. Jh., hg. v.* W. J. MOMMSEN *u.a. Stuttgart 1982.* – REBMANN, K.: *Probleme bei der Bekämpfung des T. Melle 1986.* – LAQUEUR, W.: *T. Die globale Herausforderung. A. d. Engl. Frankfurt am Main u.a. 1987.* – BACKES, U.: *Bleierne Jahre. Baader-Meinhof u. danach. Erlangen u.a. 1991.* – HERZOG, T.: *T. Versuch einer Definition u. Analyse internat. Übereinkommen zu seiner Bekämpfung. Frankfurt am Main u.a. 1991.* – AUST, S.: *Der Baader-Meinhof-Komplex. Neuausg. Hamburg 1997.*

terroristische Vereinigung, nach §129a StGB eine Vereinigung, deren Zwecke und Tätigkeiten darauf gerichtet sind, Mord, Totschlag, Völkermord, erpresser. Menschenraub, Geiselnahme oder gemeingefährl. Straftaten (z.B. Angriff auf den Luftverkehr) zu begehen. Gründung einer t.V. und Mitgliedschaft in ihr werden mit Freiheitsstrafen bis zu zehn Jahren (Rädelsführer und Hintermänner nicht unter drei Jahren), Unterstützung und Werbung für sie mit sechs Monaten bis fünf Jahren bestraft. (→Kronzeuge)

Terschelling [tɛr'sxɛlɪŋ], eine der Westfries. Inseln, Niederlande, 90 km², 4600 Ew.; Fremdenverkehr.

Tersteegen, Gerhard, eigtl. Gerrit ter Steegen, Dichter und evang. Mystiker, *Moers 25. 11. 1697, †Mülheim a.d. Ruhr 3. 4. 1769; Verfasser zahlr. geistl. Dichtungen und Lieder; vertrat als vom Pietismus geprägter ref. Christ eine von quietist. Geisteshaltung (→Quietismus) getragene Mystik. – *Werk:* Auserlesene Lebens-Beschreibungen heiliger Seelen ... (3 Bde., 1733–53; eine Sammlung von Biographien kath. Mystiker).

Tertia [lat.] *die,* **1)** *Druckwesen:* Schriftgrad von 16 typograph. Punkten.

2) *Schulwesen:* früher der 4. (Unter-T.) und 5. (Ober-T.) Jahrgang eines Gymnasiums (gezählt ab [Ober]prima); heute allg. die 8. und 9. Klasse.

tertiär [lat.], Abk. **tert.** oder **t.,** *Chemie:* Adjektiv zur Kennzeichnung von Verbindungen: **tertiäre Salze** z.B. sind Salze dreibasiger Säuren, in denen alle drei Wasserstoffatome durch Metallatome ersetzt sind (z.B. Na_3PO_4). Als **tertiäre Kohlenstoff-** und **tertiäre Stickstoffatome** bezeichnet man C- bzw. N-Atome, die mit drei weiteren C-Atomen verbunden sind, z.B. bei $(CH_3)_3C{-}OH$ oder $N(CH_3)_3$.

Tertiär [frz., aus lat.] *das,* die ältere Periode der Erdneuzeit (Känozoikum; ÜBERSICHT geologische Systeme), gegliedert in **Alt-T.** (Paläogen) mit **Paläozän, Eozän, Oligozän** und **Jung-T.** (Neogen) mit **Miozän** und **Pliozän.** Das in Mitteleuropa anfangs trop. Klima wurde im Laufe des T. kühler. Biologisch bed. ist die Entwicklung der angiospermen Blütenpflanzen und der Säugetiere auf dem Festland sowie von Muscheln und Schnecken im Meer. – Tektonisch ragt der Abschluss der alpid. Gebirgsbildung in den euras. Faltengebirgen heraus, denen wassergefüllte Senken vor- und zwischengelagert sind. In Mitteleuropa entstand ein System großer Gräben (Oberrheingraben). Auf dem Festland bildeten sich vorübergehend Flachmeere (Londoner, Pariser, Mainzer Becken) und Sumpfmoorwälder, die bes. in Dtl. zur Bildung mächtiger Braunkohlenflöze führten **(Braunkoh-**

lenformation). Mit den Krustenbewegungen hängt auch eine starke magmat. Aktivität zus. Am Ende des T. hatten Land und Meer etwa heutige Umrisse. – Lagerstätten: Braunkohle, Kohlenwasserstoffe (Erdöl und -gas), Stein- und Kalisalze, Bernstein, Erze im Umkreis der Magmatite.

tertiärer Sektor, →Wirtschaftssektoren.

Tertiarier, *kath. Kirche:* →Dritter Orden.

Tertiogenitur [lat.] *die,* →Sekundogenitur.

Tertium non datur [lat. »ein Drittes gibt es nicht«], *klass. Logik:* Formel des **Satzes vom ausgeschlossenen Dritten,** ein Axiom, das besagt, dass eine Aussage gilt oder nicht gilt; eine dritte Möglichkeit besteht nicht.

Tertullian, eigtl. Quintus Septimius Florens Tertullianus, lat. Kirchenschriftsteller, *Karthago um 160, †ebd. nach 220; zunächst Rhetor in Rom; um 195 Übertritt zum Christentum; schloss sich um 205 dem →Montanismus an; war ein kompromissloser Verteidiger der kirchl. Lehre und Gegner der Gnosis; gilt wegen seiner Neuprägung theolog. Begriffe und Formulierungen als Schöpfer der lat. Kirchensprache.

Teruel, 1) Provinz in Aragonien, Spanien, 14 810 km², (1995) 143 100 Einwohner.

2) Hauptstadt von 1), am Guadalaviar, 28 500 Ew.; Bischofssitz; Marktort. – Die im Mudéjarstil errichteten Bauten, v.a. die mit farbigen Azulejos dekorierten Türme der Kirchen San Salvador, San Pedro und San Martin sowie der Kathedrale (13. Jh., im 15./16. Jh. umgestaltet), sind UNESCO-Weltkulturerbe; Bischofspalast (16. Jh.), Rathaus (16. Jh.), Aquädukt (1558).

Tertullian

Credo, quia absurdum

Dieser Satz – »Ich glaube, weil es der Vernunft zuwiderläuft« – geht möglicherweise auf den lateinischen Kirchenschriftsteller Tertullian zurück. In seiner Schrift »De carne Christi« heißt es: »Et mortuus est Dei Filius; prorsus credibile, quia ineptum est« – »Dass Gottes Sohn gestorben ist, ist geradezu eine Sache für den Glauben, weil es ungereimt ist (und sich nicht begreifen lässt).«

Terz [lat.] *die,* **1)** *kath. Kirche:* →Stundengebet.

2) *Musik:* die 3. Stufe der diaton. Leiter und das zwei diaton. Tonschritte enthaltende →Intervall. Man unterscheidet große (c–e) und kleine (c–es) sowie übermäßige (c–eis, klanglich gleich der Quarte) und verminderte (cis–es, klanglich gleich der großen Sekunde) Terz.

Terz 2) (von links): große, kleine, verminderte und übermäßige Terz

Terz, Abram, russ. Schriftsteller, →Sinjawski, Andrej Donatowitsch.

Terzett [italien.] *das,* **1)** *Metrik:* die dreizeilige Strophe im Sonett.

2) *Musik:* Gesangstück für drei Solostimmen, meist mit Instrumentalbegleitung.

Terzine [italien.] *die,* aus dem Italienischen stammende Strophenform aus urspr. je drei elfsilbigen Versen, bei denen der zweite Vers jeder Strophe den Reim für den ersten und dritten der folgenden anschlägt (aba bcb cdc usw.). Die T. wurde von Dante für seine »Göttliche Komödie« (1321 vollendet) entwickelt; seit dem 15. Jh. Versmaß der bukol. Dichtung, der Epistel, auch der Satire; bes. beliebt in der Romantik.

Nicola Tesla (um 1935)

Terzky (Terzka, tschech. Trčka), Adam Erdmann, Graf von Lipa (seit 1628), kaiserl. General (nach 1630), *um 1599, †Eger 25. 2. 1634; Schwager und Vertrauter Wallensteins, mit diesem ermordet.

Terzquartakkord (Terzquartsextakkord), *Musik:* die 2. Umkehrung des →Septimenakkords mit der Quinte im Bass.

Teschen, 1) ehem. Herzogtum in Schlesien, entstand 1281 durch Teilung des Herzogtums Oppeln, kam 1327 zu Böhmen, 1625–53 zu Österreich (ab 1742 Teil Österreich-Schlesiens). 1918/20 wurde das Land (Olsagebiet) zw. Polen und der Tschechoslowakei entlang der Olsa geteilt; 1938–45 ganz bei Polen.

2) ehem. österr. Kreisstadt beiderseits der Olsa; 1155 erwähnt; vor 1284 als Stadt mit dt. Recht (erneut 1364) angelegt; ab 1281 Residenz von 1); seit 1920 geteilt in **Cieszyn** (Polnisch-Teschen), in der Wwschaft Bielsko, Polen, rechts der Olsa, 36 600 Ew.; elektrotechn., Metall-, Leder-, chem., Nahrungsmittel-, Strickwarenindustrie; und **Český Těšín** (Tschechisch-Teschen) im Nordmähr. Bez., Tschech. Rep., links der Olsa; 28 800 Ew.; Holzverarbeitung, Textil-, Papierindustrie. – Der **Friede von T.** (13. 5. 1779) beendete den Bayer. Erbfolgekrieg.

Tesla [nach N. Tesla] *das,* Einheitenzeichen **T,** SI-Einheit der magnet. Induktion (magnet. Flussdichte): $1\,T = 1\,Wb/m^2 = 1\,V \cdot s/m^2$.

Tesla, Nicola, amerikan. Physiker und Elektrotechniker kroat. Herkunft, *Smiljan (Kroatien) 10. 7. 1856, †New York 7. 1. 1943; entdeckte unabhängig von anderen das Prinzip des Drehstrommotors und erzeugte mit dem **T.-Transformator** die physiologisch ungefährlichen hochfrequenten

Wechselströme hoher Spannung, aber kleiner Stromstärke **(Tesla-Ströme).**

Tẹssenow [-no], Heinrich, Architekt, *Rostock 7.4.1876, †Berlin 1.11.1950; bemühte sich seit 1906 um eine Reform der Mittelstands- und Arbeiterwohnungen; ab 1910 war er für die Gartenstadt Hellerau (heute zu Dresden) tätig, wo er Reihenhäuser sowie Unterkünfte und das Festspielhaus (1910–12) der Dalcroze-Tanzschule baute; 1931 schuf er den Innenraum in Schinkels »Neuer Wache« in Berlin.

Tessin (italien. Ticino), **1)** *der,* linker Nebenfluss des Po, 248 km lang, entspringt am Nufenenpass im Sankt-Gotthard-Massiv, Schweiz, durchfließt die Täler Bedretto, Leventina, Riviera, die Magadinoebene, den Lago Maggiore und mündet unterhalb von Pavia.

2) *das,* der südlichste Kanton der Schweiz, 2812 km², (1995) 305200 überwiegend Italienisch sprechende Ew., umfasst die Bezirke Bellinzona, Blenio, Leventina, Locarno, Lugano, Mendrisio, Riviera, Vallemaggia; Hptst. ist Bellinzona (BILD). Der größte Teil wird von den Tessiner Alpen mit Höhen bis über 3000 m ü.M. eingenommen (Sopraceneri) und durch den T. und die Maggia entwässert; der südl. Teil (Sottoceneri) umfasst das Vedeggiotal, das Luganese und das Mendrisiotto. Im Sopraceneri herrscht Almwirtschaft vor; in seinen südl. Talgebieten und im Sottoceneri werden Getreide (bes. Mais), Wein, Tabak, Arzneipflanzen und Gemüse angebaut. Textil-, Nahrungsmittel-, Tabak-, Pharma-, elektron. Ind., Maschinenbau; Stahl- und Walzwerk in Bodio; bed. Ind.standorte: Lugano und Locarno; Banken- und Dienstleistungszentrum ist Lugano; bed. Fremdenverkehr.

Geschichte: 196 v.Chr. kam der südl. Teil, 15 v.Chr. das gesamte T. unter röm. Herrschaft. Im Hl. Röm. Reich gehörte das Gebiet im 12.–14.Jh. zum Herzogtum Mailand; 1403–1516 von der Eidgenossenschaft erobert und bis 1798 als gemeinsames Untertanengebiet (Ennetberg. Vogteien) verwaltet; seit 1803 Kanton.

Tessin, Nicodemus d.Ä. (1674 geadelt), schwed. Baumeister, *Stralsund 7.12.1615, †Stockholm 24.5.1681; seit 1636 in Schweden, prägte die Form des schwed. Landschlosses im Übergangsstil von der Renaissance zum Barock. Seine Hauptwerke sind Schloss →Drottningholm und der Dom in Kalmar (1659 begonnen). Sein Sohn Nicodemus d.J. Graf (seit 1714) von T. (*1654, †1728) führte die Formen des röm. Hochbarock in Schweden ein. Sein Hauptwerk ist der Umbau des Schlosses in Stockholm (1697ff.).

Tessiner Alpen, Gebirgsmassiv im schweizer. Kanton Tessin, Teil der W-Alpen, im Monte Basodino 3273 m ü.M. hoch.

Tessiner Architektur (Neue T. A., Tessiner Schule), Richtung der zeitgenöss. Architekturtheorie, beeinflusst von Funktionalismus und →rationaler Architektur. Mit dem Prinzip des Gegensatzes (Topographie – Geometrie, Tradition – Innovation) sollen die Eigenarten eines Ortes verdeutlicht und das Verständnis für das Zusammenwirken von Natur und Technik geweckt werden. Hauptvertreter sind M. Botta (BILD), B. Reichlin, F. Reinhart, E. Gisel, A. Galfetti, D. Schnebli und L. Snozzi.

Tessiner Architektur: Luigi Snozzi, Haus Diener in Ascona (1988/89)

Tẹst [engl., aus lat.] *der,* **1)** *allg.:* Prüfung, Versuch, ob bestimmte Merkmale erfüllt sind (z.B. Funktions-T., Eignungs-T., →Warentest).

2) *Psychologie:* psychodiagnost. Verfahren zur Erkundung individueller Persönlichkeitsmerkmale (Begabungen, Fähigkeiten, Intelligenz, Fertigkeiten, Einstellungen, Charaktermerkmale, Entwicklungsstand). Ein qualifizierter T. muss den Forderungen nach Objektivität (Unabhängigkeit des T.-Ergebnisses von der Person des Untersuchenden, erreicht durch Standardisierung), Zuverlässigkeit (→Reliabilität) und Gültigkeit (Validität; die Frage, inwieweit das T.-Ergebnis das erfasst, was durch den T. bestimmt werden soll) genügen. **Psychometr. T.** dienen der quantitativen Bestimmung individueller psych. Unterschiede. **Projektive T.** sind Verfahren, die darauf aufbauen, dass der Proband sich in die Deutungen und Gestaltungen, die im T. verlangt werden, hineinprojiziert (z.B. Rorschach-Test). **Leistungs-T.** prüfen grundlegende Fähigkeiten und die Eigenschaften der Sinnesorgane; u.a. wurden versch. Eignungs-T. entwickelt, um die Eignung für bestimmte Berufe zu untersuchen (z.B. Reaktions-T. für Kraftfahrer). Für **Intelligenz-T.** werden T.-Batterien aus mehreren Einzel-T. zusammengestellt, die zus. als geeignet angesehen werden, ein Gesamtbild der Intelligenz zu zeigen; dieses kann als Intelligenzquotient errechnet oder als Intelligenzprofil grafisch darge-

Tessin 2) Kantonswappen

stellt werden. **Persönlichkeits-T.** erfassen mittels Fragebögen u. a. den Ausprägungsgrad bestimmter charakterl. Merkmale wie Aggressivität, Antriebsstärke, Interessen und Einstellungen zu versch. Fragen. – T. werden als Hilfsmittel der psycholog. Diagnostik in nahezu allen Anwendungsbereichen der Psychologie verwendet, bes. in der pädagog. Diagnostik in Schulen und Hochschulen, in der Beratung bei Erziehungs- und Schulschwierigkeiten, in der Eignungsdiagnostik (u. a. Berufsberatung, Zulassungsprüfungen).

📖 IRTEL, H.: *Entscheidungs- u. testtheoret. Grundlagen der psycholog. Diagnostik. Frankfurt am Main u. a. 1996.*

Testakte (engl. Test-Act), engl. Gesetz von 1673, das die Übernahme eines öffentl. Amtes von einer Erklärung gegen die kath. Abendmahlslehre abhängig machte und damit die Katholiken von Staatsämtern ausschloss; 1829 aufgehoben.

Testament [lat., zu testari »bezeugen«] *das,* **1)** *christl. Kirchen:* **Altes** und **Neues T.**, die beiden Teile der →Bibel.

2) *Recht:* (letztwillige Verfügung, letzter Wille) die einseitig getroffene Verfügung von Todes wegen, im Unterschied zum →Erbvertrag. Nach den §§ 1937–1940 BGB kann durch T. der **Erblasser** den oder die Erben bestimmen (Erbeinsetzung, oft abweichend von der gesetzl. →Erbfolge), einen Verwandten oder den Ehegatten von der gesetzl. Erbfolge ausschließen, ohne einen Erben einzusetzen, ferner jemandem, ohne ihn als Erben einzusetzen, einen Vermögensvorteil zuwenden (→Vermächtnis) und den Erben oder einen Vermächtnisnehmer unter Auflagen oder Bedingungen zu einer Leistung berechtigen oder verpflichten. Ferner kann der Erblasser durch T. einen →Testamentsvollstrecker ernennen. Die rechtl. Fähigkeit zur Errichtung eines T. **(Testierfähigkeit)** beginnt mit dem vollendeten 16. Lebensjahr, bis zur Volljährigkeit aber nur in Form eines öffentl. T.; Minderjährige unter 16 Jahren und Personen, die wegen krankhafter Störung der Geistestätigkeit, Geistesschwäche oder Bewusstseinsstörung nicht in der Lage sind, die Bedeutung der abgegebenen Willenserklärung einzusehen, sind nicht testierfähig (§§ 2229, 2230). – Das BGB lässt zwei ordentl. Formen des T. zu, das eigenhändige Privat-T. und das öffentl. T. vor einem Notar. Ein zwingenden Formvorschriften nicht genügendes T. ist nichtig. Durch einen Vertreter kann ein T. nicht errichtet werden (§ 2064). Das **eigenhändige (Privat-)T.** muss vom Erblasser – möglichst unter Angabe des Ortes und des Tages der Errichtung – von Anfang bis Ende eigenhändig geschrieben und unterschrieben sein. Als Unterschrift genügt jedes die Identität des Erblassers und die Ernstlichkeit seines Willens ergebende Schriftzeichen. Beim **öffentl. T.** erklärt der Erblasser dem Notar seinen letzten Willen mündlich oder durch Übergabe einer offenen oder verschlossenen Schrift. Diese kann auch von einem andern oder mit der Schreibmaschine geschrieben sein. Während die Verwahrung des öffentl. T. vom Notar veranlasst wird, kann das Privat-T. beim Amtsgericht hinterlegt werden.

Vereinfachte Testamentsformen für besondere Notfälle **(Not-T.)** sind z. B. das **Dorf-T.**, **Bürgermeister-T.** (Errichtung vor Bürgermeister und zwei Zeugen) und das **See-T.** (mündl. Erklärung vor drei Zeugen).

Nach dem Tod des Erblassers kann ein T. von demjenigen angefochten werden, dem die Anfechtung unmittelbar zustatten kommen würde. Anfechtungsgründe sind v. a. Irrtum des Erblassers, eine auf ihn eingewirkt habende Drohung oder die Übergehung von Pflichtteilsberechtigten (§§ 2078 ff. BGB). Der Erblasser kann ein T. sowie eine einzelne darin enthaltene Verfügung jederzeit widerrufen (§ 2253). Durch Errichtung eines neuen T. wird ein früheres T. insoweit aufgehoben, als das spätere T. mit dem früheren in Widerspruch steht (§ 2258). Ein **gemeinschaftl. T.** kann nur von Ehegatten errichtet werden (§ 2265), und zwar (wenn eigenhändig, § 2267) in der Weise, dass der eine Ehegatte das ganze T. schreibt und unterschreibt und dann der andere Ehegatte unterschreibt. (→Pflichtteil)

In *Österreich* gelten die Bestimmungen der §§ 552 ff. ABGB. Enthält die letztwillige Erklärung eine Erbeinsetzung, so wird sie T., enthält sie nur andere Verfügungen über den Nachlass, so wird sie **Kodizill** genannt. Das *schweizer.* ZGB enthält ähnl. Grundsätze wie das dt. Recht.

📖 FRIESER, A.: *Wie gestalte ich mein T.? Alle wichtigen Rechtsfragen für Erblasser. München ²1994.* – FRIEDRICH, W. J.: *T. u. Erbrecht. München ¹⁷1996.*

Testamentsvollstrecker, die vom Erblasser zur Ausführung seiner letztwilligen Anordnungen durch letztwillige Verfügung berufene Person (§§ 2197–2228 BGB). Das Amt beginnt mit der Annahme, die nach Eintritt des Erbfalls gegenüber dem Nachlassgericht zu erklären ist, aber auch verweigert werden kann. Wenn vom Erblasser nicht anders bestimmt, ist der T. zur Inbesitznahme und alleinigen Verwaltung des Nachlasses, zur Verfügung über die Nachlassgegenstände, bei mehreren Erben zur Auseinandersetzung mit der Erbengemeinschaft berechtigt und in Bezug auf den Nachlass prozessführungsbefugt. Ansprüche auf den Nachlass können sowohl gegen den Erben als gegen den T. eingeklagt werden, Pflichtteilsansprüche nur gegen den Erben (§ 748 ZPO). Gegenüber den Erben ist der T. rechenschaftspflichtig, er haftet für schuldhafte Pflichtverletzungen und hat

Anspruch auf angemessene Vergütung. – Das *österr.* Recht (»Exekutor«, § 816 ABGB) und das *schweizer.* Recht (Art. 517 ff. ZGB) regeln die Befugnisse des T. ähnlich wie das dt. Recht.

Testat [lat.] *das,* Bestätigung, Zeugnis, Beglaubigung.

Testierfähigkeit, *Recht:* → Testament.

Testierfreiheit, das Recht, über eigenes Vermögen nach freiem Ermessen durch ein Testament zu verfügen.

Testis [lat.] *der* (Testikel), der → Hoden.

Testori, Giovanni, italien. Schriftsteller, * Novate Milanese 12. 5. 1923, † Mailand 16. 3. 1993; schildert in sozialkrit. Romanen und Dramen v. a. die Probleme der Menschen am Stadtrand von Mailand (Zyklus »I segreti di Milano«, 5 Tle. [drei Romane, zwei Dramen], 1958–61, u. a. mit »Il ponte della Ghisolfa«, R., 1958); schrieb auch Filmdrehbücher (»Rocco und seine Brüder«, 1960).

Testosteron [lat.-grch.] *das,* männliches Geschlechtshormon, bewirkt die Ausbildung der männl. sekundären Geschlechtsmerkmale.

Teststopp|abkommen, Kurzbez. für den »Vertrag über die Einstellung von Kernwaffenversuchen in der Atmosphäre, im Weltraum und unter Wasser«, zw. Großbritannien, der UdSSR und den USA abgeschlossen und am 5. 8. 1963 unterzeichnet. Ihm traten seitdem viele Staaten bei. In Ergänzung zu diesem Abkommen schlossen die USA und die UdSSR am 30. 3. 1976 einen »Vertrag über die Begrenzung unterird. Kernwaffenversuche«.

Tetanie [grch.] *die,* Syndrom mit gehäuften Krampfanfällen bei erhaltenem Bewusstsein, z. B. infolge Unterfunktion der Nebenschilddrüsen mit erniedrigtem Blutcalciumspiegel oder infolge nervöser Übererregbarkeit. Die Behandlung besteht beim akuten Anfall in einer intravenösen Calciumzufuhr. – Bei Haustieren treten krampfartige Zustände der großen Muskelpartien auf. Die T. wird beim Rind durch eine Verminderung des Magnesium- und Calciumgehalts im Blutserum ausgelöst. Bei hochgradigen Störungen kommt es zum Festliegen und schnellen Tod der Tiere. Die **Weide-T.** als bekannteste Form tritt im Frühjahr beim ausschl. Beweiden von Graskulturen auf.

Tetanus [grch.] *der,* → Wundstarrkrampf.

Tete [tɛːt], Provinz-Hptst. in Moçambique, im Sambesital, 53 500 Ew.; Handels- und Verkehrszentrum; bei T. Steinkohlenbergbau.

Teterow [-ro], Stadt im Landkreis Güstrow, Meckl.-Vorp., am Teterower See (3,8 km²), 10 400 Ew.; Nahrungsmittelind., Maschinen-, Geräte-, Sitzmöbelbau; etwa 3 km nordwestlich der Teterower Bergring, eine 1,88 km lange Grasbahnrennstrecke für Motorräder. – Zwei Stadttore (15. Jh.), spätgotische Backsteinkirche mit Gewölbemalerei (14. Jh.) und Schnitzaltar (15. Jh.). – Bei einer slaw. Burg um 1200 planmäßig angelegt; erhielt 1235 Stadtrecht.

Tethys, 1) *Astronomie:* Mond des Planeten → Saturn.

2) *Geologie:* vom Paläozoikum bis ins Alttertiär bestehendes, von S-Europa und N-Afrika bis nach S-Asien und Hinterindien reichendes Geosynklinalmeer (→ Geosynklinale), aus dem während der alpid. Gebirgsbildung (zw. Jura und Pleistozän) die meisten heutigen Hochgebirge (Alpide) Eurasiens aufgefaltet wurden. Das heutige europ. Mittelmeer ist ein Restmeer der Tethys.

3) *grch. Mythos:* Göttin aus dem Geschlecht der → Titanen, Schwester und Gattin des Okeanos.

Glen Tetley

Tetley ['tetlɪ], Glen, amerikan. Tänzer und Choreograph, * Cleveland (Oh.) 3. 2. 1926; 1974–76 Leiter des Stuttgarter Balletts, seit 1977 als freier Choreograph in den USA und in Europa tätig.

Tetmajer Przerwa [tɛt'majɛr 'pʃɛrva], Kazimierz, poln. Schriftsteller, * Ludźmierz (Galizien) 12. 2. 1865, † Warschau 18. 1. 1940; gehörte zur Bewegung »Junges Polen«; schrieb impressionist. Liebes- und Naturlyrik, Novellen (»Der hochwürdige Herr Kanonikus«, 1896; »Aus der Tatra«, 5 Bde., 1903–10) und Romane (»König Andreas«, 1908), Dramen.

Tétouan: Die Kasba El-Aioun am Rande der Altstadt mit Häusern in typisch arabischer Flachbauweise

Tétouan [te'twã, frz.] (span. Tetuán, arab. Titawan), Provinz-Hptst. in NW-Marokko, 350 000 Ew.; Fakultät der Univ. Fès; Kunstakademie, Museen; Textil-, Fischkonserven-, elektrotechn. u. a. Ind.; Handelszentrum; Straßenknotenpunkt, Flughafen; Fremdenverkehr. – Medina (UNESCO-Weltkulturerbe) mit Kalifenpalast (17. Jh.) und zahlr. Moscheen, im SW die Neustadt (ehem. Europäerstadt), im S die Judenstadt (Mellah).

Tetovo, Stadt in NW-Makedonien, 50 400 Ew.; Woll-, Tabakind.; Standort der von der Reg. geschlossenen Univ. der Albaner.

Tetra, Abk. für: → **Tetra**chlorkohlenstoff.

tetra... [grch.], vier...

Tetrachlor|äthylen, → Chlorkohlenwasserstoffe.

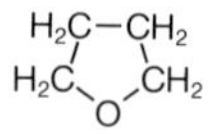

Tetrahydrofuran

Johannes Tetzel (Ausschnitt eines nach einer zeitgenössischen Vorlage entstandenen Kupferstichs, um 1822)

Erwin Teufel

Tetrachlorkohlenstoff (Tetrachlormethan), Abk. **Tetra,** CCl_4, chem. Verbindung aus der Reihe der →Chlorkohlenwasserstoffe. T. ist eine farblose, stark Licht brechende, süßlich riechende, giftige Flüssigkeit. Die Anwendung als Feuerlöschmittel sowie als Entfettungs-, Reinigungs-, Lösungs- und Verdünnungsmittel ist aufgrund seiner Toxizität verboten.

Tetrachord [grch.] *das, Musik:* Gruppe von vier aufeinander folgenden Tönen im Rahmen einer Quarte (→griechische Musik).

Tetracycline [grch.], Breitbandantibiotika, die aus Streptomycesarten gewonnen werden. T. sind neben ihrer breiten antibakteriellen Wirkung auch gegen Rickettsien- und einige Viruserkrankungen wirksam.

Tetrade [grch.] *die, Datenverarbeitung:* Gruppe von vier Binärziffern, mit denen Dezimalziffern codiert werden.

Tetraeder [grch.] *das,* eine Pyramide mit dreieckiger Grundfläche. Ein regelmäßiges T., das von vier gleichseitigen Dreiecken begrenzt wird, ist ein platonischer →Körper.

tetragonal [grch.], →Kristallsysteme.

Tetragonopterus [grch.], Kurzbez. **Tetras,** zur Gattung der Salmler gehörende Zierfische aus Südamerika.

Tetrahydrofolsäure [grch.], *Biochemie:* biologisch wirksames Umwandlungsprodukt der →Folsäure.

Tetrahydrofuran *das,* Abk. **THF,** ein zykl. Äther; farblose, mit Wasser und organ. Lösungsmitteln mischbare, brennbare Flüssigkeit, die als wichtiges Lösungsmittel und Zwischenprodukt in der chem. Industrie verwendet wird.

Tetralogie [grch.] *die,* altgrch., zusammenhängend aufgeführte Folge von vier Dramen: drei Tragödien, die eine →Trilogie bildeten, und ein Satyrspiel; später allg. die Folge von vier zusammengehörigen Werken.

Tetrameter [grch.] *der, grch. Metrik:* ein Vers aus vier Metren.

Tetraplegie [grch.] *die* (Tetraparese), Lähmung beider Arme und Beine.

Tetrapoden [grch.], die vierfüßigen Wirbeltiere (Lurche, Kriechtiere, Säugetiere).

Tetrarchie [grch. »Viererherrschaft«] *die,* in der Antike durch Vierteilung eines Territoriums entstandenes Herrschaftsgebiet, meist unter einem eigenen Dynasten **(Tetrarch);** auch die Herrschaftsteilung im Röm. Reich unter Diokletian (seit 293), wonach jeweils zwei Kaiser (Augusti) und zwei Unterregenten (Caesares) zus. das Reich regierten.

Tetras, die Gattung →Tetragonopterus.

Tetrode [grch.] *die,* eine →Elektronenröhre.

Tetschen, Stadt in der Tschech. Rep., →Děčín.

Tettnang, Stadt im Bodenseekreis, Bad.-Württ., 16600 Ew.; Kunststoff verarbeitende und Elektronikind.; in der Umgebung Hopfen-, Obst- und Spargelanbau. – Schloss (1667, heute Rathaus), Residenzschloss (1712–20, 1755–70 erneuert). – 882 erstmals erwähnt; um 1260 Stadt; 1260–1780 Residenz der Grafen von Montfort.

Tetuán, Stadt in Marokko, →Tétouan.

Tetzel, Johannes, kath. Theologe und Ablassprediger, *Pirna um 1465, †Leipzig 11. 8. 1519; Dominikaner (ab 1488), seit 1507 Generalsubkommissar des Mainzer Erzbischofs Albrecht II. für die Ablasspredigt in der Kirchenprovinz Magdeburg. Seine rein auf den finanziellen Erfolg (Ablasshandel) ausgerichtete Tätigkeit gab Luther den äußeren Anlass zur Veröffentlichung seiner 95 Thesen über den Ablass. (→Reformation)

Tetzner, Lisa, Schriftstellerin, *Zittau 10. 11. 1894, †Lugano 2. 7. 1963; ⚭ mit dem Schriftsteller K. Held; ab 1933 im Exil in der Schweiz; bed. Märchensammlerin, unternahm Wanderungen als Märchenerzählerin; Verfasserin zeitkrit. Jugendliteratur. In ihrem Hauptwerk »Erlebnisse und Abenteuer der Kinder aus Nr. 67. Die Odyssee einer Jugend« (9 Bde., 1933–49) setzt sie sich mit dem nat.-soz. Deutschland auseinander.

Teuerdank, allegor. Versroman, →Theuerdank.

Teufe, bergmännisch für die Tiefe (eines Schachtes, einer Bohrung).

Teufel [ahd. tiufal, von grch. diábolos »Verleumder«], *Religionsgeschichte:* Verkörperung des Bösen, böser Geist (→Dämonen); in dualist. Religionen die Personifikation der gegenüber dem guten Gott oder positiven Prinzip eigenständigen widergöttl. (negativen) Macht (z.B. im Parsismus →Ahriman); in der jüdisch-christl. Tradition ein gefallener Engel, der als »Versucher« und »Verderber« des Menschen auftritt, jedoch gegenüber Gott keine eigenständige Macht hat; im A.T. →Satan, im N.T. auch →Beelzebub; dort als »Vater der Lüge« (Joh. 8, 44) und »Fürst dieser Welt« (Joh. 12, 31) beschrieben. Die mittelalterl. Frömmigkeit sah im T. (Luzifer) den Herrn der →Hölle; in der Vorstellungswelt des MA. erschien er in äußerst vielfältiger Gestalt, meist mit Hörnern, Vogelkrallen, Bocksbeinen, Flügeln, Hufen und Schwanz; weit verbreitet war die Vorstellung des **T.-Pakts** (→Hexe, →Faust), bei dem der Mensch die von ihm gewünschten zeitl. Güter gewinnt, aber seine ewige Seligkeit verliert. Für Luther war der T. der überall in den Strukturen der Kirche und Welt präsente →Antichrist. In der Gegenwart finden sich T.-Vorstellungen im →Okkultismus und Satanismus.

📖 DiNola, A. M. *u. a.: Der T. Wesen, Wirkung, Geschichte. A. d. Italien. München ²1994.*

Teufel, Erwin, Politiker (CDU), *Rottweil 4. 9. 1939; in Bad.-Württ. seit 1972 MdL, 1978-91 dort

Vors. der CDU-Landtagsfraktion und seit Jan. 1991 MinPräs.; seit Okt. 1991 Landes- und seit Okt. 1992 auch stellv. Bundesvors. der CDU.

Teufelskralle: Halbkugelige Teufelskralle (Höhe bis zu 30 cm)

Teufels|abbiss (Succisa), Gattung der Kardengewächse mit der einzigen europ. Art **Gemeiner T.** (**Abbiss, Kugelskabiose,** Succisa pratensis), einer Staude mit kurzem, wie abgebissenem Wurzelstock, schmalen Blättern und Köpfchen mit blauvioletten Blüten. Auf moorigen Wiesen und an Waldrändern Europas, N-Afrikas und W-Asiens.

Teufelsblume (Idolomantis diabolica), afrikan. Art der →Fangschrecken, deren verbreiterte, farbenprächtige Fangbeine in Schreckstellung einer Blume ähneln.

Teufelsdreck, das Gummiharz →Asant.

Teufels|insel (frz. Île du Diable), Insel in der Gruppe der Salutinseln, vor der Küste von Frz.-Guayana, 1852–1945 frz. Strafkolonie.

Teufelskralle (Rapunzel, Phyteuma), Gattung der Glockenblumengewächse in Mittel- und Südeuropa; Stauden mit rübenförmiger Wurzel, ähren- oder köpfchenförmigem Blütenstand und röhriger Blumenkrone mit sehr schmalen, anfangs an der Spitze vereinigten Zipfeln. Die **Ährige T.** (Phyteuma spicatum) wächst in Wäldern und auf Bergwiesen, die **Kugel-T.** (Phyteuma orbiculare), mit dunkelblauen Blüten, auf Moorwiesen und Kalkmagerrasen. In den Alpen verbreitet ist die **Halbkugelige T.** (Phyteuma hemisphaericum).

Teufelsmauer, ein gegenüber seiner Umgebung relativ verwitterungsresistenter Gesteinszug, der mauerartig aufragt; z.B. die T. am Nordrand des Harzes bei Thale, eine schmale, etwa 4 km lange bis 15 m hohe Felsenklippe aus Kreidesandstein.

Teufelsmesse (schwarze Messe), seit dem MA. verbreitete, heute v.a. im Satanismus angesiedelte, mit obszönen, das Böse und die Gewalt verherrlichenden Riten verbundene Feier zu Ehren des Teufels bzw. Satans oder einer Hexe; formal, in ihrer pervertierenden Umkehrung, der kath. Messe nachgebildet.

Teufelsmoor, Moorgebiet in Ndsachs., an der Hamme, nordöstlich von Bremen. Durch hohen Grundwasserstand entstanden Hoch- und Niedermoore (heute größtenteils kultiviert); am S-Rand →Worpswede.

Teufelsrochen, Familie der →Rochen.

Teutates, altkelt. Gottheit in Gallien und Britannien, der Menschen durch Ertränken geopfert wurden. Als Kriegsgott in röm. Zeit mit Mars identifiziert.

Teutoburger Wald, Höhenzug am Nordostrand der Westfäl. Bucht mit den Abschnitten Lipper Wald (im Barnacken 446 m ü.M.), Osning (bis 309 m ü.M.) und Iburger Wald (150–200 m ü.M.); besteht vorwiegend aus Gesteinen der Kreideformation (Kalke, Tone, Mergel, Sandstein), meist mit Laubwald (bes. Buchen) bestanden, 110 km lang, 7–15 km breit. Am Rand des T. W. liegen Heilbäder (Bad Rothenfelde, Horn-Bad Meinberg); im SO das →Hermannsdenkmal und die →Externsteine. – Nach Tacitus (Annalen 1,60) vernichtete der Cheruskerfürst Arminius mit Verbündeten im **Teutoburgiensis Saltus** 9 n.Chr. ein röm. Heer unter Publius Quinctilius Varus. Neuere archäolog. Erkenntnisse lassen vermuten, dass die Schlacht 80 km nordwestlich vom Her-

Teufelsabbiss: Gemeiner Teufelsabbiss (Höhe 15–80 cm)

Teufelsblume (Körperlänge 8–10 cm)

Teutoburger Wald mit den Externsteinen am Nordosthang des Teutoburger Waldes unweit von Horn-Bad Meinberg

Texcocosee: Anlage zur Sodagewinnung

mannsdenkmal, am Rande des Wiehengebirges bei Kalkriese (Gem. Bramsche, Landkreis Osnabrück), stattgefunden hat. Bei Ausgrabungen seit 1989 wurden hier zahlr. röm. Münzen und militär. Ausrüstungsgegenstände gefunden.

Teutonen, german. Volk, urspr. in Jütland ansässig, das um 120 v. Chr. mit den Kimbern nach S zog und mehrmals die Römer besiegte; 102 v. Chr. von Gaius Marius bei Aquae Sextiae (Aix-en-Provence) vernichtend geschlagen.

Teutsch, Friedrich, evang. Theologe, *Schäßburg 16. 9. 1852, †Hermannstadt 11. 2. 1933; seit 1906 Bischof der evang. Kirche der Siebenbürger Sachsen, seit 1927 der evang. Kirche in Rumänien; beendete die von seinem Vater Georg Daniel T. (*1817, †1893) begonnene »Gesch. der Siebenbürger Sachsen ...« (Bde. 2–4, 1907–26) und verfasste eine »Gesch. der evang. Kirche in Siebenbürgen« (2 Bde., 1921/22).

Tevere *der,* italien. Name des →Tiber.

Teutonen

Im Jahr 109 v. Chr. konnte ein Barbar aus dem Norden für ein berühmtes Kunstwerk auf dem römischen Forum nicht das geringste Verständnis aufbringen. Diese amüsante Anekdote, von Plinius dem Älteren in seiner »Naturgeschichte« (35, 25) berichtet, hat man sich in Rom noch lange erzählt:

»Auf dem Forum befand sich auch das bekannte Bild eines alten Hirten mit Stock. Als man einen Gesandten der Teutonen fragte, was ihm dieser Mann wert sei, antwortete er, so einen wolle er selbst dann nicht geschenkt haben, wenn er lebendig und echt wäre.«

Tex *das,* Einheitenzeichen **tex,** SI-fremde Einheit mit beschränktem Anwendungsbereich für die längenbezogene Masse von textilen Fasern, →Garnfeinheit.

Tex., Abk. für den Bundesstaat →Texas, USA.

Texaco Inc. ['teksəkəʊ ɪn'kɔ:pəreɪtɪd], amerikan. Erdölkonzern; gegr. 1902, seit 1959 jetziger Name; betreibt Raffinerien und Tankstellen und ist in der Petrochemie tätig; übernahm 1984 die Getty Oil Co.; Sitz: New York.

Texas [engl. 'teksəs] Abk. **Tex.,** postamtl. **TX,** Bundesstaat der USA, am Golf von Mexiko, 691027 km^2, (1995) 18,72 Mio. Ew., davon 12% Schwarze, 26% mexikan. Herkunft; Hptst. und Sitz der Staatsuniv. ist Austin. – T. erstreckt sich von der Golfküstenebene nach NW bis zu den Great Plains, nach W zu den Ausläufern der Rocky Mountains. Das Klima ist überwiegend warmgemäßigt. Angebaut werden Baumwolle, Mais, Weizen, Hafer, Reis, Zitrusfrüchte, Gemüse; bed. Viehhaltung (Rinder, Schafe). Reiche Erdöl- und Erdgaslagerstätten, Erdölraffinerien, Petrochemie, ferner Nahrungsmittelind., Luft- und Raumfahrt-, elektron. Industrie.

Im 16. Jh. von Spaniern erkundet und bis 1821 in deren Besitz, gehörte T. anschließend zu Mexiko, mit dessen Billigung Einwanderer aus den USA Siedlungen errichteten. Die Spannungen mit der mexikan. Reg. unter Präs. A. López de Santa Anna, der die relative Autonomie T.' zugunsten einer Zentralisierung beschnitt und die angloamerikan. Besiedlung als Mittel zur indirekten Annexion von T. durch die USA betrachtete, führten 1835 zu einem Aufstand der Texaner. Der Versuch mexikan. Truppen, diesen zu unterdrücken (Schlacht von Alamo, 6. 3. 1836), scheiterte, als die Texaner am 21. 4. 1836 am San Jacinto River die mexikan. Truppen schlugen und den mexikan. Präs. General A. L. de Santa Anna gefangen nahmen. Das nun unabhängige T. wurde 1845 als 28. Staat in die Union aufgenommen. Der folgende Mexikan. Krieg brachte im Frieden von Guadalupe Hidalgo 1848 T. seine im Wesentlichen noch heute gültigen Grenzen. Im Sezessionskrieg stand T. auf der Seite der Konföderierten Staaten von Amerika.

🕮 RICHARDSON, R. N. *u.a.: T., the Lone Star State. New York* [5]*1988.* – CALVERT, R. A. *u.* DE LEON, A.: *The history of T. Arlington Heights, Ill., 1990.*

Texasfieber, bes. in den Tropen und Subtropen (v. a. Texas, Mexiko, Argentinien), seltener in S-Europa auftretende, durch Zecken übertragene Hämoglobinurie der Rinder.

Texcocosee [tes-], flacher, schwach salziger See im Hochbecken von Mexiko, östlich der Hauptstadt, Rest eines ehemals viel größeren Sees; in ihm lag auf einer Insel die aztek. Hauptstadt Tenochtitlán. Seit Anfang des 17. Jh. wurde der T. größtenteils trockengelegt. In einer Anlage am N-Rand wird in einer großen Verdunstungsspirale (»El Caracol«) Soda gewonnen.

Texel ['tɛsəl], die westlichste und größte der Westfries. Inseln, Prov. Nordholland, Niederlande, 161 km^2, (1992) 12 800 Ew.; Hauptort ist Den Burg; Naturschutzgebiete; Fremdenverkehr.

Tẹxt [lat.] *der,* **1)** *allg.:* im Wortlaut festgelegte, i. d. R. schriftlich fixierte, zusammenhängende sprachl. Äußerung; Manuskript.

2) *Sprachwiss.:* die hierarchisch an höchster Stelle (also über dem Satz) einzuordnende (schriftlich fixierte) sprachl. Einheit, die eine Reihe von Kriterien erfüllt, die auf einen inneren Zusammenhang weisen. Die Untersuchung von T. befasst sich mit der Einstufung des jeweiligen T. in T.-Sorten und (literar.) Gattungen, z. B. wiss., lyr., ep., satir. T., Bericht, Reportage, aber auch Gebrauchs-T. (Gebrauchsanweisung).

Textịldruck (früher Zeugdruck, Stoffdruck), das Bedrucken von Textilien in ein- oder mehrfarbigen Musterungen, meist im Tiefdruck, weniger im Hoch- und Durchdruck, im Unterschied zur Färberei, der einheitl. Färbung des Materials. Nach Art der Musterbildung durch den Farbstoff unterscheidet man: **Direktdruck,** bei dem der Farbstoff dem Muster entsprechend aufgetragen wird, **Reservedruck,** wobei die Textilie dort gegen den Farbstoff geschützt wird, wo er nicht einwirken soll, und **Ätzdruck,** bei dem eine teilweise Zerstörung des aufgetragenen Farbstoffes mithilfe von Chemikalien erfolgt. – Nach Art der Farbstoffaufbringung wird unterschieden zw. **Modeldruck** (Handdruck mit Druckstöcken), **Perrotinedruck** (Maschinendruck mit Druckstöcken), **Spritzdruck** (Aufsprühen durch Schablonen), **Filmdruck** (Siebdruck, eigtl. Durchdruck, bei Anwendung von Gazeschablonen), **Rouleaudruck (Walzendruck)** mit gravierten Walzen als Druckbildspeicher und **Thermodruck** (Transferdruck), wobei auf Papier aufgebrachter Farbstoff thermisch übertragen wird.

Textịlhilfsmittel, Sammelbez. für Spezialchemikalien, die die Durchführung von textilen Prozessen (wie Färben, Appretieren) ermöglichen, erleichtern oder günstig beeinflussen, Qualität oder Gebrauchseigenschaften von Textilien fördern und Fehler oder Schäden vermeiden.

Textịli|en [zu lat. textilis »gewebt«, »gewirkt«], allg. Bez. für beliebige Gefüge aus Textilfasern (→Fasern); in DIN 60 000 sind die als T. zu bezeichnenden Produkte zusammengefasst.

Textịl|industrie (Textilgewerbe), Betriebe, die Textilrohstoffe verarbeiten: Spinnstoffaufbereitung (Wäscherei, Kämmerei), Spinnstoffverarbeitung (Spinnerei), Garnverarbeitung (Zwirnerei, Weberei, Strickerei, Wirkerei), Textilveredlung. – Die T., der älteste Industriezweig, ist traditionell lohnintensiv. Nach dem 2. Weltkrieg vollzogen sich große strukturelle Veränderungen, indem die Produktion der Niedriglohnländer auf dem Weltmarkt zunehmend an Bedeutung gewann und zu Wettbewerbsschwierigkeiten der traditionellen Ind.länder führte. Das 1974 in Kraft getretene Welttextilabkommen mit protektionist. Ausnahmebestimmungen für den Handel mit Textilien, das bes. Exporte aus Entwicklungsländern behindert, ist bis zum Jahr 2005 begrenzt.

Textilkunst aus Peru: Stickerei auf Wollstoff, Paracaskultur (etwa 200 n. Chr.; Lima, Museo Nacional de Antropologia y Arqueologia)

Textịlkunst, Sammelbegriff für die Gestaltung mit textilem Material in allen Techniken der Stoffbildung und Stoffverzierung. Im MA. Bestandteil der »artes mechanicae«, blieb die T. stets angewandte, zweckgerichtete Kunst. Erst in jüngster Zeit etablierte sich auch eine freie T., die z. T. auf Gebrauchsfunktion verzichtet und häufig selbst die Bindung an textile Materialien aufgibt. – Textile Arbeiten entstehen aus tier., pflanzl. und synthet. Fasern durch Maschenstoffbildung (z. B. Verschlingen, Häkeln) oder durch die Verbindung von Fadensystemen (z. B. Flechten, Weben), häufig in Verbindung mit stoffverzierenden Techniken (z. B. Stickereien, Applikationen, Durchbrucharbeiten) sowie durch direkte (Bemalen, Bedrucken) und indirekte (Batik, Ikat) Färbeverfahren.

Textịlveredlung, i. e. S. Arbeitsverfahren, die natürl. oder synthet. Fasergut in Aussehen, Griff, Farbton und Gebrauchsfähigkeit verändern. I. w. S. ein technolog. Zweig der Textilchemie, der sich mit den Maschinen und Verfahren beschäftigt, die beim Färben (→Färberei), Bleichen, Drucken (→Textildruck), Ausrüsten (→Ausrüstung) und bei allen Arbeiten der →Appretur angewendet werden. (→Textilhilfsmittel)

Tẹxtkritik, philolog. Methode der Geistes-, Rechts- und Religionswiss. zur krit. Prüfung sol-

Reinhold von Thadden-Trieglaff

Albrecht Thaer

cher Texte, deren Authentizität nicht gesichert ist oder von denen mehrere autograph. Entwürfe oder Fassungen (Redaktionen) vorliegen. Die Analyse der Texte und ihrer Überlieferung soll zur Herstellung (Synthese) eines dem Original nahe stehenden Textes (Archetypus) oder zu einer vom Autor mutmaßlich intendierten Fassung führen.

Textlinguistik, Teilbereich der →Linguistik, der satzübergreifende Strukturen untersucht.

Textur [lat.] *die,* **1)** *Petrologie:* räuml. Anordnung der Minerale in einem Gestein.

2) *Werkstoffkunde:* die im Gegensatz zur statist. Verteilung stehende, bestimmte Richtungen bevorzugende Orientierung von Kristalliten in einem metall. Werkstoff. T. entsteht unter mechan. Einwirkung auf das →Gefüge, z.B. beim Walzen von Blechen oder Ziehen von Draht.

Textura [lat.] *die,* Schriftart, →gotische Schrift.

Texturieren, *Textiltechnik:* Bez. für versch. Verfahren, durch die glatte und endlose Chemiefäden gekräuselt und gebauscht werden (Kräuselgarne), um u.a. die Wärmehaltung und Saugfähigkeit sowie Dehnbarkeit der aus den Chemiefäden hergestellten Textilien zu erhöhen.

Textverarbeitung, *Datenverarbeitung:* computerunterstützte Erstellung, Veränderung und Speicherung von Texten mithilfe spezieller T.-Programme. Entsprechende T.-Systeme verfügen über eine Tastatur zur Texteingabe, einen Bildschirm und einen Drucker als Ausgabegerät. Der Leistungsumfang reicht dabei von (wenig) erweiterten Schreibmaschinenfunktionen (z.B. Zeilenspeicher) über die Gestaltung von Lay-outs (→Desktop-Publishing) bis zu zusätzl. Funktionen wie Archivieren (elektron. Ordner) und Versenden (elektron. Post).

TGV [teʒe'vе; Abk. für frz. **t**rain à **g**rande **vi**tesse, »Zug mit hoher Geschwindigkeit«], elektrisch betriebener frz. Hochgeschwindigkeitszug, bestehend aus je einem Triebkopf an der Zugspitze und am Zugende sowie bis zu zehn Zwischenwagen; planmäßige Höchstgeschwindigkeit 300 km/h. Der TGV brach auf der »Atlantik-Strecke« Richtung Le Mans am 18. 5. 1990 mit 515,3 km/h den Geschwindigkeitsrekord auf Schienen, der bisher vom →ICE gehalten wurde.

Th, chem. Symbol für →Thorium.

William Thackeray: Skizze des englischen Malers Samuel Laurence (um 1855; London, National Portrait Gallery)

Thackeray ['θækərɪ], William Makepeace, engl. Schriftsteller, *Kalkutta 18. 7. 1811, †London 24. 12. 1863; veröffentlichte 1846/47 »Die Snobs« (Sammlung satir. Skizzen), 1847/48 den im Stil des Gesellschaftspanoramas angelegten Roman »Jahrmarkt der Eitelkeit«, in dem er menschl. Schwächen sowie die auf Besitz und Status gerichteten Werte der bürgerl. Gesellschaft aufdeckt. Auch die späteren Romane (»Gesch. von Pendennis«, in Lieferungen 1848–50, Buchausgabe 1849/50, 2 Bde.; »Die Gesch. des Henry Esmond«, 3 Bde., 1852; »Die Virginier«, in Lieferungen 1857–59, Buchausgabe 1858/59, 2 Bde.) sind durch eine entheroisierende, doch verständnisvolle Haltung geprägt.

Thaddäus (Judas T.), →Judas.

Thadden-Trieglaff, Reinhold von, Jurist, *Mohrungen (heute Morąg) 13. 8. 1891, †Fulda 10. 10. 1976; wurde 1937 und 1946 Vizepräs. des Christl. Studentenweltbundes; führende Persönlichkeit der Bekennenden Kirche; 1949 Gründer und bis 1964 Präs. des Dt. Evang. Kirchentages.

Thaer [tɛːr], Albrecht Daniel, Landwirt, *Celle 14. 5. 1752, †Gut Möglin (bei Wriezen, Kr. Märkisch Oderland) 26. 10. 1828; Arzt in Celle, gründete in Möglin ein landwirtsch. Lehr- und Forschungsinstitut. Als preuß. Staatsrat (1807) wirkte er bei der Neuordnung der bäuerl. Verhältnisse mit. T. entwickelte die Landwirtschaftslehre zu einer systemat. Wiss. und machte sich um die Anwendung der Naturwiss. in der Landwirtschaft verdient.

Thai, 1) (früher Siamesen), die Bewohner von Thailand. Der Hauptteil gehört zur Gruppe der →Tai.

2) (thailändische Sprache, früher siamesische Sprache), zu den →sinotibetischen Sprachen gehörende isolierende Tonsprache, Amtssprache in Thailand.

William Thackeray

»Jahrmarkt der Eitelkeit«

So lautet der deutsche Titel eines Gesellschaftsromans des englischen Schriftstellers William Makepeace Thackeray (englischer Titel: »Vanity Fair, Or, A Novel without a Hero«). Das Ziel des Autors ist es, menschliche Schwächen zu entlarven und Egoismus, Dummheit und Bosheit bloßzustellen, in denen Repräsentanten der Gesellschaft gefangen sind. Den Titel übernahm Thackeray aus dem Erbauungsbuch »The Polgrim's Progress« (deutsch 1685 unter dem Titel »Eines Christen Reise nach der Seeligen Ewigkeit«). Dort heißt es vom himmlischen Jerusalem, dass der Name der Stadt Eitelkeit sei und es hier einen Jahrmarkt der Eitelkeit gebe – die Verkörperung weltlicher Hoffart sozusagen.

Thailand

Fläche: 513 115 km^2
Einwohner: (1995) 58,791 Mio.
Hauptstadt: Bangkok
Verwaltungsgliederung: 73 Provinzen und die Hauptstadt
Amtssprache: Thai
Nationalfeiertag: 5. 12.
Währung: 1 Baht (B) = 100 Stangs (St., Stg.)
Zeitzone: MEZ +6 Std.

Thailand (amtl. Thai: Prades Thai oder Muang Thai, bis 1939 und 1946–49 Siam, früher auch Sayam), Staat in SO-Asien, in Hinterindien, grenzt im O an Laos, im SO an den Golf von Thailand und Kambodscha, im S an den Golf von T. und an Malaysia, im SW an die Andamanensee, im W und N an Birma.

Thailand

Staat und Recht: T. ist eine konstitutionelle Monarchie. Staatsoberhaupt ist der König, dessen Person als sakrosankt gilt. Nachdem bereits Anfang der 1990er-Jahre wesentl. Änderungen der Verf. vorgenommen worden waren, die v.a. der Macht des Militärs Grenzen setzten, wurde am 27. 9. 1997 eine neue Verf. verabschiedet, die der weit verbreiteten Korruption Einhalt gebieten soll. Das Parlament, die Legislative, besteht aus dem Unter- und Oberhaus. Das Unterhaus setzt sich aus 500 Mitgl. zusammen, von denen 400 in direkter, 100 per Listenwahl bestimmt werden. Dem Oberhaus gehören 200 direkt gewählte Mitgl. an. Die Parlamentarier müssen zu Beginn und am Ende ihrer Mandatstätigkeit ihre Vermögensverhältnisse offen legen. Die Exekutive liegt bei der Reg. unter Vorsitz des MinPräs. (vom König ernannt). Einflussreichste Parteien: Demokrat. Partei (DP), Nationalpartei (CTP), Partei der Nat. Entwicklung (CPP), Partei der Neuen Hoffnung (NAP), Partei der Moral. Kraft (PDP), Soziale Aktionspartei (SAP), Solidaritätspartei (SP).

Landesnatur: Kerngebiet ist die fruchtbare, von Terrassen- und Hügelland umgebene Schwemmlandebene des Menam. Im O und NO schließt sich das Koratplateau an. Die N–S streichenden Gebirgsketten im NW umschließen langgezogene intramontane Becken (u.a. die von Chiang Mai und Lampang); sie setzen sich entlang der W-Grenze von T. nach S auf der Malaiischen Halbinsel fort, die im Isthmus von Kra ihre schmalste Stelle hat. Das südöstlich von Bangkok gelegene Bergland erreicht 1633 m Höhe. T. hat trop. Monsunklima, überwiegend mit winterl. Trockenzeit und sommerl. Regenzeit. 60% des Landes sind waldbedeckt (trop. Regen- und Bergwälder und Laub abwerfender Monsunwald); an den Küsten Mangrovensümpfe.

Bevölkerung: Sie besteht zu über 85% aus Taivölkern (Thai in der Mitte und im S des Landes, Lao im N und NO, Schan im N). Ganz im S lebt eine geschlossene Minderheitengruppe von rd. 1,8 Mio. muslim. Malaien; im SO sind Khmer und Vi-

Staatswappen

T

Internationales Kfz-Kennzeichen

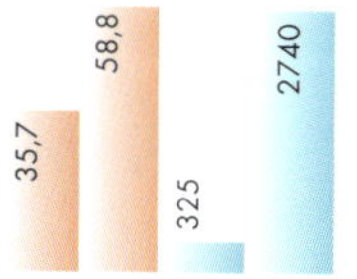

1970 1995 Bevölkerung (in Mio.)
1970 1995 Bruttosozialprodukt je Ew. (in US-$)

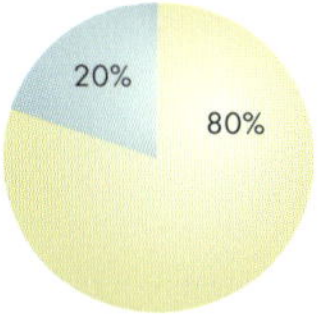

Stadt
Land
Bevölkerungsverteilung 1995

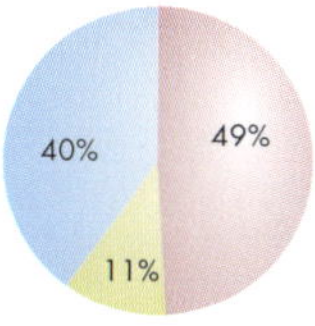

Industrie
Landwirtschaft
Dienstleistung
Bruttoinlandsprodukt 1995

Thailand: schwimmender Markt auf einem Arm des Mekongs

etnamesen beheimatet. Im schwer kontrollierbaren Grenzgebiet zw. T., Birma und Laos (sog. Goldenes Dreieck) leben rd. 500 000 Angehörige von Bergvölkern (Karen, Lisu, Lahu, Akha, Mon, Lawa, Miao, Yao u.a.) z.T. vom Schlafmohnanbau. An und vor der Küste von Süd-T. leben Semang und Moken, ebenfalls im S die Yumbri (Phi Tong Luang). Etwa 6 Mio. Chinesen wohnen, meist als Geschäftsleute, Handwerker und Arbeiter, in den Städten. – Allg. Schulpflicht besteht vom 7. bis 13. Lebensjahr; es gibt 14 Univ., außerdem techn. Lehranstalten. – Rd. 93% der Bev. bekennen sich zum Therawada-(Hinajana-)Buddhismus; der König muss Buddhist sein. Minderheiten bilden die Anhänger des Konfuzianismus und des Islam; wenige Christen.

Wirtschaft, Verkehr: Das ehem. Agrarland erlebte in den letzten zehn Jahren ein beachtl. Wirtschaftswachstum. Die exportorientierte Ind. ist traditionell auf die Verarbeitung von Agrarerzeugnissen (vorwiegend in Klein- und Mittelbetrieben) ausgerichtet und wird mithilfe von ausländ. Investoren intensiviert. Größter Devisenbringer ist die Textil- und Bekleidungsind. sowie die Elektronik (insgesamt rd. 16% der Exporterlöse); Erdölraffinierung, Nahrungsmittel-, petrochem. Ind., Bauwirtschaft. Bed. Zinnerzabbau (rd. 10% der Weltförderung), Abbau von Braunkohle, Wolfram-, Antimon-, Zink-, Eisenerz, Förderung von Erdgas (im Küstengebiet über Pipeline) und Erdöl; seit 1983 wieder verstärkt Edelsteingewinnung. 37% der Landesfläche werden landwirtsch. genutzt. Es überwiegen Kleinst- und Kleinwirtschaften neben z.T. ausländ. Großplantagen. T. ist einer der führenden Reisexporteure Asiens. Weitere wichtige Produkte sind Ananas (weltführend), Kautschuk (15% der Weltproduktion), Zuckerrohr, Maniok, Tapioka und Sojabohnen; bed. Seidenraupenzucht. Für die Forstwirtschaft sind Holzarten wie Teak und Yang (z.T. auch Raubbau) wichtig; Teak darf nicht mehr als Rohholz exportiert werden. In der Fischereiwirtschaft liegt das Schwergewicht auf der Meeresfischerei. Der Fremdenverkehr ist einer der wichtigsten Devisenbringer (jährlich über 5 Mio. Auslandsgäste); Anziehungspunkte sind außer Bangkok die histor. Stätten im N, die Bergvölker sowie Badeorte auf den Inseln Phuket und Samui. – Wichtigster Verkehrsträger in der Menamebene ist die Binnenschifffahrt mit 10 000 km Wasserwegen. T. verfügt über rd. 3730 km Eisenbahnstrecken und rd. 54 000 km Straßen. Größter Hafen und internat. Flughafen: Bangkok.

Bhumibol Aduljadeh, König Rama IX.

Geschichte: Im 1. Jt. n. Chr. existierte in Zentral-T. das von den Mon errichtete buddhist. Königreich Dvaravati; andere Gebiete unterstanden den hinduist. Khmer von Angkor. Mit den Mon vermischten sich im 11./12. Jh. die im N siedelnden Tai; sie beseitigten die Herrschaft der Könige von Angkor und gründeten um 1240 das Reich der Sukhotai, das seinen Machtbereich u.a. bis auf die Halbinsel Malakka im S ausdehnte. Im 14. Jh. trat an seine Stelle das um die südl. Thaifürstentümer und Kambodscha erweiterte Reich von Ayutthaya, das 1569 zum Vasallenstaat Birmas wurde. König Naresuan stellte 1584 das Reich wieder her und erweiterte es auf Kosten der Khmer und des Reiches von Pegu. Durch einen 1686 abgeschlossenen Vertrag wurde Frankreich zeitweilig die Errichtung von Handelsniederlassungen, die ungehinderte Missionstätigkeit frz. Priester und die Stationierung von Truppen in der Hptst. zugestanden. 1767 zerstörten die Birmanen Ayutthaya. General Chaophraya Chakri begründete als Rama I. (1782–1809) die seitdem herrschende Chakri-Dynastie und verlegte seine Residenz nach Bangkok. Durch kluge Handels- und Außenpolitik mit den europ. Großmächten und den USA (1855 Freundschaftsvertrag mit Großbritannien, 1856 Handelsabkommen mit den USA und Frankreich) konnte T. als einziges Land SO-Asiens seine staatl. Unabhängigkeit wahren, obwohl es auf frz. und brit. Druck weite Gebiete seines Territoriums abtreten musste. König Rama V. (Chulalongkorn, 1868–1910) modernisierte das staatl. und öffentl. Leben (u.a. Abschaffung der Sklaverei, Einführung eines westlich orientierten Schul-, Steuer- und Justizwesens). Nach einem Staatsstreich unter Führung von Pridi Banomjong wurde T. 1932 eine konstitutionelle Monarchie. 1938 errichtete Marschall Pibul Songgram eine Militärdiktatur (bis 1944), die das Land an der Seite Japans in den 2. Weltkrieg führte. 1939 erhielt der bis dahin **Siam** gen. Staat den Namen T. Nach der Ermordung König Ramas VIII. 1946 wurde Bhumibol Aduljadeh sein Nachfolger als König Rama IX.

1947 riss Pibul Songgram erneut die Reg.gewalt an sich, wurde aber 1957 durch einen Staatsstreich der Militärs unter Sarit Thanarat gestürzt. 1963 wurde General Thanon Kittikachorn Reg.chef einer Militärdiktatur, die (1968–71 von einer Periode mit demokrat. Verf. unterbrochen) eine prowestl. antikommunist. Außenpolitik mit enger wirtsch. und militär. Bindung an die USA verfolgte (u.a. Bereitstellung von Flugbasen während des Vietnamkriegs). Kittikachorn musste 1973 wegen polit. Unruhen zurücktreten; bereits 1976 beendete ein erneuter Militärputsch die parlamentarisch orientierte Reg. Nachdem die von der Militärjunta eingesetzte Zivilreg. 1977 wieder gestürzt worden war, erreichte der neue Machthaber, General Kriangsak Chomanan, eine Entpolitisierung der Armee, die Inkraftsetzung einer neuen Verf. (1978) und 1979 seine Wahl zum MinPräs. (Rücktritt 1980). Unter MinPräs. General Prem Tinsulanonda (1980–88) erlebte T. trotz versch. Putschversuche eine Phase relativer innenpolit. Stabilität. Sein Nachfolger Chatichai Choonhavan wurde im Febr. 1991 wiederum durch einen Putsch gestürzt; die Macht übernahm eine Militärjunta, die im März 1991 eine Übergangsreg. unter Anand Panyarachun einsetzte. Nach den Parlamentswahlen vom März 1992 löste die Ernennung General Suchindas zum Reg.chef heftige Proteste der Bevölkerung aus, die vom Militär blutig unterdrückt wurden. Erneut wurde ein Übergangskabinett unter Anand Panyarachun eingesetzt (Juni–Sept. 1992). Aus den Wahlen vom Sept. 1992 ging eine Koalitionsreg. von fünf Parteien unter MinPräs. Chuan Leekpai (DP) hervor. Im Zusammenhang mit der UN-Friedensmission im benachbarten Kambodscha wurde 1993 das letzte der im Grenzgebiet liegenden Flüchtlingslager für Kambodschaner geschlossen. Der Reg. Chuan Leekpai gelang es, den Einfluss des Militärs zu mindern. Im Febr. 1995 trat eine neue Verf. in Kraft. Nach den vorgezogenen Parlamentswahlen (Juli 1995) bildete Banharn Silapaarcha (CTP) eine Koalitionsreg., die jedoch bald scheiterte. Nach Neuwahlen (Nov. 1996) wurde der NAP-Vors. Chavalit Yongchaiyudh MinPräs.; bei einem durch eine Währungs- und Börsenkrise im Nov. 1997 bedingten Reg.wechsel folgte ihm Chuan Leekpai.

📖 *T. Geographie, Geschichte, Kultur, Religion, Staat, Gesellschaft, Politik, Wirtschaft,* hg. v. J. HOHNHOLZ *u. a. Stuttgart* [2]*1984.* – FESSEN, H. *u.* KUBITSCHECK, H.-D.: *Geschichte T.s. Münster u. a. 1994.* – DONNER, W.: *T. Land zw. Tradition u. Moderne. München 1996.*

thailändische Kunst. Die von Indien ausgehende Einführung des Hinajana-Buddhismus im 3. Jh. n. Chr. führte zu einer wachsenden Gemeinsamkeit im Kunstschaffen der in Mittel- und S-Thailand lebenden Völker (Mon, Khmer, Malaien und Birmanen). Die nach N-Thailand einwandernden Taistämme verschmolzen die vorgefundenen fremden Stilelemente mit eigenen künstler. Vorstellungen zu einem in den verschiedenen Schulen der Reiche ausgeprägten Kunststil. In der sog. Dvaravatikunst der den Khmer verwandten Mon entstanden unter dem Einfluss einer erneuten Indisierung im 6./7. Jh. riesige Statuen des meditierenden oder lehrenden Buddha aus Stein oder Bronze, oft in charakterist. europ. Sitzhaltung. Die Ziegelbauten der Mon sind durch reichen Dekor in Stuck oder Terrakotta gekennzeichnet. Im 11. bis 13. Jh. wurde Lop Buri zum Zentrum einer auf der Khmerkultur fußenden Kunstschule, die wesentl. Anteil am Entstehen der späteren Ayutthayakunst hatte. Im Reich von

Chuan Leekpai

thailändische Kunst: schreitender Buddha, Sukhothai (14. Jh.)

thailändische Kunst (von links): Kopf einer Buddhastatue, teilweise bemalter Kalkstein im Dvaravatistil (7./8. Jh.) und Garuda, Fürst der Vögel, teilweise vergoldete Bronze im Lop-Buri-Stil (13. Jh.; beide Bangkok, Nationalmuseum); daneben buddhistische Gottheiten, Detail einer Wandmalerei im Ayutthayastil (1. Hälfte des 17. Jh.)

Sukhothai gelangte die t. K. im 13./14. Jh. durch den Einfluss Ceylons zu ihrem Höhepunkt. Ihr Hauptwerk ist der Typus des schwerelos schreitenden verinnerlichten Buddha. Das nordthailänd. Reich von Lan Na prägte im 13. Jh. den als Herrscher charakterisierten Buddha vom sog. Löwentyp (Lan-Na-I-Stil) und gelangte später zu einer Verschmelzung mit der Sukhothaikunst. Die Kunst des Reiches von Ayutthaya (Mitte 14.–18. Jh.) besaß weniger Originalität. Durch Adaption des künstler. Erbes früherer Perioden wurde der prunkvoll-majestät. Typ des Buddha im Herrscherschmuck entwickelt. Auch der Baudekor der chinesisch beeinflussten Tempel der Ayutthaya- sowie der Bangkokperiode (19. Jh.) ist überladen. Kennzeichnend für das zeitgenöss. Kunsthandwerk sind Lackarbeiten, Perlmuttintarsien, Keramik mit Prägedekor und Seidenweberei. Weiteres BILD Bangkok

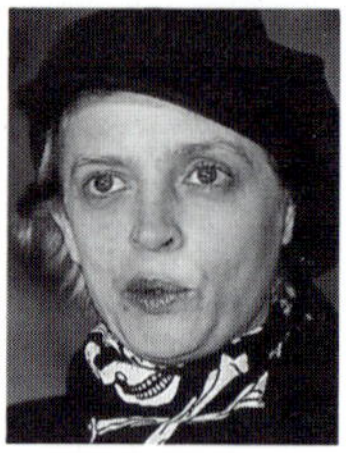
Katharina Thalbach

📖 DITTMAR, J.: *T. u. Burma. Tempelanlagen u. Königsstädte zw. Mekong u. Ind. Ozean. Köln [8]1996.*

thailändische Sprache, → Thai.

Thalamus [grch.] *der* (Sehhügel), i. w. S. zusammenfassende Bez. für die den dritten Gehirnventrikel umschließenden Wände des Zwischenhirns (→ Gehirn) der Wirbeltiere. Die beiden seitlichen Wände, der (paarige) T. i. e. S., weisen meist eine beträchtl. Dicke auf. Der T. ist eine Schaltstelle für alle Empfindungsbahnen, die vom Rückenmark oder vom Hirnstamm zum Großhirn ziehen. Er darf mit seinen zahlr. afferenten sensor. Bahnen als wichtigste subkortikale (also unbewusst arbeitende) Sammel-, Umschalt- und Integrationsstelle der allg. körperl. Sensibilität (Tastempfindung, Tiefensensibilität, Temperatur- und Schmerzempfindung, Seh-, Gehör- und Riechfunktionen) angesehen werden, als ein Ort, den alle zum Bewusstsein gelangenden Impulse passieren müssen und an dem gleichzeitig »unwesentl.«, die Konzentration störende Meldungen abgeschirmt werden.

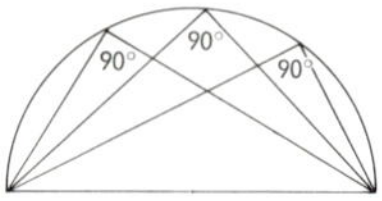

Thales von Milet: Thaleskreis

Thalassämie [grch.] *die* (Mittelmeeranämie), erbl. Form der hämolyt. Anämie, die v. a. unter der Bev. des Mittelmeerraums und Vorderasiens verbreitet ist; durch Enzymdefekte verursacht, die zu einer Störung der Hämoglobinsynthese mit quantitativer Veränderung der chemisch normalen Peptidketten führt (→ Hämoglobinopathien).

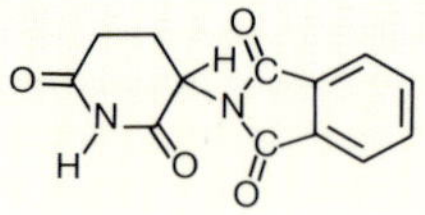

Thalidomid

Thalbach, Katharina, Schauspielerin, * Berlin (Ost) 19. 1. 1954; ⚭ mit T. Brasch; spielte an Bühnen in Berlin (Ost); übersiedelte 1976 nach Berlin (West); Regisseurin (seit 1987) u. a. am Schiller-Theater; spielte auch in Filmen, u. a. »Das zweite Erwachen der Christa Klages« (1977), »Die Blechtrommel« (1979), »Domino« (1982), »Die Denunziantin«, »Kaspar Hauser – Verbrechen am Seelenleben« (beide 1993), »Liebe, Leben, Tod« (1996).

Thale, Stadt im Landkreis Quedlinburg, Sa.-Anh., am Ausgang der Bode aus dem Unterharz, 15 200 Ew.; Luftkurort und Solebad; Eisen- und Hüttenwerk, Blechverarbeitung, Holzverarbeitung. Südlich von T. liegen die »Roßtrappe« (437 m ü. M.) und der »Hexentanzplatz« (454 m ü. M., Schwebebahn) mit dem 1903 gegründeten Bergtheater. – Im 9. Jh. gegr., 1922 Stadtrecht.

Thales von Milet, grch. Philosoph und Mathematiker, * Milet um 625 v. Chr., † um 547 v. Chr.; einer der »Sieben Weisen«; er begründete die ion. Naturphilosophie und ging von der Annahme aus, dass das Wasser der Ursprung aller Dinge sei. Mit seinem Versuch, die Natur und die Vielzahl der Phänomene nicht mehr im Mythos, sondern durch rationale Begründung zu erklären, gilt er als der erste »Philosoph« der grch. und europ. Denktradition. Nach Herodot sagte T. v. M. die Sonnenfinsternis vom 28. 5. 585 v. Chr. voraus. Der ihm zugeschriebene **Satz des Thales** besagt, dass alle Winkel, deren Scheitel auf einem Halbkreis **(Thaleskreis)** liegen und deren Schenkel mit dem Kreisdurchmesser ein Dreieck bilden, rechte Winkel sind.

Thales von Milet

Über die biographischen Daten des Thales ist nur wenig Gesichertes überliefert. Für die Datierung seines Lebens ist eine Sonnenfinsternis maßgeblich, die im Jahr 585 v. Chr. stattgefunden haben muss. Diese Finsternis soll Thales vorhergesagt und damit zur Beendigung eines Krieges zwischen Lydern und Medern beigetragen haben. Allgemein vermutet man, dass er für diese Prognose auf babylonische Aufzeichnungen früherer Verfinsterungen zurückgreifen konnte. Auch andere Berichte über himmelskundliche und geometrische Errungenschaften des Thales weisen darauf hin, dass er in Kontakt zu Ländern des Nahen Ostens und mit Ägypten gestanden haben könnte, wo diese Disziplinen bereits weiter fortgeschritten waren.

Thalheim/Erzgeb., Stadt im Landkreis Stollberg, Sachsen, im unteren Erzgebirge, 8 600 Ew.; Strumpf-, Lederwaren-, elektrotechn., elektron. Industrie. – 1447 erstmals erwähnt, seit 1925 Stadt.

Thalia, von F. Schiller herausgegebene Zeitschrift, zuerst als »Rhein. T.« (1785), dann bis 1791 als »T.«, 1792/93 als »Neue Thalia«.

Thalia (grch. Thaleia), die → Muse der Komödie, seit dem 18. Jh. Repräsentantin des Schauspiels überhaupt; auch eine der → Chariten.

Thalidomid, Schlaf- und Beruhigungsmittel, das in der Bundesrep. Dtl. bis 1962 unter dem Namen **Contergan** im Handel war. Es verursacht an menschl. Embryonen schwere Missbildungen und bei Erwachsenen Nervenschädigungen und wurde daher lange Zeit nicht mehr verwendet; heute gelegentlich eingesetzt bei Aids und Lepra.

Thallium [zu grch. thallós »Spross«, »grüner Zweig« (nach seiner charakterist. grünen Spektrallinie)] *das,* chem. Symbol **Tl,** Element aus der dritten Hauptgruppe des →Periodensystems der chemischen Elemente; Ordnungszahl 81, relative Atommasse 204,383, Dichte 11,85 g/cm³, Schmelzpunkt 302,5 °C, Siedepunkt 1453 °C. T. ist ein weiß glänzendes, sehr weiches Metall, das äußerlich und in seinem chem. Verhalten dem →Blei ähnlich ist. Es tritt in zwei Modifikationen auf: **α-T.** kristallisiert hexagonal und geht oberhalb von 232 °C in **β-T.** mit kubischer Struktur über. T. kommt v.a. in geringen Konzentrationen in sulfid. Schwermetallerzen sowie in Kalisalzen vor. Angereichert findet es sich in den beim Abrösten der Sulfide anfallenden Flugstäuben und im Bleikammerschlamm der Schwefelsäuregewinnung. Durch Spektralanalyse lässt sich T. am Auftreten einer intensiven grünen Linie (Wellenlänge 535 nm) nachweisen. – In seinen (stark tox.) Verbindungen besitzt T. die Oxidationszahlen +3 und +1. T. und T.-Verbindungen besitzen nur begrenzt techn. Bedeutung. Sie dienen zur Herstellung von stark lichtbrechenden Gläsern, Photozellen, niedrig schmelzenden Quecksilberlegierungen für Thermometerfüllungen und als Rattengift; T. ist auch Bestandteil von Hochtemperatur-Supraleitern.

Thallophyten [grch.] (Lagerpflanzen, Thallophyta), niedere Pflanzen, deren Körper nicht in Wurzel, Spross und Blätter gegliedert ist, sondern aus einem Lager (Thallus) von kugeliger, fadenförmiger, flächiger, z.T. auch höher differenzierter Gestalt besteht. Zu den T. gehören Algen, Schleimpilze, Pilze, Flechten und Lebermoose.

Thangka mit einer Darstellung des Bodhisattva Avalokiteshvara, der das Erbarmen verkorpert (18. Jh.; London, Victoria and Albert Museum)

Thälmann, Ernst, Politiker, *Hamburg 16. 4. 1886, †(ermordet) KZ Buchenwald 28. 8. 1944; wechselte 1917 von der SPD zur USPD, 1920 zur KPD; übernahm 1924 die Leitung des Roten Frontkämpferbundes; 1925–33 Vors. der KPD, galt als Vertrauensmann Stalins; 1924–33 MdR; kandidierte 1925 und 1932 bei den Reichspräsidentenwahlen; am 3. 3. 1933 verhaftet.

Ernst Thälmann

Thalys, Name der Hochgeschwindigkeitszüge, die seit 1997 gemeinsam von den Eisenbahnen Dtl.s (DB AG), Belgiens (SNCB), Frankreichs (SNCF) und der Niederlande (NS) auf der Strecke Paris–Brüssel–Köln–Amsterdam betrieben werden. Der T. ist als erster Hochgeschwindigkeitszug für vier unterschiedliche Spannungs- bzw. Stromsysteme ausgelegt (1500 V, Gleichstrom; 3000 V, Gleichstrom; 15000 V/16²/₃ Hz, Wechselstrom; 25000 V/50 Hz, Wechselstrom). Er besteht aus je einem Triebkopf an der Zugspitze und am Zugende sowie acht Passagierwagen; die planmäßige Höchstgeschwindigkeit beträgt (auf den Hochgeschwindigkeitsstrecken) 300 km/h.

Thames [temz], Fluss in England, →Themse.

Thanatos, *grch. Mythos:* der Tod, Sohn der →Nyx, Bruder des Hypnos (Schlaf); u.a. dargestellt auf einer att. Lekythos des Thanatosmalers (um 450 v.Chr.). Im offiziellen Kult spielte T. (außer in Sparta) nur eine geringe Rolle.

Thanatos und Hypnos tragen einen Toten fort, Lekythos des Thanatosmalers (um 450 v.Chr.; London, Britisches Museum)

Thangka [tibet.] (Tanka), im Lamaismus ein Rollbild, das als Meditationsobjekt zu bestimmten Anlässen in Tempeln und Hausaltären aufgehängt und bei Prozessionen mitgeführt wird.

Thanh Pho Ho Chi Minh [θajn fo- tʃi-], Stadt in Vietnam, →Ho-Chi-Minh-Stadt.

Thanjavur [tænˈdʒɑːvʊə] (Tanjore), Stadt in Tamil Nadu, S-Indien, im Kaveridelta, 202000 Ew.; Univ.; Textil-, Nahrungsmittelind., Kunsthandwerk. – T. war Residenz- und Tempelstadt, von 907 bis 1310 unter der Oberherrschaft der Coladynastie; bed. shivait. Brihadishvara-Tempelanlage (um 1010 vollendet; UNESCO-Weltkulturerbe), Reste von Wandmalereien.

Thanksgiving Day [ˈθæŋksgɪvɪŋ ˈdeɪ; engl. »Danksagungstag«], in den USA am vierten Donnerstag des Nov. (seit 1941) begangenes Familienfest; erstmals 1621 von den Pilgervätern als Dank für die erste Ernte gefeiert.

Thann, Stadt im Oberelsass, Dép. Haut-Rhin, Frankreich, am Fuß der Südvogesen, 7800 Ew.; chem., Textilind., Textilmaschinenbau, Weinbau. – Spätgot. Münster St. Theobald (1320–1516), Ruinen der Engelsburg (12. Jh.). – 1360 Stadt, bis 1648 habsburgisch.

Margaret Thatcher

Thant, Sithu U, birman. Politiker, →U Thant.

Thar (Tharr), Wüstensteppe in Vorderindien, gehört im westl. Teil zu Pakistan, im größeren östl. zu Indien (Rajasthan), rd. 250 000 km²; Rumpffläche, meist von Dünenzügen bedeckt; Oasenwirtschaft, Kamel-, Schaf-, Rinderhaltung.

Tharandt, Stadt im Weißeritzkreis, Sachsen, an der Wilden Weißeritz, am Tharandter Wald, 2 500 Ew.; Fakultät für Forstwirtschaft der TU Dresden; forstbotan. Garten; Klangmöbel-, Werkzeugmaschinen-, Elektrogerätebau. – Unterhalb der 1216 bezeugten Burg T. entstanden; seit 1609 Stadt.

Thasos (ngrch. Thassos), grch. Insel im nördl. Ägäischen Meer, 379 km², 13 100 Ew.; Hauptort und Hafen T. (2 300 Ew.); gebirgig (bis 1203 m ü. M.) und bewaldet. Die an der N-Küste um 700 v. Chr. gegründete Stadt T. war berühmt durch ihre Goldbergwerke. Reste der antiken Stadtmauer, Herakles- und Artemistempel.

Thatcher ['θætʃə], Margaret Hilda, Baroness T. of Kesteven (seit 1992), brit. Politikerin, * Grantham (Cty. Lincolnshire) 13. 10. 1925; Chemikerin und Rechtsanwältin; 1959–92 Abg. der Konservativen im Unterhaus, 1970–74 Min. für Erziehung und Wiss., 1975–79 Oppositionsführerin; 1979–90 als erste Frau in der brit. Gesch. Premiermin.; T. (»Eiserne Lady« gen.) betrieb eine monetarist. Wirtschaftspolitik (→Thatcherismus) und behauptete sich gegen den Widerstand v. a. der Gewerkschaften. Außenpolitisch fielen in ihre Amtszeit 1982 der militär. Erfolg im Krieg mit Argentinien um die Falklandinseln und 1984 der Vertrag mit China über die Rückgabe der Kronkolonie Hongkong. Ihre konzessionslose Innen- und Europapolitik (u. a. Ablehnung einer weitgehenden Integration Großbritanniens in die EU) sowie ihr autokrat. Führungsstil stießen gegen Ende der 80er-Jahre auf zunehmende Kritik, auch aus der eigenen Partei. T. verfehlte bei den Wahlen für den Parteivorsitz im Nov. 1990 die Mehrheit und trat zurück.

Theater: Luftaufnahme des auf das 3. Jh. v. Chr. zurückgehenden griechischen Theaters in Epidauros, das auf 55 Sitzreihen 14 000 Menschen Platz bot; unten in der Bildmitte sind die Orchestra sowie die Reste von Skene und Proskenion zu erkennen

Thatcherismus [θætʃə-] *der,* Bez. für die in Großbritannien unter Premierministerin M. H. Thatcher 1979–90 praktizierte, am Monetarismus orientierte Wirtschaftspolitik zur Reduzierung des Staatsdefizits, zur Bekämpfung der Inflation und zur Konjunkturbelebung. Der T. war gekennzeichnet durch Einschränkung des öffentl. zugunsten des privaten Sektors, Sozial- und Subventionsabbau, Reprivatisierung von staatl. Unternehmen, Zinserhöhungen u. a. geldpolit. Maßnahmen.

Thaya *die* (tschech. Dyje), rechter Nebenfluss der March, entsteht aus der **Deutschen T.** aus dem Waldviertel Niederösterreichs und der **Mähr. T.** von der Böhmisch-Mährischen Höhe, durchfließt österr. und tschech. Staatsgebiet oder bildet die Staatsgrenze; mündet bei Hohenau; 290 km lang.

Thayngen ['ta:ɪŋən], Bezirkshauptort im Kt. Schaffhausen, Schweiz, im Bibertal, 3 900 Ew.; Maschinenbau, Baustoff-, Nahrungsmittelind.; Weinbau. – Nahebei Fundort mehrerer vorgeschichtl. Siedlungsplätze, u. a. die Höhle **Kesslerloch** mit gravierten Geräten des Magdalénien.

Theater [grch. théatron »Schaustätte«] *das,* Bez. für szen. Darstellungen eines äußeren oder inneren Geschehens als künstler. Kommunikation zw. Agierenden (Darstellern) und Reagierenden (Zuschauern); Begriff auch für das Gebäude, in dem T.-Vorstellungen stattfinden. Es werden heute drei Sparten unterschieden: das Sprech-T. (Schauspiel), das körpersprachlich orientierte T. (Tanz-T., Ballett, Pantomime) und das Musik-T. (Oper, Operette, Musical).

Das traditionelle heutige *T.-Gebäude* besteht aus drei Teilen: dem Bühnenhaus (→Bühne), dem Zuschauerhaus und den Verwaltungs-, Magazin- und Werkstättenräumen. Bühne und Zuschauerraum können durch den →eisernen Vorhang voneinander getrennt werden. Für den gesamten T.-Bau und -Betrieb bestehen detaillierte bau- und feuerpolizeil. Vorschriften. Angeschlossen sind Garderoben für Solisten, Chor und Statisten sowie Handmagazine für den Tagesbedarf u. a. an Dekorationen, Requisiten. Zw. Bühne und Zuschauerraum befindet sich bei Opern- und gemischten Bühnen, meist versenkt, das Orchester. Im alten »Hof-T.« kannte man auf hufeisenförmiger Grundfläche bis zu sechs Ränge übereinander. Heutige Inszenierungen suchen durch flexible Überwindung des Orchestergrabens mithilfe von Podesten die größere Nähe zum Publikum herzustellen. Neben der herkömml. Guckkastenbühne gibt es bei Neubauten unterschiedl. Besucher-Darsteller-Zuordnungen mittels Raumbühnen (Bühne und Zuschauerraum gehen architektonisch ineinander über), Arenabühnen oder Rundumbühnen. Den meisten Häusern ist eine Experimentierbühne (das »Kleine Haus« oder »Studio«) zugeordnet.

Der *künstler. Betrieb* eines staatl. oder städt. T. wird meist vom Intendanten geleitet; er lässt sich von den künstler. Bühnenvorständen beraten, wobei der Spielplan (Repertoire) festgesetzt und der Probeplan aufgestellt wird. In den 1970er- und 80er-Jahren bildeten sich versch. Modelle der »Mitbestimmung« (kollektive Leitung) heraus. Privat-T. werden von T.-Direktoren geleitet. An größeren Bühnen stehen dem Intendanten ein Schauspiel- und ein Operndirektor zur Seite, für die wirtschaftl. Fragen ist der Verwaltungsdirektor zuständig. Die künstler. und techn. Bühnenvorstände sind: der Dramaturg (→Dramaturgie), der Spielleiter oder Regisseur (→Regie), der Ausstattungsleiter oder Bühnenbildner (Entwurf der Dekorationen und Kostüme; ihm unterstehen die Bühnenmaler und Gewandmeister), der Kapellmeister (mit den Solo- und Chorrepetitoren und dem Chordirektor), der Ballettmeister und der techn. Direktor (ihm unterstehen Bühnenmeister, Maschinenmeister, Beleuchtungsinspektor, Requisiteur, die Werkstätten und die Bühnenarbeiter). Weiteres Personal: Magazinverwalter, Maskenbildner, Souffleur, Inspizient.

Organisatorisches: Der Dt. →Bühnenverein ist die Organisation der Arbeitgeber der T., die →Genossenschaft Deutscher Bühnen-Angehöriger die der (künstler. und z.T. techn.) Arbeitnehmer. (→Theateragentur) – In *Österreich* ist der T.-Arbeitgeber der »Theaterhalterverband«; die Arbeitnehmer sind in der »Gewerkschaft Kunst und freie Berufe« organisiert. In der *Schweiz* heißen die entsprechenden Verbände »Schweizer Bühnenverband« und »Schweizer Bühnenkünstlerverband«.

Geschichte: Der Ursprung des T. ist im kult. Bereich (Beschwörungen von Gottheiten, Fruchtbarkeitsriten, kult. Tänze) zu suchen. Das europ. T. fußt auf dem Dionysoskult der Griechen. Die zu Ehren dieses Gottes entstandenen Wechsel-, Trink- und Festgesänge wurden vom Chor gemeinsam vorgetragen. Erst Thespis stellte diesem einen Gegenspieler (Protagonisten) gegenüber. Aischylos und Sophokles stellten dann mehrere Gegenspieler zum Chor auf. Die Darsteller (ausschl. Männer) übernahmen mehrere Rollen. Sie trugen Masken, schwere prunkvolle Kostüme und den →Kothurn. Träger der Spiele war der Staat (die Polis). Gespielt wurde urspr. auf einem Tanzplatz **(Orchestra),** in dessen Mitte wohl der Altar des Dionysos stand. Gegenüber dem Zuschauerraum, dem eigtl. »Theatron«, der sich im Halbkreis stufenweise ansteigend an einem Hang hinaufzog, wurde am Rand der Orchestra ein

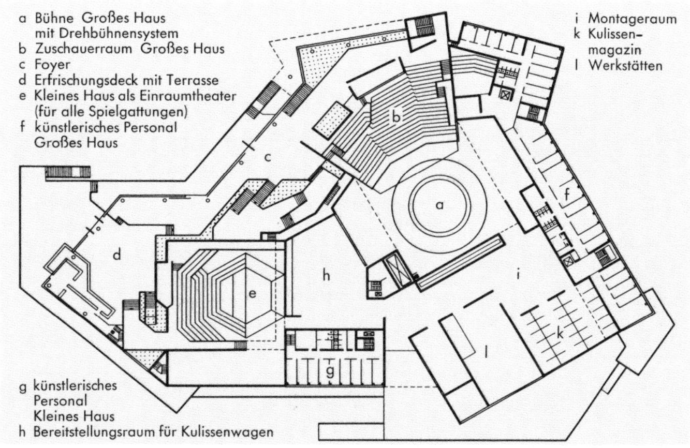

Theater: Grundriss des 1970–75 von Helmut Bätzner gebauten Badischen Staatstheaters Karlsruhe (Erdgeschoss)

Holzbau **(Skene)** errichtet. Er konnte wechselnde, in der klass. Zeit stets hölzerne Aufbauten aufnehmen; in nachklass. Zeit entwickelte sich die steinerne Palastfassade. Der Skene vorgelagert wurde später eine über die Orchestra erhöhte Spielfläche **(Proskenion).** Seit dem 4. Jh. v. Chr. baute man Bühnen aus Stein. Viele T.-Ruinen der Antike sind erhalten, z.B. in Athen, Epidauros, Ephesos, Priene, Pergamon, Syrakus, v.a. auch römische, bes. in Kleinasien (Milet) und N-Afrika (Sabratha). Eine Schöpfung der Römer war das ovale bühnenlose →Amphitheater. Terenz und Plautus erweiterten die bereits in der nacharistophan. jüngeren att. Komödie entwickelten Rollentypen. Beliebteste Form des röm. T. wurde der ohne Maske und auch von Frauen gespielte →Mimus.

Die anerkannte T.-Form des christl. MA. war das geistl. Schauspiel (→geistliches Drama). Gespielt wurde anfangs in der Kirche, später auf dem Platz davor. Mit der Verweltlichung des geistl. Schauspiels drangen auch Possen und Scherze vor. Die Darsteller waren Bürger **(Laienspieler),** gespielt wurde nun auf dem Marktplatz. Die Spielorte des Handlungsablaufs waren meist nebeneinander sichtbar **(Simultanbühne),** die Zuschauer standen oder saßen rund um die Spielfläche. Auf die im 13./14. Jh. überall in Europa eingeführte Fronleichnamsprozession ist die **Wagenbühne** zurückzuführen: Auf mehreren aufeinander folgenden Wagen wurde je eine Szene der Passion an versch. Plätzen der Stadt vorgeführt. In Italien entstand im 15. Jh. aus den Versuchen der Humanisten, altröm. Komödien darzustellen, die Form der **Terenzbühne:** ein flaches Podium mit Holzrahmen im Hintergrund, die die Haustür der auftretenden Personen andeuteten. Auch für das Volkstheater brachte Italien um 1550 eine entscheidende Wende: die Stegreifkomödie (→Com-

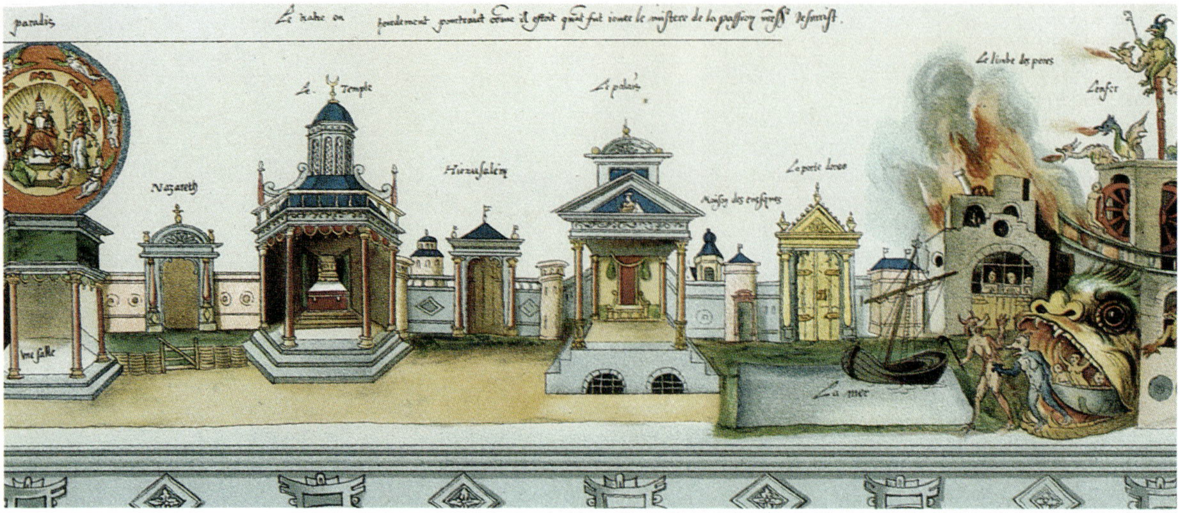

Theater: Simultanbühne für ein geistliches Drama, dargestellt auf einer Miniatur aus dem 16. Jh. (Paris, Bibliothèke National)

media dell'Arte). Nach dem Vorbild der Wirtshaushöfe erbaute J. Burbage 1576 das erste stehende T. vor den Toren Londons. Über das T. der Shakespearezeit →Shakespearebühne (BILD Shakespeare).

Allmählich trat anstelle des Nebeneinanders der Szenen ein Nacheinander (Entstehung der **Guckkastenbühne**); die auf einschiebbaren Kulissen perspektivisch gemalten Bühnenbilder verdrängten die fest stehende plast. Ausstattung. Die Erschließung der **Hoftheater** für ein zahlendes Publikum erforderte eine Vergrößerung des Zuschauerraums und die Trennung nach Rang und Würden (Logenhaus mit Rängen). Diese italien. Theaterform fand, v.a. durch die aus dem Geist des Barock entstandene Oper, im 18. Jh. in ganz Europa Nachahmung. Die vom klass. Drama entwickelte Einheit des Ortes forderte ein gleich bleibendes Bühnenbild, dessen Einfachheit durch die symmetr. Perspektive betont wurde.

In Dtl. wurde im 17. Jh. der Berufsschauspielerstand durch Gastspiele engl. Komödianten eingeführt. Unterstützt durch die Prinzipalin Friederike Caroline Neuber, kämpfte J. C. Gottsched um 1740 gegen die →Haupt- und Staatsaktionen. K. Ekhof überwand den bis dahin vorherrschenden Stil durch realist. Charakterzeichnung. In Hamburg verwirklichte F. L. Schröder die Grundgedanken des dt. klass. Kunstideals auf der Bühne. Bestimmende Anregungen gingen von dem 1779 in Mannheim gegründeten Nationaltheater aus (Intendant W. H. von Dalberg). Unter Dalberg und in Berlin (National-T.) errang A. W. Iffland durch seine effektvolle Verwandlungskunst große Anerkennung. L. Devrient wirkte als Charakterdarsteller. – Unter J. Schreyvogel (1814–32) erlebte das Wiener →Burgtheater einen Höhepunkt. Seit der Mitte des 19. Jh. beherrschten der »hohe Stil« (»Hoftheater-Pathos«), der auf den Theatercoup zielende Reißer (meist mit reisenden Stars wie Sarah Bernhardt) und das verflachende Lustspiel die Bühnen. In Frankreich entwickelte sich in der Auseinandersetzung mit dem Einfluss italien. Gastspieltruppen ein nat. T. Aus dem Zusammenschluss der beiden bedeutendsten Pariser Schauspielertruppen entstand 1680 das Théâtre-Français (→Comédie-Française). Um die Jahrhundertwende gründete A. Antoine in Paris mit Dilettanten das naturalist. →Théâtre Libre (1887) als Protest gegen die konservative Comédie-Française. Auf ein Gastspiel seines T. in Berlin ist die Gründung der →Freien Bühne (1889) zurückzuführen. Ähnliche Unternehmen wurden in fast allen T.-Zentren Europas gegründet. Aus der Verbindung der künstler. Reformbewegung mit dem Volksbildungsgedanken entstand 1890 in Berlin die Freie Volksbühne (→Volksbühnen). In Russland wurde 1898 das →Moskauer Künstlertheater (unter K. Stanislawski und W. Nemirowitsch-Dantschenko) gegründet, dessen naturalistisch-atmosphärischer Schauspielstil ganz Europa und Amerika beeinflusste. Die um 1910 einsetzende Entwicklung eines revolutionären, antibürgerl., antirealist. T. (W. E. Meyerhold, A. J. Tairow) wurde um 1930 durch die Doktrin des sozialist. Realismus abgebrochen. Der Antiillusionismus setzte sich durch. E. G. Craig, der 1904 von England nach Berlin kam, forderte ein nichtliterarisches, nur aus seiner eigenen Realität schöpfendes T. Davor hatte schon A. Appia v.a. für R. Wagners Musikdramen seit 1895 eine Raumbühne verlangt, in der bewegtes Licht die musikal. Bewegung widerspiegeln sollte. Von größter Bedeutung war dabei die Anwendung der Elektrizität; das Bühnenbild musste durch Lichteinsatz plastisch aufgebaut werden. Nach 1910 nahm die deutschsprachige Bühne, angeregt von der bildenden Kunst (O. Kokoschka, H. Walden, L. Schreyer, W. Kandinsky, O. Schlemmer), in Darstellungsstil und Bühnenbild revolutionierende experimentelle Elemente auf. Seit 1920 drängten, im Übergang zu Neuer Sachlichkeit, Politik und Sozialkritik in den Vordergrund; E. Piscator verband die Agitation mit dem Experiment, B. Brecht entwickelte sein →episches Theater (erneute Wirkung nach dem 2. Weltkrieg). In Frankreich wiesen J. Copeau (Inszenierung auf »nackten Brettern«) und A. Artaud (»Theater der Grausamkeit«) neue Wege. – Der Nationalsozialismus hatte 1933 das ungewöhnlich reiche Berliner T.-Leben (Regisseure wie Reinhardt, L. Jessner, Schauspieler wie A. Bassermann, F. Kortner, P. Wegener) durch »Gleichschaltung« und Antisemitismus fast zum Erliegen gebracht. Einige Theaterleiter wie G. Gründgens, H. Hilpert, O. Falckenberg und Regisseure wie J. Fehling und E. Engel versuchten das Niveau der Darstellung zu halten, bis 1944 alle T. geschlossen wurden. In der Schweiz wurde die Tradition des deutschsprachigen T. weitergepflegt.

Nach 1945 wurden die repräsentativen alten Häuser wieder aufgebaut; neue Bauwerke entstanden (insgesamt über 100), wobei in unterschiedl. Weise v.a. die Trennung zw. Spielfläche und Zuschauerraum überbrückt wird. Zu T.-Ereignissen wurden die dt. Erstaufführungen der bis dahin verbotenen ausländ. Stücke. Die Inszenierungen der keiner Richtung verbundenen Regiepersönlichkeiten bestimmten das T.-Leben: G. Gründgens, F. Kortner, L. Steckel, H. Koch, G. R. Sellner und H. Lietzau. V.a. aus der Brecht-Schule gingen namhafte Regisseure (B. Besson, M. Wekwerth, E. Monk, P. Palitzsch) hervor. Mit der Uraufführung von R. Hochhuths »Stellvertreter« (Berlin 1963, unter E. Piscator) setzte eine Welle polit. T. ein. Ihr folgte aggressives Volks-T. (nach dem Muster Ö. von Horvaths; Stücke von Wolfgang Bauer, M. Sperr, F. X. Kroetz, W. Deichsel). – Der Zug zur direkten Aktion führte zur Gründung kurzlebiger **Straßen-T.** und **freier Spielgruppen** (seit den 50er-Jahren). Eine junge, durch die Studentenbewegung politisierte, nach Selbstdarstellung verlangende Schauspielergeneration prägte auch signalhaft wirkende Klassikerinszenierungen, die sich gegen überlieferte Perspektiven und Inhalte wandten. Die Suche nach neuen Stoffen, Darstellungs- und Spielformen für ein nichtbürgerl. T. wurde Mitte der 60er-Jahre durch ausländ. freie Truppen verstärkt, v.a. durch die (sich vom kommerziellen Broadway-T. wie von dem älteren kontrastierenden →Off-Broadway absetzenden) »Off-Off-Broadway«-Truppen »Living Theatre«, »La Mama«, »Bread and Puppet Theater« und die »San Francisco Mime Troupe«. Starkes körpersprachl. Darstellungsbewusstsein zeigten auch die Spielkollektive des T.-Labors des Polen J. Grotowski sowie des »Odin Teatret« (Eugenio Barba). In der »freien« T.-Szene gab es eine Vielzahl von Neugründungen (»Rote Rübe«, München; »T.-Manufaktur«, Berlin).

Die politisch-krit. Aktivierung der theatralen Künste verband sich mit der Suche nach einer neuen Kunstsprache. Sammelpunkt dieser neuen Bestrebungen war für das subventionierte T. in Dtl. in den 60er-Jahren u.a. das Bremer T. (Intendant K. Hübner), dessen wichtigste Aufführungen geprägt wurden von den Regisseuren P. Zadek, W. Minks, R. W. Fassbinder, P. Stein und K. M. Grüber. Stein entwickelte ab 1970 in der Berliner »Schaubühne« einen politisch akzentuierten krit. Realismus. Die dt. Szene wird gegenwärtig u.a. bestimmt durch den Brecht-Schüler P. Palitzsch, den vom Surrealismus beeinflussten H. Neuenfels, den aus Großbritannien gekommenen P. Zadek, den Piscator-Schüler H. Heyme, ferner A. Fernandes, H. Hollmann, W. Minks, C. Peymann, G. Tabori und R. Noelte mit einem personenbezogenen, einfühlenden Realismus. Weitere einflussreiche Regisseure kamen hinzu: J. Flimm, N.-P. Rudolph, L. Bondy, Andrea Breth und D. Dorn. Zu ihnen

Theater: Innenraum der 1861–74 von Charles Garnier erbauten neubarocken Grand Opéra in Paris

trat (durch Gastspielverträge) eine Reihe von Regisseuren aus der DDR: B. Besson, Ruth Berghaus, B. K. Tragelehn, M. Karge oder M. Langhoff; in letzter Zeit T. Langhoff, F. Castorf, L. Haußmann.

Theater

Eleonora Duse, mit ihrem gefühlsintensiven Spiel eine der größten Charakterdarstellerinnen ihrer Zeit, meinte im Jahr 1900:

»Um das Theater zu retten, muss das Theater zerstört werden; alle Schauspieler und Schauspielerinnen müssen an der Pest sterben ... Sie richten die Kunst zugrunde.«

Für die europ. Produktion setzen Inszenierungen von P. Brook, G. Strehler, R. Planchon und Ingmar Bergman neue Maßstäbe. Stark beachtet wird die T.-Arbeit der Amerikaner R. Wilson und R. Schechner. Neue im »Théâtre du Soleil« (Paris) von Ariane Mnouchkine sowie von dem Italiener L. Ronconi entwickelte Spielweisen bestätigen die Tendenz, das Guckkasten-T. zu verlassen.

📖 KINDERMANN, H.: *Theatergeschichte Europas, 10 Bde. Salzburg* [1–2]*1965–77.* – *T., bearb. v.* G. BRETON. *A. d. Frz. Stuttgart u. a. 1991.* – *Theaterlexikon. Begriffe u. Epochen, Bühnen u. Ensembles, hg. v.* M. BRAUNECK *u. a. Reinbek* [3]*1992.* – PLATZ-WAURY, E.: *Drama u. T. Eine Einführung. Tübingen* [4]*1994.*

Theaterlagentur (Bühnennachweis), Agentur, die Schauspieler und Regisseure vermittelt. Private T. benötigen eine Genehmigung der Bundesanstalt für Arbeit. Die zentrale Bühnen-, Fernseh- und Filmvermittlung (ZBF), Frankfurt am Main, ist die öffentl. dt. T., die unentgeltlich arbeitet.

Theben 2): Wandmalereien im Grab der Königin Nofretiri (19. Dynastie) im Tal der Königinnen

Theaterkritik, Beschreibung, Kommentierung und Wertung von Theaterkunst in der Tages- und Fachpresse sowie in Hörfunk und Fernsehen. Anfänge der T. sind mit der Entwicklung des Journalismus im 18. Jh. verbunden; ihre spezif. Ausprägung erfolgte im 19. Jh. Heute herrscht neben den traditionell wiss., feuilletonist. und literar. Tendenzen in der T. v. a. die aufführungsorientierte Tageskritik vor.

Theaterwissenschaft, fächerübergreifende Disziplin, die alle das Theater i. Allg. und die spezielle Theateraufführung betreffenden Bereiche umfasst. Dazu gehören die Theatergesch. und die systemat. T.; seit Beginn des 20. Jh. eigenständige Disziplin. 1922 wurde in Berlin das erste theaterwiss. Institut gegründet.

Theatiner (lat. Ordo Clericorum Regularium vulgo Theatinorum, Abk. CR oder OTheat), 1524 von C. von Tiene und G. P. Carafa (dem späteren Papst Paul IV.) in Rom zur religiösen Erneuerung des Klerus gegründeter Orden von Regularklerikern; seit 1583 auch ein weibl. Zweig **(Theatinerinnen);** heute in der Mission tätig.

Théâtre Libre [teatrə 'li:brə], Pariser Privatbühnenverein, gegr. 1887 von A. Antoine, zur Aufführung moderner, meist von der staatl. Zensur verbotener Dramen; Nachfolgegründungen waren die Berliner →Freie Bühne und das →Moskauer Künstlertheater.

Théâtre National Populaire [te'atrə nasjɔ'nal pɔpy'lɛ:r], Abk. **TNP,** 1920 vom frz. Staat gegründetes Volkstheater in Paris (ab 1937/39 im Palais de Chaillot). Unter der Leitung von J. Vilar (1951–63) erlebte es internat. Anerkennung. Nach einer Reorganisation (1972) hat das TNP seit 1973 seinen Sitz in Villeurbanne.

Theatrum Europaeum [lat. »europ. Theater«] *das,* dt. Sammelwerk zur Zeitgeschichte 1618–1718 (21 Bde., Frankfurt am Main 1635–1738). Die beiden ersten, von J. P. Abelin verfassten Bände enthalten zahlreiche Kupferstiche von M. Merian.

Theatrum Mundi [lat. »Welttheater«] *das,* 1) Titel barocker Weltgeschichten; 2) Volkstheaterform (seit dem 17. Jh.), gespielt mit Flachfiguren, die auf mechanisch angetriebenen Laufbändern vor gemalten Hintergründen vorbeiziehen. Die Wandertheater informierten ihr Publikum so über das Weltgeschehen.

Thebais *die,* das Gebiet um die altägypt. Stadt Theben; seit dem 3./4. Jh. Niederlassung zahlr. frühchristl. Einsiedler.

Thebäische Legion, nach der Legende eine röm. Legion (etwa 16 600 Mann), deren Soldaten Christen waren, aus der Thebais stammten und um 300 für ihre Weigerung, sich an der Christenverfolgung zu beteiligen, den Märtyrertod erlitten; als ihr Anführer gilt der Offizier →Mauritius; Heilige; Tag: 22. 9.

Thebe, ein Mond des Planeten →Jupiter.

Theben, 1) (grch. Thebai, ngrch. Thiva) Stadt im grch. Nomos Böotien, 19 000 Ew.; orth. Bischofssitz; Textil-, chem. u. a. Industrie. – Ausgrabungen legten Reste der Burg Kadmeia aus myken. Zeit frei. – In der grch. Sage galt T. als Gründung des Kadmos, Geburtsstätte von Dionysos und Herakles und als Schauplatz der Sage von Ödipus und den »Sieben gegen T.«. Seit früher Zeit erstrebte T. eine beherrschende Stellung in Böotien (Vorsitz im Böot. Bund). Im Korinth. Krieg (395–386 v.Chr.) kämpfte T. mit Korinth, Argos und Athen, zu dem es vorher in Ggs. stand, gegen Sparta. Durch den Sieg des Epaminondas bei Leuktra (371) brach T. die Vormachtstellung Spartas; Philipp II. von Makedonien besiegte die Thebaner bei Chaironeia (338 v.Chr.). 335 v.Chr. wurde T. zerstört, von Kassander 316 wieder errichtet; in byzantin. Zeit ein Zentrum der Seidenherstellung.

2) (altägypt. Weset oder Nut, in der Bibel No) Stadt des Altertums in Oberägypten, von den Griechen T. gen. (bei Homer das »hunderttorige T.«), war unter der 18. Dynastie Hptst. des ägypt. Reiches; zerstört durch Assurbanipal (663 v.Chr.). Die Stadt lag auf dem rechten Nilufer, ihre Hauptheiligtümer beim heutigen → Karnak und → Luxor. Auf dem W-Ufer lag die Totenstadt: in der Ebene die großen Totentempel, v.a. des Mentuhotep II., der Hatschepsut, des Amenophis III. (von dem nur noch die Memnonskolosse blieben, → Memnon), des Sethos I. und der Ramessiden (→ Ramesseum); am Berghang die Beamten- und Priestergräber und in den Felsschluchten die Pharaonengräber (→ Tal der Könige). – Stadt und Nekropole wurden von der UNESCO zum Weltkulturerbe erklärt.

Theile, Johann, Komponist, * Naumburg (Saale) 29. 7. 1646, begraben ebd. 25. 6. 1724; Schüler von H. Schütz, war in Hamburg an der Errichtung der Oper am Gänsemarkt beteiligt, zu deren Eröffnung 1678 er die Oper »Adam und Eva« komponierte.

Theiler [ˈθaɪlə], Max, amerikan. Bakteriologe südafrikan. Herkunft, * Pretoria 30. 1. 1899, † New Haven (Conn.) 11. 8. 1972; erhielt für seine Arbeiten über das Gelbfiebervirus und die Entwicklung eines Impfstoffes gegen das Gelbfieber 1951 den Nobelpreis für Physiologie oder Medizin.

Thein [frz. théine, zu thé »Tee«] *das,* → Koffein.

Theismus [zu grch. theós »Gott«] *der,* der Glaube an einen persönl., überweltl. Gott, der (im Unterschied zur Auffassung des → Deismus) die Welt als seine Schöpfung erhält, das Weltgeschehen lenkt und im Glauben existenziell erfahren wird; tritt nach der Art der Gottesverehrung und Anzahl der Götter als Mono-, Poly- und Heno-T. in Erscheinung. – Ggs.: → Atheismus.

Theiß *die* (ungar. Tisza, serb. Tisa, ukrain. Tissa), linker und größter Nebenfluss der Donau, 966 km lang (vor der Begradigung 1429 km), entsteht aus der Vereinigung der **Schwarzen** und **Weißen T.** in den Waldkarpaten (Ukraine), durchfließt das Große Ungar. Tiefland nach S und mündet bei Titel in Serbien. Schiffbar sind rd. 440 km. Staustufen bei Tiszalök, Szolnok und Szeged.

Thekla, frühchristl. Märtyrerin, nach der Legende im 1. Jh. n.Chr. in Ikonion (heute Konya) geboren; Hauptgestalt der »Taten des Paulus und der Thekla« (2. Jh.); gilt als erste Märtyrerin; Heilige; Tag: 23. 9.; in den orth. Kirchen: 24. 9.

Thelen, Albert Vigoleis, Schriftsteller, * Süchteln (heute zu Viersen) 28. 9. 1903, † Viersen 9. 4. 1989; lebte bis 1936 auf Mallorca, später in Portugal; schrieb Gedichte und Romane (»Die Insel des zweiten Gesichts«, 1953).

Thema [grch. »das Gesetzte«, »Satz«] *das,* **1)** *allg.:* zu behandelnder Gegenstand, Sachverhalt; Haupt-, Leitgedanke; Gesprächsstoff.

2) *Geschichte:* urspr. Bez. für die byzantin. Heeresabteilungen, später auf die von Kaiser Herakleios (610–641) zunächst in Kleinasien eingerichteten großen Militär- und VerwBez. übertragen, in denen die Truppen angesiedelt wurden.

3) *Musik:* ein prägnanter musikal. Gedanke, der als tragender Formteil eines Stücks wesentlich auf Wiederkehr, Bearbeitung und Verarbeitung hin angelegt ist. Die Gestalt und die Funktion eines T. hängen von Gattung, Form, Kompositionsstil und Werkintention ab. Das T. hat v.a. drei unterschiedl. Ausprägungen erfahren: 1) das T., das von den Einzelstimmen einer Komposition nacheinander vorgetragen wird, z.B. in der Fuge; 2) als Refrain im → Rondo sowie als Ausgangssatz für Variationen; 3) das T. der Sonatensatzform, wobei i.d.R. einem markanten, bewegten Haupt-T. ein kantables Seiten-T. gegenübertritt. Das T. selbst besteht meist aus mehreren Gliedern (→ Motiv), die bei den Wiener Klassikern an eine harmonisch-metr. Ordnung (→ Metrum, → Periode) gebunden sind. – Unter **themat. Arbeit** versteht man die Zerlegung des T. in selbstständige, für sich weiterverarbeitete Glieder.

4) *Sprachwiss:* semant. Einheit, die den Ausgangspunkt der Äußerung darstellt. Der kommunikative Sinn einer Äußerung konstituiert sich in der Beziehung auf das → Rhema.

Themis, *grch. Mythos:* die Göttin der Sitte und Ordnung, Schützerin des göttl. Rechts, gehörte zu den → Titanen.

Themistokles, athen. Feldherr und Staatsmann, * Athen um 525 v.Chr., † Magnesia am Mäander nach 460 v.Chr.; begann den Ausbau von Piräus zum Kriegshafen, setzte seit 483 v.Chr. in Athen den Bau einer Flotte durch und begründete damit die att. Seemacht. Als Führer der athen. Schiffe siegte er 480 bei Salamis über die Perser. Er setzte trotz Spartas Widerstand die Ummauerung Athens durch. 471 (?) verbannt, später in Abwesenheit zum Tod verurteilt, starb er als pers. Vasall.

Themse *die* (engl. Thames), Hauptfluss Englands, 346 km lang, entspringt in den Cotswold

Max Theiler

Themis: Marmorstatue der Göttin, Höhe 2,2 m (um 300 v. Chr.; Athen, Archäologisches Nationalmuseum)

Themistokles: römische Kopie einer griechischen Porträtplastik (Ostia Antica, Archäologisches Museum)

Thenardit

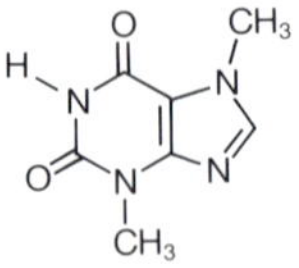

Theobromin

Theoderich der Große (Goldmedaillon, Anfang 6. Jh.; Rom, Museo Nazionale Romano)

Hills, durchfließt London, von hier aus zu einem breiten, unter dem Einfluss der Gezeiten stehenden Trichter anwachsend, bei Silvertown in Woolwich 560 m breit; dort wurde 1982 ein Sturmflutwehr in Betrieb genommen (4 Tore mit 61 m, 2 mit 31,5 m Breite). Bei Gravesend beträgt die Breite 700 m, an der Mündung in die Nordsee 9 km. Die T. ist bis Oxford für kleine Schiffe, bis zur London Bridge für Seeschiffe befahrbar.

Thenardit *der,* rhombisches Mineral der chemischen Zusammensetzung $Na_2[SO_4]$, farblos bis rötlich, meist körnig; scheidet sich in Salzseen in Paragenese mit Glaubersalz und Astrakanit ($Na_2Mg[SO_4]_2 \cdot 4\,H_2O$) ab.

Theobromin, ein in Kakaobohnen, schwarzem Tee und Kolanüssen enthaltenes Alkaloid (chemisch: 3,7-Dimethylxanthin); wirkt gefäßerweiternd sowie harntreibend.

Theoderich, got. Herrscher: **1) T. der Große,** König der Ostgoten (471–526), *in Pannonien 451 (?), †Ravenna 30. 8. 526; belagerte ab 488 im Auftrag des oström. Kaisers Zenon König Odoaker in Ravenna, besiegte ihn 493 und ermordete ihn eigenhändig. Als Regent Italiens als Stellvertreter des oström. Kaisers, der ihn erst 497 als König anerkannte, behielt er die röm. Staatseinrichtungen im Wesentlichen bei und setzte bed. Römer (Cassiodor, Boethius) in der Verwaltung ein. Er versuchte, antike christl. und german. Traditionen zu verbinden. Ravenna erlebte unter seiner Herrschaft eine Blütezeit. T. lebte in der Sage fort als →Dietrich von Bern.

2) T. I., König der Westgoten (418–451), gründete das Tolosan. Reich (Hauptstadt: Toulouse; →Westgoten). Als Verbündeter des Aetius fiel er 451 in der Schlacht gegen die Hunnen auf den Katalaun. Feldern.

Theoderich von Prag, eigtl. Theodorich, auch Dittrich, Dětřich, Jetřich, Maler (Herkunft umstritten), †Prag vor dem 11. 3. 1381; bed. Vertreter des schönen Stils in Böhmen, Hofmaler Kaiser Karl IV. in Prag; sein Hauptwerk ist ein Zyklus von Tafelbildern (129 erhalten) in der Heiligkreuzkapelle von Burg Karlstein.

Theodizee [grch.] *die,* in Theologie und Philosophie der Versuch, den Widerspruch zw. Gottes Allmacht und Güte und dem in der (seiner) Welt vorhandenen phys. Übel, moral. Bösen und vielfältigen Leiden zu erklären. – Das ind. philosoph. und religiöse Denken versucht das Problem zu lösen, indem es der empir. Welt keine eigentl. Realität zuspricht (→Maya); für die dualist. Religionen (z.B. den Parsismus) sind Übel und Leiden Zeichen des zeitweiligen Erfolges des bösen Gottes oder Prinzips; die monotheist. Religionen (Judentum, Christentum, Islam) sehen den Widerspruch in der Verletzung der Gehorsams- und Treuepflicht des Menschen gegenüber Gott und dem damit verbundenen Missbrauch der ihm von Gott gegebenen Freiheit und Vernunft begründet. Einen umfassenden philosoph. Erklärungsversuch unternahm G. W. Leibniz, der in seinem Hauptwerk (»Theodizee«, 1710) auch den Begriff prägte. Er sah das Böse als einen bloßen Mangel an Gutem, von Gott im Rahmen seiner Schöpfung als Mittel zur Prüfung und Bewährung zugelassen, damit schließlich auch aus ihm Gutes entspringe.

Theodolit [engl. aus arab.] *der,* geodät. Instrument zum Messen von Horizontal- und Vertikalwinkeln. Hauptbestandteile sind Horizontal- und Vertikalkreis mit Ablesevorrichtungen, ein um eine horizontale Achse (Kippachse) drehbares Zielfernrohr sowie Vorrichtungen zum Senkrechtstellen der Umdrehungsachse. Der T. ist auf einem dreibeinigen Stativ montiert. T. mit Einrichtungen zur Entfernungsmessung werden als **Tachymeter** (Schnellmesser) bezeichnet. Elektron. Tachymeter arbeiten mit einem modulierten Infrarotsender und einem Reflektor am Zielpunkt. Die Entfernung wird durch Phasenvergleich zw. reflektiertem und Referenzsignal bestimmt.

Theoderich der Große: Der König der Ostgoten ließ sich Anfang des 6. Jh. schon zu Lebzeiten bei Ravenna ein Grabmal errichten, das als überkuppelter Zentralbau in der Tradition antiker Mausoleen steht

Theodora, byzantin. Kaiserin, *Konstantinopel um 500, †ebd. 28. 6. 548; Gemahlin Kaiser Justinians I., vorher Schauspielerin; intelligent und entschlossen, bestimmte sie maßgeblich die Politik Justinians mit und rettete ihm 532 durch Unterdrückung des Nikaaufstands den Thron; setzte sich für den Monophysitismus ein. Berühmte Darstellung in den Mosaiken von San Vitale in Ravenna. BILD byzantinische Kunst

Theodorakis, Mikis, grch. Komponist, *auf Chios 29. 7. 1925; Abg. der Vereinigten Demokrat. Linken, nach dem Putsch 1967 inhaftiert, lebte 1970–74 im Exil in Paris; seit 1993 Generalmusikdirektor des Chores und Orchesters des Staatl. Grch. Rundfunks; verwendet in seinen Kompositionen Elemente grch. Volksmusik; schrieb u.a. Orchesterwerke, Kammermusik, Oratorien (»Canto general« nach P. Neruda, 1973), Ballette, Opern (»Medea«, 1991), Lieder, Filmmusik (darunter »Alexis Sorbas«, 1964).

Theodosius I., der Große, römischer Kaiser (379–395), *Cauca (heute Coca, Spanien) 11. 1. 347, †Mediolanum (heute Mailand) 17. 1. 395; wurde 379 Kaiser des Ostens, einte 394 das Röm. Reich noch einmal für kurze Zeit, berief 381 das 2. Ökumen. Konzil nach Konstantinopel, erklärte das Christentum zur Staatsreligion und verbot 391/392 alle heidn. Kulte. Nach seinem Tode wurde das Reich in ein Ost- und ein Weström. Reich unter seine Söhne →Arkadios und →Honorius aufgeteilt. Eine Tochter war →Galla Placidia.

Theogonie [grch.] *die,* myth. Lehre von der Abstammung der Götter, berühmt die »T.« des →Hesiod (um 700 v. Chr.).

Theokratie [grch. »Gottesherrschaft«] *die,* Herrschaftsform, in der religiöse und staatl. Ordnung eine Einheit bilden **(Gottesstaat);** entweder eine Monarchie, in der der Monarch als Gott oder Gottstellvertreter angesehen wird, oder ein Staat, in dem die Priesterschaft die Staatsgewalt ausübt. T. gab es bes. in frühen Staatssystemen (Mesopotamien, Israel, Ägypten, die Staaten der Azteken und Inkas), aber auch in neuerer Zeit, z.B. in Tibet (vor der Angliederung an China), im Rahmen des Islam.

Theokrit (grch. Theokritos), grch. Dichter aus Syrakus, *um 300, †um 260 v. Chr.; begründete die Bukolik (→Schäferdichtung) unter Benutzung von vorwiegend sizilian. Volksgesängen. T. ist das Vorbild für die Hirtendichtung Vergils.

Theologia Crucis [lat.], →Kreuzestheologie.

Theologie [grch. »Rede, Lehre von Gott (den Göttern)«] *die,* die systemat. Reflexion und Formulierung von Glaubensaussagen (Aussagen über Gott bzw. die Götter) auf der Grundlage der methodisch-wiss. Untersuchung der historischen, i.d.R. schriftl. Zeugnisse des Glaubens (»Glaubensurkunden«); im Unterschied zur neutral forschenden und wertenden Religionswiss. von der Position des glaubenden, d.h. im Glauben bzw. in einer bestimmten Glaubenstradition gebundenen Theologen aus. Im grch. philosoph. Denken war T. die myth. Rede von den Göttern, bei Xenophanes erstmals verbunden mit Mythenkritik. Im Christentum ist der Begriff T. zuerst bei Eusebios von Caesarea (*um 263, †339; →Kirchengeschichtsschreibung) nachweisbar; dort als zusammenfassende Bez. der im Rahmen der frühchristl. Lehrbildung (→Logos, →Trinität) entstandenen »Lehre von Gott«; seit der Hochscholastik (etwa ab 1200) als »Glaubenswiss.« Oberbegriff für die wiss. Beschäftigung mit allen Gegenständen der christl. Tradition. Grundlage der T. in allen christl. Kirchen ist die Bibel als historischer und damit wissenschaftlicher Untersuchung zugängliches Zeugnis der →Offenbarung Gottes, die sich ihrerseits als geglaubter »Sachverhalt« wiss. Begründung entzieht. Daneben ist für die kath. T. die Bindung an die Aussagen des →kirchlichen Lehramts (bei Gewährleistung der freien theolog. Forschung), für die orth. T. an die Beschlüsse der ersten sieben ökumen. Konzile wesentlich. Die ersten christl. **Theologenschulen** entstanden im 4./5. Jh. in Antiochia (Syrien) und Alexandria (Ägypten). – Als theolog. Disziplinen lassen sich unterscheiden: 1) **historische T.:** Bibelwissenschaft (Exegese des A.T. und N.T.), Patristik, Kirchengeschichte, T.-Geschichte, kanonistische Rechtsgeschichte, Religionsgeschichte usw.; 2) **systematische T.:** Dogmatik (Systematik), theolog. Ethik (Moraltheologie), Fundamental-T.; 3) **praktische T.:** Pastoral-T. (prakt. T.), Kirchenrecht, Liturgiewissenschaft (Liturgik), Religionspädagogik (Katechetik).

Theodosius I., der Große: Ausschnitt einer Geschenkplatte aus Silber (388 n. Chr.; Madrid, Real Académia de la Historia)

Mikis Theodorakis

📖 *Lexikon für T. u. Kirche, begr. v.* M. BUCHBERGER, *hg. v.* J. HÖFER, *14 Bde. u. Supplement. Sonderausg. Freiburg im Breisgau u. a.* ²*1986. – Die Religion in Geschichte u. Gegenwart, hg. v.* K. GALLING, *7 Bde. Neuausg. Tübingen 1986. – Neues Handbuch theolog. Grundbegriffe, hg. v.* P. EICHER, *5 Bde. Neuausg. München 1991.*

Theologie der Befreiung (Befreiungstheologie), in der kath. Kirche Lateinamerikas seit den 1960er-Jahren entstandene vielschichtige theolog. Richtung, die die theolog. Reflexion der Situation

Theophanes: »Verklärung Jesu« (Ende des 14. Jh.; Moskau, Tretjakow-Galerie)

der sozial benachteiligten Gesellschaftsschichten mit der gesellschaftswiss. Analyse der Ursachen verbindet; die christl. Botschaft (das Evangelium) schließt im Verständnis der T. d. B. die soziale Befreiung des Menschen ein und verpflichtet den Christen zu einem aktiven gewaltlosen Einsatz für die Schaffung gerechter gesellschaftl. Strukturen; wurde v.a. wegen der Übernahme von Elementen der marxist. Gesellschaftsanalyse als method. Instrumentarium mehrfach vom kirchl. Lehramt kritisiert. Die Befreiungstheologen verstehen sich als »Brüder und Anwälte der Armen« und versuchen ihr Leitbild einer »Kirche der Armen« in den →Basisgemeinden zu realisieren. Führende Befreiungstheologen sind Gustavo Gutiérrez, J. Miguez Bonino, Camillo Torres, L. Boff; kirchlich fand das Anliegen der T. d. B. v.a. in dem brasilian. Erzbischof H. Camara einen Förderer. Befreiungstheologen in Afrika (»Schwarze Theologie«) und Asien sind von den lateinamerikan. Konzepten beeinflusst.

Hugo Theorell

theologische Ethik, in der evang. Theologie Teildisziplin der →systematischen Theologie; begründet auf der Grundlage der Bibel und in Rückbindung an die Lehre von der Rechtfertigung und dem Gewissen die prakt. Konsequenzen (Ethik) des christl. Glaubens. Der t. E. entspricht in der kath. Theologie die →Moraltheologie.

Theophanes (T. der Grieche, russ. Feofan Grek), grch. Maler, *um 1340, †1411; ab etwa 1370 in Russland tätig, wahrscheinlich Lehrer von A. Rubljow. Fresken sind z.T. in der Erlöserkirche an der Iljastraße in Nowgorod (1378) erhalten. Ihm werden u.a. Ikonen der Ikonostase in der Verkündigungskathedrale des Moskauer Kreml (1405) zugeschrieben.

Theophanie [grch.] *die,* in der Religionsgeschichte (ähnlich der →Epiphanie) das zeitlich und räumlich begrenzte Erscheinen, Sichtbar- oder Erkennbarwerden einer (dem Betroffenen bekannten) Gottheit.

Theophano, Herrscherinnen:

Hl. Röm. Reich: **1)** Kaiserin, *um 955, †Nimwegen 15. 6. 991; byzantin. Prinzessin, 972 ⚭ mit Kaiser Otto II. Als Regentin für ihren minderjährigen Sohn Otto III. (seit 983) hatte sie, unterstützt von Erzbischof Willigis von Mainz, großen Einfluss auf die Politik.

Byzanz: **2)** Kaiserin, *um 941; Tochter eines Schankwirts, Gemahlin der Kaiser Romanos II. (959–963) und →Nikephoros II. Phokas. Ihr Sohn war →Basileios II. Dieser folgte ihrem Geliebten Johannes Tzimiskes (→Johannes, byzantin. Kaiser), der sich vor seiner Krönung von ihr trennte.

Theophilus Presbyter, gelehrtes Pseudonym für →Roger.

Theophrast (grch. Theophrastos), eigtl. Tyrtamos, grch. Philosoph und Naturforscher, *Eresos (Lesbos) um 372 v.Chr., †Athen zw. 288 und 285 v.Chr.; der bedeutendste Schüler des Aristoteles, mit dem gemeinsam er zoolog. und v.a. botan. Forschungen unternahm, die Grundlage für seine pflanzenkundl. Schriften wurden (»Historia plantarum«); historisch bedeutend die scharfsichtigen psycholog. Skizzen in seiner Schrift »Charaktere«.

Theophrast Bombast von Hohenheim, eigtl. Name des Arztes →Paracelsus.

Theophyllin [grch.] *das,* in geringen Mengen in Teeblättern enthaltenes Alkaloid (chemisch: 1,3-Dimethylxanthin) mit koffeinähnlicher Wirkung; medizinisch wird es v.a. bei akutem Asthmaanfall sowie als harntreibendes und gefäßerweiterndes Mittel verwendet.

Theorbe [italien.] *die, Musik:* eine Basslaute (→Laute).

Theorell [teu'rɛl], Hugo, schwed. Biochemiker, *Linköping 6. 7. 1903, †Stockholm 15. 8. 1982; erhielt für seine Untersuchungen über Chemie und Wirkungsweise der Enzyme 1955 den Nobelpreis für Physiologie oder Medizin.

Theorem [grch.] *das,* durch log. Ableitung aus den Axiomen gewonnener Lehrsatz innerhalb eines wiss. Systems.

Theorem der komparativen Kosten, →Freihandel.

theoretische Philosophie, im Unterschied zur prakt. Philosophie der Bereich der Philosophie, dessen Gegenstand die (reine) Theorie ist: u.a. Logik, Methodologie, Metaphysik.

Theorie [grch. »Betrachtung«, »Anschauung«] *die,* **1)** *allg.:* ordnende Verknüpfung von (Einzel)-

Beobachtungen über Gegenstände, Sachverhalte, Vorgänge und Handlungen; (abwertend) für eine nicht praxis- und anwendungsbezogene Betrachtungsweise; Erkenntnis um ihrer selbst willen (reine Theorie).

2) *Wissenschaft:* 1) rein gedankl. Betrachtungs- und Erklärungsweise im Unterschied zur prakt. Anwendung (Praxis); 2) ein System von Aussagen oder Sätzen, das der Zusammenfassung einzelner empir. Befunde eines bestimmten Erkenntnis- bzw. Objektbereichs oder auch formaler Erkenntnisse (Mathematik, Logik) dient; 2) ein wiss. Lehrgebäude, Lehre über die Grundlagen, Prinzipien und Gesetze eines Wissenschaftsbereichs.

Theosophie [grch. »Gottesweisheit«] *die,* Sammelbez. für mystisch-religiöse, spekulativ-naturphilosoph. Versuche, die Welt als Entwicklung Gottes zu erkennen und in myst. Schau zu erfassen. Nur Auserwählte können dieses Geheimwissen empfangen. Theosoph. Züge finden sich u. a. in der Kabbala, bei den Rosenkreuzern und Katharern, bei Hildegard von Bingen, Paracelsus, J. Böhme, F. von Baader, E. Swedenborg und in der russ. Religionsphilosophie; in neuerem Sinn ist die T. die von H. P. Blavatsky 1875 begründete Lehre vom Übersinnlichen. – In der T. gilt das Ich des Menschen als unsterblich und das Leben als eine Folge von Reinkarnationen. Endziel ist das Wieder-eins-Werden mit Gott.

📖 KUMAR, K. P.: *Die theosoph. Bewegung. Wermelskirchen 1996.*

Theosophische Gesellschaft, von Helena P. Blavatsky und H. S. Olcott 1875 in New York gegr. Vereinigung zur Pflege theosoph. Gedankengutes (→Theosophie, A. →Besant); Hauptsitz ist seit 1882 Adyar bei Madras. 1913 trennte sich die Gruppe um R. Steiner von der T. G. (→Anthroposophie).

Theotokopulos, Domenikos, span. Maler, gen. El Greco, →Greco.

Thera: Fresko mit der Darstellung eines Fischers (vor 1628 v. Chr.; Athen, Archäologisches Nationalmuseum)

Theotokos [grch. »Gottesgebärerin«], Ehrenname Marias, der Mutter Jesu (→Gottesgebärerin).

Thera (ngrch. Thira, seit dem MA. auch Santorin, ngrch. Santorini), die südlichste der Kykladen-Inseln, Griechenland, 76 km^2, 7100 Ew. T. sowie die kleineren Inseln Therasia und Aspronisi sind Reste eines bei einem gewaltigen Ausbruch (1628 v. Chr.) gesprengten Vulkankegels (Caldera, bis 566 m ü. M.); im Innern der Caldera entstanden die vulkan. Inseln Palaia Kameni und Nea Kameni. Die Insel T. ist mit Lava- und Aschendecken, v. a. mit einer bis 30 m mächtigen Schicht von Bimssteintuff bedeckt. – Ausgrabungen seit 1967 beim Dorf Akrotiri an der SW-Küste erweisen, dass auf T. eine bed., der minoischen Kultur Kretas nahe stehende bronzezeitl. Siedlung bestand, die durch den Vulkanausbruch im 17. Jh. v. Chr. zerstört wurde. In den freigelegten Häusern kamen hervorragend erhaltene Fresken, umfangreiche Keramikfunde, Gefäße und Geräte aus Stein zutage.

📖 KEHNSCHERPER, G.: *Kreta, Mykene, Santorin. Leipzig u. a.* ^{6}*1986.*

Thera

Therapeutikum *das,* Arzneimittel zur Behandlung von Krankheiten.

Therapie [grch.] *die,* alle der Beseitigung oder Linderung von Gesundheitsstörungen und Krankheitszuständen dienenden medizin. Maßnahmen (z. B. Pharmako-, Chemo-, Psycho-, Physio- oder Balneo-T.). Während die **spezif. T.** möglichst gezielt auf die Krankheit abgestimmt ist, bedient sich die **unspezif. T.** allg. heilungsfördernder Maßnahmen. Die **kausale T.** ist gegen die Krankheitsursachen gerichtet, z.B. gegen Krankheitserreger; die **symptomat. (palliative) T.** dagegen lindert oder beseitigt nur bestimmte Krankheitserscheinungen, z.B. Schmerzen.

Therbusch, Anna Dorothea, geb. Lisiewska, Malerin, *Berlin 23. 7. 1721, †ebd. 9. 11. 1782; Hofmalerin Friedrichs II., d. Gr., bedeutend sind v.a. ihre Porträts.

Theresia von Ávila [-'aβila] (Teresa von Ávila, Teresa de Jesús), eigtl. Teresa de Cepeda y Ahumada, gen. T. die Große, span. Karmelitin und Mystikerin, *Ávila 28. 3. 1515, †Alba de Tormes (Prov. Salamanca) 4. 10. 1582; reformierte den Karmeliterorden und gründete Reformklöster, aus denen der reformierte Zweig der →Karmeliter (Unbeschuhte Karmeliter) hervorging; unterstützt wurde sie dabei von Johannes vom Kreuz. T. verband eine streng asketisch geprägte Mystik mit tätiger Nächstenliebe; ihre Schriften gelten als Höhepunkt der span. Mystik; 1970 zur Kirchenlehrerin ernannt; Patronin Spaniens; Heilige, Tag: 15. 10.

Theresia von Lisieux

Theresia von Lisieux [-li'zjø] (Theresia vom Kinde Jesu und vom hl. Antlitz), eigtl. Marie Françoise Thérèse Martin, gen. Kleine hl. Theresia, frz. Karmelitin, *Alençon 2. 1. 1873, †Lisieux 30. 9. 1897. Ihr myst. Weg der geistl. Armut und Barmherzigkeit lehrt das unbedingte Angewiesensein des Menschen auf die Gnade Gottes; Autobiographie »Gesch. einer Seele« (1898). 1997 zur Kirchenlehrerin ernannt; Heilige, Tag: 1. 10.

Thermen

Der Schriftsteller und Philosoph Seneca beklagt sich in einem seiner Briefe (56) über das laute Leben in den Thermen:

»Wenn die Kräftigeren ihre Leibesübungen treiben ..., dann höre ich ihr Stöhnen und ... ihr Zischen und heftiges Keuchen. Wenn ich aber auf einen Müßiggänger stoße, der sich ... salben lässt, so höre ich das Klatschen der Hand (des Masseurs) auf den Schultern ... Nimm nun noch einen Zankteufel hinzu und einen ertappten Dieb und einen ..., der gern seine eigene Stimme im Bade ertönen hört; nimm ferner noch hinzu die, die unter lautem Klatschen des aufplätschernden Wassers ins Schwimmbassin springen! Außer diesen ... denke dir noch einen Haarausrupfer, der ... wieder und wieder seine dünne, schrille Stimme hervorpresst und erst schweigt, wenn er jemand die Haare unter den Achseln ausreißt und so einen anderen an seiner Statt schreien lässt.«

Theresienstadt (tschech. Terezín), Stadt im Nordböhm. Gebiet, Tschech. Rep., an der Eger, rd. 2700 Ew. – 1780 als Festung gegr. – Im KZ T. waren Nov. 1941 bis April 1945 rd. 141000 Menschen inhaftiert (nur 14000 überlebten).

Theriak [grch.] *der,* wichtigste und berühmteste Arznei des MA. aus über 60 (später 80) Bestandteilen (u.a. pflanzl. Drogen, z.B. Opium, Gewürze, Schlangenfleisch).

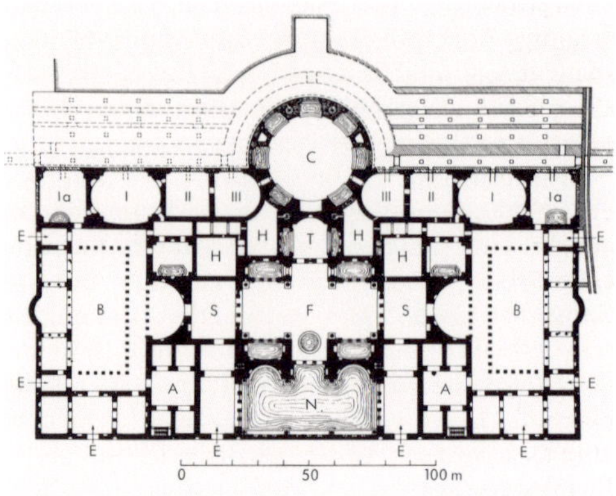

Thermen: Grundriss der Badeanlagen der Caracallathermen in Rom; A Apodyterium, B Palästra, C Caldarium, E Eingang, F Basilika mit Seitenräumen (S) sowie Wasserbecken zum Abkühlen, daher auch Frigidarium genannt, H Höfe, N Natatio, T Tepidarium, Ia, I, II und III beheizte Baderäume (Sudatorien, Laconicum)

therm... [grch.] (thermo...), wärme...

Thermaischer Golf (Golf von Saloniki), Teil des nördl. Ägäischen Meeres westlich der Halbinsel Chalkidike, Griechenland, bis 60 km breit, 110 km lang; an der inneren Bucht liegt Saloniki.

Therme [grch.] *die* (Thermalquelle), warme Quelle (zu Trinkkuren und Bädern), die Temperaturen über 20 °C aufweist.

Thermen, antike Badeanlagen, in Griechenland seit dem 5. Jh. v. Chr. (Olympia) nachweisbar. Bei den Römern entwickelten sich die T. zu gesellschaftl. und kulturellen Zentren. T. sind in privaten röm. Villen und fast gleichzeitig (seit dem 2. Jh. v. Chr.) als öffentl. Anlagen nachweisbar (Pompeji). Die T. hatten i.d.R. Umkleideraum (Apodyterium), Warmluftraum (Sudatorium), evtl. auch ein Schwitzbad (Laconicum), Warmwasserbad (Caldarium), Abkühlraum (Tepidarium), Kaltwasserbad (Frigidarium). Beim »kleinen Kaisertyp« kommen eine Palästra (Säulenhof), beim großen mehrere Palästren und ein Freibad (Natatio) dazu. Ferner gab es Gärten, Wasserspiele, Wandelgänge, Massage-, Aufenthaltsräume u.a. Die T. wurden urspr. durch große Feuerbecken erwärmt, zu Beginn des 1. Jh. v. Chr. gingen die Römer zu Hypokaustenheizung über (→Hypokaustum). Mit ihrer Grundrissbildung, den Tonnengewölben und Kuppeln gehören die T. zu den hervorragenden architekton. Leistungen der Römer. Die größten öffentl. T. sind in Rom die des Caracalla (337 × 328 m) und des Diokletian (356 × 316 m).

Thermidor [-'dɔːr, frz.] *der,* der 11. Monat im Kalender der Frz. Revolution (19. bzw. 20. Juli bis 17. bzw. 18. Aug.).

Thermik [grch.] *die,* aufwärts gerichtete Luftbewegung (Aufwind), hervorgerufen durch wärmeren Untergrund (Wärmeaufwind) oder Anhebung einer horizontalen Luftströmung durch die Geländeform; wird beim Segelflug ausgenutzt.

thermionischer Umwandler (Thermionikelement, thermionischer Konverter), Vorrichtung zur direkten Umwandlung von Wärmeenergie in elektr. Energie durch Ausnutzung der therm. Emission von Elektronen aus stark erhitzten Metalloberflächen (z. B. Glühkathode beim Glühkathodenwandler). In einem evakuierten oder mit einem dünnen Cäsiumdampf erfüllten Gefäß wird eine von zwei metall. Elektroden (Emitter) zur Elektronenemission erhitzt (**Cäsiumdiode;** Temperaturen bis zu etwa 1800 °C). Der Cäsiumdampf dient zur Herabsetzung der Austrittsarbeit und zur Kompensation der Raumladung. Von der (Glüh-)Kathode fließen die Elektronen zur gekühlten Anode (Kollektor). Die nutzbare Spannung ist die Differenz der Austrittsarbeiten der beiden Elektroden.

thermisch [grch.], die Wärme (therm. Energie) betreffend.

Thermistor [Kw. aus engl. **therm**ally sensitive res**istor**, »thermisch empfindlicher Widerstand«] *der* (Heißleiter, NTC-Widerstand), Halbleiterwiderstand mit temperaturabhängigem Widerstandswert, dessen Leitfähigkeit mit steigender Temperatur zunimmt. T. dienen u. a. zur Kompensierung von positiven Temperaturkoeffizienten, z. B. in Heizstromkreisen und als Halbleitermesswiderstände zur Temperaturmessung.

Thermo|analyse (thermische Analyse), analyt. Verfahren, bei dem die bei physikalisch-chem. Prozessen auftretenden Temperaturänderungen gemessen werden und die durch Temperaturänderungen hervorgerufenen Effekte Rückschlüsse auf die physikalisch-chem. Eigenschaften von Stoffen erlauben.

Thermochemie, Teilgebiet der Thermodynamik, das sich mit den Wärmeübergängen bei chem. Reaktionen befasst. Grundlage der T. ist der 1. Hauptsatz der → Thermodynamik, nach dem bei exothermen Reaktionen dieselbe Wärmemenge freigesetzt wird wie für ihre endotherme Umkehrung aufgewendet werden muss. Reaktionswärmen können mit → Kalorimetern gemessen werden. Experimentell nicht oder schwer bestimmbare Reaktionswärmen lassen sich nach dem **Hess-Gesetz** berechnen, wonach die auftretenden Wärmemengen unabhängig vom Reaktionsweg sind.

Thermochromie [zu grch. chrõma »Farbe«] *die,* Bez. für das Auftreten reversibler Farbänderungen von Feststoffen bei Temperaturänderungen. Die T. wird z. B. bei Temperaturmessstreifen und Temperaturlacken angewendet.

Thermodiffusion, die teilweise Entmischung eines Gemisches zweier Flüssigkeiten **(Soret-Effekt)** oder zweier Gase bei einem Temperaturgefälle. Dabei sammeln sich die leichteren Moleküle v. a. an Stellen höherer, die schwereren an Stellen tieferer Temperatur. Anwendung zur Isotopentrennung mit dem → Trennrohr.

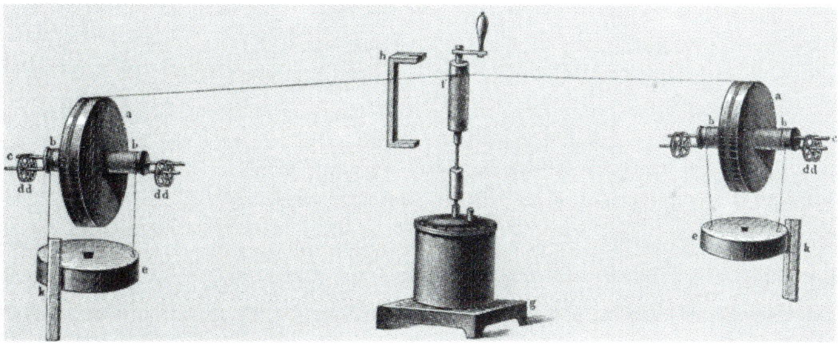

Thermodynamik: Versuchsanordnung von James Joule mit von zwei Gewichten (links und rechts) angetriebenen, in einem Kalorimeter (Mitte) angeordneten Schaufelrädern zur Wärmeerzeugung durch Reibung des Wassers, wodurch er die Menge der durch mechanische Arbeit erzeugten Wärme (mechanisches Wärmeäquivalent) ermittelte; Stahlstich aus der Abhandlung »On the mechanical equivalent of heat«, die im ersten Teil von Joules Schrift »Philosophical transactions« im Jahr 1850 erschienen ist

Thermodure [zu lat. durus »hart«], → Kunststoffe.

Thermodynamik, Teilgebiet der Physik, das sich mit Wärmeerscheinungen, insbesondere der Umwandlung von Wärme in eine andere Energieform (oder umgekehrt) befasst. Die **klass. (phänomenolog.) T.** untersucht Gleichgewichtszustände makroskop. (i. Allg. abgeschlossener) Systeme sowie die Zustandsänderungen beim Übergang von einem Gleichgewichtszustand in einen anderen, die mit einer Zu- bzw. Abfuhr von Wärme oder mechan. Energie (Arbeit) sowie Temperaturänderungen verbunden sind. Der Zustand eines thermodynamischen Systems im Gleichgewicht wird durch einen Satz thermodynam. Zustandsgrößen (Temperatur, Druck, Volumen, Energie, Entropie, Enthalpie u. a.) festgelegt, die durch Zustandsgleichungen miteinander verknüpft sind. Grundlage sind die Hauptsätze der Thermodynamik.

Thermodynamik

Der 1. Hauptsatz der Thermodynamik kann nach Wilhelm Busch sehr anschaulich auch folgendermaßen formuliert werden:

»Hier strotzt die Backe voller Saft,
da hängt die Hand, gefüllt
mit Kraft.
Die Kraft, infolge
der Erregung,
verwandelt sich in Schwingbewegung.
Bewegung, die in schnellem Blitze
zur Backe eilt, wird hier zur Hitze.
Ohrfeige heißt man diese
Handlung,
der Forscher nennt es
Kraftverwandlung.«

Der **1. Hauptsatz der T.** ist die thermodynam. Formulierung des Energiesatzes, nach dem Wärmeenergie und mechan. Energie wechselseitig ineinander umgewandelt werden können und die umgewandelten Arbeits- und Wärmebeträge äquivalent sind: Führt man einem System die Wärmemenge ΔQ zu und verrichtet die äußere Arbeit ΔW, so nimmt die Zustandsgröße →innere Energie U um ΔU zu, und es gilt $\Delta U = \Delta Q + \Delta W$. Der **2. Hauptsatz der T. (Entropiesatz)** gibt die Richtung der Energieumwandlungen an: Die →Entropie kann in einem abgeschlossenen thermodynam. System nur zunehmen oder (bei reversiblen Prozessen) höchstens gleich bleiben. – Aus beiden Hauptsätzen folgt die Unmöglichkeit der Konstruktion einer Maschine, die aus dem Nichts Arbeit leistet (→Perpetuum mobile). Nach dem **3. Hauptsatz der T. (nernstsches Wärmetheorem)** nimmt die Entropie eines thermodynam. Systems bei Annäherung an den absoluten Nullpunkt der Temperatur einen von Druck, Volumen u.a. Größen unabhängigen Wert (null) an, d.h., der absolute Nullpunkt ist nicht erreichbar. Als **nullter Hauptsatz der T.** wird zusätzlich oft die grundlegende Aussage bezeichnet, dass zwei Systeme, die im therm. Gleichgewicht mit einem dritten System stehen, sich auch untereinander im therm. Gleichgewicht befinden. Daraus folgt die Existenz der Temperatur als neben den mechan. Größen (Druck, Volumen) neue, intensive Zustandsgröße, die in Gleichgewichtssystemen überall gleich ist.

Nichtgleichgewichtszustände offener Systeme, in denen die Zeit als zusätzl. Variable auftritt, werden in der **T. irreversibler Prozesse** untersucht. Im Ggs. zur makroskop. T. berücksichtigt die **statist. T.** den atomaren Aufbau der Materie und leitet im Rahmen der statist. Mechanik daraus die makroskop. Gesetze der T. ab. Das Verhalten des thermodynam. Systems als Ganzes lässt sich damit auf das Verhalten der einzelnen Teilchen (z.B. Atome, Moleküle) zurückführen, aus denen sich das System zusammensetzt.

🕮 Gmehling, J. *u.* Kolbe, B.: *T. Weinheim u. a.* [2]*1992.* – Hahne, E.: *Techn. T. Bonn u. a.* [2]*1993.* – Cerbe, G. *u.* Hoffmann, H.-J.: *Einführung in die T. Von den Grundlagen zur techn. Anwendung. München u. a.* [10]*1994.*

Thermo|elektrizität [grch.-lat.], Sammelbez. für die Wechselwirkungen zw. Temperaturdifferenzen innerhalb eines elektr. Leitersystems und elektr. Strömen bzw. Spannungen. Zu den durch die T. bedingten **thermoelektr. Effekten** gehören insbesondere der →Seebeck-Effekt, der →Peltier-Effekt und der Thomson-Effekt (nach W. →Thomson).

Thermo|element, Kombination von Drähten zweier Metalle oder Halbleiter (Thermopaare), die aufgrund des →Seebeck-Effekts eine elektr. Spannung **(Thermospannung, Thermokraft)** bzw. im Leiterkreis einen elektr. Strom **(Thermostrom)** erzeugt, wenn die beiden Lötstellen auf versch. Temperaturen gebracht werden. Die T. finden Anwendung zur direkten Umwandlung von Wärme in elektr. Energie und zur Messung und Regelung von Temperaturen (→Thermometer). Beim Hintereinanderschalten mehrerer T. erhöht sich die Thermospannung proportional zur Anzahl der Elemente. Solche **Thermosäulen** werden als empfindl. Messinstrumente oder als Spannungsquelle (Thermobatterie) verwendet.

Thermofixieren, Formfestigen von thermoplast. Chemiefasern bzw. der aus ihnen hergestellten Textilien durch Erhitzen auf Temperaturen im Erweichungsbereich. T. verhindert Schrumpfen und Knittern im Gebrauch und erhöht die Formbeständigkeit der Textilien.

Thermographie [grch.] *die,* messtechn. Verfahren zum Sichtbarmachen und Aufzeichnen von Temperaturverteilungen und -änderungen an Oberflächen von Objekten durch die von diesen abgegebene Wärmestrahlung. Man erhält ein Wärmebild **(Thermogramm),** auf dem die unterschiedl. Farben bzw. Grauwerte durch langwellige Infrarotstrahlung zustande kommen. Wärmebilder lassen sich durch fotograf. Aufnahmen mit infrarotempfindl. Fotomaterial oder mit **Wärmebildgeräten (Thermographen)** erzeugen. **Wärmesichtgeräte,** die z.B. mit Infrarotdetektoren in CCD-Bauweise (→CCD) arbeiten, dienen zur direkten Betrachtung und benötigen im Gegensatz zu den Wärmebildgeräten kein aufwendiges mechan. Abtastsystem.

In der *Medizin* dient die T. v.a. zum Erkennen von Entzündungsprozessen und Brustkrebs. Die

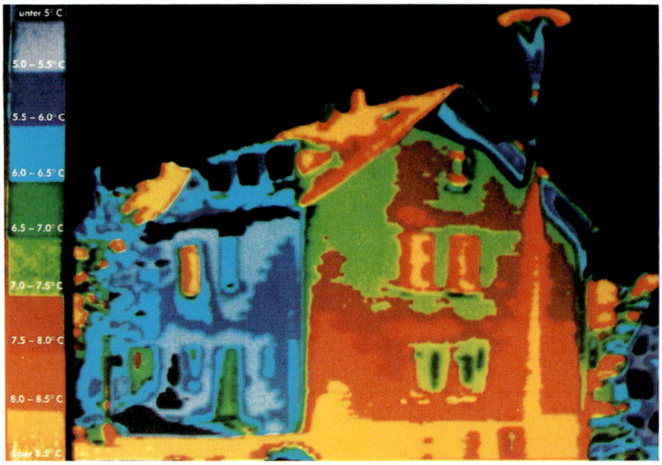

Thermographie: Wärmebild eines beheizten Hauses zur Feststellung unzureichender Wärmedämmung im Mauerwerk

bei diesen Veränderungen auftretende verminderte oder vermehrte Gefäßdurchblutung (darauf beruhen die Temperaturunterschiede) führt zu einer von den umgebenden Bereichen abweichenden Wärmestrahlung der Hautoberfläche, wobei Differenzen von bis zu 0,08 °C feststellbar sind. Mit diesem Verfahren können z. B. Tumoren in der Brust, die kleiner als 1 cm sind, nachgewiesen werden. – In der *Technik* wird die T. v. a. für zerstörungsfreie Prüfmethoden eingesetzt, z. B. bei der Suche nach Wärmelecks in Gebäudeisolationen sowie in der Fertigungskontrolle. Sie findet auch Anwendung in der Luftbild- und Satellitenfotografie und für militär. Nachtsichtgeräte.

📖 Rost, A.: *Lehrbuch der Regulationsthermographie. Stuttgart 1993.*

Thermokraft, → Thermoelement.

Thermolumineszenz, die Lumineszenz, die Minerale, Halbleiter oder Isolatoren bei Erwärmung über eine bestimmte Temperatur zeigen. Beim Erwärmen werden Elektronen befreit, die in höheren Energieniveaus (z. B. Haftstellen) eingefangen waren, wobei sie ihre Überschussenergie teilweise in Form von Strahlung abgeben können. Solche Elektronenfallen sind z. B. Fehler in der Kristallstruktur, die beim radioaktiven Zerfall von Spurenelementen entstehen und sich im Laufe der Zeit anhäufen. Daher können aus der Intensität der T. Schlussfolgerungen über das Alter geolog. Systeme, von Keramiken, Knochen, Muscheln u. a. gezogen werden **(T.-Analyse).**

Thermolyse [grch.] *die,* durch therm. → Dissoziation bewirkter spontaner Zerfall oder gezielte Spaltung von organ. Verbindungen, meist als Pyrolyse bezeichnet.

thermomagnetische Effekte, Gesamtheit versch. elektr. und therm. Erscheinungen, die bei Vorhandensein eines Magnetfeldes an einem Leiter oder Halbleiter auftreten, durch den ein Wärmestrom fließt.

Thermometamorphose (Pyrometamorphose), *Petrologie:* → Kontaktmetamorphose.

Thermometer [grch.] *das,* Gerät zur Temperaturmessung durch unmittelbaren Kontakt mit dem Messkörper **(Berührungs-T.)** oder durch die vom Messobjekt ausgesandte Strahlung bei **Strahlungs-T.** (→ Bolometer, → Pyrometer).

Berührungs-T., die auf der therm. Ausdehnung sowie den damit verknüpften Volumen- oder Druckänderungen beruhen **(Ausdehnungs-T.),** unterscheidet man entsprechend dem sich ausdehnenden Stoff: Beim **Gas-T.,** dem wichtigsten T. zur Messung thermodynam. Temperaturen (3 K bis 1400 K), misst man Druck und Volumen einer definierten Gasmenge (Wasserstoff, Stickstoff, Helium u. a.) und berechnet die Temperatur nach der therm. Zustandsgleichung für ideale Gase. Bei **Dampfdruck-T. (Tensions-T.)** ist der Dampfdruck einer Flüssigkeit ein Maß für die Temperatur. **Flüssigkeits-T.** bestehen aus einem kleinen Glaskolben zur Aufnahme der T.-Flüssigkeit (Quecksilber, −39 °C bis +630 °C; Toluol, −90 °C bis +110 °C; Pentan, −200 °C bis +35 °C), deren

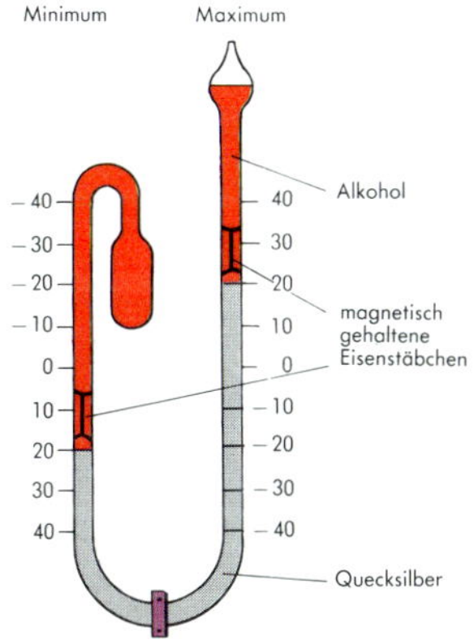

Thermometer: Schema eines Maximum-Minimum-Thermometers

temperaturabhängige Volumenänderung mithilfe einer Skale gemessen wird. Beim **Maximum-T.** (z. B. Fieber-T.) und dem **Minimum-T.** lässt sich die Maximal- bzw. Minimaltemperatur bis zum Ablesen speichern. Das **Maximum-Minimum-T.** dient zum Messen der höchsten bzw. tiefsten Temperatur. Es ist ein u-förmig gebogenes Alkohol-T., in dessen Kapillare die Flüssigkeit durch einen Quecksilberfaden unterbrochen ist; auf beiden Enden des Quecksilberfadens liegt je ein Eisenstäbchen, das mit dem Quecksilberfaden jeweils in Richtung maximaler oder minimaler Temperaturanzeige verschoben wird und nach dem Ablesen durch Lösen des festhaltenden Magneten auf die Quecksilbersäule zurückgebracht werden kann. Zu den **Metallausdehnungs-T.** (Temperaturbereich von 0 °C bis 1000 °C) gehören die **Bimetall-T.,** die aus einem Bimetallstreifen bestehen, der sich bei Temperaturänderungen wegen der unterschiedl. therm. Ausdehnungskoeffizienten der beiden Metalle krümmt. Die Krümmung kann durch einen Zeiger sichtbar gemacht oder durch eine Schreibvorrichtung aufgezeichnet werden (Thermograph). – Zu den T., die auf einem elektr. Umwandlungseffekt beruhen, gehören das → Thermoelement (von etwa 1 K bis 3000 K) und das **Widerstands-T.** (etwa 1 K bis 1340 K), bei dem die Temperaturabhängigkeit des spezif. elektr. Widerstandes eines Leiters (meist Platin, Kupfer oder Nickel) ausgenutzt wird. Die sehr empfindlich reagierenden **Halbleiter-T.** arbeiten mit Halbleiterwiderständen (Heißleiter), die eine nichtlineare Abhängigkeit ihres Widerstandes von der Temperatur aufweisen. – Verhältnismäßig grobe Temperaturanzeiger liefern Substanzen, die bei bestimmten Temperaturen einen Farbumschlag zeigen (→Thermochromie).

thermonukleare Reaktion, Verschmelzung leichter Atomkerne, bei der hohe Energiebeträge freigesetzt werden (→Kernfusion).

Thermoplaste, →Kunststoffe.

Thermopylen [»warme Tore«] (grch. Thermopylai), im Altertum der Engpass zw. dem Kallidromosgebirge, an dessen Fuß Schwefelthermen (40 °C) entspringen, und dem Golf von Lamia, damals die einzige Straße zw. Mittel- und N-Griechenland, daher von großer militär. Bedeutung. – 480 v. Chr. verteidigte der spartan. König Leonidas die T. gegen die Perser (→Perserkriege), wobei er und seine Krieger durch Verrat fielen. Heute ist die Landschaft durch Anschwemmungen gänzlich verändert.

Thermoregulation (Temperaturregulation, Wärmeregulation), die Fähigkeit homöothermer (warmblütiger) Organismen, ihre Körpertemperatur unter wechselnden Umweltbedingungen und unterschiedl. eigenen Stoffwechselleistungen bei geringen Schwankungen konstant zu halten. Die **Wärmebildung** wird v. a. durch eine Zunahme der motor. Nervenimpulse mit einer entsprechenden Steigerung des Skelettmuskelstoffwechsels (Zunahme des reflektor. Muskeltonus bis zum Kältezittern) bewerkstelligt. Mechanismen der **Wärmeabgabe** an die Umgebung sind die Wärmeleitung, Konvektion und die Wärmeabstrahlung von der Haut (sie sind variabel durch Aufrichten von Haaren bzw. Federn) sowie die Abkühlung durch Wasserverdunstung von der Hautoberfläche (durch die Schweißsekretion). Auch die Schleimhäute der Atemwege können durch Wasserverdunstung an der Wärmeabgabe beteiligt sein, bes. bei hechelndem Atmen (wie beim Hund und bei manchen Reptilien).

Thermopylen

»Wanderer, kommst du nach Sparta«

Im Jahr 480 v. Chr. verteidigte der Spartanerkönig Leonidas die Thermopylen, einen schmalen Küstenstreifen zwischen Meer und Gebirge, gegen die vordringenden Perser. Zum Gedenken an die Gefallenen der Schlacht bei den Thermopylen verfasste – nach der Überlieferung des griechischen Geschichtsschreibers Herodot – der griechische Lyriker Simonides von Keos ein Distichon, das Cicero in seinen »Tusculanae Disputationes« (I, 42, 101) ins Lateinische übertrug:
»Disc, hospes, Spartae nos te hic vidisse iacentes,
Dum sanctis patriae legibus obsequimur.«

Schiller nahm darauf in seiner Elegie »Der Spaziergang« (1795) Bezug und übersetzte die Zeilen:

»Wanderer, kommst du nach Sparta, verkündige dorten, du habest
Uns hier liegen gesehn, wie das Gesetz es befahl.«

Heinrich Böll gab einem 1950 erschienenen Band mit Erzählungen den Titel »Wanderer, kommst du nach Spa …«, und bei Günter Grass findet man in seinem Band »Totes Holz«, in dem er den geschädigten Wald mit seinen umgestürzten Bäumen zeichnete, eine Bildunterschrift: »Wanderer, du hast sie liegen sehn, wie das Gesetz es befahl.«

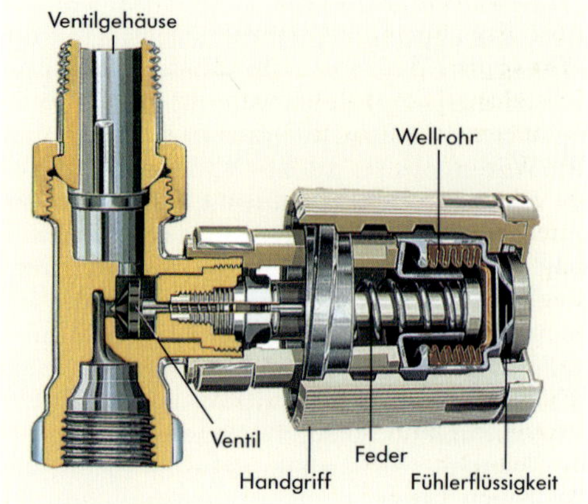

Thermostat: Schnittzeichnung eines Thermostatventils

Thermorezeptoren (Temperaturrezeptoren), nervale Strukturen des tier. und menschl. Körpers, die die Temperatur bzw. Temperaturänderungen (Wärme, Kälte) registrieren. Man unterscheidet **Thermoenterorezeptoren,** die als Innenrezeptoren die Temperatur im Körperinnern (v. a. die des Blutes) kontrollieren, von den **Thermoexterorezeptoren,** die als Außenrezeptoren in der Körperperipherie, d. h. der Haut, liegen und die Temperaturreize aus der Umwelt aufnehmen. Letztere sind in Form von **Temperaturpunkten** nachweisbar. Diese kommen in erhöhter Dichte im Bereich des Gesichts (v. a. an der Nasenspitze und am Mund) sowie an den Händen und Füßen, außerdem in Mund- und Nasenhöhle vor.

Thermosäule, →Thermoelement.

Thermosgefäße, Handelsname für innen verspiegelte, doppelwandige Gefäße (z. B. Thermosflasche) mit evakuiertem Hohlraum zw. beiden Wandungen. T. halten wegen schlechter Wärmeleitung den Inhalt lange auf gleicher Temperatur.

Thermospannung, →Thermoelement.

Thermostat [grch.] *der,* Gerät zum Konstanthalten der Temperatur. Das **T.-Ventil** an einem Heizkörper enthält ein Wellrohr, das durch den temperaturabhängigen Dampfdruck einer Fühlerflüssigkeit zusammengedrückt oder gedehnt wird und das Ventil betätigt. Mithilfe eines Einstellhandgriffs lässt sich die Temperatur für Öffnen und Schließen des Ventils einstellen.

Thesaurierung [grch.], **1)** Wiederanlage von Zinsen u. a. Erträgen in Wertpapieren (sog. **Thesaurierungsfonds**).

2) Gewinneinbehaltung von Unternehmen zur Selbst- bzw. Innenfinanzierung.

Thesaurus [lat., von grch. thēsaurós »Schatz«, »Schatzhaus«] *der,* **1)** alphabetisch und systematisch geordnetes, thematisch begrenztes Verzeichnis von Wörtern eines bestimmten (Fach-)Bereichs mit zahlr. Querverweisen; grundlegendes Hilfsmittel zur Wiederauffindung und inhaltl. Erschließung von Dokumenten und zur Wiedergewinnung von Informationen über jedes gewünschte Element des erfassten Bereichs.

2) Titel wiss. Sammelwerke, bes. großer Wörterbücher der alten Sprachen, z. B. der **T. Linguae Latinae,** das umfassende Wörterbuch in lat. Sprache (seit 1897 in München von dt. und ausländ. Akademien bearbeitet und herausgegeben) und der **T. Linguae Graecae,** das erste umfassende Wörterbuch des Altgriechischen (hg. 1572); der seit 1955 von B. Snell u. a. herausgegebene neue »T. Linguae Graecae« behandelt die Literaturgattungen getrennt.

These [grch.] *die,* Lehrsatz, Leitsatz; auch Behauptung, deren Begründung infrage steht. In der → Dialektik die Ausgangsbehauptung, der die Anti-T. gegenübergestellt wird.

Theseus, grch. Heros, Sohn des Aigeus oder des Gottes Poseidon, König von Athen. In seiner Jugend bestand er viele Abenteuer, u. a. tötete er Prokrustes und mithilfe der Ariadne im Labyrinth zu Knossos den Minotaurus. Seine Gemahlin war die Amazonenkönigin Antiope (oder Hippolyte), die ihm Hippolytos gebar, später heiratete er → Phädra. Seit dem 6. Jh. v. Chr. galt er den Athenern als Nationalheld. Weiteres BILD Minotaurus

Thesis [grch. »das Setzen«] *die, Musik:* der betonte (schwere) Taktteil; Ggs.: → Arsis.

Thespis, grch. Tragödiendichter des 6. Jh. v. Chr. aus dem att. Demos Ikaria; führte zw. 536 und 533 v. Chr. bei den Dionysien in Athen die erste Tragödie auf.

Thespiskarren, Wagen, auf dem Thespis (nach Horaz) seine Stücke aufgeführt haben soll; übertragen gebraucht für Wanderbühne.

Thess., Abk. für **Thess**alonicherbrief (N. T.).

Thessalien, Landschaft und Region im östl. Mittelgriechenland, 14 037 km², (1991) 731 200 Ew.; ein Becken, von hohen Gebirgen umrahmt, vom Peneios entwässert; die Kornkammer des Landes; Verw.sitz: Larissa. – Das antike T. hatte seine Blütezeit unter Iason von Pherä im 4. Jh. v. Chr.; 352 wurde es von Philipp II. Makedonien angegliedert, 148 v. Chr. von den Römern unterworfen.

Thessalonicherbriefe, im N. T. zwei Paulusbriefe an die Gemeinde in Thessalonike. Der **1. T.** (Abk. **1. Thess.**) ist der älteste erhaltene Brief des Paulus, verfasst um 50 in Korinth; der Apostel betont die Autorität der apostol. Verkündigung und gibt Ermahnungen für das Leben der Gemeinde. Thema des hinsichtlich der Autorschaft umstrittenen **2. T.** (Abk. **2. Thess.**) ist die Abwehr von in der Gemeinde verbreiteten falschen Vorstellungen über die Wiederkunft Christi (Parusie).

Thessalonike [ngrch. θɛsalɔn'iki], grch. Name von → Saloniki.

Theta *das,* Θ, ϑ, der 8. Buchstabe des grch. Alphabets.

Thetis, *grch. Mythos:* Meeresgöttin, Gattin des Peleus, Mutter des Achill, den sie (bis auf die Ferse) unverwundbar machte.

Theseus: Das zwischen 60 und 79 n. Chr. geschaffene Wandgemälde in einem Haus in Pompeji stellt Theseus als Befreier der athenischen Kinder dar, die dem Minotaurus geopfert werden sollten (heute Neapel, Museo Archeologico Nazionale)

Theuerdank (Teuerdank), allegor. Versroman (1517 vollendet) über die Brautwerbung des späteren Kaisers Maximilian I. um Maria von Burgund.

Thiabendazol, aus zwei heterozykl. Ringsystemen bestehende chemische Verbindung – chemisch das 2-(4-Thiazolyl)benzimidazol –, die als Fungizid (u. a. zur Bekämpfung von Mehltau, zur Schimmelverhütung bei Zitrusfrüchten und auf Bananen) verwendet wird.

Thiamin *das* (Vitamin B_1, Antiberiberifaktor), der B-Gruppe zugehöriges, wasserlösl. Vitamin (→ Vitamine).

Jacques Thibaud

Thibaud [ti'bo], Jacques, frz. Geiger, * Bordeaux 27. 9. 1880, † (Flugzeugunglück) am Mont Cemet bei Barcelonnette (Dép. Alpes-Maritimes) 1. 9. 1953; bildete mit P. Casals und A. Cortot ein berühmtes Kammermusiktrio.

Thibaut [ti'bo], Anton Friedrich Justus, Jurist, * Hameln 4. 1. 1772, † Heidelberg 28. 3. 1840. Sein Eintreten für ein dt. bürgerl. Gesetzbuch (1814) gab den Anstoß zu einer Gegenschrift F. C. von Savignys, die einen langen Streit zw. der »histor.«

(Savigny) und der »rechtsphilosoph.« (T.) Rechtsschule einleitete.

Thibaut IV de Champagne [tibo 'katr də ʃã'paɲ], frz. Dichter, *Troyes 30. 5. 1201, †Pamplona 7. 7. 1253; König von Navarra (1234–53); einer der bedeutendsten frz. Lyriker des MA., von dem rd. 60 Lieder (meist Liebeslieder) erhalten sind.

Thidrekssaga [ð-], altnord. Sagensammlung um Dietrich von Bern; entstanden in der Mitte des 13. Jh. in Norwegen.

Thiele, Rolf, Filmproduzent, -regisseur, -autor, *Redlice 7. 3. 1918, †München 9. 10. 1994; wurde bekannt durch seinen Film »Das Mädchen Rosemarie« (1958); drehte weiterhin u. a. »Auf Engel schießt man nicht« (1960), »Grieche sucht Griechin« (1966).

Thieler, Fred, Maler, *Königsberg (Pr) 17. 3. 1916; war Mitglied der Gruppe →Zen; bed. Vertreter der dt. informellen Malerei.

Helmut Thielicke

Thielicke, Helmut, evang. Theologe, *Barmen (heute zu Wuppertal) 4. 12. 1908, †Hamburg 5. 3. 1986; Prof. in Erlangen, Tübingen und Hamburg; Verfasser zahlr. Arbeiten zur luth. Dogmatik und Ethik; galt als Wortführer des konservativen Protestantismus.

Thieme-Becker, Kurzbez. für »Allg. Lexikon der bildenden Künstler von der Antike bis zur Gegenwart«, hg. von Ulrich Thieme (*1865, †1922) und Felix Becker (*1864, †1928), 37 Bde., 1907–50. Eine Fortsetzung ist das »Allg. Lexikon der bildenden Künstler des 20. Jh.«, hg. von Hans Vollmer (*1878, †1969), 6 Bde., 1953–62. Eine Neubearbeitung beider Lexika wurde 1969 vom VEB E. A. Seemann Verlag begonnen; u. d. T. »Allg. Künstlerlexikon. Die bildenden Künstler aller Zeiten und Völker« (1991 vom K. G. Saur Verlag übernommen) erschienen bislang 16 Bände.

Thieme Verlag, Georg, Fachverlag für Medizin und Naturwissenschaften, gegr. 1886 in Leipzig, seit 1946 mit Sitz in Stuttgart. Seit 1971 ist ihm der **Ferdinand Enke Verlag** angeschlossen.

Adolphe Thiers (Ausschnitt eines zeitgenössischen Holzschnitts)

Thiers [tjɛ:r], Adolphe, frz. liberaler Politiker und Historiker, *Marseille 14. 4. 1797, †Saint-Germain-en-Laye 3. 9. 1877; war unter König Louis Philippe 1836 und 1840 MinPräs., bekämpfte das Zweite Kaiserreich. Nach der Niederlage von Sedan (2. 9. 1870) zum Reg.chef gewählt, handelte er die Friedensbedingungen aus und ließ im Mai 1871 den Aufstand der Pariser →Kommune niederschlagen. 1871–73 war er der erste Präs. der Dritten Republik. – Als Historiker trug er wesentlich zur liberalen Idealisierung der Revolution von 1789 bei. *Werke:* Gesch. der frz. Revolution (10 Bde., 1823–27); Gesch. des Consulats und des Kaiserreichs (29 Bde., 1845–69).

Wolfgang Thierse

Thierse, Wolfgang, Politiker (SPD), *Breslau 22. 10. 1943; Germanist, schloss sich im Herbst 1989 der Oppositionsbewegung »Neues Forum« an. Im Jan. 1990 trat er der SPD der DDR bei (Juni bis Sept. 1990 deren Vors.), März bis Okt. 1990 Abg. in der Volkskammer; seit Okt. 1990 stellv. Bundesvors. der SPD; seit 1990 Mitgl. des Dt. Bundestages, seit Okt. 1998 dessen Präsident.

Thiès [tjɛs], Regionshptst. in Senegal, 70 km östlich von Dakar, 185 000 Ew.; kath. Bischofssitz; polytechn. Fachhochschule; Zentrum eines Erdnussanbaugebiets; Maschinenbau, Textil-, Düngemittelind.; Verkehrsknotenpunkt; nahebei Abbau von Phosphat.

Thiess, Frank, Schriftsteller, *Eluisenstein (bei Ikšķile, Livland) 13. 3. 1890, †Darmstadt 22. 12. 1977; prägte 1933 den Begriff der »inneren Emigration«, zu der er sich bekannte; schrieb v. a. zahlr. Romane, u. a. »Die Verdammten« (1923), »Tsushima« (1936), »Die grch. Kaiser. Die Geburt Europas« (1959), »Der Zauberlehrling« (1975).

Thietmar von Merseburg, Geschichtsschreiber, *25. 5. 975, †1. 12. 1018; Sohn des Grafen S. von Walbeck, seit 1009 Bischof von Merseburg. Seine Chronik der Liudolfinger (bis 1018; begonnen 1012) ist eine bed. Quelle v. a. für die otton. Ostpolitik.

Fred Thieler: ohne Titel (1956; Privatbesitz)

Thieu [θieu̯], Nguyen Van, südvietnames. Politiker, →Nguyen Van Thieu.

Thimig, österr. Schauspielerfamilie; bed. Vertreter: **1)** Hans, *Wien 23. 7. 1900, †ebd. 17. 2. 1991, Sohn von 3); subtiler Komiker; u. a. 1918–24 und ab 1949 am Burgtheater in Wien; auch Regisseur.

2) Helene, *Wien 5. 6. 1889, †ebd. 7. 11. 1974, Tochter von 3); spielte u. a. in Meiningen und Berlin (1917–33); ⚭ mit M. Reinhardt; emigrierte 1933 in die USA; 1948–54 und 1960 Prof. an der Wiener Akademie für Musik und darstellende Kunst.

3) Hugo, *Dresden 16. 6. 1854, †Wien 24. 9. 1944, Vater von 1) und 2); ab 1874 am Wiener Burgtheater, 1912–17 dessen Direktor.

Thimphu [-'pu] (Thimbu), Hptst. (seit 1960) von Bhutan, 2600 m ü. M., 27 000 Ew.; Kunsthandwerk.

Thing, *german. Recht:* → Ding.

Thio... [zu grch. theĩon »Schwefel«], Vorsilbe bei chem. Verbindungen, die den Ersatz eines Sauerstoffatoms durch ein Schwefelatom kennzeichnet.

Thiocyanate (früher Rhodanide), Salze und Ester der Thiocyansäure; allg. Formel M^ISCN (M^I= einwertiges Metallkation) oder R–SCN (R= organ. Rest). T. dienen u. a. als Fungizide, Textilhilfsmittel und Fixierzusätze in der Fotografie.

Thiocyansäure (früher Rhodanwasserstoffsäure), H–S–C≡N, farbloses, leicht wasserlösl. Gas, das sich im tautomeren Gleichgewicht (→ Tautomerie) mit der **Iso-T.** (S=C=N–H) befindet. Die Substitution des Wasserstoffs führt entsprechend zu zwei Reihen von Derivaten, den → Thiocyanaten und den Isothiocyanaten.

Thioharnstoff (Thiocarbamid), $H_2N–CS–NH_2$, vom → Harnstoff durch Ersatz des Sauerstoffatoms durch ein Schwefelatom abgeleitete Verbindung, die in einem tautomeren Gleichgewicht (→ Tautomerie) mit **Isothioharnstoff** steht. T. ist eine farblose, kristalline, wasserlösl. Verbindung, die u. a. bei der Herstellung von Aminoplasten, als Zusatz zu Reinigungs- und Poliermitteln sowie in Silberputzmitteln Verwendung findet. T.-Derivate dienen u. a. als Antioxidantien und Vulkanisationsbeschleuniger.

Thiole (Thioalkohole, früher Mercaptane), den Alkoholen entsprechende organ. Verbindungen mit der allg. Formel R–SH (R= aliphat. oder aromat., auch heterozykl. Rest), bei denen der Sauerstoff durch Schwefel ersetzt ist. T. sind unangenehm riechende, schwach sauer reagierende Gase, Flüssigkeiten oder Feststoffe. Die Salze werden als **Thiolate** bezeichnet.

Thionville [tjɔ̃'vil] (dt. Diedenhofen), Stadt im Dép. Moselle, Frankreich, in N-Lothringen, an der Mosel, 40 800 Ew.; Schwerind. (Verhüttung, Stahl- und Walzwerke, Kokereien), basierend auf dem Eisenerzbergbau westlich. von T.; chem., Kfz-, Elektroind., Brauereien; Flusshafen. – Altes Rathaus mit Belfried (14. und 17. Jh.), Barockhäuser mit Laubengängen (16.–17. Jh.). – Seit dem 8. Jh. belegt, bevorzugte Residenz der Karolinger; kam 870 an das Ostfränk. Reich, im 11. Jh. an die Grafen von Luxemburg (Stadt seit 1239), 1445 an das Herzogtum Burgund, danach an das Haus Habsburg; 1659 wurde es frz.; im 18./19. Jh. von S. de Vaubau zur Festung ausgebaut.

Thiruvananthapuram (früher Trivandrum), Hptst. von Kerala, S-Indien, an der Malabarküste, 524 000 Ew.; Sitz eines Bischofs der syro-malankares. Katholiken; Univ., medizin. Hochschule; Zucker-, Textilind. – Festungsanlage (18. Jh.) mit dem Vishnutempel Padmanabhasvamy (16. Jh.) mit siebenstöckigem Gopura.

Hans Thoma: »Schwarzwaldlandschaft« (1867; Bremen, Kunsthalle)

Thisbe, → Pyramus und Thisbe.

Thixotropie [grch.] *die,* die Eigenschaft bestimmter Zweistoffsysteme (Gele), durch mechan. Beanspruchung (Rühren, Schütteln, Einwirkung von Ultraschall) vom festen in den flüssigen Zustand überzugehen, ohne dass sich dabei der Wassergehalt ändert. In Ruhe verfestigt sich die Substanz wieder.

$CH_3–SH$

Methanthiol (Methylmercaptan)

$HS–(CH_2)_3–SH$

Propandithiol

Thiole

Thököly ['tøkøj] (Tököly), Imre (Emmerich) Graf, ungar. Freiheitskämpfer, * Käsmark (heute Kežmarok, Slowak. Rep.) 25. 9. 1657, † İzmit 13. 9. 1705; ab 1678 Anführer der Kuruzen, befreite bis 1680/82 mit frz. und osman. Hilfe ganz Oberungarn von habsburg. Herrschaft und wurde vom Sultan zum Fürsten von Oberungarn (1678/82–85) und Siebenbürgen (1690) ernannt. Seit 1681 ⚭ mit Ilona → Zrínyi; musste 1697 in die Türkei fliehen.

Helene Thimig

Tholey, Gemeinde im Landkreis Sankt Wendel, Saarland, am Fuß des Schaumbergs, 13 400 Ew.; Benediktinerkloster (gegr. im 7. Jh., Kirche 13. Jh.).

Tholos [grch.] *die* oder *der,* in der grch. Antike der Rundbau, meist eine flach überdeckte Ringhalle.

Thom [tɔm], René, frz. Mathematiker, * Montbéliard 2. 9. 1923; arbeitete über algebraische Topologie und Differenzialtopologie, insbesondere über Singularitätentheorie und deren Anwendungen im Rahmen der Katastrophentheorie; erhielt 1958 die Fields-Medaille.

Hugo Thimig

Thoma, 1) Hans, Maler, * Bernau (Kr. Waldshut) 2. 10. 1839, † Karlsruhe 7. 11. 1924; lebte seit 1870 in München (W. Leibl und seinem Kreis nahe stehend), seit 1876 in Frankfurt am Main und von 1899 bis 1916 in Karlsruhe, wo er Leiter der Kunsthalle und Akademieprofessor war. T. malte realist. Porträts seiner Familie, bäuerl. Figurenbilder und

Ludwig Thoma

E. Donnall Thomas

stimmungsvolle Landschaften; auch mytholog., allegor. und religiöse Bilder. Unter den graf. Arbeiten sind die Lithographien hervorzuheben.

2) Ludwig, Pseud. Peter Schlemihl, Schriftsteller, *Oberammergau 21. 1. 1867, †Rottach (heute zu Rottach-Egern) 26. 8. 1921; wurde 1899 Redakteur des »Simplicissimus«; bekannt v.a. durch seine »Lausbubengeschichten« (1905) sowie »Jozef Filsers Briefwexel« (Erz., 1912). T. schrieb auch Bauernromane und Komödien, in denen er den oberbayr. Dialekt gestalterisch einsetzte; 1914 polit. Wende zum Deutschnationalen; schrieb anonym zahlr. antidemokrat. und antisemit. Artikel.

Thomanerchor, Knabenchor, gebildet aus Schülern der Thomasschule in Leipzig, deren Geschichte bis 1212 zurückreicht. Zu den Thomaskantoren zählen u.a. J. H. Schein (1616–30), J. Kuhnau (1701–22), J. S. Bach (1723–50); im 20. Jh.: K. Straube (1918–39), G. Ramin (1940–56), K. Thomas (1956–60), E. Mauersberger (1961–72), H. J. Rotzsch (1972–91), G. C. Biller (seit 1992).

Thomas, im N. T. Apostel; zweifelte nach Joh. 20, 24 ff. an der Auferstehung Jesu (»ungläubiger T.«); wirkte nach der frühchristl. Überlieferung als Missionar in Persien und Indien (→Thomaschristen), wo er nach den **Thomasakten,** einer im 3. Jh. verfassten romanhaften Beschreibung seines Lebens, den Märtyrertod erlitten haben soll; Heiliger, Tag: 3. 7.; in den Ostkirchen: 6. 10. BILD Apostel

Thomas von Aquin: Tafel eines Altarwerkes von Carlo Crivelli, Ausschnitt (1476; London, National Gallery)

Thomas, 1) [tɔ'ma], Ambroise, frz. Komponist, *Metz 5. 8. 1811, †Paris 12. 2. 1896; komponierte v.a. Opern, u.a. »Mignon« (1866), »Hamlet« (1868), daneben Ballette und Kirchenmusik.

2) ['tɔməs], Dylan, walis. Schriftsteller, *Swansea 27. 10. 1914, †New York 9. 11. 1953. In seinen Dichtungen mit ihrer bewegten, assoziativen surrealist. Bildsprache spiegeln sich Kindheitserinnerungen und Naturerleben, Schuldgefühl und Angst, kelt. Sagenwelt und die Welt der Bibel. – »Porträt des Künstlers als junger Dachs« (Erz., 1940), »Tode und Tore« (Ged., 1946), »Unter dem Milchwald« (Hörspiel und Bühnenstück, hg. 1954).

Dylan Thomas: Ausschnitt eines Gemäldes des Zeitgenossen Augustus John (Cardiff, Welsh National Museum)

3) ['tɔməs], Edward Donnall, amerikan. Mediziner, *Mart (Tex.) 15. 3. 1920; erhielt für seine Entdeckungen auf dem Gebiet der Organ- und Zelltransplantation 1990 mit J.E. Murray den Nobelpreis für Physiologie oder Medizin.

4) Kurt, Chorleiter, *Tönning 25. 5. 1904, †Bad Oeynhausen 31. 3. 1973; war 1956–60 Thomaskantor in Leipzig; auch Komponist geistl. und weltl. Chorwerke.

5) ['tɔməs], Michael Tilson, amerikan. Dirigent, *Los Angeles (Calif.) 21. 12. 1944; 1971–79 Musikdirektor des Buffalo Philharmonic Orchestra, 1981–85 1. Gastdirigent des Los Angeles Philharmonic Orchestra, 1988–95 Chefdirigent des London Symphony Orchestra, seit 1995 des San Francisco Symphony Orchestra.

Thomas d'Angleterre (Thomas of Britain), anglonormann. Dichter der 2. Hälfte des 12. Jh.; verfasste einen Tristanroman in anglonormann. Sprache, von dem neun (insgesamt 3150 Verse umfassende) Fragmente erhalten sind.

Thomas von Aquin (Thomas von Aquino), gen. Doctor communis und Doctor angelicus, italien. Philosoph, Theologe und Kirchenlehrer, *Schloss Roccasecca (bei Aquino) 1224 oder 1225, †Abtei Fossanova (Latium) 7. 3. 1274; aus gräfl. Geschlecht, Dominikaner, Schüler von Albertus Magnus in Köln; lehrte in Paris, Orvieto, Viterbo, Rom und Neapel.

T. von Aquin war der bedeutendste Philosoph und Theologe des MA. Er fasste den überlieferten Augustinismus mit den Lehren des erst zu seiner Zeit dem Abendland insgesamt bekannten Aristoteles in einer philosophisch-theolog. Synthese zusammen. Über Augustinus, Dionysius Areopagita, Ibn Sina u.a. wirkten aber auch platon. und neuplaton. Gedanken auf ihn ein. Er erkannte die Berechtigung des Wissens neben dem Glauben und den Wert einer selbstständigen Philosophie an, ordnete diese jedoch der Theologie als der auf Autoritätswissen basierenden Fundamentalwiss. unter. Die Einheit seines Systems ist darin begründet, dass alle Einzelsätze auf wenige ontolog. Grundprinzipien zurückgeführt werden. Alles innerweltl. Seiende ist aufgrund der →Teilhabe am göttl. Sein in unterschiedl. Graden der Vollkommenheit auf dieses bezogen; die Analogia Entis (→Analogie) ist Voraussetzung der natürl. Gotteserkenntnis. Der in dieser Schöpfungsordnung als Einheit von Leib und Seele definierte Mensch ist in seinem Erkenntnisstreben auf das Schauen Gottes, in seinem Willen auf das höchste Gut gerichtet. In der universalen Erkenntnisfähigkeit der geistigen Seele und in ihrer Unmittelbarkeit zu Gott gründet der ontolog. Rang der menschl. Person. Im Blick auf die Heilsgeschichte entwickelte T. von Aquin seine Lehre eines auf natürliche Vernunft gegründeten und durch praktische Vernunft zu realisierenden Naturrechts. In der Theologie entfaltete er die scholast. Wiss. von Gottes Offenbarung, indem er sich u. a. um eine umfassende Begründung der Hl. Schrift bemühte. Heiliger, Tag: 28. 1. (→Thomismus, →Neuscholastik)

Werke: De ente et essentia (1253–55); Quaestiones disputatae, u. a.: De veritate (1256–59), De malo (1266–67); Summa theologica (1267–73); Summa contra gentiles (1269–89).

📖 PESCH, O. H.: *T. von Aquin. Grenze u. Größe mittelalterl. Theologie. Mainz 1988.* – PIEPER, J.: *T. von Aquin. München* [4]*1990.* – CHENU, M.-D.: *T. von Aquin. Aus dem Frz. Reinbek 1995.*

Thomas von Celano (italien. Tommaso da Celano), Franziskaner, *Celano (Prov. L'Aquila) um 1190, †Tagliacozzo (Prov. L'Aquila) um 1260; verfasste 1229 und, in einer erweiterten Form 1245–47, zwei Biographien über Franz von Assisi.

Thomas von Kempen (lat. Thomas a Kempis), eigtl. T. Hemerken, Mystiker, *Kempen 1379 oder 1380, †Kloster Agnietenberg (bei Zwolle) 25. 7. 1471; bed. Vertreter der →Devotio moderna; gilt als Verfasser des seit dem 15. Jh. weit verbreiteten Erbauungsbuches »De imitatione Christi« (→Nachfolge Christi, um 1420).

Thomas|akten, →Thomas (Apostel).

Thomas Becket, engl. Erzbischof, →Becket, Thomas.

Thomas|christen, Selbstbez. der Christen an der Malabarküste in S-Indien, die die Entstehung ihrer Kirchen auf die Missionstätigkeit des Apostels →Thomas zurückführen. (→syrische Kirchen)

Thomasin von Circlaere (T. von Zerklaere), mhd. Dichter, *Friaul um 1186, †nach 1216; war Domherr in Aquileja, verfasste 1215 das Lehrgedicht »Der wälsche (welsche) Gast«. BILD S. 100

Thomasius, Christian, Rechtslehrer und Philosoph, *Leipzig 1. 1. 1655, †Halle (Saale) 23. 9. 1728; Prof. in Halle; hielt 1687 als einer der ersten Hochschullehrer Vorlesungen in dt. Sprache und gab 1688 die erste wiss. Zeitschrift in dt. Sprache heraus. Er strebte die Befreiung von Philosophie und Wissenschaft von der Vorherrschaft der Theologie und der Scholastik an und war damit einer der bedeutendsten Vertreter der dt. Aufklärung. In seiner Naturrechtslehre sah er das Naturrecht als auf das »natürl. Licht« der Vernunft gegründet an (im Unterschied zum positiven Recht, das er als obrigkeitl. Zwangsfestsetzung verstand).

Christian Thomasius (Ausschnitt eines zeitgenössischen Kupferstichs)

Thomas-Verfahren [nach dem brit. Metallurgen Sidney Gilchrist Thomas, *1850, †1885], älteres Verfahren zur Stahlerzeugung aus phosphorreichen Eisenerzen, bei dem durch am Boden des mit bas. Futter (Dolomitsteine oder -stampfmassen) ausgekleideten Konverters **(Thomaskonverter, Thomasbirne)** befindl. Düsenöffnungen Luft in das flüssige Roheisen geblasen wird. Der zu Phosphorpentoxid oxidierte Phosphor bildet mit dem als Zuschlag beigefügten Kalk die **Thomasschlacke,** die fein gemahlen als Phosphatdünger (Thomasmehl) verwendet wird. **Thomasstahl** dient

Thomas von Kempen: Seite aus einer Ende des 15. Jh. entstandenen flämischen Pergamenthandschrift des Erbauungsbuches »De imitatione Christi« (Wien, Österreichische Nationalbibliothek); die Miniatur zeigt den Autor bei seiner Arbeit

u. a. zur Fertigung von Schienen, Profileisen und Blechen; er ist als Qualitätsstahl nicht geeignet.

Thomịsmus *der,* Sammelbez. für an →Thomas von Aquin anschließende theolog. und philosoph. Positionen und Richtungen des 14.–19. Jh., die seine Anschauungen z. T. stark veränderten. Im 19. Jh. (v. a. in der 2. Hälfte) erlebte der T. eine neue Blüte (→Neuscholastik, →Scotismus).

Emma Thompson

Thọmkins, André, schweizer. Zeichner und Maler, *Luzern 11. 8. 1930, †Berlin (West) 8. 11. 1985. In seinen meist kleinformatigen Zeichnungen entstehen aus Wortspielen Räume mit Landschaften und Figuren.

Thomon [tɔ'mɔ̃], Thomas de, frz. Architekt, Maler und Grafiker, *Nancy 21. 12. 1754, †Sankt Petersburg 4. 9. 1813; wurde 1802 Hofarchitekt Alexanders I. in Sankt Petersburg, wo er die Börse (1805–16) baute und deren Umgebung städtebaulich neu gestaltete.

George Thomson

Thompson [tɔmpsn], **1)** Sir Benjamin, amerikan. Physiker und Staatsmann, →Rumford.

2) Emma, brit. Schauspielerin, *London 15. 4. 1959; studierte engl. Literatur in Cambridge; arbeitete zunächst am Theater, übernahm ab 1988 auch Filmrollen, u. a. in »Schatten der Vergangenheit« (1990), »Wiedersehn in Howards End« (1991), »Viel Lärm um nichts« (1993), »Was vom Tage übrigblieb« (1993), »Junior« (1994), »Carrington« (1995), »Sinn und Sinnlichkeit«, 1996.

3) Francis, engl. Schriftsteller, *Preston 18. 12. 1859, †London 13. 11. 1907; kath. Mystiker; suchte Gott in der Natur. Seine Sprache ist voll leidenschaftl. Symbolik; schrieb »Der Jagdhund des Himmels« (Dichtung, 1893), Lyrik, Essays.

Joseph Thomson (Bleistiftzeichnung, um 1920)

Thomson [tɔmsn], **1)** Sir (seit 1943) George Paget, brit. Physiker, *Cambridge 3. 5. 1892, †ebd. 10. 9. 1975, Sohn von 3); wies gleichzeitig mit C. J. Davisson und L. H. Germer die Beugung und Interferenz von Elektronenstrahlen nach, erhielt 1937 (mit C. J. Davisson) den Nobelpreis für Physik.

2) James, schott. Dichter, *Ednam (Scottish Borders) 11. 9. 1700, †Richmond (heute zu London) 27. 8. 1748. Sein naturbeschreibendes Gedicht »Die Jahreszeiten« (4 Tle., 1726–30; vertont von J. Haydn, 1801) gilt als Wegbereiter der engl. Romantik.

Michael Thonet: Wiener Kaffeehausstuhl

3) Sir (seit 1908) Joseph John, brit. Physiker, *Cheetham Hill (heute zu Manchester) 18. 12. 1856, †Cambridge 30. 8. 1940, Vater von 1); wies nach, dass die Kathodenstrahlen Ströme freier Elektronen sind, entwickelte eine atomist. Struktur der Elektrizität, bestimmte die Elementarladung und das Verhältnis von Ladung und Masse für Elektronen; erhielt 1906 den Nobelpreis für Physik.

4) Sir (seit 1866) William, Lord Kelvin of Largs (seit 1892), brit. Physiker, *Belfast 26. 6. 1824, †Netherhall (bei Largs, North Ayrshire) 17. 12. 1907; einer der Schöpfer der klass. Thermodynamik; schuf die absolute Temperaturskala (→Kelvin), fand 1853 mit J. P. Joule den →Joule-Thomson-Effekt, erfand physikal. Geräte und Messinstrumente und entdeckte 1856 den thermoelektr. **T.-Effekt,** eine zusätzlich zur Joule-Wärme auftretende Erwärmung oder Abkühlung eines homogenen stromdurchflossenen Leiters bei Bestehen eines Temperaturgefälles; mit J. J. Thomson entwickelte er 1898 ein Atommodell.

Thomson S. A. [tɔm'sɔn sɔsje'te anɔ'nim], bed. frz. Elektro- und Elektronikkonzern, Sitz: Paris; gegr. 1893 als Compagnie Française Thomson Houston. 1996 beschloss die frz. Reg. das Unternehmen zu privatisieren und es in **Thomson Multimédia** und **Thomson-CSF S. A.** (überwiegend Rüstungsproduktion) aufzuspalten.

Thomasin von Circlaere: Seite aus einer illustrierten Handschrift des Lehrgedichts »Der wälsche Gast« (13. Jh.; Heidelberg, Universitätsbibliothek)

Thọnet, Michael, Tischler und Industrieller, *Boppard 2. 7. 1796, †Wien 3. 3. 1871; erfand 1830 ein Verfahren, Holz im Dampf zu biegen. Seit 1842 in Wien, stellte er nach diesem Verfahren Stühle (seit 1861 auch Schaukelstühle) her, die weltbekannt wurden. Weiteres Bild Möbel

Thọr (Thorr), altnord. Gott, →Donar.

Thora [auch -'ra; hebr. »Lehre«, »Weisung«, »Gesetz«] *die* (Tora), im Judentum Bez. für die fünf Bücher Mose (den →Pentateuch), die als »schriftl. T.« **(Sefer-Thora.)** zus. mit der im Talmud enthaltenen »mündl. T.« das jüd. Religionsgesetz bilden. Die T. ist das Kernstück jüd. Glaubens und die Grundlage für das eth. Verhalten der Juden; im Verlauf eines Jahres wird sie, in Abschnitte eingeteilt, im Gottesdienst am Sabbat aus der im **Thoraschrein** aufbewahrten **Thorarolle** vorgelesen. Weiteres BILD jüdische Kunst

Thorax [grch.] *der,* der →Brustkorb beim Menschen und bei den Wirbeltieren.

Thoreau [θɔ'rəʊ], Henry David, amerikan. Schriftsteller, *Concord (Mass.) 12. 7. 1817, †ebd. 6. 5. 1862; eng befreundet mit R. W. Emerson; Vertreter des amerikan. →Transzendentalismus; schrieb als radikaler Nonkonformist den Essay »Widerstand gegen die Regierung« (1849). 1845–47 lebte er in einer selbsterbauten Blockhütte am Walden Pond bei Concord. In seinem bekanntesten Werk »Walden« (1854) entwickelte er die Idee eines grundlegenden inneren Wandlungsprozesses zur Verwirklichung des individuellen Selbst; schrieb u.a. auch aufschlussreiche Tagebücher (1834–62) sowie Schriften gegen die Sklaverei. Sein Werk war von weltweiter Wirkung (L. N. Tolstoi, M. Gandhi, M. L. King).

Thorez [tɔ'rɛ:z], Maurice, frz. Politiker, *Noyelles-Godault (Dép. Pas-de-Calais) 28. 4. 1900, †(während einer Schiffsreise im Schwarzen Meer) 11. 7. 1964; war 1930–64 Gen.-Sekr. der frz. KP; 1946 und 1947 stellv. Ministerpräsident.

Thorium [nach dem altgerman. Gott Thor] *das,* chem. Symbol **Th,** Element aus der Reihe der →Actinoide im →Periodensystem der chemischen Elemente; Ordnungszahl 90, relative Atommasse 232,0381, Dichte 11,724 g/cm^3, Schmelzpunkt 1755 °C, Siedepunkt rd. 4800 °C. T. ist ein radioaktives, silberweißes, weiches Metall, das in seinem chem. Verhalten dem Zirkonium ähnelt. Natürlich vorkommendes T. besteht fast ausschl. aus dem Isotop ^{232}Th, das als Anfangsglied der T.-Zerfallsreihe (→Radioaktivität) mit einer Halbwertszeit von 14,1 Mrd. Jahren als α-Strahler zerfällt. Angereichert findet sich T. im →Monazit, im Thorit, $ThSiO_4$, und Thorianit, $(Th,U)O_2$. Zur Gewinnung von T. werden die Erze mit konzentrierter Schwefelsäure oder Natronlauge aufgeschlossen, T. als Oxalat gefällt und nach Verglühen zum Oxid mit Calcium reduziert. Auch durch Reduktion von T.-Tetrafluorid, ThF_4, oder T.-Tetrachlorid, $ThCl_4$, mit Calcium oder Magnesium erhält man T. – T. tritt in seinen Verbindungen fast ausschließlich mit der Oxidationszahl +4, selten mit den Oxidationszahlen +3 und +2 auf. Die weitaus wichtigste Verbindung ist das **T.-Dioxid,** ThO_2, eine weiße, pulverige Substanz (Schmelzpunkt >3200 °C), die sich beim Glühen der meisten Thoriumsalze bildet. – Verwendung findet metall. T. u.a. zur Herstellung spezieller Legierungen, von einigen Katalysatoren und als Getter in der Vakuumtechnik. In der Kerntechnik besitzt T. Bedeutung als Kernbrenn- und Brutstoff (→Brüten). Der größte Teil des T. wird in Form von T.-Dioxid als hochtemperaturfestes und chemisch resistentes keram. Material zur Herstellung u.a. von Schmelztiegeln für die Feinmetallurgie und für das chem. Laboratorium sowie als Zusatz zu Spezialgläsern für elektr. Entladungsgefäße verwendet.

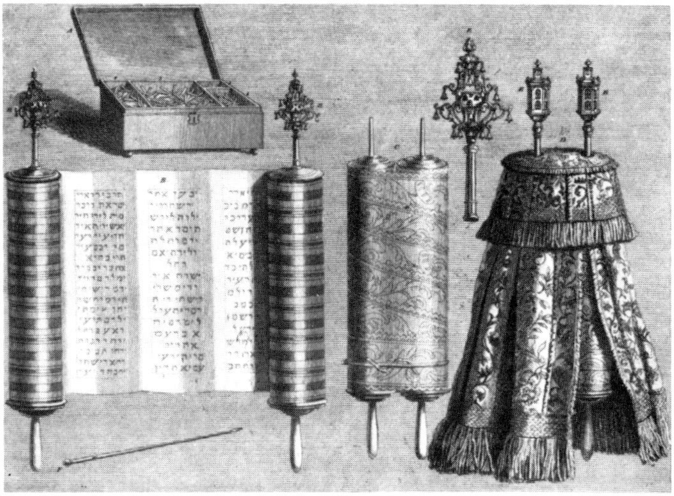

Thora: Der Kupferstich aus dem Jahr 1725 stellt eine geöffnete und eine geschlossene Thorarolle (Aufsatz dahinter) mit dem Thoramantel (rechts) sowie einem Thorakasten, der die Namen der Mitglieder der Synagoge enthält, dar

Henry D. Thoreau: Kreidezeichnung (1854)

Thorn (poln. Toruń), Hptst. der Wwschaft Toruń, Polen, an der Weichsel, 203100 Ew.; Univ., Teile der Poln. Akademie der Wiss., Offiziershochschule; Museen, zwei Theater; Chemiefaserwerke, Kunstdüngerfabrik, elektrotechn., elektron., Maschinenbau-, Nahrungsmittel-, Wollind.;

Thorn: Ansicht der mittelalterlichen Backsteinstadtmauer (13.–15. Jh.) mit einem Bürgerhaus aus dem Jahr 1489 und der Wächterbastei (13. Jh.) links daneben

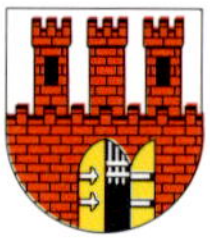

Thorn
Stadtwappen

Gaston Thorn

Verkehrsknotenpunkt, Flusshafen. – Erhalten sind Teile der mittelalterl. Stadtmauer mit Türmen und Toren, der Dansker (13./14. Jh.) der 1454 zerstörten Ordensburg, das got. Rathaus (1393 ff., 1602/03 umgebaut), die got. Kirchen St. Johannes, St. Jakob und St. Marien; barocke Heiliggeistkirche (1735–56), zahlr. Patrizierhäuser, ehem. Bischofspalast (1693), klassizist. Zeughaus (1824), Jugendstil-Theater. Die Stadt wurde zum UNESCO-Weltkulturerbe erklärt. Geburtsort des N. Kopernikus. – T. wurde 1231 vom Dt. Orden gegründet, erhielt 1233 Stadtrecht und entwickelte sich zu einem Handelszentrum (Mitgl. der Hanse). 1264 wurde nordöstlich der »Altstadt« die »Neustadt« angelegt (1454 Vereinigung beider). Nach dem Sturz der Ordensherrschaft durch die Bürgerschaft kam die Stadt 1454 unter poln. Oberhoheit, erlangte aber (ähnlich wie Danzig) zahlr. Privilegien, 1588 auch die Religionsfreiheit. Jesuitenfeindliche Kundgebungen führten 1724 zum **Thorner Blutgericht** (Todesurteile gegen zehn Bürger). 1793 fiel T. an Preußen (1807–15 beim Herzogtum Warschau), 1920 wieder an Polen, gehörte 1939–45 zum Reichsgau Danzig-Westpreußen und kam 1945 erneut an Polen. – Zw. dem → Deutschen Orden und Polen wurden in T. der **1. Thorner Frieden** (1411) und der **2. Thorner Frieden** (1466) geschlossen.

Thọrn, Gaston, luxemburg. Politiker, * Luxemburg 3. 9. 1928; 1961–80 Vors. der Demokrat. Partei; 1974–79 MinPräs., 1976–81 Präs. der Föderation der liberalen und demokrat. Parteien Europas, 1981–84 Präs. der EG-Kommission; 1985–87 Vors. der Europ. Bewegung.

Thorndike ['θɔːndaɪk], **1)** Edward Lee, amerikan. Psychologe, * Williamsburg (Mass.) 31. 8. 1874, † Montrose (N. Y.) 10. 8. 1949; Vertreter einer behaviorist. Theorie (→ Behaviorismus) des Lernens, die großen Einfluss auf Psychologie und Pädagogik hatte; beschrieb Versuch und Irrtum als elementare Prinzipien des Lernens; gemäß seines »Effekt-Gesetzes« verstärkt Belohnung eine Reiz-Reaktions-Verbindung, während Bestrafung sie abschwächt; schrieb u. a. »Psychologie der Erziehung« (1903).

2) Dame (seit 1931) Sybil, brit. Schauspielerin, * Gainsborough (Cty. Lincolnshire) 24. 10. 1882, † London 9. 6. 1976; nach Verpflichtungen in den USA und in Großbritannien 1914–18 Mitgl. des Old Vic Theatre in London, danach an versch. Theatern; eine der bedeutendsten Tragödinnen.

Thọrn-Prịkker, Jan, niederländ. Maler, * Den Haag 5. 6. 1868, † Köln 5. 3. 1932; lehrte ab 1904 in Dtl. Außer Gemälden und kunsthandwerkl. Arbeiten schuf er in einer von Jugendstil und Symbolismus ausgehenden Formensprache Wandbilder, Mosaiken und Glasmalereien, die zur Erneuerung christl. Kunst beitrugen.

Thọrsberg, Anhöhe bei Süderbrarup (nahe Schleswig), an deren Fuß im Thorsberger Moor 1858–61 zahlreiche Objekte von Kriegsbeuteopferungen der Stein-, Bronze- und bes. der Eisenzeit ausgegraben wurden (u. a. Helm, Panzer, Beschläge, Fibeln, Tongefäße, Werkzeuge).

Thorshavn ['toːrshau̯n], die Hptst. der Färöer, → Tórshavn.

Thorsteinsson ['θɔstɛi̯nsɔn] Indriði Guðmundur, isländ. Schriftsteller; * Gilhagi (VerwBez. Skagafjörður) 18. 4. 1962. Im Mittelpunkt seiner die isländ. Literatur der 1950er- und 60er-Jahre nachhaltig prägenden Prosa stehen v. a. die Landflucht sowie das Zerbrechen der traditionellen Gesellschaftsstrukturen; schrieb u. a. »Herbst über Island« (1963).

Thorvaldsen ['tɔrvalsən] (Thorwaldsen), Bertel, dän. Bildhauer, * Kopenhagen 19. 11. 1770, † ebd. 24. 3. 1844; lebte seit 1797 (mit Unterbrechungen) in Rom, wo er die ihm eigene Form eines empfindsamen Klassizismus fand. Er schuf kleinere Bildtafeln, Bildnisbüsten, anmutige Gestalten von jugendl. Schönheit sowie Grabmäler, Stand- und Reiterbilder (Kurfürst Maximilian I. auf dem Wittelsbacherplatz in München, 1830–39).

Thraker

Für Herodot waren die Thraker das zweitgrößte Volk der Erde, doch beklagt er ihre Uneinigkeit (Historien 5, 3). Dabei fand Thrakien gerade im 5. Jahrhundert zu einer gewissen Einheit:

»Das thrakische Volk ist nach dem indischen das größte der Erde. Wäre es einig und hätte es nur einen Herrscher, so wäre es unbesiegbar und meiner Meinung nach bei weitem das mächtigste Volk, das es gibt. Aber da das unmöglich ist und gewiss niemals von ihnen erreicht wird, so sind sie schwach. In jeder Landschaft haben sie einen besonderen Namen, doch sind die Sitten des ganzen Volkes durchweg dieselben…«

1838 kehrte er nach Kopenhagen zurück, wo für seine Werke ein eigenes Museum (hier: »Jason«, 1802–03; »Hebe«, 1806; »Ganymed tränkt den Adler«, 1817) gebaut wurde. Zu seinen bekanntesten Arbeiten gehören die Rundreliefs »Der Tag« und »Die Nacht« (1815; München, Neue Pinakothek), der »Sterbende Löwe« (Luzern, 1818, zum Gedenken an die 1792 in Paris gefallenen Schweizer) und der »Christus« in der Kopenhagener Frauenkirche (1820/21). Bild dänische Kunst

Thot, ägypt. Gott der Weisheit, des Wissens und der Magie; Schutzgott der Schreiber und Beamten, auch Götterbote und Seelenführer, Mondgott. Dargestellt wurde er als Pavian oder als Mensch mit Ibiskopf (beide Tiere waren ihm heilig). Sein Hauptkultort war Hermopolis 50 km südlich von Minia. (→Hermes Trismegistos)

Thraker (lat. Thraces), indogerman. Volk des Altertums in SO-Europa und Vorderasien. T. und verwandte Stämme siedelten seit dem 2. Jt. v. Chr. außerhalb Thrakiens nördlich der unteren Donau, so die Daker und die Geten, auf vorgelagerten Inseln (bes. Thasos, Samothrake) und in N-Kleinasien (bes. Mysien, Bithynien). Die T. bildeten bis ins 6./7. Jh. eine sprachl., ethn. und kulturelle Einheit. Zahlr. Grab- und Schatzfunde belegen eine hoch stehende Kultur. Von der in frühbyzantin. Zeit ausgestorbenen **thrak. Sprache** sind nur spärl. Überreste bekannt.

📖 Oppermann, M.: *T. zwischen Karpatenbogen u. Ägäis. Leipzig u. a. 1984.* – Todorov, J.: *Die Kultur der T. Antike Zivilisation in Bulgarien. A. d. Bulgar. Sofia 1987.*

Thrakien (Thrazien), histor. Landschaft auf der östl. Balkanhalbinsel, in Griechenland, Bulgarien und der Türkei. – Die grch. Kolonien an der thrak. Küste gehörten in klass. Zeit zum Einflussbereich Athens. Zur Bildung eines eigenen thrak. Reiches kam es um 450 v. Chr., als der König der Odrysen die Thrakerstämme einigte. Seine größte Ausdehnung (im N bis zur Donau) erreichte dieses Reich unter Sitalkes (um 440–424 v. Chr.); 342 v. Chr. wurde T. makedonisch und war seit 15 v. Chr. röm. Klientelstaat (röm. Prov. Mösien und T.). Byzanz verlor den größten Teil des alten T. an die Bulgaren. Seit dem 14. Jh. wurde T. osmanisch; zw. 1912 und 1923 erfolgte die heutige Grenzziehung.

📖 Danov, C. M.: *Altthrakien. A. d. Bulgar. Berlin u. a. 1976.* – Gerov, B.: *Beiträge zur Geschichte der röm. Provinzen Moesien u. T. Amsterdam 1980.*

Thrasybulos, athen. Feldherr und Staatsmann, *um 455 v. Chr., ⚔ Aspendos 388 v. Chr.; Führer der Demokraten, stürzte 411/410 und 404/403 v. Chr. die Oligarchie (»Dreißig Tyrannen«) und führte Athen zu neuer Macht.

Three Mile Island [θri: maɪl 'aɪlənd], Kernkraftwerkskomplex bei Harrisburg (Pa.), USA. Am 28. 3. 1979 ereignete sich hier ein →GAU. Durch technische Mängel und Bedienungsfehler wurde Radioaktivität freigesetzt und der Reaktorkern schwer beschädigt.

Thot: Der ägyptische Gott in einer Darstellung als Pavian auf einem Kalksteinblock aus Hermopolis (um 300 v. Chr.; Hildesheim, Roemer- und Pelizaeus-Museum)

Threonin *das* (α-Amino-β-hydroxybuttersäure), essenzielle Aminosäure; Proteinbaustein bes. in Eiern und Milch.

Thrombin [grch. thrómbos »Klumpen«] *das,* für die Blutgerinnung wichtiges Eiweiß spaltendes Enzym im Blut, entsteht aus Pro-T. und wandelt Fibrinogen in Fibrin um.

Thrombolytika [grch.], die →Fibrinolytika.

Thromboplastin [grch.] *das* (Thrombokinase, Faktor III), in den Thrombozyten gespeichertes Lipoproteid, das bei der Blutgerinnung die Fibrinbildung veranlasst.

Thrombose [grch.] *die,* durch Bildung eines Blutgerinnsels (→Thrombus) bedingter teilweiser oder vollständiger Verschluss eines Blutgefäßes

Thrakische Stämme und ihre Nachbarn

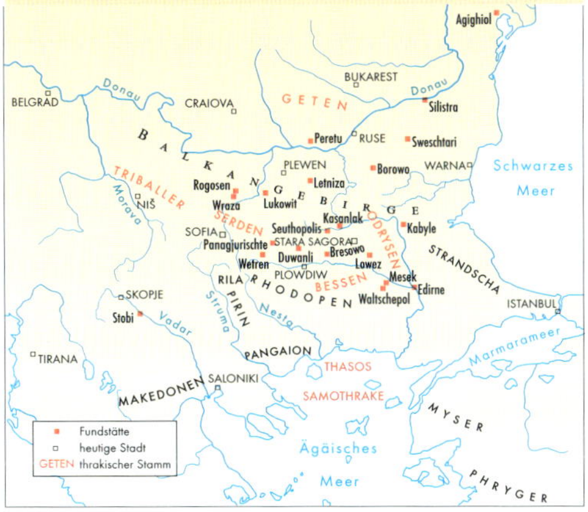

(»Blutgefäßverstopfung«) mit Behinderung des Blutstroms. Erhöhte T.-Gefahr besteht u.a. nach Operationen und Geburten; bes. Krampfadern neigen zu Entzündungen und T.-Bildung **(Thrombophlebitis).** T. entstehen am häufigsten in den Venen (v.a. der Beine und des Beckens), seltener in der Herzhöhle und den Arterien. Bei jeder T. besteht die Gefahr der →Embolie. – Die *Behandlung* besteht in Kompressionsverbänden und möglichst frühzeitiger Bewegung (Embolieprophylaxe), Wiederherstellung der Gefäßfunktion durch medikamentöse Thrombolyse oder chirurg. Beseitigung des Verschlusses (Thrombektomie).

Thrombozyten [grch.], Blutplättchen (→Blut).

Thrombus [grch.] *der* (Blutpfropf), im lebenden Organismus entstehendes oberflächlich raues, brüchiges, mit der Gefäßwand verklebtes Blutgerinnsel. Ursachen der T.-Bildung sind Gefäßwandschäden (z.B. durch Arteriosklerose), Verlangsamung des Blutstroms (z.B. infolge Krampfaderbildung, Herzinsuffizienz) oder Veränderungen der Blutzusammensetzung (Erhöhung der Viskosität, der Gerinnungsaktivität, der Anzahl der Blutplättchen und der roten Blutkörperchen).

Thron [grch.] *der,* erhöhtes, i.d.R. auf hohe Füße und/oder Stufen gestelltes, kunstvoll gearbeitetes Sitzmöbel, ein Sinnbild weltl. und geistl. Herrschaft; in den Kulturen des Altertums auch Sitz der Götter.

Thronrede, in parlamentar. Monarchien Ansprache des Herrschers bei Eröffnung der Sitzungen des Parlaments. Die vom Regierungschef entworfene T. enthält die Grundsätze des Regierungsprogramms.

Thukydides (römische Kopie einer griechischen Herme; Neapel, Museo Archeologico Nazionale)

Thron und Altar, auf die sakrale Wurzel der Monarchie verweisende Formel der frz. Geistlichkeit des Ancien Régime (»le trône et l'autel«); im Preußen der Restauration (1815–30) Losung eines den Staat stützenden antirevolutionären Denkens. Nach 1830 wandelte sich die Formel zum polem. Schlagwort des Liberalismus und Sozialismus gegen das enge Bündnis von Monarchie und Staatskirche.

Thuja *die,* die Pflanzengattung →Lebensbaum.

Thukydides, grch. Geschichtsschreiber, *Athen um 460 v.Chr., †nach 400 v.Chr.; wurde nach einem erfolglosen Kriegszug als Stratege 424 verbannt; verfasste eine Geschichte des Peloponnes. Krieges in acht Büchern (bis 411) und gilt damit als Begründer der polit. Geschichtsschreibung.

Thukydides

Thukydides analysiert eine politische Situation bisweilen in sentenzenhafter Manier:

»Die auf gleichen Machtverhältnissen beruhende Furcht voreinander ist die einzige Sicherheit für den Bestand eines Bündnisses; wer eine Vertragsverletzung vorhat, wird durch die Erwägung, ihm fehlte bei einem Angriff die Überlegenheit, davon abgehalten.«

(Geschichte des Peloponnesischen Krieges III, 11,2).

Thron: Der steinerne Tron mit Holzsitz im Obergeschoss der Pfalzkapelle des Aachener Münsters gehörte wohl dem 962 zum Kaiser gekrönten Otto I.

Thule, 1) im Altertum ein sagenhaftes Land im hohen N; später sprichwörtlich als Land am N-Rand der Welt **(ultima T.);** heute meist mit dem mittelnorweg. Küstengebiet gleichgesetzt.

2) Siedlung auf Grönland, →Qaanaaq.

Thulin, Ingrid, schwed. Bühnen- und Filmschauspielerin, *Sollefteå (Västernorrland) 27. 1. 1929; spielte u.a. in Filmen von I. Bergman: »Wilde Erdbeeren« (1957), »Das Schweigen« (1963), »Schreie und Flüstern« (1972), »Das Haus des Lächelns« (1991); führte auch Regie.

Thulium [nach Thule] *das,* chem. Symbol **Tm,** Element aus der Reihe der →Lanthanoide im →Periodensystem der chemischen Elemente; Ordnungszahl 69, relative Atommasse 168,9342, Dichte 9,318 g/cm^3, Schmelzpunkt 1545 °C, Siedepunkt 1725 °C. T. ist ein silberweißes, dehnbares, sehr seltenes Schwermetall, das zus. mit den übrigen Lanthanoiden in Form von Phosphaten und Silikaten in der Natur vorkommt (im Monazit z.B. zu etwa 0,007%). In seinen meist grün gefärbten Verbindungen tritt T. bevorzugt dreiwertig, seltener auch zweiwertig auf. T. ist bisher ohne prakt. Bedeutung. Das gammastrahlende Isotop ^{170}Tm wird u.a. zur zerstörungsfreien Werkstoffprüfung genutzt.

Thumb, Baumeisterfamilie aus dem Bregenzer Wald, die mit den Familien Beer und Moosbrugger die Vorarlberger Bauschule bildete. Michael T.

(*Bezau um 1640, †ebd. 19. 2. 1690) baute die Wallfahrtskirche (1682/83) auf dem Schönenberg bei Ellwangen (Jagst) und die Klosterkirche Obermarchtal (1686–92), vollendet von seinem Bruder Christian T. (*Bezau um 1645, †Au 4. 6. 1726), dessen Hauptwerk die Schlosskirche in Friedrichshafen (1695–1701) ist. Michaels Sohn Peter T. (*Bezau 18. 12. 1681, †Konstanz 4. 3. 1766) baute Kloster und Kirche Ebersmünster (1708–31), den bedeutendsten Barockbau des Elsass, die Wallfahrtskirche Birnau (1747–50) und die Stiftskirche St. Gallen (1758–66) mit Bibliothek. BILDER Bibliothek, Birnau, Friedrichshafen

Thümmel, Moritz August von, Schriftsteller, *Schönefeld (heute zu Leipzig) 27. 5. 1738, †Coburg 26. 10. 1817; knüpfte an die Erzählkunst des frz. Rokoko an, schrieb den empfindsamen Reisebericht »Reise in die mittäglichen Provinzen von Frankreich im Jahr 1785 bis 1786« (10 Bde., 1791–1805).

Thun, Bezirkshauptstadt im Kt. Bern, Schweiz, am Ausfluss der Aare aus dem Thuner See, 38 200 Ew.; Lehrerseminar, Fachschule für Gastronomie, Schweizer. Gastronom. Museum; Munitions- und Waffenfabrik, Maschinenbau u.a. Ind., Verlage; Fremdenverkehr. – Altes Stadtbild mit Laubenhäusern, Rathaus, Stadtkirche, Burg (Stadtmuseum). – Um die Ende des 12. Jh. angelegte Burg entstand die Siedlung T., seit 1264 Stadt.

Thunder Bay ['θʌndə 'beɪ], Stadt in der Prov. Ontario, Kanada, am W-Ende des Oberen Sees, 113 700 Ew.; kath. Bischofssitz; Univ.; bed. Hafen mit großen Getreidedepots; Schiffbau; Zellstoff- und Papierindustrie. – 1970 durch Vereinigung von Fort William und Port Arthur entstanden.

Thunfische: Gewöhnlicher Thunfisch (Länge bis zu 4,5 m)

Thünen, Johann Heinrich von, Volkswirtschaftler, *Gut Canarienhausen (heute zu Wangerland, Kr. Friesland) 24. 6. 1783, †Tellow (heute zu Warnkenhagen, bei Teterow) 22. 9. 1850; einer der bedeutendsten dt. Wirtschaftstheoretiker und Agrarwissenschaftler des 19. Jh.; entwickelte eine Theorie des verkehrswirtsch. Standorts landwirtsch. Betriebe sowie der Abhängigkeit landwirtsch. Betriebssysteme und der →Grundrente von der Entfernung des landwirtsch. Betriebs von seinem Markt (**thünensche Kreise,** auch **thünensche Ringe**). Mit seiner Lohn- und Zinstheorie war T. Mitbegründer der →Grenzproduktivitätstheorie.

Thuner See, Alpenrandsee im Kanton Bern, Schweiz, von der Aare durchflossen, 558 m ü. M., 48 km² groß, 22 km lang, bis 3 km breit, 217 m tief; Passagierschifffahrt zw. Thun und Interlaken.

Thunfische [grch. thýnnos], zusammenfassende Bez. für versch. zu den Makrelen gehörende Gattungen (bes. die Gattung **Thunnus**); makrelenähnl. und fast schuppenlose Fische mit blauschwarzem Rücken, silbrigen Seiten und weißem Bauch. Der **Gewöhnl. T.** (**Roter T.,** Thunnus thynnus) wird bis 4,5 m lang und 600 kg schwer, lebt im Atlantik und im Mittelmeer. Der **Weiße T.** (Thunnus alalunge), bes. in Japan und in den USA von wirtsch. Bedeutung, wird oft auch in der Biscaya gefangen; ebenso der **Echte Bonito** (Katsuwonus pelamis), der im Pazifik viel häufiger vorkommt als im Atlantik.

Thur *die,* linker Nebenfluss des Rheins, 125 km lang, entspringt bei Wildhaus im Kanton St. Gallen, Schweiz, durchfließt die Landschaft Toggenburg und den Thurgau, mündet bei Ellikon.

Thurber ['θə:bə], James, amerikan. Schriftsteller und Zeichner, *Columbus (Oh.) 8. 12. 1894, †New York 2. 11. 1961; schrieb Humoresken, Satiren, Tiergeschichten (»75 Fabeln für Zeitgenossen«, 1940; »Rette sich, wer kann!«, 1945; »So spricht der Hund«, 1955), die er selbst illustrierte.

Thurgau, Kt. im NO der Schweiz, 991 km², (1995) 223 400 Ew.; Hptst. ist Frauenfeld. Die Bev. ist fast rein deutschsprachig. T. ist ein Hügelland, das vom Bodensee zum Tal der Thur und darüber hinaus zu den Nagelfluhbergen des Tössberglandes ansteigt. Der Großteil des fruchtbaren Gebietes wird landwirtsch. genutzt; es dominiert die Viehhaltung; bed. Obstbaugebiet ist das Bodenseeufer, Weinbau v.a. am Ottenberg bei Weinfelden; Textil-, Stickereiind., Maschinen- und Fahrzeugbau, Fremdenverkehr (v.a. am Bodensee).

Geschichte: Ab 58 v. Chr. römisch, 455 n. Chr. alemannisch, um 700 christianisiert; im 8. Jh. Gau des Fränk. Reiches; kam 1264 als Landgrafschaft an die Habsburger; 1460 von den Eidgenossen erobert und bis 1798 als »Gemeine Herrschaft« verwaltet. 1798–1803 Kanton der Helvet. Republik; seit 1803 selbstständiger Kanton.

Thüringen, Land (Freistaat) der Bundesrep. Dtl. (seit 3. 10. 1990), 16 171 km², (1997) 2,49 Mio. Ew.; Hptst. ist Erfurt.

Landesnatur: T. liegt im Bereich der Dt. Mittelgebirgsschwelle. Der zentrale und nordwestl. Teil wird vom fruchtbaren Thüringer Becken mit mehreren Flüssen (bes. Unstrut) und seinen aus Muschelkalkhöhenzügen bestehenden Rändern (Hainich, Dün, Hainleite, Oberes Eichsfeld, Schmücke, Finne und südöstl. Randplatten) einge-

Thun
Stadtwappen

Thurgau
Kantonswappen

Johann Heinrich von Thünen

Thüringen
Staatswappen

nommen. Südlich davon liegen Thüringer Wald (Großer Beerberg, mit 982 m ü. M. höchste Erhebung T.s) und das unmittelbar südöstlich angrenzende Thüringer Schiefergebirge, im SW zw. Thüringer Wald und Vorderrhön, Hoher Rhön und Grabfeld die Werrasenke. Im N gehören Teile des Harzes (Unterharz), der Kyffhäuser sowie der W-Teil der Goldenen Aue zu T. Im äußersten NW liegt das Untere Eichsfeld. Der O wird von der Ostthüringisch-Vogtländ. Hochfläche, die von der Saale und Weißen Elster durchflossen wird, eingenommen. Klimatisch begünstigt ist das Thüringer Becken, rau und niederschlagsreich (bis 1300 mm im Jahr) der Thüringer Wald.

Bevölkerung: Mit 154 Ew./km^2 (1997) gehört T. zu den schwächer besiedelten Bundesländern. Am geringsten sind die landwirtsch. strukturierten Gebiete des Thüringer Beckens und im äußersten SW, am stärksten der Raum zw. Eisenach und Weimar, der Gebirgsrand und das Vorland des Thüringer Waldes/Thüringer Schiefergebirges und des S-Harzes sowie in Ost-T. die Täler von Saale und Weißer Elster besiedelt. Etwa ein Drittel der Bev. bekennt sich zum christl. Glauben, davon ist der überwiegende Teil evang.-luth. und gehört der Evang.-Luth. Landeskirche in T. an. Die Bev. des Eichsfelds ist überwiegend katholisch. Auf Hochschulebene bestehen die Univ. in Erfurt und Jena, die TU in Ilmenau, die Medizin. Hochschule Erfurt, drei FH (Erfurt, Jena, Schmalkalden), eine PH (Erfurt/Mühlhausen), eine Hochschule für Musik und eine Hochschule für Architektur und Bauwesen (beide Weimar) sowie das Philosophisch-Theolog. Studium Erfurt.

Landtagswahlen in Thüringen 1990 und 1994[1]

Parteien	14. 10. 1990	16. 10. 1994
CDU	44; 45,4%	42; 42,6%
SPD	21; 28,2%	29; 29,6%
PDS[2]	9; 9,7%	17; 16,6%
FDP	9; 9,3%	–; 3,2%
NF/GR/DJ[3]	6; 6,5%	–; 4,5%[4]
Andere	–; 0,9%	–; 3,5%

[1] Sitzverteilung und Stimmenanteil der Parteien. – [2] 1990: Linke Liste – PDS. – [3] Abk. für Neues Forum/Grüne/Demokratie Jetzt. – [4] Bündnis 90 – Die Grünen

Verwaltungsgliederung Thüringen (Größe und Bevölkerung 30. 6. 1997)

Kreisfreie Stadt/ Landkreis	Fläche in km^2	Ew. in 1000	Ew. je km^2	Verwaltungssitz
Kreisfreie Städte				
Eisenach*)	104,0	44,9	432	–
Erfurt	269,1	207,0	769	–
Gera	152,0	120,3	791	–
Jena	114,2	100,0	876	–
Suhl	102,7	52,0	506	–
Weimar	84,3	62,0	735	–
Landkreise				
Altenburger Land	569,1	119,0	209	Altenburg
Eichsfeld	939,8	116,9	124	Heilbad Heiligenstadt
Gotha	935,6	149,3	160	Gotha
Greiz	843,4	127,0	151	Greiz
Hildburghausen	937,3	75,0	80	Hildburghausen
Ilmkreis	843,3	122,7	145	Arnstadt
Kyffhäuserkreis	1035,1	97,1	94	Sondershausen
Nordhausen	710,9	101,1	142	Nordhausen
Saale-Holzland-Kreis	817,0	93,0	114	Eisenberg
Saale-Orla-Kreis	1148,3	101,5	88	Schleiz
Saalfeld-Rudolstadt	1034,6	137,8	133	Saalfeld-Saale
Schmalkalden-Meiningen	1209,6	146,1	121	Meiningen
Sömmerda	804,1	82,5	103	Sömmerda
Sonneberg	433,3	69,8	161	Sonneberg
Unstrut-Hainich-Kreis	975,4	121,4	124	Mühlhausen/Thür.
Wartburgkreis	1305,0*)	147,8	113	Bad Salzungen
Weimarer Land	803,3	90,8	113	Apolda
Thüringen	16171,1	2485,0	154	Erfurt

*) seit 1. 1. 1998

Wirtschaft: Für T. haben die industrielle Produktion, die Landwirtschaft einschl. Gartenbau sowie der Fremdenverkehr ein besonderes Gewicht. Die Ind. ist v. a. im südl. Thüringer Becken entlang der Städtelinie Eisenach–Gotha–Erfurt–Weimar–Apolda, an den Rändern und im Vorland des Thüringer Waldes sowie in den Tälern von Saale und Weißer Elster konzentriert. Die wichtigsten Ind.zweige sind: Elektrotechnik/Elektronik (Erfurt, Sömmerda, Gera), Feinkeramik/Glaswaren (Jena, Hermsdorf, Kahla, Ilmenau, Lauscha), Feinmechanik/Optik (Erfurt, Jena, Suhl), Gerätebau (Jena, Gera), Keramik (Blankenhain, Kahla, Rudolstadt), Maschinen- und Fahrzeugbau (Eisenach, Waltershausen, Gotha, Erfurt, Weimar, Nordhausen, Schmalkalden, Suhl), Metallerzeugung und -verarbeitung (Saalfeld, Gera), Pharmazie (Jena, Weimar), Spielzeugherstellung (Sonneberg). Der östlich von Gera im Ronneburger Gebiet betriebene Uranerzbergbau wurde 1990/91 eingestellt. T. besitzt Vorkommen an Kalisalz (um Sondershausen, im Eichsfeld und im Werragebiet) sowie reichhaltige Baurohstoffe (Porphyr, Basalt, Kalk- und Sandstein). Im Gebiet Probstzella–Lehesten–Wurzbach befinden sich die größten Schieferbrüche Europas. – Hauptgebiete des Ackerbaus sind das Thüringer Becken, die Orlasenke, die Goldene Aue und das Gebiet südlich von Altenburg, auf deren fruchtbaren Böden Zuckerrüben, Weizen und Gerste angebaut werden. Die weniger fruchtbaren Gebiete der Randaufwölbungen des Thüringer Beckens werden für den Kartoffel-, Hafer- und Roggenanbau genutzt. Im Unteren Eichsfeld und Werragebiet ist zusätzlich der Tabakanbau verbreitet. Im Thüringer Wald, Thüringer Schiefergebirge und Harz erfolgen Grünlandnutzung (Jungrinderaufzucht) und Forstwirtschaft, in den Tälern von Saale und Weißer Elster sowie am Rand des Kyffhäusers in größerem Umfang Obst-

und Gemüsebau. Um Erfurt waren Gemüsebau und Blumenzucht die Grundlage für die Erfurter Saatzucht. Bedeutende Fremdenverkehrsgebiete sind Thüringer Wald, Thüringer Schiefergebirge (Schwarzatal, Saaletalsperren) und S-Harz. – Die zentrale Lage macht T. zu einem wichtigen Durchgangsland im W-O- und N-S-Verkehr. Nach der Wiedererlangung der dt. Einheit wurden die z.T. unterbrochenen Eisenbahn-, Autobahn- und Straßenverbindungen nach Hessen und Bayern wieder neu geknüpft (Werratalbahn zw. Bad Salzungen und Gerstungen). Wichtigster Eisenbahnknotenpunkt ist Erfurt, wo sich auch ein internat. Flughafen befindet. Bei Hermsdorf westlich von Gera kreuzen sich die Autobahnen Berlin–München und Dresden–Frankfurt am Main.

Verfassung: Nach der am 25. 10. 1993 verabschiedeten Verf. liegt die Legislative beim Landtag (89 Abg., auf vier Jahre gewählt), die Exekutive bei der Landesreg. unter Vorsitz des vom Landtag gewählten MinPräs. Die Verf., die 1994 durch Volksentscheid in Kraft gesetzt wurde, fixiert als plebiszitäre Elemente Volksbegehren und -entscheid.

Geschichte: Anfang des 5. Jh. n.Chr. entstand das Königreich der Thüringer, das 531 (Schlacht an der Unstrut) von Franken und den mit ihnen verbündeten Sachsen besiegt und aufgeteilt und u.a. von Bonifatius im 8. Jh. missioniert wurde. Die (hess.) Reichsklöster Hersfeld und Fulda erwarben umfangreichen Grundbesitz; Erfurt kam an das Erzbistum Mainz. Nach 933 (Schlacht bei Riade) wurde im O der slaw. Siedlungsraum eingegliedert. T. wurde zum Kerngebiet des (späteren) Hl. Röm. Reiches (Königtum der Liudolfinger). Unter den Herrengeschlechtern mit gräfl. Gewalt gewannen im 11. Jh. die Ludowinger die Führung, die 1130 Landgrafen von T. wurden (seit 1122 Herrschaftsverbindung mit Hessen). Sie waren bed. Reichsfürsten und Kreuzfahrer, Förderer der Minnesänger (Wartburgkrieg) und des Kirchenwesens (v.a. Ludwig IV., Gemahl der hl. Elisabeth), jedoch gelang ihnen der Aufbau eines einheitl. Territorialstaates nicht. Als sie mit Heinrich Raspe, dem Gegenkönig Friedrichs II., 1247 im Mannesstamm ausstarben, kam es zum Thüringer Erbfolgekrieg (bis 1263/64); der hess. Anteil der Ludowinger fiel an die Grafen von Brabant, T. wurde an die Wettiner Markgrafen von Meißen (1294; Schlacht bei Lucka, 1307) veräußert. Nach dem Grafenkrieg (1342–46) wurde die Lehnsherrschaft der Wettiner anerkannt; dennoch konnten Schwarzburg und Reuß (beide später in z.T. mehrere Linien verzweigt) sowie Henneberg eigene Landesherrschaften errichten. 1353 gewannen die Wettiner Coburg, 1372 die Grafschaft Weimar-Orlamünde, 1583 die Grafschaft Henneberg; durch die Wettin. Teilung von 1485 kam der kleinere nördl. Teil T.s an die Albertiner, der größere südl. Teil an die Ernestiner (Kursachsen), die mit Hessen ab 1526 prot. Führungsmacht waren. Das albertin. T. (seit der Wittenberger Kapitulation 1547 kursächsisch, seit 1806 königlich) fiel 1815 an Preußen, wie schon 1803 das kurmainz. Erfurt und das Eichsfeld (seit 1423 zu Kurmainz) sowie die Reichsstädte Mühlhausen und Nordhausen (Prov. Sachsen; →Sachsen-Anhalt, Geschichte). Das ernestin. T. wurde ab 1572 durch häufige Teilungen (bis zu zehn Linien) stark zersplittert; bes. das (Groß-)Herzogtum Sachsen-Weimar-Eisenach war Ende des 18. Jh. ein geistiger Mittelpunkt Dtl.s (Weimarer Klassik). 1918/19 wurden die (ab 1826) vier ernestin. Sächs. Herzogtümer, die je zwei Fürstentümer Schwarzburg (Rudolstadt und Sondershausen) und Reuß (jüngere und ältere Linie) Freistaaten und 1920 zum Land (Freistaat) T. vereinigt (Verf. vom 11. 3. 1921; Hptst.: Weimar); Coburg schloss sich Bayern an. 1932 hatte T. die erste NSDAP-Reg. in Dtl.; 1944 fielen Erfurt und Schmalkalden an T. Im April 1945 zunächst amerikanisch besetzt, kam das Land im Juli 1945 zur Sowjet. Besatzungszone (20. 12. 1946 Verf.; Hptst.: Weimar; Reg.sitz 1948–52 nach Erfurt verlegt). 1952 wurde es in die DDR-Bezirke Erfurt, Gera und Suhl aufgeteilt. Durch das Ländereinführungs-Ges. vom 22. 7. 1990 wurde das Land T. zum 14. 10. 1990 (Landtagswahlen) wiederhergestellt (seit 1993 Freistaat). Nach den Wahlen bildete die CDU eine Koalitionsreg. mit der FDP, zunächst unter MinPräs. J. Duchač, seit Febr. 1992 unter B. Vogel (beide CDU). Bei den Landtagswahlen 1994 wurde die CDU stärkste Partei, gefolgt von SPD und PDS. MinPräs. Vogel wurde im Amt bestätigt.

🕮 *Gesch. T.s, hg. v.* H. Patze *u. a., 9 Tle. Köln u. a.* ¹⁻²*1967–85. – Geologie von T., hg. v.* W. Hoppe *u. a. Gotha 1974. – Handbuch der histor. Stätten Deutschlands, Bd. 9: T., hg. v.* H. Patze. *Stuttgart* ²*1989. –* Hess, U.: *Gesch. T.s 1866 bis 1914, hg. v.* V. Wahl. *Weimar 1991. – Kulturlandschaft T., Beiträge v.* H. Pleticha *u. a. Freiburg im Breisgau u. a.* ²*1992.*

Thüringer, dt. Stamm zw. Thüringer Wald und nördl. Harzvorland; seit um 400 n.Chr. bezeugt, wohl aus der seit dem 1. Jt. v.Chr. ansässigen elbgerman. Bev. (u.a. Hermunduren) entstanden.

Thüringer Becken, hügelige Beckenlandschaft zw. Harz und Thüringer Wald, geologisch eine Triasmulde aus Buntsandstein und Keuper; im S von Fahnerscher Höhe und Ettersberg durchzogen, von der Unstrut und ihren Nebenflüssen, im O von der Ilm entwässert. Die Buntsandsteinflächen sind waldreich; in der nördl. Zone der →Kyffhäuser. Der Keuper bietet fruchtbare Ackerflächen.

Thüringer Schiefergebirge, waldreiches Mittelgebirge im S von Thüringen mit Ausläufern in Bayern (Oberfranken), schließt auf der Linie Gehren–Schleusingen an den Thüringer Wald an. Die Oberfläche wird von einer flachwelligen, im SW 700–800 m ü. M. gelegenen Hochfläche (Rumpffläche) geprägt, die von einzelnen Erhebungen (höchster Berg ist mit 867 m ü. M. der Kieferle westlich von Lauscha) überragt wird und durch zahlr. Flüsse (Schwarza, auf der NO-Abdachung Saale mit Hohenwarte- und Bleilochtalsperre) stark zerschnitten ist. Im S geht das T. S. ohne deutl. Grenze in den Frankenwald über.

Thüringer Wald: waldreiches Mittelgebirge bei Manebach im Ilmtal

Thüringer Wald, schmales waldreiches Mittelgebirge in der SW-Hälfte von Thüringen, erstreckt sich von Hörschel (an der Werra nordwestlich von Eisenach) im NW nach SO und geht auf der Linie Gehren–Schleusingen in das → Thüringer Schiefergebirge über. Der T. W. ist im Großen Beerberg 982 m, im Schneekopf 978 m, im Großen Inselsberg 916 m ü. M. hoch. Auf dem Kamm verläuft der → Rennsteig. Er wird im S zur Werra, im N zu Unstrut und Saale entwässert. Bedeutung haben Forstwirtschaft, Ind. (Herstellung von Porzellan, Glaswaren, Uhren, Spielzeug, Waffen) und Fremdenverkehr. Östlich von Suhl befindet sich im Vessertal ein Biosphärenreservat (127 km^2).

Thüringisches Volksrecht, → germanische Volksrechte.

Thuringit [nach Thüringen] *der,* Mineral, → Chlorite.

Thurn und Taxis, fürstl. Geschlecht in Dtl. aus der urspr. lombard. Familie Taxis; seit 1615 erbl. Reichspostgeneralrat, seit 1695 Reichsfürsten; siedelte 1702 nach Frankfurt am Main um, 1743/48 nach Regensburg; 1806 mediatisiert; 1867 Abtretung der Postorganisation an den preuß. Staat.

Thurnwald, Richard, Ethnologe und Soziologe, * Wien 18. 9. 1869, † Berlin 19. 1. 1954; maßgebl. Begründer der dt. Ethnosoziologie.

Werke: Die menschl. Gesellschaft in ihren ethnosoziolog. Grundlagen (5 Bde., 1931–35); Des Menschengeistes Erwachen, Wachsen und Irren (1951).

Thurstone ['θəːstən], Louis Léon, amerikan. Psychologe, * Chicago (Ill.) 29. 5. 1887, † Chapel Hill (N. C.) 29. 9. 1955; trat v. a. durch Beiträge zur Intelligenzforschung und Entwicklung quantitativer Methoden (Skalierung, Faktorenanalyse) in der Psychologie hervor.

Thusis (bündnerroman. Tusaun), Kreishauptort im Kt. Graubünden, Schweiz, am Hinterrhein, der hier aus der Via Mala austritt, 2 500 Ew.; Fremdenverkehr; an der Albulabahn. – Haus Rosenroll (1634), spätgot. evang. Kirche (1506).

Thutmosis, vier ägypt. Könige der 18. Dynastie. Bed. v. a.: **1) T. I.,** regierte 1506/05–1493 v. Chr.; unternahm Feldzüge bis zum Euphrat und unterwarf Nubien bis zum 3. Nilkatarakt; sein Felsengrab liegt im Tal der Könige.

2) T. III., regierte 1490–1436 v. Chr.; stand bis zum 22. Lebensjahr unter Vormundschaft seiner Tante → Hatschepsut; eroberte Syrien, festigte die ägypt. Vorherrschaft in Vorderasien. T. ließ bed. Bauwerke, bes. in Karnak, errichten.

Thyamis *der* (ngrch. Thiamis, auch Kalamas), Fluss in Epirus, Griechenland, 115 km lang.

Thyestes, *grch. Mythos:* Sohn des Pelops, Bruder des Atreus, mit dem er verfeindet war; zeugte mit der eigenen Tochter Pelopeia → Ägisth.

Thylakoid [zu grch. thýlakos »Sack«] *das, Botanik:* Teil der grünen Bezirke **(Grana)** in Chloroplasten, besteht elektronenmikroskopisch gesehen aus Stapeln flacher, miteinander verbundener Säckchen. Die T.-Membranen sind Orte der Photosynthese.

Thymian: Echter Thymian (Höhe 20–40 cm)

Thymian [grch. thymíama »Räucherwerk«] *der* (Quendel, Thymus), Gattung der Lippenblütler in Eurasien und N-Afrika; durch den Gehalt an äther. Ölen aromatisch duftende Halb- oder Zwergsträucher, u. a. **Sand-T. (Feld-T.,** Thymus serpyllum), in Sandtrockenrasen und Kiefernwäldern vorkommender Zwergstrauch mit violettrosa bis weißen Blüten; **Echter T. (Garten-T.,** Thymus vulgaris), ästiger Halbstrauch (20–40 cm hoch) mit grausamtig behaartem Stängel und unterseits dicht weißfilzig behaarten Blättern; Blüten lilarosa; Gewürz- und Heilpflanze.

Thymus [grch.] *der* (Bries), hinter dem Brustbein liegendes lymphat. Organ, das im Kindes- und Jugendalter am umfangreichsten ist. Im T. findet die Differenzierung der Stammzellen zu den für die zelluläre Abwehr wichtigen T-Lymphozyten statt, die z. B. bei der Abstoßung von Gewebetransplantaten eine wichtige Rolle spielen. Außerdem hat der T. Einfluss auf Körperwachstum und Knochenstoffwechsel. Nach der Pubertät beginnt die Rückbildung des T. (**Pubertäts-** und **Altersinvolution**), sodass im Alter der T. im Wesentlichen zu einem Fettkörper mit vereinzelt eingestreuten Inseln aktiver T.-Zellen reduziert ist.

Thyreoglobụlin, kolloides, jodhaltiges Glykoproteid, in dem die Schilddrüsenhormone Trijodthyronin und Thyroxin gebunden vorliegen; sie werden nach Jodierung von Tyrosinresten und unter Einwirkung einer Protease freigesetzt und in das Blut abgegeben.

Thyreoịdea [grch.-lat.] *die,* die →Schilddrüse.

Thyreostatika [grch.], Arzneimittel, die die innersekretor. Tätigkeit der Schilddrüse hemmen.

Thyreotropịn [grch.] *das* (Thyrotropin, thyreotropes Hormon, Thyreoidea-stimulierendes Hormon), Abk. **TSH,** Glykoproteid des Hypophysenvorderlappens, das die Jodidaufnahme durch die Schilddrüse sowie die Ausschüttung der Schilddrüsenhormone aus Thyreoglobulin steuert.

Thyreotropịn-Releasing-Hormọn [-rɪˈliːsɪŋ-] *das* (Thyroliberin), Abk. **TRH,** Neurohormon aus dem Hypothalamus, das die Hirnanhangdrüse (→Hypophyse) zur Bildung von Thyreotropin anregt; synthetisch herstellbares Peptid aus drei Aminosäuren.

Thyrịstor *der,* steuerbares Silicium-Halbleiterbauelement mit besonderer Bedeutung für die →Leistungselektronik. Ein T. besteht aus vier Halbleiterschichten, die abwechselnd mit Akzeptoren (p-Leitung) und Donatoren (n-Leitung) dotiert sind (pnpn- oder npnp-Schichtenfolge). So entstehen drei hintereinander geschaltete pn-Übergänge. Die Anschlüsse werden mit Anode (an der p-leitenden Schicht) und Kathode (an der n-leitenden Schicht) bezeichnet, die Steuerelektrode (Gate) kann sowohl an der inneren p- als auch an der inneren n-leitenden Schicht angebracht sein.

Schematisch kann der T. aufgefasst werden als eine Kombination aus einem npn- und einem pnp-Transistor, bei der jeweils die Basis des einen mit dem Kollektor des anderen verbunden ist. Spezielle T. sind der →Triac, ein Zweirichtungs-T., und der **RC-T.** (RC, Abk. für engl. **r**everse **c**onducting), der in einer Richtung dauernd durchlässig ist. Bis zu mittleren Strömen gibt es den **GTO-T.** (GTO, Abk. für engl. **g**ate **t**urn-**o**ff), der über einen impulsförmigen Steuerstrom abschaltbar ist. Beim **Photo-T.** wird der Schaltvorgang durch die Lichteinstrahlung ausgelöst, die Ladungsträger in der Sperrschicht des mittleren pn-Übergangs freisetzt.

Thyroxịn [grch.] *das* (Tetrajodthyronin, Abk. T4), jodhaltiges Schilddrüsenhormon mit sehr komplexer Wirkung auf den Kohlenhydrat-, Protein- und Lipidstoffwechsel; beeinflusst den Energieumsatz sowie Wachstums- und Differenzierungsvorgänge im Organismus.

Thỵrsos [grch.] *der* (lat. Thyrsus, Thyrsosstab), der in einem Pinienzapfen endende, mit Efeu und Weinlaub umwundene Stab des Dionysos und seines Gefolges.

Thỵssen, 1) August, Industrieller, *Eschweiler 17. 5. 1842, †Schloss Landsberg (heute zu Essen) 4. 4. 1926, Vater von 2); gründete 1871 die T. & Co. KG und 1890 die August-T.-Hütte AG, woraus sich der T.-Konzern entwickelte.

2) Fritz, Industrieller, *Styrum (heute zu Mülheim an der Ruhr) 9. 11. 1873, †Buenos Aires 8. 2. 1951, Sohn von 1); leitete 1926–39 den T.-Konzern, unterstützte ab 1923 finanziell die NSDAP, der er 1931 beitrat; wurde 1933 preuß. Staatsrat, MdR. Wegen Meinungsverschiedenheiten mit der nat.-soz. Führung, v.a. wegen der Judenverfolgung, emigrierte er 1939 in die Schweiz; 1941 in Frankreich verhaftet; zus. mit seiner Frau bis 1945 im Konzentrationslager.

August Thyssen

Fritz Thyssen

Thỵssen AG, Dachgesellschaft eines in den Bereichen Investitionsgüter, Handel und Dienstleistungen und Stahlerzeugung und -verarbeitung tätigen Konzerns; Sitz: Düsseldorf. Die T. AG entwickelte sich, v.a. aus den beiden Hauptunternehmen Thyssen & Co. KG (gegr. 1871) und August Thyssen-Hütte AG (gegr. 1890), bis 1914 zum größten dt. Eisen- und Stahlproduzenten. 1926 ging der Konzern in der →Vereinigte Stahlwerke AG auf, die nach dem 2. Weltkrieg entflochten wurde; die Neugründung erfolgte 1953. Zu den zahlreichen Tochter- und Beteiligungsges. mit dem Firmenbestandteil Thyssen gehören außerdem Blohm + Voss Holding AG, Hamburg; The Budd Company (USA); Edelstahl Witten-Krefeld GmbH, Witten; Nedstaal (Niederlande); EBG Ges. für elektromagnet. Werkstoffe, Bochum; Otto Wolff Handelsges. mbH, Düsseldorf. Die 1997 versuchte feindliche Übernahme der T. AG durch den Krupp-Konzern misslang, bewirkte aber die Gründung des Gemeinschaftsunternehmens Thyssen Krupp Stahl AG. Großaktionäre der T. AG sind die Thyssen Beteiligungsverw. GmbH (11,5 %) sowie die Fritz Thyssen Stiftung (8,6 %). – Ende 1997 gaben die T. AG und der Krupp-Konzern ihre Fusionsabsicht bekannt.

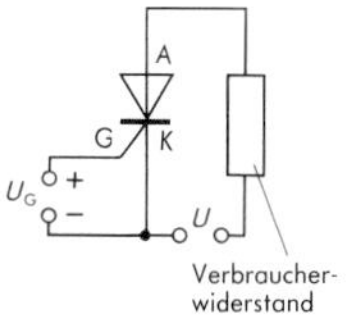

Thyristor: Grundschaltung mit Schaltzeichen; A Anode, K Kathode, G Gate, *U* Betriebsspannung, U_G Steuerspannung

Thỵssen-Bọrnemisza [-sɔ], Heinrich, Baron (seit 1907), ungar. Kunstsammler dt. Herkunft, *Mülheim an der Ruhr 31. 10. 1875, †Castagnola (heute zu Lugano) 26. 6. 1947; Sohn von August Thyssen; legte eine große Sammlung an, die heute Meisterwerke der europ. Malerei und Plastik des 12.–20. Jh. umfasst; urspr. auf Schloss Rohoncz (Burgenland), seit 1937 in der Villa Favorita in Castagnola zugänglich. Etwa 800 Gemälde wurden 1993 an Spanien verkauft; sie werden im Palacio Villahermosa in Madrid ausgestellt.

Ti, chem. Symbol für →Titan.

Tiahuanaco: Das Detail einer mörtellosen Mauer aus Steinquadern zeigt vorspringende Kopfskulpturen aus der Vorinkazeit

Tiahuanaco [tiau̯a'nako], archäolog. Fundstätte eines bed. Kultzentrums der Vorinkazeit in Bolivien, 20 km südöstlich des Titicacasees, 4000 m ü.M.; besiedelt von ca. 300 v.Chr. bis 1000 n.Chr.; weitere Siedlungen und Kultzentren standen unter dem Einfluss der T.-Kultur (→andine Hochkulturen).

Tianjin [-dʒin], Stadt in China, →Tientsin.

Tian Shan [-ʃan], Gebirgssystem in Asien, →Tienschan.

Tigra [grch. aus pers.] *die,* **1)** *Geschichte:* altoriental., kegelförmige königl. Kopfbedeckung.

2) *kath. Kirche:* hohe, mit drei übereinander gesetzten Kronen geschmückte, außerliturgische Kopfbedeckung des Papstes (auch **Papstkrone**); wurde bis 1964 (symbol. Ablegung durch Papst Paul VI.) von den Päpsten bei feierl. Aufzügen getragen.

Tiber *der* (italien. Tevere, lat. Tiberis), Fluss in Italien, entspringt 1268 m ü.M. im Etrusk. Apennin, durchfließt Rom und mündet bei Ostia mit einem Delta ins Tyrrhen. Meer, 405 km lang.

Tiahuanaco

Die Rohlinge der »Monolithen von Tiahuanaco« sprengte man offenbar unter Zuhilfenahme von gewässerten Holzkeilen, die in Serien vorbereiteter Bohrlöcher aufquollen, aus dem Fels. Um ihr Transportgewicht zu verringern, hieben Arbeiter die Blöcke noch im Steinbruch grob zu. Danach wurden sie wohl auf Schlitten oder Rollen aus Baumstämmen gepackt und über präparierte Rutschbahnen zum Bestimmungsort gezogen. Hierbei waren sicher Hunderte von Menschen im Einsatz. Für den Transport auf dem Titicacasee standen gewaltige Holz- oder Binsenflöße zur Verfügung.

Tiberias, Stadt in Israel, am W-Ufer des Sees Genezareth, 37600 Ew.; bed. Fremdenverkehr, Kurort (heiße Mineralquellen). – 20 n.Chr. gegr. und nach Kaiser Tiberius benannt; seit dem 2.Jh. Zentrum jüd. Gelehrsamkeit; wurde 637 arabisch, gehörte 1099–1187 zum Kreuzfahrerstaat.

Tiberius, eigtl. T. Julius Caesar Augustus, vor der Adoption T. Claudius Nero, röm. Kaiser (14–37 n.Chr.), *Rom 16.11. 42 v.Chr., †Misenum (am heutigen Kap Miseno bei Neapel) 16. 3. 37 n.Chr.; unterwarf während der Regierung seines Stief- und Adoptivvaters Augustus 15–13 v.Chr. das Alpengebiet, übernahm nach dem Tod seines Bruders Drusus den Oberbefehl in Germanien und schlug 6–9 n.Chr. den pannon. Aufstand nieder; setzte als Kaiser die Politik des Augustus fort. 26 n.Chr. zog er sich nach Capri zurück und überließ die Reg. Günstlingen, u.a. →Sejan.

Tibesti *der,* Gebirge in der östl. Sahara, im N der Rep. Tschad, stark zerklüftete Vulkanlandschaft, im Emi Kussi 3415 m ü.M. (höchste Erhebung der Sahara); in den Trockentälern Oasen mit Dattelpalmen; Wohngebiet der →Tubu. Im Gebiet um die Oase Bardai frühgeschichtl. Felszeichnungen.

Tibet [auch ti'be:t] (chines. Xizang, tibet. Bodjul), autonome Region in W-China, 1228400 km^2, (1994) 2,4 Mio. Ew.; Hptst. ist Lhasa.

Landesnatur: T. ist das größte Hochland der Erde, das »Dach der Welt«, im südl. Innerasien zw. den Gebirgsketten des Kunlun Shan im N, des Himalaja im W und S und der osttibet. Randgebirge im O; durchschnittlich 4500 m ü.M. gelegen und von 7000–8000 m hohen Gebirgsketten in zahlr. schutterfüllte Becken mit abflusslosen Seen gegliedert. Der →Transhimalaja scheidet die nördl. Kältesteppen vom klimabegünstigten südtibet. Längstal mit den Oberläufen des Indus und Brahmaputra. Im NO befinden sich die Becken des Qaidamsumpfes und des Qinghai Hu. T. hat trockenes Höhenklima mit starken jährl. (zw. –40 und +35 °C) und tägl. Temperaturschwankungen. Die Schneegrenze liegt zw. 4000 und 6100 m ü.M. Die baumlosen Wüstensteppen des Hochlands gehen oft in Wüste über. Die tiefen Schluchten der Randgebirge sind dicht bewaldet.

Bevölkerung und Wirtschaft: Die Bevölkerung besteht größtenteils aus →Tibetern. Im NO wohnen nomad. Tanguten, im SO andere Volksstämme. Die Zahl der Chinesen wächst. Die Religion ist der →Lamaismus. Die weit verstreuten Hochlandnomaden halten Schafe, Yaks, Ziegen und Pferde. Allein im S und SO erlaubt der Monsuneinfluss stellenweise Anbau von Gerste, Bohnen, Erbsen, Weizen, Reis, Hirse, Raps, Aprikosen. Reisanbau erfolgt bei künstl. Bewässerung. Es bestehen Betriebe der Textil-, Zement-, Papier- und chem. Industrie. Ausgeführt werden Wollwaren, Filz, Pelze, Moschus, Salz. In den dichter besiedelten Tälern bei Lhasa, Shigatse und Gyangzê treffen sich die Handelsstraßen aus Indien, China, Turkestan und der Mongolei. Seit der Machtübernahme durch China wurde das Straßennetz ausgebaut. Flugverbindungen bestehen zw. Lhasa, Chongqing und Lanzhou.

Geschichte: Im 7. Jh. wurden die nomad. Hochlandstämme von T. in einem Staat vereinigt (Hauptstadt Lhasa); dieser erreichte im 8. Jh. seine größte Ausdehnung und wurde zur beherrschenden Vormacht Zentralasiens (Machtbereich von N-Burma über Nepal bis Kaschmir und von Turkestan bis in nordwestl. Teile Chinas). In der Mitte des 9. Jh. kam es zu einer grausamen Verfolgung des tibet. Buddhismus (Lamaismus) und zur Restauration der vorbuddhist. Bon-Religion; danach zerfiel das Reich in kleinere Fürstentümer. Im 13. Jh. geriet T. zeitweilig unter die Vorherrschaft der Mongolen; danach beanspruchten die chines. Dynastien der Ming (1368–1644) und Mandschu (1644–1911) die Oberhoheit über T. Um 1400 reformierte Tsongkhapa (* 1357, † 1419) den Lamaismus und gründete die Gelbmützensekte (»gelbe Schule«), deren Oberhaupt seit dem 16. Jh. als Dalai Lama bezeichnet wird. Der »große 5.« Dalai Lama (* 1617, † 1682) verstand es, mit mongol. Hilfe die polit. Macht der »gelben Schule« auszudehnen. 1717 eroberten die Dsungaren Lhasa; sie wurden von den Chinesen vertrieben, die daraufhin T. als ihr Protektorat behandelten. Mehrere tibet. Aufstände wurden von den Chinesen blutig unterdrückt. Eine brit. Militärexpedition drang 1904 gewaltsam bis Lhasa vor, doch erkannten Großbritannien (1906) und Russland (1907) die chines. Oberhoheit über T. an. In den Wirren der chines. Revolution von 1911 gelang es, die chines. Truppen und Behörden zu vertreiben. Auf der Konferenz von Simla 1914 wurden Teile von Ost-T. China zugesprochen, der größte Teil von T. war de facto bis 1950 unabhängig. Nach dem Einmarsch der Chinesen 1950 wurde T. in einem von Indien vermittelten chinesisch-tibet. Vertrag (23. 5. 1951) unter Zusicherung der inneren Autonomie der VR China eingegliedert. Tibet. Aufstände 1959 wurden niedergeschlagen, die hierarch. Struktur beseitigt. 1959 floh der 14. Dalai Lama, Tenzin Gyatso, nach Indien, wo er seitdem in Dharamsala (Himachal Pradesh) eine Exilregierung leitet; eine Fluchtbewegung von beträchtl. Ausmaß setzte ein. Die Neuordnung von Gesellschaft und Wirtschaft T.s erfolgte nach dem Muster Chinas. 1965 wurde die »Autonome Region T.« errichtet, während der Kulturrevolution (1966–69) wurden der Lamaismus verfolgt und zahlr. Klöster zerstört. Seit 1987 verstärkte sich eine Bewegung für die Unabhängigkeit (wiederholt antichines. Unruhen).

📖 ERFFA, W. VON: *Das unbeugsame T. Tradition, Religion, Politik. Zürich u. a. 1992.* – *T. klagt an. Zur Lage in einem besetzten Land, hg. v.* P. K. KELLY *u. a. Wuppertal [2]1992.* – BATCHELOR, S.: *Der große T.-Führer. Neuausg. Innsbruck 1993.* – *Encyclopaedia of T., hg. v.* S. K. SHARMA *u. a., 7 Bde. Delhi 1996.* – LUDWIG, K.: *T. München [2]1996.* – SMITH, W. W.: *A history of T. Boulder, Colo., 1997.*

Tibeter (Eigenbez. Bod, Bodpa), Volk in Zentralasien, meist Bauern und Nomaden, rd. 5,5 Mio. Menschen; sie gehören teils zu den Turaniden, teils zu den Mongoliden und sprechen die tibet. Sprache; sie bekennen sich zum → Lamaismus.

tibetische Kunst, → zentralasiatische Kunst.

tibetische Literatur. Die t. L. ist seit dem 7. Jh. nachweisbar (grammat. Texte, Zaubersprüche, Inschriften, die Annalen von Dunhuang). Buddhist. Texte wurden aus dem Sanskrit ins Tibetische übersetzt, die, im 14. Jh. im → Kandschur (»Übersetzung des [Buddha-]Wortes«) und im → Tandschur (»Übersetzung der Lehrschriften«) zusammengestellt, den Kanon der buddhist. Schriften bilden. Daneben gibt es zahlr. original tibet. Werke (philosoph. und exeget. Abhandlungen, religionsgeschichtl. Darstellungen, Biographien, Klosterführer, Ritualhandbücher). Das profane Schrifttum (Chroniken, Gedichte, Epen, Erzählungen, Schauspiele, Lieder) ist meist vom Lamaismus beeinflusst.

tibetische Sprache, zur tibetobirman. Gruppe der → sinotibetischen Sprachen gehörende Sprache. Geschrieben wird mit einem im 7. Jh. n. Chr. nach dem Vorbild der ind. Guptaschrift entwickelten Alphabet.

tibetobirmanische Sprachen, eine Gruppe der → sinotibetischen Sprachen.

Tiberius, römischer Kaiser (römische Marmorbüste; Kopenhagen, Ny Carlsberg Glyptotek)

Tibet: Blick auf den Handelsort Gyangzê in Südtibet; im Vordergrund das umfriedete Palkhorkkloster mit dem im Zentrum gelegenen Tschorten Kumbum aus dem frühen 15. Jahrhundert

Tibia [lat.] *die,* **1)** *Anatomie:* das Schienbein (→ Bein).

2) *Musik:* dem Aulos ähnl. Blasinstrument mit gedoppelten Röhren; in der Orgel Bez. einzelner Flötenregister, z. B. T. silvestris (Waldflöte).

Tibull, eigtl. Albius Tibullus, röm. Dichter, * um 50 v. Chr., † um 17 v. Chr.; aus ritterl. Stand, hat zus. mit Properz der röm. Elegie ihr klass. Gepräge gegeben. Themen seiner melod. Gedichte sind Frauenliebe, Knabenliebe, Freundschaft, Geselligkeit. T. ist v. a. ein Dichter des Landlebens, mit viel Sinn für die Idylle.

Tic [frz.] *der* (Tick), wiederholte, unwillkürl. Bewegungen einzelner oder mehrerer Muskeln ohne Bewegungszweck.

Tichau [-ç-], Stadt in Polen, → Tychy.

Tichon (Tychon), eigtl. Wassili Iwanowitsch Belawin, russ. orth. Theologe, * Toropez (Gouv. Pskow) 31. 12. 1865, † Moskau 7. 4. 1925; seit 1914 Erzbischof von Vilnius; 1917 zum ersten Patriarchen von Moskau und ganz Russland nach Wiedereinführung des Patriarchats gewählt.

Nikolai Tichonow

Tichonow, Nikolai Semjonowitsch, russ. Schriftsteller, * Sankt Petersburg 4. 12. 1896, † Moskau 8. 2. 1979. Seine Poeme, Balladen und Prosaskizzen sind typ. Werke der »revolutionären Romantik«. T. schrieb auch Dichtungen und Skizzen aus dem 2. Weltkrieg, Erzählungen sowie das Poem »Kirow lebt« (1941) und wirkte auch als polit. Funktionär.

Ticino [ti'tʃi:no], italien. Name des → Tessin.

Tick, der → Tic.

Tiden [niederdt.] → Gezeiten.

Tiebreak [engl.] *der* oder *das, Tennis:* Zählweise, durch die im Wettkampf ein Satz beim Stand von 6 : 6 schneller zum Abschluss gebracht wird. Der Spieler, der im T. zuerst mit zwei Punkten Vorsprung sieben Punkte erreicht, gewinnt Spiel und Satz.

Tieck, 1) Christian Friedrich, Bildhauer, * Berlin 14. 8. 1776, † ebd. 12. 5. 1851, Bruder von 2); 1794–97 Schüler von G. Schadow, 1798–1801 im Atelier von J.-L. David in Paris tätig; unterhielt seit 1819 in Berlin ein gemeinsames Atelier mit C. D. Rauch. T. war ein Hauptmeister des Berliner Klassizismus; schuf u. a. den plast. Schmuck des Berliner Schauspielhauses und Bildnisbüsten, u. a. von Goethe und K. F. Schinkel, sowie 21 Marmorbüsten für die Walhalla bei Regensburg.

Christian Friedrich Tieck: Büste von Clemens Brentano (1803; Berlin, Nationalgalerie)

Ludwig Tieck: Bleistiftzeichnung des Malers Wilhelm Hensel (1822; Berlin, Nationalgalerie)

2) Johann Ludwig, Pseudonyme Peter Lebrecht, Gottlieb Färber, Schriftsteller und Philologe, * Berlin 31. 5. 1773, † ebd. 28. 4. 1853, Bruder von 1); studierte in Halle (Saale), Göttingen und Erlangen; begann mit fantast. Dichtungen und dem Briefroman »Geschichte des Herrn William Lovell« (3 Bde., 1795/96). Unter dem programmat. Titel »Volksmährchen« (3 Bde., 1797) gab T. Texte der frühen Romantik heraus, so die Erzählung von der schönen → Magelone, die romantisch-iron. Komödie »Der gestiefelte Kater« sowie Kunstmärchen wie »Der blonde Eckbert«. Seine Konzeption einer mobilen künstler. Imagination verbündet sich in dem Künstlerroman »Franz Sternbalds Wanderungen« (2 Bde., 1798) mit dem Kunstenthusiasmus seines früh verstorbenen Freundes W. H. Wackenroder. 1799 schloss sich T. der Jenaer Frühromantik an. Alle Dichtungsgattungen und den Kanon romant. Motive vereinigte T. in dem Lustspiel »Kaiser Octavianus« (1804). Das Sammelwerk »Phantasus« (3 Bde., 1812–16) fügt in den Rahmen geistvoller Gespräche eigene ältere und neue Dichtungen ein und führt hinüber zu den Formen der realist. Spätzeit, in der die Novellenform vorherrscht (»Der Aufruhr in den Cevennen«, 1826; »Des Lebens Überfluss«, 1839). »Vittoria Accorombona« (2 Bde., 1840) knüpft an den histor. Roman von W. Scott und A. Manzoni an. T. übersetzte den »Don Quijote« des Cervantes (4 Bde., 1799–1801), erschloss durch Übertragung von Minneliedern und Ulrich von Lichtensteins »Frauendienst« (1812) die poet. Welt des MA., gab Schriften von Wackenroder, Novalis, Maler Müller, H. von Kleist und J. M. R. Lenz heraus und setzte das von A. W. Schlegel begründete Unternehmen der Shakespeare-Übersetzung unter Mitarbeit seiner

Tochter Dorothea und A. W. Graf von Baudissin fort. 1819–42 wohnte T. in Dresden (ab 1825 Hofrat und Dramaturg am Hoftheater), dann in Berlin als Berater des Hoftheaters, wohin ihn Friedrich Wilhelm IV. berufen hatte.

📖 Rek, K.: *Das Dichterleben des L. T. Biographie. Berlin 1991.* – Zybura, M.: *L. T. als Übersetzer u. Herausgeber. Heidelberg 1994.* – Rath, W.: *L. T.: das vergessene Genie. Paderborn u. a. 1996.*

Tief, 1) *Geomorphologie:* Rinne in Küstengewässern.

2) *Meteorologie:* → Tiefdruckgebiet.

Tief|ausläufer, *Meteorologie:* keilförmige Ausbuchtung im Bereich der Front einer Zyklone. Da der T. um das Tiefdruckgebiet herumschwenkt, erzeugt er Druckfall, lebhafte Winde und wechselhaftes Wetter.

Tiefbau, 1) *Bauwesen:* im Unterschied zum → Hochbau Planung und Ausführung aller Baumaßnahmen zu ebener Erde, in oder unter der Erde (z. B. Straßen-, Erd-, Grund-, Tunnelbau, Brückenbau, Eisenbahnbau, Wasserbau, Kanalisation).

2) *Bergbau:* der Abbau von Lagerstätten nutzbarer Minerale unter Tage, im Ggs. zum Tagebau.

Tiefbeben, Erdbeben, deren Herd zw. 300 und 700 km tief liegt; bes. im pazif. Raum verbreitet.

Tiefbohrung, → kontinentales Tiefbohrprogramm.

Tiefdecker, → Flugzeug (Baugruppen).

Tiefdruck, → Druckverfahren.

Tiefdruckgebiet (Tief, Zyklone, barometrisches Minimum), Gebiet relativ niedrigen Luftdrucks, dessen Zentrum **(Tiefkern)** den niedrigsten Druckwert hat. Auf der N-Halbkugel der Erde strömt die Luft entgegen dem Uhrzeigersinn, auf der S-Halbkugel im Uhrzeigersinn. Ein Teil der zusammenströmenden (konvergierenden) Luft steigt auf, wobei sie sich abkühlt. Der mitgeführte Wasserdampf kondensiert, es bilden sich Wolken, Fronten (→ Front) und oft Niederschläge.

Tief|ebene, in geringer Meereshöhe gelegene Ebene, meist in Meeresnähe im Mündungsgebiet großer Ströme (Amazonasbecken, Ganges- und Indus-T., Norddt. Tiefebene).

Tiefenbruch, *Geologie:* → Lineamente.

Tiefengesteine, die → Plutonite.

Tiefenpsychologie, Sammelbez. für diejenigen psycholog. Richtungen, nach deren Auffassung der Schlüssel zum Verständnis des Seelenlebens im → Unbewussten liegt. Dem von E. Bleuler geprägten Begriff der T. liegt die Ansicht zugrunde, dass in den unbewussten Prozessen die eigentl. Triebkräfte liegen, die sich im Erleben, Verhalten und Handeln des Individuums manifestieren. Zur Deutung des Verhaltens wie auch von psych. Störungen, Konflikten, Fehlleistungen, Erkrankungen und zu deren Behandlung werden somit die »dahinter liegenden« Motive (z. B. unverarbeitete Erlebnisse, verdrängte Triebe und Bedürfnisse) herangezogen. Zu den Hauptrichtungen zählen v. a. die → Psychoanalyse S. Freuds, die Individualpsychologie von A. → Adler, die komplexe bzw. analyt. Psychologie von C. G. → Jung, die Daseinsanalyse (→ daseinsanalytische Psychologie) und die → Existenzanalyse.

Tiefenrausch, beim Tieftauchen (etwa ab 50 m) mit Pressluftgeräten durch den erhöhten Stickstoffpartialdruck in den Geweben hervorgerufene euphor. Zustände mit Denk- und Bewegungsstörungen, im Extremfall Bewusstlosigkeit und Tod.

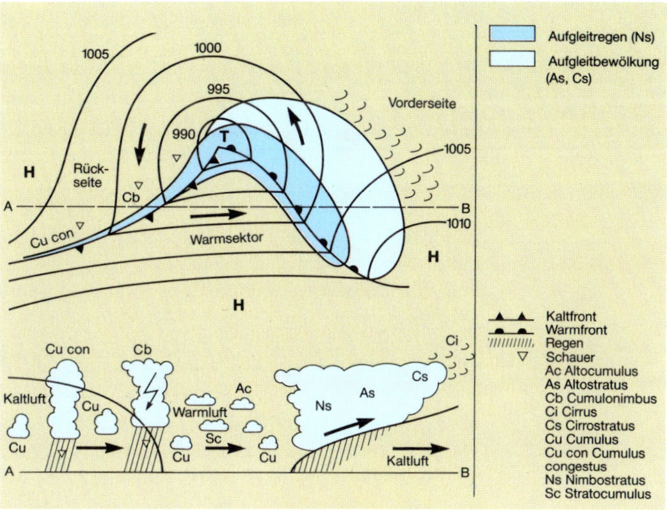

Tiefdruckgebiet: schematische Darstellung eines jungen Tiefdruckgebietes (oben) und der dazugehörenden Wettererscheinungen in der Schnittlinie AB

Tiefenstruktur, *Sprachwiss.:* in der → generativen Grammatik die einem Satz zugrunde liegende abstrakte semant. Struktur, im Unterschied zur → Oberflächenstruktur.

Tiefenwinkel, *Geophysik:* → Höhenwinkel.

Tiefgang, die Höhe des Schiffskörpers unter Wasser, die zw. Wasserlinie und Unterkante Kiel gemessen wird. Der **Freibord-T.** ist der maximal zulässige T. (**Tiefladelinie**) gemäß Freibordmarke bei voller Abladung. (→ Freibord)

Tiefkühlen, → Gefrieren.

Tiefkühlkost (Gefriergut, Gefrierkost), tisch- oder küchenfertige Gefrierkonserven, die durch → Gefrieren (Tiefkühlen) unter –18 °C hergestellt werden. Nährstoffe, Vitamine, Farbe, Geruch und Geschmack bleiben dabei weitgehend erhalten. – Die T. wird entweder vor oder nach dem Gefrieren verpackt. Bei der anschließenden Lagerung in Gefrieranlagen ist die T. bei mindestens –18 °C, besser –30 °C längere Zeit haltbar (je nach Art und Lagertemperatur bis zu einem Jahr und darüber), ohne dass spürbare Qualitätseinbußen auftreten. – Aufgetaute T. muss unverzüglich verbraucht bzw. (bei küchenfertiger T.) gegart oder gebraten werden, da sie sonst genussuntauglich wird.

Tiefland, → Flachland.

Tiefpass, *Elektrotechnik, Elektronik:* elektron. Schaltung (→ Filter), die einen begrenzten Frequenzbereich unterhalb einer bestimmten Grenzfrequenz überträgt, andere Frequenzbereiche werden dagegen unterdrückt; Ggs.: → Hochpass.

Tiefsee (pelagische Region, abyssische Region), Bereich des Weltmeeres unterhalb der Flachsee von 1000 m Tiefe an; nimmt etwa 62,3 % der Erdoberfläche ein. Die Temperaturen liegen bei 1–3 °C, der Salzgehalt bei 34,5–34,9 ‰, der Sauerstoffgehalt bei 3–5 ml/l. Es herrschen hoher Wasserdruck und völlige Dunkelheit. – Im Bereich der T. finden sich mineral. Rohstoffe als Bodenschätze in Lockergesteinen (→ Manganknollen, Phosphoritvorkommen, Erzschlämme, Mineralseifen) auf dem Meeresboden und dicht darunter sowie im Meeresuntergrund (Steinsalz, Erdöl, Erdgas). Diese mineral. Rohstoffe der T. werden bisher nicht genutzt. Zur Förderung der Minerale vom und aus dem Tiefseeboden sind größere technolog. Entwicklungsarbeiten im Gang. (→ Meeresbergbau)

Flora und Fauna: Die Vegetation der tieferen Meereszonen liegt in etwa 100–200 m Tiefe (bes. Rotalgen). In den lichtlosen Tiefenschichten unter 500 m findet sich T.-Plankton. Neben Bakterien, Panzerflagellaten und Cyanobakterien kommen bes. Ruderfußkrebse, Garnelen, Hohltiere und Fische vor. Die meisten T.-Fische haben rückgebildete oder teleskopförmige Augen, Leuchtorgane und gelegentlich fühlerartige Fortsätze. Die notwendigen Nährstoffe gelangen aus Oberflächenschichten durch Sedimentation organ. Partikel in die Tiefe. Auf der Oxidation von Sulfiden an den → Schwarzen Rauchern beruht die Existenz von Bakterien, von denen wiederum Röhrenwürmer, Muscheln, Krebstiere, Quallen, Schnecken, Seeanemonen u. a. Wirbellose leben

Tiefseebergbau, der → Meeresbergbau.

Tiefseebohrungen, Erforschung des Untergrunds von Meeren durch Bohrungen von einem Bohrschiff aus. 1991 gelang erstmals eine T. bis 2000 m Tiefe (östlich der Galápagosinseln im Pazifik). Bis 2002 sind Bohrungen in Wassertiefen bis zu 8,2 km und maximale Bohrlochtiefen von 5 km geplant. Bed. wiss. Erkenntnisse: Die Ozeanböden sind maximal 0,2 Mrd. Jahre alt (die der Kontinente 4,3 Mrd.); durch aufquellende Lava längs der mittelozean. Rücken werden sie ständig neu gebildet und bewegen sich von dort auseinander zu Verschluckungszonen hin, in denen sie verschwinden (→ Plattentektonik, → Seafloor-Spreading).

Tiefseeforschung, Zweig der → Meereskunde, untersucht v. a. die Tiefsee und Tiefseeböden (→ Tiefseebohrungen). – Die systemat. T. begann 1872/76 mit der brit. »Challenger«-Expedition. Von dt. Seite hatte die Expedition der »Meteor« (1925–27) einen überragenden Einfluss auf die heutige T., später die der → Bathysphäre und der → Bathyskaph. Internat. Tiefseebohrprogramme (Deep Sea Drilling Project, 1968–83; Ocean Drilling Program, seit 1985) dienen der Erforschung von Entstehung, Entwicklung und Aufbau der Erde und der Ozeane sowie der Rekonstruktion des Erdklimas.

Tiefseegräben, lang gestreckte, rinnenförmige Einsenkungen (300–4000 km lang) des → Meeresbodens mit steilen Flanken und Tiefen von 6000–11000 m u. M. Die T. erstrecken sich meist entlang den Rändern der Ozeane (v. a. des Pazif. Ozeans) sowie entlang von Inselgruppen und fallen mit Zonen sehr häufiger, oberflächennaher Erdbeben zusammen, z. B. Marianengraben, Philippinengraben, Kermadecgraben.

Tiefseegräben (Auswahl)

Tiefseegraben	größte Tiefe
Atlantischer Ozean:	
Puerto-Rico-Graben (Milwaukeetiefe)	9219 m
Süd-Sandwich-Graben (Meteortiefe)	8264 m
Romanchetiefe	7864 m
Caymangraben	7680 m
Indischer Ozean:	
Sundagraben (Planettiefe)	7455 m
Pazifischer Ozean:	
Marianengraben (Witjastiefe I)	11034 m
Tongagraben (Witjastiefe II)	10882 m
Kurilen-Kamtschatka-Graben (Witjastiefe III)	10542 m
Philippinengraben (Galatheatiefe)	10540 m
Boningraben (Ramapotiefe)	10374 m
Kermadecgraben (Witjastiefe IV)	10047 m
Atacamagraben (Spencer-F.-Byrd-Tiefe)	8066 m
Aleutengraben	7822 m
Ryūkyūgraben	7507 m
Perugraben (Milne-Edwards-Tiefe)	6262 m

Tieftemperaturphysik (Kryophysik), Spezialgebiet der Physik, das sich mit der Erzeugung und Messung sehr tiefer Temperaturen (< 80 K) sowie mit der Untersuchung von Materialeigenschaften und Prozessen bei diesen Temperaturen befasst. Die Technik zur Erzeugung tiefer Temperaturen (→ Kryotechnik) nutzt bis zu etwa 1 K die → Gasverflüssigung, v. a. von Stickstoff (Siedetemperatur 77 K), Wasserstoff (20,4 K) und Helium (4,2 K), die verflüssigt als Kühlmittel in Kryostaten eingesetzt werden. Erniedrigt man den Dampfdruck über der Flüssigkeit, so nimmt die Temperatur noch weiter ab. Durch Abpumpen von flüssigem Helium 4 können damit 0,8 K erreicht werden. Tiefste Temperaturen bis in die Nähe des absoluten Nullpunktes werden mithilfe des elektrokalor. und → mag-

Giambattista Tiepolo: Das Deckenfresko im Kaisersaal der Würzburger Residenz (1750–53) gehört zu den Höhepunkten im Schaffen des italienischen Meisters

netokalorischen Effekts, spezieller Mischungseffekte bei suprafluidem Helium sowie der adiabat. Entmagnetisierung erzielt. Techn. Anwendung finden die Ergebnisse der T. neben der Verflüssigung und Lagerung von Gasen z.B. beim Bau supraleitender Magnete und Bauelemente (→Supraleitung).

Tiefurt, Schloss und Landschaftspark bei →Weimar.

Tiefziehen, *Fertigungstechnik:* Verfahren zur Herstellung von Hohlkörpern (Töpfen, Hülsen, Karosserieteilen u.a.) aus ebenen Blechzuschnitten, auch aus Kunststofffolien oder -platten. Der Zuschnitt wird entweder durch einen Stempel oder elast. Medien (Flüssigkeit, Gummikissen) in eine Ziehmatrize oder in einen Ziehring hineingezogen oder an einen starren Stempel angelegt. Größere Querschnittabnahmen erfordern mehrere Ziehphasen. T. wird meist unter Kurbelpressen und hydraul. Pressen ausgeführt.

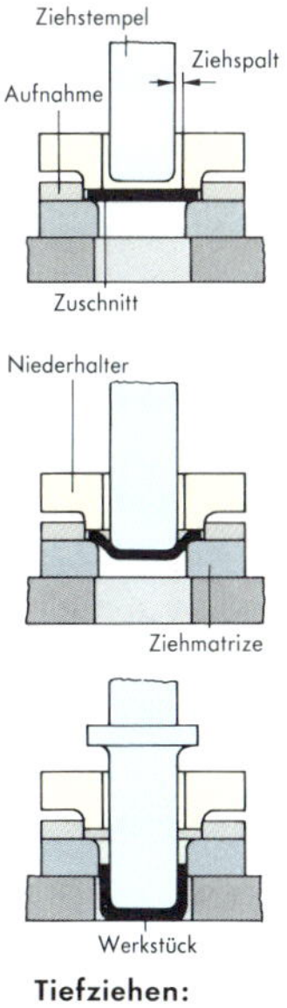

Tiefziehen: Schema des Tiefziehens

Tiegel, 1) *Chemie:* kleines, meist konisches Gefäß mit aufsetzbarem Deckel aus Porzellan, Quarz, Edelstahl, Platin u.a., das zum starken Erhitzen (Rösten, Verbrennen, Schmelzen) von Substanzen verwendet wird.

2) *Hüttentechnik:* (Tiegelofen) aus einem beheizbaren, tiegelförmigen Behälter aus Graphit, Ton oder Schamotte bestehender Schmelzofen, der früher in großem Umfang zum Erschmelzen von Stahl verwendet wurde.

Tiemann, Walter, Schrift- und Buchkünstler, *Delitzsch 29. 1. 1876, †Leipzig 12. 9. 1951; leitete seit 1920 die Staatl. Akademie für graf. Künste in Leipzig, schuf etwa 20 Druckschriften.

Tienen ['ti:nə, niederländ.] (frz. Tirlemont), Stadt in der Prov. Flämisch-Brabant, Belgien, 31 800 Ew.; Zuckerfabrik, Landmaschinenbau, elektrotechn. Industrie.

Tiengen/Hochrhein, ehem. selbstständige Stadt, seit 1975 Teil von →Waldshut-Tiengen.

Tienschan [tjɛn-; chines. »Himmelsgebirge«] *der* (Tian Shan), Gebirgssystem in Zentral- und Mittelasien, v.a. in Kirgistan und China (Sinkiang), erstreckt sich über rd. 2 500 km von der Sandwüste Kysylkum im W bis zur Gobi im O, im Pik Pobeda 7 439 m ü.M., stark vergletschert.

Tientsin [tjɛn-] (Tianjin), regierungsunmittelbare Stadtregion in NO-China, am Hai He, 11 300 km², (1994) 9,35 Mio. Ew. (davon rd. 6 Mio. in der eigentl. Stadt); zwei Univ., techn., Handels- u.a. Hochschulen, zahlreiche Forschungsinstitute; Textil-, Leder-, Maschinen-, Tabak-, chem. Ind., Eisen- und Stahlind., Erdölraffinerie; zweitgrößter Handelshafen Chinas (Tianjin Xingang); 1984 zur »offenen Stadt« für Auslandsinvestitionen erklärt.

Tiepolo, Giambattista, eigtl. Giovanni Battista T., italien. Maler und Radierer, *Venedig 5. 3. 1696, †Madrid 27. 3. 1770; bed. Vertreter der venezian. Schule; schuf, orientiert an P. Veronese und bes. unter dem Einfluss von G. B. Piazzetta und S. Ricci, Fresken und Altarbilder für Kirchen, Paläste und Villen in Venedig (u.a. Chiesa degli Scalzi, Ca'Rezzonico, Palazzo Labia) und in anderen Orten Oberitaliens, u.a. in Mailand (1731, 1737 und 1740; u.a. im Palazzo Dugnani) und in Vicenza (1734 und 1757; u.a. Villa Valmarana). Den Höhepunkt seines Schaffens bilden die Fresken im Kaisersaal und im Treppenhaus der Würzburger Residenz (1750–53).

1762 siedelte er nach Madrid über, wo er mit seinen Söhnen Giovanni Domenico T. (*1727, †1804) und Lorenzo T. (*1736, †1776) die Fresken im Königsschloss ausführte. Seit Mitte der 1720er-Jahre wichen in T.s Werken die erdigen, stumpfen Töne der Frühzeit einer leuchtenden Farbpalette, die sich zunehmend aufhellte. Kühne Verkürzungen und kraftvolle Lichteffekte dienten der illusionist. Öffnung der Deckenmalerei, es prägte sich sein Streben nach repräsentativer Großartigkeit und klassisch geklärter Komposition aus.

🕮 GEMIN, M. *u.* PEDROCCO, F.: *G. T. Leben u. Werk. A. d. Italien. München 1995.*

Tier, *Biologie:* →Tiere.

Tier|arzt (Veterinärmediziner), Berufsbez. für Personen, die aufgrund der Approbation berechtigt sind, die →Tiermedizin auszuüben. Die Tätigkeit des T. erstreckt sich auf die Behandlung kranker Tiere und die Tierseuchenbekämpfung, aber auch auf die Untersuchung und Überwachung der Herstellungs-, Lagerungs-, Transport- und Verkaufshygiene von Fleisch (→Fleischhygiene), Milch und sonstigen Lebensmitteln tier. Herkunft, ferner auf die Beratung der Tierhalter und die Überwachung der Hygiene in Tierbeständen.

Tiere (Tierdichtung): Kampf zwischen Fuchs und Wolf, Illustration zu dem Zyklus altfranzösischer Tierfabeln »Roman de Renart« (zwischen 1175 und 1250) in einer Handschrift des späten 13. Jh. (Paris, Bibliothèque Nationale)

Tiere (Animalia), die Gesamtheit der eukaryont. Organismen, die systematisch im Tierreich zusammengefasst sind und als solche dem Pflanzenreich gegenübergestellt werden. Systematisch wird das Tierreich in die zwei Unterreiche **Protozoa** (einzellige T.) und **Metazoa** (vielzellige T.) gegliedert, mit insgesamt 30 Stämmen, wobei über die Zahl der Stämme und deren weitere systemat. Unterteilung unter Wissenschaftlern keine Übereinstimmung herrscht. Sowohl einzellige (rd. 27000 Arten) als auch vielzellige T. (etwa 1,5 Mio. Arten) sind aus echten Zellen mit Zellkern und membranumgrenzten Zellorganellen aufgebaut. Stammesgeschichtlich können T. und Pflanzen auf gemeinsame einzellige Urformen zurückgeführt werden, die unter den Flagellaten zu finden sind. Im Ggs. zu den (meist) autotrophen Pflanzen ernähren sich T. heterotroph (→Heterotrophie). T. sind fast immer frei beweglich und mit Sinnesorganen zur Aufnahme von Reizen sowie einem Erregungsleitungssystem (Nervensystem) ausgestattet. Die Zellen haben (im Unterschied zur Cellulosezellwand der Pflanzen) nur eine sehr dünne Zellmembran und sind (bei den Mehrzellern) fast stets gegeneinander abgegrenzt. T. haben (im Unterschied zu den Pflanzen mit großer äußerer Oberfläche) eine eher kompakte Form mit reich gegliederten inneren Oberflächen (Körperhohlräumen), an denen der Stoffaustausch mit der Umgebung überwiegend stattfindet (»geschlossenes System« der T.). Da tier. Zellen meist keinen ausgeprägt hohen Turgor (Zelldruck) haben, wird die Ausbildung von besonderen Stützorganen (Außen-, Innen-, Hydroskelett) notwendig. Im Unterschied zu vielen Pflanzen ist das Wachstum bei T. i. d. R. zeitlich begrenzt, da die teilungsfähigen, undifferenzierten Zellen größtenteils aufgebraucht werden. Viele T. sind befähigt, sich extremen Lebensräumen anzupassen. Eine oft hoch entwickelte →Brutpflege ist für Tierarten aus den verschiedensten Stämmen kennzeichnend.

Weiteres siehe →Tiergeographie, →Tiergesellschaft, →Tiersprache, →Tierstock, →Verhaltensforschung, →Zoologie; über bedrohte Tierarten →Rote Liste.

Rechtlich sind Haus-T. von wilden T. zu unterscheiden. Wilde T. sind herrenlos, solange sie sich in Freiheit befinden; sie unterliegen dem Aneignungsrecht, das durch landesgesetzl. Bestimmungen über das Jagd- und Fischereirecht und den Artenschutz beschränkt ist. Haus-T. werden, auch wenn sie verwildern, nicht herrenlos. (→Tierhalterhaftung, →Wildschaden)

Kunst und Religion: Tierdarstellungen gehören zu den frühesten Kunstäußerungen des Menschen; sowohl bei den altsteinzeitl. Menschen (→Felsbilder) als auch bei den Naturvölkern hat das Tierbild meist mag. oder religiöse Bedeutung. Sehr realistisch wurden T. von den Ägyptern, auch von anderen Völkern des Alten Orients erfasst, bei denen Tiergötter (Stier, Katze, Pavian u. a.) verehrt (Tierkult) und Götter oft in menschl. Gestalt, doch mit Tierköpfen dargestellt wurden (babylon., assyr., ägypt. Kunst). Die Griechen, die fast nur den Menschen und in seiner Gestalt auch das Göttliche verkörperten, stellten Pferde mit Reitern und auch den Löwen dar (→Chaironeia). In hellenist. Zeit wurden realistisch-genrehafte Tierdarstellungen beliebt. In der frühchristl. Kunst hatten Abbilder von T. sinnbildl. Bedeutung (→Lamm, →Agnus

Dei, →Tauben, →Pfauen, →Phönix, →Pelikane; vgl. auch →Evangelisten; →Physiologus). Es entstand eine reich ausgebildete **Tiersymbolik,** die, wie auch die in der →Steppenkunst und der →germanischen Kunst ausgeprägte **Tierornamentik,** bis weit in das MA. fortwirkte. Realist. Darstellungen, die das Tier um seiner selbst willen wiedergeben, kamen mit dem neuen Wirklichkeitssinn des 15. Jh. auf (A. Pisanello, Hausbuchmeister, A. Dürer u. a.). Im 17. Jh. verselbstständigten niederländ. Maler (F. Snyders, P. Potter u. a.) das Tierbild zu einer eigenständigen Bildgattung (Tierstück). Im 19. und 20. Jh. gehörten T. zum Hauptthema einzelner Künstler (u. a. F. Marc, A. Gaul, R. Sintenis, M. Marini, P. Harth, H. Wimmer).

In der *Tierdichtung* wirkt die Auffassung und Wertung des Tieres in den alten Mythen nach, bes. im **Tiermärchen,** einer sehr alten, über die ganze Welt verbreiteten Gattung. Im Kinder- und Wiegenlied werden T. häufig als verständnisvolle Gefährten der kindl. Seele angesprochen. Lehrhaft oder ironisch-satirisch ist die **Tierfabel** (→Fabel). In den **Tierbüchern** des MA. (→Bestiarium) werden T. im christl. Sinn symbolisch gedeutet. Im meist satir. **Tierepos,** zu dem die Volksüberlieferung an Tiersagen im MA. verarbeitet wurde (→Reinecke Fuchs), haben die einzelnen T. seit etwa 1100 feststehende Eigennamen (Isegrim der Wolf, Nobel der Löwe u. a.). Eine Sonderart ist das kom. Tierepos (→Batrachomyomachie). Auch in der neueren Dichtung wurden handelnde und sprechende T. oft dazu verwendet, um menschl. Charaktere, Zustände, Gebräuche indirekt darzustellen, zu verspotten oder anzugreifen. Das 19. und 20. Jh. entwickelten die realist. oder symbol. Darstellung der menschl. Begegnung mit T. und des Verhältnisses von Mensch und Tier, z. T. mit dem Versuch der Einfühlung in die Tierseele. In neuester Zeit wird bes. die **Tiererzählung** gepflegt, in der Dasein und Umwelt der T. möglichst lebensecht vom Tier, nicht vom Menschen aus geschildert werden.

📖 *Grzimeks Tierleben. Enzyklopädie des Tierreichs, hg. v.* B. GRZIMEK *u. a., 13 Bde. (Neuausg. München 1984); Urania-Tierreich, 7 Tle. (Neuausg. Leipzig u. a. 1991–95).*

tierfangende Pflanzen, →Fleisch fressende Pflanzen.

Tiergarten, →zoologischer Garten.

Tiergarten, Bezirk im Zentrum von Berlin.

Tiergeographie (Zoogeographie, Geozoologie), Teilgebiet der Biogeographie, das sich mit der Verbreitung der Tiere auf der Erde und deren Ursachen befasst; die T. stützt sich vor allem auf zoologisch-systemat., geologisch-geograph. und ökolog. Forschungsergebnisse. Die T. wird gegliedert in die **deskriptive T.** (u. a. Faunistik, systemat. T., biozönot. T.) und die **kausale T.** (ökolog. und histor. Tiergeographie).

tiergeographische Regionen (Tierregionen, Faunenregionen), in der Tiergeographie bestimmte, mehr oder weniger in sich geschlossene, in sich stark untergliederte oder über Durchmischungsgebiete ineinander übergehende geograph. Verbreitungsräume der Tiere mit jeweils charakterist. Fauna. – Man unterscheidet in Bezug auf das Festland: **Holarktis** (gemäßigter und kalter kontinentaler Bereich der Nordhalbkugel), bestehend aus der Paläarktis (Eurasien und N-Afrika) und Nearktis (Nordamerika und Grönland), verbreitete Tierarten u. a. Bison, Rentier, Eis-, Braunbär, Wolf, Elch; **Paläotropis,** bestehend aus der äthiop. Region (Afrika südlich der Sahara und Madagaskar) und der oriental. Region (Vorder- und Hinterindien, Sri Lanka, S-China, Taiwan, Große Sundainseln, Philippinen), typ. z. B. Elefanten, Nashörner, Menschenaffen; **Notogäa** (austral. Region; Australien, Tasmanien, Neuguinea, Neuseeland, pazif. Inseln östl. von Australien und Neuguinea; u. a. Kängurus, Kletterbeutler, Papageien, Warane); **Neotropis** (neotrop. Region; Süd- und Mittelamerika einschl. der Westind. Inseln; typ. u. a. Kloaken-, Beuteltiere, Emus, Kiwis); **Antarktika** (antarkt. Region, Archinotis; als Bereich der von →Gondwana abgedrifteten Antarktis; typ. z. B. Insekten, Seevögel, Seeleopard, Finn-, Glattwal). – Besondere Bereiche der Gewässer sind **Pelagial** (das freie Wasser der Meere und Binnengewässer, von der Oberfläche bis zur größten Tiefe) und **Benthal** (Bodenregion der Seen und Meere); hinzu kommt v. a. in den Ozeanen das →Abyssal.

tiergeographische Regionen

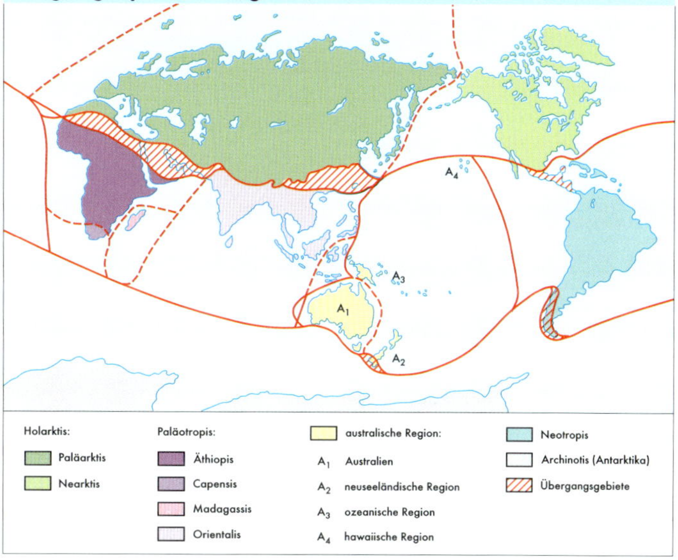

Tiergesellschaft (Tiersozietät), oftmals zeitlich begrenzte Lebensgemeinschaft von Tieren, die meist einer Art angehören, z.B. Nistgesellschaften (Vögel), Schlafgesellschaften (Vögel, Fledermäuse), Herden (Huftiere), Tierstaaten (Termiten, Ameisen, Bienen und Wespen); Ggs.: →Tierstock.

Tierhalterhaftung, Haftung desjenigen, der im eigenen Interesse die Obhut über ein Tier längere Zeit übernimmt **(Tierhalter),** für die durch das Tier verursachten Personen- und Sachschäden. Der Tierhalter haftet auch, wenn ihn keinerlei Verschulden trifft (Gefährdungshaftung). Wird der Schaden durch ein Haustier verursacht, das dem Beruf, der Erwerbstätigkeit oder dem Unterhalt des Tierhalters dient, so entfällt die Haftung, wenn der Tierhalter nachweist, dass er bei der Beaufsichtigung des Tieres die im Verkehr erforderl. Sorgfalt beachtet hat oder dass der Schaden auch bei Anwendung dieser Sorgfalt entstanden wäre (§833 BGB). – Ähnl. Bestimmungen gelten in *Österreich* (§1320 ABGB) und in der *Schweiz* (Art. 56 OR).

Tierheilkunde, die →Tiermedizin.

Tierheime, meist Einrichtungen des Tierschutzes zur Aufnahme und Unterbringung herrenloser Tiere.

Tierkreiszeichen

Grad	*Zeichen**)	*Symbole*	*Monatsabschnitt*
Frühlingszeichen			
0–30	Widder (Aries)	♈	21. März bis 20. April
30–60	Stier (Taurus)	♉	21. April bis 21. Mai
60–90	Zwillinge (Gemini)	♊	22. Mai bis 21. Juni
Sommerzeichen			
90–120	Krebs (Cancer)	♋	22. Juni bis 22. Juli
120–150	Löwe (Leo)	♌	23. Juli bis 23. Aug.
150–180	Jungfrau (Virgo)	♍	24. Aug. bis 23. Sept.
Herbstzeichen			
180–210	Waage (Libra)	♎	24. Sept. bis 23. Okt.
210–240	Skorpion (Scorpius)	♏	24. Okt. bis 22. Nov.
240–270	Schütze (Sagittarius)	♐	23. Nov. bis 21. Dez.
Winterzeichen			
270–300	Steinbock (Capricornus)	♑	22. Dez. bis 20. Jan.
300–330	Wassermann (Aquarius)	♒	21. Jan. bis 19. Febr.
330–360	Fische (Pisces)	♓	20. Febr. bis 20. März

*) deutsche und lateinische Namen

Tierkörperbeseitigung, die aus Gründen der Tierseuchenbekämpfung, des Gesundheits- wie des Umweltschutzes notwendige Beseitigung tot geborener, verendeter oder getöteter Tiere sowie ihrer Teile und Erzeugnisse, die nicht für den menschl. Verzehr geeignet sind.

Tierkörperverwertung, Gewinnung tierischer Rohstoffe (z.B. Felle, Häute, Tierfette, Knochenmehl) aus verendeten oder getöteten Tieren und Schlachthofabfällen.

Tierkreis (Tierkreisgürtel, Zodiakus), Zone am Himmel, in deren Mitte die →Ekliptik verläuft und die von den zwölf **T.-Sternbildern (Ekliptiksternbildern)** besetzt ist. Die Sonne wandert als Folge des jährl. Erdumlaufs um die Sonne scheinbar durch diese Zone. Die T.-Sternbilder sind: Widder, Stier, Zwillinge, Krebs, Löwe, Jungfrau, Waage, Skorpion, Schütze, Steinbock, Wassermann und Fische. Von den tatsächlich beobachtbaren T.-Sternbildern sind die für die Erstellung von →Horoskopen bedeutsamen **T.-Zeichen** zu unterscheiden. Wegen der →Präzession der Erdachse steht die Sonne bei Frühlingsanfang heute nicht mehr wie vor etwa 2000 Jahren am Beginn des Sternbilds Widder, sondern etwa am Beginn des Sternbilds Fische. Trotzdem lässt man das T.-Zeichen Widder am Frühlingspunkt beginnen. Die T.-Zeichen umfassen einen Abschnitt von je 30° auf der Ekliptik und werden durch bestimmte Symbole (ÜBERSICHT) gekennzeichnet. Die sechs Zeichen vom Steinbock bis zu den Zwillingen werden **aufsteigende Zeichen** genannt, da die Sonne sie nach Norden aufsteigend durchläuft, die **absteigenden Zeichen** Krebs bis Schütze durchläuft die Sonne in südl. Richtung (BILD Ekliptik). Die T.-Zeichen, in denen die Sonne zu Beginn der Jahreszeiten steht, sind Widder (Frühlingszeichen), Krebs (Sommerzeichen), Waage (Herbstzeichen) und Steinbock (Winterzeichen). – Seit dem Altertum (bes. in Babylon, China) wurde den Sternbildern des T. bestimmender Einfluss auf das menschl. Schicksal zugewiesen (→Astrologie). Vermutlich chaldäischen Ursprungs, finden sich bei der Einteilung des T. in vielen frühen Kulturen versch. Zuordnungen von Tieren und mytholog. Figuren; auf Ptolemäus geht die Teilung in männl. und weibl. T.-Zeichen (»Häuser«) zurück.

Tierkreislicht, das →Zodiakallicht.

Tierkult, →Tiere.

Tierkunde, die →Zoologie.

Tierläuse (Phtiraptera), Ordnung der Insekten mit den Unterordnungen (bzw. Ordnungen) →Haarlinge, →Läuse und **Elefantenläuse** (Rhynchophtirina, Rüsselläuse); Letztere unterscheiden sich von anderen T. durch den Bau ihrer Mundwerkzeuge, mit denen sie sich in der Haut des Wirts (Afrikan. Elefant, Warzenschwein) fest verankern.

Tiermedizin (Veterinärmedizin, Tierheilkunde), Wiss. vom gesunden und kranken Funktionszustand des tier. Organismus sowie von den Ursachen, den Erscheinungsformen, der Vorbeugung und der Heilung von Krankheiten der großen und kleinen Haus- und Nutztiere, der Laboratoriums- und Zootiere sowie der in freier Wildbahn lebenden Tiere. Zu den Aufgaben der T. gehören ferner der Schutz des Menschen vor Tierkrankheiten, die hygien. Überwachung der von Tieren stammenden Lebensmittel, die Verhütung von Tierquälerei (→Tierschutz, →Tierversuche), die Tierseuchenbekämpfung und -verhütung.

Tier|ökologie, die Lehre von den Wechselbeziehungen zw. Tieren und ihrer Umwelt (→Ökologie).

Tierpsychologie, →Verhaltensforschung.

Tierquälerei, →Tierschutz.

Tierra [span.] *die,* in den trop. Gebirgsländern Lateinamerikas (Mexiko bis Bolivien) Bez. für die klimat. Höhenstufen. **T. caliente** (»heißes Land«) bis 600–1000 m ü.M., mit gleichmäßig hohen Temperaturen (24–31°C), Anbau von trop. Pflanzen wie Kakao, Zuckerrohr, Baumwolle, Bananen. **T. templada** (»gemäßigtes Land«) bis etwa 1700–2000m ü.M., mit 18°C mittlerer Jahrestemperatur; Bergwälder; Anbau von Kaffee, Tabak, Maniok, Mais und Zitrusfrüchten. **T. fría** (»kaltes Land«) bis etwa 4000m ü.M., mit mittleren Jahrestemperaturen um 10°C, Anbau von Getreide-, Gemüse- und Obstarten. **T. helada** (»gefrorenes Land«) oberhalb 4000 m ü.M., Hochgebirgsvegetation, nach oben übergehend in kahle Felshänge und in die Region des ewigen Schnees.

Tierra del Fuego, Nationalterritorium im äußersten S von Argentinien, →Feuerland.

Tierschaden, durch Tiere verursachter Schaden (→Tierhalterhaftung, →Wildschaden).

Tierschutz, im Unterschied zu Maßnahmen zur Erhaltung von Tierarten und deren Lebensmöglichkeiten (→Naturschutz) Bez. für Bestrebungen zum Schutz des Lebens und zur angemessenen Behandlung von Tieren, insbesondere der landwirtschaftl. Nutztiere (→Massentierhaltung) sowie der Haus- und Laborversuchstiere. **T.-Vereine** unterhalten →Tierheime und wirken aufklärend in der Bev., und zwar sowohl im Hinblick auf die Vermeidung von Tierquälerei als auch im Hinblick auf die nutzbringende Funktion frei lebender Tiere. – In Dtl. gilt das T.-Gesetz i.d.F.v. 17. 2. 1993, die u.a. das Zufügen von Schmerzen, Leiden oder Schäden ohne vernünftigen Grund, Tierquälerei (rohes Misshandeln von Tieren), abgesehen von bestimmten Ausnahmen das Schlachten und Kastrieren ohne vorhergehende Betäubung, die Verwendung Schmerz bereitender Tierfallen, die zwangsweise Fütterung und das Aussetzen von Tieren, um sich ihrer zu entledigen, verbietet. Detaillierten Vorschriften sind insbesondere mit etwaigen Schmerzen, Leiden oder Schäden verbundene wiss. →Tierversuche unterworfen. Quälerei und grundlose Tötung eines Wirbeltieres werden mit Freiheitsstrafe bis zu zwei Jahren oder Geldstrafe, andere Zuwiderhandlungen gegen das T.-Gesetz als Ordnungswidrigkeiten mit Geldbuße bis 50000 DM bedroht. T.-Bestimmungen sind auch im Jagd- und Naturschutzrecht, in den Fischereigesetzen der Länder sowie in der VO über das Schlachten von Tieren enthalten. – *Österreich* hat den T. landesrechtlich geregelt. Für Tierversuche gilt das Bundesgesetz vom 7. 3. 1974. Tierquälerei ist nach §222 StGB strafbar. In der *Schweiz* gilt das T.-Gesetz von 1987. Tierquälerei ist nach Art. 264 StGB mit Strafe bedroht.

📖 *Verteidigt die Tiere, hg. v.* P. Singer. *A. d. Engl. Frankfurt am Main u. a. 1988. – T. in Haus u. Garten, Beiträge v.* A. Winkler *u.* C. Grzimek. *Ravensburg* [2]*1991. – Das Tier als Mitgeschöpf, bearb. v.* G. M. Teutsch *u.a. Karlsruhe 1992.* – Bezzel, E.: *Liebes, böses Tier. Tb.-Ausg. München 1994. – Tiere als Ware. Gequält – getötet – vermarktet, Beiträge v.* M. Karremann *u. a. Frankfurt am Main 1994.*

Tiers État [tjɛ:rzeˈta, frz.] *der,* →dritter Stand.

Tierseuchen, Infektionskrankheiten der Haustiere und der wild lebenden Tiere. In Dtl. sind die Maßnahmen zum Schutz der Tierbestände und der menschl. Gesundheit bzw. zur Bekämpfung von T. bundeseinheitlich geregelt. Das **T.-Gesetz** (früher Viehseuchen-Ges.) i.d.F.v. 20. 12. 1995 sieht im Bedarfsfall u.a. Quarantänemaßnahmen (z.B. Stallsperren, Ortssperren), Schlacht-, Abhäutungs-, Verkaufs- und Transportverbote oder Transportbeschränkungen und Zwangstötungen vor. Es regelt den Handel (Ein-, Durch- und Ausfuhr) mit lebenden und toten Tieren, mit Tierteilen, tier. Erzeugnissen, Seren und Impfstoffen und schreibt Schutzmaßnahmen für Viehmärkte, Schlachthöfe und Tierschauen vor. **Anzeigepflichtige T.** in Dtl. sind u.a.: BSE-Seuche, Lungenseuche, Rinderleukose, Rinderpest, Rindertuberkulose, Schweinepest, ansteckende Schweinelähme, Pockenseuche, Beschälseuche, Rotz, Brucellose, Maul- und Klauenseuche, Milzbrand, Räude, Rauschbrand, Tollwut, Geflügelcholera, Geflügelpest, Newcastle-Krankheit, Psittakose, Faulbrut und Milbenseuche. **Meldepflichtige T.** in Dtl. sind u.a.: Geflügelpocken, Ornithose, Toxoplasmose, bösartiges Katarrhalfieber und Virusdurchfall bei Rindern.

Tiersoziologie, Teilgebiet der →Verhaltensforschung, das sich mit dem Sozialverhalten der Tiere und mit der Struktur ihrer Beziehungen zu Artgenossen befasst.

Tiersprache, Kommunikationsform der Tiere, die nur in Teilbereichen mit der menschl. Vollsprache verglichen werden kann. Die Bedeutung der Signalzeichen ist häufig angeborenerweise »bekannt« und braucht nicht erlernt zu werden. So teilt die zum Stock zurückgekehrte Spurbiene durch Tanz auf der Wabe Entfernung, Richtung und Ertrag einer Futterquelle mit. Vögel haben artlich versch. Lock-, Warn- und Drohrufe. Der typ. Gesang kann demgegenüber oft z.T. erlernt werden. Affen entwickelten in Gefangenschaft individuell versch. Ausdrucksbewegungen, deren Bedeutungen Artgenossen schnell erlernten; so entstehen gruppeneigene Konventionssprachen aus Lauten und/oder Gebärden.

Tierstaat, höchstentwickelte Form eines Verbandes von Tieren (Sozietät); das Zusammenleben der Nachkommenschaft eines oder weniger Muttertiere in großer Familiengesellschaft mit Arbeitsteilung, z.B. bei Termiten, Ameisen, Bienen und Wespen.

Tierstock (Tierkolonie), durch Knospung oder unvollkommene Teilung entstandene Vereinigung einer Anzahl von Individuen einer Art, wobei zw. den Individuen ein enger körperl. Kontakt bestehen bleibt; oft unterscheiden sich die Individuen eines T. hinsichtlich Funktion (Arbeitsteilung) und Bau (Vielgestaltigkeit). T. sind durchweg Wasserbewohner, meist festgewachsen (→Korallen), selten frei schwimmend (→Staatsquallen). Man findet T. sowohl unter Einzellern als auch unter Vielzellern, v.a. unter den Schwämmen, Hohl-, Manteltieren und Moostierchen.

Tierversicherung, Versicherung von Zucht- und Nutztieren gegen Tod, Nottötung, gegen einen Schaden durch Krankheit oder Unfall. Durch amtl. Beanstandung bei der Fleischbeschau entstehenden Schaden deckt die **Schlachttierversicherung.**

Tierversuche, Eingriffe oder Behandlungen an Tieren oder am Erbgut von Tieren zu Versuchszwecken, wenn sie mit Schmerzen oder Schäden für die Tiere verbunden sein können. Nach dem Tierschutz-Ges. i.d.F.v. 17. 2. 1993 dürfen T. nur durchgeführt werden, wenn sie der Gesunderhaltung von Mensch oder Tier bzw. zum Erkennen von Umweltgefährdungen dienen, für die Grundlagenforschung oder zur Prüfung von Substanzen auf gesundheitl. Unbedenklichkeit (bei Mensch und Tier) und auf Wirksamkeit gegen tier. Schädlinge als unerlässlich erachtet werden und wenn notwendige neue Erkenntnisse anders nicht erlangt werden können. Grundsätzlich verboten sind T. zur Entwicklung von Waffen, Tabakerzeugnissen, Waschmitteln und dekorativen Kosmetika. Die Durchführung von T. bedarf der Genehmigung durch die zuständige Behörde; ausdrücklich vorgeschriebene Versuche sind anzeigepflichtig.

📖 TEUTSCH, G. M.: *T. u. Tierschutz. München 1983. – Alternativen zu Tierexperimenten. Wissenschaftl. Herausforderungen u. Perspektiven, hg. v.* F. GRUBER *u.* H. SPIELMANN. *Berlin u. a. 1996.*

Tierwanderungen, der aktive, meist period. Standortwechsel von Tieren, der von Drüsen mit innerer Sekretion, meist gemäß dem Fortpflanzungszyklus, und durch Außenfaktoren (z.B. Kälte, Trockenheit, Nahrungsmangel, Übervölkerung) ausgelöst werden kann. – Senkrechte Wanderungen führen die Planktonlebewesen aus, die um Mitternacht zur Meeresoberfläche aufsteigen und in den Morgenstunden wieder zur Tiefe absinken. Viele Gebirgstierarten steigen mit dem einsetzenden Winter in tiefere Lagen ab, z.B. Gämsen in den Alpen, Virginiahirsche in Nordamerika, Kolibris in den Anden. Weite Wanderungen unternehmen Gnus und Zebras in Savannen, Bisons in Steppen und Rentiere in der Tundra. Auch zahlr. Fischarten wandern: z.B. Hering, Thunfisch, Schellfisch, Dorsch. Aale leben zunächst in den Binnengewässern und suchen zur Laichzeit das Meer (Sargassosee) auf. Lachse dagegen steigen zum Laichen aus dem Meer in die Binnengewässer auf, wobei sie über 3000 km zurücklegen können. Mit den Wanderungen kann auch der Lebensraum gewechselt werden. Robben, Pinguine und Seeschildkröten kommen zur Fortpflanzung an die Strände, Landkrabben wandern ins Meer. Vorwiegend landlebende Lurche laichen im Süßwasser ab. Am auffallendsten treten die T. im Vogelzug in Erscheinung, der bereits im Altertum große Beachtung fand. Meist auf mehrere Generationen verteilt sind die Wanderungen europ. Schmetterlinge. In unterschiedl. Zeitintervallen kommt es zu Massenwanderungen z.B. der →Lemminge und der →Wanderheuschrecken.

📖 MARVEN, N.: *Nomaden der Tierwelt. A.d. Engl. München 1997.*

Louis C. Tiffany: Die Jugendstiltischlampe hat einen Glasschirm aus Opaleszent- und Favrileglas, der Fuß ist aus Bronze (um 1900/02; München, Bayerisches Nationalmuseum)

Tierzucht (Viehzucht), die Zucht landwirtsch. Nutztiere; gezielte Vermehrung von Tieren durch den Menschen, bei der versch. Leistungsmerkmale (u.a. Fleisch-, Tier-, Milch-, Eier-, Wollproduktion) sowie andere Kriterien (Sport, Jagd) zugrunde liegen; auch Heim- und Versuchstiere werden gezüchtet. Im Laufe ihrer Züchtung haben sich aus den Haus- wie aus den Nutztieren viele Varianten entwickelt. Die Zuchtziele für Nutztiere werden v.a. von Fragen der Wirtschaftlichkeit (gute Futterverwertung, Fruchtbarkeit, Krankheitsresistenz, hohe Leistungen z.B. bei Kühen an Milch) und von Verbraucherwünschen (Fleischqualität) bestimmt. Bei Liebhaberrassen dominieren als Zuchtziele die Färbung und Zeichnung von Behaarung bzw. Gefieder, Körperformen, Fellbeschaffenheit u.a. – Die Methoden der T. sind v.a. die Auslese- und die Kombinationszüchtung. Durch die Einführung der →künstlichen Besamung in die T. konnten die Leistungssteigerungen von Nutztieren erheblich beschleunigt werden. In neuerer Zeit hat der →Embryotransfer eine größere Bedeutung in der T. erlangt.

🕮 KÜNZI, N. *u.* STRANZINGER, G.: *Allgemeine T. Stuttgart 1993.* – ERNST, E. *u.* KALM, E.: *Grundlagen der Tierhaltung u. T. Hamburg u.a. 1994.*

Tietê, Rio ['rriu tiɛ'tɛ] *der,* linker Nebenfluss des Paraná im Staat São Paulo, Brasilien, entspringt in der Serra do Mar, 1130 km lang.

Tietmeyer, Hans, Volks- und Finanzwirtschaftler, *Metelen (Kr. Steinfurt) 18. 8. 1931; seit 1982 Mitgl. des Währungsausschusses der EG; 1982–89 Staatssekr. im Bundesfinanzministerium und Berater des Bundeskanzlers bei der Vorbereitung der jährl. Weltwirtschaftsgipfel; 1990 maßgeblich an der Vorbereitung der Wirtschafts-, Währungs- und Sozialunion zw. der Bundesrep. Dtl. und der DDR beteiligt; 1991–93 Vizepräs. und seit 1993 Präs. der Dt. Bundesbank.

Hans Tietmeyer

Tietz, Ferdinand, Bildhauer, →Dietz, Ferdinand.

Tiffany ['tɪfənɪ], Louis Comfort, amerikan. Kunsthandwerker, *New York 18. 2. 1848, †ebd. 17. 1. 1933; gründete 1879 die »T. Glass and Decorating Company« und stellte seit etwa 1893 das mehrfarbig irisierende »Favrileglas« her.

Tiflis (georg. Tbilissi) [»Warmbrunn«], Hptst. Georgiens, in einem Talkessel an der Kura, 406–522 m ü.M., 1,28 Mio. Ew.; Sitz des Katholikos der orth. Kirche Georgiens; Univ., Georg. Akademie der Wiss., zehn weitere Hochschulen, 14 Theater, zahlreiche Museen, botan. und zoolog. Garten; Maschinen-, E-Lok-Bau, elektrotechn., vielseitige Leicht- und Nahrungsmittelind.; Weinkellereien; Verkehrsknotenpunkt am Ausgangsort der Georg. Heerstraße und der Transkaukasusstraße; Metro, Hängebahnen, internat. Flughafen. – Im SO, rechts der Kura, unter den Ruinen der Festung Narikala (4.–17. Jh.), liegt die oriental. Altstadt mit der Zionskathedrale (urspr. 6./7. Jh., im MA. und zuletzt 1710 umgebaut) und der Antschischati-Kirche (urspr. 6. Jh.); am linken Ufer der Kura die Metechi-Kirche (1278–93); nach N schließt sich die überwiegend klassizist. Neustadt an. – T. wurde um 458 gegründet und war zunächst Hptst. des ostgeorg. Königreichs Iberien; in der 2. Hälfte des 7. Jh. von Arabern erobert (seit den

Tiger: Sibirischer Tiger (Körperlänge bis zu 2,8 m)

30er-Jahren des 8. Jh. Hptst. eines Emirats); nach der Rückeroberung durch König David II. (1122) Hptst. des christl. georg. Reiches und blühendes Handelszentrum. Im 13./14. Jh. durch Eroberungszüge der Mongolen bzw. Timurs verwüstet, gehörte T. dann zum osman. und pers. Machtbereich (1795 weitgehende Zerstörung durch die Perser); fiel 1801 an Russland (Gouv.-Hptst.; seit 1845 Residenz des Statthalters des Zaren im Kaukasus). T. wurde 1921 Hptst. der Georg. SSR und war 1922–36 zugleich Hptst. der Transkaukas. SFSR.

🕮 C'IC'IŠVILI, I. *u.a.: Tbilissi. Architekturdenkmäler u. Kunstmuseum. A. d. Russ. Leningrad 1985.*

Tiger [grch. aus pers.] (Panthera tigris), mit maximal 2,8 m Körperlänge und fast 300 kg Körpergewicht die größte, sehr kräftige Großkatze in versch. Biotopen SW- bis O-Asiens (einschließlich der Sundainseln); Kopf rundlich; Schwanzlänge 60–95 cm; Färbung blass rötlich gelb bis rotbraun mit schwarzen Querstreifen; Einzelgänger. Beutetiere sind v.a. Huftiere. – Man unterscheidet acht Unterarten, darunter der **Sibir. T.** (Amur-Ussuri-

Tiflis: Ansicht der orientalischen Altstadt unterhalb der bis ins 4. Jh. zurückreichenden Festung Narikala

Tigerauge

Tigerblume: Pfauenblume (Blüten bis zu 15 cm lang)

Gebiet; größte T.-Unterart), **Insel-T.** (Sammelbez. für die auf den Sundainseln vorkommenden **Sumatra-T.**, bis 170 cm Körperlänge, **Java-T.**, fast ausgerottet, und **Bali-T.**, vermutlich ausgerottet) und **Königs-T.** (**Bengal. T.**, in Vorder- und Hinterindien, etwa 2 m lang).

🕮 MAZÁK, V.: *Der T. Panthera tigris. Magdeburg u. a.* [4]*1996.*

Tiger|auge, als Schmuckstein verwendeter goldgelb bis goldbraun gestreifter Quarz.

Tigerblume (Tigridia), Gattung der Schwertliliengewächse in Mittelamerika, Peru und Chile; Zwiebelpflanzen mit großen, schalenförmigen Blüten; u.a. **Pfauenblume** (Tigrida pavonia), mit bis zu 15 cm langen, verschiedenfarbigen Blüten, die nur 8–12 Stunden blühen; Gartenzierpflanze.

Tigerkäfer, die →Sandlaufkäfer.

Tigerpython, Art der →Pythonschlangen.

Tighina [-ˈgiː-] (bis 1990 Bendery; türk. Bender), Stadt in Moldawien, am Dnjestr, 132 700 Ew.; Nahrungsmittel-, elektrotechn. u.a. Industrie. – T. kam 1812 mit Bessarabien an Russland; 1918–40 rumänisch.

Tiglatpileser [hebr.], Name assyr. Herrscher: **1) T. I.,** König (1114–1076 v. Chr.); brachte Assyrien durch Kriege gegen die Hurriter und Babylonier wieder zu größerer Macht.

2) T. III., König (745–727 v. Chr.); Gründer der neuassyr. Großmacht, kämpfte siegreich gegen Urartu, eroberte Syrien und machte sich unter dem Namen **Pulu** 729 zum König von Sumer und Akkad. Er residierte v.a. in Kalach.

Tignes [tiɲ], Gemeinde im Dép. Savoie, Frankreich, 2 100 m ü. M., am Stausee von T. (Lac de T.) im Tal der oberen Isère, 2 000 Ew.; Lift- und Seilbahnnetz bis 3 500 m ü. M.

Tigre, Verw.gebiet (autonome Region) im nördl. Hochland von Äthiopien, Kerngebiet des histor. Reiches von →Aksum.

Tigre, Volk in N-Eritrea und im Sudan, rd. 700 000 Menschen. Die T. betreiben im Tiefland v.a. Viehwirtschaft, in höher gelegenen Gebieten auf terrassierten Hängen Ackerbau; früher mehrheitlich christlich, seit dem 19. Jh. vorwiegend sunnit. Muslime. Sie sprechen **Tigre,** eine semit. Sprache, mit reicher mündlich überlieferter Literatur; sie steht dem →Geez nahe.

Tigrinja (Tigray), Volk im N des Äthiop. Hochlands; die etwa 4 Mio. T. sprechen eine nordäthiop. Semitensprache **(Tigrinja)** und sind überwiegend äthiop. (monophysit.) Christen, etwa 200 000 sunnit. Muslime (v.a. in Eritrea). Ihr Land ist seit 1991 autonome Region (Tigre) Äthiopiens.

Tigris [altpers.] *der* (arab. Didjla, türk. Dicle, assyr. Diglat), der wasserreichste Fluss Vorderasiens, etwa 1950 km lang; entspringt im mittleren Osttaurus, Türkei und vereinigt sich in Irak mit dem Euphrat zum Schatt el-Arab. Moderne Staudammbauten in Irak regulieren die Wasserführung des T. und seiner Nebenflüsse (Hochwasser von März bis Mai); Flussschifffahrt soll ausgebaut werden.

Tijuana [tiˈxuana], Stadt im mexikan. Staat Baja California Norte, 745 000 Ew.; Bischofssitz; durch seine Grenzlage zu Kalifornien bedeutendes Fremdenverkehrszentrum.

Tikal, die wohl älteste Stadt der →Maya im nördl. Guatemala, besiedelt von etwa 200 v. Chr. bis 900 n. Chr.; z.T. rekonstruierte Anlagen mit

Tikal: Der 42 m hohe Tempel II begrenzt im Westen den Hauptplatz der vorkolumbischen Stadtanlage; daneben Detail eines Reliefs am Eingang der 70 m hohen Pyramide des Tempels IV

hohen Tempelpyramiden (UNESCO-Weltkulturerbe). Auf einem rd. 16 km^2 großen Areal mit vier breiten Straßen als Hauptachsen wurden etwa 3000 Gebäude (Pyramiden, Tempel, Plattformen, Paläste, Sammelbecken für die Wasserversorgung in der Trockenzeit u.a.) freigelegt; dort sollen während der Blütezeit 10000 Einwohner gelebt haben. Für den Gesamtkomplex des Herrschaftsgebietes von T., etwa 160 km^2, nimmt man 50000 Bewohner an. Der zeremonielle Mittelpunkt, der Hauptplatz, wird im O und W von den auf hohen Pyramiden stehenden Tempeln I und II begrenzt, deren Dächer über den Rückwänden hohe Dachkämme tragen.

Tilburg [-byrx], Stadt in der niederländ. Prov. Nordbrabant, am Wilhelminakanal, 162400 Ew.; kath. Hochschule, Akademie für Architektur, Museen; traditionelle Wollind., Metall verarbeitende u.a. Ind.; Verkehrsknotenpunkt und Hafen.

Tilde [span.] *die,* im Span. das Zeichen über dem n (ñ) für die palatalisierte Aussprache [ɲ], z.B. doña ['doɲa], im Portugies. über Vokalen für deren nasalierte Aussprache (z.B. São [sãʊ]).

Tildy, Zoltán, ungar. Politiker, *Wieselburg (heute als Moson zu Mosonmagyaróvár) 18. 11. 1889, †Budapest 3. 8. 1961; Mitbegründer (1930) der Kleinlandwirtepartei; ab 1944 führend in der Widerstandsbewegung; 1945 Parteivors.; 1945/46 MinPräs., 1946–48 Staatspräs. (Rücktritt); während des Ungarn-Aufstands (Okt./Nov. 1956) Staatsmin.; danach inhaftiert, 1959 begnadigt.

Tilgung, 1) *Strafrecht:* →Straftilgung.

2) *Wirtschaft:* Rückzahlung von Geldkapital aller Art (v.a. Kredite und Anleihen) an die Kapitalgeber. Bei Krediten kann die T. entweder in einem einzigen Betrag (meist bei kurzfristigen Krediten) oder in Raten erfolgen (→Tilgungsanleihe). Eine langfristige T. heißt Amortisation; diese erfolgt oft in Form der Annuität. Höhe und Fälligkeit der T.-Raten werden i.d.R. in einem T.-Plan für die vereinbarte Laufzeit festgelegt.

Tilgungs|anleihe (Amortisationsanleihe), Anleiheform (Laufzeit i.d.R. fünf Jahre), bei der die Schuld in Teilbeträgen getilgt wird. Nach der Art der Rückzahlung unterscheidet man Ratenanleihen (regelmäßige, gleich hohe Tilgungsraten) und Annuitätenanleihen (fallender Zins- und steigender Tilgungsanteil bei regelmäßiger, gleich bleibender Gesamtrate), die nach einem festgelegten Plan getilgt werden, sowie Anleihen ohne Tilgungsplan, deren Tilgung durch Auslosung, Kündigung oder Rückkauf erfolgen kann.

Tillandsi|e *die* (Tillandsia), Gattung der Ananasgewächse im trop. und subtrop. Amerika; meist epiphytisch lebende Pflanzen ohne oder mit nur schwach entwickelten Wurzeln; Blätter schmal, Blüten in endständiger Ähre. Die Art **Greisenbart (Louisianamoos, Span. Moos,** Tillandsia usneoides), Blätter 3–8 cm lang, hängt von Bäumen und Felswänden herab; einige der etwa 500 Arten stehen unter Naturschutz.

Tilleda, Königspfalz auf dem Pfingstberg bei T. am Kyffhäuser; 972 erstmals erwähnt, nach 1200 aufgegeben (Hauptburg, geräumige Vorburg). – Grabungen 1935–38 und ab 1958 (Freilichtmuseum).

Till Eulenspiegel, →Eulenspiegel.

Paul Tillich (1957)

Tillich, Paul Johannes, amerikan. evang. Theologe und Religionsphilosoph dt. Herkunft, *Starzeddel (heute Starosiedle, bei Gubin) 20. 8. 1886, †Chicago 22. 10. 1965; in Berlin 1920 Mitbegründer des »Bundes religiöser Sozialisten«; 1924 Prof. in Marburg, 1925–29 in Dresden, ab 1929 in Frankfurt am Main; 1933 Lehrverbot und Emigration in die USA (amerikan. Staatsbürger seit 1940); 1938–45 Prof. in New York, 1955–62 an der Harvard University, dann in Chicago. 1962 erhielt er den Friedenspreis des Dt. Buchhandels. Mittelpunkt seiner zahlr. Schriften ist der Versuch, die (ewige) Wahrheit der christl. Offenbarung in ihrer Wechselbeziehung (Korrelation) zum jeweiligen geschichtl. Kontext zu beschreiben. – *Werk:* Systemat. Theologie, 3 Bde. (1951–63).

📖 SCHÜSSLER, W.: *P. T. München 1997.*

Zoltán Tildy

Tillier [til'je:], Claude, frz. Schriftsteller, *Clamecy (Dép. Nièvre) 10. 4. 1801, †Nevers 18. 10. 1844; schrieb neben polit., philosoph. und religiösen Streitschriften den satirisch-humorist. Roman »Mein Onkel Benjamin« (1843).

Tillit [engl.] *der,* diagenetisch verfestigter Geschiebemergel aus vorquartären Eiszeiten, z.B. aus dem Permokarbon Südafrikas.

Tilly, Johann Tserclaes Reichsgraf von (seit 1623), kaiserl. Feldherr im Dreißigjährigen Krieg, *Schloss Tilly (bei Nivelles) Febr. 1559, †Ingolstadt 30. 4. 1632; reorganisierte seit 1610 das bayer. Heer, mit dem er als stellv. Oberbefehlshaber des Heeres der kath. Liga (Kaiserliche) die Schlacht am Weißen Berg bei Prag (8. 11. 1620) entschied, besiegte die prot. Heerführer bei Wimpfen (6. 5.

1622), Höchst (20. 6. 1622) und Stadtlohn (6. 8. 1623) und die Dänen bei Lutter am Barenberge (27. 8. 1626). Seit der Absetzung Wallensteins (1630)

Johann Tserclaes Graf von Tilly: Ausschnitt eines zeitgenössischen Kupferstichs des flämischen Künstlers Pieter de Jode nach einem Gemälde von Anthonis van Dyck (um 1630)

Oberbefehlshaber, eroberte T. Magdeburg (20. 5. 1631), wurde aber von Gustav II. Adolf von Schweden bei Breitenfeld (17. 9. 1631) sowie bei Rain am Lech (15. 4. 1632) besiegt und tödlich verwundet.

Tịlsit (russ. Sowjetsk), Stadt im russ. Gebiet Kaliningrad (Königsberg), an der Memel, 41 000 Ew.; Zellstoff-, Papier-, Nahrungsmittelind., Möbelbau; Hafen, Eisenbahnknotenpunkt; Lutherkirche (um 1600), Rathaus (1752–55). – T. entstand um eine 1406–09 erbaute Deutschordensburg und erhielt 1552 Stadtrecht. – Der **Frieden von T.** zw. Frankreich und Russland (7. 7. 1807) sowie zw. Frankreich und Preußen (9. 7. 1807) beendete den 4. Koalitionskrieg (1806/07). Preußen musste starke Gebietsverluste hinnehmen (Bildung des Herzogtums Warschau und des Königreichs Westfalen); Preußen und Russland traten der Kontinentalsperre bei.

Tim., Abk. für **Tim**otheusbrief (N. T.).

Timaios, das für Platons Kosmologie entscheidende Werk, das wie kaum ein anderes das Weltbild des Abendlandes (so z. B. G. Galilei, W. Heisenberg) beeinflusste. In mytholog. Bildern schildert Platon die Entstehung der sichtbaren Welt aus der Güte Gottes, der die ewige Materie aus dem Chaos in die Ordnung eines lebendigen Organismus überführt, indem er sie im Hinblick auf die Ideen formt und beseelt.

Timbre ['tɛ̃:brə, frz.] *das,* Klangfarbe der Gesangsstimme, gelegentlich auch eines Instruments.

Timbụktu (frz. Tombouctou), Oasenstadt im mittleren Mali, nördlich des Niger, 20 500 Ew.; Salzhandel; Flusshafen am Niger. – Die histor. Stadt in Lehmbauweise mit zahlr. Moscheen des 13.–15. Jh. wurde von der UNESCO zum Weltkulturerbe erklärt. – T., um 1000 gegr., war vom 14. Jh. bis zur Eroberung durch die Marokkaner (1591) der südlichste Handels- und Kulturmittelpunkt des islam. Westafrika. Seit 1780 beherrschten die Tuareg T.; 1828 erstmals von einem Europäer (dem Franzosen R. Caillié) erreicht, 1894 frz. besetzt.

Timelag ['taɪmlæg, engl.], → Lag.

Times, The [ðe taɪmz, »die Zeiten«], traditionsreiche, unabhängige brit. Tageszeitung in London, gegr. 1785 von John Walter (* 1739, † 1812).

Timesharing ['taɪmʃeərɪŋ, engl.] *das,* **1)** *Datenverarbeitung:* die zeitl. Einteilung der Rechenzeit beim → Teilnehmersystem.

2) *Zivilrecht:* das für mehrere Jahre oder auf Dauer gegen Entgelt erworbene Recht, eine Sache, bes. eine Immobilie, während eines bestimmten Jahreszeitraumes zu benutzen (Teilzeitnutzungsrecht, Teilzeitwohnrecht). Prakt. Bedeutung hat das T. bei der Nutzung von Ferienwohnungen erlangt. Zum Schutz der Erwerber ist das Teilzeitwohnrechts-Ges. vom 20. 12. 1996 aufgrund einer EU-Richtlinie von 1994 erlassen worden. Das Ges. knüpft seine Schutzwirkung an Verträge mit mindestens drei Jahren Laufzeit; es verschafft u. a. ein Widerrufsrecht von zehn Tagen ab Zugang der Vertragsurkunde.

Time Warner Inc. ['taɪm 'wɔ:nə ɪn'kɔpəreɪtɪd], weltgrößter Medienkonzern, Sitz: New York; 1988 durch Fusion der Time Inc. (gegr. 1923) und der Warner Communications Inc. (1913) entstanden; betreibt Zeitschriften- (Fortune, Life, Time) und Buchverlage, Buchclubs (Book-of-the-Month-Club), Musik- und Filmunternehmen (WEA, Warner Bros.), Rundfunk- und Kabelfernsehgesellschaften (CNN Cable News Network).

Timgạd, Ruinenstätte des antiken **Thamugadi,** rd. 40 km östlich von Batna, Algerien. – T. wurde von Trajan 100 n. Chr. als röm. Kolonie gegründet und war im 3. Jh. eine der bedeutendsten Städte Numidiens; im 7. Jh. von den Arabern zerstört. Ausgrabungen legten u. a. Forum, mehrere Tempel, Thermen und Theater, Wohnquartiere und Handwerkerviertel frei. Die röm. Ruinen wurden zum UNESCO-Weltkulturerbe erklärt.

Timing ['taɪmɪŋ, engl.] *das,* zeitl. Abstimmung und Einteilung im Ablauf von Tätigkeiten.

Timişoara [-ʃo'a:ra], Stadt in Rumänien, → Temesvar.

Tịmm, Uwe, Schriftsteller, * Hamburg 30. 3. 1940; vertritt in seinen Romanen einen zeitkrit., polit. Realismus, u. a. »Kerbels Flucht« (1980), »Der Schlangenbaum« (1986), »Kopfjäger« (1991), »Die Erfindung der Currywurst« (1993); auch Lyrik (»Widersprüche«, 1971), Hörspiele sowie Kinderbücher (»Rennschwein Rudi Rüssel«, 1989).

Tịmmelsjochstraße, Passstraße in den Ötztaler Alpen, führt vom Gurgltal (Österreich) über das **Timmelsjoch** (2 497 m ü. M.) in das Passeier Tal (Südtirol, Italien).

Tịmmendorfer Strạnd, Ostseebad im Kr. Ostholstein, Schlew.-Holst., an der Lübecker Bucht;

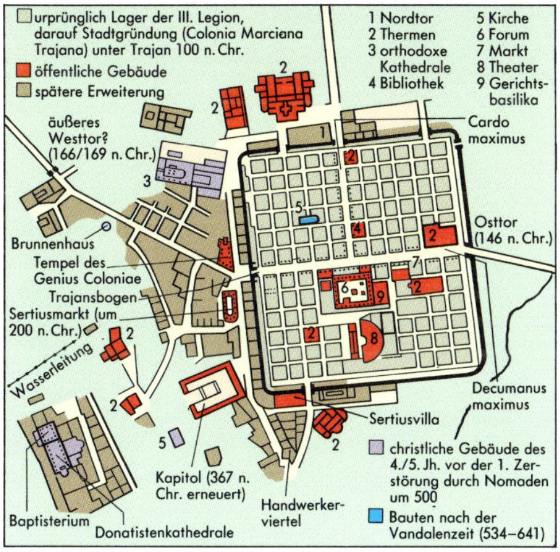

Timgad: Der Trajansbogen im Westen der im 7. Jh. zerstörten römischen Stadtanlage stammt aus dem 2. Jh.; darunter Grundriss der quadratischen Stadtanlage

als Großgemeinde einschl. dreier binnenwärts gelegener Dörfer und dem Bad Niendorf 8900 Ew.; Meerwasseraquarium.

Timmermans, Felix, fläm. Schriftsteller, *Lier (Prov. Antwerpen) 5. 7. 1886, †ebd. 24. 1. 1947; bed. Vertreter der fläm. Heimatkunst (Prosa: »Pallieter«, 1916; »Das Jesuskind in Flandern«, 1917; »Die sehr schönen Stunden von Jungfer Symforosa, dem Beginchen«, 1918); er illustrierte seine Werke größtenteils selbst.

Timok *der,* rechter Nebenfluss der Donau, in Jugoslawien, 183 km lang, entspringt im Balkan, bildet im Unterlauf auf 16 km die Grenze zu Bulgarien.

Timokratie [grch.] *die,* Staatsverfassung, in der die polit. Rechte der Staatsbürger nach Vermögensverhältnissen oder Einkommen abgestuft werden (z.B. im antiken Rom).

Timor, die größte der Kleinen Sundainseln, Indonesien, 33600 km², rd. 1,5 Mio. Ew.; gebirgig; Ausfuhr von Kaffee, Wachs, Kopra. – 1520 landeten Portugiesen auf der Insel; sie gerieten ab 1613 in Auseinandersetzung mit den Niederländern, die den westl. Teil in Besitz nahmen; Konfliktbeilegung 1859 durch Teilungsvertrag. 1942–45 war T. von japan. Truppen besetzt. Der niederländ. W-Teil kam danach zur Rep. Indonesien. Portugiesisch-T. (Ost-T.) war 1951–75 portugies. Überseeprov. und wurde im Dez. 1975 von Indonesien gewaltsam annektiert (1976 Angliederung als 27. Prov., bisher internat. nicht anerkannt). Dagegen wandte sich eine vom indones. Militär mit blutigen Repressionen verfolgte Unabhängigkeitsbewegung, die v.a. von der »Front für ein unabhängiges Osttimor« geführt wird.

📖 HILPOLD, P.: *Der Osttimor-Fall. Frankfurt am Main u.a. 1996.* – *Osttimor. Der zwanzigjährige Krieg, hg. v.* K. LUDWIG. *Reinbek 1996.*

Timotheus, im N.T. Schüler des Apostels Paulus, enger Mitarbeiter des Paulus in der Mission; der **1.** und **2. T.-Brief** (→Pastoralbriefe) sind an ihn gerichtet. Nach frühchristl. Tradition war T. der erste Bischof von Ephesos, wo er unter Domitian den Märtyrertod erlitten haben soll; Heiliger, Tag: 26. 1. (Ostkirchen: 22. 1.).

Timpano [italien.] *der,* italien. Bez. für →Pauke.

Timur [osttürk. »Eisen«] (bei den Persern Timur-i-Läng, Tamerlan), asiat. Eroberer aus Transoxanien, *bei Käsch (heute Schachr-i säbs, bei Samarkand, Usbekistan) 8. 4. 1336, †Otrar (bei Tschimkent) 18. 2. 1405; türkisierter Mongole aus der Stammeskonföderation Dschagatai. Er erlangte um 1370 die Herrschaft in Transoxanien und versuchte, das Reich Dschingis Khans zu erneuern; da nur dessen Nachkommen sich Khan nennen durften, nahm T. den Titel Emir an. Seine Feldzüge waren von Greueltaten begleitet. Er unterwarf 1380–82 Chorasan, 1384–88 W- und S-Iran, Georgien, Anatolien, 1388–91 sowie 1395 das Gebiet der Goldenen Horde und drang 1398 bis Delhi vor.

Felix Timmermans

Timur

Der Chronist Ghiyath ad-Din Ali erzählt vom Aufbruch Timurs nach Indien (1398):

»Es gelangte zu den königlichen Ohren des Herren der Glückskonjunktion (d.h. Timurs), dass dieser Neumond im herrscherlichen Tagebuch (gemeint ist hier Timurs Sohn Pir Muhammad) die Festung von Multan – ehemals eine der größten Städte Sinds – belagerte. In jener Gegend überwiegen Feueranbeter, Götzendiener und andere Ungläubige Indiens. Es geziemt sich also wohl, die Standarte des heiligen Krieges zu hissen und jegliche Anstrengung zum Sieg des islamischen Glaubens zu unternehmen. Aus diesem Grund brach der Herr der Glückskonjunktion (...) dorthin auf.«

Jean Tinguely: »Métaharmonie II« (1979; Basel, Kunstmuseum)

1402 schlug T. den osman. Sultan Bajasid I. bei Ankara. Seine Hauptstadt Samarkand ließ er durch z. T. dorthin verschleppte Künstler ausschmücken. Ende 1404 brach er zur Eroberung Chinas auf, starb aber bald darauf. Unter seinen Söhnen und Enkeln **(Timuriden)** zerfiel das Reich ab 1470 (endgültig 1506).

Jan Tinbergen

Tinbergen ['tɪnbɛrxə], **1)** Jan, niederländ. Volkswirtschaftler und Ökonometriker, *Den Haag 12. 4. 1903, †ebd. 9. 6. 1994, Bruder von 2); Prof. in Rotterdam und Leiden; u. a. Arbeit für den Völkerbund; bed. Beiträge zur Konjunkturtheorie und Ökonometrie sowie zur Planung und Entwicklungspolitik. T. erhielt 1969 für die Entwicklung dynam. Modelle zur Analyse von wirtsch. Abläufen zus. mit R. Frisch den Nobelpreis für Wirtschaftswissenschaften.

Nikolaas Tinbergen

2) Nikolaas, niederländ. Zoologe, *Den Haag 15. 4. 1907, †Oxford 21. 12. 1988, Bruder von 1); Mitbegründer der vergleichenden Verhaltensforschung (»Instinktlehre«, 1951). Für seine grundlegenden verhaltensphysiolog. Forschungen erhielt er (mit K. Lorenz und K. von Frisch) 1973 den Nobelpreis für Physiologie oder Medizin.

Leo Tindemans

Tịndemans, Leo, belg. Politiker, *Zwijndrecht (bei Antwerpen) 16. 4. 1922; 1968–74 mehrfach Minister (u. a. 1968–71 Gemeindeangelegenheiten, 1973–74 Budget), war 1974–78 MinPräs., 1976–85 Präs. der Europ. Volkspartei (EVP), 1979–81 Präs. der Christl. Volkspartei (CVP) und 1981–89 Außenmin.; seit 1989 MdEP und seit 1992 Fraktionsvors. der EVP im Europ. Parlament.

Tineọ, Stadt in Asturien, N-Spanien, 672 m ü. M., am Berg T. (N-Abdachung des Kantabr. Küstengebirges), 71 km westlich von Oviedo, (1984) 20 000 Ew.; Nahrungsmittelindustrie (v. a. Milch- und Fleischverarbeitung); südöstlich von T. Abbau von Steinkohle. – Engwinkelige Altstadt mit romanisch-gotischer Pfarrkirche (12./13. Jh.), got. Palästen und altem Pilgerhospital. 7 km westlich liegt das Kloster Obona (780 gegründet).

Tịng, Samuel Chao Chung, amerikan. Kernphysiker, *Ann Arbor (Mich.) 27. 1. 1936; arbeitete über Elementarteilchenphysik; erhielt 1976 mit B. Richter für die Entdeckung des von ihm als J-Teilchen bezeichneten →Psiteilchens den Nobelpreis für Physik.

Tinguely ['tɪŋəli, frz. tɛ̃gə'li], Jean, schweizer. Maler und Bildhauer, *Freiburg im Üechtland 22. 5. 1925, †Bern 30. 8. 1991; seit 1961 ⚭ mit Niki de Saint-Phalle, entwickelte nach einer Phase abstrakter Bilder motorisierte kinet. Plastiken aus Schrottteilen und Objets trouvés; häufig sind akust. Phänomene mit einbezogen. Zu seinen Hauptwerken gehört die Brunnenanlage »Le sacre du printemps« in Paris (1982/83, mit Niki de Saint-Phalle; BILD französische Kunst).

Tinktur [lat.] *die* (Tinctura), Abk. **Tct.,** flüssiger, meist alkohol. Auszug aus Drogen.

Tin Pan Alley [tɪn pæn 'ælɪ; engl., eigtl. Blechpfannengasse«], umgangssprachl. Bez. für die amerikan. Unterhaltungsmusikbranche, bes. die in New York ansässige vom Ende des 19. Jh. bis in die 1920er-Jahre, als zahlreiche Musikverlage in der 28. Straße und der 6. Avenue ihren Sitz hatten. Der Name wird auf den blechernen Klang der Klaviere zurückgeführt, auf denen ständig die neuesten Schlager und Filmmelodien vorgeführt wurden.

Tinte [lat.], Schreibflüssigkeit aus meist wässrigen Lösungen oder Suspensionen von Farbstoffen oder Pigmenten (z. B. Anilinblau) in Wasser zum Schreiben **(Schreib-T.)** und Kennzeichnen. Da reine Farbstoff-T. nur ungenügend dokumentenecht sind, wird für Urkunden synthet. **Eisengallus-T.** verwendet, die eine schwarze, licht- und luftbeständige Verbindung bildet. Neben den gewöhnl. T. gibt es **Spezial-T.** besonderer Zusammensetzung, z. B. Kopier-T. oder Hektographen-T., Wäschezeichen-T., Geheim-Tinte (sympathet. T.) sowie Glas- oder Porzellantinte.

Kulturgeschichte: T. wurden in China und Ägypten schon um 2600 v. Chr. verwendet. Gewöhnl. schwarze T. wurde aus Kohlenschwarz und Gummiwasser hergestellt. Die Eisengallus-T. wurde im 3. Jh. v. Chr. erfunden (Abkochen von Eichengallen mit Eisenvitriol).

Tintenfische, 1) →Kopffüßer, 2) →Sepia.

Tintling, Gattung der Blätterpilze; Hut faltig gefurcht und wie die Lamellen im Alter manchmal zerfließend, Sporen schwarz oder schwarzbraun. Die essbaren Arten entfalten teilweise, zus. mit Alkohol genossen, eine Giftwirkung; u. a. der **Schopf-T. (Tintenpilz, Spargelpilz, Porzellan-T.,** Coprinus comatus), etwa 20 cm hoch, junger Hut weiß, walzenförmig, Lamellen weiß (dann essbar!), später rosa und schwarz werdend.

Tintoretto, eigtl. Iacopo Robusti, italien. Maler, *Venedig Ende Sept./Anfang Okt. 1518, † ebd. 31. 5. 1594; zählt neben Tizian und Paolo Veronese zu den wichtigsten Malern des Cinquecento in Vene-

Tintoretto: Selbstbildnis (undatiert; Paris, Louvre)

dig; schuf nach einem ersten großen Erfolg, dem Bild »Der hl. Markus befreit einen Sklaven« (1548; Venedig, Accademia), v.a. religiöse Gemälde. Seine ausdrucksstarken, oft kühn verkürzten Gestalten schließen sich zu leidenschaftlich bewegten, in die Tiefe führenden Kompositionen zusammen. Anfangs malte er in glühenden, von Schwarz und von braunen Tönen durchsetzten Farben, dann mehr tonig gebrochen. In seiner Spätzeit wurde die Farbe zu einer oft fahlbleichen Lichterscheinung, die das Stoffliche vergeistigt und das dramat. Geschehen ins Unwirkliche hebt. Höhepunkt seines Schaffens sind die seit 1564 für die Scuola di San Rocco in Venedig gemalten Wand- und Deckengemälde mit Szenen aus dem Alten und Neuen Testament. Gleichzeitig malte er auch für den Dogenpalast (u.a. »Venedig als Beherrscherin der Meere«, 1581–84; »Das Paradies«, 1588). Seine letzten Werke sind die »Mannalese« und das »Abendmahl« in der Kirche San Giorgio Maggiore in Venedig (1592–94). Sein Sohn Domenico T. (*1560, †1637) führte die Werkstatt fort. Weiteres BILD Perspektive

📖 KRISCHEL, R.: *T. Reinbek 1994.*

Tinto, Río, Fluss in Spanien, → Río Tinto.

Tipasa (arab. Tibasa), Ort an der alger. Mittelmeerküste, 10 000 Ew.; Fremdenverkehrszentrum; bed. Ruinenstätte (UNESCO-Weltkulturerbe) mit Resten eines röm. Forums, eines Amphitheaters, von Tempeln, Thermen sowie einer frühchristl. Basilika, nahebei christl. Nekropolen, christl. Basilika der hl. Salsa (4./5. Jh.). – Urspr. pun., dann röm. Hafenstadt; Ende des 7. Jh. von Arabern besetzt.

Tipi [Sioux] *das,* kegelförmiges Stangenzelt nordamerikan. Indianer, mit Rinden-, Matten- oder Fellbedeckung.

Tipitaka [Pali »Dreikorb«] *das* (Sanskrit Tripitaka), Sammlung hl. Schriften des Hinajana-Buddhismus; ältester, in Pali verfasster buddhist. Kanon **(Pali-Kanon)** in drei Teilen; nach der Überlieferung schon bald nach Buddhas Tod (seinem Eingang ins Nirvana) zusammengestellt.

Tipperary [tɪpəˈreərɪ], ehem. Cty. im S der Rep. Irland, seit 1981 geteilt in **T. North Riding,** 1996 km², (1991) 57 800 Ew., Verw.sitz: Nenagh, und **T. South Riding,** 2258 km², (1991) 74 800 Ew., Verw.sitz: Clonmel.

Tippett [ˈtɪpɪt], Sir (seit 1966) Michael, brit. Komponist, *London 2. 1. 1905, † ebd. 8. 1. 1998; schrieb in gemäßigt modernem Stil Opern (u.a. »The knot garden«, 1970; »New Year«, 1989), Oratorien (»Ein Kind unserer Zeit«, 1944), Sinfonien, Streichquartette, Klaviermusik und Lieder.

TIR (T.I.R.) [Abk. für frz. **T**ransport **I**nternational de Marchandises par la **R**oute »Internat. Transport von Gütern auf der Straße«, auch für frz. **T**ransports **I**nternationaux **R**outiers »Internat. Fernfahrertransporte«], von Zollbehörden vergebenes Kennzeichen in weißer Schrift auf blauem Grund für Lkw, das zu beschleunigter Zollabfertigung und zu Fahrten an Sonn- und Feiertagen berechtigt. Die Fahrzeuge haben als Zollpassierschein das von den Spitzenverbänden der Kfz-Halter (in Dtl. der Bundesverband des dt. Güterfernverkehrs) als Zollbürge ausgegebene **Carnet TIR** mit sich zu führen.

Tirade [frz.] *die,* **1)** *allg.:* wortreicher, meist nichts sagender Wortschwall.

2) *Musik:* (Tirata) schneller diaton. Lauf, der zwei Melodietöne miteinander verbindet oder auf einen akzentuierten, länger ausgehaltenen Melodieton hinzielt.

Samuel Chao Chung Ting

Michael Tippett

TIR
Kennzeichen

Tintoretto: »Abendmahl« (1592–94; Venedig, San Giorgio Maggiore)

Tirol: Die Landwirtschaft, hier Bergbauernhöfe im Defereggengebirge in Osttirol, arbeitet zum Teil auch heute noch mit traditionellen Methoden

Tirana, Hauptstadt Albaniens, 243 000 Ew.; Akademie der Wiss., Univ. u. a. Hochschulen, Museen, Nat.-Bibliothek, -Theater; chem., Zement-, Porzellan-, Holz-, Leder-, Schuh-, Lebensmittel- u. a. Ind.; internat. Flughafen. – Orientalisch geprägte Altstadt (Moschee Etehem-beg, 1797, mit Fresken); Regierungsviertel um den Skanderbergplatz. – Im 15. Jh. erstmals erwähnt, seit 1614 zur Stadt ausgebaut, seit 1920 Hauptstadt.

Tiraspol, Stadt in Moldawien, am Dnjestr, 186 000 Ew.; PH, Theater; Nahrungsmittel-, Maschinenbau-, elektrotechn., Bekleidungs-, Holzind., Weinkellereien. – 1924–40 Hptst. der Moldauischen ASSR; seit 1991 Hptst. der von Moldawien nicht anerkannten Dnjestr-Republik.

Tiresias (grch. Teiresias), *grch. Mythos:* blinder Seher aus Theben; in den dramat. Bearbeitungen des theban. Sagenkreises (→Antigone, →Ödipus) tritt er oft als Warner auf.

Tîrgovişte [-ʃte], Stadt in Rumänien, →Târgovişte.

Tîrgu Mureş ['tirgu 'mureʃ], Stadt in Rumänien, →Târgu Mureş.

Tirlemont [tirlə'mɔ̃], Stadt in Belgien, →Tienen.

Tirol, Bundesland Österreichs, setzt sich (infolge der Abtretung Süd-T.s) aus den räumlich getrennten Teilen Nord-T. und Ost-T. zusammen; 12 647 km², (1996) 631 400 Ew.; Hptst.: Innsbruck; es umfasst die autonome Stadt Innsbruck und die Bez. Imst, Innsbruck, Kitzbühel, Kufstein, Landeck, Lienz, Reutte und Schwaz. – **Nordtirol** hat Anteil an den Nördl. Kalkalpen (Lechtaler Alpen, Wetterstein, Karwendel, Kaisergebirge); sie werden gequert vom Fernpass (1209 m), vom Seefelder Sattel (1185 m) und vom Achenpass (941 m ü. M.). Südlich vom Inntal ragen die östl. Rätischen Alpen, die Ötztaler, Stubaier und Zillertaler Alpen auf, bis über 3000 m ü. M.; Täler (Kauner-, Pitz-, Ötz-, Stubai-, Zillertal), in die Gletscher münden, führen nach Norden. **Osttirol** umfasst den Südabhang der Hohen Tauern, Defereggengebirge, Lienzer Dolomiten, Schobergruppe, das Becken der Drau um Lienz. T. besitzt ein kühles, durch das Relief stark modifiziertes Gebirgsklima, Niederschläge in Gipfellagen bis 2000 mm, im Inntal 800–1000 mm jährlich. Hauptsiedlungsgebiet ist das Inntal. Bedeutung hat die Landwirtschaft mit Ackerbau und überwiegend Grünlandwirtschaft; Hauptzweig ist die Viehzucht (Fleisch- und Milcherzeugung). Bergbau auf Magnesit, Gewinnung von Steinen und Erden; bed. Eisen- und Metallind.; ferner Glas-, Textil-, chem. und pharmazeut. Ind.; bed. sind die Wasserkraftwerke. Im Fremdenverkehr steht T. an der Spitze aller österr. Bundesländer (60 % der Deviseneinnahmen T.s). – T. ist Transitland für Eisenbahnen (Kufstein–Innsbruck–Bregenz–Italien) und Autobahnen (Inntal- und Brenner-Autobahn); die Arlbergstraße (mit 14 km langem Tunnel) verbindet T. mit Vorarlberg. Ost-T. ist durch den Felber-Tauern-Tunnel auch von N erreichbar. Internat. Flughafen in Innsbruck.

Geschichte: Das alpenländ. Gebiet wurde um 16/15 v. Chr. von den Römern erobert (Prov. Rätien und Noricum); später drangen Slawen, Alemannen und Langobarden ein, die im 6.–8. Jh. von den Baiern verdrängt wurden. 788 wurde das Gebiet Teil des Fränk. Reichs. Im 11. Jh. kamen die Grafschaften nördlich und südlich des Brenners an die Bischöfe von Brixen und Trient. Gegen die Grafen von Eppan bzw. von Andechs (seit 1180

Tirol: Der Anführer des Tiroler Aufstands, Andreas Hofer, auf einem fliegenden Blatt von 1809

Herzöge von Meranien) gewannen die Grafen von T. (Stammsitz bei Meran) die Vogtei über die Bistümer Trient (Mitte des 12. Jh.) und Brixen (1210) sowie 1248 nach dem Aussterben der Andechs-Meranier die Grafen- bzw. Herzogsrechte. Nach dem Aussterben der Grafen von T. 1253 fiel T. an die Grafen von Görz (Meinhardiner). 1363 gab Margarete Maultasch T. an ihren habsburg. Vetter Herzog Rudolf IV. von Österreich. 1420 verlegte Herzog Friedrich IV. (seit 1406 Graf von T.) seine Residenz von Meran nach Innsbruck. Nachdem der spätere Kaiser Maximilian I. 1490 T. erworben hatte, wurden S- und NO-Grenze festgelegt. 1500 gewann er die Grafschaft Görz, 1505 von Bayern Kitzbühel, Kufstein und Rattenberg. 1525 griff der Bauernkrieg auf T. über (M. Gaismair). 1564–1665 bestand eine eigene tirol. Linie des Hauses Österreich (Residenz: Innsbruck). 1803 wurden die Hochstifte Brixen und Trient säkularisiert und mit T. vereinigt; 1805 fiel T. an Bayern. Unter A. Hofer kam es im April 1809 zu einem Aufstand, der nach anfängl. Erfolgen von bayr., frz. und italien. Truppen am 1. 11. 1809 niedergeschlagen wurde **(Tiroler Freiheitskampf);** T. wurde geteilt. Der N kam an Bayern, der S an das Königreich Italien, der O zu den Illyr. Provinzen; 1814 fiel das gesamte Land an Österreich. Im Frieden von Saint-Germain-en-Laye (1919) kam →Südtirol an Italien; aus Nord- und Ost-T. wurde das österr. Bundesland T. (1938–45 dt. Gau).

📖 ELLER, A. *u.* HOHENEGGER, H.: *Landeskunde T.s. München 1970.* – FORCHER, M.: *T.s Geschichte in Wort u. Bild. Innsbruck* [4]*1993.* – *Quellen, Texte, Bilder zur Tiroler Geschichte, Beiträge v.* R. HARB *u. a. Wien 1996.*

Tirolisch-Bayerische Kalk|alpen (Nordtiroler Kalkalpen), westl. Teil der Nördl. Kalkalpen zw. Fernpass im W und Tiroler Ache im O, Dtl. und Österreich.

tironische Noten, eine Art →Stenografie der röm. Antike, benannt nach Marcus Tullius Tiro (1. Jh. v. Chr.), einem Freigelassenen und Freund von Cicero.

Tirpitz, Alfred von (seit 1900), Großadmiral (seit 1911), *Küstrin (heute Kostrzyn) 19. 3. 1849, †Ebenhausen (heute zu Schäftlarn) 6. 3. 1930; entwickelte ab 1877 die dt. Torpedobootwaffe; ab 1897 Staatssekretär des Reichsmarineamts; 1898 Mitbegründer des Dt. Flottenvereins. T. forcierte den Aufbau der dt. Schlachtflotte, die Großbritannien vom Risiko einer militär. Intervention abhalten sollte (»Risikogedanke«). Im 1. Weltkrieg scheiterte T. mit seiner Konzeption, trat 1916 aus Protest gegen eine Einschränkung des U-Boot-Krieges zurück. 1917 Mitbegründer der Dt. Vaterlandspartei, 1924–28 MdR (Deutschnat. Volkspartei).

Tirschenreuth, 1) Landkreis im RegBez. Oberpfalz, Bayern, 1085 km², (1997) 80600 Einwohner.

2) Krst. von 1) in Bayern, an der Waldnaab, zw. Oberpfälzer Wald und Fichtelgebirge, 9900 Ew.; Museum für Teichwirtschaft und Fischerei; Porzellan-, Keramik- u. a. Ind., Straßenwalzenbau. – Kath. Pfarrkirche (1689 über Vorgängerbau des 13. Jh. errichtet), Rathaus (Fassade von 1582/83). – T., 1134 erstmals erwähnt, wurde 1364 Stadt.

Tirso de Molina: Ausschnitt eines anonymen zeitgenössischen Gemäldes (Madrid, Nationalbibliothek)

Tirso de Molina, eigtl. Gabriel Téllez, span. Dramatiker, *Madrid 1571 (?) oder 1579 (?), †Soria 12. 3. 1684 als Prior im Kloster der Mercedarier; Erzähler und Dramatiker in der Nachfolge von Lope F. de Vega Carpio. Von seinen etwa 400 Stücken sind rd. 90 erhalten, einige umstritten. In intrigenreichen Lustspielen, die sich durch witzige Dialogführung auszeichnen, lässt er häufig schlaue Frauen einfältige Männer überlisten. Daneben schrieb er religiöse und histor. Dramen und eine Geschichte seines Ordens. Zu seinen bekanntesten Dramen gehören: »Don Juan, der Wüstling«, auch u. d. T. »Der steinerne Gast« (1630, erste Bearbeitung des Don-Juan-Stoffes; wird heute Andrés de Claramonte, *um 1580, †1626, zugeschrieben) und »Don Gil von den grünen Hosen« (1635).

📖 WILSON, M.: *T. de M. Boston, Mass., 1977.*

Tiruchirapalli [-tʃɪˈrɑːpəlɪ] (früher Trichinopoly), Stadt im Staat Tamil Nadu, Indien, an der Spitze des Cauverydeltas, 387000 Ew.; kath. Bischofssitz; Univ., TH; Eisenbahnwerkstätten, Metall-, Textilind.; Hindu-Wallfahrtsstätte.

Alfred von Tirpitz

Tiryns, Burg und Stadt in der Argolis, nördlich von Nauplion (Griechenland), einer der Hauptfundorte der myken. Kultur; seit frühellad. Zeit kontinuierlich besiedelt, Blütezeit seit Anfang des 14. Jh. v. Chr., Zerstörung der Burg um 1200 v. Chr. durch Erdbeben; Ausgrabungen 1884/85 durch H. Schliemann und W. Dörpfeld, 1905–29 und erneut seit 1965 durch das Dt. Archäolog. Institut. BILD S. 130

Tischbein, Malerfamilie des 18./19. Jh.; bed. Vertreter:

Johann Heinrich Wilhelm Tischbein: »Familienszene« (1778; Hannover, Niedersächsisches Landesmuseum)

Johann Heinrich Wilhelm Tischbein (Ausschnitt eines Selbstporträts; Hamburg, Kunsthalle)

1) Johann Friedrich August (»Leipziger T.«), *Maastricht 9. 3. 1750, †Heidelberg 21. 6. 1812, Neffe und Schüler von 2); ab 1800 Akademiedirektor in Leipzig; Bildnisse in der vornehmen, malerisch gelockerten Manier der großen engl. Porträtmaler (T. Gainsborough, G. Romney). BILDER Anna Amalia; Kalb, Charlotte; Schelling, Caroline

2) Johann Heinrich, d. Ä. (»Kasseler T.«), *Haina (Kloster) 14. 10. 1722, †Kassel 22. 8. 1789, Onkel von 1) und 3); seit 1752 Hofmaler, seit 1776 Akademiedirektor in Kassel, malte im Stil des Rokoko religiöse und mytholog. Bilder, auch Porträts.

3) Johann Heinrich Wilhelm (»Goethe-T.«), *Haina (Kloster) 14./15. 2. 1751, †Eutin 26. 6. 1829, Neffe und Schüler von 2); lebte 1779–81 und 1783 ff. in Rom; 1787 reiste er mit Goethe nach Neapel, wo er 1789 Akademiedirektor wurde, lebte dann in Hamburg und Eutin. T. malte neben Porträts (»Goethe in der röm. Campagna«, 1787; Frankfurt am Main, Städelsches Kunstinst.) Historienbilder, Idyllen, Tierbilder und Stillleben. Weiteres BILD Goethe

Tischler (Schreiner), Ausbildungsberuf der Ind. und des Handwerks (drei Jahre) mit versch. Spezialrichtungen. Der T. fertigt aus Holz oder Kunststoff u. a. Möbel und feste Inneneinrichtungen, Wandverkleidungen, Türen, Fensterrahmen.

Tischlerplatte, →Sperrholz.

Tischtennis, wettkampfmäßig ausschließlich in Hallen betriebenes Rückschlagspiel zw. Einzelspielern oder Doppeln (Paaren) um zwei, bei den Herren um drei Gewinnsätze. Gespielt wird an einem waagerechten Tisch bestimmter Elastizität, der 76 cm hoch, 152,5 cm breit und 274 cm lang und mit jeweils 2 cm breiten Grund- und Seitenlinien ausgestattet ist (für Doppelspiele außerdem mit einer 3 mm breiten Mittellinie parallel zu den Seitenlinien). Mithilfe von beliebigen T.-Schlägern ist ein 2,4 bis 2,5 g schwerer Zelluloid- oder Kunststoffhohlball von 11,43 bis 12,7 cm Umfang derart über ein 15,25 cm hohes, das Spielfeld halbierendes Netz zu schlagen, dass der Gegner den Ballwechsel nicht regelgerecht fortsetzen kann. Fehler des Gegners zählen als Punkt. Die wichtigsten Fehler sind: mehrmalige Spielfeldberührung des Balles in einer Hälfte, Verschlagen des Balles, zweimaliges Schlagen durch eine Partei hintereinander, Körperberührung der Spielfläche oder des Balles, fehlerhafter Aufschlag. Ein Satz wird von derjenigen Partei gewonnen, die zuerst 21 Punkte erreicht hat. Die Aufgabe wechselt nach jeweils fünf Punkten, ab 20:20 nach jedem Punkt. – Olymp. Sportart seit 1988, Weltmeisterschaften seit 1927, Europameisterschaften seit 1958.

📖 GROSS, B.-U. *u.* HUBER, D.: *T. Moderne Technik für Anfänger u. Könner. Reinbek 1995.*

Tischzuchten, lehrhafte, meist gereimte Dichtungen des 12.–16. Jh. mit Vorschriften über das rechte Verhalten bei Tisch. Sie entstammen der Klosterkultur, waren im 13. Jh. ritterlich, im ausgehenden MA. bürgerlich geprägt und fanden im 16. Jh. in der satir. Umkehr des →Grobianismus weite Verbreitung.

Tiselius, Arne, schwed. Biochemiker, *Stockholm 10. 8. 1902, †Uppsala 29. 10. 1971; Prof. in Uppsala, 1960–64 Präs. der Nobelstiftung; entwickelte Methoden zur Analyse und Trennung bio-

Tiryns: Die um 1200 v. Chr. zerstörte Anlage liegt auf einer Felsklippe in der fruchtbaren Ebene von Argos

chem. Substanzen durch Elektrophorese und Adsorptionschromatographie und erhielt dafür 1948 den Nobelpreis für Chemie.

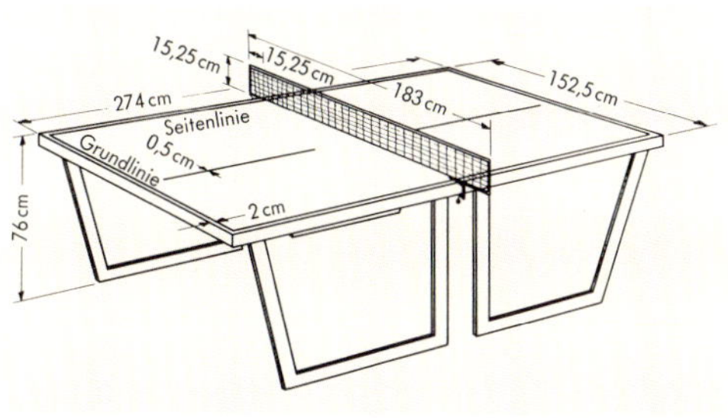

Tischtennis: Spieltisch

Tišma ['tiʃma], Aleksandar, serb. Schriftsteller, *Horgoš (bei Subotica) 16. 1. 1924; sein Hauptwerk ist der aus den Büchern »Das Buch Blam« (1971), »Der Gebrauch des Menschen« (1976), »Die Schule der Gottlosigkeit« (1978), »Vere i zavere« (1983) und »Kapo« (1987) bestehende »Pentateuch«, der sich mit der Zeit des 2. Weltkriegs beschäftigt; 1991–95 lebte T. im Pariser Exil.

Tiso, Jozef, slowak. Politiker, *Bytča (bei Zilina) 13. 10. 1887, †(hingerichtet) Preßburg 18. 4. 1947; kath. Theologe, Mitbegründer und seit 1938 Vors. der Slowak. Volkspartei, 1938–39 MinPräs.; 1939–45 war er Staatspräs. der Slowak. Republik; 1947 von einem tschechoslowak. Gericht wegen Hochverrats zum Tode verurteilt.

Tissandier [tisã'dje], Gaston, frz. Luftfahrtpionier, *Paris 21. 11. 1843, †Jurançon (Dép. Pyrénées-Atlantiques) 30. 8. 1899; stieg 1875 in einem Freiballon auf 8600 m Höhe und machte 1883/84 Versuche mit einem durch einen Elektromotor angetriebenen (1½ PS) Luftschiff.

Tissaphernes (pers. Tschissafarnah), persischer Satrap von Sardes (Kleinasien) unter Dareios I. und Artaxerxes II., *um 450 v. Chr., †(hingerichtet) 395 v. Chr.; unterstützte während des Aufstandes Kyros' d. J. dessen Bruder Artaxerxes II. und entschied zu dessen Gunsten die Schlacht von Kunaxa (401 v. Chr.). Wegen einer Niederlage gegen die Spartaner fiel er 395 in Ungnade.

Tisza ['tisɔ] *die,* Nebenfluss der Donau, →Theiß.

Tisza ['tisɔ], **1)** István (Stephan) Graf (seit 1897), ungar. Politiker, *Budapest 22. 4. 1861, †(ermordet) ebd. 31. 10. 1918, Sohn von 2); MinPräs. 1903–05 und 1913–17, gründete 1910 die liberalkonservative Nationale Arbeiterpartei.

2) Kálmán (Koloman) von, ungar. Politiker, *Geszt (Bez. Békés) 16. 12. 1830, †Budapest 23. 3. 1902, Vater von 1); war 1875–90 MinPräs., festigte das System des österr.-ungar. Dualismus von 1867.

Tit., Abk. für **Tit**usbrief (N. T.).

Titan [nach den Titanen der grch. Mythologie], **1)** *Astronomie:* der größte Mond des Planeten →Saturn.

2) *das, Chemie:* chem. Symbol **Ti,** Element aus der vierten Nebengruppe des →Periodensystems der chemischen Elemente; Ordnungszahl 22, relative Atommasse 47,88, Dichte 4,506 g/cm³, Schmelzpunkt 1677 °C, Siedepunkt 3262 °C. T. ist ein silberweißes und in reinem Zustand dehnbares Übergangsmetall, das kalt gewalzt und zu Draht gezogen werden kann. T. gehört zu den häufigsten Elementen der festen Erdkruste und steht in der Häufigkeit der chem. Elemente an 10. Stelle. Es kommt in der Natur in zahlreichen Mineralen (z. B. →Ilmenit, →Rutil, →Anatas, →Perowskit, →Titanit) und Gesteinen vor, ist aber meist nur in geringen Mengen enthalten. Zur Gewinnung überführt man **T.-Dioxid,** TiO_2, durch Umsetzen mit Chlor in Gegenwart reduzierender Substanzen (Kohle, Koks) in **T.-Tetrachlorid,** $TiCl_4$. Aus diesem bildet sich beim Erhitzen mit Magnesium unter Schutzgas metallisches Titan. – Verwendung findet T. (als solches oder in Form von Legierungen) v. a. als Werkstoff für techn. Gegenstände, die hohe Festigkeit sowie geringes Gewicht haben sollen; bes. große Bedeutung hat T. deshalb v. a. in der Luft- und Raumfahrt (z. B. für Triebwerke) erlangt. Wegen seiner hohen Korrosionsbeständigkeit dient T. ferner als Werkstoff zur Herstellung von Apparaten für die chem. Industrie. – Die wichtigste T.-Verbindung ist T.-Dioxid. Es ist Hauptbestandteil vieler Farbstoffe (T.-Weiß, Farben für Email, Glasuren), von keram. Massen mit hoher Dielektrizitätskonstante (für Kondensatoren) und von Röntgenkontrastmitteln.

3) *Raketentechnik:* Name einer Serie amerikan. Mehrstufenraketen, die für unterschiedl. Zwecke entwickelt wurden.

Titan|eisen, das Mineral →Ilmenit.

Titanen, *grch. Mythos:* das zweite Göttergeschlecht, die sechs Söhne und sechs Töchter des Uranos und der Gaia: Okeanos, Koios, Kreos, Iapetos, Hyperion, Kronos; Thea, Rhea, Themis, Mnemosyne, Phoibe, Tethys. Die T. wurden von Zeus und seinem Göttergeschlecht besiegt und in den Tartaros gestürzt, nur Okeanos behielt seine Macht. – Der Name wird auch auf einige ihrer Nachkommen (z. B. Prometheus) übertragen.

Titania, 1) *Astronomie:* ein Mond des Planeten →Uranus.

2) *Mythologie:* Feenkönigin, Gemahlin des Zwergenkönigs →Oberon.

Titanic [engl. taɪ'tænɪk] *die,* brit. Passagierschiff der White Star Line; mit 46329 BRT das größte Schiff seiner Zeit (Länge 269 m, Breite 28 m, 51000 PS Maschinenleistung, Höchstgeschwindigkeit 22,3 kn). Bei der Jungfernreise von Southamp-

Arne Tiselius

Aleksandar Tišma

István Tisza

Der Untergang der **Titanic** *war u. a. Anlass für die »Internationale Konvention zum Schutz des menschlichen Lebens auf See« sowie für die Einrichtung des Eiswarndienstes. Erste Unterwasseraufnahmen des in etwa 3600 m Tiefe entdeckten Wracks des Luxusliners entstanden 1985, die Hebung einer Anzahl von Gegenständen gelang 1987.*

Titanic: Das britische Passagierschiff vor Antritt der Jungfernreise (1912) im Hafen von Southampton

ton nach New York stieß die T. in der Nacht vom 14. zum 15. 4. 1912 in der Nähe der Großen Neufundlandbank mit einem Eisberg zusammen und sank in weniger als drei Stunden. Von den 1308 Passagieren und 898 Mann Besatzung konnten nur 703 gerettet werden.

📖 *T., Triumph u. Tragödie, Beiträge v.* J. P. EATON *u.* C. A. HAAS. *A. d. Engl. München 1997.*

Titanit

Titanit *der,* monoklines Mineral, $CaTi[O|SiO_4]$, Calcium-Titan-Silikat, Farbe: gelb, grünlich, braun, meist in dicktafeligen oder flachen, nicht selten verzwillingten Kristallen; Titanerz. Entstehung spätmagmatisch, metamorph oder sedimentär.

Titel [lat.] *der,* **1)** *allg.:* Beruf, Stand, Würde angebende Bezeichnung.

2) *Buchwesen* und *Kunst:* Name eines Buches, einer Schrift oder eines Werkes der Musik oder bildenden Kunst. T. genießen **T.-Schutz:** nach dem Wettbewerbsrecht, wenn sie genügende Unterscheidungskraft haben; nach dem Urheberrecht, wenn sie selbst ein Werk bilden; Druckschriften-T. aufgrund einer Eintragung als Marke, die bei genügender Eigenart möglich ist.

3) *Finanzwirtschaft:* kleinste Einheit eines Haushalteinzelplans.

4) *Recht:* a) Standesbezeichnung: Adelstitel können in Dtl. seit 1918 nicht mehr rechtswirksam verliehen werden; erworbene T. gelten als Namensteil. b) Ehrenbezeugung: T. im Sinn des Ges. über T., Orden und Ehrenzeichen vom 26. 7. 1957 sind nur Ehren-T., die der Bundespräs. auf der Grundlage eines entsprechenden Gesetzes verleihen kann. c) akadem. Grade: Es gilt das Ges. über die Führung akadem. Grade vom 7. 6. 1939; akadem. Grade können mit dem Namen geführt werden, sind aber nicht Namensbestandteil. d) Amts- und Dienstbezeichnungen: Diese Bez. und T. werden vom Bundespräs. durch VO festgesetzt. – Der Missbrauch von T. der vorstehenden Art, insbesondere das unbefugte Führen von T., ist gemäß §132a StGB unter Strafe gestellt (Freiheitsstrafe bis zu einem Jahr oder Geldstrafe). e) Prozessrecht: ein beurkundetes Recht (»titulierter Anspruch«), also eine öffentl. Urkunde, die einen Anspruch feststellt und Grundlage der Vollstreckung sein kann **(Vollstreckungstitel).** f) Rechtssystematik: Abschnitt eines Gesetzes- oder Vertragswerkes.

Titelblatt, das vorne im Buch befindl. Blatt, auf dem der Haupttitel steht, außerdem u.a. die Namen der Verfasser, Herausgeber usw., Untertitel, Auflagenbez., Erscheinungsvermerk (Verlagsname, Ort, Jahr). Auf der Rückseite des T. befinden sich u.a. drucktechn. Vermerke, der Copyrightvermerk, Impressum und →ISBN. – Zus. mit den Seiten für Vorwort, Inhaltsverzeichnis, Schmutztitel u.a. bildet das T. die **Titelei.**

Titer [frz.] *der,* **1)** *Chemie:* in der Maßanalyse das Verhältnis der tatsächl. Konzentration an wirksamem Reagenz in einer Titrierlösung zum Sollwert der Konzentration.

2) *Textilindustrie:* Maß für die Feinheit eines Chemie- oder Naturseidenfadens.

Tithonos, *grch. Mythos:* Bruder des Priamos. Die Göttin Eos raubte ihn wegen seiner Schönheit und erbat für ihn von Zeus Unsterblichkeit, versäumte aber, auch um ewige Jugend zu bitten. Als er alterte, verwandelte ihn Zeus aus Mitleid in eine Zikade.

Titicacasee, größter Hochlandsee der Erde und größter See Südamerikas, beiderseits der Grenze zw. Peru und Bolivien, 3812 m ü.M., 190 km lang, im Mittel 50 km breit, 8300 km² groß, bis 281 m tief, mit zahlr. Inseln; Zentrum der →Aimara. Am Südende des T. entstand die Kultur von →Tiahuanaco; in den Sümpfen am W-Ufer lebt auf schwimmenden Schilfinseln (auch Hütten und Boote aus Schilf) das Fischervolk der Uru-Indianer.

Titicacasee: Das Westufer des Titicacasees ist der Lebensraum der Uru-Indianer, hier mit schwimmenden Schilfinseln

Titisee, See im südl. Schwarzwald, nordöstlich des Feldbergs, 840 m ü. M., 1,1 km^2, bis 40 m tief; Moränenstausee des pleistozänen Feldberggletschers. Am N-Ufer der gleichnamige Kurort.

Titisee-Neustadt, Stadt im Landkr. Breisgau-Hochschwarzwald, Bad.-Württ., 849 m ü. M., im südl. Schwarzwald, 12 200 Ew.; Holzverarbeitung; Wintersportzentrum. – 1971 durch Zusammenlegung des Kurorts **Titisee** und des Kneippkurorts **Neustadt** (um 1250 als Stadt gegr.) und weiterer Gemeinden entstanden.

Titius-Bode-Reihe, von Johann Daniel Titius (*1729, †1796) in Wittenberg 1766 empirisch gefundene, durch Johann Bode (*1747, †1826) allg. bekannt gewordene Beziehung, die die mittleren Abstände a der Planeten von der Sonne in Astronom. Einheiten (AE) recht gut beschreibt: $a = 0{,}4 + 0{,}3 \cdot 2^n$. Bode sagte mithilfe der T.-B.-R. die Existenz des Uranus voraus, später wurde mit ihr der Planetoidengürtel entdeckt.

Titlis *der,* Berg der Urner Alpen in der Schweiz, südlich des Engelberger Tals, 3 239 m ü. M.

Tito, Josip, eigtl. J. Broz, jugoslaw. Politiker und Marschall (seit 1943), *Kumrovec (Kroatien) 25. 5. 1892, †Ljubljana 4. 5. 1980; seit 1937 Gen.-Sekr. der KP (seit 1952 Bund der Kommunisten Jugoslawiens), organisierte im 2. Weltkrieg ab 1941 den Partisanenkampf gegen die dt. und italien. Besatzung, z. T. unter Ausschaltung konkurrierender nat. Widerstandskräfte (Četnici). Ab 1943 Präs. des »Antifaschist. Rates der Nat. Befreiung«, der seit Ende 1944 unter kommunist. Führung die Macht in Jugoslawien ausübte. Ab 1945 MinPräs. und Verteidigungsmin., ab 1953 Staatspräs. (seit 1963 auf Lebenszeit); rücksichtslose Ausschaltung seiner innenpolit. Gegner. Nach Auseinandersetzungen mit Stalin und Abkehr vom Stalinismus 1948 verfolgte T. einen eigenen Weg zum Sozialismus (→Titoismus); angesehener Wortführer der »Blockfreien«. Innenpolitisch vermochte er die nat. Differenzen zu überdecken und die Einheit des Vielvölkerstaates Jugoslawien zu erhalten. Weiteres BILD Jugoslawien

📖 DJILAS, M.: *T. A. d. Serbokroat. Wien 1980.*

Titograd, 1946–92 Name der Hptst. von Montenegro, →Podgorica.

Titoismus *der,* nach Tito benannte nat. Form des Kommunismus in Jugoslawien. – Der Bruch Titos mit Stalin 1948 hatte histor. Bedeutung, da erstmals im Weltkommunismus eine KP – die auch die Macht im Lande hatte – einen eigenen Weg ging; Besonderheiten: Aufgabe des Zentralismus, Einführung einer nach dem Modell des Rätesystems aufgebaute Arbeiterselbstverw., Durchsetzung marktwirtsch. Tendenzen bei weiter bestehender Vormachtstellung der Partei, offenere Kulturpolitik, außenpolitisch Übergang zur »Blockfreiheit«.

Titova Mitrovica [-tsa], 1982–91 Name der Stadt →Kosovska Mitrovica in Jugoslawien.

Titov Veles, 1946–91 Name der Stadt →Veles in Makedonien.

Titration *die,* →Maßanalyse.

Titrimetrie *die,* die →Maßanalyse.

Titularbischof, im Unterschied zum Diözesanbischof (regierender Bischof) ein geweihter Bischof ohne jegl. Jurisdiktion über ein Bistum.

Titularfürst, im Hl. Röm. Reich vom Kaiser ernannter Fürst (im Rang zw. Herzog und Graf).

Titurel, Ahnherr des Gralsgeschlechts bei Wolfram von Eschenbach und in R. Wagners »Parsifal«.

Titus, im N. T. Schüler des Apostels Paulus und sein Mitarbeiter in der Mission; nach frühchristl. Tradition erster Bischof von Kreta; Heiliger, Tag: 26. 1. (in den Ostkirchen: 25. 8.).

Josip Tito

Titius-Bode-Reihe

Planet	n	mittlerer Abstand a	a′
Merkur		0,4	0,4
Venus	0	0,7	0,7
Erde	1	1,0	1,0
Mars	2	1,6	1,5
Planetoiden	3	2,8	2,9
Jupiter	4	5,2	5,2
Saturn	5	10,0	9,5
Uranus	6	19,6	19,2
Neptun	7	38,8	30,1
Pluto	8	77,2	39,5

a berechnet, a′ beobachtet

Titus, eigtl. T. Flavius Vespasianus, röm. Kaiser (79–81), *Rom 30. 12. 39 (?), †Aquae Cutiliae (bei Rieti) 13. 9. 81; Sohn Vespasians, beendete 70 mit der Eroberung Jerusalems den Jüd. Krieg (→Titusbogen); vollendete das Kolosseum und ließ Thermen errichten. In seine Zeit fällt der Ausbruch des Vesuvs, der Pompeji zerstörte (24. 8. 79).

Titusbogen, eintoriger Triumphbogen auf dem Forum Romanum in Rom, 81 n. Chr. zu Ehren des Sieges von Titus über die Juden (70 n. Chr.) errichtet; Reliefs mit Triumphzug des Kaisers. BILD S. 134

Titusbrief, Abk. **Tit.,** *N. T.:* →Pastoralbriefe.

Tivoli, Stadt in Latium, östlich von Rom, Italien, am Aniene (Wasserfälle, zur Energiegewinnung genutzt), 53 100 Ew.; Bischofssitz; Papier-, Textilind.; Fremdenverkehr. – Röm. Baureste, Dom (größtenteils barockisiert), roman. Kirche San Silvestro, zahlr. Villen, u. a. Villa d'Este (um 1560); in der Nähe die Reste der Hadriansvilla. – T., im Altertum **Tibur,** war seit dem 1. Jh. v. Chr. beliebte Sommerfrische der Römer. BILD S. 135

Tizian, eigtl. Tiziano Vecellio, italien. Maler, *Pieve di Cadore (Prov. Belluno) um 1488, †Venedig 27. 8. 1576. Als einen der bedeutendsten Meis-

Tizian: »Venus von Urbino« (1538; Florenz, Uffizien)

Tizian (Ausschnitt eines Selbstporträts, 1566)

ter der italien. Hochrenaissance zeichnet ihn gegenüber Michelangelo und Raffael sein sensualist. Umgang mit der Farbe aus, durch den er eine weite Skala an Ausdruckswerten für die Malerei erschloss. Er begründete damit eine Malkultur, zu der sich nachfolgende Künstler wie Tintoretto, P. P. Rubens und D. Velázquez bis zu P. Cézanne bekannten. Vor allem in Venedig tätig, arbeitete er auch für fürstl. Auftraggeber, u. a. Kaiser Karl V., Philipp II. von Spanien, Papst Paul III.

Einem Bericht zufolge soll T. 1508 als Mitarbeiter Giorgiones, der sein Frühwerk beeinflusste, in Venedig am Fondaco dei Tedeschi gearbeitet haben. Ein erster Höhepunkt seiner Tätigkeit ist das 1516–18 gemalte Hochaltarbild der Himmelfahrt Mariä (»Assunta«; Venedig, Santa Maria dei Frari), das mit der für dieses Thema bisher übl. statisch-feierl. Anordnung in Komposition, Figurenauffassung und Farbbetonung bricht. Das zweite für diese Kirche gemalte Werk, die »Pesaro-Madonna« von 1519–26, bringt durch die asymmetrisch diagonale Bildkonzeption eine Steigerung der dynam. Qualitäten, die auf Manierismus und Barock vorausweist. Die mytholog. Szenen dieser Zeit (»Venusfest«, 1518; Madrid, Prado; »Bacchanal«, um 1518; ebd.; »Bacchus und Ariadne«, 1523; London, National Gallery) sind durch Sinnenfreude und detaillierte humanist. Kenntnisse charakterisiert. Die Werke der 1530er-Jahre, beruhigter in der Komposition, zeichnen sich durch äußerst nuancierte Farbabstufungen und Hingabe an stilllebenhafte Details aus (»Tempelgang Mariä«, 1534–38; Venedig, Accademia; »Venus von Urbino«, 1538; Florenz, Uffizien). Durch die Ernennung zum Hofmaler Karls V. (1533) wurde T. zu einem der begehrtesten Porträtisten Europas (»Mann mit Handschuhen«, um 1523; Paris, Louvre; »Papst Paul III.«, 1543; Neapel, Museo e Gallerie Nazionali di Capodimonte; »Karl V.«, 1548; München, Alte Pinakothek). In den religiösen Bildern erfolgte erneut eine Bewegungs- und Ausdruckssteigerung, die Nähe zum Manierismus zeigt und fast trübe Farbtöne einsetzt (»Dornenkrönung«, um 1542–44; Paris, Louvre). In den für Philipp II. gemalten mytholog. Bildern mit ihrer eindeutig erot. Aussage setzte T. noch einmal den ganzen Reichtum seiner Farbkultur ein (»Danae«, 1553; Madrid, Prado; »Venus und Adonis«, 1554; ebd.). Die Summe seiner Erfahrungen führten in dem um 1555 beginnenden Altersstil zu einer zurückgenommenen subtilen und freien Handhabung der Farbe (»Schindung des Marsyas«, 1570; Kremsier, Okresní Muzeum; »Pietà«, 1570–76, von Palma il Giovane vollendet, Venedig, Accademia).
Weitere BILDER Karl V., Paul III., Salome

📖 GRUNDMANN, S.: *T. u. seine Vorbilder. Köln u. a. 1987.* – PEDROCCO, F.: *T. Aus dem Italien. Florenz u. a. 1993.* – *T., bearb. v.* A. WALTHER. *Leipzig [3]1997.*

Titusbogen: Der Titusbogen in Rom wurde 81 n. Chr. anlässlich der Eroberung von Jerusalem errichtet

Tizi-Ouzou [tiˈzi uˈzuː, frz.], Wilayathptst. in N-Algerien, am Fuß des Tellatlas, 93 000 Ew.; Univ.; Handelszentrum der Großen Kabylei mit traditionellem Kunsthandwerk; Feigen- und Olivenölproduktion; Bau von Kühlschränken; Eisenbahnendpunkt.

Tjumẹn, Hptst. des Gebiets T., Russland, an der unteren Tura, 496 200 Ew.; Zentrum des Westsibir. Erdöl- und Erdgasreviers; Univ. u. a. Hochschulen; Maschinenbau-, Holz-, chem., Textil-, Nahrungsmittelind.; Verkehrsknoten (Abzweigung der Nordsibir. von der Transsibir. Eisenbahn), Hafen. – 1586 als erste russ. Stadt in Sibirien gegründet.

Tjụttschew, Fjodor Iwanowitsch, russ. Lyriker, *Gut Owstug (Gebiet Orel) 5. 12. 1803, †Zarskoje

Selo (heute Puschkin) 27. 7. 1873; Diplomat in München und Turin, ab 1858 Vors. der Zensurbehörde für ausländ. Literatur; bed. russ. Lyriker des 19. Jh.; stand den Slawophilen nahe; Nachdichtungen dt. Lyrik.

Tl, chem. Symbol für → **Thallium.**

Tlaxcala [tlask-], **1)** Staat der Rep. → Mexiko, im SO des Hochlands.

2) Tlaxcala de Xicoténcatl, Hptst. von 1), 2250 m ü. M., 23 000 Ew.; Bischofssitz; Univ., PH; Marktort; etwas oberhalb der Stadt indianisch geprägte Wallfahrtskirche (18. Jh.).

Tlemcen ['tlɛmsən, frz. tlɛm'sɛn], Wilayathptst. in NW-Algerien, am N-Fuß des westl. Tellatlas, 225 000 Ew.; Hauptzentrum der islam. Kultur, Religion und Kunst in Algerien, ungebrochene maur. Kulturtradition; Univ.; archäolog. Museum; Handelszentrum eines Agrargebietes (Obst, Wein, Oliven), bed. Kunsthandwerk; Nahrungsmittel-, Holz-, Textilind.; Flughafen. – Moschee El-Kebir (1135/36); Moschee Sidi Bel Hasan (1296/97; heute Museum). Das Grabmal des Rabbi Ephraim Ali Kaoua († 1442) ist jüd. Wallfahrtsziel.

Tlingit, die nördlichste und eine der bedeutendsten Gruppen der Nordwestküstenindianer an der SO-Küste Alaskas und der NW-Küste von British Columbia; etwa 15 000 Personen.

TL-Triebwerk, Abk. für **T**urbinen-**L**uftstrahltriebwerk, → Strahltriebwerk.

T-Lymphozyten, → Lymphozyten.

Tm, chem. Symbol für → **Thulium.**

Tmesis [grch.] *die,* Trennung eines zusammengesetzten Worts durch ein dazwischengeschobenes: *ob er gleich* anstatt *obgleich er.*

Mark Tobey: »Schattengeister des Waldes« (1961; Düsseldorf, Kunstsammlung Nordrhein-Westfalen)

TNT, Abk. für → **Trinitrotoluol.**

Toamasina (früher frz. Tamatave), Prov.-Hptst. an der O-Küste Madagaskars, 145 400 Ew.; Nahrungsmittel- und Holzind., Erdölraffinerie; Seebad; Haupthafen von Madagaskar; Flugplatz.

Tob., Abk. für Buch **Tob**ias (A. T.).

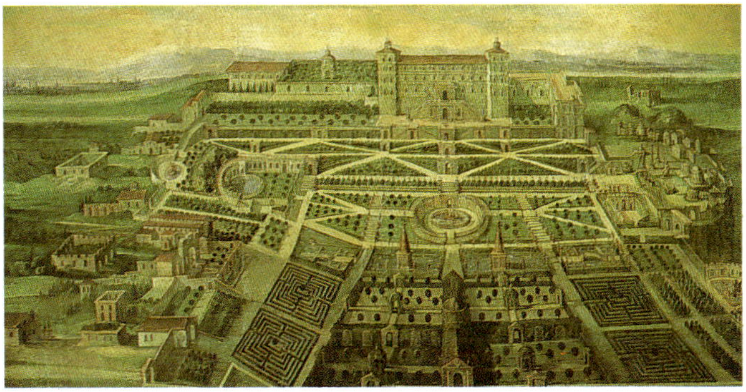

Tivoli: Panoramaansicht der Villa d'Este, dargestellt nach einer Radierung des französischen Baumeisters und Gartenarchitekten Etienne Dupérac (16. Jh.; Privatbesitz)

Tobago [engl. tə'beɪgəʊ], westind. Insel, nordöstlich von Trinidad, 303 km², (1990) 50 300 Ew. (meist Schwarze); Hauptort ist Scarborough. Die Insel wird von einem bewaldeten Gebirge (bis 576 m ü. M.) durchzogen. Den SW nehmen niedrige Kalkplateaus ein. T. besitzt innere Autonomie; politisch Teil von → Trinidad und Tobago.

Tobasee, See in NW-Sumatra, Indonesien, im Batakhochland, 906 m ü. M., 1146 km², bis 529 m tief, durch den Asahan zur Malakkastraße entwässert; Insel Samosir (530 km²); Wohngebiet der → Batak, bed. Fremdenverkehr.

Tobata, seit 1963 Teil der japan. Stadt → Kitakyūshū.

Tobel *der* oder *das, oberdt.:* enge Schlucht.

Tobey ['təʊbɪ], Mark, amerikan. Maler, Grafiker, * Centerville (Wis.) 11. 12. 1890, † Basel 24. 4. 1976; malte, geschult an chines. Kalligraphie, abstrakte Bilder, in denen zarte Pinselstriche die Fläche überspinnen; beeinflusste das amerikan. Actionpainting.

Tobias (hebr. Tobit), *A. T.:* Name der Hauptpersonen (Vater und Sohn) des apokryphen **Buches T.** (Abk. **Tob.**), entstanden um 200 v. Chr.; gilt im Judentum als Beispielerzählung für das Festhalten an den Geboten Gottes in Bedrängnis und Versuchung (Deportation T. nach Ninive) und die Treue Gottes gegenüber seinem Volk.

Tobin ['təʊbɪn], James, amerikan. Volkswirtschaftler, * Champaign (Ill.) 5. 3. 1918; leistete u. a. Beiträge zur Wachstums- und Konjunkturtheorie sowie zur Geldtheorie; erhielt 1981 den Nobelpreis für Wirtschaftswiss.; bekannt durch seine Forderung nach einer weltweit einheitl. Steuer auf spekulative internationale Devisentransaktionen (Tobin-Steuer).

James Tobin

Toblach (italien. Dobbiaco), Gemeinde in der Prov. Bozen, Südtirol, Italien, im Pustertal an der Wasserscheide zw. Adria (Rienz) und Schwarzem Meer (Drau), 1243 m ü. M., 3 100 Ew.; spätbarocke

Pfarrkirche St. Johann der Täufer mit reicher Ausstattung.

Tobler, 1) Adolf, schweizer. Romanist, *Hirzel (Kt. Zürich) 23. 5. 1835, †Berlin 18. 3. 1910, Bruder von 2); sammelte Materialien für das »Altfrz. Wörterbuch« (hg. von E. Lommatzsch u. a. ab 1915).

2) Ludwig, schweizer. Germanist, *Hirzel (Kt. Zürich) 1. 6. 1827, †Zürich 15. 8. 1895, Bruder von 1); Sammler des schweizer. Wortschatzes und Hg. der »Schweizer. Volkslieder« (2 Bde., 1882–84).

Toboggan [engl., aus Algonkin] *der,* der kufenlose Schlitten der kanad. Indianer und Eskimo.

Tobol *der,* linker Nebenfluss des Irtysch, in Kasachstan und Russland, 1591 km lang, entspringt im Turgaiplateau, fließt dann im Westsibir. Tiefland, mündet bei Tobolsk; drei Stauseen.

Alexis Henri Clérel de Tocqueville (zeitgenössische Lithographie)

Tobolsk, Stadt im Gebiet Tjumen, Russland, am Kreuzungspunkt von Nordsibir. Eisenbahn und Irtysch (Hafen), 82 000 Ew.; PH, Freilandmuseum im Kreml (17./18. Jh.); petrochem., Werft-, Holz-, Textilindustrie. – T., 1587 von Kosaken als Festung gegr., wurde 1708 Hptst. des Gouv. Sibirien und 1796 des Gouv. T. Etwa 20 km westlich von T. befinden sich die Ruinen der ehem. Tataren-Hptst. **Sibir** (Kaschlyk).

Tobruk, Hafenstadt in Libyen, 94 000 Ew.; Endpunkt einer Erdölleitung (Erdölexport); nahebei Erdölraffinerie. – Im 2. Weltkrieg wegen seines Hafens 1941/42 hart umkämpft.

TOC, Abk. für engl. →Total Organic Carbon.

Tocantins [tokanˈtĩs], **1)** Staat (seit 1988) in →Brasilien.

2) Rio Tocantins *der,* Fluss in Brasilien, 2640 km lang, entspringt mit Quellflüssen nördlich und westlich von Brasília, vereinigt sich mit dem Rio do Pará am Mündungstrichter Baia de Marajó; im Unterlauf der Tucuruístausee (2420 km^2) mit Kraftwerk (Endleistung 8000 MW; seit 1984).

Toccata [italien.] *die,* Musikstück, →Tokkata.

Toch, Ernst, amerikan. Komponist österr. Herkunft, *Wien 7. 12. 1887, †Los Angeles 1. 10. 1964; schrieb stilistisch traditionelle, aber auch experimentelle Werke, u. a. Opern (»Der Fächer«, 1930), Orchester-, Kammermusik, Vokalwerke (»Fuge aus der Geographie«, für Sprechchor, 1930).

Tocharer, von den Chinesen Yuezhi genannte Stämme, die um 170 v. Chr. von den Xiongnu (→Hunnen) aus ihren Weidegebieten in NW-China vertrieben wurden; sie wanderten in das Siebenstromland aus, eine kleinere Gruppe siedelte im Tarimbecken. Ende des 2. Jh. v. Chr. ließ sich ein Teil von ihnen am oberen Oxus (heute Amudarja) nieder. Aus den T. ging die Dynastie der →Kushana hervor.

tocharische Sprache, die bis ins 8. Jh. n. Chr. im Gebiet der Oase Turfan und von Qara Shahr in zwei Dialekten (A = Osttocharisch, B = Westtocharisch) in meist buddhist. Texten (6.–8. Jh.) bezeugte indogerman. Sprache, die aber von nichtindogerman. Sprachen (etwa kaukas., finnougr., uralaltaischen oder alten innerasiat.) beeinflusst ist; benutzt wurde eine Abart der ind. Brahmischrift. Welches Volk Tocharisch gesprochen hat, ist unbekannt, da diese »Tocharer« mit den (echten) →Tocharern nicht identisch sind. Zeugnisse der t. S. wurden zu Beginn des 20. Jh. aufgefunden.

Tochtergeschwulst, die →Metastase.

Tochtergesellschaft, →Muttergesellschaft.

Tocopherol *das* (Tokopherol, Vitamin E, Antisterilitätsfaktor), zusammenfassende Bez. für eine Gruppe fettlösl. →Vitamine.

Tocqueville [tɔkˈvil], Charles Alexis Henri Clérel de, frz. Historiker und Politiker, *Verneuil-sur-Seine (Dép. Yvelines) 29. 7. 1805, †Cannes 16. 4. 1859; bereiste 1831/32 die USA (»Die Demokratie in Amerika«, 4 Tle., 1835–40), erkannte die Demokratie als die dem zivilisierten Gemeinwesen adäquate Organisation. 1848 in der Verf.kommission der Nationalversammlung, 1849 Außenmin., zog sich nach dem Staatsstreich 1851 aus dem öffentl. Leben zurück. Seine Schriften beeinflussten den Liberalismus des 20. Jh. (»Der alte Staat und die Revolution«, 1856; »Erinnerungen«, hg. 1893).

📖 HERETH, M.: *T. zur Einführung. Hamburg 1991.*

Tod (Exitus), der Stillstand der Lebensfunktionen bei Mensch, Tier und Pflanze. Lediglich einzellige Lebewesen besitzen potenzielle Unsterblichkeit, da ihr Zellkörper durch Teilung immer wieder vollständig in den Tochterzellen aufgeht. Der T. ist das Ende eines Prozesses, der als Sterben bezeichnet wird. Dabei kommt es zu einem irreversiblen Funktionsverlust des Atmungs-, Kreislauf- und Zentralnervensystems. Als Kriterium für den Eintritt des T. gilt der Organ-T. des Gehirns. Häufig geht dem T. ein unterschiedlich langer Sterbevorgang voraus, wobei eine fortschreitende Reduzierung aller Lebensäußerungen stattfindet, die als **Vita reducta** oder **Vita minima,** in der letzten Phase als **Agonie** bezeichnet wird. Hinsichtlich der T.-Art ist zu unterscheiden zw. **natürl. T.,** d. h. krankheits- oder altersbedingt eingetretenem T., und **unnatürl. T.** durch äußere Einwirkung (z. B. Unfall, Selbstmord, Totschlag). Als **klin. T.** wird das Aufhören der Atmung und Herzaktion bezeichnet. Dieser Zustand kann in besonderen Fällen durch Wiederbelebung, v. a. Herzmassage und Beatmung, rückgängig gemacht werden. Wenn das Gehirn jedoch nicht innerhalb weniger Minuten wieder mit Sauerstoff versorgt wird, kommt es zum unwiderrufl. Absterben von Gehirnzellen **(Hirn-T., biolog. T.).** Die Feststellung des T. beruht auf dem Nachweis von T.-Zeichen. **Unsichere T.-Zeichen** sind u. a. Stillstand

Tod

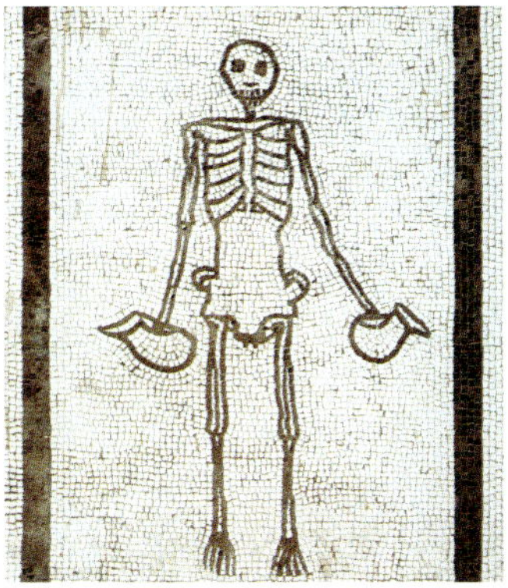

1

2

3

4

5

1 Das römische Fußbodenmosaik aus Pompeji zeigt den Tod als Mundschenk (Neapel, Museo Archeologico Nazionale) | **2** Die Zeichnung von Albrecht Dürer stellt den Tod als Sensenmann zu Pferde dar (1505; London, Britisches Museum) | **3** HAP Grieshaber, »Tod und Kaufmann«, Gouache zum »Totentanz von Basel« (1966; Stuttgart, Staatsgalerie) | **4** Niklaus Manuel, »Der Tod als Kriegsknecht umarmt ein Mädchen« (1517; Basel, Kunstmuseum) | **5** Bernd Notke, Ausschnitt aus dem »Lübecker Totentanz« (1466; Reval, Staatliches Kunstmuseum Schloss Kadriorg)

von Atmung und Kreislauf, Absinken der Körpertemperatur, Erlöschen der Reflexe, die auch beim **Schein-T.,** einer hochgradigen Reduzierung der Stoffwechselprozesse (z.B. infolge starker Unterkühlung oder bei Schlafmittelvergiftung), auftreten können. Als beweisend für den T.-Eintritt bzw. als Zeitpunkt für die Beendigung von Wiederbelebungsmaßnahmen gilt nur das Auftreten von **sicheren T.-Zeichen** (Totenflecke und Totenstarre). Diese fehlen beim Schein-T. Die **Totenflecke** (Leichenflecke, Livores) entstehen nach Stillstand des Blutkreislaufs infolge Absinkens des Blutes in die tief liegenden Körperregionen und treten als blauviolette Hautverfärbung in Erscheinung. Die **Totenstarre** (Leichenstarre, Rigor mortis) beginnt i.d.R. zwei Stunden nach dem T. und ist i. Allg. in sieben bis acht Stunden vollständig ausgebildet. – Die Thanatologie (zu grch. thanatos, »Tod«) befasst sich fachübergreifend (u.a. medizin., psycholog., theolog. ausgerichtet) mit der wiss. Erforschung von Sterben und T. Die Thanatopsychologie untersucht Erleben bzw. Einstellung und Verhalten von Mensch und Gesellschaft in Bezug auf Sterben und T. (z.B. die Angst vor Sterben und T.). Ihre Erkenntnisse werden u.a. auch für die psychosoziale Betreuung Sterbender, die Sterbebegleitung, nutzbar gemacht. – Die amtl. T.-Bescheinigung erfolgt durch den Arzt unter Prüfung der T.-Zeichen mit Angabe von T.-Art und T.-Zeitpunkt.

Recht: Mit dem T. endet die Rechtsfähigkeit des Menschen. Das Vermögen geht auf den Erben über (→Erbfolge). Der T. der Prozesspartei oder ihres gesetzl. Vertreters im Zivilprozess führt zur Unterbrechung des Verfahrens; der T. des Angeklagten (Beschuldigten) bewirkt die Beendigung des Strafverfahrens.

Philosophie: Die bis in die Gegenwart reichende Vorstellung von der Unsterblichkeit der Seele im Ggs. zur Sterblichkeit des Leibes geht v.a. auf Platon zurück. In seinem Dialog »Phaidon« definiert er den T. als Befreiung der Seele vom Körper, dem »Grab der Seele«. Die der Aufklärung folgenden Strömungen kreisen um den Gedanken, dass der Körper zwar stirbt, Seele oder Geist des Individuums hingegen weiterleben. Diesen Dualismus versuchte die Existenzphilosophie zu überwinden mit der Annahme des T. als eines absoluten Endes individuellen Lebens. Nach M. Heidegger rundet der Mensch mit dem T. sein Dasein, das endlich ist, zum Ganzen. K. Jaspers zählte den T. zu den Grenzsituationen, in denen ein Unbedingtes als Transzendenz erfahrbar wird, ähnlich im 19. Jh. S. Kierkegaard. – Die ind. Philosophie versteht wie die spätantike Gnosis und die Anthroposophie den T. als Durchgang zur Wiederverkörperung.

Alexander Todd

Religion: Der T. und seine »Bewältigung« nimmt in allen Religionen eine zentrale Stellung ein und wird in unterschiedl. Weise theologisch beantwortet und, im Rahmen des →Totenkults, rituell bewältigt. Zahlr. Glaubensvorstellungen gehen von einer »Weiterexistenz« des Verstorbenen nach dem T. aus, wobei v.a. die Vorstellungen von einem ewigen Leben (→Unsterblichkeit) und der →Wiedergeburt große Bedeutung erlangt haben; Erstere in Judentum, Christentum und Islam, Letztere vorrangig in den ind. (Hinduismus, Buddhismus, Dschainismus) und den von ihnen beeinflussten neuen Religionen. Für die jüd., christl. und islam. Theologie hebt der T. für die im Glauben Verstorbenen die Gemeinschaft mit Gott nicht auf. Sie sind »bei Gott« (→Himmel), während die wissentlich und willentlich im Unglauben Verstorbenen nach dem T. endgültig in Gottesferne und -verlassenheit verharren (→Hölle).

Kunst: Bei den Griechen verkörperte →Thanatos in Gestalt eines nackten Jünglings den T., in der späten Antike auch das Skelett, im MA. zunächst ein hässl. Greis, auch ein hässl. Weib (so im Triumph des T., Pisa, →Camposanto, um 1355). Die Darstellung des T. als Skelett, die im 14. Jh. häufiger wurde, setzte sich im 15. Jh. durch. Bildl., auch dichter. Ausdruck fanden die das Spät-MA. bewegenden T.-Gedanken v.a. im **Totentanz** (frz. danse macabre). Dargestellt wurden Menschen jeden Alters und Standes, die einen Reigen mit Toten tanzen, von denen sie gepackt und weggerafft werden. In späteren, nicht mehr einen Tanz darstellenden Bilderfolgen (ebenfalls Totentänze gen.) ist jeweils einem Lebenden ein den T. verkörperndes Skelett, oft mit Stundenglas und Sense (»Hippe«), zugeordnet. Die Totentänze wurden, zuerst wohl in Frankreich auf Mauern von Kirchhöfen, Kapellen und Beinhäusern gemalt. Einen Höhepunkt der Totentanzdarstellungen bildet eine Holzschnittfolge von H. Holbein d. J. (Lyon 1538). Die italien. Renaissance wich der Darstellung des T. aus. Seit dem späteren 16. Jh. wurde der T. oft an Grabmälern dargestellt, am eindrucksvollsten im Barock. Der Klassizismus suchte die antike T.-Auffassung zu erneuern. Als Skelett erschien der T. wieder bei A. Rethel, in M. Klingers Radierfolgen »Vom Tode«, bei J. Ensor, F. Masereel, A. Kubin u.a.; das Totentanzmotiv wurde u.a. von A. Hrdlicka wieder aufgegriffen.

📖 *Der T. in Dichtung, Philosophie u. Kunst, hg. v.* H. H. JANSEN. *Darmstadt* [2]*1989.* – CONDRAU, G.: *Der Mensch u. sein T. Neuausg. Zürich 1991.* – ARIÈS, P.: *Geschichte des T. Aus dem Frz. München 31.–34. Tsd.,* [7]*1995.* – KÜBLER-ROSS, E.: *Interviews mit Sterbenden. Aus dem Amerikan. Neuausg. Gütersloh 1996.* – *Leben u. T. in den Religionen, hg. v.* G. STEPHENSON. *Sonderausg. Darmstadt 1997.*

Todd, Sir (seit 1954) Alexander Robertus, Baron of Trumpington (seit 1962), brit. Chemiker, * Glasgow 2. 10. 1907, † Cambridge 10. 1. 1997; arbeitete bes. über organ. Naturstoffe, u.a. mit R. Robinson, über Pflanzen- und Blütenfarbstoffe, Vitamine und Nucleinsäuren. Für die Strukturermittlung von Nucleotiden und Nucleotidcoenzymen erhielt er 1957 den Nobelpreis für Chemie.

Toddy [engl., aus Hindi] *der,* der →Palmwein.

Todes|erklärung, Festlegung von Tod und Todeszeitpunkt einer verschollenen Person im amtsgerichtl. Aufgebotsverfahren. Jemand ist verschollen, wenn sein Aufenthalt seit längerer Zeit unbekannt ist, keine Lebenszeichen von ihm aus dieser Zeit vorliegen und nach den Umständen ernstl. Zweifel an seinem Fortleben bestehen (Verschollenheits-Ges. vom 15. 1. 1951). Man unterscheidet die allgemeine Verschollenheit sowie die Kriegs-, See-, Luft- und (sonstige) Gefahrverschollenheit. Die T. ist frühestens zulässig nach Ablauf einer Frist **(Verschollenheitsfrist)** von regelmäßig zehn Jahren im Falle der allgemeinen Verschollenheit bzw. von drei Monaten bis einem Jahr in den anderen Fällen. Die T. im Falle der allgemeinen Verschollenheit darf nicht erklärt werden, bevor der Betroffene sein 25. Lebensjahr vollendet hätte. Die T. begründet eine Vermutung über den Zeitpunkt des Todes des Verschollenen, deren Rechtswirkungen (z.B. bei Wiederheirat des Ehegatten von Verschollenen) grundsätzlich auch dann bestehen bleiben, wenn sie widerlegt wird.

In *Österreich* gilt das T.-Gesetz von 1950 mit ähnl. Regelungen. In der *Schweiz* ist der Todesfall auf Weisung der zuständigen kantonalen Aufsichtsbehörde im Todesregister einzutragen, wenn der Tod einer verschwundenen Person nach den Umständen als sicher angenommen werden kann (Art. 34, 49 ZGB).

Todi: Ansicht der mittelalterlichen Piazza del Popolo, die von Palästen aus dem 13. Jh., hier dem Palazzo del Popolo (links) und dem Palazzo dei Priori (vollendet 14. Jh.), umgeben ist

Todesfallversicherung, eine Art der →Lebensversicherung.

Todes|strafe, die schwerste Kriminalstrafe. Ihre Berechtigung und Zweckmäßigkeit wurden bis zur Mitte des 18. Jh. i. Allg. nicht bezweifelt. Die →Carolina (1532) sah die oft durch grausamen Vollzug verschärfte T. bei den meisten schweren Verbrechen vor. Im 17. und 18. Jh. wurde die T. in der Praxis durch die aufkommende →Freiheitsstrafe allmählich zurückgedrängt. Der Kampf gegen die T. begann mit der Aufklärung unter der Wortführung von C. Beccaria. Das Für und Wider der Meinungen betrifft sowohl die Frage nach dem sittl. Recht des Staates, das Leben eines Menschen um der Gesamtheit willen zu fordern, wie auch die Frage, ob zum Schutz gegen schwerste Verbrechen die T. nötig und geeignet ist. – Im Dt. Reich wurde die T. in das StGB von 1871 aufgenommen, ihre Anwendung jedoch auf den Mord beschränkt. Die Verurteilungen zur T. nahmen seit 1933, v.a. im 2. Weltkrieg, stark zu; auch in den Kriegsverbrecherprozessen danach wurde sie oft verhängt. In der Bundesrep. Dtl. wurde die T. 1949 durch Art. 102 GG abgeschafft, in Berlin (West) durch Gesetz vom 8. 1. 1951. In der DDR war die T. (§ 60 StGB) bis 1987 zulässig.

Die meisten Staaten Westeuropas und Zentral- sowie Südamerikas haben die T. beseitigt. In *Österreich* wurde sie 1968 abgeschafft. In der *Schweiz* wurde die T. 1937 endgültig beseitigt. Zu den zahlr. Ländern, in denen die T. nach wie vor zulässig ist, gehören die meisten Bundesstaaten der USA, viele der früheren sozialist. Staaten in Europa und im asiat. Teil der ehem. UdSSR sowie verschiedene Staaten Afrikas und Asiens.

Wenn der Staat tötet. T. contra Menschenrechte, hg. v. Amnesty International. A. d. Engl. Frankfurt am Main 1989.

Todestrieb, in der späten Psychoanalyse S. Freuds ein dem Lebenstrieb (Eros) entgegengerichteter Grundtrieb; umstritten. Er kann sich nach außen und gegen die eigene Person richten.

Todeszeichen, →Tod.

Tọdi, Stadt in Umbrien, Prov. Perugia, Italien, am Tiber, 16 700 Ew.; Bischofssitz. – Roman. Dom (13. Jh. ff. verändert), got. Kirche San Fortunato (1292), Renaissancekirche Santa Maria della Consolazione (1508 ff.), Paläste des 13. und 14. Jh. (z. B. Palazzo del Popolo und Palazzo dei Priori), antike Baureste.

Tödi *der,* höchster Berg der Glarner Alpen, Schweiz, 3 614 m ü. M.

Todsünde (schwere Sünde), *kath. Theologie:* die in freier Entscheidung bewusst vollzogene Übertretung eines Gebotes Gottes, das für den Betreffenden als ein für sein Verhältnis zu Gott wesentliches Gebot klar erkennbar war. (→sieben Hauptsünden)

Tọdt, Fritz, Politiker (NSDAP), *Pforzheim 4. 9. 1891, †(Flugzeugunfall) bei Rastenburg (heute Kętrzyn) 8. 2. 1942; ab 1933 Generalinspektor für das dt. Straßenwesen, leitete den Bau der Reichsautobahnen, ab 1938 des Westwalls; gründete die **Organisation Todt** (techn. Spezialtruppe für das militär. Bauwesen), ab 1940 Reichsmin. für Bewaffnung und Munition.

Tọdtmoos [auch -ˈmoːs], Gemeinde im Landkr. Waldshut, Bad.-Württ., 680–1 265 m ü. M., im südl. Schwarzwald, 2 200 Ew.; Kurort.

Tọdtnau, Stadt im Landkreis Lörrach, Bad.-Württ., 647 m ü. M. im südl. Schwarzwald, 5 200 Ew.; Luftkurort und Wintersportplatz; Textil-, Bürsten- u. a. Industrie. – Seit 1809 Stadt.

Toeloop [ˈtuːluːp, engl. ˈtəʊluːp] *der* (getippter oder getupfter Rittberger), *Eis-* und *Rollkunstlauf:* ein Rittberger, bei dem zur Unterstützung des Absprungs der Schlittschuh des Spielbeins in das Eis eingehakt, der Rollschuh auf Spitze gesetzt wird.

Toepffer [tœpˈfɛːr], Rodolphe, schweizer. Schriftsteller und Zeichner, *Genf 31. 1. 1799, †ebd. 8. 6. 1846; schrieb in frz. Sprache volkstüml. Novellen (»Genfer Novellen«, 2 Bde., 1841; »Reisen im Zickzack«, 2 Bde., 1843–54) und Romane. Seine Bildergeschichten (»Fahrten und Abenteuer des Herrn Steckelbein«, 1846) gelten als Vorläufer der Comics.

Tọga [lat.] *die,* das altröm. Obergewand, das zu tragen nur dem freien röm. Bürger gestattet war.

Rodolphe Toepffer: Zeichnung aus der Bildergeschichte »Fahrten und Abenteuer des Herrn Steckelbein« von 1846

Toga: Marmorstatue eines Mannes mit Toga und Tunika (um 390/410 n. Chr.; Ostia, Archäologisches Museum)

Togo

Fläche: 56 785 km²
Einwohner: (1995) 4,138 Mio.
Hauptstadt: Lomé
Verwaltungsgliederung: 5 Regionen
Amtssprache: Französisch
Nationalfeiertag: 27. 4.
Währung: 1 CFA-Franc = 100 Centimes
Zeitzone: WEZ (= MEZ –1 Std.)

Staatswappen

TG

Internationales Kfz-Kennzeichen

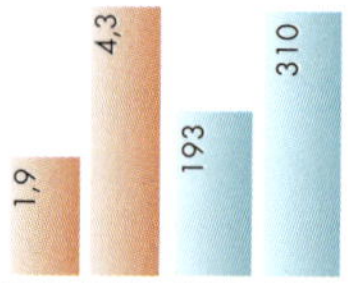

Bevölkerung (in Mio.)
Bruttosozialprodukt je Ew. (in US-$)

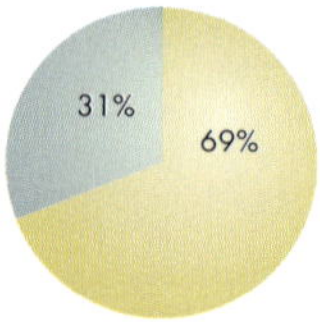

Bevölkerungsverteilung 1995

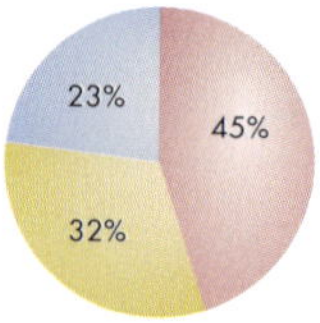

Bruttoinlandsprodukt 1995

Die gewöhnl., aus weißem Wollstoff gefertigte **T. virilis** war Zeichen des erwachsenen Mannes und Bürgers; frei geborene Knaben trugen die **T. praetexta** mit breiten Purpurstreifen (Clavus).

Toggenburg *das,* voralpine Landschaft im Kanton St. Gallen, Schweiz, umfasst die Talschaft der oberen Thur; Almwirtschaft, Ackerbau; Fremdenverkehr. – Seit 1209 unter der Herrschaft der Grafen von T. (1436 erloschen), 1468–1798 des Stifts St. Gallen; kam 1803 zum Kanton St. Gallen.

Töging a. Inn, Stadt im Landkr. Altötting, Bayern, 9 400 Ew.; Aluminium-, Wasserkraftwerk.

Togliatti [toʎ'ʎatti], Palmiro, italien. Politiker, *Genua 26. 3. 1893, †Jalta (Krim) 22. 8. 1964; 1921 Mitbegründer der KPI; lebte 1926–44 im Exil (u. a. in Moskau), vertrat nach 1935 die Volksfrontpolitik; in der 1. italien. Nachkriegsregierung stellv. MinPräs., 1945/46 Justizmin., ab 1947 Gen.-Sekr. der KPI.

Togo (amtlich frz. République Togolaise), Staat in W-Afrika, grenzt im S an den Golf von Guinea, im W an Ghana, im N an Burkina Faso, im O an Benin.

Staat und Recht: Nach der am 28. 9. 1992 durch Referendum gebilligten Verf. ist T. eine präsidiale Rep. mit Mehrparteiensystem. Staatsoberhaupt ist der direkt gewählte Präs. Die Legislative liegt bei der Nationalversammlung (81 auf fünf Jahre gewählte Abg.), die Exekutive bei der Reg. unter Vorsitz des Premiermin. Der ehem. Einheitspartei Rassemblement du Peuple Togolais (RPT) stehen zahlreiche Oppositionsgruppierungen gegenüber.

Landesnatur: Von der Atlantikküste (Küstenlänge 53 km) erstreckt sich T. etwa 600 km weit als maximal 140 km breiter Gebietsstreifen nach N über flachwellige Ebenen (bis 150 m ü. M.) und Plateaus (200–500 m ü. M.), das T.-Atakora-Gebirge (um 1 000 m ü. M.) und die Otiebene. Hauptflüsse sind Mono und Oti. Das Klima ist randtropisch, 2 Regenzeiten im S, eine im N; die Niederschläge steigen von 900 mm an der Küste auf 1 400–1 700 mm im Innern, im N rd. 1 100 mm; vorherrschend sind im S Feucht-, im N Trockensavannen.

Bevölkerung: T. umfasst über 40 ethn. Gruppen; größte Gruppe sind die →Ewe (45 %), ferner die Kabye im N (35 %); im N ist Hausa allg. Verständigungssprache, sonst die Sprachen der Fulbe, Temba, Mina und Ewe; größte Bev.dichte an der Küste. – Allg. Schulpflicht vom 7. bis 12. Lebensjahr; anschließend 2 Sekundarstufen. Analphabetenquote bei Erwachsenen rd. 57 %. Univ. in Lomé (seit 1970). – Über 50 % der Bev. sind Anhänger von Naturreligionen, 35 % Christen (überwiegend kath.), 20 % Muslime (v. a. Fulbe und Hausa im N).

Wirtschaft, Verkehr: Haupterwerbszweig ist die Landwirtschaft, in der rd. 70 % der Erwerbstätigen beschäftigt sind; angebaut werden bes. Maniok, Jamswurzel, Mais, Hirse, Öl- und Kokospalmen; für den Export Baumwolle, Kaffee, Kakao; Viehhaltung (v. a. Schafe und Ziegen) v. a. in Mittel-T. und im N. Bed. Phosphatabbau, ferner Marmor; Vorkommen von Eisenerz, Bauxit, Dolomit. Ind.zweige sind v. a. Nahrungsmittel-, Textil-, Holz verarbeitende Ind.; Erdölraffinerie, Zementfabrik. Hauptexportgüter sind Phosphate, Baumwolle, Kaffee, Kakao, Ölfrüchte; importiert werden Erdöl, Nahrungsmittel, Maschinen, Fahrzeuge, Textilien. Haupthandelspartner: Frankreich u. a. EU-Länder. – Das Verkehrsnetz umfasst 525 km Eisenbahnlinien und rd. 8 000 km Straßen, davon 1 750 km asphaltiert. Wichtigster Überseehafen (auch für Transitgüter) und internat. Flughafen ist Lomé; nat. Flugges. ist Air Togo.

Geschichte: Die Küste des heutigen T. wurde Ende des 15. Jh. von Portugiesen entdeckt. Im 17. und 18. Jh. errichteten frz. Kaufleute Niederlassungen, gaben sie jedoch bald wieder auf. G. Nachtigal errichtete 1884 das dt. Schutzgebiet T., das sich zu einer Kolonie entwickelte. 1919 wurde T. Mandatsgebiet des Völkerbundes, 1946 Treuhandgebiet der UN unter frz. (Ost-T.) und brit. (West-T.) Verwaltung. West-T. wurde nach einer Volksabstimmung Teil Ghanas; Ost-T. ist seit 1960 unabhängige Rep. Die prowestl. Außenpolitik des Landes blieb von mehreren Umstürzen in den 1960er-Jahren, aus denen 1967 General E. G. Eyadéma als Präs. hervorging, unberührt. Innenpolitisch betrieb Eyadéma eine Politik der »authenticité« (Rückbesinnung auf kulturelle Traditionen Afrikas) und bediente sich dabei des 1969 gegr. RPT (Rassemblement du Peuple Togolais). Ende 1979 wurde mit Präsidentschaftswahlen (Wiederwahl Eyadémas; ebenso 1986) und Parlamentswahlen der seit 1967 bestehende Ausnahmezustand beendet; 1980 wurde die 3. Rep. T. proklamiert. Nach anhaltenden Protesten erfolgte im April 1991 die Zulassung oppositioneller Parteien. Eine Nationalkonferenz wählte im Aug. 1991 den Oppositionspolitiker J. K. Koffigoh zum Premiermin. einer Übergangsreg. Nach mehreren Putschversuchen und schließlich der Übernahme der Macht durch die Militärs im Dez. 1991 kam es im Jan. 1992 zur Bildung einer Reg. der nat. Einheit unter Koffigoh. Angesichts blutiger Unruhen zw. Armee und Anhängern der Opposition im Jan. 1993 erfolgte eine Massenflucht Zehntausender in die Nachbarländer. Die Beilegung der innenpolit. Konflikte und die angestrebte Beschleunigung des Demokratisierungsprozesses gerieten nach dem umstrittenen Wahlsieg Eyadémas im Aug. 1993 erneut ins Stocken. Auch die Ernennung des Oppositionspolitikers E. Kodjo zum Premiermin. (Mai 1994) konnte das Vertrauen nicht wieder herstellen. Im Aug. 1996 trat Kodjo zurück. An der neuen, von K. Klutse geführten Reg. beteiligte sich die Opposition nicht mehr.

📖 ERBAR, R.: *Ein »Platz an der Sonne«? Die Verwaltungs- u. Wirtschaftsgeschichte der dt. Kolonie T. 1884–1914. Stuttgart 1991.* – DECALO, S.: *T. Oxford 1995.* – DECALO, S.: *Historical dictionary of T. Lanham, Md., 1996.*

Tōhaku, eigtl. Hasegawa T., japan. Maler, *Nanao (Präfektur Ishikawa) 1539, †Edo (heute Tokio) 19. 3. 1610; wandte die Technik der spontanen Tuschmalerei der Zenmönche auf japan. Themen an; neben monochromen Tuschmalereien mehrfarbige Bilder mit Goldhintergrund auf Stellschirmen und mehrgliederigen Schiebetüren in zahlreichen Tempeln und Palästen in Kyōto. BILD S. 142

Tohuwabohu [hebr. »wüst und leer«] *das, A. T.:* in 1. Mos. 1, 2 der chaot. (ungeordnete) Zustand der Welt vor dem schaffend-ordnenden Eingreifen Gottes; im übertragenen Sinn Bez. für Durcheinander, Wirrwarr.

Toilette [twa-, frz.] *die,* **1)** Damenkleidung, bes. für festl. Anlässe.

2) Abort und Waschraum, i. d. R. ein Wasserklosett (WC), das Wasserspülung und Kanalanschluss besitzt. Die Spülung folgt mittels Druckspüler oder Wasserkasten.

Tōjō [-dʒ-], Hideki, japan. General und Politiker, *Tokio 30. 12. 1884, †(hingerichtet) ebd. 23. 12. 1948; ab 1940 Heeresmin., 1941–44 MinPräs., 1944 Generalstabschef; errichtete ein militärisch-diktator. Regime und führte Japan in den 2. Weltkrieg; als Kriegsverbrecher zum Tode verurteilt.

Tōkaidō, alter Verkehrsweg auf der japan. Insel Honshū, führte an der Pazifikküste entlang (über 514 km), heute von Eisenbahn und Schnellstraße benutzt; seit 1964 **Neue T.-Linie** des →Shinkansen zw. Tokio und Ōsaka (515 km), als **Neue Sanyōlinie** 1972 bis Okayama (161 km) und 1975 bis Hakata/Fukuoka (393 km) auf Kyūshū verlängert.

Tokaj ['tokɔj], Ort in Ungarn, an der Theiß, 4 700 Ew.; Weinmuseum; Weinbau und -handel.

Tokajer [tɔ'kajər, 'tɔkajər], *der* (Tokaier), natursüßer Likörwein aus dem Gebiet um Tokaj, der aus den Rebsorten Furmint, Lindenblättriger und Muskateller gekeltert wird; einfach (T. Szamorodni) und edelsüß (T. Aszú), versch. Grade (2- bis 6-buttig, d. h. Zuckeranteil bei 60–180 g/l) durch Zusatz von Trockenbeerenmaische.

Togo: Étienne Gnassingbé Eyadéma

Togo: Feuchtsavannenlandschaft in der Landesmitte

Tokamak *der,* in der UdSSR entwickeltes Großgerät zur Verwirklichung der kontrollierten Kernfusion. Charakteristisch ist der hohe Plasmastrom, der mithilfe eines Transformators im Plasma als Sekundärwicklung induziert wird. T. gelten als aussichtsreichere Anlagen für die techn. Nutzung der Kernfusion als →Stellaratoren.

Tokarjewa, Wiktoria Samoilowna, russ. Schriftstellerin, *Leningrad (heute Sankt Petersburg) 20. 11. 1937; schreibt einfühlsam gezeichnete Studien mit feinsinnigem Humor und Mitteln des Sarkastischen, Fantastischen bis zum Absurden; in dt. Auswahl erschienen u. a. die Erzählbände »Lief ein Hund übers Klavier« (1977), »Die Filmschönheit« (1990), »Lebenskünstler u. a. Erz.« (1992),

Palmiro Togliatti

Tokio: Stadtansicht mit dem von Parkanlagen umgebenen, nach seiner Zerstörung (1945) wieder aufgebauten kaiserlichen Palast (1968 vollendet) im Vordergrund

»Sag ich's oder sag ich's nicht?« (1993), außerdem der Kurzroman »Happy-End« (1991).

Tokat, Hptst. der türk. Prov. T., im Pont. Gebirge, in N-Anatolien, 83200 Ew.; Lebensmittelind.; Chromerzvorkommen. – Mittelalterl. Stadtbild, von der Ruine einer osman. Festung überragt.

Tokelau-Inseln (amtlich 1916–46 Union Islands, 1946–76 T. Islands), neuseeländ. Inselgruppe (drei Atolle: Atafu, Nukunonu, Fakaofu) im Pazifik, 500 km nördlich der Samoainseln, 10,1 km², (1992) 1800 Ew. – 1765 entdeckt, seit 1877 unter brit. Protektorat, seit 1925 von Neuseeland verwaltet, seit 1949 zu Neuseeland gehörig.

Tokio
Stadtwappen

Tokio [japan. »Osthauptstadt«] (Tōkyō), Hauptstadt von Japan, auf Honshū, am Rand der Kantōebene an der inneren T.-Bucht, 8,1 Mio. Ew.; die zur Präfektur T. zusammengefasste Agglomeration Groß-T. zählt 11,8 Mio. Ew. auf 2166 km². T. ist Kern eines Ballungsraums (rd. 28 Mio. Ew.). Das Flächenwachstum T.s hat dazu geführt, dass die Stadt nahezu übergangslos mit den Städten Kawasaki/Yokohama im S und Funabashi/Chiba im O zusammengewachsen ist. T.s Lage in diesem geschlossen bebauten, verkehrsmäßig und wirtsch. eng verflochtenen und von Pendlerströmen, die in die Millionen gehen, durchfluteten, gewerbereichen Ballungsgebiet bringt Verkehrsschwierigkeiten, Erschwerung der Wohnverhältnisse u.a. typ. Ballungsprobleme mit sich. – T. ist polit. und kulturelles Zentrum Japans, Sitz von Parlament und Reg., Residenz (seit 1869) des Kaisers (Tenno), kath. Erzbischofssitz; Sitz der Akademie der Wiss.; nordöstlich von T. Forschungszentrum **Tsukuba** mit Univ. (gegr. 1973). T. besitzt zahlr. Univ. (u.a. die hervorragendste Univ. des Landes, die T.-Univ., gegr. 1877, und die älteste, die Keiō-Univ., gegr. 1858) und Hochschulen, Nationaltheater und mehrere private Bühnen, viele Museen, Galerien und Bibliotheken sowie zoolog. und botan. Gärten. Als Fernsehsender wurde der 333 m hohe T. Tower errichtet.

Wirtschaft und Verkehr: T. ist die größte Industriestadt Japans mit Elektronik, Flugzeug-, Schiff- und Kraftfahrzeugbau, Metallwaren-, feinmechan., chem., opt., pharmazeut. und Druckind. (führendes Presse- und Verlagszentrum Japans), Zentrum der wichtigsten japan. Industrieregion **Keihin,** größter Verbrauchermarkt, bed. Handelsstadt und das nach New York wichtigste Finanzzentrum der Erde. Der Fischereihafen ist der größte Japans. – Die Yamanote-Ringbahn, die von ihr ausgehenden Vorortbahnen und die Stadtbahn sind seit den 60er-Jahren durch ein System von U-Bahnen ergänzt worden. T. ist japan. Verkehrshauptknotenpunkt (→Shinkansen). Der internat. Güter- und Personenverkehr über See wird weitgehend in Yokohama abgewickelt. Der internat. Flughafen T.s wurde 1978 von Haneda an der T.-Bucht (heute Inlandflughafen) in das 65 km östlich gelegene Narita verlegt.

Stadtbild: Unter den wenigen erhaltenen histor. Bauten und Anlagen bed. Shintō-Schreine sowie buddhist. Tempelanlagen; aus der Meiji-Zeit u.a. Bahnhofempfangsgebäude (1914), Parlamentsgebäude (1936), die Nihonbashi-Brücke (1911), der

Tōhaku: Ahorn von Herbstblumen umgeben, Detail aus einer mehrgliedrigen Schiebetür eines Tempels (1529; Kyōto, Tempel Chishakuin)

Akasaka-Palast (1909). Zahlr. histor. Gartenanlagen. Zu den bedeutendsten Werken zeitgenöss. Architekten gehören das nach dem Entwurf von Le Corbusier 1959 erbaute Nationalmuseum für Westl. Kunst sowie die Bauten von Tange Kenzō (u.a. Olympiahallen, 1961–64; neues Rathaus im Stadtbezirk Shinjuku-ku, vollendet 1991, mit 243 m Höhe Japans höchster Wolkenkratzer), von Maekawa Kunio (u.a. Festhalle, 1961; Städt. Kunstmuseum, 1975) und Maki Fumihiko (Geschäfts- und Kulturzentrum »Spirale«). Im Zentrum der Stadt befindet sich der kaiserliche Palast, der nach seiner Zerstörung im Jahr 1945 wieder aufgebaut wurde.

Geschichte: Urspr. ein Fischerdorf, bei dem 1457 Ōta Dōkan die Burg Edo errichtete; kam 1590 zus. mit der Kantōebene als Lehen an Tokugawa Ieyasu; 1603–1867 als Edo (Yedo) Sitz der Tokugawa-Shōgune. Zur Kontrolle der Regionalfürsten (→Daimyō) wurden diese gezwungen, ihre Familien mit Hofstaat in der Stadt wohnen zu lassen und selbst zeitweise dort zu residieren. Nach der Beseitigung des Shogunats wurde T. 1868 unter dem heutigen Namen Hptst. Japans und 1869 kaiserl. Residenz. Mehrere Großbrände (u.a. 1657) und Erdbeben (1650, 1703, 1855, 1923) zerstörten große Teile der Stadt, die stets wieder (jedoch ohne planvolle Anlage) aufgebaut wurde. Im 2. Weltkrieg durch Bombenangriffe stark zerstört; 1964 Austragungsort der Olymp. Sommerspiele.

📖 YAZAWA, T.: *T. Eine Weltstadt in Ostasien. Köln 1984.*

Tokiwa, Mitsunaga, japan. Maler, →Mitsunaga.

Tokkata [italien.] *die* (Toccata), seit dem 16. Jh. Bez. für ein frei, fast improvisatorisch aus Akkorden und Läufen gestaltetes Musikstück für ein Tasteninstrument, das als Vorspiel diente; entwickelte sich im 17./18. Jh. zu einem großen, anspruchsvollen Stück (z.B. J.S. Bach, »dorische T.«, BWV 538).

Tokographie [grch. tókos »Geburt«] *die,* graf. Aufzeichnung der Wehentätigkeit (Tokogramm), meist mit gleichzeitiger Registrierung des kindl. Herzschlags (→Kardiotokographie).

Tököly ['tøkøli], Imre, ungar. Freiheitskämpfer, →Thököly.

Tokopherol [grch.] *das,* Vitamin E, →Tocopherol.

Tokugawa Ieyasu, japan. Feldherr und Staatsmann, *Okazaki 1542, †Sumpu (heute Shizuoka) 1616; wurde 1603 vom Tenno zum Shōgun ernannt (dessen Würde er erblich machte) und verlegte seinen Reg.sitz nach Edo (heute Tokio); schuf durch eine straffe Zentralverw. ein stabiles Staatswesen.

Tokushima [-ʃima], Präfekturhptst. in Japan, auf der Insel Shikoku, 265 200 Ew.; Univ.; Herstellung von Baumwollwaren und Holzerzeugnissen; Flughafen, Fährhafen; Heimat eines traditionellen bäuerl. Puppentheaters.

Tōkyō, Hauptstadt Japans, →Tokio.

Tokyo Mitsubishi Bank Ltd. ['təʊkjəʊ mɪtsu'bɪʃɪ bæŋk 'lɪmɪtɪd], 1996 durch Fusion von Bank of Tokyo Ltd. (gegr. 1946) und Mitsubishi Bank Ltd. (gegr. 1880) entstandener weltgrößter Bankkonzern; Sitz: Tokio.

Toland ['təʊlənd], John, engl. Philosoph, *Redcastle (Cty. Donegal, Irland) 30. 11. 1670, †Putney (heute zu London) 11. 3. 1722. Sein Hauptwerk »Christentum ohne Geheimnis« (1694/95) ist eine aufklärer. Kritik an der Offenbarung und war ein Grundwerk des →Deismus.

Tolbuchin, 1949–92 Name der bulgar. Stadt →Dobritsch.

Toledo 2): Der im 16. Jh. unter Karl V. errichtete Alcázar wurde nach Zerstörungen während des Spanischen Bürgerkrieges wieder aufgebaut; heute Bürgerkriegsmuseum

Toledo [span. to'leðo], **1)** Provinz in Kastilien-La Mancha, Spanien, 15 370 km², (1995) 515 400 Einwohner.

2) Hauptstadt von 1) und der Region Kastilien-La Mancha, 63 600 Ew., vom schluchtartigen Tal des Tajo umgeben; Erzbischofssitz (Primas von Spanien); mehrere Museen (u.a. Greco-Museum), Infanterieakademie; Waffenfabrik. Kunsthandwerk (bes. Einlegearbeiten, damaszierte T.-Klingen). – Die Altstadt (UNESCO-Weltkulturerbe) ist reich an Baudenkmälern aus maur. und christl. Zeit; zahlr. Kirchen, u.a. Ermita San Cristo de La Luz (ehem. Moschee des 10. Jh.), Santa María la Blanca (ehem. Synagoge, 1200–50), El Tránsito (ehem. Synagoge, 1366, heute jüd. Museum), Santiago del Arrabal (13. Jh.), fünfschiffige got. Kathedrale (1227–1493; Gemälde u.a. von F. de Goya und El Greco), San Juan de los Reyes (1476 ff.); alte Brücken, Stadtmauern und -tore (Puerta del Sol, Puerta Vieja de Visagra). Der Alcázar (1538 ff. unter Karl V. errichtet, 1936 im Span. Bürgerkrieg zerstört) wurde wieder aufgebaut und zum nat. Monument erklärt.

Toledo 2) Stadtwappen

John R. R. Tolkien

Tollkirsche: Schwarze Tollkirsche (Höhe bis zu 1,5 m)

Tollkraut: Krainer Tollkraut (Höhe bis zu 60 cm)

T., das röm. **Toletum,** eine der ältesten Städte Spaniens, war Hptst. der iber. Carpetaner und wurde 192 v. Chr. von den Römern erobert; 576–712 Hptst. der Westgoten. In maur. Zeit (712–1085) erlebte T. seine größte Blüte; seit 1036 Hptst. eines maur. Fürstentums. 1085 eroberte Alfons VI. von Kastilien T. und machte es 1087 zu seiner Residenz; unter Friedrich III. und bes. Alfons X., dem Weisen, stieg T. als »Stadt der drei Religionen« (christl. Mozaraber und Christen, muslim. Morisken, Juden) mit seiner berühmten Übersetzerschule zum europ. Zentrum des Geistes und der Wiss. auf, das dem Abendland das Gedankengut der grch.-röm. Antike und des arab. Kulturkreises vermittelte. Bis 1563 war T. Hptst. Spaniens.

3) [tə'li:dəʊ], Hafenstadt in NW-Ohio, USA, am westl. Eriesee, 333 000 Ew.; kath. Bischofssitz; Univ.; Glasind., Maschinenbau, Herstellung von Kraftfahrzeugteilen, Erdölraffinerien.

Toledo [to'leðo], Juan Bautista de, span. Architekt, *Toledo (?) um 1515, †Madrid 19. 5. 1567; Schüler Michelangelos, ab 1559 Hofarchitekt Philipps II.; verbreitete in Spanien Stil und Technik der italien. Hochrenaissance. Sein größter Auftrag war die Planung des →Escorial.

Toledo|arbeit, *Stickerei:* Durchbruchstickerei, bei der die durchbrochene Fläche als gleichmäßiges Gitter erscheint, in das mit Stopf- oder Schlingenstich Muster eingearbeitet werden können.

Toleranz [lat.] *die,* **1)** *allg.:* das Geltenlassen anderer Anschauungen, Normen, Werte und Handlungen, bes. in religiösen (→Glaubens-, Gewissens- und Bekenntnisfreiheit), polit., ethisch-sozialen und wiss.-philosoph. Fragen; in der menschl. Kommunikation eine Grundbedingung für die freie, vernünftige Auseinandersetzung. Als Gedanken-, Glaubens- und Gewissensfreiheit hat T. seit der Aufklärung im Staatsrecht, in den Grund- und den Menschenrechten zunehmend Rechtsverbindlichkeit erlangt.

2) *Medizin:* begrenzte Widerstandsfähigkeit des Organismus gegenüber schädl. äußeren Einwirkungen, bes. gegenüber Giften oder Strahlen.

Toleranzedikt von Mailand

Die systematische Unterdrückung und Verfolgung der Christen seitens des Staates, die noch unter Diokletian einen traurigen Höhepunkt erreicht hatte, endete mit dem Toleranzedikt Konstantins I., des Großen vom 13. 6. 313:

»Daher haben wir ... unsern Willen dahin ausgesprochen, dass überhaupt niemandem die Erlaubnis zu versagen ist, der dem christlichen Glauben oder ihrer Religion sich zuwenden und sie beobachten will. Vielmehr soll jeder die Freiheit haben, seine Gedanken derjenigen Religion zuzuwenden, die er für sich am geeignetsten hält, damit uns die Gottheit in allem ihre gewohnte Gunst ... beweisen kann.«

3) *Messtechnik:* Bereich zw. dem größten und dem kleinsten Wert einer messbaren Größe (z. B. Länge, Druck, Spannung). Der jeweils zulässige Spielraum heißt **T.-Feld;** je nach Qualitätsanforderungen und Nennmaßbereichen gibt es genormte **T.-Reihen** (→Passung).

4) *Münzwesen:* →Remedium.

Toleranz|edikt von Mailand (Mailänder Religionsedikt), das 313 zw. den Kaisern Konstantin I. und Licinius geschlossene Übereinkommen, das die christl. Kirche den anderen Religionsgemeinschaften rechtlich gleichstellte.

Tolima (Nevado del T.), Vulkan in der Zentralkordillere Kolumbiens, 5 215 m ü. M.

Toliman, der Stern →Alpha Centauri.

Toljatti [nach P. Togliatti] (bis 1964 Stawropol), Stadt im Gebiet Samara, Russland, am linken Ufer des Samaraer Wolgastausees, 665 700 Ew.; TH; Wolga-Automobilwerk, chem., elektrotechn. Ind.; Hafen.

Tolkien ['tɔlki:n], John Ronald Reuel, engl. Schriftsteller und Philologe, *Bloemfontein (Südafrika) 3. 1. 1892, †Bournemouth 2. 9. 1973. Die altnord. und kelt. Dichtung regten ihn zur Konzeption seines fantastisch-mytholog. Erzählwerks an, das der Fantasyliteratur entscheidende Impulse gab (»Der Herr der Ringe«, 3 Bde., 1954/55); Kinderbücher (»Der kleine Hobbit«, 1937).

Tollan, Hptst. der Tolteken, →Tula.

Tollense *die,* rechter Nebenfluss der Peene, in Meckl.-Vorp., 79 km lang, durchfließt den 17 km² großen **T.-See,** mündet bei Demmin.

Toller, Ernst, Schriftsteller, *Samotschin (heute Szamocin, Wwschaft Piła) 1. 12. 1893, †(Selbstmord) New York 22. 5. 1939; Mitgl. der USPD, 1919 Vors. des bayr. Arbeiter- und Soldatenrates, nach dem Sturz der Münchner Rätereg. zu fünf Jahren Festungshaft verurteilt; emigrierte 1933. – In der Haft entstanden die meisten seiner expressionist. Dramen (»Die Wandlung«, 1919; »Masse Mensch«, 1921; »Die Maschinenstürmer«, 1922; »Hinkemann«, 1924; »Hoppla, wir leben!«, 1927), auch Lyrik (»Das Schwalbenbuch«, 1924) und Essays. Nach seiner Autobiographie »Eine Jugend in Deutschland« (1933) entstand das Schauspiel »Toller« (1968) von T. Dorst.

Tollkirsche (Atropa), Gattung der Nachtschattengewächse, von W-Europa bis zum Himalaja verbreitet; in Laubwäldern die **Schwarze T. (Belladonna,** Atropa belladonna), eine bis zu 1,5 m hohe, drüsig behaarte Staude mit einzeln stehenden, rötlich braunen, glockenförmigen Blüten. V. a. die schwarzen Beerenfrüchte sind durch ihren hohen Alkaloidgehalt (Hyoscyamin, Atropin, Scopolamin) sehr giftig. Der Extrakt aus den Blättern wird medizinisch als krampflösendes, gefäß- und pupillenerweiterndes Mittel verwendet.

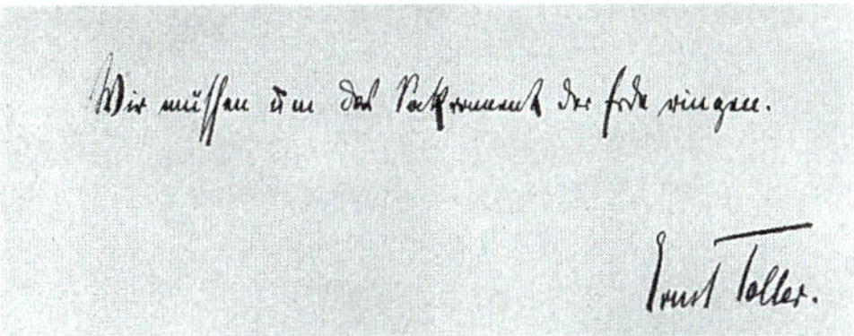
Wir müssen um das Sakrament der Erde ringen.

Ernst Toller.

Ernst Toller: Der Dramatiker (rechts sitzend) bei einer Probe mit dem hinter ihm stehenden Regisseur Erwin Piscator und den Schauspielern Alexander Granach (links sitzend) und Paul Grätz (rechts im Hintergrund); darunter Auszug eines am 30. November 1921 verfassten Briefes aus dem Festungsgefängnis Niederschönenfeld an die Schauspielerin Tilla Durieux (»Wir müssen um das Sakrament der Erde ringen«)

Tollkraut (Scopolia, Skopolie), Gattung der Nachtschattengewächse; in Laubwäldern O- und SO-Europas kommt das **Krainer T.** (Scopolia carniolica) vor; bis zu 60 cm hohe Staude mit bräunlich lilafarbenen, hängenden Blüten. Der alkaloidhaltige, giftige Wurzelstock wurde im MA. zu Liebes- und Rauschtränken verarbeitet.

Tollwut (Lyssa, Rabies, Hundswut), weltweit verbreitete, in Dtl. bereits bei Verdacht meldepflichtige, akute Infektionskrankheit (Zoonose), die durch den Biss (auch Schleimhautkontakt) eines erkrankten Tieres auf andere Tiere und auf den Menschen übertragbar ist. Ihr Erreger ist das zu den Rhabdoviren gehörende T.-(Rabies-)Virus. Während in trop. Regionen nach wie vor Hunde das größte Erregerreservoir darstellen, sind dies in Europa Füchse, wobei wildernde Hunde und Katzen als Überträger fungieren. Eine Infektion führt immer zum Ausbruch der Krankheit. Die Inkubationszeit liegt beim Menschen zw. drei Wochen und drei Monaten (bis zu einem Jahr) und ist am kürzesten bei Wunden an Kopf und Nacken. Symptome sind zunächst Juckreiz und Brennen an der Bissstelle, Kopfschmerzen und Fieber, starke innere Unruhe, Steigerung der Muskelreflexe; in der Erregungsphase kommt es zu hochgradiger motor. Unruhe, Krämpfen der Schlund-, Kehlkopf- und Atemmuskulatur mit Erstickungsgefühl, starkem Speichelfluss bei qualvollem Durst, ohne schlucken zu können (Hydrophobie). Nach 1–3 Tagen beginnt das Lähmungsstadium mit zunehmendem Ausfall der motor. und sensiblen Nerven, Bewusstseinsverlust und Tod durch Atem- und Herzlähmung. Während der Inkubationszeit ist der Nachweis der Krankheit weder serologisch noch virologisch möglich; eine Infektiosität erkrankter Tiere wird bereits 14 Tage vor Eintritt der Symptome angenommen. – Eine ursächl. *Behandlung* der T. ist nicht möglich; sie verläuft nach Ausbruch immer tödlich. Aufgrund der meist langen Inkubationszeit ist jedoch eine sofortige aktive Immunisierung mit fünf aufeinander folgenden Impfungen i. d. R. erfolgreich; gleichzeitig wird meist mit der ersten Impfung eine passive Immunisierung mit T.-Immunserum vorgenommen. Der Seuchenprophylaxe dienen die regelmäßige Impfung von Hunden und Katzen, die Ausweisung von Sperrbezirken bei Auftreten von Wild-T. und die Sanierung der Erregerreservoire durch Abschuss oder Impfung der Füchse.

📖 *Lyssaviruses, hg. v.* C. E. RUPPRECHT *u. a. Berlin u. a. 1994.*

Tolosanisches Reich, Reich der → Westgoten, ben. nach der Hptst. Tolosa (heute Toulouse).

Tölpel (Sulidae), Familie der Ruderfüßer; bis zu 1,8 m spannende Meeresvögel, v. a. in trop. bis gemäßigten Küstenregionen; stoßtauchende Fischfresser mit relativ langem, keilförmig zugespitztem Schnabel; Koloniebrüter, meist auf Inseln. Der **Bass-T.** (Morus bassanus), etwa gänsegroß, weiß, mit schwarzen Flügelspitzen, lebt v. a. an den Küsten Großbritanniens, Islands,

Tölpel: Basstölpel

Tollwutfälle bei Tieren in der Bundesrepublik Deutschland (Stand August 1998)

Jahr	Tiere gesamt	Haustiere gesamt	Hund	Katze	Wildtiere gesamt	Fuchs
1985	6745	1052	67	233	5693	4955
1991 *)	3534	617	149	184	2917	2637
1992	1417	270	56	71	1147	1005
1993	825	140	8	23	685	619
1994	1359	227	6	29	1132	1033
1995	855	159	2	19	696	627
1996	152	31	1	6	121	107
1997	86	8	0	1	78	74
1998	57	5	1	1	52	49

*) ab 1991 einschließlich der neuen Bundesländer

S-Norwegens und Neufundlands, zunehmend auf Helgoland.

Tatjana Tolstaja

Tolstaja, Tatjana Nikititschna, russ. Schriftstellerin, *Leningrad (heute Sankt Petersburg) 3. 5. 1951; Enkelin A. N. Tolstois, schreibt mit erfinder. Erzähltechnik eine aus Wirklichkeitsnähe und zarter Poesie gemischte, bildkräftige Prosa über den russ. Alltag; internat. bekannt der Erzählband »Stelldichein mit einem Vogel« (1987); außerdem erschienen die Erzählbände »Sonja« (1991), »Und es fiel ein Feuer vom Himmel« (1992).

Tolstoi, russ. Adelsfamilie, Grafen seit 1724:

Alexei Nikolajewitsch Tolstoi (zeitgenössische Zeichnung)

1) Alexei Konstantinowitsch Graf, russ. Schriftsteller, *Sankt Petersburg 5. 9. 1817, †Krasny Rog (Gebiet Brjansk) 10. 10. 1875, Vetter von 3); Vertreter des L'art pour l'art, schrieb histor. Gedichte, Versepen, den histor. Roman »Fürst Serebräny« (1863), die Trilogie der Zarendramen »Der Tod Iwans des Schrecklichen« (1866) u.a.; veröffentlichte auch unter dem kollektiven Pseud. **Kosma Prutkow.**

2) Alexei Nikolajewitsch Graf, russ. Schriftsteller, *Nikolajewsk (Gebiet Saratow) 10. 1. 1883, †Moskau 23. 2. 1945; Großvater von T. N. Tolstaja; schrieb in der Emigration (1918–23) die autobiograph. Erzählung »Nikitas Kindheit« (1922). Die Trilogie »Der Leidensweg« (1920–41) behandelt das Schicksal russ. Intellektueller der Vorkriegs-, Kriegs- und Revolutionszeit und mündet in die Anerkennung des Bolschewismus. Sein Hauptwerk ist der histor. Roman »Peter I.« (3 Bücher, 1929–45, unvollendet). T.s bedeutendstes Drama »Iwan der Vierte« (2 Tle., 1941–43) weicht stark von der histor. Wirklichkeit ab.

3) Lew (Leo) Nikolajewitsch Graf, russ. Schriftsteller, *Jasnaja Poljana (bei Tula) 9. 9. 1828, †Astapowo (Gebiet Lipezk) 20. 11. 1910, Vetter von 1); lebte teils als Gutsbesitzer in Jasnaja Poljana, teils in Moskau und Sankt Petersburg; 1857 und 1860/61 bereiste er W-Europa; 1862 Heirat mit Sofia Andrejewna Bers (*1844, †1919). T. hatte ersten Erfolg mit der autobiograph. Erzählung »Kindheit« (1852; Fortsetzungen »Knabenalter«, 1854, »Jugendzeit«, 1857; zus. u. d. T. »Aus meinem Leben«). Seine Erlebnisse während des Krimkrieges spiegeln die drei »Sewastopoler Erzählungen« (1855–56) wider. T. war ein typ. Vertreter des psycholog. Realismus, Meister einer präzisen und anschaul. Kunst der Naturschilderung (»Die Kosaken«, 1863); er gilt mit dem groß angelegten histor. und geschichtsphilosoph. Roman »Krieg und Frieden« (6 Bde., 1868/69, über das Schicksal dreier Familien vor dem Hintergrund der Napoleon. Kriege) und mit dem Eheroman »Anna Karenina« (3 Bde., 1878) als einer der großen realist. Erzähler des 19. Jh. Seit seiner »Bekehrung« (»Meine Beichte«, 1884) suchte er seine religiösen und sozialen Anschauungen auch in theoret. Schriften auszudrücken. T.s Lehre der Gewaltlosigkeit ist ein Ergebnis des Versuchs, ein reines Urchristentum zu rekonstruieren. Durch die Idealisierung des naturnahen Lebens und des »einfachen Volks«,

Lew Tolstoi: Paolo Troubetzkoy, »Leo Tolstoi«, Bronzebüste (1899; Sankt Petersburg, Russisches Museum)

durch die Kritik der gesellschaftl. Konvention und des sozialen Unrechts gelangte T. schließlich zu einem Kulturnihilismus. Er leugnete den Fortschritt, den Wert von Kunst und Wissenschaft und bekämpfte jede polit., soziale und kirchl. Organisation (1901 wurde er aus der orth. Kirche ausgestoßen). In dieser letzten Schaffensperiode entstanden Werke wie die Erzählung »Der Tod des Iwan Iljitsch« (1886), »Die Kreutzersonate« (1891), der Roman »Auferstehung«, 1899), »Hadschi Murat« (Erz., entstanden 1896–1904, hg. 1911), die Dramen »Die Macht der Finsterniß« (1886), »Und das Licht leuchtet in der Finsternis« (entstanden 1896–1900, hg. 1911), »Der lebende Leichnam« (entstanden 1900, hg. 1911) und Schriften wie »Was ist Kunst?« (1898). Weitere BILDER Kramskoi, Iwan Nikolajewitsch; Repin; russische Literatur

📖 CITATI, P.: *Leo T. Eine Biographie. Aus dem Italien. Neuausg. Reinbek 1994.* – LAVRIN, J.: *Lev Tolstoj. Reinbek 1994.* – ROLLAND, R.: *Das Leben T.s. Aus dem Frz. Neuausg. Zürich 1994.*

Tomahawk: lederüberzogene Steinkeule, darunter Stahlaxt

Tolteken, histor. Volk in Mesoamerika, brachte im 9.–11. Jh. im Hochland von Mexiko um die Hptst. Tula (Tollan) eine blühende Hochkultur (→mesoamerikanische Hochkulturen) hervor; war

Tomate (Höhe 0,3 - 1,5 m)

beeinflusst von →Teotihuacán. Um das Jahr 900 wanderten T. nach Yucatán aus, wo sie die Kultur der Maya überformten (→Chichén Itzá).

Tolubalsam [nach der kolumbian. Stadt Tolú], plast., bräunl. Baumharz, das der Hülsenfrüchtler Myroxylon balsamum des trop. Amerika ausscheidet. Der T. enthält äther. Öle und wird in der Kosmetik- und Kaugummiindustrie verwendet.

Toluca (T. de Lerdo), Hptst. des mexikan. Staates México, 2640 m ü. M., im Hochbecken von T., 488000 Ew.; Bischofssitz; Univ.; Textil-, chem., Nahrungsmittel- u. a. Industrie. Südlich von T. liegt der erloschene Vulkan **Nevado de T. (Xinantécatl),** 4392 m ü. M. (Nationalpark).

Toluol *das* (Methylbenzol), eine farblose, aromatisch riechende und brennbare Flüssigkeit mit einer Siedetemperatur von 111 °C. Es ist in Reformat und Pyrolysebenzin enthalten, zu deren hoher Klopffestigkeit es beiträgt und aus denen es durch Extraktion oder Extraktivdestillation isoliert wird. T. dient als Lösemittel sowie zur Herstellung u. a. von Benzol, Diisocyanaten, Phenol, Benzoesäure und Trinitrotoluol.

Tölz, Bad, →Bad Tölz.

Tomahawk ['tɔməhɔ:k; engl., aus Algonkin] *der,* urspr. Steinkeule oder -axt der nordamerikan. Indianer, später eine nach dem Vorbild engl. Zimmermannsbeile hergestellte kleine Stahlaxt, die geworfen und im Nahkampf verwendet wurde.

Tomar [tu'mar], Stadt im Distr. Santarém, Portugal, am Nabão, etwa 20000 Ew.; Textil- und Papierindustrie. – An der Stelle einer Römersiedlung errichtete der Templerorden eine Burg (1159), bei der sich die Stadt entwickelte; ab 1356 Sitz des Christusordens; der gesamte Komplex der Ordensburg (12.–17. Jh.) ist UNESCO-Weltkulturerbe.

Tomasi di Lampedusa, Giuseppe, eigtl. G. Tomasi, Fürst von Lampedusa, italien. Schriftsteller, *Palermo 23. 12. 1896, †Rom 23. 7. 1957; 1958 erschien postum sein im Sizilien der Garibaldizeit spielender Roman »Der Leopard«, der am Beispiel des Niedergangs der sizilian. Aristokratie eine Parabel von Entstehen, Verfall und Tod entwirft (verfilmt von L. Visconti, 1963).

Tomaszów Mazowiecki [tɔ'maʃuf mazɔ'vjɛtski], Stadt in der Wwschaft Piotrków, Polen, an der Pilica, 89900 Ew.; Chemiefaserwerk, Textil- u. a. Industrie.

Tomate (Liebesapfel, Paradiesapfel, Lycopersicon esculentum), wahrscheinlich aus Peru und Ecuador stammendes Nachtschattengewächs, 0,3–1,5 m hohe, einjährige, sehr frostempfindliche Pflanze, Blüten gelb, Frucht eine vielsamige rote oder gelbe Beere. Die Früchte enthalten pro 100 g essbaren Anteil etwa 94 g Wasser, nur wenig Kohlenhydrate, v. a. aber 24 mg Vitamin C sowie Vitamine der B-Gruppe. Die in den grünen unreifen

Tolteken: Die bis zu über 4 m hohen, mit Reliefs verzierten Monumentalskulpturen, die so genannten »Atlanten von Tula«, sind charakteristisch für die Kultur des mesoamerikanischen Volkes

Früchten vorhandenen giftigen Glykoalkaloide (z. B. Tomatin) werden während der Reife abgebaut. Die T. wird heute in zahlr. Kultursorten fast weltweit angebaut. Neben den Stock- oder Stab-T. pflanzt man, v. a. in trockenen Klimazonen, niedrig bleibende Busch-T. (→Cocktailtomaten, →Fleischtomaten)

Tombola [italien.] *die,* Verlosung von Gegenständen, z. B. auf Jahrmärkten.

Tombouctou [tɔ̃buk'tu], Stadt in Mali, →Timbuktu.

Tomeo, Javier, span. Schriftsteller, *Quicena (Prov. Huesca) 9. 9. 1932; thematisiert in Erzählungen und in kurzen, handlungsarmen Romanen anhand skurriler Außenseitergestalten die Einsamkeit des modernen Menschen (»Der Marquis schreibt einen unerhörten Brief«, R., 1979; »Müt-

Guiseppe Tomasi di Lampedusa

Tolteken

Die Tolteken begründeten die zweite Mayakultur in Mittelamerika und sind auch die Vorläufer der Azteken. Auf sie gehen die kriegerischen und blutrünstigen Aspekte der mesoamerikanischen Kulturen zurück. Sie begründeten die Heiligkeit des Königtums ebenso wie die Menschenopfer mit dem Mythos von Quetzalcóatl, mit dem sie die Idee eines goldenen Zeitalters und des Erscheinens eines Erlösers verbanden.
Denn nach diesem Mythos ist dem Schöpfergott Quetzalcóatl auf wunderbare Weise sein menschliches Gegenstück Topiltzin Quetzalcóatl geboren worden. Beide leben im Paradies, in der Gegend von Tollan, einem Reich voller Fruchtbarkeit und Schönheit. Doch dann erscheint Tezcatlipoca und vertreibt Quetzalcóatl aus seinem Reich; er führt auch die Menschenopfer ein. Das ist das Ende von Tollan, und Krieg beherrscht die Welt. Doch Quetzalcóatl hat seine Rückkehr versprochen.
Deshalb auch hielten viele Azteken in einem verhängnisvollen Irrtum die spanischen Eroberer für die verheißenen Befreier.

ter und Söhne«, R., 1985, auch dramatisiert; »Das umstrittene Testament des Gaston de Puyparlier«, R., 1990; »Das Verbrechen im Orientkino«, 1995).

Bradley Walker Tomlin: »Number 10-A« (1949; Privatbesitz)

Fulvio Tomizza

Shin-Ichirō Tomonaga

Tomizza, Fulvio, italien. Schriftsteller, *Giurizzani (heute Juricani, bei Umag, Kroatien) 26. 1. 1935, †Triest 21. 5. 1999; ab 1955 in Triest; stellt in seinen (histor.) Romanen vor dem Hintergrund seiner Heimat Istrien Probleme und Möglichkeiten des Zusammenlebens in einer durch Sprache und soziale Stellung geteilten Welt dar (»Materada«, 1960; »Der Akazienwald«, 1966; »Das Böse kommt vom Norden«, 1984; »Die venezian. Erbin«, 1989).

Tomlin ['tɔmlɪn], Bradley Walker, amerikan. Maler, *Syracuse (N. Y.) 19. 8. 1899, †New York 11. 5. 1953; anfangs von Art nouveau und Kubismus beeinflusst, ging er zur gegenstandslosen Malerei über; Vertreter des abstrakten Expressionismus.

Tommaseo, Niccolò, italien. Schriftsteller, *Šibenik 9. 10. 1802, †Florenz 1. 5. 1874; wegen Widerstands gegen die Habsburgerherrschaft 1834–39 im Exil in Frankreich, 1849–54 auf Korfu; schrieb Romane, Novellen, Gedichte, literarhistor. Arbeiten (»Dizionario della lingua italiana«; mit B. Bellini, 8 Bde., 1861–79). Sein Werk spiegelt den Geist des Risorgimento, sein Schriftwechsel ist als Quelle für das 19. Jh. wichtig.

Tomographie [grch.] *die,* Schichtbildaufnahme, Verfahren der Röntgenuntersuchung, v. a. in Form der →Computertomographie.

Tomonaga, Shin-Ichirō, japanischer Physiker, *Tokio 31. 3. 1906, †ebd. 8. 7. 1979; 1963–69 Präs. des japan. Wiss.rates; entwickelte ab 1943 die theoret. Basis einer mit der speziellen Relativitätstheorie verträglichen Quantenelektrodynamik und erhielt dafür 1965 mit den Amerikanern J. Schwinger und R. P. Feynman den Nobelpreis für Physik.

Tomsk, Hauptstadt des Gebiets T., im Westsibir. Tiefland, Russland, an der Kreuzung der Transsib mit dem Tom, 504 700 Ew.; russ.-orth. Bischofssitz; älteste Univ. Sibiriens (gegr. 1880), fünf Hochschulen, Zweigstelle der Akademie der Wiss.; Theater; Petrochemie, Maschinenbau, vielseitige Leichtind.; Hafen am Tom. – Alexejew-Kloster (gegr. 1605). – T. wurde 1604 gegründet.

Tomtom [lautmalend] *das* (Tom-Tom), Trommel mit zylindr. Holzzarge und ein- oder beidseitigem Fellbezug; wird mit Trommelstöcken oder Paukenschlägeln angeschlagen; v. a. in Jazz- und Tanzorchestern verwendet.

Ton, klast., feinkörniges Lockergestein (Korndurchmesser <0,002 mm), zusammengesetzt aus T.-Mineralen, ferner aus Quarz, Feldspat, Glimmer sowie biogenen Bestandteilen. **Salz-T.** enthalten außerdem Steinsalz und Gips. Die **T.-Minerale** sind wasserhaltige Aluminiumsilikate mit Schichtgitter (z. B. Klit, Kaolinit), die durch Verwitterung anderer gesteinsbildender Minerale entstanden sind und Wasser und Ionen anlagern können, was dem T. seine kennzeichnenden Eigenschaften verleiht. Durch Wasseraufnahme vergrößert sich sein Volumen; gesättigt wird er wasserundurchlässig und wirkt Wasser stauend. Schichtige T.-Lager stellen daher in der Natur wichtige Grundwasserträger dar. Reine T. dienen u. a. zur Herstellung hochfeuerfester Schamotte, Ziegel, Klinker, Kacheln, Töpferwaren. T.-Suspensionen werden als Spülung (u. a. zum Kühlen und Abführen des Bohrkleins) für Tiefbohrungen und in Verbindung mit Zusätzen als unterird. Dichtungsschleier für Talsperren verwendet.

Ton [lat.], **1)** *Akustik:* Schall von harmon. (sinusförmigem) Schwingungsverlauf (reiner T.) im Unterschied zu Klang und Geräusch. Physikalisch wird ein T. durch **T.-Höhe** und **T.-Stärke,** d. h. durch Frequenz bzw. Amplitude der zugehörigen Schwingung, gekennzeichnet. – In der abendländ. *Musik* ist der T. die elementarste Einheit des musikal. Materials. Musikal. Eigenschaften des T. sind u. a. T.-Höhe, Klangfarbe, Lautstärke und T.-Dauer (Tonlänge).

2) *Literatur:* im Minnesang, in der Sangspruchdichtung, im Meistersang und in der stroph. Epik die Einheit von Strophenbau und Melodie; umfasst den Verlauf der Melodie, ihre Gliederung und rhythm. Struktur sowie die metr. Gestalt des vertonten Textes. (→Meistersang)

Ton|abnehmer, Tonarm mit Abtastsystem beim →Plattenspieler.

Tonalepass (italien. Passo del Tonale), Alpenpass zwischen Ortler- und Adamellogruppe, Italien, 1883 m ü. M., verbindet das Val di Sole mit dem Val Camonica.

Tonalität *die,* i. w. S. jedes System von Ton- und Akkordbeziehungen; i. e. S., gültig für die abendländ. Kunstmusik des 17.–19. Jh., die Bezogenheit von Tönen und Akkorden auf ein Zentrum sowie ihre Funktion und Rangordnung innerhalb dieses Bezugssystems. T. prägt sich harmonisch durch ein gestuftes System von Akkordbeziehungen aus: Die sog. Hauptfunktionen Tonika (Dreiklang der I. Stufe), Subdominante (Dreiklang der IV. Stufe) und Dominante (Dreiklang der V. Stufe) bestimmen die →Tonart, wobei die Tonika als übergeordnetes Zentrum fungiert (→Kadenz). Die Neue Musik entdeckte den zusätzl. Reiz von Bi-T. und Poly-T. als Gleichzeitigkeit zweier oder mehrerer Tonarten. (→atonale Musik)

Ton|art, die Bestimmung des Tongeschlechts als →Dur und →Moll auf einer bestimmten Tonstufe. In der abendländ. Musik der Neuzeit wurden die T. durch die →Tonleiter (melodisch) und die →Kadenz (harmonisch) dargestellt. Bestimmend für Dur ist die große Terz eines Dreiklangs (z. B. c e g), für Moll die kleine Terz (a c e). Grundskalen sind C-Dur und a-Moll. Aus der Transposition der beiden Grundskalen auf andere Ausgangstöne ergeben sich mit 12 Dur- und 12 Moll-T. die 24 T. des temperierten Systems (→Stimmung). Da sich Fis- und Ges-Dur, Cis-Dur und Des-Dur sowie H-Dur und Ces-Dur im temperierten System klanglich nicht unterscheiden, lassen sich die T. als →Quintenzirkel darstellen. Moll- und Dur-T. mit denselben Vorzeichen heißen Parallel-T.; quintverwandt (bzw. terzverwandt) heißen T., deren Grundtöne zueinander im Verhältnis einer Quinte (bzw. Terz) stehen. – Das heutige T.-System ist unter dem Einfluss der Instrumentalmusik allmählich aus den →Kirchentonarten hervorgegangen. Seit etwa 1910

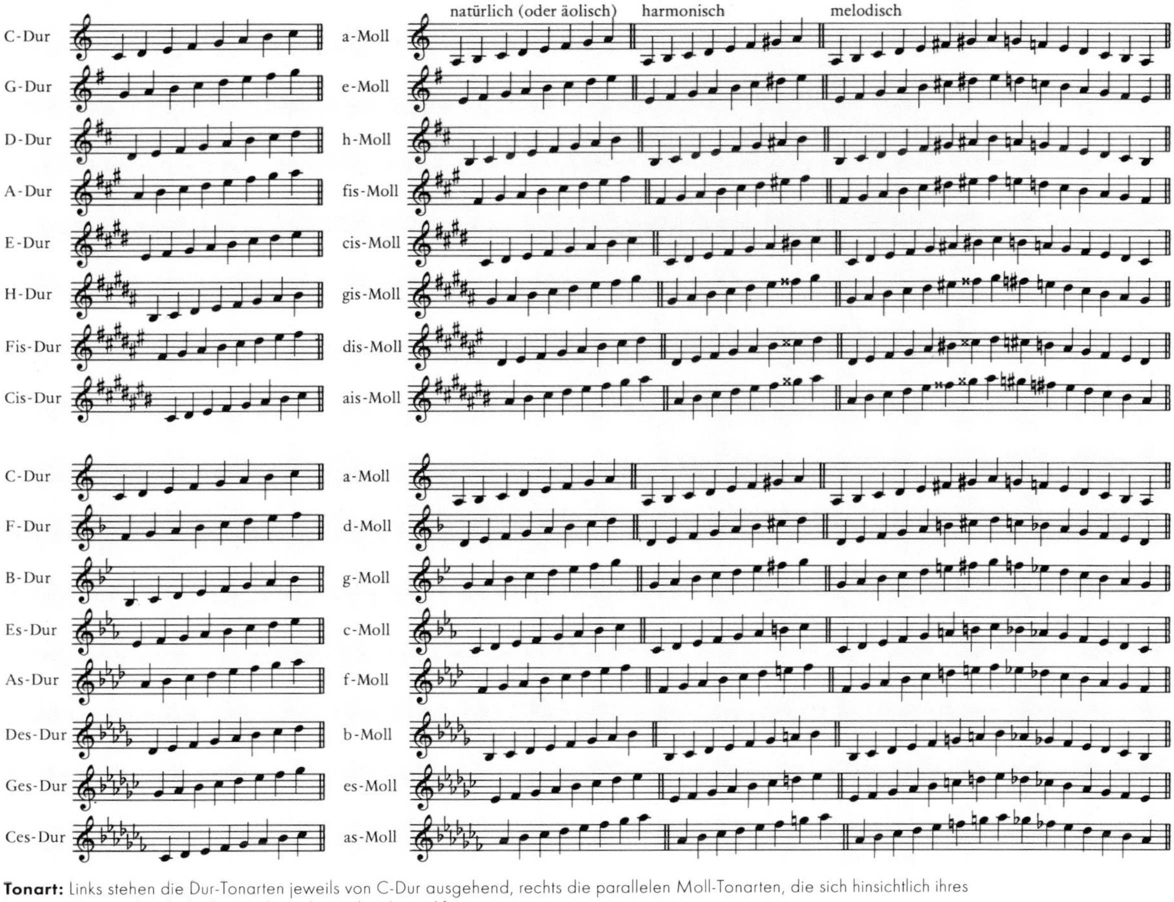

Tonart: Links stehen die Dur-Tonarten jeweils von C-Dur ausgehend, rechts die parallelen Moll-Tonarten, die sich hinsichtlich ihres harmonischen und melodischen Gebrauchs nochmals modifizieren

Susumu Tonegawa

hat das T.-System seine Verbindlichkeit für die Werke der Kunstmusik weitgehend eingebüßt (so in der atonalen, seriellen und elektron. Musik).

Tonband, → Magnetband.

Tonbandgerät, Magnetbandgerät zur Speicherung und Wiedergabe von Schallereignissen nach dem → Magnettonverfahren. Bei der Schallaufnahme werden die Niederfrequenzspannungen des Mikrofons verstärkt und dem Aufzeichnungskopf (Spule auf weichmagnet. Ringkern mit Spalt) zugeführt, in dem zusätzlich ein hochfrequentes Magnetfeld erzeugt wird. Auf dem am Spalt vorbeilaufenden Tonband entsteht eine remanente Magnetisierung, die beim Abspielen in der Spule des Wiedergabekopfes eine elektr. Spannung induziert, die verstärkt und dem Lautsprecher zugeführt wird. Vor jeder Aufzeichnung werden mit dem Löschkopf evtl. vorhandene Aufzeichnungen gelöscht. Beim **Doppelspurverfahren** wird jeweils nur die Hälfte, beim **Vierspurverfahren** ein Viertel des Bandes für einen Durchlauf benutzt (ergibt doppelte bzw. vierfache Laufzeit). Für Zweikanal-Stereoaufnahmen werden die beiden Signale getrennt auf zwei Spuren aufgezeichnet.

Tondo: Domenico Ghirlandaio, »Anbetung der Könige«, Durchmesser 1,71 m (1488; Florenz, Uffizien)

Tonbezeichnung, die Benennung der einzelnen Töne eines Tonsystems mit Buchstaben. In den Ländern des german. Sprachgebietes hat sich die seit dem MA. verwendete T. nach den ersten Buchstaben des Alphabets (A, B [H], C, D, E, F, G) erhalten; dagegen haben sich in den Ländern roman. Sprache die in der Solmisation gebräuchl. Tonsilben durchgesetzt (ut [do], re, mi, fa, sol, la, si). Die einzelnen Oktaven des Tonleiterbereichs heißen: Kontraoktave, große, kleine, eingestrichene, zweigestrichene usw. Oktave.

Tonblende (Klangblende), Bedienelement für elektrische Filter zum getrennten Verstärken von Schallereignissen im tiefen und hohen Frequenzbereich.

Tonböden, Bodenarten mit hohen Anteilen an Tonmineralen mit Korngrößen unter 0,002 mm Durchmesser. T. sind meist nährstoffreich, aber schwer zu bearbeiten (»schwere Böden«).

Tondern (dän. Tønder), Stadt in Dänemark, 4 km nördlich der dt. Grenze, 13 000 Ew.; Möbel-, Maschinen- u. a. Industrie. – T., seit 1243 Stadt, gehörte bis 1920 zum Dt. Reich.

Tondo [italien.] *das,* Rundbild, kam als Medaillon schon in der Antike vor, als Ziermotiv in der Malerei und Plastik des MA., als Bildform bes. in der Renaissance.

Tonegawa, Susumu, japan. Molekularbiologe, *Nagoya 5. 9. 1939; seit 1981 Prof. für Biologie am Krebsforschungsinst. des Massachusetts Institute of Technology in Cambridge bei Boston; erhielt 1987 für die Erforschung der genet. Grundlagen der Antikörpervielfalt den Nobelpreis für Physiologie oder Medizin.

Ton|erde, das → Aluminiumoxid.

Tonga (Batonga), Gruppe von Bantustämmen in SO-Afrika, bes. in Sambia und Simbabwe; etwa 1,6 Mio. Angehörige.

Tonga (amtl. tongaisch Pule'anga Fakatu'i'o T., engl. Kingdom of T.), Staat im südl. Pazifik, umfasst die östlich der Fidschiinseln gelegenen rd. 170 **T.-Inseln** (Friendly Islands, dt. Freundschaftsinseln), in einem Meeresgebiet von etwa 700 000 km².

Staat und Recht: Nach der Verf. von 1875 ist T. eine konstitutionelle Erbmonarchie. Staatsoberhaupt ist der König. Er ernennt den Kronrat (Premiermin., Min. und die Gouv. von Haapai und Vava'u), der als Reg. fungiert. Die Legislative liegt bei der Gesetzgebenden Versammlung, bestehend aus dem Monarchen, dem Kronrat, neun Mitgl. des Erbadels sowie neun auf drei Jahre gewählten Vertretern. Parteien existieren nicht.

Landesnatur: Die T.-Inseln bestehen aus drei Inselgruppen (Vava'u-, Haapai- und Tongatapugruppe; größte Insel Tongatapu mit 257 km²) in zwei annähernd parallelen Inselreihen in N–S-Richtung auf über 800 km Länge. Die westl. Inselreihe bilden hohe Vulkaninseln, z. T. mit Regenwald, die östl. niedrige, z. T. auch gehobene Koralleninseln mit Kokospalmen. Erdbeben bezeugen tekton. Aktivität. T. hat randtrop. Regenklima; Niederschläge 1500–3000 mm/Jahr (Dez. bis April).

Bevölkerung: Sie besteht zu 98 % aus Polynesiern, die seit etwa 1400 v. Chr. eingewandert (Lapitakultur) und heute überwiegend Christen sind (75 % methodistisch). Nur 36 Inseln sind ständig bewohnt, ⅔ der Bev. leben auf Tongatapu, über 20 % in der Hptst. Viele Tongaer arbeiten im Aus-

Tonga

Fläche: 747 km^2
Einwohner: (1995) 98 000 Ew.
Hauptstadt: Nuku'alofa (auf Tongatapu)
Verwaltungsgliederung: 5 Bezirke (Divisions)
Amtssprachen: Tongaisch und Englisch
Nationalfeiertag: 4. 6.
Währung: 1 Pa'anga (T$) = 100 Senit (s)
Zeitzone: MEZ +12 Std.

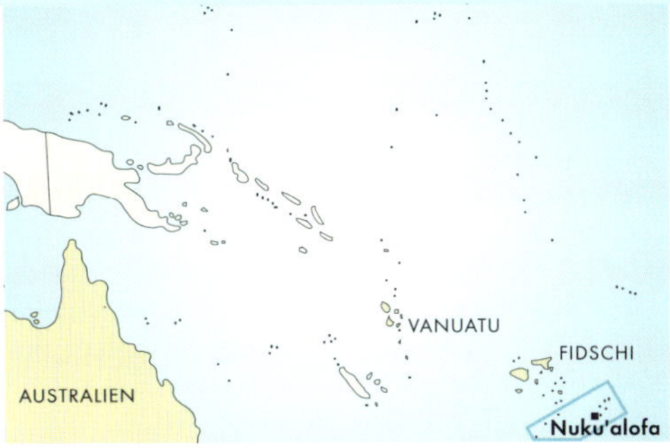

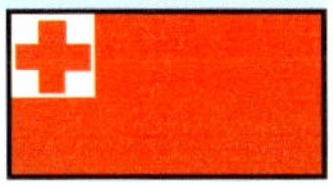

land, v.a. in Neuseeland, Amerikan.-Samoa und den USA. Allg. Schulpflicht besteht vom 6. bis 14. Lebensjahr.

Wirtschaft, Verkehr: Lebensgrundlage ist die Landwirtschaft; für den Eigenbedarf werden v.a. Maniok, Taro, Bataten, Jamswurzel, Melonen und Mais angebaut, für den Export Kokospalmen (Kokosnüsse), Bananen, Vanille, Kaffee, Pfeffer; in Kleinbetrieben Verarbeitung von Agrarprodukten. Fremdenverkehr (jährlich rd. 40 000 ausländ. Besucher). Haupthandelspartner: Neuseeland, Australien. – Regelmäßiger Schiffsverkehr zw. den Inseln; das Straßennetz umfasst 435 km; Überseehafen Nuku'alofa; internat. Flughafen Fuaamotu; nat. Flugges. Friendly Island Airways.

Geschichte: Die T.-Inseln wurden 1615/16 von Niederländern entdeckt; 1642/43 von A. Tasman sowie 1773 und 1777 von J. Cook erkundet, der sie Freundschaftsinseln nannte. Ende des 18. Jh. begann die europ. Besiedlung, gefolgt von christl. Missionaren. Georg Tupou I. (1845–93) schuf 1845 ein christl. Königreich T., das 1900 brit. Protektorat wurde und unter dem seit 1965 regierenden König Taufa'ahau Tupou IV. am 4. 6. 1970 als Commonwealth-Mitgl. die Unabhängigkeit erlangte. Mit Dtl. besteht seit 1876 ein »Immerwährender Freundschaftsvertrag« (1976 erneuert).

🕮 ODOFREDI, A. E.: *Das Südsee-Königreich T. Diss. Freiburg im Breisgau 1975. – Friendly islands. A history of T., hg. v.* N. RUTHERFORD. *Melbourne 1977.*

Tongalle, in Sandstein u.a. Sedimentgesteinen eingelagerter, rundl. Tonkörper.

Tongenerator, ein Generator für sinusförmige Wechselspannungen fester oder einstellbarer Frequenz im Bereich der Hörfrequenzen (16 Hz bis etwa 20 kHz); wird für Labor-, Prüf- und Servicezwecke verwendet.

Tongeschlecht, die charakterist., durch eine bestimmte Folge von Intervallschritten festgelegte Gestalt von Tonleitern eines Tonsystems. Die altgrch. Musik unterschied das diaton., das chromat. und das enharmon. T. (→griechische Musik). Seit dem 16./17. Jh. bildeten sich aus den Kirchentonarten die T. Dur und Moll heraus.

Tongking (Tongkin, Tonkin, vietnames. Băc Bô), Landschaft in N-Vietnam, vorwiegend das fruchtbare Deltagebiet des Roten Flusses, an das sich nach dem Landinnern Hügelland und waldreiches Gebirge (bis 3143 m ü.M.) anschließen. – Das Gebiet kam 111 v.Chr. unter chines. Herrschaft; ab 10. Jh. Teil des annamit. Königreichs (Annam), dessen Hptst. das spätere Hanoi wurde (nach dessen zeitweiligem Namen Dong Kinh nannten die Europäer die Region T.). Ab 1883 war T. frz. Protektorat, das 1887 mit anderen Gebieten von den Franzosen zur Indochines. Union (→Indochina) zusammengeschlossen wurde; seit 1945/49 Teil Vietnams.

Tongking-Zwischenfall, →Vietnamkrieg.

Tonhöhe, *Musik:* elementare Eigenschaft eines Tons neben Dauer, Lautstärke und Klangfarbe; sie wird physikalisch bestimmt durch die Frequenz der tonerzeugenden Schwingungen pro Sekunde (Hertz). Je größer die Frequenz einer Schwingung ist, um so höher ist die entsprechende Tonempfindung. Daneben bestimmen »lineare« (d.h. gleichmäßig ansteigende) oder »zyklische« (d.h. ähnlich wiederkehrende) Veränderungen eines Tons die Tonempfindung.

Tonhöhensprachen (Tonsprachen), Sprachen, bei denen die Änderung der Tonhöhe (Intonation) als Mittel der Unterscheidung von Wörtern und grammat. Formen verwendet wird (Chinesisch, afrikan. Sprachen).

Tonicwater ['tɔnɪk'wɔːtə, engl.] *das,* mit Chinarinde aromatisiertes, bitter-süßes und stark kohlensäurehaltiges Mineralwasser; bes. als Zusatz zu Gin (Gin Tonic).

Tonika [italien.] *die, Musik:* Grundton einer Dur- oder Molltonart; auch der darauf errichtete Dreiklang.

Tonika-do *das,* um 1900 von A. Hundoegger nach engl. Vorbild unter Verwendung mittelalterl. Solmisationssilben (→Solmisation) entwickelte Tonsilbenmethode für den Musikunterricht. Die

Staatswappen

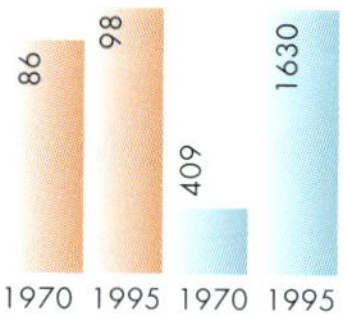

Bevölkerung (in Tausend) Bruttosozialprodukt je Ew. (in US-$)

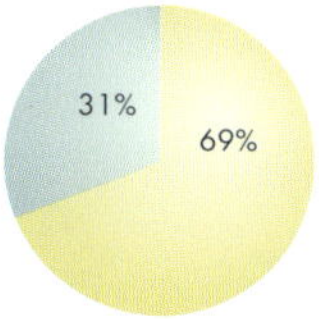

Stadt
Land

Bevölkerungsverteilung 1992

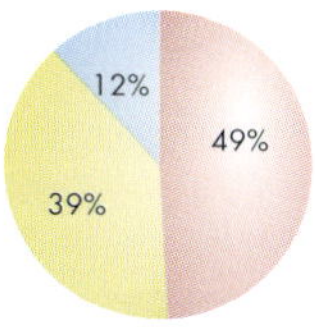

Industrie
Landwirtschaft
Dienstleistung

Bruttoinlandsprodukt 1993

Ferdinand Tönnies

benutzten Tonbezeichnungen do (Grundton), re, mi, fa, so, la, ti, do sind relativ und werden durch Handzeichen für jede Tonstufe ergänzt.

Tonikum [zu Tonus] *das,* Stärkungsmittel, Kräftigungsmittel.

Tönisvorst, Stadt im Kr. Viersen, NRW, im Niederrhein. Tiefland, 29 000 Ew.; Textil-, Metall verarbeitende Ind. – 1970 durch Zusammenschluss von St. Tönis und Vorst entstanden; seit 1979 Stadt.

Tonkabohnen [indian.], die schwarzbraunen, stark duftenden Samen des im trop. Amerika heim. **T.-Baums** (Dipteryx odorata); werden als Gewürz und in der Parfümindustrie verwendet.

Tonleiter (Skala), stufenweise, nach der Tonhöhe geordnete Folge von Tönen innerhalb eines →Tonsystems. In der abendländ. Musik stehen seit dem MA. diaton. T. im Vordergrund; sie unterscheiden sich durch Lage der Halbtöne und Stimmung der Terzen (z.B. Dur-T., Moll-T.; →Hexachord, →Kirchentonarten). Die chromatische T. (→Chromatik) umfasst alle zwölf Halbtöne der Oktave, die Ganz-T. besteht aus sechs Ganztönen. Die außereurop. Musik kennt andere T.-Typen. (→Diatonik, →Pentatonik)

Tonplastik aus der Reihe der Nürnberger Tonapostel, Bartholomäus, Höhe 65 cm (um 1400; Nürnberg, Germanisches Nationalmuseum)

Tonle Sap, See in W-Kambodscha, steht durch den 110 km langen Fluss T. S. mit dem Mekong in Verbindung, zu dem er von Mitte Okt. bis Anfang Juni entwässert; von Mitte Juni bis Anfang Okt. dagegen strömt das durch die monsunalen Niederschläge bedingte Flutwasser des Mekong durch den nun in umgekehrter Richtung fließenden Fluss T. S. in den See und erweitert damit dessen Oberfläche von rd. 2 700 km² bei Niedrigwasser auf 10 000–15 000 km²; dabei steigt die Wassertiefe des Sees von 2 bis 3 m auf rd. 14 m; fischreich.

Tonmalerei, Nachbildung von außermusikal. Vorgängen oder Bildern mit musikal. Mitteln; so die Nachahmung von Geräuschen und Naturlauten (z.B. Wind), ferner auch die Erweckung bestimmter Gedanken- oder Gefühlsverbindungen (Tonsymbolik), z.B. fallende Tonbewegungen zur Darstellung des Niederstürzens, Trompetenfanfaren zur Darstellung des Heldischen, gehäufte schnelle Figurationen für innere oder äußere Unruhe. (→Programmmusik)

Tonminerale, →Ton.

Tonnage [tɔˈnaːʒə; frz., zu tonne »Tonne«] *die,* Bez. für den Raumgehalt (→Schiffsvermessung) bzw. für die Tragfähigkeit eines Schiffes.

Tonne, 1) Einheitenzeichen **t,** gesetzl. Einheit der Masse: 1 t = 1 000 kg. Vielfache sind Kilotonne (1 kt = 1000 t) und Megatonne (1 Mt = 10^6 t).

2) schwimmendes →Seezeichen.

Tonnenbäume, die →Flaschenbäume.

Tonnenschnecken, die →Fassschnecken.

Tönnies, Ferdinand, Soziologe und Philosoph, *Riep (heute zu Oldenswort, Kr. Nordfriesland) 26. 7. 1855, †Kiel 11. 4. 1936; seit 1909 Prof. in Kiel, 1909 Mitbegründer der Dt. Gesellschaft für Soziologie; bed. Hobbes-Forscher. T. definierte in seinem Hauptwerk »Gemeinschaft und Gesellschaft« (1887) Gemeinschaften als naturhaft-organ. und Gesellschaften als zweckgerichteten Verbände. Er unterschied reine (theoretisch-systemat.), angewandte (histor.) und empir. Soziologie. Aufgrund seiner Ablehnung des Nationalsozialismus verlor er nach 1933 seine Professur.

Tönning, Stadt im Kr. Nordfriesland, Schlesw.-Holst., an der unteren Eider, 4 900 Ew.; Luftkur- und Badeort; Wasser- und Schifffahrtsamt; Fischereihafen (Krabben), Herstellung von Krabbenkonserven. – Bürgerhäuser (17. und 18. Jh.). – 1137 erstmals erwähnt.

Tonofibrillen, faserige Strukturen in den Zellen des mehrschichtigen Plattenepithels; haben Bedeutung für die mechan. Widerstandsfähigkeit des Zellverbandes.

Tonometer [grch.] *das* (Ophthalmotonometer), Gerät zur Augeninnendruckmessung **(Tonometrie)** bei Verdacht auf Glaukom.

Tonplastik, plast. Werk, bes. der Kleinkunst, aus meist ungebranntem, luftgetrocknetem →Ton; ein Werk aus gebranntem Ton, v.a. aus der Antike und der italien. Kunst des Quattrocento heißt auch →Terrakotta. In Dtl. entstanden kleinformatige T. insbesondere zur Zeit des schönen Stils (z.B. die »Nürnberger Tonapostel«, um 1440; Nürnberg, German. Nationalmuseum). Aus der Renaissance und dem Barock sind zahlr. Bozzetti aus Ton erhalten. Im 20. Jh. gewann die T. wieder an Bedeutung durch P. Picasso und J. Miró. – Auch in außereurop. Kulturen, u. a. Indien, China, Japan, im vorkolumb. Amerika, spielte die T. eine bed. Rolle.

Tonsatz, Lehre von der musikal. Komposition, vielfach auch als Bez. für die Gesamtheit des musiktheoret. Unterrichts verwendet (u. a. Harmonielehre, Lehre vom Kontrapunkt).

Tønsberg ['tønsbær], Hafenstadt in Norwegen, am Oslofjord, 31 500 Ew.; Erdölraffinerie. – T. ist die älteste Stadt Norwegens (im 9. Jh. gegr.) und war bis in jüngste Zeit Walfängerort.

Tonschiefer, sehr feinkörniges Gestein mit ausgeprägter Spaltbarkeit. T. bestehen v. a. aus Tonmineralen, Chlorit, Quarz und Feldspäten; durch Schieferung entstanden.

Tonsillen [lat.], die →Mandeln.

Tonsprachen, →Tonhöhensprachen.

Tonstein, diagenetisch verfestigter Ton.

Tonstich, eine Technik des →Holzschnitts.

Tonsur [lat.] *die,* im christl. Mönchtum seit dem 4. Jh. das Ausscheren des Haupthaares als Zeichen der Übereignung an Gott; im 5. Jh. vom Klerus übernommen und in der kath. Kirche bis 1972 äußeres Zeichen der Zugehörigkeit zum Stand der Kleriker.

Tonsystem, die Gesamtheit der in der Musik einer bestimmten Kultur oder Epoche gebräuchl. Töne (Tonvorrat) und der zw. den einzelnen Tönen bestehenden Tonbeziehungen. Es gibt versch., zeitlich und ethnisch bedingte T., deren Tonvorrat sich am einfachsten in Tonleitern darstellen lässt, z. B. das **pentaton.** (fünftönige, →Pentatonik) und **diaton.** (siebentönige, →Diatonik), auf dem Konsonanzprinzip beruhende T., und das **zwölfstufig** temperierte Tonsystem. (→Tonart)

Tonu|mfang, *Musik:* der Bereich zw. dem tiefsten und dem höchsten erreichbaren Ton bei den einzelnen Stimmgattungen und den Instrumenten.

Tonung, Umwandlung des Silberbilds einer Schwarzweißfotografie in ein monochromes Farbbild durch Baden in Tonerflüssigkeiten.

Tonus [grch. »Spannung«, »Druck«] *der,* **1)** *Pflanzenphysiologie:* der durch innere oder äußere Faktoren beeinflussbare Zustand der Empfindlichkeit gegenüber Außenreizen.

2) *Physiologie:* bei menschl. und tier. Geweben und Organen, bes. Muskeln, ein auch in der Ruhe unter Nerveneinfluss beständig unterhaltener Spannungszustand. – Über Erschlaffung des T. →Atonie, über abnormen T. →Dystonie.

Tonwaren, →Keramik.

Tonwortsystem, *Musik:* von C. Eitz (*1848, †1924) aufgestelltes System der Tonbezeichnung, in dem allen chromat. Töne bestimmte Zeichen mit absoluten Tonsilben erhalten; ein Beitrag zur Solmisation. Für die C-Dur-Skala lauten die Silben: bi-to-gu-su-la-fe-ni-bi. Gleiche Vokale künden Halbtonschritte an (z. B. h–c = ni–bi).

Toowoomba [tə'wʊmbə], austral. Stadt in Queensland, am Rand der Darling Downs, 85 000 Ew.; kath. Bischofssitz; Nahrungsmittelind., Landmaschinenbau; Fremdenverkehr.

Top (Truth), charakterist. Quantenzahl (t) des 6. →Quarks, des **T.-** oder **Truthquarks.**

top..., topo... [grch.], Ort(s)...

top... [engl.], best..., spitzen...

Topas [wohl nach der ehemals Topazos genannten Insel Sabargat im Roten Meer] *der,* rhomb. Mineral, $Al_2[F_2|SiO_4]$; manchmal farblos, meist gelb, seltener grün, blau oder rot gefärbt. Die durchsichtigen T. sind geschätzte Schmucksteine (im Handel »Edel-T.« gen.); Entstehung in pneumatolyt. Gängen, sekundär in Seifen.

Topas: geschliffene Formen von Edeltopasen

Topeka [tə'pi:kə], Hauptstadt des Staates Kansas, USA, am Kansas River, 119 900 Ew.; Univ.; Nahrungsmittelind., Herstellung von Metallwaren, Textilien, Pharmazeutika; Druckereien, Verlage. – Gegr. 1854.

Töpfer, Klaus, Politiker (CDU), *Waldenburg in Schlesien (heute Wałbrzych) 29. 7. 1938; 1978–79 Prof. für Raumforschung und Landesplanung in Hannover, 1985–87 Min. für Umwelt und Gesundheit in Rheinl.-Pfalz, 1987–94 Bundesmin. für Umwelt, Naturschutz und Reaktorsicherheit; 1994–97 Bundesmin. für Raumordnung, Bauwesen und Städtebau; seit 1. 1. 1998 Direktor des UN-Umweltprogramms (UNEP).

Klaus Töpfer

Töpferei, die Herstellung von →Keramik von Hand oder mit der →Töpferscheibe.

Töpferscheibe (Drehscheibe), zur Formung rotationssymmetr. Keramikwaren verwendete einfache Maschine, bei der eine waagerecht liegende Scheibe über eine senkrechte Welle durch Fußantrieb oder mithilfe eines Elektromotors in Rotation versetzt wird. – Die urtümlichste Form der T. wurde bereits im 6. Jt. erfunden. BILD S. 154

Töpferwespen, →Grabwespen.

Topf|fruchtbaum (Lecythis), Gattung der T.-Gewächse im trop. Südamerika, v. a. im Amazonasgebiet; Sträucher oder Bäume mit topfförmigen,

Töpferei

Regulierbare Brennöfen gab es im Vorderen Orient seit dem 5. Jahrtausend v. Chr. Sie erreichten eine Temperatur von 800 ° bis über 900 °C. Feuerungs- und Brennkammer sind bei einem in Habuba Kabira (Syrien) ausgegrabenen Ofen voneinander getrennt. Auf der Lochtenne aus Lehm standen die zu brennenden Gefäße, Löcher leiteten die Hitze von unten nach oben. Zur Entnahme der fertig gebrannten Keramik musste ein Teil der Kuppel zerstört und für einen neuen Brennvorgang wieder aufgebaut werden.

großen Früchten; Samen bei mehreren Arten ölhaltig und wohlschmeckend (Sapucajanüsse).

Töpferscheibe: ägyptischer Töpfer mit Töpferscheibe, Kalksteinplastik (um 2500 v. Chr.; Chicago, Ill., Oriental Institute of the University of Chicago)

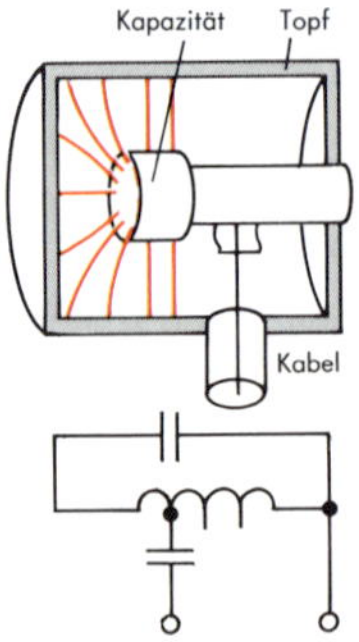

Topfkreis (von oben): schematische Darstellung des Aufbaus mit kapazitiver Ankopplung (an Generator und Verbraucher) und das zugehörige Schaltbild

Topfkreis, *Hochfrequenztechnik:* vorwiegend im Frequenzbereich von 0,3 bis 3 GHz als Resonanz- bzw. Sperrkreis **(Sperrtopf)** verwendeter elektr. Resonator (Schwingkreis), bei dem ein im Innern einer abgeschlossenen zylindr. Metallschachtel **(Topf)** befindl. Leiterstück am einen Ende mit dieser verbunden und kurzgeschlossen, am anderen Ende hingegen mit einer Kapazität belastet ist. Die Länge des Innenleiters ist auf $^1/_4$ der Wellenlänge der erzeugten bzw. gesperrten Schwingung (oder ein ganzzahliges Vielfaches davon) ausgelegt.

Topik [zu grch. tópos »Ort«] *die,* Lehre von den »Örtern«, »Gemeinplätzen«, bei den grch. und röm. Rhetoren die Verwendung allg. anerkannter Begriffe und Sätze in der Rede (bes. von Aristoteles und Cicero entwickelt). – In der Literaturwiss. (E. R. Curtius) werden Texte nach den in ihnen auftretenden **Topoi** (Denk- und Ausdrucksschemata) untersucht.

Topinambur [indian.] *die* (Erdbirne, Rosskartoffel, Erd(arti)schocke, Helianthus tuberosus), bis zu über 2 m hoher Korbblütler aus Nordamerika; seine kartoffelähnl. Knollen enthalten Inulin; Gemüse- und Futterpflanze.

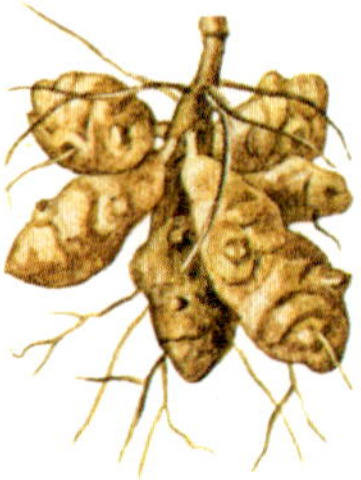

Topinambur: Knollen

Topitsch, Ernst, österr. Philosoph und Soziologe, *Wien 20. 3. 1919; Prof., u. a. seit 1969 in Graz; wendet sich – an Max Weber, den Wiener Kreis und K. R. Popper anknüpfend – in ideologiekrit. und erkenntnistheoret. Arbeiten gegen jegl. Dogmatismus und reinen soziolog. Empirismus.

Werke: Sozialphilosophie zw. Ideologie und Wiss. (1961); Mythos – Philosophie – Politik (1969); Stalins Krieg. Die sowjet. Langzeitstrategie gegen den Westen als rationale Machtpolitik (1985); Heil und Zeit. Ein Kapitel zur Weltanschauungsanalyse (1990).

Topochemie, von dem Chemiker Volkmer Kohlschütter (*1874, †1938) 1919 geprägte Bez. für Abhängigkeiten des Ablaufs chem. Reaktionen vom Ort [grch. tópos] der Reaktion, bes. von geometr. Anordnungen der Atome an Festkörperoberflächen oder in Kristallgittern.

Topographie [grch.] *die,* **1)** *Geographie, Geodäsie:* Erfassung und Wiedergabe des Geländes mit seinen Formen und Gewässern sowie den auf dem Gelände befindl. Objekten; auch die Gesamtheit aller Erscheinungen des Geländes. Die **topograph. Vermessung (topograph. Geländeaufnahme)** besteht in der vermessungstechn. und begriffl. Erfassung der topograph. Gegenstände für deren Darstellung in topograph. Karten.

2) *Meteorologie:* die Höhenliniendarstellung von Druckflächen in Höhenwetterkarten.

Topologie [grch.] *die,* Teilgebiet der Mathematik, das urspr. als »Geometrie der Lage« Eigenschaften geometr. Gebilde (Kurven, Flächen, Räume) behandelte, die bei umkehrbar eindeutigen stetigen Abbildungen **(topolog. Abbildungen)** erhalten bleiben (**homöomorph** sind). Die moderne T. umfasst die Theorie topolog. Räume **(mengentheoret.** oder **analyt. T.),** d. h. solcher Räume bzw. Punktmengen, die eine topolog. Struktur aufweisen (definiert über offene Mengen, Umgebungsaxiome u. a.), sowie der topolog. Abbildungen. Nach den verwendeten Methoden unterscheidet man von der analyt. T. die algebraische T. (einschl. Differenzial-T.), deren Ergebnisse v. a. in der Funktionalanalysis von Bedeutung sind.

Topor, Roland, frz. Zeichner poln. Abstammung, *Paris 7. 1. 1938, †ebd. 16. 4. 1997; gestaltete satir. Grafiken, die dem Surrealismus nahe stehen, auch Illustrationen zu eigenen Romanen und Bühnenbilder.

Topos [grch.] *der,* Ort, Platz. (→Topik)

Topp [mnd. top »Spitze«] *der, Schifffahrt:* oberes Ende, z. B. eines Mastes (Vor-, Groß-T. usw.). **T.-Segel,** das obere Segel am Mast eines Segelschiffs.

Toprak-kala: Tigerfresko, Fragment einer Wandmalerei aus einem der Säle des Burgpalastes (3.–4. Jh. n. Chr.)

Toprak-kala, Ruinenstätte in Usbekistan; Stadtanlage mit gewaltigem Burgkomplex aus der Frühzeit des Reichs Charism (Chiwa); Burgpalast mit Resten von Wandmalereien und Skulpturen, deren Datierung (3.–4. Jh. n. Chr.) umstritten ist.

Toprakkale, Ruinenstätte am Vansee, Türkei, identifiziert als Rusahinili, Hptst. des Reichs von Urartu unter Rusa I. (†714); Reste eines großen Tempels und zahlr. Einzelfunde (Prunkschilde, Thronfragmente).

Toque [tɔk, frz.] *die,* Bez. für Barett, seit dem späten 15. Jh. nachweisbar; in der kostümkundl. Terminologie v.a. für kleine, krempenlose Barettformen der 2. Hälfte des 16. Jh.; seit dem 19. Jh. Bez. für mod. Frauenkopfbedeckungen.

Tor, 1) *Baukunst:* Durchlass durch eine Umhegung, z.B. Garten-, Hof-, Burg-, Stadttor. Das T., bes. das Stadt-T., ist schon früh künstlerisch reich ausgestaltet worden; hl. Bezirke erhielten kunstvolle T. (→Pylon, →Propyläen, →Torii); auch frei stehender Bau auf Straßen oder Plätzen, vor Heiligtümern oder vor der Stadt (→Triumphbogen).

2) *Geographie:* enger natürl. Durchlass, z.B. →Eisernes Tor; in den bayer.-österr. Alpen heißen schmale Kammeinsattelungen **Törl.**

Friedrich Torberg (um 1970)

Toraja [-dʒa] (Toradja), das zentrale Gebirgsland von Celebes, Indonesien, etwa 50000 km² groß; Lebensraum der rd. 1,5 Mio. **Toraja** mit austrones. Sprache und indones. Grundkultur; bekannt durch ihren Totenkult (Felsengräber mit Nischen, in denen bekleidete Holzfiguren, Abbilder der Ahnen, aufgestellt sind; Büffelopfer). Die Häuser der T. aus Bambus und Holz sind künstlerisch gestaltet, v.a. die weit vorstehenden Giebel. Weiteres Bild Indonesien

Torbay ['tɔ:beɪ], Stadt in der engl. Cty. Devon, 122500 Ew.; 1968 aus den Städten Brixham, Paignton und Torquay gebildet; Seebad, Fremdenverkehr, Fischerei; Leichtindustrie.

Torberg, Friedrich, eigtl. F. Kantor-Berg, österr. Schriftsteller, *Wien 16. 9. 1908, †ebd. 10. 11. 1979; 1938–51 in der Emigration (v.a. USA); schrieb viel gelesene Romane, die, bes. im Spätwerk, im jüd. Milieu spielen (»Hier bin ich, mein Vater«, 1948; »Süßkind von Trimberg«, 1972; »Die Tante Jolesch oder der Untergang des Abendlandes in Anekdoten«, 1975); auch Erzählungen (»Golems Wiederkehr«, 1968), Parodien, Essays, Gedichte und Drehbücher.

Toraja: Giebelschmuck eines Torajahauses

Torbernit [nach dem schwed. Chemiker Torbern Bergman, *1735, †1784] *der,* tetragonales Mineral, $Cu[UO_2|PO_4]_2 \cdot 8\,H_2O$, ein Kupferuranglimmer; entsteht in der Oxidationszone komplexer Uranlagerstätten.

Torcello [-'tʃɛllo], zu Venedig gehörende Laguneninsel. Die Siedlung T., bis zum Aufstieg Venedigs eine blühende Stadt, verfiel, durch Malaria entvölkert, seit dem 13. Jh.; Dom (639 gegr., im 9. Jh. umgebaut, im 11. Jh. z.T. erneuert, Vorhalle 14./15. Jh.) mit bed. Mosaiken (12. Jh.), Kirche Santa Fosca (11. Jh.).

Tordesillas [-'siʎas], Stadt in der Prov. Valladolid, Spanien, am Duero, 7500 Ew. – Das Schloss (1340 erbaut, später Kloster Santa Clara) war 1506–55 Witwensitz Johannas der Wahnsinnigen. – Im **Vertrag von T.** (1494) grenzten Spanien und Portugal ihre überseeischen Besitzungen ab. (→Entdeckungsgeschichte)

Torelli, Giuseppe, italien. Geiger und Komponist, *Verona 22. 4. 1658, †Bologna 8. 2. 1709; komponierte u.a. Triosonaten, Sinfonien, Concerti grossi und gilt mit den »Concerti musicali a quattro« op. 6 (1698) als Schöpfer des Violinkonzerts.

Tordesillas

Im Kloster Santa Clara schlossen, nach einem Schiedsspruch Papst Alexanders VI., Spanien und Portugal am 7. 6. 1494 den Vertrag von Tordesillas, der die damals bekannte Neue Welt wie auch die noch zu entdeckenden Gebiete zwischen den beiden Mächten aufteilte: Alle Territorien östlich einer von Pol zu Pol reichenden Demarkationslinie 370 Meilen westlich der Kapverdischen Inseln wurden Portugal, alle westlich davon Spanien zugesprochen. Ohne es zu wissen, übertrug man damit die Ostküste Brasiliens an Portugal.

Torfmoos

Torero [span., zu toro »Stier«] *der,* nicht berittener Stierkämpfer (→Stierkampf).

Tores [nach M. Thorez] (bis 1964 Tschistjakowo), Stadt im Donez-Steinkohlenbecken, Ukraine, 88 000 Ew.; Kohlenbergbau, elektrotechn. Industrie.

Toreutik [grch.] *die,* Kunst der Metallbearbeitung durch Treibarbeit und Ziselieren.

Torf, unter Luftabschluss als erste Stufe der Inkohlung v.a. in Mooren gebildetes Zersetzungsprodukt überwiegend pflanzl. Substanzen; enthält in frisch gewonnenem Zustand bis zu 90 % Wasser, lufttrocken noch 25–30 %. T. haben je nach Moortyp (Flach- oder Niedermoor-T., Übergangs-, Hochmoor-T.) versch. Zusammensetzung. Die Gewinnung erfolgt nach Entwässerung der Moore in sog. **T.-Stichen** mit Hand oder maschinell. Bes. ältere Hochmoor-T. und gut zersetzte Niederungsmoor-T. werden als **Press-T. (T.-Briketts)** nach Trocknung zum Heizen verwendet (auch in Kraftwerken). Der Brennwert von wasserfreiem T. liegt zw. 9200 und 16 400, maximal bei 24 000 kJ/kg. Jüngerer Moos-T. kommt als **Faser-T.** oder (durch Trocknen und Zerkleinern gewonnener) **T.-Mull** in den Handel. Er wird u.a. zur Bodenbedeckung (als Mulch), für Verpackungs- und Dämmzwecke sowie als Einstreu verwendet. Flachmoor-T. sind inhomogen, mit schwach saurer oder neutraler Reaktion und werden u.a. zur Herstellung von Erdgemischen für die Pflanzenanzucht und zur Verbesserung leichter Böden benutzt.

Torf: Presstorf

Torfmoos (Sphagnum), Gattung der Laubmoose mit etwa 250 Arten in den gemäßigten und kalten Zonen der Nord- und Südhalbkugel sowie in den Gebirgen der Tropen; rhizoidlose, bleichgrüne oder bräunl. Pflanzen mit dachziegelartig angeordneten Blättchen, die große tote, Wasser speichernde Zellen enthalten; vermögen bis zum 40fachen ihres Eigengewichts an Wasser aufzunehmen; Charakterpflanzen der Hochmoore und extrem saurer, nährstoffarmer Böden; wichtigste Torfbildner.

Torga, Miguel, eigtl. Adolfo Correia da Rocha, portugies. Schriftsteller, *São Martinho de Anta 12. 8. 1907, †Coimbra 17. 1. 1995; war Arzt in Coimbra. Sein umfangreiches Werk (Gedichte, Romane, Dramen u.a.) ist eng an seine Heimat, den abgelegenen NO Portugals, gebunden: »Die Erschaffung der Welt« (autobiograph. R., 6 Tle., 1937–81), »Tiere« (Tiergeschichten, 1940), »Senhor Ventura« (R., 1943), »Neue Erzählungen aus dem Gebirge« (1944), »Weinlese« (R., 1945), »Findlinge« (Erz.n., dt. Auswahl 1993).

Torgau, Kreisstadt des Landkr. T.-Oschatz, Sachsen, an der Elbe, 20 200 Ew.; Elbhafen, Glashütte, keram. u.a. Industrie. – Auf einem niedrigen Porphyrfelsen erhebt sich Schloss **Hartenfels** (im 16. bis 17. Jh. unter Einbeziehung von Teilen der Vorgängerburg errichtet), ein frühes Hauptwerk der dt. Renaissance; Schlosskirche (16. Jh.), spätgot. Marienkirche (Hallenkirche, begonnen um 1390), Renaissancerathaus (1561–65). – T. entstand bei einer dt. Burg; 973 erstmals erwähnt, 1255/67 Stadtrecht; ab 1485 zeitweilige Residenz der ernestin. Kurfürsten, 1525–47 geistiges und polit. Zentrum (Kur-)Sachsens; 1547 (Schlacht bei Mühlberg) bis 17. Jh. kurfürstl. Nebenresidenz; Ausbau zur Festung 1811–13 (Schleifung ab 1890); 1815 zu Preußen (Prov. Sachsen), 1945 wieder zu Sachsen. – Am 25. 4. 1945 trafen bei T. amerikan. und sowjet. Truppen zusammen (Denkmal). Weiteres BILD Krebs, Konrad

Torgau: Schloss Hartenfels, ein frühes Hauptwerk der deutschen Renaissance, wurde im 16. Jh. vollendet, rechts daneben ist die spätgotische Marienkirche zu erkennen

Torgau-Oschatz, Landkreis in Sachsen, 1168 km², (1997) 104 800 Ew.; Krst. ist Torgau.

Torgelow [-lo:], Stadt im Landkr. Uecker-Randow, Meckl.-Vorp., 12 100 Ew.; Gießerei und Maschinenbau, elektrotechn. u.a. Industrie. – 1281 bezeugt, 1945 Stadt.

Torguten, einer der unter dem Namen →Dsungaren zusammengefassten vier westmongolischen Stämme.

Tories ['tɔ:rɪz; aus irisch toraidhe »Verfolgter«], im 17. Jh. engl. Spottname für ir. Katholiken, dann

Tornado mit typischem, bis zum Erdboden reichendem Wirbel, dem Rüssel; rechts daneben Wirbelsturm am 8. August 1965 in Oklahoma

für die Parlamentsgruppe, die König Jakob II. gegen die →Whigs unterstützte. Die T. stellten 1710–14 und nach der Reformierung durch W. Pitt d. J. 1784–1830 (mit kurzen Unterbrechungen) die brit. Reg. Sie vertraten die Auffassungen der anglikan. Staatskirche und die Interessen des ländl. Grundbesitzes. Die Reform-Bill der Whigs von 1832 löste die Wandlung der T. zur →Konservativen und Unionistischen Partei aus.

Torii [japan. »Vogelsitz«] *das,* Tor vor Shintō-Heiligtümern, gebildet aus zwei senkrechten, manchmal leicht einander zugeneigten Holzpfeilern, die durch zwei Querbalken verbunden und oft mit einem Seil aus Stroh mit gefalteten Papierstreifen geschmückt sind.

Torino, italien. Name von →Turin.

Torkretverfahren, Verfahren zur Herstellung zusätzl. Betonschichten; diese werden zur Verstärkung von Betonbauteilen, zur Stabilisierung von Baugrund und Felshängen sowie als Spritzbetonschalen für Tunnelwandungen angewendet. Ausgangsstoffe sind eine Trockenmischung aus Zement und Zuschlagstoffen, Wasser wird erst am Anwendungsort zugesetzt.

Törl, *Geographie:* →Tor.

Torlauf, *alpiner Skisport:* der →Slalom.

Törn [niederdt.] *der, seemännisch:* 1) Tauwindung; 2) bestimmte wiederkehrende Zeitfolge (z. B. Wach-T.); 3) Zeitabschnitt einer Reise (z. B. Seetörn).

Tornado [engl., wohl zu span. tronada »Gewitter«] *der,* kleinräumiger Wirbelsturm bzw. Trombe in Nordamerika und Australien (selten auch in Mitteleuropa), entsteht v. a. in der warmen Jahreshälfte und in Verbindung mit Gewitterwolken. T. rufen v. a. in den USA verheerende Zerstörungen hervor, bes. im Zentrum des Luftwirbels, im Bereich des wandernden, durch starke Aufwinde geprägten Schlauchs (»Rüssel«), der mit Wassertropfen als Folge der Kondensationsvorgänge bei starkem Druckabfall und mit aufgewirbeltem Staub gefüllt ist und sich von der Gewitterwolke in Richtung Erdboden erstreckt.

Tornado *der,* zweisitziges, allwetterfähiges Mehrzweckkampfflugzeug (engl. **M**ulti-**R**ole **C**ombat **A**ircraft, Abk. **MRCA**) mit Schwenkflügel. Gemeinschaftsprojekt der Länder Großbritannien, Italien und Bundesrep. Dtl.; Erstflug 1974; Nachfolgemodell des Starfighters. Bild Kampfflugzeug

Torneälv *der* (finn. Tornionjoki), Fluss in Skandinavien, 410 km lang, entsteht an der schwedisch-

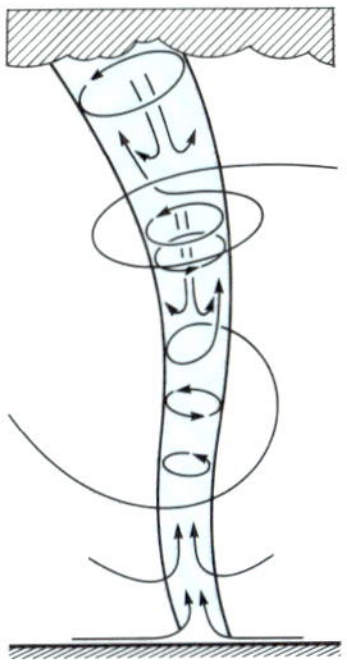

Tornado: Luftströmungen in einem Tornado

Tornado

Wo in Nordamerika gibt es die meisten Tornados?

In Texas. Dort gibt es durchschnittlich pro Jahr 124 dieser windigen Monster. Oklahoma liegt mit durchschnittlich 56 Wirbeltrichtern auf Platz 2, holt in letzter Zeit aber mächtig auf.

Tornados haben mit Durchmessern von einigen Hundert Metern für Wirbelstürme eine relativ geringe Ausdehnung. Sie entstehen bei bodennaher schwül-heißer Luft und einer darüber liegenden kälteren Luftschicht aus Gewitterwolken, von denen sich ein »Wolkenrüssel« zum Erdboden erstreckt. Wie Hurrikane und Taifune besitzen auch sie ein windstilles »Auge«, eine Achse, um die sich die rasenden Wirbel drehen.

Toronto: Stadtansicht mit dem 553 m hohen »Canadian Tower«, einem 1975 eingeweihten Fernsehturm

norweg. Grenze, durchfließt den See **Torneträsk** (322 km² groß), bildet im Unterlauf die Grenze zw. Finnland und Schweden und mündet bei Haparanda-Tornio in den Bottn. Meerbusen.

Tọrnio (schwed. Torneå), Hafen- und Industriestadt in der Prov. Lappi (Lappland), Finnland, an der Mündung des Torneälv, 23 300 Ew.; Holzind., Verhüttung von Chromerzen.

Toronto
Stadtwappen

Torọnto [engl. tə'rɔntəʊ], Hauptstadt der Prov. Ontario, Kanada, am Ontariosee, 635 400 Ew.; als Metropolitan Area 3,9 Mio. Ew.; kath. Erzbischofssitz, anglikan. und ukrain.-unierter Bischofssitz; zwei Univ., TH, Kunstakademie; wichtigstes Wirtschafts-, Finanz- und Kulturzentrum Anglokanadas. Elektro-, Metall-, Maschinen-, Bekleidungsind., Erdölraffinerien, Druckereien, Verlage; Hafen und Getreideelevatoren; alljährl. große kanad. Nationalausstellung, bedeutendste Börse für Montanwerte der Erde. – Im Schachbrettmuster angelegte Altstadt, deren ältester erhaltener Ziegelbau, »The Grange«, ein typ. Herrenhaus von 1830 (seit 1911 Museum) ist; daran anschließend der Neubau der Art Gallery of Ontario (1989–92). Wahrzeichen der modernen Stadt sind die City Hall (1958–65) und der Canadian Tower (Fernsehturm, 553 m, 1975 eingeweiht). Seit 1967 entstanden unterird. Einkaufspassagen von rd. 4 km Länge. – 1793 unter dem Namen York von brit. Loyalisten gegr., wurde 1796 Hptst. von Oberkanada, 1834 in T. umbenannt; seit 1867 Hptst. von Ontario.

Torpẹdo [nach lat. torpedo »Zitterrochen«] *der, Militärwesen:* zigarrenförmiges Unterwassergeschoss mit Eigenantrieb und selbsttätigen Steuereinrichtungen für Geradlauf und Tiefenlauf, das beim Aufschlag detoniert. Im Kopf befindet sich chem. Sprengstoff oder eine nukleare Sprengladung. Beim Abschuss (unter Wasser: Ausstoß) des T. wird die Antriebsmaschine angelassen. Diese treibt zwei gegenläufige Propeller an, die eine Drehung um die Längsachse und Kursabweichungen des T. verhindern. Durch Programmsteuerung für Kurven- oder Schleifenlauf sowie zielsuchende Einrichtungen und Fernlenkung wurde die Treffsicherheit wesentlich verbessert.

Torpẹdoboot, kleines, schnelles, wendiges Kriegsschiff, bes. für den Einsatz von Torpedos; seit dem 2. Weltkrieg → Zerstörer.

Torquemada [tɔrke'maða], Tomás de, span. kath. Theologe, Dominikaner, * Valladolid 1420, † Ávila 16. 9. 1498; Beichtvater von Isabella I. und Ferdinand II.; seit 1484 als Generalinquisitor Leiter der span. → Inquisition.

Tọrr [nach E. Torricelli] *das,* Einheitenzeichen **Torr,** veraltete Einheit des Drucks, bes. des Luftdrucks, 1 Torr = 1,333224 mbar = 133,3224 Pa, 1 Pa = 0,0075 Torr.

Tọrre Annunziạta, Stadt in Kampanien, Prov. Neapel, Italien, am Golf von Neapel, 50 700 Ew.; eisenhaltige Mineralquellen; Teigwarenherstellung, Stahlwerk; Hafen; weitläufige röm. Villenanlage (um 50 v. Chr.; UNESCO-Welterbe).

Tọrre del Grẹco, Stadt in Kampanien, Prov. Neapel, Italien, am Golf von Neapel, 99 600 Ew.; Kunstgewerbeschule, Kameenmuseum, Kameenherstellung.

Torremolịnos, Seebad in Andalusien, an der Costa del Sol, südwestlich von Málaga, Spanien, 40 000 Ew.; Spielkasinos, Weinmuseum.

Torrens ['tɔrənz], Robert, brit. Volkswirtschaftler, * Harvey Hill (Distr. Derry) 1780, † London 27. 5. 1864; Vertreter der Currencytheorie; beschäftigte sich v. a. mit der Arbeitswertlehre, der Theorie der komparativen Kosten und der Zolltheorie.

Tọrrenssee (engl. Lake Torrens), Salzpfanne in S-Australien, rd. 5 900 km² groß.

Torrẹnte [span.] *der,* Gewässer, das nur nach starken Niederschlägen Wasser führt; bes. in den Mittelmeerländern.

Torrẹnte Ballester [-ʎɛs'ter], Gonzalo, span. Schriftsteller und Literarhistoriker, * El Ferrol 13. 6. 1910, † Salamanca 27. 1. 1999; schrieb zunächst ex-

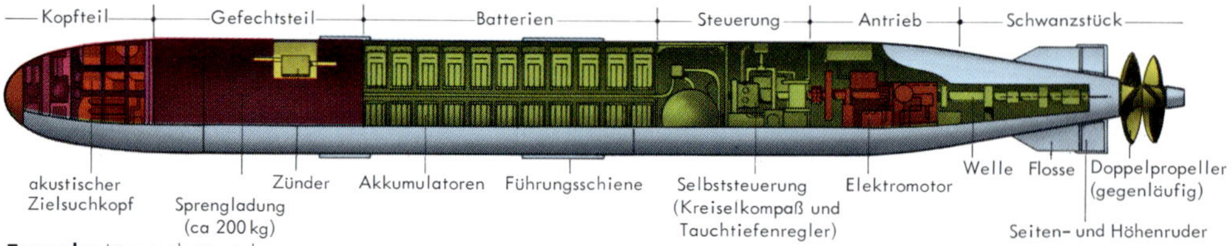

Torpedo: Längsschnittzeichnung

perimentelle Theaterstücke, später v.a. Romane. Hauptwerk ist die Trilogie »Licht und Schatten« (1957–62), eine Familiensaga aus den 1930er-Jahren.

Torreón, Stadt im Staat Coahuila, Mexiko, 1130 m ü.M., 792 000 Ew.; Mittelpunkt eines Baumwollanbaugebiets; Hüttenwerke, Mühlen-, Textilindustrie.

Torres Restrepo, Camilo, kolumbian. kath. Theologe und Revolutionär, *Bogotá 3. 2. 1929, †(erschossen) Cúcuta 15. 2. 1966; 1954–65 Priester; schloss sich der Guerillabewegung an, im Kampf mit Regierungstruppen getötet. Als »Theologe der Revolution« setzte er sich für eine – wenn nötig gewaltsame – Veränderung der Gesellschaft ein.

Torres|straße, Meeresstraße zwischen der Kap-York-Halbinsel, Australien, und Neuguinea, 1606 von dem Spanier L. V. de Torres entdeckt; zahlr. Inseln (Torres Strait Islands), Bewohner polynes., melanes. und austral. Herkunft.

Torricelli [-'tʃɛlli], Evangelista, italien. Mathematiker und Physiker, *Faenza 15. 10. 1608, †Florenz 25. 10. 1647; entwickelte das Quecksilberbarometer und erzeugte ein künstl. Vakuum (torricellische Leere). Er formulierte das Ausflussgesetz (→Ausfluss) und trug mit seinem Hauptwerk »Opera geometrica« (1644) wesentlich zur Entwicklung der Infinitesimalrechnung bei.

Arturo Toscanini (1932)

Tórshavn ['tɔːʊrshɔːʊn] (dänisch Thorshavn), Hauptstadt der Färöer, 14 500 Ew., im SO der Insel Strømø; Sitz des Lagtings; Univ.; Fischfang und -verarbeitung; Hafen.

Torsion [lat.] *die,* **1)** *Mathematik:* die Windung einer Raumkurve.

2) *Medizin:* Achsendrehung (bezogen auf ein Organ, z.B. Hodentorsion, Darmverschlingung).

3) *Physik:* (Drillung, Verdrehung, Verwindung) besondere Form der →Scherung, verursacht durch zwei gleich große, aber entgegengesetzt gerichtete, in endl. Abstand voneinander angreifende Drehmomente, bes. bei lang gestreckten Körpern (z.B. Welle).

Torsionsmodul, der →Schubmodul.

Torsions|stab (Drehstab), auf Torsion beanspruchte Stabfeder aus hochelast. Stahl; dient z.B. beim Kfz. zur Radfederung und als Stabilisator zur Verminderung der Kurvenneigung.

Torsionswaage, die →Drehwaage.

Torso [italien.] *der,* fragmentarisch erhaltene oder unvollendete Statue, bei der Teile abgebrochen oder nie ausgeführt worden sind.

Gonzalo Torrente Ballester

Torstenson, Lennart, Graf von Ortala (seit 1647), schwed. Feldherr, *Forstena (bei Vänersborg) 17. 8. 1603, †Stockholm 7. 4. 1651; befehligte 1641–45 das schwed. Heer in Dtl. Er siegte bei Breitenfeld 1642 und besetzte 1643 Jütland.

Torticollis [lat.] *der,* der →Schiefhals.

Tortilla [-'tiʎa, span.] *die,* Omelett der span. Küche, mit Kartoffeln u.a. Zutaten; in Lateinamerika Fladenbrot aus Maismehl.

Camilo Torres Restrepo

Tortosa, Stadt in Katalonien, Prov. Tarragona, Spanien, am Ebro, 32 000 Ew.; Öl-, Wein-, Reishandel; Eisen- und Textilindustrie; Kathedrale (1347–1557).

Toruń ['tɔrujn], Stadt in Polen, →Thorn.

Torus [lat.] *der* **1)** *Architektur:* halbrund hervortretendes Polster antiker Säulenbasen (→Säulenordnung); das eingekehlte Glied ist der **Trochilus.**

2) *Mathematik:* (Ringfläche) Fläche, die durch Rotation eines Kreises um eine in seiner Ebene liegende, den Kreis nicht treffende Gerade entsteht; auch Bez. für den von dieser Fläche begrenzten Körper.

Tosa (italien. Toce), westl. Zufluss des Lago Maggiore in Oberitalien, 80 km lang; entspringt an der Grenze zum schweizer. Kanton Tessin, bildet den 160 m hohen Wasserfall »La Frua«, mündet nordwestlich von Pallanza.

Evangelista Torricelli (zeitgenössischer Stich)

Tosbecken, Wasserauffangbecken unterhalb eines Wehrs oder einer Schussrinne.

Toscanini, Arturo, italien. Dirigent, *Parma 25. 3. 1867, †New York 16. 1. 1957; 1898–1903 und 1906–08 Kapellmeister an der Scala in Mailand, 1908–15 Dirigent an der Metropolitan Opera in New York, 1921–29 Direktor der Scala in Mailand, danach Orchesterleiter in Amerika und Dirigent bei den Bayreuther und den Salzburger Festspielen. Als Gegner des Faschismus emigrierte er 1938 in die USA, kehrte aber 1946 nach Italien zurück.

Tosefta [aramäisch »Hinzufügung«] *die, Judentum:* Sammlung früher rabbin. Überlieferungen parallel zur Mischna; als Sammelwerk in ihrer Endgestalt wohl um 300 in Palästina entstanden.

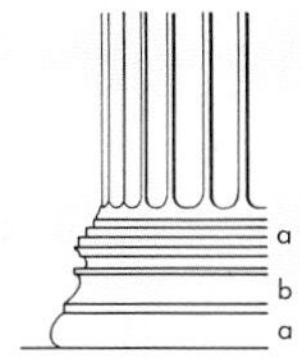

Torus 1): a Torus, b Trochilus

Toshiba Corp. [tɔ'ʃiba kɔpɔ'reɪʃn], Kurzbez. für Tokyo Shibaura Denki Kabushiki Kaisha, Tokio, japan. Konzern der elektrotechn. und elektron. Industrie; gegr. 1875.

Toskana *die* (italien. Toscana), histor. Landschaft und Region Mittelitaliens, eingeteilt in 9

Toskana: Landschaft bei Castelfiorentino südwestlich von Florenz

Provinzen, 22 993 km², (1995) 3,52 Mio. Ew.; Hptst.: Florenz. Die T. umfasst Teile des Apennin, das Toskan. Berg- und Hügelland, die Küstenniederungen der Maremmen, die Toskan. Inseln (u.a. Elba). Hauptfluss ist der Arno. Bodenschätze: Eisenerz, Pyrit, Zinkerz, Quecksilber, Marmor (Carrara, Massa), Salz. Anbau von Oliven, Wein (Chianti; BILD Italien); Fremdenverkehr; bes. dicht besiedelte und gut kultivierte Region Italiens. An der Küste liegen viel besuchte Seebäder (Viareggio, Forte dei Marmi u.a.). Die T. besitzt eine große Zahl historisch und kunstgeschichtlich bed. Städte, meist etrusk. Ursprungs. Sie liegen auf Hügeln und Bergkuppen (Siena, Volterra, San Gimignano, Arezzo u.a.), andere in fruchtbaren Becken (Florenz, Pistoia, Lucca, Pisa u.a.).

Geschichte: Nach dem Untergang des Weström. Reiches (476) stand **Tuszien,** das antike Etrurien, nacheinander unter ostgot., byzantin., langobard. (Hauptort Lucca) und fränk. (seit 774) Herrschaft. In fränk. Zeit war die T. Grafschaft, seit dem 11. Jh. Markgrafschaft. Nach dem Tod der Markgräfin →Mathilde (1115) aus dem Haus Canossa war das Erbe zw. Kaiser und Papst umstritten. Das Gebiet zerfiel in mehrere Stadtstaaten, unter denen Florenz die Vorherrschaft gewann (unter den Medici 1531 Errichtung des Herzogtums Florenz, 1569 zum Großherzogtum T. erhoben). Als die Medici im Mannesstamm 1737 ausstarben, kam die T. aufgrund der Bestimmungen des Wiener Friedens von 1735 an den späteren Kaiser Franz I. Nach seinem Tod 1765 regierte eine habsburg. Nebenlinie. Unter frz. Besetzung (seit 1799) fiel die T. 1801 als **Königreich Etrurien** an Bourbon-Parma, 1807 wurde sie von Frankreich annektiert. Auf dem Wiener Kongress erhielten die Habsburger die T. zurück. 1859 kam es zu einem Aufstand, in dessen Folge (Volksabstimmung 1860) die Vereinigung mit Piemont-Sardinien erreicht wurde.

📖 *Reclams Kunstführer Italien, Bd. 3, Tl. 2:* KAUFFMANN, G.: *T. (ohne Florenz). Stuttgart 1984.* – BRAUNFELS, W.: *Mittelalterliche Stadtbaukunst in der T. Berlin* [6]*1988.* – PESENDORFER, F.: *Die Habsburger in der T. Wien 1988.* – EISELE, R.: *T. München 1997.*

Tosken, eine Hauptgruppe der →Albaner.

totaler Krieg, Bez. für eine Art der Kriegführung, in der von einer Partei alle materiellen und personellen Ressourcen für Kriegszwecke eingesetzt werden und die neben den eigentl. Kampfhandlungen auf den Kriegsschauplätzen auch den Wirtschaftskrieg sowie den psycholog. und ideolog. Kampf umfasst. Durch Anwendung von Seeblockaden, Flächenbombardements und Einsatz von Massenvernichtungswaffen im Hinterland der Front wird im t. K. der Unterschied zw. Kombattanten und Nichtkombattanten aufgelöst, die Zivilbev. wird zum bewussten Ziel der Kriegführung. – In der Folge der wirtsch.-techn. sowie gesellschaftspolit. Entwicklungen seit dem ausgehenden 19. Jh. wies erstmals der 1. Weltkrieg (bes. seit 1916/17) alle Merkmale des t. K. auf; seine besondere Ausprägung erfuhr der t. K. im 2. Weltkrieg.

Totalisator [frz.] *der,* **1)** *Meteorologie:* Gerät zur Bestimmung der Niederschlagsmenge.

2) *Pferdesport:* der amtl. Wettbetrieb auf der Rennbahn.

Totalitarismus [lat.] *der,* das Prinzip derjenigen polit. Herrschaft, die einen uneingeschränkten Verfügungsanspruch über die von ihr Beherrschten stellt und ihn über die öffentlich-gesellschaftl. Sphäre hinaus auf den Bereich des Persönlichen ausdehnt. Ziel totalitärer Herrschaft ist es, ein umfassendes neues Wertsystem durchzusetzen; weitere Merkmale: polit. Diktatur (u.a. Verbot der freien Parteibildung, keine freien Wahlen, keine Gewaltenteilung, keine Achtung der Menschenrechte und keine richterliche Unabhängigkeit); Medienmonopol der Machtgruppe (Partei, Bewegung); geistige Manipulation der Bev., Terror gegen Staatsbürger, die sich nicht fügen oder als potenzielle Gegner gelten; Politisierung der Privatsphäre.

Der Begriff **totalitär** wurde nach dem 1. Weltkrieg zunächst in Italien geprägt. B. Mussolini verwendete ihn für das von ihm geschaffene Herrschaftssystem (»stato totalitario«). In Dtl. fand der Begriff v.a. über die Staatsrechtslehrer C. Schmitt und E. Forsthoff Eingang.

📖 HORNUNG, K.: *Das totalitäre Zeitalter. Bilanz des 20. Jh. Berlin u. a. 1993.* – ARENDT, H.: *Elemente u. Ursprünge totaler Herrschaft. A. d. Engl. München u. a. 14.–17. Tsd.,* [4]*1995.*

Total Organic Carbon ['təʊtl ɔ:'gænɪk 'kɑ:bn, engl.], Abk. **TOC,** Bez. für den gesamten organisch gebunden Kohlenstoff und damit eine wichtige Kenngröße für die Belastung eines Abwassers mit organ. Stoffen.

Totleis, bewegungslos gewordene Teile von Gletschern oder Inlandeis, oft von Moränen- bzw. Schmelzwasserablagerungen überdeckt, wodurch das T. lange erhalten bleibt. Beim Abtauen entstehen unregelmäßige, meist abflusslose Hohlformen **(T.-Loch).**

Totem [engl., aus indian.] *das,* bei vielen Naturvölkern ein Tier, seltener eine Pflanze oder Naturerscheinung und deren bildl. oder symbol. Darstellung, mit denen sich ein Mensch oder eine Gruppe seelisch verbunden fühlt. Das T. gilt als Ahne, Schützer, Helfer oder Gefährte für die Mitglieder der gleichen T.-Gruppe, die sich als blutsverwandt betrachten. Daraus und aus dem Glauben an das T. **(Totemismus)** entspringen Tabuvorschriften (z.B. Essverbot).

Totempfahl, → Wappenpfahl.

Totenbuch, 1) altägypt. Sammlung von Sprüchen, die sich auf das Leben nach dem Tod und auf die Überwindung jenseitiger Gefahren beziehen, auf Papyrus geschrieben, oft mit Bildern; seit dem Neuen Reich dem Toten ins Grab gelegt.

2) (Tibet. T.) Text aus einer Sammlung buddhist. Unterweisungen; er wird dem gerade Verstorbenen von einem Lama verlesen, um ihn auf die Erscheinungen vorzubereiten, die ihm im Zustand zw. Tod und Wiedergeburt begegnen.

Totengericht, → Gericht Gottes.

Totengräber, Gattung der → Aaskäfer.

Totenkäfer, zwei Arten der Käfergattung Blaps (Blaps mortisaga und Blaps mucronata) aus der Familie Schwarzkäfer, mit Stinkdrüsen; die 2–3 cm großen blauschwarzen Tiere leben in Kellern, Schuppen, Holzlagern, unter Steinen und Brettern, ernähren sich von toten pflanzl. Stoffen.

Totenklage, zeremonielles lautes Klagen und Weinen meist von Frauen, oft berufsmäßigen Klageweibern; seit der Antike bezeugt.

Totenkopfschwärmer (Spannweite bis zu 13 cm)

Totenkopfschwärmer (Acherontia atropos), zu den Schwärmern gehörender Schmetterling mit totenkopfähnl. Zeichnung auf der Oberseite; er fliegt aus Afrika und den Mittelmeerländern bis Mittel- und N-Europa. Die bis 15 cm große Raupe lebt bes. am Kartoffelkraut.

Totenbuch 1) aus dem Grab Nr. 36 im Tal der Könige mit Darstellung eines Begräbniszugs (um 1450 v. Chr.; Kairo, Ägyptisches Museum)

Totenkult, die Gesamtheit der aus Anlass des Todes am Verstorbenen und in Bezug auf ihn vollzogenen rituellen Handlungen als Ausdruck der Pietät gegenüber dem Verstorbenen. Der T. ist Bestandteil aller Kulturen und Religionen und mit unterschiedl. Zielsetzungen verbunden, v.a. in Naturreligionen mit dem Bestreben, die als unheimlich empfundene Macht des Toten in ihren positiven Aspekten der Gemeinschaft der Hinterbliebenen zu vermitteln und ihre negativen Auswirkungen abzuwenden (→ Geister). Viele Religionen alter Kulturen verstanden den T. vorrangig als Zurüstung und Ausstattung des Verstorbenen für seine Reise ins Totenreich (z.B. Hades, Hel). Wesentlich sind die Totenbestattung (→ Bestattung), die → Totenklage und die Errichtung, Pflege und Verehrung von Grabstätten (→ Grab, → Grabmal).

📖 KEES, H.: *Totenglauben u. Jenseitsvorstellungen der alten Ägypter. Berlin* [5]*1983.* – *Bestattungswesen u. T. in ur- u. frühgeschichtl. Zeit, hg. v.* F. HORST *u. a.*

Totenkäfer: Blabs mortisaga (Größe 2–3 cm)

Berlin 1991. – Illi, M.: *Wohin die Toten gingen. Begräbnis u. Kirchhof in der vorindustriellen Stadt. Zürich 1992.* – Mooren, T.: *Die vertauschten Schädel. Tod u. Sterben in Naturreligionen, Hinduismus u. Christentum. Düsseldorf 1995.*

Totenmaske, vom Gesicht eines Verstorbenen unmittelbar nach dem Tod genommene Abformung in Gips oder Wachs, oft Grundlage für Bildnisse im alten Ägypten, in der Antike und seit dem späten Mittelalter.

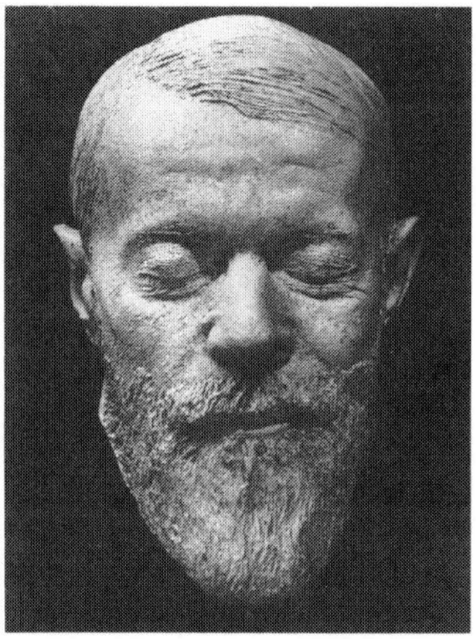

Totenmaske des Nationalökonomen und Soziologen Max Weber

Totenmesse, das →Requiem.

Totensonntag (Ewigkeitssonntag), in den dt. evang. Kirchen der dem Gedenken der Verstorbenen gewidmete letzte Sonntag des Kirchenjahrs.

Totenstarre (Leichenstarre), die Erstarrung der Muskulatur nach dem Tode durch Anhäufung saurer Metabolite als Folge des Stillstands der Blutzirkulation. Die T. beginnt etwa 4 bis 12 Stunden nach Eintritt des Todes und breitet sich am ersten Tag über alle Muskelgruppen des Körpers aus. Die Lösung der T., bedingt durch Zersetzungsprozesse, beginnt etwa 48 Stunden nach dem Tod und ist innerhalb weniger Tage beendet.

Totentanz, *Kunst:* →Tod.

Totentrompete (Herbsttrompete, Craterellus cornucopioides), schwärzl. bis schiefergrauer Leistenpilz in Laubwäldern, essbar.

Toten|uhr, volkstümliche Bez. für die Klopfkäferart Anobium punctatum.

toter Mann, 1) *Bergbau:* stillgelegter, z.T. mit Abraum gefüllter Schacht.

2) *Metallurgie:* nicht durchgeschmolzene Beschickungssäule im Kern eines Schachtofens.

toter Punkt, *Technik:* der →Totpunkt.

toter Winkel, *Kraftfahrzeug:* der hinter und seitlich von einem Kfz durch die Rückspiegel nicht einsehbare Raum.

Totes Gebirge, verkarstete Gebirgsgruppe der Salzburger Kalkalpen, Österreich, im Großen Priel 2514 m ü. M.

Totonaken: Tonfigur, Höhe 44 cm (Jalapa, Mexiko, Anthropologisches Museum)

Totes Meer (arab. Al-Bahr al-Maijit, hebr. Yam-Hammelah), abflussloser Salzsee im Jordangraben zw. Israel und Jordanien, 80 km lang, bis 18 km breit, 1020 km² groß; durch die Halbinsel Lisan und feste Salzablagerungen in zwei Becken (Teilseen) geteilt; der Wasserspiegel liegt bei rd. 400 m u. M. (durch Verdunstung ständig sinkend), tiefste Stelle 829 m u. M. (tiefste Depression der Erde); wichtigster Zufluss ist der Jordan; Gewinnung von Kali- und Bromsalzen. Über die Handschriftenfunde am T. M. →Qumran.

tote Zone, allg. Bez. für einen Raumbereich, in dem ein Signal nicht empfangen werden kann, z.B. der Bereich um einen Kurzwellensender, in dem die Bodenwelle nicht mehr und die Raumwelle noch nicht empfangen werden kann.

Totgeburt, Leibesfrucht, bei der nach vollständigem Verlassen des Mutterleibes keine Herztätigkeit und Lungenatmung oder nur eines von beiden Lebenszeichen vorhanden war, das Geburtsgewicht jedoch mindestens 1000 g betrug. Für T. besteht standesamtl. Meldepflicht.

Totila (Badwila), König der Ostgoten (541–552), †Caprae (heute Caprara, Gem. Gualdo Tadino, Prov. Perugia) 552; eroberte 546 Rom zurück, unterlag den Byzantinern unter Narses, dabei tödlich verwundet.

Totlage, *Technik:* der →Totpunkt.

Toto [Kurzbildung aus **To**talisa**tor**] *das,* auch *der,* Wettverfahren im Fußball- (→Fußballtoto) und Pferderennsport (→Totalisator).

Totò, eigtl. Antonio De Curtis Gagliardi Griffo Folas, italien. Schauspieler, *Neapel 15. 2. 1898, †Rom 19. 4. 1967; Filmkomiker; spielte u.a. in »Mein Allerwertester« (1958), »Große Vögel – kleine Vögel« (1965), »Hexen von heute« (1966).

Totonaken, Indianervolk an der Golfküste Mexikos, nördlich von Veracruz, mit eigener Sprache, die noch von rd. 200000 Menschen gesprochen wird. Die Kultur zeigt Einflüsse der Olmeken, der Teotihuacán-Kultur und der Tolteken.

Totpunkt (toter Punkt, Totlage), Stellung eines Bewegungsmechanismus, bei der eines seiner Glieder durch Richtungsumkehr in Ruhe ist. Insbesondere beim Kurbelgetriebe von Kolbenmaschinen sind der obere (äußere) und untere (innere) T. die Lagen des Kolbens, bei denen dieser durch Wechsel der Bewegungsrichtung die Geschwindigkeit null hat.

Totschlag, vorsätzliche Tötung eines Menschen ohne die strafschärfenden Merkmale des →Mordes (§212 StGB); wird mit Freiheitsstrafe nicht unter fünf Jahren, in bes. schweren Fällen mit lebenslanger Freiheitsstrafe bestraft. War der Täter ohne eigene Schuld durch eine ihm oder einem Angehörigen zugefügte Misshandlung oder schwere Beleidigung zum Zorn gereizt und hierdurch auf der Stelle zur Tat hingerissen worden oder sind andere mildernde Umstände vorhanden, so wird der T. mit Freiheitsstrafe von einem bis zu zehn Jahren bestraft (§213 StGB). – Das *schweizer.* StGB (Art. 111, 113) unterscheidet ähnlich zw. vorsätzl. Tötung und T. (Zuchthaus bis zu zehn Jahren oder Gefängnis von einem bis zu fünf Jahren). Nach dem *österr.* StGB (§76) ist T. die Tötung aus einer allg. begreifl. heftigen Gemütsbewegung; Freiheitsstrafe von fünf bis zehn Jahren.

Tottori, japan. Stadt an der N-Küste des südl. Honshū, 143000 Ew.; Univ.; Seebad; Holz-, Seidenindustrie; an der Küste die höchsten Dünen Japans.

Tötungsdelikte, die Straftaten, durch die vorsätzlich oder fahrlässig der Tod von Menschen verursacht wird. Das StGB unterscheidet bei den **vorsätzl. T.** zw. →Mord, →Totschlag, Tötung auf Verlangen und →Völkermord. **Tötung auf Verlangen** (§216 StGB) liegt vor, wenn der Täter durch das ausdrückl. und ernstl. Verlangen des Getöteten zur Tötung bestimmt worden ist; sie wird mit Freiheitsstrafe von sechs Monaten bis zu fünf Jahren bestraft (→Sterbehilfe). Die **fahrlässige Tötung** wird mit Freiheitsstrafe bis zu fünf Jahren oder mit Geldstrafe bestraft (§222 StGB). – Das *österr.* und *schweizer.* StGB enthalten im Wesentlichen dieselben Bestimmungen.

Totzeit, allg. die Zeit zw. dem Auftreten eines Ereignisses und dem dadurch bewirkten Effekt, z.B. in der Messtechnik die Zeit zw. der Änderung einer Messgröße und deren Nachweis durch einen Messfühler.

Totonaken: Tonfigur einer sitzenden Frau mit Ohrlöchern, die vermutlich dem Aufstecken von Federschmuck dienten (um 500–900; Mexiko, Anthropologisches Nationalmuseum)

Touggourt [tu'gu:rt, frz.] (Tuggurt, Tughghurt), Oasenstadt in O-Algerien, 135000 Ew.; Dattelanbau und -handel; vielseitiges Handwerk; Endpunkt der Bahnlinie von Constantine-Biskra, Flughafen; in der Umgebung Erdölförderung. – Malerische Altstadt.

Toul [tul], Stadt im Dép. Meurthe-et-Moselle, Frankreich, an der Mosel und am Rhein-Marne-Kanal, 17700 Ew.; Weinbau und -handel. – Kathedrale Saint-Étienne (13./14. Jh., W-Fassade 15. Jh.). – T., die antike **Civitas (Tullum) Leucorum,** wurde im 4. Jh. Bischofssitz, kam 925 zum Ostfränk. Reich und wurde im 13. Jh. Reichsstadt. 1552, bestätigt erst 1648, wurde es mit dem reichsunmittelbaren Gebiet der Bischöfe französisch.

Toulon Stadtwappen

Toulon [tu'lɔ̃], Hauptstadt des Dép. Var, Frankreich, am Mittelmeer, 170200 Ew.; Univ., Forschungszentrum für Ozeanographie, Museen; Maschinen- und Apparatebau, chem., Kork verarbeitende, Möbelind., Werften; Handels- und Fischereihafen. – Schon das grch.-röm. **Telo Martius** war ein bed. Hafen. Im MA. gehörte T. zur Provence und kam mit dieser 1481 an Frankreich; im 17. Jh. Ausbau zum Kriegshafen.

Toulouse Stadtwappen

Toulouse [tu'lu:z], Hauptstadt der Region Midi-Pyrénées und des Dép. Haute-Garonne in S-Frankreich, an der Garonne und am Canal du Midi, 366000 Ew.; Erzbischofssitz; Univ. (gegr. 1229), polytechn. Hochschule, Institut Catholique, Raumforschungszentrum mit Hochschule für Aeronautik, Veterinärhochschule, Forschungsinstitute; Museen; Luft- und Raumfahrt-, Elektronik-, chem., Textil-, Leder-, Papierindustrie, Metallverarbeitung. – Capitol (1750–60, ehem. Sitz des Magistrats, heute Rathaus und Theater), got. Kirche Notre-Dame-du-Tour (14. Jh.), Kathedrale Saint-Étienne (12.–14. Jh.), Basilika Saint-Sernin (11.–13. Jh., im 19. Jh. restauriert), Église des Jacobins (13./14. Jh.), barocke Kirche Notre-Dame-la-Daurade (18. Jh.), Paläste aus Renaissance und Barock. – Das gallisch-röm. **Tolosa,** ein bed. Handelsplatz, wurde 419 n. Chr. die erste Hptst. des Westgotenreichs (daher Tolosan. Reich) und kam 507 unter fränk. Herrschaft; seit dem 9. Jh. Sitz der Grafen von T., im 12. Jh. ein Zentrum der Albigenser. Nach deren Niederwerfung 1226–29 kam T. 1271 zur frz. Krone.

Toulouse-Lautrec [tuluzlo'trɛk], Henri de, frz. Maler und Grafiker, *Albi 24. 11. 1864, †Schloss Malromé (Dép. Gironde) 9. 9. 1901; stammte aus einem alten frz. Adelsgeschlecht; wurde infolge zweier Beinbrüche (1878 und 1879) zum Krüppel; begann früh zu zeichnen und erhielt seine erste Ausbildung in Paris. 1884 zog er auf den Montmartre und fand seine Motive v.a. in den Vergnügungslokalen, Tanzcafés, Kabaretts sowie Bordellen, auf Rennplätzen und im Zirkus. Er wurde so zum krit. Chronisten der Pariser Gesellschaft im ausgehenden 19. Jh. Von E. Degas und dem japan. Farbholzschnitt beeinflusst, wandte er sich immer mehr von der impressionist. Malerei ab. V.a. Elemente japan. Ursprungs wie die Schattenlosigkeit, die diagonale Kompositionslinie, das Anschneiden von Personen am Bildrand und die Vereinfachung und Deformation der Konturen beherrschten die

Henri de Toulouse-Lautrec

Bilder seiner Hauptschaffenszeit. Diese Technik wandte er auch bei seinen in den 1890er-Jahren entstandenen Lithographien an. Farblithographie und Plakat erhielten erst durch ihn künstler. Rang;

Henri de Toulouse-Lautrec: »Die Modistin« (1900; Albi, Musée Toulouse-Lautrec)

durch sie wirkte er stark auf den Jugendstil ein. Weitere BILDER Guilbert, Plakat

📖 NÉRET, G.: *H. de T.-L. 1864–1901, hg. v.* I. F. WALTHER. *A.d. Frz. Köln 1993.* – ARNOLD, M.: *H. de T.-L. Reinbek* [5]*1995.*

Toupet [tu'pe:, frz.] *das,* 1) in die Höhe gekämmtes und künstlich verstärktes Stirnhaar; in der 2. Hälfte des 18. Jh. in Mode; 2) nach Maß angefertigtes Haarersatzteil.

Tourada [to'raða], portugies. Form des →Stierkampfes.

Touraine Historisches Wappen

Touraine [tu'rɛ:n] *die,* Gebiet im westl. Mittelfrankreich, beiderseits der mittleren Loire; sehr fruchtbar (»Garten Frankreichs«), Weinbau bes. im Dép. Indre-et-Loire; Mittelpunkt ist Tours. Vom 15. bis 17. Jh. bevorzugte Residenz der frz. Könige; bed. Fremdenverkehr zu den Loireschlössern.

Tourcoing [tur'kwɛ̃], Stadt im frz. Dép. Nord, 94 400 Ew.; Nat. Studio für zeitgenöss. Kunst »Le Fresnoy« (Umbau von B. Tschumi, 1997); Papier- und v.a. Textilindustrie; Teil des Ballungsraumes Lille–Roubaix–Tourcoing.

Tour de France [turdə'frɑ̃s] *die, Radsport:* das bedeutendste Rennen für Berufsfahrer auf jährlich neu festgelegter Strecke von bis zu 4 000 km in 20–23 Etappen durch Frankreich und Nachbarregionen; erstmals 1903. Es gibt Einzel- und Mannschaftssieger, dazu weitere Wertungen. An jedem Tag trägt der jeweilige Gesamtspitzenreiter das gelbe Trikot. Auch T. de F. für Frauen.

Ahmed Sékou Touré

Touré [tu're:], Ahmed Sékou, Politiker in Guinea, * Faranah (Zentralguinea) 9. 1. 1922, † Cleveland (Oh.) 26. 3. 1984; eine der führenden Persönlichkeiten der Unabhängigkeitsbewegung in Schwarzafrika, dort maßgeblich am Aufbau des Gewerkschaftswesens beteiligt. T. setzte als Reg.chef von Guinea 1958 dessen Unabhängigkeit durch und errichtete als Staatspräs. (1958–84) ein sozialrevolutionär orientiertes, diktator. Regierungssystem.

Tourenwagen ['tu:-], in großer Serie hergestelltes Automobil für Geschwindigkeitswettbewerbe.

Tourenzähler ['tu:r-], →Drehzahl.

Tourismus [tu-; engl., zu tour »Ausflug«] *der* (Touristik, Fremdenverkehr), das mit der modernen Industriegesellschaft verbundene, bes. durch den techn. Fortschritt der Verkehrsmittel geförderte und durch die Ausdehnung von Freizeit, Lebensalter, Bildung und Konsum ebenso ermöglichte wie durch organisierte Reiseangebote erleichterte, primär auf die Freizeit bezogene Reiseverhalten zunehmend größerer Bevölkerungsgruppen. Unterschieden werden u.a. nach der Entfernung Fern- und Nah-T. bzw. Auslands- und Inlands-T., nach der Dauer Kurz- oder Wochenendurlaub und Langzeit- oder Ferienreisen (ab vier Übernachtungen), nach der Teilnehmerzahl Gruppen- und Einzel-T., nach dem Leistungsangebot Pauschal- und Individualreisen. Die Motive für den T. sind physischer (Erholung, Entspannung, Fitness), psychischer (Zerstreuung, Entlastung, Selbstfindung, Abenteuer), interpersoneller (Geselligkeit, Gruppenerfahrungen) und kultureller (Interesse an anderen Gesellschaften, Bildung) sowie sozialpsycholog. Natur (Status- oder Prestigemotivation).

Wirtschaft: Die volkswirtschaftl. Bedeutung des T. liegt in folgenden Bereichen. 1) Der Fern-T. wirkt sich auf die Zahlungsbilanz eines Landes aus; durch die Reisenden aus dem Ausland fließen Devisen zu, durch Auslandsreisen der Inländer fließen sie ab. 2) Der T. schafft Arbeitsplätze (v.a. der Gastronomie, Erholung und Unterhaltung). 3) Es werden Einkommen geschaffen, die über Steuereinnahmen und den Multiplikatoreffekt positive wirtschaftl. Effekte auslösen können. 4) Durch den T. wird eine nicht nur touristisch attraktive Infrastruktur hervorgebracht. 5) Struktur- und regionalpolitisch sorgt der T. dafür, dass in Branchen und Landesteilen die vom Strukturwandel negativ betroffen sind, neue Betätigungsfelder entstehen. Der T. ist geprägt durch seinen Dienstleistungscharakter, die Kapitalintensität, hohe Fixkosten, die Konjunktur- und Saisonabhängigkeit und die Abhängigkeit von den natürlichen Gegebenheiten (Klima, Landschaft), die Umweltqualität und strukturelle Gegebenheiten (Beherbergungs- und Verpflegungsangebot, Einrichtungen für Sport und Freizeitgestaltung, Verkehrswege usw.). Obwohl der überwiegende Teil des T. zw. Industrieländern erfolgt, ist er für die Entwicklungsländer von wachsender Bedeutung. Der positiv bewertete Devisenzufluss wird aber dadurch verringert, dass ein Großteil der Direktinvestitionen für den T. über die Gewinne der in den Industrieländern ansässigen Touristikunternehmen wieder dorthin zurückfließt. Negativ wirkt T. auch, wenn die Länder der Dritten Welt die Kosten der Regionalerschließung und die Umweltschädigungen zahlen müssen.

Gesellschaftliche Bedeutung: Den positiven Folgen (Deviseneinnahmen) stehen aber auch unerwünschte Erscheinungen gegenüber. Bes. in armen Gebieten kann der T. soziale Spannungen schüren und unerfüllbare Bedürfnisse wecken. Sex-T. bringt außer Prostitution auch Kriminalität mit sich. V.a. die durch den T. verursachte Umweltbelastung hat die Idee eines »sanften« oder »nachhaltigen T.« entstehen lassen. Dessen Merkmale sind u.a. zurückhaltende Nutzung von Ressourcen und Schonung der Umwelt, Achtung vor der Menschenwürde und den kulturellen Besonderheiten der jeweiligen einheim. Bevölkerung.

📖 KRIPPENDORF, J.: *Die Landschaftsfresser. T. u. Erholungslandschaft, Verderben oder Segen? Bern* [4]*1986. – Sanfter T., hg. v.* P. HASSLACHER. *Innsbruck 1989. – Tourism as a Factor of change, hg. v.* J. BYSTRZANOWSKI, *2 Tle. Wien 1989.* – MÄDER, U.: *Vom Kolonialismus zum T. – von der Freizeit zur Freiheit. Zürich* [3]*1991.* – FREYER, W.: *T. Einführung in die Fremdenverkehrsökonomie. München u. a.* [5]*1995.* – HENNIG, C.: *Reiselust. Touristen, T. u. Urlaubskultur. Frankfurt am Main u. a. 1997.*

Touristenklasse [tu:-], im Flugreiseverkehr preisgünstige Reiseklasse mit geringerer Bequemlichkeit, bescheidenerer Verpflegung und Beschränkung des Freigepäckgewichts (20 kg).

Touristikmedizin [tu:-] (Reisemedizin), Bereich der Medizin, der sich mit Vorbeugung und Behandlung von Erkrankungen befasst, die in Verbindung mit dem Ferntourismus auftreten; v.a. Impfschutz sowie die Behandlung von Erkrankungen bei Rückkehr aus trop. Ländern.

Tournachon [turnaˈʃɔ̃], Gaspard Félix, frz. Schriftsteller, Karikaturist und Fotograf, →Nadar.

Tournai [turˈnɛ] (niederländ. Doornik), Stadt in der Prov. Hennegau, Belgien, beiderseits der Schelde, 68100 Ew.; kath. Bischofssitz; Textilfachschule; bed. Industriezentrum mit Teppich-, Textil-, Nahrungsmittel-, Elektro-, Zement-, Papier- u.a. Ind. – Kathedrale Notre-Dame (12.–14. Jh.) sowie Kirchen des 12./13. Jh.; Tuchhalle (Renaissance, 1881 erneuert), nahebei der 72 m hohe Belfried (12.–14. Jh.); Rathaus (18. Jh.). – T., das röm. **Turris Nerviorum,** im MA. **Tornacum,** war im 5. Jh. Sitz der merowing. Könige, wurde im 6. Jh. Bischofssitz und unterstand seit dem 9. Jh. mit seiner Umgebung **(Tournaisis)** den Grafen von Flandern. Im 14. und 15. Jh. war T. bed. durch seine →Bildwirkerei. BILD niederländische Kunst

Michel Tournier

Tournier [turnˈje], Michel, frz. Schriftsteller, *Paris 19. 12. 1924; verarbeitet in seinen Romanen und Erzählungen meist tradierte Stoffe oder Mythen, die er originell umdeutet: »Freitag oder Im Schoße des Pazifik« (R., 1967), »Die Familie Adam« (Erz.n, 1978), »Gilles und Jeanne« (R., 1983), »Der Goldtropfen« (R., 1985). Seine enge Beziehung zur dt. Kultur zeigt bes. sein erfolgreichster Roman »Der Erlkönig« (1970).

Tours
Stadtwappen

Tours [tu:r], Hptst. des Dép. Indre-et-Loire, Frankreich, zw. dem linken Ufer der Loire und dem rechten Ufer des Cher, 133000 Ew.; Erzbischofssitz; Univ., Institut zum Studium der Renaissance; Museen; Metall verarbeitende, Elektro-, Möbel-, Bekleidungs- u.a. Industrie. – Kathedrale Saint-Gatien (13.–16. Jh.), Reste der Abteikirche Saint-Martin (11.–13. Jh., 1562 und 1802 zerstört; Neubau 1887–1924, mit dem Grab des hl. Martin), Erzbischofspalast (17./18. Jh.), Kirche Saint-Julien (13. Jh.), Steinbrücke über die Loire (435 m lang). – T., das röm. **Caesarodunum,** Zentrum der gall. Turonen, war Hptst. der →Touraine; erhielt durch das Wirken des hl. Martin und des hl. Gregor von Tours große kirchl. Bedeutung; wichtiger Wallfahrtsort (Abtei Saint-Martin); Residenz der frz. Könige.

Tower [ˈtaʊə; engl. »Turm«] *der,* →Flughafen.

Tower [ˈtaʊə, engl.] *der* (T. of London), Zitadelle im O der Altstadt von London am nördl.

Tower: Die Zitadelle am nördlichen Themseufer der Londoner Altstadt wurde 1077–97 unter Wilhelm dem Eroberer angelegt; die Towerbrücke stammt aus dem späten 19. Jahrhundert

Themseufer, oberhalb der **Towerbrücke** (erbaut 1886–94); das älteste Bauwerk Londons, von Wilhelm dem Eroberer 1077–97 angelegt, seitdem mehrfach erweitert. Der T., bis zu Karl II. (1660–85) gelegentlich Residenz der engl. Könige, später Staatsgefängnis (bis 1820), ist heute Arsenal und Kaserne. Der älteste Teil, der **White-T.**, enthält ein Waffenmuseum, der **Wakefield-T.** die Kronjuwelen.

Tower

Dem englischen Räuber Colonel Thomas Blood gelang es 1675, sich in der Rolle eines geschwätzigen Priesters Zugang zur oben im Tower gelegenen Schatzkammer zu verschaffen, wo er den verdutzten Wächter überwältigte und Krone und andere königliche Insignien und Juwelen in einen Sack warf. Aber noch innerhalb des Towers schnappte man ihn. Er wurde zum Tode verurteilt, hatte aber das Glück, dass König Karl II. von dem Bubenstück »amused« war, das Urteil aufhob und dem Gauner eine jährliche Pension von 300 Pfund auszahlen ließ. Dafür sollte er ab und zu das Sicherheitssystem überprüfen.

Charles H. Townes

Townes ['taʊnz], Charles Hard, amerikan. Physiker, *Greenville (S. C.) 28. 7. 1915; erhielt für die Arbeiten über die physikal. Grundlagen der Maser- und Laserstrahlung 1964 mit N. G. Bassow und A. M. Prochorow den Nobelpreis für Physik.

Townsend ['taʊnzend], Sir (seit 1941) John Sealy Edward, brit. Physiker, *Galway (Irland) 7. 6. 1868, †Oxford 16. 2. 1957; bestimmte als Erster die Größe der Elementarladung, untersuchte die Bewegung der Elektronen in Gasen.

Township ['taʊnʃɪp, engl.] *das,* Verwaltungseinheit in den USA, bes. in den Neuenglandstaaten; im Apartheidsystem der Rep. Südafrika Wohnsiedlung der Schwarzen, die außerhalb der ihnen zugewiesenen →Homelands in Gebieten arbeiteten, die den Weißen vorbehalten waren. Die T. lagen bes. am Rande großer Städte (u. a. Soweto bei Johannesburg) und waren Zentren des schwarzen Widerstandes gegen die Apartheid.

Township-Art ['taʊnʃɪp ɑ:t, engl.] *die,* vielfältige Kunstströmungen in den Vorstädten südafrikan. Metropolen, in denen sich seit der Mitte der 1970er-Jahre der kulturelle Kampf gegen die weiße Vorherrschaft widerspiegelt. Neben polit. Bildern wurde die T.-A. auch zum Spiegelbild alltägl. Lebensszenen und ein Medium zur Weiterentwicklung traditioneller Kunstformen.

Townsville ['taʊnzvɪl], Hafenstadt in NO-Queensland, Australien, 122 500 Ew.; Univ.; Ind.-, Handels- und Verkehrszentrum; Kupferhütte, Nahrungsmittel- u. a. Ind.; Fremdenverkehrszentrum für das Große Barriereriff; Flugplatz.

Toxämie [grch.] *die* (Toxikämie), 1) durch Blutgifte hervorgerufene Blutveränderungen; 2) Überschwemmung der Blutbahn mit Bakterientoxinen **(Toxinämie)**.

Toxikologie [grch.] *die,* Lehre von den Giften und ihren Wirkungen auf lebende Organismen; Teilgebiet der Pharmakologie.

Toxikose [grch.] *die,* Vergiftungskrankheit, die entweder bei geschädigtem Stoffwechsel durch ungenügend entgiftete Produkte des eigenen Organismus (endogen) oder durch von außen (exogen) zugeführte Stoffe verursacht wird.

Toxine [grch.], von Mikroorganismen, Pflanzen oder Tieren als Stoffwechselprodukte gebildete, wasserlösl. Giftstoffe; bestehen meist aus Proteinen oder Polypeptiden; sie wirken nach Einbringen in einen Organismus als Antigen und rufen nach einer Latenzzeit eine spezif. Schädigung (Organ- oder Nervenschäden, Hämolyse) hervor.

toxisch, *Medizin:* giftig, durch Gift verursacht.

Toxoid [grch.] *das* (Anatoxin), durch Entgiftung (Hitze, Formalin u. a.) unschädlich gemachtes Bakteriengift (mit Antigenwirkung); u. a. zur Schutzimpfung gegen Diphtherie, Wundstarrkrampf.

Toxoplasmose [grch.] *die,* weltweit verbreitete Infektionskrankheit (Zoonose), deren Erreger **(Toxoplasma gondii)** zu den Sporentierchen gehört. Die T. kommt bei zahlr. Tieren vor und kann auf den Menschen übertragen werden. Die Übertragung auf den Menschen erfolgt am häufigsten über Mund und Verdauungstrakt durch nicht genügend gegarte Speisen tier. Herkunft (Fleisch, Eier, Milchprodukte), die vermehrungsfähige Erreger enthalten; daneben ist Ansteckung durch Kontakt mit erkrankten oder latent infizierten Tieren oder durch Schmierinfektion möglich. Die so erworbene T. bleibt häufig latent, mitunter treten vorübergehende Lymphknotenschwellungen, Angina, leichte Hautausschläge u. a. auf, selten lebensbedrohl. Erscheinungen. Die Infektion während der Schwangerschaft kann zu Fehl-, Früh-, Totgeburt oder zu Missbildungen bzw. schweren Erkrankungen des Neugeborenen führen. Die *Behandlung* erfolgt medikamentös mit Pyrimethamin, Sulfadiazin und Folsäure.

Toyama, japan. Stadt auf Honshū, 321 000 Ew.; Univ.; pharmazeut. Ind., Maschinenbau, Erdölraffinerie.

Toyen ['tɔiən], eigtl. Marie Čermínová, tschech. Malerin, *Prag 12. 9. 1902, †Paris 9. 11. 1980; lebte 1925–29 und ab 1947 ständig in Paris. 1934 war sie Gründungsmitglied der Surrealistengruppe in Prag. Ihre unter dem Eindruck des Krieges entstandenen Bilder leiten zum mag. Realismus über, der auch ihre späteren Werke prägte.

Toynbee ['tɔɪnbɪ], Arnold Joseph, brit. Historiker, Kulturtheoretiker und Geschichtsphilosoph, *London 14. 4. 1889, †York 22. 10. 1975; 1919–56 Prof. in London. Nach T. gliedert sich die Weltgeschichte in Entstehung, Wachstum, Niedergang und Auflösung typisch wiederkehrender Kulturformen, jedoch (anders als bei O. Spengler) ohne Zwangsläufigkeit der Entfaltung und v.a. des Untergangs; Wachstum und Niedergang von Kulturen sind vielmehr durch das Gesetz situationsbezogener Herausforderungen und spezif. Lagebeantwortungen bestimmt.

Werke: Der Gang der Weltgeschichte (12 Bde., 1934–61); Kultur am Scheidewege (1948); Die Welt und der Westen (1953); Menschheit – woher und wohin? Plädoyer für den Weltstaat (1966).

Toyohashi [-haʃi], japan. Stadt auf Honshū, an der Mikawabucht, südöstlich von Nagoya, 349 600 Ew.; bed. Textilind. (Seide, Baumwolle), Kunststoff-, Holz-, Metallind., Maschinenbau.

Toyonaka, Trabantenstadt der Stadt Ōsaka, Japan, 403 200 Ew.; Wohnort für Pendler.

Toyota, Stadt auf Honshū, Japan, östlich von Nagoya, 341 500 Ew.; Kraftfahrzeugindustrie (Toyota Motor Corp.).

Toyota Motor Corp. [- ˈməʊtə kɔ:pəˈreɪʃn], größtes japan. Unternehmen der Automobilind., gegr. 1926 durch die Familie Toyoda; Sitz: Toyota. Rd. ein Sechstel seiner Autos produziert das Unternehmen außerhalb Japans.

Toyotomi Hideyoshi [- hidɛjɔʃi], japan. Feldherr, *Nakamura (heute zu Nagoya) 1536/37, †Fushimi (heute zu Kyōto) 18. 9. 1598; nach dem Selbstmord →Oda Nobunagas der mächtigste Mann in Japan, seit 1586 Großreichskanzler. Er verbot 1587 das Christentum und wies die Missionare aus. 1590 einigte er das Reich, schuf eine Zentralverw. und reformierte die Gesellschaft.

Trab, mittelschnelle Gangart, bes. von Pferden. Im Pferdesport unterscheidet man Arbeits-T., versammelten T., Mittel-T. und starken T. Dabei kann der Reiter sich durch die T.-Bewegungen des Pferdes »werfen« lassen (aussitzen; Deutschtraben) oder jeden zweiten Stoß abfangen (leicht traben; Englischtraben).

Trabạnt [aus tschech.] *der,* **1)** *Astronomie:* die →Monde.

2) *Kfz-Industrie:* Markenbez. für den 1958–91 vom Sachsenring Automobilwerk in Zwickau in Serie gebauten viersitzigen Kleinwagen mit Frontantrieb und Kunststoffkarosserie. Der Motor aller Modelle war ein luftgekühlter Zweizylinder-Zweitaktmotor, beim Typ T. 601 mit 595 cm^3 Hubraum und 19,1 kW (26 PS) Leistung; Höchstgeschwindigkeit 110 km/h.

Trabạntenstadt (Satellitenstadt), Wohnsiedlung unterschiedl. Größe mit allen erforderl. materiellen und kulturellen Einrichtungen in verkehrsgünstiger Lage und in angemessener Entfernung von einer Großstadt, die nicht stärker anwachsen soll; mit Schnellverbindungen dorthin. (→Stadt)

Trạben-Trạrbach, Stadt im Landkr. Bernkastel-Wittlich, Rheinl.-Pf., an der Mosel, 6 200 Ew.; Weinbau und -handel; Thermalquelle, reger Fremdenverkehr. – Über Trarbach (rechts der Mosel) die Ruine Grevenburg (um 1350), über Traben (links der Mosel) die Ruine der 1687–92 erbauten frz. Festung Montroyal (1697 geschleift). – Traben (820 erstmals erwähnt) und Trarbach (seit 1144 bezeugt) wurden 1904 vereinigt.

Arnold Joseph Toynbee

Traber, *Pferdesport:* auf Schnelligkeit in der Gangart Trab (Trabrennen, →Pferderennen) gezüchtete und trainierte Pferderassen.

Traberkrankheit (Scrapie, Gnubberkrankheit), tödl. Viruskrankheit der Schafe, beginnt mit Schreckhaftigkeit, Zittern, Krämpfen, nickenden oder schüttelnden Kopfbewegungen; dann trabartiger, oft unsicherer Gang mit Anheben der Vorderbeine und Schwäche der Hinterbeine.

Trabrennen, →Pferderennen.

Toyen: »Le Paravent« (1966; Paris, Musée d'Art Moderne de la Ville de Paris)

Trạbzon [-zɔn] (früher Trapezunt), Hauptstadt der türk. Provinz T., in NO-Anatolien, 144 000 Ew.; TU; Ind.zone (seit 1990), wichtiger Hafen (seit 1991 Freihandelszone) am Schwarzen Meer; Ausfuhr von Haselnüssen und Tabak. – Byzantin. Kirchen, v.a. Hagia Sophia (Anfang 13. Jh., mit Fresken, heute Museum). – T., das grch. **Trapezus,** im 7. Jh. v. Chr. gegr., war in röm. Zeit »freie

Trabzon: Ausschnitt eines Freskos in der Hagia Sophia (nach 1250)

Stadt«, gehörte 395–1204 zu Byzanz und war 1204–1461 Hptst. des grch. Kaiserreichs Trapezunt; seitdem türkisch.

Spencer Tracy

Tracer ['treɪsə; engl. to trace »aufspüren«] *der,* Substanz, die mit einer anderen gemischt oder an diese gekoppelt wird, um deren Verteilung oder Lokalisierung verfolgen und/oder untersuchen zu können. Große prakt. Bedeutung haben v.a. radioaktive Isotope. T. werden z.B. in der Biologie und Medizin zur Untersuchung von Stoffwechsel- und Transportvorgängen, in der Chemie zur Aufklärung von Reaktionsmechanismen und in der Technik für Verschleiß-, Strömungs- und Verteilungsmessungen eingesetzt.

Trachea [grch.] *die,* die →Luftröhre.

Tracheen [grch.], **1)** *Botanik:* →Leitgewebe.

2) *Zoologie:* röhrenförmige Atmungsorgane der Stummelfüßer, Spinnentiere, Tausendfüßer und Insekten. Häufig sind die T. zu **T.-Säcken (Luftsäcke)** erweitert, die als Luftreservoir dienen oder schallverstärkend wirken.

Tracheiden [grch.], →Leitgewebe.

Tracheo|tomie [grch.] *die* (Luftröhrenschnitt), operative Öffnung der Luftröhre in unterschiedl. Höhe bei Kehlkopfverletzung und Erstickungsgefahr, auch bei langzeitiger Bewusstlosigkeit zur Beatmung und Sekretabsaugung.

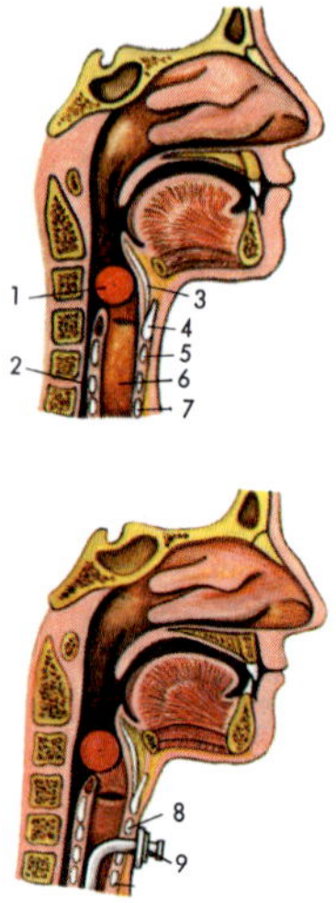

Tracheotomie: Verschluss der Luftröhre durch ein Atemhindernis (oben): 1 Atemhindernis, 2 Speiseröhre, 3 Kehldeckel, 4 Schildknorpel, 5 Ringknorpel, 6 Luftröhre, 7 Knorpelring der Luftröhre; darunter Einführung einer Kanüle für die künstliche Beatmung: 8 Ringknorpel, 9 Kanüle

Trachom [grch.] *das* (ägyptische Körnerkrankheit, Granulose), weltweit in trop. und subtrop. Regionen verbreitete infektiöse Augenerkrankung mit chronischem Verlauf; in Dtl. meldepflichtig. Der Erreger (Chlamydia trachomatis) wird durch Schmierinfektion bei mangelnder Hygiene oder durch Fliegen übertragen. Nach einer Inkubationszeit von 6 bis 10 Tagen kommt es zu einer Bindehautentzündung mit anschließender charakterist. Bildung grauglasiger Körner (Follikel), die narbig abheilen und durch Schrumpfung zur Einwärtskehrung der Augenlider, auch zu Verwachsungen der Bindehaut führen; durch Übergreifen auf die Hornhaut kommt es zur Erblindung. Das T. ist die häufigste Ursache der Erblindung in den Entwicklungsländern. Die *Behandlung* erfolgt mit Tetracyclinen und Sulfonamidaugensalbe.

Tracht [von tragen], **1)** *Imkerei:* Bez. für die von Bienen, v.a. von Honigbienen eingetragene Nahrung (Nektar, Pollen, Honigtau).

2) *Kleidung:* urspr. allg. im Sinn des »Getragenen« Bez. für jede vom Menschen getragene Kleidung und die dazugehörige Aufmachung (Haar-T., Bart-T.), wie sie von der herrschenden Sitte, einer Konvention oder Institution vorgeschrieben wird. Seit dem 16. Jh. erscheinende Trachtenbücher und -bilder stellten modisch, national wie ständisch definierte Kleidungen vor. Entsprechend umfassend fand der Begriff T. bis ins 20. Jh. auch in der kostümkundl. Forschung Anwendung. Heute beschränkt sich der Gebrauch des Begriffs im Wesentlichen auf den Bereich regional definierter →Volkstrachten sowie auf jene Bekleidungen, in denen wie in Standes-, Berufs- und National-T. zeitbedingte Kleidungsformen über die mod. Entwicklung hinaus Bestand haben.

3) *Kristallographie:* die →Kristalltracht.

4) *Zoologie:* allg. die durch Zeichnung, Färbung, Gestalt bestimmte äußere Erscheinung von Tieren; sie besitzt Signalcharakter und kann z.B. im Sexualverhalten (bei der Balz) oder als Schutzeinrichtung oder Tarnung (Schutz- oder Tarn-T.) eine Rolle spielen; dies oft auch im Zusammenhang mit bestimmten Verhaltensweisen.

Trächtigkeit (Gravidität, Gestation), Zustand des geschlechtsreifen weibl. Säugetiers von der Befruchtung des Eies bis zur Geburt des Jungen; die jeweilige **T.-Dauer** (**Tragzeit,** Tragezeit) ist weitgehend genetisch festgelegt; sie korreliert im Allg. mit der Körpergröße der betreffenden Tierart und ist meist umso kürzer, je mehr Junge geboren werden.

Trachyt [-'xyt, grch.] *der,* graues oder rötl. Ergussgestein mit porphyr. Gefüge, bestehend aus Sanidin, Plagioklas und Biotit, Hornblende oder Pyroxen.

Tracy ['treɪsɪ], Spencer, amerikan. Filmschauspieler, *Milwaukee (Wis.) 5. 4. 1900, †Beverly Hills (Calif.) 10. 6. 1967; bedeutender Charakterdarsteller. – Filme: Teufelskerle (1938); Die Frau, von der man spricht (1942); Vater der Braut (1950); Der alte Mann und das Meer (1958); Das Urteil von Nürnberg (1961).

Trademark ['treɪdmɑːk, engl.] *die,* im angloamerikan. Recht die Handelsmarke, die von Herstellern oder Händlern zur Kennzeichnung und Unterscheidung ihrer Güter benutzt wird. Registrierung ist nicht erforderlich; eine registrierte T. genießt allerdings erhöhten Schutz. – Im internat. Handel die Bez. des Herkunftslandes eines Erzeugnisses (z. B. made in Germany).

Tradescantia [nach dem engl. Gärtner J. Tradescant, 17. Jh.] *die* (Tradeskantie), Gattung einkeimblättriger Stauden mit dreizähligen Blüten. Zimmerpflanze ist die südamerikan. **T. fluminensis** mit karminrotem Zellsaft; wird in grünen bis rötl. Variationen gezüchtet. Als Gartenstaude **(Dreimasterblume)** verwendet man heute T.-Andersoniana-Hybriden mit weiß bis dunkelviolett gefärbten Blüten.

Tradeterms ['treɪdtɜːmz, engl.], →Handelsklauseln.

Trade Unions ['treɪd 'juːnjənz], die brit. Gewerkschaften; unterschieden werden vier Haupttypen: Fachverbände, Industriegewerkschaften, allg. Gewerkschaften und Angestelltengewerkschaften. Hauptorgan der T. U. ist der 1868 gegr. **Trade Unions Congress (T. U. C.),** dem etwa vier Fünftel aller Gewerkschaftsmitgl. angehören. Er entscheidet über die Anträge der T. U. und damit über die allg. Gewerkschaftspolitik. Jedoch sind seine Beschlüsse für die angeschlossenen Gewerkschaften nicht bindend. Der T. U. C. ist Mitglied des Internat. Bundes Freier Gewerkschaften (IBFG) und des Europ. Gewerkschaftsbundes (EGB).

Trading-up [treɪdɪŋ 'ʌp, engl.] *das,* strateg. Ausrichtung eines Handelsbetriebes, die darauf abzielt, durch Verbesserung von Sortiment, Beratung, Service, Geschäftsausstattung usw. Kunden stärker an das Unternehmen zu binden und höhere Preise zu erzielen. Die entgegengesetzte Strategie, Kostensenkung durch Abbau des Leistungsniveaus, wird als **Trading-down** bezeichnet.

Tradition [lat.] *die,* die Übernahme und das Weitergeben von Sitte, Brauch, Konvention, Wissen, Lebenserfahrung und Institutionen; eine zentrale Kategorie der menschl. Kultur. T. bildet die wichtigste Voraussetzung für den Menschen, individuelle und kollektive Identität, Kultur und kulturellen Wandel zu entwickeln. Die Neuzeit ist durch abnehmende T.-Verbundenheit infolge immer schnellerer wirtsch., sozialer und polit. Veränderungen gekennzeichnet. Der **Traditionalismus** ist dagegen ein durch die Vergangenheit bestimmtes Festhalten an der T. Die traditionalist. Kulturen sind geistig auf das Altgewohnte als unverbrüchl. Norm des Handelns eingestellt; Neuerungen werden abgelehnt. – In den Religionen umfasst der T.-Begriff die im Ergebnis der Auslegung und lehrmäßigen Entfaltung der hl. Schriften parallel zu ihnen entstandene Lehre.

📖 WIEDENHOFER, S.: *T., Traditionalismus, in: Geschichtl. Grundbegriffe, hg. v.* O. BRUNNER *u. a. Bd. 6, 1990.*

Traditionspapiere, Wertpapiere im Lager- und Frachtgeschäft, mit deren rechtsgültiger Übertragung gleichzeitig der Eigentumsübergang von in ihnen bestimmter Waren verbunden ist. T. sind der Orderlager- und der Ladeschein sowie das Konnossement.

Traduzianismus [lat.] (Generatianismus), die Lehre, wonach die Seele von den Eltern gezeugt wird und Ableger (tradux) ihres Lebens ist (Tertullian, Gregor von Nyssa).

Traetta, Tommaso, italien. Komponist, *Bitonto 30. 3. 1727, †Venedig 6. 4. 1779; bereitete durch seine Opern (u. a. »Ifigenia in Tauride«, 1763; »Antigona«, 1772) die Reformen C. W. Glucks vor; schrieb ferner drei Sinfonien, eine Messe, ein Oratorium, ein Stabat Mater.

Trafalgar, Kap (span. Cabo de T.), Kap an der S-Küste Spaniens, vor dem westl. Eingang der Straße von Gibraltar. In der **Seeschlacht bei T.** (21. 10. 1805) besiegte die brit. Flotte unter H. Nelson die frz.-span. Flotte und sicherte dadurch die brit. Seeherrschaft.

Trafo *der,* Kw. für →**Trans**for**mator.

Tragant 1): Bärenschote (Stängellänge bis zu über 1 m)

Trächtigkeit

Welches Tier trägt seine Jungen am längsten aus?

Der Alpensalamander. In niederen Gebirgsregionen dauert die Tragezeit 24 bis 26 Monate, in höheren Lagen sogar bis zu drei Jahren. Das in den USA beheimatete Virginia-Opossum ist da bedeutend fixer: Es bringt seine Jungen acht Tage nach der Befruchtung zur Welt.

Tragant [lat.] *der,* **1)** *Botanik:* (Astragalus) Gattung der Schmetterlingsblütler; überwiegend in trockenen Gebieten der Nordhalbkugel; in Dtl. z. B. die **Bärenschote** (Astragalus glycyphyllos), eine Staude mit bis über 1 m langen, niederliegenden Stängeln und grünlich gelben Blüten in seitl. Trauben; auf Steppenrasen, Kahlschlägen, in lichten Wäldern; die Wurzel schmeckt süß (süßer Tragant).

2) *Chemie:* (Traganth) das erhärtete Ausscheidungsprodukt angeschnittener Stämme und Zweige von T.-Arten; Gemisch aus zwei Poly-

Durchschnittliche Trächtigkeitsdauer (Tragzeit) einiger Säugetiere (in Tagen)

Ind. Elefant . .	623 - 660	Braunbär . . .	240	Hauskatze . . .	55 - 66
Panzernashorn	480	Eisbär	240	Haushund	59 - 65
Hauspferd . .	314 - 373	Gemse	147 - 190	Rotfuchs	49 - 55
Esel	365	Hausziege . .	150	Feldhase	42
Blauwal	320 - 360	Wildschwein	133 - 139	Kaninchen . . .	30 - 32
Gorilla	251 - 289	Hausschwein	114	Goldhamster . .	16
Schimpanse	231 - 253	Löwe	108	Opossum	13

saccharden (Bassorin, Tragacantinsäure), quillt in Wasser unter Bildung eines stark klebenden Schleims; v.a. in der Lebensmittelindustrie als Emulsionsstabilisator oder Verdickungsmittel für Speiseeis und in der Kosmetik als Haftpulver für Zahnprothesen verwendet.

Tragflügelboot

Träger, *Bautechnik:* stabförmiges, hauptsächlich auf Biegung beanspruchtes Tragwerk, das vorwiegend quer zur Längsachse gerichtete Kräfte aufnimmt und in die Auflager überträgt. T. bestehen aus Holz, Stahl (Walzprofil) oder Stahlbeton und werden bes. für Brücken, Dächer, Decken verwendet. Man unterscheidet nach der Lagerung: Balken-T. auf zwei oder mehr Stützen frei aufliegend, ein- oder beidseitig eingespannt; Krag-T. frei auskragend; Durchlauf-T. ohne Gelenke über mehrere Stützen durchlaufend; Gerber-T. mit Gelenken; Koppel-T. mit zwei Gelenken in einem T.-Feld; nach Form: Vollwand-T. aus Stahlbeton, genieteten oder geschweißten Blechen, genagelten oder verleimten Brettern, Fachwerk-T. und Gitter-T. mit Diagonalstäben.

Trägerfrequenztechnik (Kurzbez. TF-Technik), *Fernmeldetechnik:* Gesamtheit der Verfahren und Geräte, mit deren Hilfe eine Vielzahl von Nachrichten (v.a. Ferngespräche) gleichzeitig und unabhängig voneinander über einen einzelnen Nachrichtenübertragungsweg (Draht- oder Kabelleitung, Richtfunkstrecke, Satellitenfunkverbindung) großer nutzbarer Frequenzbandbreite übertragen werden können (Frequenzmultiplex). In der T. wird die Tatsache ausgenutzt, dass die Bandbreite des Übertragungswegs i. Allg. sehr viel größer ist als die Bandbreite der zur Übertragung der einzelnen Nachrichten bzw. Gespräche benötigten Frequenzbänder (Kanäle).

Trägerschwingung, Trägerwelle oder -puls, auf die (den) ein Signal zur Informationsübertragung aufgeprägt wird. (→Modulation)

Tragfähigkeit, 1) *Bautechnik:* von einer Konstruktion aufnehmbare Belastung.

2) *Bevölkerungslehre:* ein Maß für die Dichte, in der eine bestimmte Bev. je Fläche leben kann, ohne dass sie ihre Lebensgrundlage nachhaltig schädigt; verallgemeinernd auch auf Tiere (Wild, Weidevieh) bezogen.

3) *Schifffahrt:* Gesamtgewicht der Zuladung, die das Schiff bis zur Tiefladelinie eintauchen lässt (→Deadweight).

Tragflügel (Tragfläche), Flugzeugbauteil mit starrem Tragwerk (→Flugzeug, Baugruppen), dessen Hauptaufgabe in der Erzeugung eines dynam. →Auftriebs bei möglichst geringem Luftwiderstand besteht. Das Profil des verwindungssteifen Hohlkörpers, sein Umriss und seine Streckung sind den für den jeweiligen Flugzeugtyp geforderten Leistungen und Eigenschaften angepasst. (→Flugzeug)

Tragflügelboot (Tragflächenboot), motor- oder gasturbinengetriebenes Wasserfahrzeug für hohe Geschwindigkeiten (40–60 Knoten), dessen Bootskörper sich, von schmalen Tragflächen im Wasser getragen, bei höheren Geschwindigkeiten durch den dynam. Auftrieb ganz aus dem Wasser hebt, wodurch eine starke Herabsetzung des Strömungswiderstands erreicht wird.

Trägheit, allgemein die Eigenschaft eines physikal. oder techn. Systems, auf eine Wirkung verzögert zu reagieren; speziell als **T. der Masse (Beharrungsvermögen)** das Bestreben eines Körpers mit einer →Masse, den Bewegungszustand in Inertialsystemen nur unter dem Einfluss äußerer Kräfte zu verändern (**T.-Gesetz,** 1. →newtonsches Axiom). Da nach Einstein Masse und Energie äquivalent sind (→Äquivalenz), kommt auch jeder Energie eine T. zu.

Trägheitsmoment, Formelzeichen Θ oder J, Maß für die Trägheit eines rotierenden starren Körpers bezüglich einer vorgegebenen Drehachse. Das T. (Massen-T.) eines Massenpunktes ist gleich dem Produkt aus seiner Masse m und dem Quadrat des senkrechten Abstands r des Massenpunktes von der Drehachse: $J = mr^2$. Für einen Körper des Volumens V und der Massendichte $\rho(r)$ gilt: $J = \int r^2 \rho(r)\,dV$. Das T. eines Körpers der Masse m bezüglich einer Achse im Abstand a vom Schwerpunkt ist um $m \cdot a^2$ größer als das durch eine Schwerpunktachse **(steinerscher Satz).** Das T. bleibt nur bei Rotationen um eine feste Achse konstant, bei veränderl. Drehachse (z.B. beim Kreisel) tritt an die Stelle des skalaren T. der Trägheitstensor. In der Technik, v.a. in der Festigkeitslehre, definiert man analog das T. von Linien **(Linien-T.)** und Flächen **(Flächen-T.).**

Trägheitsnavigation (Inertialnavigation), v.a. in der Luft- und Raumfahrt angewandtes, von äußeren Einrichtungen unabhängiges Navigationsverfahren, bei dem die Eigenortung mithilfe einer ständigen Registrierung der (z.B. während des Fluges infolge von Geschwindigkeits- und Richtungsänderungen auftretenden) Trägheitskräfte bzw. der ihnen proportionalen Beschleunigungen erfolgt. Bei der **gestützten T.** werden außer den Beschleunigungsmessungen Geschwindigkeits- (mit Bordradar) und Positionsmessungen der Funknavigation oder der astronom. Navigation zur Stützung herangezogen. Auf diese Weise bleiben Ortungsfehler weitgehend begrenzt.

Trägheitswellen, die Strömung einer Flüssigkeit oder eines Gases auf die bzw. das keine äußeren Kräfte einwirken; sowohl als Luft- als auch als Meeresströmung nachgewiesen.

Tragik [grch.] *die,* erschütterndes Geschehen, schicksalsschweres Zusammentreffen. (→Tragödie)

Tragikomödi|e, dramat. Gattung, in der sich trag. und kom. Elemente wechselseitig durchdringen bzw. so zusammenwirken, dass die Tragik durch humorist. Brechung gemildert wird oder aber die tragisch gebrochene Komik die trag. Aspekte noch vertieft. Schon bei Plautus findet sich die T. als die Mischung des »Hohen« der Tragödie mit dem »Niedrigen« der Komödie, aber erst in der Renaissance wurde sie als besondere Gattung unter Aufhebung der →Ständeklausel theoretisch begründet. Sie galt dann u.a. als »Tragödie mit glückl. Schluss«. Im Gefolge G. B. Guarinis (»Der treue Schäfer«, 1590) und T. Tassos (»Aminta«, 1580) entstanden bis Ende des 17. Jh. zahlr. tragikom. Schäferdramen sowie romaneske T., in Frankreich u.a. von J. de Rotrou, P. Corneille (»Der Cid«, 1637), in England u.a. von F. Beaumont, J. Fletcher, J. Marston, P. Massinger. Auch etliche Dramen Shakespeares (»Maß für Maß«, 1623), P. Calderón de la Barcas (»Das Leben ein Traum«, 1636) oder Molières (»Tartüff«, 1669) können als T. gelten. Die dt. klassizist. Poetik von M. Opitz bis J. C. Gottsched lehnte die T. als »Bastardgattung« ab. Erst das ambivalente Weltbild der Romantik gab ihr wieder einen Platz (L. Tieck, G. Büchner). Der Naturalismus nutzte die T., um die Wirklichkeit in ihrer Totale darzustellen (H. Ibsen, G. Hauptmann). Seit dem Expressionismus eröffnet die Gattung, nun häufig mit Mitteln der Groteske, neue Möglichkeiten, das moderne Bewusstsein dramatisch umzusetzen (absurdes Theater, B. Brecht, F. Dürrenmatt).

📖 Guthke, K. S.: *Geschichte u. Poetik der dt. T. Göttingen 1961.* – Hirst, D. L.: *Tragicomedy. London 1984.* – Orr, J.: *Tragicomedy and contemporary culture. Play and performance from Beckett to Shepard. Basingstoke 1991.*

tragisch [grch.], **1)** *allg.:* erschütternd.

2) *Literatur:* die Tragödie betreffend.

Traglufthalle, leichtes Umhüllungstragwerk (pneumat. Konstruktion), das unter künstlich erzeugtem atmosphär. Überdruck steht; verwendet werden an Fundamenten befestigtes bzw. abgespanntes beschichtetes Textilgewebe oder Kunststofffolien. – Ein pneumat. Gebäude wurde bereits 1918 in England patentiert.

Tragödi|e [grch.] *die* (Trauerspiel), neben der Komödie die wichtigste Gattung des europ. Dramas, i.e.S. die grch. (attische) T., die die Entwicklung des europ. Dramas wesentlich beeinflusst hat; sie gestaltet einen schicksalhaften unvermeidl. und unausgleichbaren Gegensatz **(Konflikt),** der zum Untergang des Protagonisten führt.

Die T. entwickelte sich in Griechenland als Teil des Dionysoskultes aus dem Chorgesang (Tragödie: grch. »Bocksgesang«, Gesang für den als Opfertier sterbenden Bock). Die grch. T., die ihre Blütezeit im 5. Jh. v.Chr. hatte, entnahm ihre Stoffe meist der myth. Überlieferung. Bei Aischylos ist das Handeln des Protagonisten durch →Hybris und →Ate bestimmt. Der Untergang des Helden feiert und bestätigt die göttl. Mächte. Bei Sophokles tritt das Individuum hervor und gerät in unvermeidl., tragisch-schuldhaften Gegensatz zu den in den Göttern verkörperten heiligen Ordnungen. Bei Euripides verlieren Maske, Kothurn und →Chor, die sich aus dem überpersönl., religiös verbindl. Ursprung und Anspruch der T. herleiten, an Bedeutung. Die Wirkung der grch. T. hat Aristoteles als →Katharsis bestimmt. Die röm. T. knüpfte direkt an das grch. Vorbild an (Seneca d.J.). Durch diese Vermittlung gelangte die Gattung in die europ. Literatur, setzte neue Maßstäbe der Vernunft und der Individualität, die Widersprüche mit den geltenden gesellschaftl. Normen provozierten und damit die inneren Voraussetzungen für die Entstehung der T. erneuerten. Der erste überragende, bis heute nicht übertroffene Tragiker der Neuzeit ist W. Shakespeare. Die Helden seiner Charakter-T. tragen den Konflikt in sich (»Hamlet«, 1603; »Othello«, 1622). Die frz. T. dagegen bezieht ihre trag. Konstellation aus dem Widerspruch zw. den persönl. Interessen und der überpersönl. Ordnung des Staates (P. Corneille, J. Racine). Die Aufklärung brach mit der Ständeklausel, die für die T. nur handelnde Personen aus höheren Ständen erlaubte. Durch G. E. Lessing erreichte sie als →bürgerliches Trauerspiel in Dtl. einen neuen Höhepunkt. Im dramat. Werk von Goethe und Schiller erfuhr die Gattung in der Verbindung von aristotel. Dramaturgie mit modernen trag. Konflikten – immer noch in kathart. Absicht – ihre letzte klass. Verwirklichung. Relativismus und Determinismus stellten im weiteren Verlauf des 19. Jh. und im 20. Jh. die stilbegründenden Voraussetzungen (Schicksalsbegriff, Unausweichlichkeit des trag. Konflikts, Vorbildlichkeit des Helden und kathart. Wirkung) der hohen T. infrage. Die Grenzen der dramat. Gattungen verwischten sich.

Trägspinner: Raupe des Buchenrotschwanzes

Trajan (zeitgenössische Marmorbüste; Rom, Kapitolinisches Museum)

Nicht mehr trag. Erschütterung, sondern illusionslos skept. Daseinsbeschreibung und -erhellung, Entlarvung der durch Konventionen verdeckten »Wirklichkeit« wurden das Ziel der modernen T., so bei H. Ibsen, A. Strindberg, A. P. Tschechow, M. Gorki, F. Wedekind, L. Pirandello, E. O'Neill. Schließlich traten das Absurde (→absurdes Theater), das nur noch Schreckliche (»Theater der Grausamkeit«) oder das Schaurig-Groteske (→Tragikomödie) an die Stelle des Tragischen im Schauspiel. Die auf die Katastrophe hin strukturierte Handlungsführung wurde durch die Gestaltung von kreisläufigen Prozessen oder reiner Zuständlichkeit ersetzt (S. Beckett). Dieser Auflösungsprozess führte zu einer Form des Dramas, deren einziger Gegenstand die Repräsentationsleistung des Theaters selbst ist, darin inbegriffen die Möglichkeit des Tragischen. Heiner Müllers Destruktionen von klass. T.-Stoffen und -Helden stellen einen solchen rein negativen Bezug auf die T. dar. Das Tragische tritt nicht mehr als Gestaltungsprinzip eines ganzen Stückes auf.

📖 *Die Bauformen der grch. T., hg. v.* W. Jens. *München 1971.* – George, D. E.: *Dt. Tragödientheorien vom Mittelalter bis zu Lessing. München 1972.* – Wiese, B. von: *Die dt. T. von Lessing bis Hebbel. München 1983.* – Lesky, A.: *Die grch. T. Stuttgart [5]1984.* – Alt, P.-A.: *T. der Aufklärung. Tübingen 1994.*

Tragschrauber (Autogiro), ein →Drehflügler mit frei im Fahrtwind rotierender Tragschraube und motorisch angetriebener Luftschraube als Vortriebsmittel. Der T. kann im Unterschied zum Hubschrauber nicht senkrecht starten, sondern nur Kurzstarts (Sprungstarts) ausführen und auch nicht im Schwebeflug verharren.

Trägspinner (Wollspinner, Lymantriidae), weltweit verbreitete Familie meist nachtaktiver, mittelgroßer Schmetterlinge. Die teilweise mit bürstenartigen Haarbüscheln auf der Rückenmitte und seitl. Haarpinseln versehenen Raupen sind oft gefürchtete Schädlinge (z. B. Nonne, Buchenrotschwanz).

Tragwerk, 1) *Bautechnik:* der Teil einer Baukonstruktion, der die angreifenden Lasten aufnimmt und ableitet.

2) *Luftfahrt:* →Flugzeug (Baugruppen).

Traineeprogramm [treɪˈniː-, engl.], berufliche Ausbildung für Hochschulabsolventen innerhalb eines Unternehmens; meist Vorbereitung auf Führungsaufgaben.

Traisen *die,* rechter Nebenfluss der Donau in NÖ, 70 km lang, entspringt in den Kalkvoralpen, mündet im Tullner Becken; am Unterlauf Weinbau.

Traiskirchen, Stadt am W-Rand des Tullner Beckens, NÖ, 13 900 Ew.; Heimatmuseum, Volkssternwarte; Reifen-, chem., Textil-, Elektroindustrie.

Trajan, eigtl. Marcus Ulpius Traianus, röm. Kaiser (98–117), *Italica (beim heutigen Santiponce bei Sevilla) 18. 9. 53, †Selinus (Anatolien) 7. (?) 8. 117; war Statthalter in Obergermanien; 97 von Nerva adoptiert und zum Caesar ernannt. Unter T. erreichte das Röm. Reich seine größte Ausdehnung: 106 wurden die Provinzen Dakien und Arabia Petraea (das Königreich der Nabatäer) angegliedert, im Partherkrieg 114–117 Armenien, Assyrien und Mesopotamien als Provinzen gewonnen. Trotz seiner absolutistisch-zentralist. Regierungsform stand T. in gutem Einvernehmen mit dem Senat: Literatur und Kunst blühten, Straßen, Kanäle, Brücken wurden gebaut, neue Städte und Kolonien gegründet.

Trajansbogen, eintoriger Triumphbogen in Benevent (S-Italien), 114 n. Chr. dem Kaiser Trajan gewidmet für die von ihm erbaute Straße von Benevent nach Brindisi (Via Traiani). Der T., ähnlich gestaltet wie der Titusbogen in Rom, zeigt einen Reliefschmuck, dessen figurenreiche Szenen die Verherrlichung des Kaisers darstellen.

Trajanssäule: Das Reliefband mit Szenen der Eroberung Dakiens umzieht die 113 n. Chr. errichtete Marmorsäule spiralartig

Trajanssäule, Gedenksäule aus Marmor (mit dem würfelförmigen Sockel 39,83 m hoch) auf dem Trajansforum in Rom, 113 n. Chr. errichtet; auf Reliefbändern (rd. 200 m Länge), die spiralartig die Säule umziehen, ist die Eroberung Dakiens durch Trajan (101–102 und 105–106) dargestellt; in einer Kammer des Sockels stand einst die Urne mit der Asche des Kaisers; den Abschluss der Säule bildete eine Statue Trajans, die im MA. verloren ging und durch eine Petrusstatue ersetzt wurde. Weitere Bilder Piranesi, Rom

Trajekt [lat.] *das* oder *der,* Spezialschiff zum Transport von Eisenbahnwaggons im Fährverkehr.

Trajektorile [lat.] *die,* Kurve, die eine gegebene Kurvenschar unter konstantem Winkel (**isogonal,** bei rechtem Winkel **orthogonal**) schneidet.

Trakehnen (seit 1946 russ. Jasnaja Poljana), Ort im russ. Gebiet Kaliningrad (Königsberg); ehem. Hauptgestüt in Ostpreußen, durch König Friedrich Wilhelm I. von Preußen 1732 gegr.; Warmblutzucht (→ Trakehner).

Trakehner (Ostpreußisches Warmblutpferd), nach dem Ort Trakehnen ben., edelste Rasse dt. Warmblutpferde; 162–168 cm Widerristhöhe, elegante Renn-, Spring- und Dressurpferde von lebhaftem Temperament.

Trakl, Georg, österr. Lyriker, *Salzburg 3. 2. 1887, †Krakau 3. 11. 1914; Militärapotheker, starb nach der Schlacht von Gródek an einer Überdosis Kokain; bed. Frühexpressionist. T.s Lyrik gestaltet Themen wie Vergänglichkeit, Untergang, Auflösung in einer eigenen suggestiven Bildsprache (»Sebastian im Traum«, Gedichte, hg. 1915).

Trakt [lat.] *der,* 1) Gebäudeteil, Gebäudeflügel; 2) Strecke, Strang; Gesamtlänge.

Traktat [lat.] *der* oder *das,* Abhandlung; auch religiöse Streit-, Flugschrift.

Traktor [engl., zu lat. trahere, tractum »(nach)ziehen«] *der* (Ackerschlepper, Schlepper, Trecker), landwirtsch. Fahrzeug, meist mit Dieselmotor, mit vielfältigen Funktionen für Feld-, Transport- und Hofarbeiten. Die Einsatzmöglichkeit des T. hängt entscheidend von der Zuordnung und Handhabung der Geräte ab. Die wichtigsten Bauarten sind Standard-T. (bevorzugt für Bestell- und Pflegearbeiten), Geräteträger (für Saat- und Pflegearbeiten) und System-T. (zusätzl. Ladefläche, vielseitige Geräteanbaumöglichkeiten).

Traktrix [lat.] *die* (Schleppkurve), ebene Kurve, deren Tangenten von einer festen Gerade (Leitlinie) stets im gleichen Abstand vom zugehörigen Tangentenberührungspunkt geschnitten werden.

Traktur [lat.] *die,* bei der Orgel die Spielmechanik, alle Einrichtungen, die den Tastendruck zu den Windladen leiten.

Tralee [trəˈliː] (irisch Trá Lí), Hptst. der Cty. Kerry, Rep. Irland, 17 000 Ew.; Baconherstellung, Maschinenbau, Metall verarbeitende, Elektronik- u. a. Ind.; Hafen für T. ist Fenit an der T. Bay.

Tram [Kurzform von engl. tramway »Schienenbahn«] *die, landschaftlich* für: Straßenbahn.

Trametes [grch.], Gattung der Porlinge (Ständerpilze) mit konsolenartig seitlich an Baumstämmen sitzenden Fruchtkörpern.

Tramin an der Weinstraße (italien. Termeno sulla strada del vino), Gemeinde in der Prov. Bozen, Südtirol, Italien, 276 m ü. M., 3 000 Ew.; Weinbau. – Roman. Kapelle in Kastellaz (Fresken von 1220), roman. Friedhofskirche (Fresken 14. Jahrhundert).

Traminer (Gewürztraminer) *der,* sehr alte Weißweinrebe mit kleinen hellroten Beeren; ergibt extraktreiche Weine mit typ. Bukett.

Trakehner (Widerristhöhe 162 - 168 cm)

Tramp [træmp, engl.] *der,* umherziehender Gelegenheitsarbeiter, Landstreicher; **trampen,** per Anhalter fahren.

Trampeltier, Zweihöckeriges Kamel (→ Kamele).

Trampolinturnen [italien.], Ausführung von Sprüngen und Sprungfolgen am Trampolin, einem Sprunggerät, an dem mit Gummikabeln oder Stahlfedern ein elast. Sprungtuch angebracht ist; Einzelwettbewerbe (Pflicht und Kür) und Synchronspringen (zwei gemeinsam gewertete Wettkampfteilnehmer führen an je einem Trampolin gleiche Übungsteile gleichzeitig aus; nur Kür). Eine Übung besteht aus zehn Teilen (Elementen); Bewertung von Schwierigkeit je Element und Ausführung; jeder der Kampfrichter kann maximal zehn Punkte pro Element vergeben. Weltmeisterschaften seit 1964, Europameisterschaften seit 1969; ab 2000 olymp. Sportart.

Trampschifffahrt [ˈtræmp-, engl.], die nicht an feste Schifffahrtslinien gebundene Frachtschifffahrt, bei der die Schiffe je nach Ladungsanfall und -angebot zw. beliebigen Häfen verkehren.

Georg Trakl

Tran, in rohem Zustand aus dem Fettgewebe oder der Leber großer Meeressäugetiere (z. B. Robben, Wale) oder aus Fischen (z. B. Dorsch, Hai) durch Auspressen oder Erhitzen mit kochendem Wasser oder Dampf gewonnenes dickflüssiges Öl. Neben Olein und Stearin kommen in T. Glyceride mehrfach ungesättigter Fettsäuren vor. T. dient als Nahrungsfett sowie zur Herstellung von Margarine, Seifen und von pharmakolog. Präparaten (wegen des Vitamingehaltes).

Trance [ˈtrɑ̃s(ə), frz.] *die,* Bewusstseinszustand, der die freie Willensbestimmung ausschließt und etwa bei Benommenheit, Schlafwandeln, Hypnose, Ekstase oder meditativer Entrückung vorliegt; i. d. R. folgt Erinnerungslosigkeit. Bei Medien tritt die T. meist autosuggestiv ein und scheint paranormale Leistungen zu begünstigen.

Tranche [trãʃ, frz.] *die, Börse:* Teilbetrag einer Wertpapieremission.

tranchieren [trãˈʃiːrən, frz.], Wild und Geflügel sachgerecht zerlegen.

Tränen, → Tränendrüsen.

Tränendes Herz
(Höhe 60-90 cm)

Tränendes Herz (Flammendes Herz, Dicentra spectabilis), im nördl. China heimisches Erdrauchgewächs; 60–90 cm hohe Staude mit dreizähligen Blättern und traubig hängenden Blüten, deren äußere, rote Blattpaare Herzen, die inneren weißen Tränen ähneln (Herzblume); Zierpflanze.

Tränendrüsen (Glandulae lacrimales), Tränenflüssigkeit absondernde Drüsen bei Reptilien (außer Schlangen), Vögeln und Säugetieren. – Beim Menschen liegen die T. als etwa bohnengroßer Drüsenkomplex jeweils hinter dem äußeren, oberen Rand der Augenhöhlen. Das Sekret (tägl. Menge etwa 1–3 ml) ist wässrig, schwach salzig (rd. 660 mg Natriumchlorid je 100 ml) und in geringem Umfang eiweißhaltig. Es wird über zahlr. kleine Ausführgänge in die Bindehautfalte des oberen Augenlids ausgeschieden und dann mithilfe des Lidschlags über die Hornhaut des Auges (die dabei angefeuchtet und gereinigt wird) nach dem inneren Augenwinkel hin befördert, in dem als medialer, gefäßreicher Schleimhauthöcker das **Tränenwärzchen** (Caruncula lacrimalis) liegt. Vom **Tränensee,** dem Raum um das Tränenwärzchen, fließt die Tränenflüssigkeit über eine kleine Öffnung in die beiden zu einem unpaaren Gang zusammenlaufenden **Tränenkanälchen** (Tränenröhrchen) und dann in den **Tränensack** ab. Dieser bildet die Verlängerung des **Tränen-Nasen-Gangs,** der unter der unteren Nasenmuschel in den unteren Nasengang mündet. – Die Absonderung der Tränenflüssigkeit erfolgt unter nervaler Steuerung; sie kann unter psychischem Einfluss (Schmerz, Trauer, Freude) so stark werden, dass die Tränenflüssigkeit (beim Weinen) in Form von **Tränen** über die Lidränder abläuft.

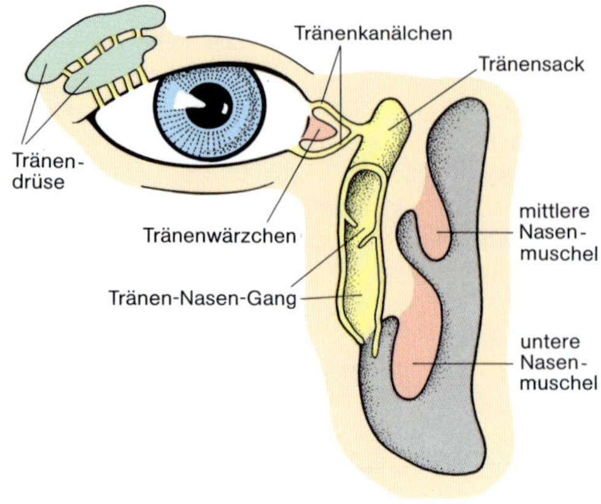

Tränendrüsen: Schema der Tränendrüse und der Tränenwege des Menschen am rechten Auge

Trani: Die bis auf das Jahr 1097 zurückgehende Kathedrale San Nicola Pellegrino gehört zu den schönsten romanischen Kirchen in Süditalien; der nur lose mit dem Langbau verbundene Campanile stammt aus dem 13./14. Jahrhundert

Tränengase, → Tränenreizstoffe.

Tränengras (Coix), Süßgrasgattung in S- und O-Asien; die trop. Art **Hiobsträne** (Coix lacryma-jobi) hat elfenbeinartige, steinharte Hüllkapseln, die als Schmuckperlen verwendet werden.

Tränenreizstoffe (Augenreizstoffe), meist leicht flüchtige chem. Substanzen, die Reizwirkungen auf die Atemwege und bes. auf die Tränendrüsen ausüben und zu starker Absonderung von Tränenflüssigkeit führen. Einige T. aus der Gruppe der halogenierten organ. Verbindungen, z.B. CN und CS, wurden als Reizkampfstoffe **(Tränengase)** bekannt. (→ ABC-Waffen)

Trani, Hafenstadt in Apulien, Prov. Bari, Italien, an der adriat. Küste, 52300 Ew.; Erzbischofssitz; Weinausfuhr; Kalksteinbrüche; Seebad. – Roman. Kathedrale San Nicola Pellegrino, 1097 an der Stelle einer frühchristl. Marienkirche (vor 633) begonnen; Kastell (1233–49). – T., das auf das röm. **Turenum** zurückgeht, war im 12./13. Jh. ein Stützpunkt der stauf. Macht in Unteritalien.

Tranquilizer [ˈtræŋkwɪlaɪzə, engl.], → Psychopharmaka.

tranquillo [italien.], musikal. Vortragsbezeichnung: ruhig.

trans... [lat.], jenseits, über, bes. in geograph. Namen, z.B. transalpin, jenseits der Alpen (von Italien aus gesehen).

Transactinoide, Bez. für die sich an die Actinoide anschließenden chem. Elemente mit den Ordnungszahlen 104–121, von denen bis jetzt lediglich die Elemente 104 (Rutherfordium), 105 (Dubnium), 106 (Seaborgium), 107 (Bohrium), 108 (Hassium), 109 (Meitnerium) und 110–112 (jeweils noch ohne Namen) durch Kernreaktionen künstlich erzeugt wurden.

Transalaigebirge (russ. Saalaiski chrebet), stark vergletscherte Hochgebirgskette in Zentralasien, an der Grenze von Kirgistan zu Tadschikistan und China; im Pik Lenin 7134 m ü. M.

Transamazônica [trãzama'zonika] *die,* Fernstraße, die N-Brasilien (→Amazonien) von João Pessõa und Recife (Atlantikküste) bis zur Grenze gegen Peru (rd. 5600 km) durchquert; ab 1970 erbaut.

Transaminasen [lat.] (Aminotransferasen), Gruppe von Enzymen, die die Übertragung von Aminogruppen zw. Amino- und Ketosäuren katalysieren. Die Bestimmung von der aus Geweben in die Blutbahn abgegebenen T. dient der Diagnostik von Leber- und Herzerkrankungen.

Transandenbahnen, Eisenbahnlinien, die, die Anden kreuzend, Argentinien, Chile und Bolivien miteinander verbinden. Die **Andenbahn,** Hauptlinie von Buenos Aires nach Valparaíso mit Abzweigung nach Santiago de Chile, quert die Anden von Mendoza über Uspallata bis Los Andes in einem Tunnel in 3165 m Höhe.

Transavanguardia [italien.] *die* (Transavantgarde), zusammenfassende Bez. für die postmodernen Kunstströmungen seit Ende der 1970er-Jahre, die sich in Opposition zu Minimalart und Conceptart u. a. innerhalb der Arte cifra in Italien, im amerikan. New-Image-Painting, in Dtl. in der Malerei der Neuen Wilden, in Frankreich in der Figuration libre manifestieren. Charakteristisch sind u. a. ausgeprägte Subjektivität, expressive Ausdrucksformen, iron. Spiel mit kunsthistor. Zitaten, Kombinationen z. B. von Malerei und Objekten.

Transbaikalien (russ. Sabaikalje), Gebirgslandschaft in SO-Sibirien, Russland, zw. Baikalsee und der Grenze zur Mongolei, bis 2999 m hoch.

Trans-Canada Highway ['trænz 'kænədə 'haɪweɪ, engl.], transkontinentale Fernstraße im S Kanadas, 7820 km lang, verbindet Saint John's (Neufundland) mit Vancouver Island (British Columbia), u. a. über Montreal, Ottawa; 1962 eröffnet.

Transduktion [lat.] *die,* die Übertragung genet. Materials von einer Bakterienzelle auf eine andere durch bestimmte →Bakteriophagen.

Transfer [engl., zu lat. transferre »hinüberbringen«] *der,* **1)** *Psychologie:* die positive oder negative Beeinflussung einer Denk- oder Lernleistung durch eine andere.

2) *Reiseverkehr:* Überführung, Weitertransport.

3) *Sport:* Wechsel eines Berufsspielers (gegen einen Ablösebetrag) zu einem anderen Verein.

4) *Wirtschaft:* im internat. Zahlungsverkehr Wertübertragung zw. zwei Ländern (Gläubiger- und Schuldnerland); vollzieht sich durch Umwandlung der Währung des einen Landes in die des anderen.

Transferasen, Enzyme, die im Zellstoffwechsel die Übertragung chem. Reste (Methyl-, Carboxyl- und Acylreste u. a.) katalysieren.

Transfereinkommen, Einkommen, die einem Wirtschaftssubjekt ohne ökonom. Gegenleistung zufließen. T. beziehen neben den privaten Haushalten (Renten, Pensionen, Kindergeld, Leistungen der Kranken-, Unfall- und Arbeitslosenversicherung, Ausbildungsbeihilfen, Sozialhilfe u. a.) auch der Staat (z. B. Steuern, Abgaben, Beiträge) und Unternehmen. Gezahlt werden T. von allen Sektoren, z. T. aus Primäreinkommen, z. T. aus empfangenen T. Durch die Zahlung von T. sollen Ungerechtigkeiten der primären Einkommensverteilung (Einkommen aus direkter Teilnahme am Wirtschaftsgeschehen) ausgeglichen werden.

Transfer-RNS, *Genetik:* eine Gruppe der →Ribonucleinsäuren.

Transferstraße, vollautomatisierte Fertigungseinrichtung, die mehrere Bearbeitungsstationen über eine Transporteinrichtung verbindet.

Transferzahlungen, Zahlungen der öffentl. Hand an private Haushalte (Sozialtransfer) oder an Unternehmen (Subventionen) ohne marktmäßige Gegenleistung des Empfängers.

Transferzellen, durch dicht stehende, zotten- oder faltenartige, nur im Elektronenmikroskop sichtbare Zellwandausstülpungen (Oberflächenvergrößerung) gekennzeichnete Pflanzenzellen mit besonderer Funktion. Sie treten einzeln oder in Gruppen auf, wo intensive Stoffaustauschvorgänge in der Pflanze ablaufen, z. B. in Drüsen oder Wurzelknöllchen. Oft stehen Mitochondrien als Energie liefernde Zellorganellen offenbar im Zusammenhang mit dem aktiven Transport.

Transformation [spätlat. »Umformung«] *die,* **1)** *Elektrotechnik:* Umspannung (→Transformator).

2) *Grammatik:* Umformung einer Satzstruktur in eine andere unter Beibehaltung der Grundbedeutung, z. B. eine Passiv- in eine Aktivkonstruktion. In der generativen Grammatik können durch T. →Tiefenstrukturen in →Oberflächenstrukturen überführt werden, z. B. durch Umstellung oder Erweiterung von Satzgliedern.

3) *Mathematik:* eineindeutige Abbildung einer Ebene bzw. eines Raumes auf sich. Die Gesamtheit der T. eines Raumes bildet eine →Gruppe; diese sind insbesondere für die Charakterisierung einzelner Geometrien wichtig (z. B. Kongruenz , Ähnlichkeits-, affine T.). Besondere Bedeutung besitzen T. in der Physik, in der Koordinaten-T. den Übergang von einem Bezugssystem in ein anderes beschreiben; so gehört z.B. zur speziellen Relativitätstheorie die Gruppe der →Lorentz-Transformationen.

4) *Molekularbiologie:* die Übertragung von Erbanlagen durch Desoxyribonucleinsäure (DNS).

5) *Sozialwissenschaften:* i.w.S. die Gesamtheit aller, den Umbruchprozess einer Gesellschaft **(Transformationsgesellschaft)** charakterisierenden sozialen, wirtsch., polit. und kulturellen Erscheinungen; i.e.S. der Umwandlungsprozess der ehem. kommunist. bzw. staatssozialist. Planwirtschaften (auch als Staatshandelsländer bezeichnet) hin zu einer marktwirtsch. Gesellschaftsordnung mit entsprechender Rechts- und Verfassungsordnung (v.a. Privateigentum). Im Ggs. zu den westl. Gesellschaften müssen die mittel- und osteurop. T.-Gesellschaften die T. (u.a. Privatisierung, Aufbau von Systemen sozialer Sicherung) vor dem Hintergrund zunehmender Globalisierung in wesentlich kürzerer Zeit bewältigen.

Transformationsgrammatik, i.w.S. Bez. für Grammatiken, die zwischen →Oberflächenstrukturen und abstrakteren zugrunde liegenden Strukturen von Sätzen unterscheiden. I.e.S. einzelne Ausprägungen der →generativen Grammatik, in denen die →Tiefenstruktur eines Satzes durch →Transformation mit seiner Oberflächenstruktur in Beziehung gesetzt wird.

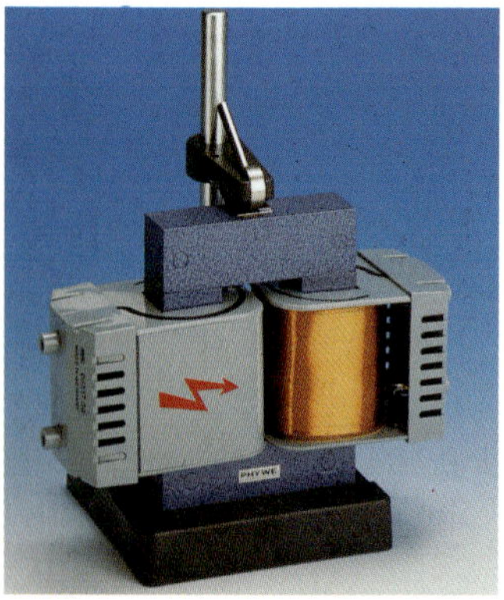

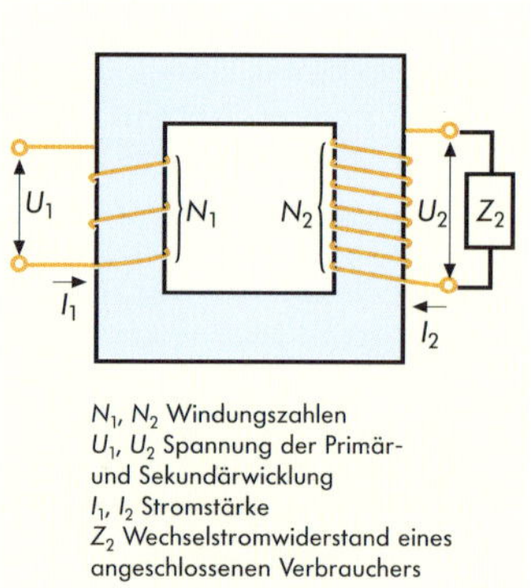

Transformator: Demonstrationsmodell (mit auswechselbarer Primär- und Sekundärspule auf einem gemeinsamen Eisenjoch) und Schema (rechts) eines Einphasentransformators; N_1, N_2 Windungszahlen, U_1, U_2 Spannung der Primär- und Sekundärwicklung, I_1, I_2 Stromstärke der in den Wicklungen fließenden Ströme, Z_2 Wechselstromwiderstand eines angeschlossenen Verbrauchers

Transformator [lat.] *der* (Kurzbez. Trafo), elektr. Maschine ohne bewegl. Teile zum Umformen von Wechselspannungen, -strömen und -widerständen bei gleich bleibender Frequenz. Im Prinzip sind zwei elektrisch getrennte Spulen magnetisch gekoppelt. Die Übertragung der elektr. Energie von der Wicklung 1 (Primärwicklung) zur Wicklung 2 (Sekundärwicklung) mittels Induktion wird durch Unterbringung auf einem geschlossenen, zur Verminderung von Wirbelströmen lamellierten Eisenkern verbessert. In Näherung verhalten sich die Spannungen *U* an den Wicklungen wie die Windungszahlen *N*. Beim Spar-T. wird nur eine, für die Sekundärspannung angezapfte Wicklung ausgeführt. – Nach ihrem Aufbau unterscheidet man Kern-T., Mantel-T. und Fünfschenkel-T.; nach Stromart Einphasen-T. und Dreiphasen-T. (Drehstrom-T.); nach dem Isolier- und Kühlmittel Trocken-T. (Luft-T.), Öl-T. mit Selbst- und Fremdkühlung. – T. werden in der Elektrizitätsversorgung zum Ändern der Spannungshöhe **(Umspanner, Leistungs-T.),** in der Messtechnik als **Messwandler,** zum Anpassen der Netzspannung an Geräte, Bauelemente und Arbeitsgänge als **Netz-T. (Gleichrichter-T., Stell-T.)** und **Schweiß-T.** sowie zum Anpassen des Widerstands als **Übertrager** eingesetzt.

📖 JANUS, R.: *T. Berlin u. a. 1993.*

Transformer [træns'fɔ:mə, engl.], Richtung der zeitgenöss. Kunst, in der Künstler die Veränderung ihrer Persönlichkeit durch Verkleidung oder Maskierung thematisieren. Ihre Medien sind Performance, Fotosequenz oder Video.

Transfusion [lat.] *die, Medizin:* Kurzbez. für die →Bluttransfusion.

transgene Organismen, Pflanzen oder Tiere, deren Erbanlagen ein Gen enthalten, das aus einem anderen Organismus stammt. Dazu wird z.B. aus einem Zellkern des Spendertieres ein Stück DNS isoliert und anschließend in eine im Reagenzglas befruchtete Keimzelle des Empfängertieres übertragen, die in dessen Gebärmutter eingepflanzt wird. Das fremde Gen soll bestimmte Eigenschaften des betreffenden Organismus zum Nutzen des Menschen verändern (z.B. produziert ein transgenes Schaf in seiner Milch ein Medikament, transgene Kulturpflanzen können gegenüber bestimmten Krankheitserregern resistent sein). Die Züchtung t. O. ist umstritten, da u.a. befürchtet wird, dass sich genetisch veränderte Pflanzen oder Tiere unkontrolliert verbreiten und das ökolog. Gleichgewicht stören könnten.

Transgression [lat.] *die,* das Vordringen eines Meeres über das Festland; Ggs.: →Regression.

Transhimalaja [-hi'ma:laja, -hima'la:ja] (Hedingebirge, chines. Gangdise Shan), über 1000 km langes, mehrere Ketten umfassendes Gebirgssystem (5500–6000 m ü.M.) im südl. Tibet, durch die Längstäler des oberen Brahmaputra und Indus vom Himalaja getrennt. Dem steilen, stark zerschnittenen S-Abfall entspricht eine sanfte, wüstenhafte N-Abdachung zu den abflusslosen Be-

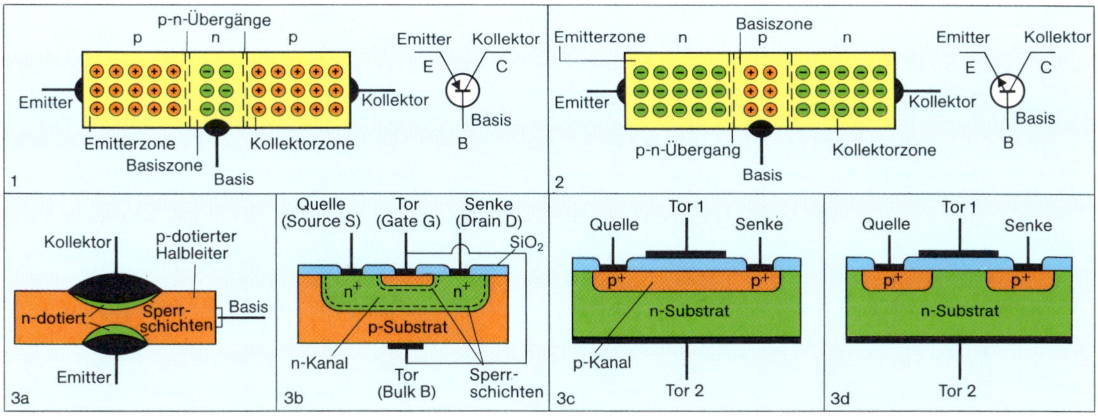

Transistor: schematischer Aufbau eines pnp-Transistors (1, rechts Schaltsymbol), npn-Transistors (2, rechts Schaltsymbol), Legierungstransistors (3a), Sperrschicht-Feldeffekttransistors (JFET) in Planartechnik (3b), Oberflächen-Feldeffekttransistors (IGFET) vom Verarmungstyp (3c) und vom Anreicherungstyp (3d); die dargestellten Feldeffekttransistoren (3b–d) weisen eine Isolatorschicht (blau) aus Siliciumdioxid (SiO_2) auf

ckenlandschaften Zentraltibets. Im T. liegt der →Kailas.

Transhumanz [lat.] *die,* Fernweidewirtschaft, bei der Viehherden dem Klimarhythmus entsprechend in verschiedenen Gebieten weiden, z.B. im Sommer im Gebirge, im Winter in den Ebenen; im Mittelmeergebiet und in den USA verbreitet.

Transilvania, rumän. Name →Siebenbürgens.

Transistor [engl., Kw. aus **trans**fer »Übertragung« und re**sistor** »elektr. Widerstand«, also »Übertragungswiderstand«] *der,* aktives elektron. Bauelement, das aus einem Halbleiterkristall mit Zonen unterschiedl. Störstellenleitung besteht und mindestens drei Elektroden besitzt. Das Ausgangsmaterial für T. ist meist Silicium, für spezielle Anwendungen auch Germanium und Galliumarsenid. Der T. wirkt als nahezu trägheitsloser, stetig steuerbarer Widerstand. Die Verstärkerwirkung kommt zustande, weil zur Steuerung des Ausgangsstromes (Laststrom) wesentlich weniger Leistung erforderlich ist, als dem Ausgangskreis entnommen werden kann. Man unterscheidet zwei Hauptgruppen, den Bipolar-T. und den Feldeffekt-T. – Beim **Bipolar-T.** erfolgt die Steuerung durch Änderung der Spannung von zwei dicht benachbarten →pn-Übergängen. Am Stromfluss sind zwei Ladungsträgerarten (Elektronen und Defektelektronen) beteiligt. Je nach Reihenfolge der p- und n-leitenden Schichten unterscheidet man **npn-T.** und dazu komplementäre **pnp-T.** Die Anschlüsse heißen Emitter, Basis (Steuerelektrode) und Kollektor (Sammelelektrode). Je nachdem, welche Elektrode für das Eingangs- und Ausgangssignal als Grundschaltung dient, wird zw. **Basisschaltung (Emitterschaltung)** und **Kollektorschaltung** unterschieden. Eine besondere Art stellt dabei der **Multiemitter-T. (Mehremitter-T.)** dar, der v.a. in der Halbleiterblocktechnik realisiert wird. Beim **Legierungs-T.** stellt die Basis den Grundkörper dar (n-leitendes Germanium), in den von zwei gegenüberliegenden Seiten Fremdstoffe zur Herstellung der Emitter- und Kollektorzonen einlegiert werden, und zwar durch Aufschmelzen von Indiumperlen.

Beim **Feldeffekt-T.** (Abk. **FET**) bzw. **Unipolar-T.** ist am Stromtransport nur eine Ladungsträgerart beteiligt (Elektronen bei n-Kanal-FET, Defektelektronen bei p-Kanal-FET). Die Funktion des FET beruht auf der Steuerung des Widerstands eines leitfähigen Kanals zw. zwei Elektroden, der Quelle (engl. Source) und der Senke (engl. Drain), durch eine isolierte Steuerelektrode, das Tor (engl. Gate). Man unterscheidet entsprechend den beiden unterschiedl. Mechanismen, die für die Änderung des Kanalwiderstands zw. Source und Drain verantwortlich sind, zw. dem JFET (Abk. von engl. junction field effect transistor, Sperrschicht-FET) und dem IGFET (insulated gate field effect transistor, Oberflächen-FET). Beim JFET erfolgt eine Änderung des Querschnitts des Kanals mithilfe von Sperrschichten (die Breite der Raumladungszone wird verändert). Dazu benutzt man auch Schottky-FET und MESFET (metal silicon field effect transistor, Metall-Silicium-FET). Beim IGFET erfolgt die Veränderung der Ladungsträgerdichte im Kanal mithilfe von →Influenz. Je nachdem, ob dieser Kanal auch bei Nichtvorhandensein einer Gate-Spannung besteht oder nicht besteht, liegt ein **Ausschöpfungs-** oder **Verarmungstyp** bzw. ein **Steigerungs-** oder **Anreicherungstyp** vor. Man unterscheidet beim IGFET je nach dem Aufbau zw. der Ausführung als Dünnschicht-T. und dem nach dem Verfahren der MIS-Technik hergestellten MISFET (metal insulator silicon field effect transistor). Der

MISFET wird wegen der fast ausschl. Verwendung eines Oxids als Isolator meist als MOSFET (metal oxide silicon field effect transistor) bezeichnet. Besondere Arten mit Speicherfunktionen sind MNOSFET (metal nitride oxide silicon field effect transistor). Für den speziellen Einsatz als Leistungsverstärker eignet sich aufgrund seines vertikal zum Substrat liegenden Kanals der VFET (vertical field effect transistor). – Neben diesen beiden genannten Hauptgruppen von T. müssen noch die **oberflächengesteuerten T.** (SCT-Elemente, Abk. von engl. surface controlled transistor) erwähnt werden. Ihre Bedeutung ist aber entsprechend der seltenen Anwendung gering. – T. werden in zahlr. technolog. und konstruktiven Varianten produziert. Dabei spielen technolog. Verarbeitungsverfahren (→Planartechnik, →Epitaxie) eine besondere Rolle bei der Herstellung moderner T. und Strukturen der Halbleiterblocktechnik. Eine Unterscheidung der T. ist weiterhin entsprechend der Verwendung möglich, z.B. Niederfrequenz-T., Hochfrequenz-T., Mikrowellen-T. Das Verhalten der T. lässt sich gut durch →Kennlinien darstellen (Steuer-, Ein- bzw. Ausgangskennlinie).

Die Erfindung des T. (1947/48) durch J. Bardeen, W. H. Brattain und W. Shockley in den Bell Laboratories leitete das Zeitalter der steuerbaren Halbleiterbauelemente ein und ermöglichte die Entwicklung der Mikroelektronik. Gegenüber den früheren Schaltungen mit Elektronenröhren sind T.-Schaltungen zuverlässiger, kleiner, billiger, haben nahezu unbegrenzte Lebensdauer, höhere mechan. Festigkeit, benötigen kleinere Betriebsspannungen, verbrauchen weniger Leistung und sind sofort betriebsbereit.

📖 NÜHRMANN, D.: *Professionelle Halbleitertechnik in der Praxis. T. u. Operationsverstärker verstehen u. erfolgreich anwenden.* Poing 1995.

Transistor|array [-əreɪ, engl.] *das,* integrierte Schaltung mit mehreren Transistoren, v.a. für elektron. Schaltungen, die eine gute therm. Kopplung erfordern.

Transistor-Transistor-Logik, Abk. **TTL,** Schaltkreisfamilie der →Digitaltechnik, bei der die log. Verknüpfung der Eingangssignale zu einem Ausgangssignal durch eine aus bipolaren Transistoren bestehende Schaltung realisiert wird. Charakteristisch für die TTL sind ein invers betriebener Multiemittertransistor am Eingang und eine Gegentaktendstufe (»Totem-Pole-Schaltung«).

Transit [lat.] *der,* auf der Grundlage innerstaatl. Rechtsvorschriften und völkerrechtlicher Verträge geregelte Durchreise von Personen und Durchfuhr von Waren von einem Staat in einen anderen durch das Hoheitsgebiet eines dritten Staates (T.-Land). Für den T. von Personen ist oft ein T.-Visum erforderlich. Waren werden verplombt durch die T.-Länder befördert, da sie dort nicht gelagert, gehandelt, be- oder verarbeitet werden dürfen.

transitiv [lat.], **1)** *Grammatik:* zielend, bezogen auf Verben mit einem Akkusativobjekt, das bei Umwandlung ins Passiv zum Subjekt wird, z.B.: *Der Lehrer korrigiert die Arbeiten/Die Arbeiten werden vom Lehrer korrigiert.*

2) *Mengenlehre:* →Relation.

Transkarpatilen, Gebiet auf der S-Abdachung der Waldkarpaten, Ukraine, 12800 km², 1,3 Mio., meist ukrain. Ew., darunter die →Huzulen; Hptst.: Uschgorod. T. ist Mittelgebirgsland mit dichten Wäldern, im Tiefland der oberen Theiß Ackerbauland. – T. kam 1919/20 als **Karpato-Russland** von Ungarn an die ČSR (Verträge von Saint-Germain-en-Laye und Trianon; ab 8. 10. 1938 als Bundesland **Karpato-Ukraine** Autonomie), Nov. 1938 (1. Wiener Schiedsspruch) der S-Teil bzw. März 1939 (Annexion) vollständig an Ungarn, Juni 1945 an die UdSSR; ab 22. 1. 1946 als T. der Ukraine angegliedert.

Transkei *die,* ehem. Homeland der Xhosa in der Rep. Südafrika, Hptst. war Umtata; kam 1994 zur Prov. Ost-Kap. – Zw. 1879 und 1897 von den Briten annektiert und der Kapprovinz angegliedert; erhielt im Rahmen der Apartheidpolitik 1963 innere Selbstverw. und 1976 als erstes Homeland (formal) die volle Unabhängigkeit von Südafrika (internat. nicht anerkannt). Nach einem Militärputsch im Dez. 1987 war eine Militärreg. unter B. Holomisa an der Macht.

Transkription [lat.] *die,* **1)** *Molekulargenetik:* »Umschreibung« der in der Desoxyribonucleinsäure codierten genet. Information in eine Ribonucleinsäurekopie. (→Proteinbiosynthese)

2) *Musik:* Bearbeitung eines Musikstücks für eine andere als die ursprüngl. Besetzung. – In der Editionstechnik die Übertragung älterer Notenaufzeichnungen in heutige Notationsweise; in der Musikethnologie die Übertragung von Tonbandaufzeichnungen in Notenschrift.

3) *Sprachwissenschaft:* Umsetzung einer Schrift (z.B. kyrillisch) in eine andere (z.B. lateinisch) für die Sprecher einer bestimmten Sprache, also in für diese lautlich in etwa entsprechende Buchstaben(kombinationen), z.B. russ. ч als »tsch«. T. ist also im Ggs. zur →Transliteration stets an eine bestimmte Sprache gebunden.

Translation [lat. »Übertragung«] *die,* **1)** *Kristallographie:* eine →Symmetrieoperation.

2) *Mathematik:* (Verschiebung, Parallelverschiebung), Bewegung, die alle Punkte um den gleichen Vektor **(T.-Vektor)** verschiebt.

3) *Molekulargenetik:* →Proteinbiosynthese.

4) *Physik:* fortschreitende, geradlinige Bewegung von Körpern, bei der sich alle Punkte mit gleicher Geschwindigkeit in dieselbe Richtung bewegen (T.-Bewegung).

Transleithanilen, in Österreich-Ungarn 1867–1918 Name für die Länder östlich der Leitha, die »Länder der Ungar. Krone« (im Unterschied zu Zisleithanien).

Transliteration [lat.] *die,* buchstabentreue Umsetzung eines in einer Buchstabenschrift (z.B. hebr., grch. Schrift) geschriebenen Textes in eine andere Buchstabenschrift (z.B. lat. Schrift), eventuell unter Verwendung diakrit. Zeichen, z.B. russ. ч als č. Der Text kann mithilfe einer T.-Tabelle korrekt in die Originalschrift zurückübertragen werden. (→Transkription)

Transmission [lat. »Übertragung«] *die,* **1)** *Maschinenbau:* Vorrichtung zur Kraftübertragung von einer Kraftmaschine auf mehrere Arbeitsmaschinen mittels Riemengetriebe.

2) *Physik:* Durchgang von Strahlung durch ein Medium ohne Frequenzänderung.

Transmissionsgrad, das Verhältnis des von einem Körper durchgelassenen Lichtstroms zum aufgefallenen Lichtstrom bzw. Strahlungsfluss.

Transmitter [engl.] *der, Physiologie:* →Neurotransmitter.

Transmongolische Eisenbahn, 1956 fertig gestellte Bahnverbindung von Ulan-Ude an der Transsibir. Eisenbahn (Russland) über Ulan-Bator (Mongolei) nach Jining.

Transnistrilen, die →Dnjestr-Region (→Moldawien, Geschichte).

Transoxanilen, ältere Bez. für das Gebiet um Buchara und Samarkand.

Transparent [frz.] *das,* **1)** Bild (aus Glas, durchscheinendem Stoff, Pergamentpapier u.Ä.), das von hinten beleuchtet wird.

2) gespanntes Schrift- oder Bildband mit (polit.) Forderungen, Parolen; Spruchband.

Transpiration [lat.] *die,* **1)** *Botanik:* die Wasserdampfabgabe durch die Spaltöffnungen der Blätter und über die Kutikula. Gegen zu starke T. in warmen Gebieten schützen z.B. Wachsüberzug und dichte Behaarung.

2) *Medizin* und *Zoologie:* die Schweißsekretion (→Schweiß).

Transplantation [lat. »Verpflanzung«] *die, Medizin:* operatives Übertragen von lebendem Gewebe zur Beseitigung eines Gewebedefektes, z.B. bei Hautverbrennungen **(Gewebe-T., Gewebeverpflanzung),** oder von Organen zur Funktionsübernahme, z.B. Niere, Leber, Herz, Bauchspeicheldrüse **(Organ-T.).** Nach der Herkunft des Gewebes unterscheidet man a) die **autogene T.** (veraltet autologe T., Auto-T.), bei der Spender und Empfänger identisch sind und Gewebe von einer Körperregion auf eine andere übertragen wird; b) die **syngene T.** (veraltet syngenet. T., isologe T., Iso-T.), bei der Spender und Empfänger genetisch identisch sind (eineiige Zwillinge, Inzuchttierstämme); c) die **allogene T.** (veraltet allogenet. T., homologe T., Homo-T.), bei der Spender und Empfänger zur gleichen Art gehören (z.B. Mensch–Mensch, Hund–Hund) und d) die **xenogene T.** (veraltet xenogenet. T., heterologe T., Hetero-T.) zw. versch. Arten (z.B. Mensch–Affe, Maus–Ratte). Neben Vitalität des Transplantats und optimaler Operationstechnik ist für das Anwachsen und die Funktion des Transplantats bei allogener und xenogener T. die Übereinstimmung der sog. T.-Antigene zw. Empfänger und Spender entscheidend. Schon bei geringen Differenzen ist, abhängig von der Art des transplantierten Organs bzw. Gewebes, der Erfolg der T. durch den Selbstschutz des Organismus (Abstoßungsreaktion) gegenüber artfremdem biolog. Material (T.-Immunität) zweifelhaft. Die weitgehende Übereinstimmung der T.-Antigene mindert die Gefahr der Transplantatabstoßung, der außerdem durch eine künstlich erzeugte Abschwächung der Immunreaktion des Empfängerorganismus (Immuntoleranz) begegnet wird. Von einer Einheilung kann nur gesprochen werden, wenn die überpflanzten Zellen erhalten bleiben, sich regenerieren und wenn es zu einem funktionellen Anschluss an den Empfängerorganismus kommt. – Aufgrund medizin. Gegebenheiten müssen in Verbindung mit der jurist. Problematik beim **Organspender** (Person, der Organe oder Organteile zu Transplantationszwecken entnommen werden) eine Reihe von Voraussetzungen erfüllt sein. Das 1997 verabschiedete T.-Gesetz legt fest, dass entweder die persönl. Einwilligung des Organspenders oder die Zustimmung eines Angehörigen vorliegen muss. Als Voraussetzung für eine Organentnahme ist der Ausfall der Gehirnfunktionen (Hirntod) vorgeschrieben. (→Herztransplantation, →Nierentransplantation)

📖 LÖW-FRIEDRICH, I. *u.* SCHOEPPE, W.: *T. Grundlagen – Klinik – Ethik u. Recht. Darmstadt 1996.* – NAGEL, E. *u.* SCHMIDT, PETRA: *T. Leben durch fremde Organe, hg. v.* R. PICHLMAYR. *Berlin u.a. 1996.*

Transpluto, 1) hypothet. Planet jenseits der Bahn des →Pluto; 2) Bez. für eine Population von Planetoiden oder Kometen im Sonnensystem, die sich im Abstand von 31 bis 45 AE um die Sonne bewegen.

Transponder [engl., Kw. aus **trans**mitter »Sender« und res**ponder** »Antwortgeber«] *der,* Sende- und Empfangseinrichtung, die nach einer empfangenen und ausgewerteten Anfrage eine Antwort erteilt; Anwendung z.B. als Bordstation in Nachrichtensatelliten, beim Sekundärradar (→Radar) oder als »Freund-Feind-Kennung« (→IFF-Gerät).

transponierbare Elemente, i. w. S. alle DNS-Abschnitte, die ihre Lage im Genom verändern **(Transposition)** und so die Ausprägung von Genen beeinflussen. Sie bewirken spontane, nicht mit den mendelschen Gesetzen erklärbare genet. Veränderungen; t. E. beeinflussen z. B. die Körnerfärbung beim Mais, die Augenfarbe der Taufliegen. (→Transposon, →IS-Elemente)

transponieren [lat.], ein Musikstück in eine andere Tonart versetzen; häufig bei Liedern.

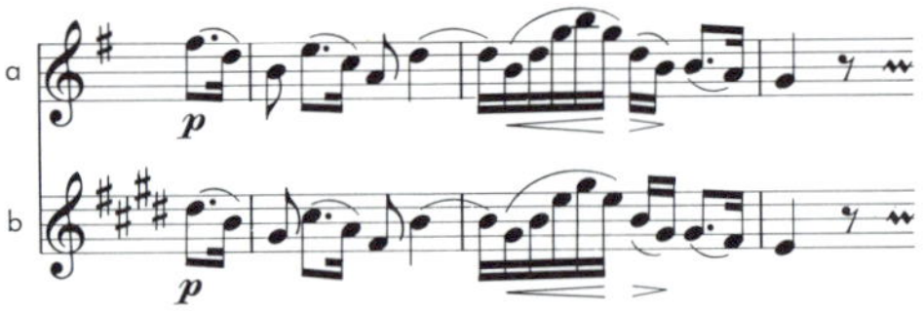

transponierende Instrumente: Klarinette in A, Notierung (a) und Klang (b); aus dem 2. Satz der Sinfonie e-Moll op. 98 von Johannes Brahms

transponierende Instrumente, Musikinstrumente, die in anderer Tonart erklingen, als das Notenbild anzeigt. Bei Blasinstrumenten wird die Naturskala des Instruments, z. B. die der Klarinette in A oder der Trompete in B, als C-Dur, also eine kleine Terz bzw. eine große Sekunde über dem Klang, notiert. Die Transposition bedeutet eine Erleichterung für den Spieler, der versch. Vertreter der gleichen Instrumentengattung spielt.

Transport [frz., von lat. transportare »hinüberbringen«] *der,* Beförderung von Personen, Gütern, Energie sowie von Nachrichten.

Transportflugzeug (Transporter), militär. Frachtflugzeug zur Beförderung von Truppen, Waffen und Material. Hauptanforderungen sind u. a. hohe Tragfähigkeit, große Frachtraumabmessungen, schnelle Be- und Entlademöglichkeit, Unabhängigkeit von Bodenanlagen.

Transrapid: Das Fahrzeug umgreift mit seinem Trag- und Führsystem den Fahrbalken und wird durch anziehende, unter der Fahrbahn wirkende Magnetkräfte angehoben

Transportgefährdung, die gemeingefährliche Beeinträchtigung der Betriebssicherheit einer Schienen- oder Schwebebahn, der Schifffahrt oder der Luftfahrt durch Beschädigung der Anlagen oder Beförderungsmittel, Bereiten von Hindernissen o. ä. Eingriffe (§ 315 StGB), ferner auch das Führen derartiger Beförderungsmittel in trunkenem Zustand oder unter grob pflichtwidrigem Verstoß gegen Sicherheitsvorschriften (§ 315a StGB). In beiden Fällen ist die konkrete Gefährdung von Leib oder Leben oder bedeutenden Sachwerten Voraussetzung der Strafbarkeit. (→Straßenverkehrsgefährdung)

Transportversicherung, Versicherung gegen Schäden an Transportmitteln **(Kaskoversicherung)** und beförderten Gütern **(Kargoversicherung)** während einer Reise einschl. der übl. Lagerung sowie an hiermit verbundenen, in Geld schätzbaren Interessen (Versicherung von entgangenem Gewinn), Fracht, Havariegeldern u. a. Nach dem Beförderungsweg unterscheidet man: Seeversicherung, Binnen-T. (Fluss-, Binnengewässer- und Land-T., wie Eisenbahn-, Kraftfahrzeug-T.) und Luft-T. Bei Kombination mehrerer Arten spricht man von »T. auf durchstehendem Risiko« (T. von Haus zu Haus). Für die T. gelten über die allg. Regelungen hinaus die Bestimmungen der §§ 129 ff. Versicherungsvertragsgesetz.

Transposon [lat.] *das,* bewegliches genet. Element, das aus einer Position in einem DNS-Molekül in eine andere selbstständig übertragen wird. Die schnelle Resistenzentwicklung von Bakterien gegenüber Antibiotika z. B. beruht auf einem Austausch von Resistenzgenen, die als T. von einem Resistenzfaktor auf einen anderen überwechseln.

Transputer [-ˈpjuːtər; Kw. aus engl. **trans**mitter und com**puter**] *der,* eine Rechnerarchitektur auf der Basis von Mikroprozessoren mit eigenem Arbeitsspeicher und (meist vier) seriellen Kanälen, über die zahlr. T. miteinander kommunizieren können. Der Aufbau von T.-Netzwerken ermöglicht eine parallele Datenverarbeitung.

Transrapid [Kw.] *der,* eine in Dtl. entwickelte →Magnetschwebebahn, die auf dem elektromagnet. Schwebeverfahren (EMS) beruht. Der T. erreichte auf der Versuchsanlage im Emsland 1991 seine techn. Einsatzreife. Er soll ab 2004/05 fahrplanmäßig zw. Berlin und Hamburg verkehren und auf dieser 292 km langen Strecke bei etwa 60 Minuten Fahrzeit eine Durchschnittsgeschwindigkeit von 320 km/h erreichen. Der T. ist jedoch wirtschaftlich und verkehrspolitisch umstritten.

📖 *Die Magnetschnellbahn T. Die Fakten u. ihre Bewertung, hg. vom Forschungsinstitut der Friedrich-Ebert-Stiftung. Bonn 1996.*

Transsexualität, psych. Identifizierung mit dem Geschlecht, das dem eigenen körperl. Geschlecht entgegengesetzt ist, verbunden mit dem Bestreben, dessen soziale Rolle möglichst vollkommen zu leben. Durch Hormonbehandlung und plast. Chirurgie ist (ergänzt durch eine Änderung des Vornamens und der Geburtsurkunde) eine →Geschlechtsumwandlung möglich.

Transsibirische Eisenbahn (Kw. Transsib), Eisenbahnverbindung zw. Ural und Pazif. Ozean, 1891–1903 gebaut, letztes Teilstück 1916 fertig gestellt, seit 1938 zweigleisig; führt von Tscheljabinsk über Omsk, Nowosibirsk, Krasnojarsk, Irkutsk, Baikalsee, Ulan-Ude, Tschita (bis hierhin elektrifiziert), Chabarowsk nach Wladiwostok; 9289 km lang. (→Südsibirische Eisenbahn)

Transsilvanieln, frühere dt. Bez. für Siebenbürgen.

Transsubstantiation [lat.] *die, kath. Theologie:* die →Wandlung von Brot und Wein bei der Feier der →Eucharistie. **T.-Lehre,** →Abendmahl.

Transsudat [lat.] *das,* nicht entzündl. Erguss in Körperhöhlen und Gewebe; entsteht infolge allg. oder lokaler Stauung oder vermehrter Gefäßwanddurchlässigkeit.

Tranströmer, Tomas, schwed. Schriftsteller, *Stockholm 15. 4. 1931; mit seiner klassisch-formstrengen, metaphor. Poesie maßgebl. Vertreter der schwed. Gegenwartslyrik.

Transurane, radioaktive chem. Elemente mit einer höheren Ordnungszahl Z als der des Urans ($Z = 92$). Abgesehen von geringsten Mengen einiger Nuklide der Elemente Neptunium, Plutonium, Americium und Curium werden T. künstlich gewonnen, u.a. durch Beschuss von Kernen des Urans oder der nächsten T. mit energiereichen Ionen leichter oder mittelschwerer Elemente aus Teilchenbeschleunigern (→Schwerionenforschung). T., die meist in Form mehrerer Isotope vorliegen, besitzen Halbwertszeiten von Bruchteilen einer Sekunde bis zu über 80 Mio. Jahren (Plutoniumisotop 244). (→Transactinoide)

Transvaal, ehem. Provinz im NO der Rep. Südafrika, Hptst. Pretoria, ging 1994 in den Prov. Mpumalanga, Gauteng, Nordprovinz und dem W von Nordwest auf.

Geschichte: Nach 1835 wanderten aus der Kapkolonie und Natal Buren ein. Aus ihren kleinen Staatsbildungen entstand 1856 der Freistaat T. (1884–1902 Südafrikan. Republik). 1877 von Großbritannien annektiert, erkannte die brit. Reg. nach einem Aufstand der Buren (1880/81) die Eigenständigkeit von T. 1881 an. Als unter Präs. P. Krüger nach der Entdeckung reicher Goldfelder am Witwatersrand vielen, meist brit. Einwanderern das volle Bürgerrecht abgelehnt wurde, kam es zu dem von C. Rhodes unterstützten, von den Buren abgewehrten →Jameson Raid. 1897 schloss T. ein Bündnis mit dem Oranje-Freistaat. Nach dem →Burenkrieg wurde T. von Großbritannien annektiert, 1910 eine Prov. der Südafrikan. Union.

transversal [lat.], senkrecht zu einer Vorzugsrichtung, z.B. schwingt bei transversalen elast. Wellen das Medium senkrecht zur Fortpflanzungsrichtung.

Transversale *die,* Gerade, die eine ebene Figur schneidet.

Transvestitismus [lat.] *der* (Transvestismus), das Bedürfnis, z.B. mittels Kleidung, Schminke und Gestik, die Rolle des anderen Geschlechts anzunehmen. T. tritt überwiegend bei heterosexuell orientierten Männern auf.

transzendent [lat.], die Grenze der Erfahrung überschreitend, übersinnlich, übernatürlich.

transzendental, bei I. Kant svw. vor aller Erfahrung gegeben, diese erst bedingend; unter transzendentalem Blickwinkel, d.h. erkenntniskritisch gesehen, sind z.B. Raum und Zeit unserer Vorstellung von den Dingen, nicht den Dingen selbst, zugehörig, d.h. »transzendental ideal«.

transzendentale Meditation, Abk. **TM,** aus dem Hinduismus hervorgegangene, von dem ind. Guru Maharishi Mahesh Yogi 1958 in Madras gegr. »Geistige Erneuerungsbewegung« (»Spiritual Regeneration Movement«). Ziel ist die Erweiterung der individuellen Lebensmöglichkeiten und die Realisierung eines umfassenden gesamtgesellschaftl. Reformprogramms (»Weltplan«) auf dem Wege des stufenweisen Erreichens der höchsten Bewusstseinsebene (der »Quelle schöpfer. Intelligenz«) durch eine spezielle Meditationstechnik.

Transzendentalismus *der,* **1)** die →Transzendentalphilosophie.

2) in den USA Mitte des 19. Jh. eine gegen Aufklärung, rationalist. Puritanismus und Materialismus gewandte philosoph. Richtung, die den Menschen als Zentrum aller Erfahrung und Philosophie ansah und die Hingabe an die Natur lehrte (u.a. R. W. Emerson, H. D. Thoreau).

Transzendentalphilosophie (Transzendentalismus), bei I. Kant Bez. für die Wiss., die die im menschl. Bewusstsein liegenden Bedingungen (Anschauungsformen und Verstandesstrukturen) untersucht, die, unabhängig von und vor aller Erfahrung, Gegenstände der Erfahrung und ihre objektive Erkenntnis erst ermöglichen.

transzendente Zahl, jede reelle Zahl, die keine →algebraische Zahl ist, z.B. die eulersche Zahl e und die Kreiszahl π.

Transzendenz *die,* das jenseits des Bereichs der sinnl. Erfahrung Liegende, das Jenseits; Ggs.: Immanenz.

Trapani, 1) Provinz auf Sizilien, Italien, 2460 km², (1995) 432300 Einwohner.

2) Hptst. von 1), 69900 Ew., an der NW-Küste Siziliens; Bischofssitz; Bibliothek, Museum; Fischereihafen; Fischkonservenind., Schiffbau, Erdölraffinerie; Salinen; Weinkellereien. – Wallfahrtskirche Madonna dell'Annunziata (14. Jh., später mehrfach verändert), ehem. Kloster (1639 ff., Museum), Dom San Lorenzo (1635, Kuppel und Vorhalle 1740), barocke Kollegiatskirche (1606–38); vor dem Hafeneingang Festung La Colombaia (Turm 14. Jh., im 16./17. Jh. ausgebaut). – T., das antike **Drepanum,** war unter byzantin., arab. und normann. Herrschaft eine der reichsten Städte Siziliens.

Trapez [grch.] *das,* **1)** *Artistik:* an Seilen hängendes Schaukelreck.

2) *Geometrie:* ebenes Viereck mit zwei parallelen, aber ungleich langen Seiten. Der Abstand der beiden parallelen Grundseiten *a* und *c* ist die Höhe *h* des T.; sie wird von der Mittellinie *m,* die die Mittelpunkte der Schenkel *b* und *d* miteinander verbindet, halbiert.

Trapezoid *das,* Viereck, das keine parallelen Seiten besitzt, d. h. weder ein Parallelogramm noch ein Trapez ist.

Trapezunt, früherer Name von → Trabzon.

Trapp [schwed.], → Basalt.

Trappen (Otididae), Familie hühnerähnl. Kranichvögel mit hohen, kräftigen Läufen; sie leben in Steppen und Halbwüsten Afrikas, Eurasiens und Australiens; Bodenbrüter. Die **Großtrappe** (Otis tarda), bis zu 1 m groß, mit rostbrauner, schwarz gebänderter Oberseite und weißem Bauch, bewohnt Moore und Kulturflächen in Nord-Dtl.; ihre Bestände sind stark bedroht.

Trapper [engl.] *der,* nordamerikan. Pelztierjäger.

Trappen: Großtrappe (Größe bis zu 1 m)

Trappisten (lat. Ordo Cisterciensium Reformatorum, Abk. OCR, oder Ordo Cisterciensium Reformatorum seu Strictioris Observantiae, Abk. OCSO), Angehörige des 1664 im Kloster La Trappe (Dép. Orne) von A. J. Le Bouthillier de Rancé gegr. Reformzweigs der Zisterzienser; seit 1902 rechtlich selbstständiger Orden. Die Regel der T. ist geprägt durch Kontemplation, strenge Askese (Fasten, stetes Schweigen) und körperl. Arbeit; Sitz des Generalabts: Rom; weltweit etwa 2700 Mönche. – Der weibl. Zweig, die **Trappistinnen,** wurde 1689 ebenfalls von Le Bouthillier de Rancé gegründet.

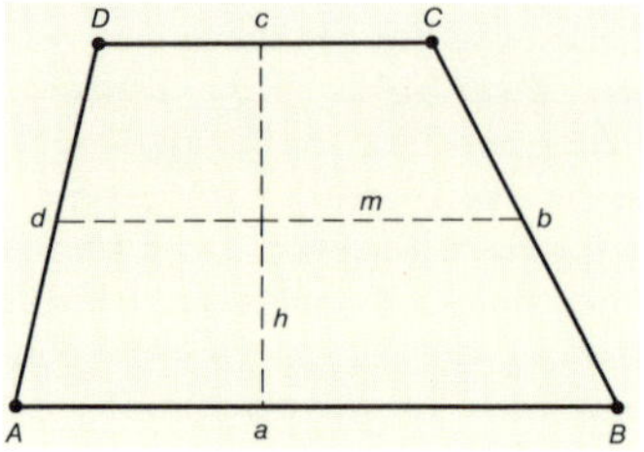

Trapez 2) mit den Grundseiten *a* und *c*, den Schenkeln *b* und *d*, der Höhe *h* und der Mittellinie *m*

Trapschießen [engl. trap »Falle«], Disziplin des Wurfscheibenschießens mit Schrotflinten, bei dem die Schützen von parallel vor den Wurfmaschinen befindl. Positionen auf die in wechselnder Richtung geschleuderten Wurfscheiben (»Taube«) schießen. Je Wurfscheibe (125 pro Schütze) können bis zu zwei Schuss abgegeben werden; Endkampf der sechs besten Schützen mit 25 Schuss. Beim **Doppeltrap** sind pro Schütze 125 Scheiben in fünf Serien zu schießen, pro Scheibe nur ein Schuss.

Traubenwickler: Einbindiger Traubenwickler (Körperlänge 7–8 mm)

Trasimenischer See (italien. Lago Trasimeno oder Lago di Perugia), größter See der Apenninhalbinsel, nordwestlich von Perugia, 259 m ü. M., 128 km², bis 7 m tief. – Am T. S. vernichtete Hannibal 217 v. Chr. im 2. Punischen Krieg das röm. Heer unter Flaminius.

Trass [italien.] *der,* trachyt. Tuff; wird in fein gemahlener Form als Puzzolan bei der Herstellung von Zement, Mörtel und Beton verwendet.

Trasse [frz.] *die,* eine im Gelände durch Pfähle, Schnüre, Furchen o. Ä. markierte Linienführung für einen Verkehrsweg (Straße, Eisenbahn, Kanal), auch die mit Planiermaschinen geschobene Spur.

Tratte [italien.] *die,* gezogener → Wechsel.

Trattenbuch, Nebenbuch der Buchführung, in das zur Kontrolle alle Schuldwechsel mit den wichtigsten Merkmalen eingetragen werden.

Traube, *Botanik:* 1) Form eines → Blütenstandes; 2) allgemeinsprachl. Bez. für den Fruchtstand der Weinrebe (morphologisch gesehen eine Rispe).

Traubenhyazinthe (Träubel, Träubchen, Muscari), Gattung der Liliengewächse in Europa, im Mittelmeerraum und in W-Asien; Zwiebelpflanzen mit wenigen, schmalen, grundständigen Blättern; Blüten in Trauben; z. T. Gartenzierpflanzen.

In Dtl. kommt u.a. in Weinbergen und Halbtrockenrasen die bis zu 30 cm hohe **Weinbergs-T.** (Muscari racemosum) vor. Die wild wachsenden Populationen aller Arten sind geschützt.

Traubenkirsche (Ahlkirsche, Prunus padus, Padus avium), bis 12 m hoher Baum mitteleurop. Auwälder mit traubigen Blütenständen. Die Rinde ist leicht giftig.

Traubenkur, Diät, bei der etwa eine Woche lang ausschl. Weintrauben gegessen werden (als Getränk sind Mineralwasser und ungezuckerte Kräutertees erlaubt); wirkt blutreinigend, entgiftend und entschlackend.

Traubenmole, *Medizin:* die →Blasenmole.

Traubensäure, →Weinsäure.

Traubenwickler, zwei Schmetterlingsarten der Familie Wickler, deren Raupen Rebschädlinge sind: der **Einbindige T.** (Eupoecilia ambiguella) und der **Bekreuzte T.** (Lobesia botrana). Die Fraßschäden der Raupen der ersten Generation fallen in die Heuernte **(Heuwurm),** die der zweiten in die Weinbeerenreife **(Sauerwurm),** wodurch die Sauerfäule der Trauben entsteht.

Traubenzucker (Dextrose), die →Glucose.

Trauermantel (Nymphalis antiopa), geschützte Art der Fleckenfalter mit dunkelsamtbraunen, gelb gerandeten und einer Reihe hellblauer Flecken versehenen, bis zu 7 cm spannenden Flügeln. Die bedornte schwarze Raupe ist rot gefleckt; sie lebt bes. an Birken.

Trauerspiel, dt. Bez. (seit dem 17. Jh.) für →Tragödie.

Traufe, die waagerechte Unterkante eines schrägen Daches.

Traufenhaus, ein Haus, dessen First und Traufe im Unterschied zum Giebelhaus zur Straße parallel verlaufen.

Traum, i.e.S. Bez. für Fantasieerlebnisse vorwiegend opt. und akust. Art während des Schlafs; i.w.S. Bez. für etwas Unwirkliches oder Ersehntes bzw. für etwas eigentlich unvorstellbar Großartiges. – Besonderheiten des Träumens (das auch bei höher entwickelten Tieren vorkommt) sind: Vorherrschen des Emotionalen, mangelnde Scheidung zw. Umwelt und Ich, unklare Zeit- und Ortsbegriffe, assoziatives Denken und mehr- bzw. vieldeutige Bilder als T.-Inhalte. Es basiert auf Informationsverarbeitungsprozessen des Gehirns im Schlaf und setzt voraus, dass entsprechende Elemente im Gehirn gespeichert sind (z.B. werden bei angeborener Blindheit im T. keine Bilder gesehen). Reize (auch von inneren Organen, z.B. Hunger, Durst, gefüllte Blase), Erlebnisse des vergangenen Tages und andere Aktivierungen beeinflussen den T.-Inhalt. Die Verzerrung der T.-Vorstellungen gegenüber der Realität basiert auf Veränderungen in der Hirntätigkeit während des Schlafs. Träume treten vorwiegend in den REM-Phasen des Schlafs auf.

In der *Psychoanalyse* gilt der T. als Hauptquelle für das Verstehen des Unbewussten. Die psychoanalyt. T.-Deutung geht von der Voraussetzung aus, dass Träume i.d.R. Darstellungen von Triebregungen sind, die sich in verhüllter symbol. Form dem Bewusstsein darbieten. Andererseits wird die Funktion der Träume in der psych. Selbstregulation und ihre Verwandtschaft mit den in Märchen und Mythen überlieferten kollektiven Mensch-

Trauermantel und dessen Raupe

Traum

Warum träumen wir intensiver und häufiger, wenn wir ein Nickerchen halten?

Bei einem Nickerchen träumen wir genauso viel wie in der Nacht. Der Unterschied liegt darin, dass wir uns besser an die Träume erinnern. Während wir schlafen, sind die Funktionen der Langzeiterinnerung nahezu abgeschaltet. Je schneller wir also nach einem Traum aufwachen, desto besser können wir uns an ihn erinnern. Jede Störung, die einen Traum unterbricht, lässt uns wahrnehmen, dass wir träumen. So hat es keine psychologischen Gründe, dass Frauen in fortgeschrittener Schwangerschaft oftmals berichten, dass sie häufiger träumen, sondern liegt daran, dass ihr Körperumfang doch langsam etwas unbequem und ihr Schlaf dadurch häufiger gestört wird.

heitserfahrungen (C. G. Jung) betont. Schon seit ältester Zeit sucht man aus den T.-Inhalten durch T.-Deutungen **(T.-Bücher)** auch Aufschlüsse über die Zukunft zu gewinnen.

STRAUCH, I. *u.* MEIER, BARBARA: *Den Träumen auf der Spur. Ergebnisse der experimentellen Traumforschung. Bern u.a. 1992.* – BITTLINGER-BAUMANN, I.: *Träume – Sprache der Seele. Kindhausen [2]1993.* – STECKER, D.: *Träume. Wege ins Leben. Sindelfingen 1995.*

Trauring

Der Brauch, Ringe zu tauschen, geht letztlich auf eine römische Sitte zurück. Im antiken Rom trugen allerdings nur die Frauen einen Ehe- oder Verlobungsring. Sie steckten ihn auf den Mittelfinger, da man allgemein glaubte, dass von diesem Finger ein Nerv direkt zum Herzen führe. Der meist eiserne Verlobungsring galt als Zeichen der Bindung, aber auch als Empfangsbestätigung für die Mitgift. Erst unter frühchristlichem Einfluss wurde der Ring zum Symbol von Treue und Unauflöslichkeit der Ehe.

Trauma [grch.] *das,* Wunde, Verletzung, Gewalteinwirkung in körperl. oder psych. Hinsicht (psych. Trauma).

Traun 1) *die,* rechter Nebenfluss der Alz in Oberbayern, rd. 45 km, entspringt in den Chiemgauer Alpen, mündet bei Altenmarkt a.d. Alz.

2) *die,* rechter Nebenfluss der Donau in OÖ, 153 km, entsteht bei Bad Aussee aus drei Quellflüssen, durchfließt den **Hallstätter See** und den **T.-See,** bildet den 14 m hohen **T.-Fall** und mündet unterhalb von Linz; mehrere Kraftwerke.

3) Stadt im Bezirk Linz-Land, OÖ, 22300 Ew.; Herstellung von Brillen, Süß-, Metallwaren, Textilien. – Schloss (16. Jh.) der Grafen von Abensperg und Traun. – Seit 1973 Stadt.

Traunsee mit Blick auf den 1691 m hohen Traunstein

Traunreut, Stadt im Landkr. Traunstein, Oberbayern, 21500 Ew.; Hausgeräte- und Leuchtenwerk, Textilind., Herstellung von Mess- und Präzisionsgeräten. – 1950 angelegt, seit 1960 Stadt.

Traunsee (Gmundner See), See im Salzkammergut, OÖ, 422 m ü.M., am Fuße des **Traunsteins** (1691 m ü.M.), 24,5 km^2, 12 km lang, bis 3 km breit, bis 191 m tief; von der Traun durchflossen.

Traunstein, 1) Landkreis im RegBez. Oberbayern, Bayern, 1534 km^2, (1997) 164200 Einwohner.

2) Krst. von 1) in Bayern, Große Krst., 17700 Ew.; Heimatmuseum; Metall verarbeitende Ind., Brauerei. – Brothausturm (1541), Rupertuskapelle (um 1630), Kirche St. Oswald (14.–17. Jh., Stuckdekoration 1904–09); Industriegebäude (17.–19. Jh.). – Seit 1375 Stadt.

Trauring (Ehering), zum Zeichen der Trauung getragener, meist goldener Ring; urspr. eine Form des Handgelds, das der Bräutigam dem Vormund der Braut zahlte; als Veranschaulichung der ehel. Verbundenheit wurde der Ringwechsel bis zum 12. Jh. zum Rechtssymbol.

Traut, Wolf, Maler und Zeichner für Holzschnitt und Glasgemälde, *Nürnberg zw. 1480 und 1485, †ebd. 1520; seit 1505 in der Werkstatt A. Dürers tätig, zeichnete einen großen Teil der Vorlagen für die Holzschnitte der »Ehrenpforte« Kaiser Maximilians I. (1515). Stilistisch beeinflusst von Dürer und H. von Kulmbach, schuf er ferner Altarwerke (Artelshofener Altar, 1514; Mitteltafel München, Bayer. Nationalmuseum; Flügel Nürnberg, German. Nationalmuseum), Zeichnungen für den Buchholzschnitt und Scheibenrisse.

Trautenau, tschech. Stadt, →Trutnov.

Trautonium *das,* 1930 von F. Trautwein (*1888, †1956) konstruiertes →elektronisches Musikinstrument, 1949–52 von Oskar Sala zum **Mixtur-T.** weiterentwickelt; wurde v.a. für Bühnen- und Filmmusiken und im Rundfunk verwendet.

Trauung, die kirchl. und bürgerl. (standesamtl.) Form der Eheschließung. Der Ausdruck T., ihre rechtl. Bedeutung und die Substanz ihrer Zeremonien (beiderseitige Willenserklärung, Ringwechsel) gehen auf das germanisch-dt. Recht zurück (→Eherecht). – Die kirchl. T. als vor einem Geistlichen abgegebenes Eheversprechen und Einsegnung der Ehe entstand im 14. Jh.; sie löste die bis dahin übl. Eheschließung durch einen weltl. Trauvormund ab. In den prot. Gebieten setzte sich ein kirchl. Trauzwang erst im 17. Jh. durch. Seit dem 15./16. Jh. ist die kirchl. T. vom Ortsgeistlichen in den Kirchenbüchern dokumentiert; die standesamtl. T. (Zivil-T., seit dem 18. Jh. üblich; seit 1876 in Dtl. allein rechtsgültig, →Kulturkampf) wird in das Heiratsbuch eingetragen.

Trave *die,* Fluss in O-Holstein, entspringt südlich von Eutin, mündet bei Travemünde in die Ostsee, 118 km lang, davon 53 km schiffbar.

Travellerscheck ['trævələ-, engl.], →Reisescheck.

Wolf Traut: »Die heilige Sippe«, Mitteltafel des Artelshofener Altars (1514; München, Bayerisches Nationalmuseum)

Travemünde, Seebad an der Mündung der Trave in die Ostsee, seit 1913 Stadtteil von Lübeck, 15 000 Ew.; Spielkasino, Dt. Schiffs- und Marinemuseum; Fährverkehr nach Skandinavien. – Geschlossene Altstadt um die St.-Lorenzkirche (Neubau nach Brand 1557), Leuchtturm (1539), ehem. Vogtei (um 1600). – Seit 1802 Seebad.

Traven, B., andere Pseud. Ret Marut, Richard Maurhut, Traven Torsvan, Hal Croves, Schriftsteller, *San Francisco (Calif.) 25. 2. 1882 (?) oder Chicago (Ill.) 3. 5. (5. 3.?) 1890 (?), †Mexiko 26. 3. 1969; Geburtsort und -datum sowie Identität T.s sind ungeklärt; 1907/08 unter dem Namen Ret Marut Schauspieler am Stadttheater Essen und seit 1917 Herausgeber der sozialistisch-anarchist. Zeitschrift »Der Ziegelbrenner« (1921 verboten); war Leiter der Presseabteilung der Münchener Räteregierung, 1919 als »Hochverräter« verhaftet; 1923/24 Flucht nach Mexiko, ab 1951 mexikan. Staatsbürger. Sein abenteuerl. Leben spiegelt sich in seinen exotisch-farbigen und oft krass naturalist. Werken, in denen er sich zu unbedingter Sympathie und Solidarität mit Erniedrigten und Entrechteten bekennt (»Die Baumwollpflücker«, R., 1925; »Das Totenschiff«, R., 1926; »Der Schatz der Sierra Madre«, R., 1927; »Die Rebellion der Gehenkten«, R., 1936).

Traversale [frz.] *die, Dressurreiten:* Schrägverschiebung des Pferdes, wobei es sich fast parallel zur Seitenlinie der Reitbahn bewegt.

Traverse [frz.] *die,* **1)** *Bautechnik:* Querträger, z. B. an einem Mast, an dem Freileitungen befestigt sind.

2) *Flussbau:* buhnenartiger Querbau zw. Parallelwerk und Ufer.

B. Traven (Londoner Polizeifoto von Ret Marut, 1923)

Travertin [italien.] *der,* Kalktuff; Werk- und Dekorationsstein, der in bergfeuchtem Zustand leicht zu bearbeiten ist.

Travestie [engl. travesty, eigtl. »Umkleidung«] *die,* mit der Parodie verwandte Form der Verspottung eines literar. Werkes; im Unterschied zur →Parodie bewahrt die T. weitgehend den Inhalt des Originals, verändert aber dessen formale (stilist.) Seite und erzeugt dadurch eine kom. Spannung. Ihre karikierende Wirkung setzt die Bekanntheit des originalen Inhalts voraus, daher werden v. a. myth. und antike Stoffe sowie geläufige klass. Dichtungen bevorzugt.

Travestieshow [-ʃəʊ], Show, in der überwiegend Männer in weibl. Kostümierung auftreten.

Trawler ['trɔ:lə, engl.] *der,* Fischereifahrzeug, das mit einem Grundschleppnetz (Trawl, →Schleppnetz) fischt.

Treasury ['treʒərɪ; engl. »Schatzkammer«], Bez. für das brit. Finanzministerium.

Treatment ['tri:tmənt, engl.] *das,* →Film.

Trebbia *die,* rechter Nebenfluss des Po, etwa 115 km lang, entspringt nordöstlich von Genua im Apennin, mündet bei Piacenza. – An der T. (lat. **Trebia**) schlug Hannibal im 2. Pun. Krieg 218 v. Chr. die Römer.

Trebenište [-ʃte], Dorf bei Ohrid, Rep. Makedonien, Fundort mehrerer Fürstengräber des 6. Jh. v. Chr. mit reichen Beigaben (u. a. Totenmasken aus Goldblech). Die Funde von T. gaben der wohl illyr. **T.-Kultur** den Namen.

Trebenište: Goldmaske aus einem der Fürstengräber (Ende 6. Jh. v. Chr.; Belgrad, Nationalmuseum)

Treber, bei der Herstellung von Bier die Rückstände der Maischebereitung; Viehfutter.

Třebíč ['trʃɛbi:tʃ] (dt. Trebitsch), Stadt im Südmähr. Gebiet, Tschech. Rep., 39 200 Ew.; Schuh-, Textil-, Möbelind., Maschinenbau. – Ehem. roman. Klosterkirche (1240–60).

Gyula Trebitsch

Trebitsch, Gyula, Film- und Fernsehproduzent, *Budapest 3. 11. 1914; 1942–45 Arbeitsdienst und KZ, 1960 Gründer und Leiter (bis 1980) des »Studios Hamburg«; produzierte u. a. »Des Teufels General« (1955), »Der Hauptmann von Köpenick« (1956), »Die Geschwister Oppermann« (1982).

Treblinka, Ort am Bug, Polen, nordöstlich von Warschau. – In dem 1942 bis Okt. 1943 bestehenden SS-Vernichtungslager von T. wurden zw. 700 000 und 900 000 Menschen, meist poln. Juden, ermordet (mehr als 300 000 aus dem Warschauer Getto).

Trebnitz, Stadt in Polen, → Trzebnica.

Trecento [treˈtʃɛnto; italien. »dreihundert«, kurz für 1300] *das,* italien. Bez. für das 14. Jh., im Sinne eines kunsthistor. Stilbegriffs als Epoche der italien. Gotik.

Treck, Zug von Menschen mit ihrer auf Wagen geladenen Habe, bes. die Auswanderungszüge der Buren aus der Kapkolonie seit 1835 **(Großer T.);** auch Bez. für die nach W führenden Züge der nordamerikan. Siedler sowie für die Flüchtlingszüge aus dem Osten Dtl.s **(Flüchtlings-T.)** gegen Ende des 2. Weltkriegs.

Treibarbeit: Ringkragen, irische Arbeit (8. Jh. v. Chr.; London, Victoria and Albert Museum)

Trecker, der → Traktor.

Trediakowski, Wassili Kirillowitsch, russ. Schriftsteller und Philologe, *Astrachan 5. 3. 1703, †Sankt Petersburg 17. 8. 1768. Seine Arbeiten zur Grammatik und Verslehre waren für die Entwicklung der russ. Literatursprache bedeutsam.

Treff [frz. trèfle »Kleeblatt«] (dt. Kreuz), Farbe der frz. Spielkarte, entspricht der Eichel der dt. Spielkarte.

Treffertheorie, Modell zur quantitativen Beschreibung der biolog. Wirksamkeit von Strahlung. Danach kann eine Mutation z. B. auf eine einzige Ionisation (»Treffer«) einer sensitiven Stelle zurückgeführt werden. Infolge des zunehmenden Verständnisses von Reparatursystemen in den Zellen hat die T. heute nur noch eingeschränkte Bedeutung.

Treibachse (Treibradsatz), Radsatz von Schienenfahrzeugen, auf denen die Antriebskraft direkt (z. B. über Gelenkwelle oder Getriebe) oder indirekt (z. B. über Kupplungen) einwirkt.

Treibarbeit, getriebene Arbeit, Technik der Goldschmiedekunst, bei der die Form aus Gold- oder Silberblech (auch Kupfer, Messing, Bronze) durch Bearbeiten mit Hammer und Punze (treiben) erzielt wird. Die ganze Hohlform wird über einen Pechblock o. Ä. aufgezogen, die Festigkeit verleihenden Reliefs über dem Amboss gehämmert. – Die Kunst, Metall zu treiben, ist seit dem frühen Altertum bekannt. In Ägypten, Kreta, Mykene, im 1. Jt. v. Chr. auch in Mitteleuropa (Hallstattzeit), von den Phönikern, den frühen Griechen, Etruskern, den Kelten, später den Skythen wurden Schmuck, Gefäße, Waffen, Reliefs aus getriebenem Gold, Silber und Bronze gearbeitet, im MA. v. a. kirchl. Gerät und kleinplast. Werke. T. in Messing schufen seit dem 15. Jh. die Beckenschläger in Dinant **(Dinanderien),** später im Rheinland und in Nürnberg, T. in Eisen die Waffenschmiede des 16. Jh. bei der Herstellung von Prunkharnischen. In der Barockzeit fanden neben Silber für Tafelgerät vielfach auch Messing und Kupfer für getriebenen Hausrat Verwendung. Im 18. und 19. Jh. wurden Kolossalfiguren in Kupfer getrieben, u. a. Herkules (Kassel-Wilhelmshöhe), Quadriga (Brandenburger Tor, Berlin).

Treibeis (Trifteis, Drifteis), auf Meeren, Seen und Flüssen als Schollen oder geschlossene Felder treibendes Eis.

Treiberameisen (Wanderameisen, Dorylidae), Familie trop. Ameisen, die in gewissen Abständen in großer Anzahl Wanderungen unternehmen und in den durchwanderten Arealen jegliches tier. Leben vernichten.

Treibhaus, → Gewächshaus.

Treibhauseffekt, in Treibhäusern zur Temperaturerhöhung ausgenutzte Erscheinung, dass normales Glas zwar die energiereiche UV-Strahlung der Sonne passieren lässt, nicht jedoch Wärmestrahlung (Infrarotstrahlung). Die in Wärmeenergie umgewandelte UV-Strahlung erhöht deshalb die Raumtemperatur (»Glashauseffekt«). – In der Erdatmosphäre bewirken v. a. die Kohlendioxidmoleküle, aber auch Methan u. a. Spurengase einen vergleichbaren Temperaturanstieg, weil sie die Rückstrahlung der eingestrahlten Sonnenenergie in den Weltraum behindern (ohne den T. würde die mittlere Temperatur auf der Erde bei etwa −18 °C liegen). Dieser natürl. T. ist Voraussetzung für Entstehung und Erhaltung des ird. Lebens.

Bedenklich ist dagegen der zusätzl., anthropogene T., der auf die vom Menschen verursachte Zunahme der Spurengase zurückzuführen ist. Wichtigstes dieser insgesamt 40–50 Gase ist das Kohlendioxid (CO_2), das um 1750 erst etwa 280 ppm (parts per million, Teilchen je Mio.) ausmachte, seit der Industrialisierung jedoch auf heute 335 ppm gestiegen ist und damit höher liegt als jemals in den letzten 160 000 Jahren. Neben CO_2 sind v.a. Methan (CH_4), Distickstoffoxid (Lachgas, N_2O), das troposphär. Ozon und die rein künstl. Fluorchlorkohlenwasserstoffe (FCKW) wichtig. Direkten Einfluss auf den Strahlungshaushalt haben Kohlenmonoxid (CO), Stickstoffoxide (NO und NO_2), einige flüchtige organ. Verbindungen und schwefelhaltige Spurengase.

Ursache für die steigende Emission von Spurengasen, v.a. von CO_2, sind bes. die Verbrennung fossiler Energieträger (Erdöl, Erdgas, Kohle), Abgase aus Industriebetrieben, Verkehr und Landwirtschaft sowie die Vernichtung von Wald (v.a. Regenwald), letztlich auch das starke Wachstum der Weltbevölkerung.

Als Folge des anthropogenen T. wird eine stärkere Erwärmung der Erdatmosphäre erwartet (die mittlere Oberflächentemperatur nahm von 1900 bis 1992 um 0,5–0,7 °C zu). Weitere Hinweise auf einen schon vorhandenen T. sind u.a. der Anstieg des Meeresspiegels in den letzten 100 Jahren um 10–15 cm infolge Erwärmung und Abschmelzen von außerpolaren Gletschern sowie die Steigerung der mittleren Windgeschwindigkeiten in allen Breiten in den letzten 20 Jahren und die Zunahme der relativen Sturmhäufigkeit. – Da der Energiebedarf v.a. der Entwicklungsländer stark wachsen wird, wird der CO_2-Ausstoß in Zukunft kräftig zunehmen. Auch wenn die darauf basierenden Klimamodelle und die vorausgesagte →Klimaänderung mit manchen Unsicherheiten behaftet sind, müssen bereits jetzt Gegenmaßnahmen ergriffen werden. Daher haben die u.a. auf zahlr. internat. und nat. Klimakonferenzen erhobenen Forderungen (z.B. Verminderung der CO_2-Emissionen, →Umweltabgaben, Erhaltung des trop. Regenwaldes) und Verpflichtungen größte Dringlichkeit bzw. Verbindlichkeit.

📖 Böttcher, F. *u.* Metzner, H.: *CO_2: Klimabedrohung oder Politik? Bern u. a. 1994.* – Gassmann, F.: *Was ist los mit dem Treibhaus Erde? Zürich u. a. 1994.* – Drake, F.-D.: *Kumulierte Treibhausgasemissionen zukünftiger Energiesysteme. Berlin u. a. 1996.* – Loske, R.: *Klimapolitik im Spannungsfeld von Kurzzeitinteressen u. Langzeiterfordernissen. Marburg 1996.*

Treibjagd, Jagdart, bei der das durch eine Reihe von **Treibern (Treiberwehr)** aufgescheuchte Wild den Schützen zugetrieben wird.

Treibmittel, 1) →Explosivstoffe.

2) *Anwendungstechnik:* unter Druck leicht verflüssigbare Gase, mit deren Hilfe Kosmetika, Lacke u.a. aus Sprühdosen herausgedrückt und zerstäubt werden. Anstelle der umweltschädl. Fluorchlorkohlenwasserstoffe (FCKW) werden heute z.B. die brennbaren T. Propan/Butan oder in der Medizin teilhalogenierte Fluorkohlenwasserstoffe wie CF_3CFH_2 (R 134 a) eingesetzt.

3) *Kunststoffverarbeitung:* verdampfende oder Gas liefernde Stoffe, die bei der Herstellung von →Schaumstoffen der zu verschäumenden Masse zugesetzt werden.

Treibnetz, langes, wandartiges Netz, in dessen Maschen sich die Fische mit ihren Kiemendeckeln verfangen, speziell für den Fang von Hering, Dorsch und Lachs.

Treibstange, die →Pleuelstange.

Treibstoffe, alle Stoffe, bei deren exothermer Reaktion chem. Energie in mechan. Arbeit umgesetzt wird (→Kraftstoffe).

treideln [zu lat. tragula »Schleppnetz«], ein Schiff mit Schlepptau vom Ufer (**Treidel-** oder **Leinpfad**) aus durch Menschen-, Tier- oder Maschinenkraft stromaufwärts bewegen.

Treitschke, Heinrich von, Historiker und Publizist, *Dresden 15. 9. 1834, †Berlin 28. 4. 1896; wurde 1863 Prof. für Staatswiss. in Freiburg im Breisgau, 1866 Prof. für Geschichte in Kiel, 1867 in Heidelberg, 1874 in Berlin; als Nachfolger L. von Rankes 1886 zum Historiographen des preuß. Staates ernannt; 1866–69 Redakteur der Preuß. Jahrbücher; galt als »Herold der Reichsgründung«; 1871–84 MdR (nat.liberal, ab 1879 parteilos). Mit seinem politisch-erzieherisch angelegten Hauptwerk (»Dt. Geschichte im 19. Jh.«, 5 Bde., 1879–94) sowie seiner obrigkeitsstaatl., antisozialist. und antisemit. Grundhaltung prägte er das Geschichtsbild des dt. Bürgertums und den dt. Nationalismus.

Heinrich von Treitschke

📖 Metz, K. H.: *Grundformen historiograph. Denkens. Wissenschaftsgeschichte als Methodologie, dargestellt an Ranke, T. u. Lamprecht. München 1979.*

Trekking [engl.] *das,* Bergwandern im unerschlossenen, aber weder schnee- noch eisbedeckten Hochgebirgsgelände. Tagesleistung bis 50 km.

Trelleborg [-'bɔrj], Hafenstadt an der S-Küste von Schonen, Schweden, 36 900 Ew.; Gummiwaren- u.a. Ind.; Fährverbindungen nach Saßnitz (Rügen), Rostock und Lübeck-Travemünde.

Trema [grch.] *das, Sprachwissenschaft:* zwei über einen Vokal gesetzte Punkte (¨), die die →Diärese bezeichnen.

Tremolo [italien.] *das,* in der Instrumentalmusik das schnelle mehrfache Wiederholen eines Tons oder Akkords; beim Gesang im Unterschied zum →Vibrato die Intensitätsschwankungen der Stimme ohne Tonhöhenveränderung. Bild S. 188

Tremor [lat.] *der* (Zittern), rhythm. Zuckungen antagonist. (gegenspieler.) Muskelgruppen, bes. deutlich an den Händen; tritt u.a. auf bei organ. Nervenkrankheiten, Vergiftungen (z.B. durch Alkohol), aber auch bei körperl. oder psych. Belastung oder bei vegetativer Übererregbarkeit.

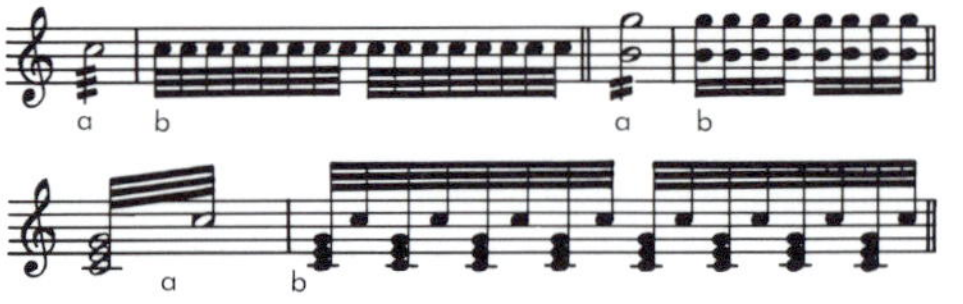

Tremolo: a Schreibung, b Ausführung

Trenchcoat ['trentʃkəʊt; engl. »Schützengrabenmantel«] *der,* Wettermantel der engl. Soldaten im 1. Weltkrieg, bald danach in die mod. Kleidung übernommen; urspr. zweireihig mit Koller, Schulterklappen und Gürtel.

Trenčín ['trɛntʃi:n] (dt. Trentschin), Stadt in der W-Slowakei, an der Waag, 57500 Ew.; Maschinenbau, Textilind.; in den Ausläufern der Kleinen Tatra 17 km östlich der Kurort **Trenčianské Teplice** (dt. Trentschin-Teplitz) mit fünf Schwefelwasserstoffquellen. – Burg (Turm im Kern 11. Jh., Palas aus dem 13. Jh., mächtige Befestigungen 11.–16. Jh., nach 1790 verfallen, z.T. restauriert), Renaissancebürgerhäuser, Kirche (17./18. Jh.). – Stadtrecht 1412. – Im **Vertrag von T.** (1335) erkannte Polen die böhm. Lehnshoheit über Schlesien an.

Luis Trenker

Trenck, 1) Franz Freiherr von der, österr. Offizier preuß. Herkunft, *Reggio di Calabria 1. 1. 1711, †Feste Spielberg (heute zu Brünn) 4. 10. 1749, Vetter von 2); gründete zu Beginn des Österr. Erbfolgekriegs 1740 ein Pandurenkorps. Wegen der Übergriffe seiner Soldaten wurde er 1746 vor ein Militärgericht gestellt und zu lebenslängl. Haft verurteilt.

2) Friedrich Freiherr von der, preuß. Offizier und Abenteurer, *Königsberg (Pr) 16. 2. 1726, †Paris 25. 7. 1794, Vetter von 1); Ordonnanzoffizier Friedrichs II., d. Gr., von Preußen; wegen eines Liebesverhältnisses mit dessen Schwester Amalie bzw. Spionageverdachts 1745 in Glatz gefangen gesetzt; entfloh 1746, 1754–63 erneut in Haft; als angebl. österr. Agent in Paris hingerichtet.

Trenčín: Die bis auf das 11. Jh. zurückgehende Burganlage mit fünfstöckigem Turm und mächtigen Befestigungen überragt die an der Waag gelegene Stadt

Trend [engl.] *der,* **1)** *allg.:* Entwicklungsrichtung, Grundrichtung, z.B. bei Einkommen, Mode, Wählermeinungen.

2) *Statistik:* Komponente einer Zeitreihe, die evolutionär, längerfristig und nachhaltig wirkt und die die Grundrichtung des Verlaufs einer Zeitreihe ausdrückt. Neben dem T. sind zykl., konjunkturelle und Saisonschwankungen zu berücksichtigen.

Trendelenburg, Friedrich Adolf, Philosoph, *Eutin 30. 11. 1802, †Berlin 24. 1. 1872; Vertreter einer neuaristotel. Philosophie. Von Platon her denkend, konzipierte T. eine ganzheitl. Auffassung des Seins, eine »organische Weltanschauung«, die – hier knüpfte er an Aristoteles an – vom Zweckgedanken bestimmt sei.

Trendsetter [engl.] *der,* jemand der einen Trend auslöst; oft (bekannte) Persönlichkeiten (urspr. aus der Subkultur), auch Firmen.

Trenker, Luis, Südtiroler Filmschauspieler, -regisseur, Schriftsteller, *Sankt Ulrich (Grödner Tal) 4. 10. 1892, †Bozen 12. 4. 1990; schrieb zahlreiche Erzählungen und Romane, die in der Tiroler Bergwelt spielen; in seinen Filmen war er zugleich Regisseur und Darsteller, u.a. in »Berge in Flammen« (1932; R., 1931), »Der Rebell« (1932; R., 1933) sowie »Der Berg ruft« (1937).

Trennen, Änderung der Form eines Festkörpers durch Aufheben des örtl. Stoffzusammenhalts; das T. gehört zu den →Fertigungsverfahren.

Trennrohr (Clusius-Dickel-Trennrohr), von den Physikochemikern Klaus Clusius (*1903, †1963) und Gerhard Dickel (*1913) 1938 entwickeltes Gerät zur Trennung von Gasen versch. Molekülmasse, bes. aber zur Isotopenanreicherung oder -trennung. Von zwei langen, senkrecht angeordneten koaxialen Röhren, in deren Zwischenraum sich das gasförmige Isotopengemisch befindet, wird die innere beheizt, die äußere gekühlt. Durch →Thermodiffusion reichern sich die leichteren Isotope an der warmen Innenwand an und steigen durch die gleichzeitig auftretende Konvektionsströmung nach oben.

Trennschärfe (Selektivität), *Funktechnik:* die Eigenschaft eines Empfängers, von den empfangenen Frequenzen die des gewünschten Senders so zu trennen, dass benachbarte Frequenzen nicht empfangen werden. (→Bandfilter)

Trennschleuder, die →Zentrifuge.

Trense [span.] *die,* die älteste und einfachste Zäumung des Pferdes: zwei durch ein Gelenk verbundene Eisenstangen (Mundstück) mit Ringen für die Zügel.

Trent *der,* Fluss in England, 270 km lang, entspringt im S des Penninischen Gebirges und bildet mit dem Ouse den Mündungstrichter des Humber.

Trentino *das,* das Gebiet um Trient, Italien, das italien. Sprachgebiet der autonomen Region Trentino-Südtirol.

Trentino-Südtirol (italienisch Trentino-Alto Adige), autonome Region in Italien, 13 607 km², (1995) 910 700 Ew.; umfasst die mit besonderen Autonomierechten ausgestattete Provinz Bozen (→Südtirol) und die Prov. Trient; Hptst. ist Trient.

Trento, italien. Name von →Trient.

Trenton ['trentn], Hptst. des Bundesstaates New Jersey, USA, am Delaware River, 88 700 Ew.; Gummi-, Kunststoff-, Metallwaren-, Textil- u.a. Industrie. – 1714 gegründet.

Trentschin, Stadt in der Slowakei, →Trenčín.

Trepanation [grch.-lat.] *die,* operative Öffnung der Schädelhöhle zur Vornahme eines chirurg. Eingriffs oder zur Herabsetzung des Schädelinnendrucks bei Hirngeschwülsten **(Entlastungs-T.)** mithilfe eines geeigneten Bohrgeräts **(Trepan).** – Schädel-T. sind schon seit der Jungsteinzeit bekannt.

Trepča ['treptʃa], Bergbauort in Jugoslawien, →Kosovska Mitrovica.

Treppe, stufenförmiger Verbindungsweg zw. zwei Ebenen unterschiedl. Höhe. Die ununterbrochene Stufenfolge heißt **Stufenlauf.** Die **Trittstufe** ist die waagerechte Auftrittsfläche, die **Setzstufe** die lotrechte Stoßfläche der Stufe. Eine bequeme und sichere Begehbarkeit liegt vor, wenn die doppelte Tritthöhe (Steigung) **s** und die Trittstufenbreite (Auftritt) **a** gleich der mittleren Schrittgröße von 63 cm sind. Das ist bei einem Steigungsverhältnis **s/a** = 0.59 (mit s = 17 cm und a = 29 cm) erfüllt. Treppenaufgänge können ein- oder zweiläufig, gerade oder gekrümmt **(Wendeltreppe)** angelegt sein. Die **Freitreppe** und die **Innentreppe (Treppenhaus)** des barocken Schloss- und Klosterbaus bilden den Höhepunkt repräsentativer Treppenarchitektur. Weitere BILDER Barock, Freitreppe, Höchst, Schöntal, Schulz

Treptow [-to], **1)** Bezirk in Berlin.

2) T. an der Rega, Stadt in Polen, →Trzebiatów.

Tresckow [-ko], Henning von, Widerstandskämpfer, *Magdeburg 10. 1. 1901, †(Selbstmord) bei Białystok 21. 7. 1944; Offizier, seit 1944 General und Chef des Stabes der 2. Armee an der Ostfront; unternahm – bes. 1943 – Attentatsversuche auf A. Hitler. T. war maßgeblich an den Vorbereitungen zum 20. 7. 1944 beteiligt.

Tresor [frz., aus lat. thesaurus »Schatz(kammer)«, von gleichbedeutend grch. thēsaurós] *der,* großer, aus dickem Stahlblech bzw. Panzerstahl **(Panzerschrank)** hergestellter, oft mit Doppelwand und Alarmvorrichtung versehener Schrank oder Raum zur diebstahlsicheren und feuerfesten Aufbewahrung von Geld (Geldschrank) und Wertsachen.

Trespe (Bromus), artenreiche Gattung der Süßgräser mit rispigem Blütenstand; darunter Wiesen- und Waldgräser.

Tresse [frz.], schmales Flachgeflecht aus sich kreuzenden Metall- oder Effektfäden, z.B. zur Rangbezeichnung auf Uniformen.

Trester, nach Auspressen der Maische von Trauben und Obst verbleibende feste Rückstände. Der **T.-Branntwein** aus Wein- und Obst-T. hat mindestens 38 Vol.-% Alkohol.

Tretjakow, 1) Sergei Michailowitsch, russ. Schriftsteller, *Goldingen (heute Kuldīga, Lettland) 20. 6. 1892, †(in Haft) 9. 8. 1939; Futurist, vertrat eine agitatorisch angelegte »Literatur der Fakten«, z.B. Drama »Brülle China!« (1926); 1937 verhaftet, 1957 rehabilitiert.

2) Wiktor Wiktorowitsch, russ. Violinist, *Krasnojarsk 17. 10. 1946; gehört zu den führenden Geigern seiner Heimat; übernahm 1983 die Leitung des Staatl. Russ. Kammerorchesters (1956 gegr. als Moskauer Kammerorchester).

Tretjakow-Galerie, Museum für russ. Kunst in Moskau, entstanden aus der 1856 begründeten Privatsammlung des Kaufmanns P. M. Tretjakow (*1832, †1898), die er 1892 der Stadt Moskau schenkte. Nach der Verstaatlichung (1918) wurde die Sammlung stark erweitert.

Tretmühle (Tretwerk), Vorrichtung, bei der Menschen oder Tiere mithilfe eines Tretrades Antriebskraft für einfache Maschinen erzeugen.

Treubruch, *Recht:* →Untreue.

Treuchtlingen, Stadt im Landkr. Weißenburg-Gunzenhausen, Bayern, am N-Hang der Fränk. Alb an der Altmühl, 13 300 Ew.; Volkskundemu-

Henning von Tresckow

Sergei Tretjakow

Wiktor Tretjakow

Treppe: Die doppelspiralförmige Treppe im Verwaltungsgebäude der Nestlé AG in Vevey (Schweiz) wurde 1960 von Jean Tschumi aus Duraluminium konstruiert

seum; Steinbrüche, Kunststoff- u. a. Industrie. – 893 erstmals erwähnt; 1898 Stadt.

Treue, Beständigkeit, Zuverlässigkeit; Festhalten an einer eingegangenen vertragl. oder persönl. Bindung.

Treuepflicht, schuldrechtl. Nebenpflicht des Arbeitnehmers, auf die berechtigten Interessen des Arbeitgebers Rücksicht zu nehmen, z. B. Geschäftsgeheimnisse zu wahren, Konkurrenzverbote einzuhalten (→ Wettbewerbsverbot), keine Schmiergelder anzunehmen, Störungen im Betriebsablauf zu melden, in Notfällen Hand anzulegen. Der T. des Arbeitnehmers entspricht die → Fürsorgepflicht des Arbeitgebers. Bei Handels- u. a. Gesellschaften besteht eine unterschiedl. T. der Gesellschafter (bei Personengesellschaften stärker ausgeprägt als bei Kapitalgesellschaften).

Treueprämi|e, für längere Betriebszugehörigkeit gewährte Prämie.

Treuhand, Ausübung oder Verwaltung fremder Rechte **(Treugut)** durch eine Person **(Treuhänder, Treunehmer)** im eigenen Namen, aber in schuldrechtl. Bindung gegenüber demjenigen, dem die Rechte an sich zustehen **(Treugeber).** Kennzeichnend für die gesetzlich nicht geregelten T.-Verhältnisse ist, dass dem Treuhänder nach außen mehr Befugnisse übertragen werden, als er im Verhältnis zum Treugeber ausüben darf. Die privatrechtl. T. kann ausgestaltet sein als bloße Ermächtigungs-T., bei der dem Treuhänder das Treugut nicht übertragen, sondern nur die Befugnis eingeräumt wird, im eigenen Namen darüber zu verfügen. Häufiger ist aber die Vollrechts-T., bei der der Treuhänder nach außen das volle Recht am Treugut erwirbt, also Eigentümer der Sachen, Inhaber der Forderungen usw. wird. Die T. kann den Interessen des Treuhänders dienen (eigennützige T., so z. B. bei der Sicherungsübereignung) oder denen des Treugebers (fremdnützige T., Verwaltungstreuhand).

Treuhandanstalt, bundesunmittelbare Anstalt des öffentl. Rechts zur treuhänder. Verwaltung des volkseigenen Vermögens der DDR; Sitz: Berlin. Die T. wurde von der DDR am 1. 3. 1990 als »Anstalt zur treuhänder. Verwaltung des Volkseigentums« mit einer Zentrale in Berlin und 15 Außenstellen gegründet und bestand bis zum 31. 12. 1994. Das am 16. 6. 1990 von der ersten demokratisch gewählten Volkskammer der Dt. Dem. Rep. erlassene »Ges. zur Privatisierung und Reorganisation des volkseigenen Vermögens (Treuhand-Ges.)«, das am 1. 7. 1990 in Kraft trat, schuf dann den rechtl. Rahmen der T. neu und gab ihr den Auftrag, die unternehmer. Tätigkeit des Staates durch Privatisierung so rasch und so weit wie möglich zurückzuführen, die Wettbewerbsfähigkeit möglichst vieler Unternehmen herzustellen, somit Arbeitsplätze zu sichern und neue zu schaffen sowie Grund und Boden für wirtsch. Zwecke bereitzustellen. Gleichzeitig mit der vorgenommenen endgültigen Umwandlung aller staatl. Unternehmen in Kapitalgesellschaften zum 1. 7. 1990 wurde die T. alleinige Eigentümerin dieser Unternehmen. Zum volkseigenen Vermögen im Sinne des Treuhand-Ges. zählt das Vermögen der ehem. volkseigenen Kombinate, Betriebe und Einrichtungen und sonstiger juristisch selbstständiger Wirtschaftseinheiten. Nicht darunter fallen u. a. die Vermögen, deren Rechtsträger der Staat, die Dt. Reichsbahn, die Dt. Post sind bzw. waren, sowie Gemeinden, Städten, Kreisen und Ländern unterstellte Betriebe und Einrichtungen. Ehem. volkseigenes Vermögen kann in gesetzlich bestimmten Fällen auch den Gemeinden, Kreisen, Städten und Ländern sowie der öffentl. Hand als Eigentum übertragen werden. Über die Tätigkeit der T. wachte neben der Kontrolle durch die EG ein parlamentar. Untersuchungsausschuss.

Ein großer Teil der Privatisierungstätigkeit war 1993 abgeschlossen. Die T. beendete ihre Tätigkeit am 31. 12. 1994. Bis dahin hatte sie 15 100 Unternehmen und Betriebsteile veräußert (darunter rd. 3 000 Management-Buy-outs). Hinzu kamen im Rahmen der »kleinen Privatisierung« bereits bis 1991 der Verkauf von 25 000 Handelsgeschäften, Gaststätten, Hotels u. Ä., ferner 4 350 Reprivatisierungen (Rückgabe von Unternehmen an Alteigentümer nach dem Vermögens-Ges.) sowie der Verkauf von rd. 46 000 Liegenschaften und rd. 62 000 ha land- und forstwirtsch. Fläche. Aus ihrem Finanzengagement für Sanierung, Privatisierung und Abwicklung hinterließ die T. Ende 1994 rd. 205 Mrd. DM aufgelaufene Schulden, die zum 1. 1. 1995 auf den → Erblastentilgungsfonds übertragen wurden. Die ab 1995 entstehenden Defizite der Nachfolgeeinrichtungen der T. (erwartet werden rd. 52 Mrd. DM) werden direkt aus dem Bundeshaushalt finanziert.

Die verbleibenden Aufgaben der T. obliegen seit dem 1. 1. 1995 vier Nachfolgeorganisationen: Die verbliebenen sanierbaren Treuhandunternehmen wurden unter dem Dach der **Beteiligungs-Managementgesellschaft (BMG)** zusammengefasst. Die zur Besitzgesellschaft umgewandelte **Treuhand Liegenschaftsgesellschaft mbH (TLG)** führt als unmittelbare Bundesbeteiligung die Privatisierung der Grundstücke außerhalb der Land- und Forstwirtschaft fort, und die **Bodenverwertungs- und -verwaltungs GmbH (BVVG)** ist für die Verpachtung und Privatisierung der land- und forstwirtschaftl. Flächen zuständig. Der Verkauf von 1,2 Mio. ha Fläche begann am 2. 1. 1996. Die **Bundesanstalt für vereinigungsbedingte Sonderaufgaben (BVS)** übernahm die übrigen

Aufgaben der T.: Überwachung der noch rd. 27000 Privatisierungsverträge auf die Einhaltung von Arbeitsplatz- und Investitionszusagen, Bearbeitung von vermögensrechtl. Reprivatisierungsansprüchen und Abwicklung von zahlr. Unternehmen. Ab 1. 1. 1997 wurden die verbliebenen hoheitl. Aufgaben auf das **Bundesamt zur Regelung offener Vermögensfragen** übertragen.

📖 *Die Tätigkeit der T., hg. vom Bundesministerium der Finanzen. Bonn 1991.* – SINN, G. *u.* SINN, H.-W.: *Kaltstart. Volkswirtschaftl. Aspekte der dt. Vereinigung. München* ³*1993.*

Treuhandgebiete, in die UN-Treuhandschaft übernommene →Mandatsgebiete. Nachdem Palau als letztes T. 1994 unabhängig geworden war, wurde die Arbeit des UN-Treuhandschaftsrats 1994 formell suspendiert.

Treuhandkredite (durchlaufende Kredite), vom Kreditinstitut als Treuhänder des Geldgebers an einen Dritten weitergeleitete und im Interesse des Geldgebers verwaltete Kredite (i.d.R. ohne Übernahme des Kreditrisikos).

Treviso 2): Bildnis des Freskenmalers Tommaso da Modena im Kapitelsaal des ehemaligen Dominikanerklosters (1352)

Treu und Glauben, Rechtsgrundsatz, wonach von jedem ein Verhalten gefordert wird, das von redlich und anständig denkenden Menschen unter gegebenen Umständen an den Tag gelegt würde. Gesetzlich niedergelegt ist der Grundsatz in §157 BGB für die Auslegung von Verträgen und in §242 BGB für die Art der Erfüllung von Vertragspflichten. Er verbietet die missbräuchl. Ausnutzung formaler Rechtsstellungen, bestimmt die Erweiterung der Leistung auf Nebenpflichten (z.B. Anzeige- und Mitwirkungspflichten) und begründet schon mit dem Eintritt in Vertragsverhandlungen ein vertragsähnl. Vertrauensverhältnis. Ferner ist auf seiner Grundlage die Lehre von der Umgestaltung der durch die tatsächl. Verhältnisse überholten Rechtsverhältnisse und die Lehre von der Verwirkung bestehender Rechte entwickelt worden.

Trevelyan [trɪˈvɪljən], George Macaulay, brit. Historiker, *Welcombe (Cty. Warwickshire) 16. 2. 1876, †Cambridge 20. 7. 1962; lehrte 1927–51 in Cambridge; einer der letzten großen Vertreter der Geschichtsauffassung des Liberalismus.

George Macaulay Trevelyan

Treverer (lat. Treveri), keltisch-german. Volk, im 1. Jh. v. Chr. beiderseits der Mosel, zw. 54 und 52 v. Chr. mehrfach von Cäsar geschlagen; ihre Aufstände 29 v. Chr. und 21 n. Chr. blieben erfolglos. Hauptort in röm. Zeit war Augusta Treverorum (Trier).

Trevira® [Kw.] *das,* Handelsname für bestimmte Synthesefasern auf Polyesterbasis (→Polyester).

Trevisan [treviˈzã], Dalton, brasilian. Schriftsteller, *Curitiba 14. 6. 1925; zeichnet in sarkastisch-hintergründigen Erzählungen Bilder eines von tabuisierter Sexualität und dem Krieg der Geschlechter bestimmten Alltags der unteren Mittelklasse in der brasilian. Provinz.

Treviso, 1) Provinz in Venetien, Italien, 2477 km², (1995) 755600 Einwohner.

2) Hauptstadt von 1), 81200 Ew.; Bischofssitz; Textil-, Glas- u.a. Industrie. – Mittelalterl. Stadtmauer, Paläste des 13. Jh., über roman. Krypta Dom San Pietro (15./16. Jh., Langhaus 18./19. Jh.), an der S-Seite Bischofsresidenz (13.–16. Jh.; originalgetreu wieder aufgebaut), an der N-Seite die Kirche San Giovanni del Battesimo (11./12. Jh.). Der bedeutendste got. Bau ist die in Backstein errichtete dreischiffige Dominikanerkirche San Nicolò (1282 begonnen, 1389 vollendet), mit hohem, steilem Innenraum, der von einer kielförmigen Holzdecke überwölbt ist. Im Kapitelsaal des ehem. Dominikanerklosters sind got. Freskenzyklen von Tommaso da Modena erhalten. – T., das lat. **Tarvisium,** war Mittelpunkt eines langobard. Herzogtums. Karl d. Gr. schuf die Mark T. Stadt und Mark kamen 1339 an Venedig; 1797–1805 und 1815–66 gehörte T. zu Österreich.

Treysa, ehem. selbstständige Stadt, seit 1970 Teil von Schwalmstadt. – Ehem. Dominikanerkirche (Hallenbau, 1350), zahlr. Fachwerkhäuser. – 786 urkundlich erwähnt, seit dem 13. Jh. Stadtrecht.

Trezzini, Domenico Andrea, russ. Architekt schweizer. Herkunft, *Astano (bei Lugano) um 1670, †Sankt Petersburg 2. 3. 1734; war als Hofarchitekt Peters I. maßgebend an Planung und Aufbau Sankt Petersburgs beteiligt, u.a. Peter-und-Pauls-Kathedrale (1712–32), Sommerpalast Peters I. (1710–14).

tri... [zu lat. tres, tria oder grch. treĩs, tría], drei...

Triac [Kw. aus engl. **tri**ode **a**lternating **c**urrent switch »Trioden-Wechselstromschalter«] *der,*

(Zweiwegthyristor, Symistor), Halbleiterbauelement mit einer Schichtenstruktur, aus der sich eine Funktion wie bei zwei antiparallel geschalteten →Thyristoren mit einem gemeinsamen Steueranschluss ergibt. Der T. hat dementsprechend zwei Schaltrichtungen, in denen er im Wesentlichen gleiche Eigenschaften besitzt. T. werden v.a. zur Leistungssteuerung in Wechselstromkreisen (z.B. durch →Phasenanschnittsteuerung) verwendet.

Trial [zu lat. tres, tria »drei«] *der, Sprachwissenschaft:* ein Numerus zur Bezeichnung der Dreizahl, in den heutigen Sprachen sehr selten (z.B. im Melanesischen).

Trial ['traɪəl, engl.] *das, Motorsport:* Wettbewerb mit Spezialmotorrädern in schwierigstem Gelände. Mit niedriger Geschwindigkeit, jedoch in einer Sollzeit, sind markierte Wertungsstrecken (Sektionen) zu befahren, wobei alle Fahrfehler mit Strafpunkten geahndet werden; Weltmeisterschaften seit 1975, Europameisterschaften seit 1968.

Triangel [lat.] *der* oder *das,* idiophones Schlaginstrument; zum Dreieck gebogener, an einem Faden frei aufgehängter Stahlstab.

Triangulation [lat.] *die* (Dreiecksaufnahme), *Geodäsie:* alle auf Festpunkte bezogenen Winkelmessungen, aus denen die geograph. (Länge und Breite) oder die geodät. Lage beliebiger Punkte auf der Erdoberfläche zu errechnen ist. Sie dienen in raumfassender Verbindung der Bestimmung von Form und Größe der Erde (Geoid, Ellipsoid) und bilden die Grundlage für die genaue Vermessung und Kartierung eines Landes (→Landesaufnahme); es wird durch die T. und Trilateration mit einem Netz von messbaren Dreiecken überzogen, deren Ecken die trigonometr. Punkte sind.

Triberg im Schwarzwald: In den aus sieben Fällen bestehenden Triberger Wasserfällen stürzt die Gutach 162 m tief herab

Triangulum [lat.] *das, Astronomie:* →Dreieck.

Trianon [tria'nɔ̃], Lustschlösser im Park von Versailles: **Grand T.,** unter Ludwig XIV. 1687/88 von J. Hardouin-Mansart erbaut, **Petit T.,** unter Ludwig XV. von J.-A. Gabriel 1764–68 errichtet. – Im **Vertrag von T.** (4. 6. 1920) zw. den Alliierten und Ungarn verlor Ungarn zwei Drittel seines Staatsgebiets an Rumänien (Siebenbürgen), Jugoslawien (Kroatien, Batschka, W-Banat), Österreich (Burgenland) und die Tschechoslowakei (Slowakei). Bild Gabriel

Triarier [lat.], im röm. Heer ausgewählte, altgediente Krieger im 3. Glied der Legion, die oft den Ausgang der Schlacht entschieden.

Triarylmethanfarbstoffe, synthet. Farbstoffe, deren Grundgerüst aus drei aromat. Ringsystemen (Arylgruppen) besteht, die an ein gemeinsames C-Atom gebunden sind. Handelt es sich um drei Phenylgruppen, spricht man auch von **Triphenylmethanfarbstoffen** (z.B. Malachitgrün, Kristallviolett).

Trias [grch.] *die,* **1)** *allg.:* Dreiheit, Dreizahl.

2) *Geologie:* ältestes System des Mesozoikums, benannt nach der Dreigliederung der Ablagerungen im German. Becken (seit dem Zechstein bestehende Senkungszone in Mitteleuropa); dem kontinentalen →Buntsandstein, dem im Flachmeer gebildeten →Muschelkalk und dem festländ. →Keuper. Die Schichtenfolge der **alpinen** oder **pelag. T.** wurde in der →Tethys abgelagert. Die Lebewelt der T. ist durch die ersten Säugetiere und neue Pflanzenformen bestimmt.

Triasidee, vom Hubertusburger Frieden (1763) bis zum Dt. Krieg (1866) die polit. Vorstellung dt. Mittel- und Kleinstaaten, ein »drittes Dtl.« zw. den Großmächten Österreich und Preußen bilden zu können; für Napoleon I. Grundlage des Rheinbundes, im Dt. Bund vertreten von Württemberg, Bayern und Sachsen.

Triathlon [grch. »Dreikampf«] *das,* Ausdauermehrkampf mit Freistilschwimmen, Rad fahren und Laufen an einem Tag bei fortlaufender Wertung. Beim (urspr. auf Hawaii entstandenen) Lang-T. **(Ironman)** werden 3,8 km geschwommen, mit dem Rad 180 km zurückgelegt und 42 km gelaufen (Marathondistanz); **Mittel-T.** mit den Distanzen 2, 80 und 10 km und **Kurz-T.** (1,5, 40, 10 km), im Jahr 2000 erstmals als olymp. Disziplin ausgetragen. Europameisterschaften auf allen drei Distanzen seit 1985, Weltmeisterschaften im Kurz-T. seit 1989.

📖 Grosse, S.: *T. verständlich gemacht. München 1993.* – Aschwer, H.: *Handbuch für T. Neuausg. Aachen 1995.*

Tribadie [grch.] *die* (Tribadismus), →Homosexualität unter Frauen.

Tribalismus [zu Tribus] *der,* Bez. für die stammesgebundene Politik in vielen afrikan. Staaten; erschwert die Bildung einheitl. Staatsnationen und führt häufig zu ethn. Konflikten.

Triberg im Schwarzwald, Stadt im Schwarzwald-Baar-Kreis, Bad.-Württ., 671 m ü. M., an der Gutach, unterhalb der 162 m hohen **Triberger Wasserfälle,** 5800 Ew.; heilklimat. Kurort und Wintersportplatz. – 1239 erstmals erwähnt.

Tribolo: Der 1538 errichtete Marmorbrunnen im Garten der Villa della Petraia in Florenz wird von der 1555–60 geschaffenen Bronzefigur der Florenz von Giambologna bekrönt

Tribochemie [grch.], Zweig der physikal. Chemie, der sich mit den chem. Veränderungen von Festkörpern unter Einwirkung mechan. Energie (z. B. Reibung, Stoß), insbesondere auf ihre Grenzflächen, befasst. Die erzielte mechan. Aktivierung kann u. a. zu Gitterstörungen, Material- und Ladungsübergängen sowie Leuchterscheinungen **(Tribolumineszenz)** führen.

Tribolo, eigtl. Niccolò di Rafaello de' Pericoli, italien. Bildhauer und Baumeister, *Florenz 1500, †ebd. 20. 8. 1550; Mitarbeiter von Michelangelo, als Gartenarchitekt und Bildhauer für die Medici tätig (u. a. Planung des Boboli-Gartens); entwarf Fontänen, Brunnen, Wasserspiele, Grotten und Labyrinthe. Einiges wurde später in die Villa della Petraia versetzt.

Tribologie [grch.] *die,* Wiss. von Reibung, Schmierung und Verschleiß gegeneinander bewegter Körper. Die angewandte T. wird als **Tribotechnik** bezeichnet. Ihre Aufgaben sind u. a. die Herabsetzung von Reibung durch die Wahl geeigneter Werkstoffe und Schmiermittel.

Tribun [lat.] *der,* im antiken Rom Titel von Beamten, Offizieren und Volksvertretern: Der **Ärar-T. (tribunus aerarii)** war urspr. ein Beamter der Tribus, der die Kriegssteuer einzog und den Soldatensold auszahlte; spater ein eigener, durch den Census bestimmter Stand. Der **Militär-T. (tribunus militum)** war einer der sechs Stabsoffiziere einer Legion. Der **Volks-T. (tribunus plebis)** war ein Sonderbeamter zum Schutz der Plebs gegen Willkürakte der patriz. Magistrate, seit dem Abschluss des Ständekampfes 287 v. Chr. selbst →Magistrat. Jeder der von der Plebs auf ein Jahr gewählten zehn Volks-T. hatte ein Vetorecht gegen Amtshandlungen anderer Magistrate, Volks- und Senatsbeschlüsse. Sie beriefen und leiteten die Versammlungen der Plebejer; später hatten sie auch das Recht, den Senat zusammenzurufen, und Anspruch, in diesen aufgenommen zu werden.

Tribunal [lat.] *das,* **1)** im antiken Rom erhöhter Amtssitz der Magistrate auf dem Forum Romanum, bes. bei der Rechtsprechung.

2) Bez. für ein polit. Sondergericht, z. B. Internat. Militär-T. zur Durchführung der Nürnberger Prozesse (→Kriegsverbrechertribunal).

3) Bez. für ein polit. Forum, das behauptete Verletzungen elementarer Rechte von Einzelnen oder Bevölkerungsgruppen gerichtsähnlich behandelt (z. B. Russell-Tribunal).

Tribus [lat.] *die,* im antiken Rom Truppenaushebungs-, Wahl- und Steuerbezirk der röm. Bürgerschaft (ähnlich der grch. Phyle).

Tribut [lat.] *der,* Abgabe, Steuer; im antiken Rom eine direkte Steuer; in älterer Zeit Leistungen unterworfener Völker an ihre Besieger.

Triceratops [grch.], Gattung der Dinosaurier aus der Oberkreide Nordamerikas, bis 8 m lang, über 2,5 m hoch und 10 t schwer, mit zwei Stirnhörnern und einem Nasenhorn am Schädel.

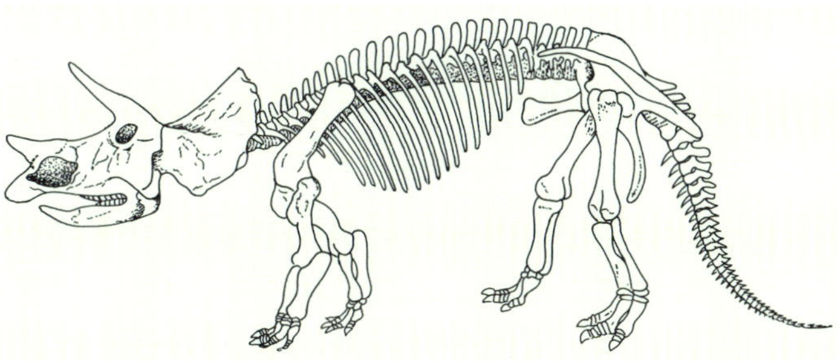

Triceratops: rekonstruiertes Skelett

Trichine [grch.] *die* (Trichinella spiralis), 1,6–4 mm langer Fadenwurm, der erwachsen im Dünndarm **(Darm-T.)** von Mensch, Schwein, Hund, Katze, Ratte u. a. schmarotzt. Die begatteten Weibchen bohren sich in die Darmwand ein und gebären dort 200–1500 Jungtiere von 0,1 mm Länge, die über das Blutgefäßsystem in stark durchblutete Muskeln (Zwerchfell, Zunge, Rippenmuskeln) gelangen **(Muskel-T.).** Dort wachsen sie zu 1 mm Länge heran, werden vom Wirt durch eine 0,4–0,7 mm lange, zitronenförmige Bindegewebskapsel, in die allmählich Kalk eingelagert wird, isoliert und bleiben viele Jahre (beim

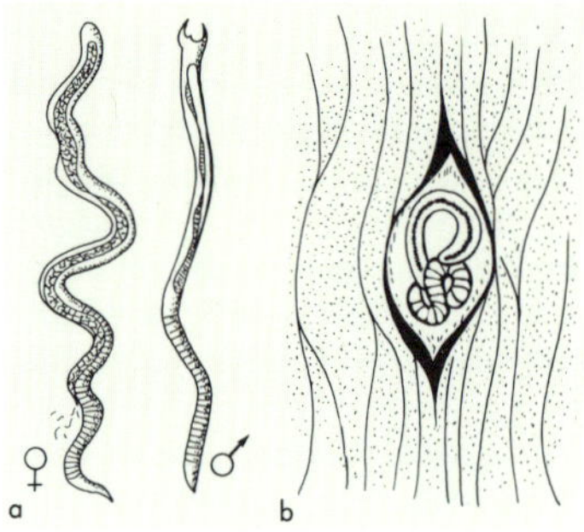

Trichine: a Weibchen und Männchen der Darmtrichinen, b eingekapselte Muskeltrichine

Schwein elf Jahre, beim Menschen über 30 Jahre) lebensfähig. Durch Verzehr von trichinösem Fleisch infiziert sich der nächste Wirt. In seinem Darm lösen sich die Kapseln auf, und die T. werden geschlechtsreif. Die gefährl. **Trichinenkrankheit (Trichinose)** tritt beim Menschen und bei einigen Säugetieren auf. Die Infektion erfolgt über trichinöses Schweinefleisch, das roh, ungenügend erhitzt, geräuchert, getrocknet oder gepökelt verzehrt wird. Symptome sind Brechdurchfall infolge des Darmbefalls, hohes Fieber, später Muskelschmerzen und -verhärtung. Die *Behandlung* erfolgt mit Wurmmitteln (Thiabendazol, Mebendazol). Wegen der vorgeschriebenen **T.-Schau** bei der Fleischbeschau (→Fleischhygiene) bei Schlachttieren tritt diese Erkrankung nur noch selten auf.

Trichinopoly [trɪtʃɪˈnɔpəlɪ], Stadt in Indien, →Tiruchirapalli.

Trichloräthan, →Chlorkohlenwasserstoffe.

Trichloräthylen, →Chlorkohlenwasserstoffe.

Trichlormethan, das →Chloroform.

Trichomoniasis [grch.] *die,* v.a. beim Geschlechtsverkehr übertragene Infektionskrankheit, die zu Schleimhautentzündung bes. der Scheide und der männl. und weibl. Harnröhre führt. Erreger sind Flagellaten der Art Trichomonas vaginalis. Die *Behandlung* erfolgt (unter Einbeziehung des Partners) mit Metronidazol (ein Chemotherapeutikum).

Trichomykosen [grch.], Sammelbez. für die durch Pilze verursachten Haarkrankheiten.

Trichophytie [grch.] *die* (Scherpilzflechte), durch Befall mit Pilzen der Gattung Trichophyton hervorgerufene Erkrankungen der Haut sowie ihrer Anhangsgebilde Haare und Nägel (→Hautpilzkrankheiten). Bei der **oberflächl. T.** entstehen auf der Haut juckende, ringförmige entzündl. Herde mit Pusteln, Schuppen und Krusten; erkrankte Haare verfärben sich grauweiß und brechen z.T. ab. Bei der **tiefen T.,** die bei Kindern bes. auf dem Kopf, bei Männern in der Bartgegend (Bartflechte) auftritt, bilden sich durch Einwandern der Pilze in die Haarfollikel Knoten, die zu Abszessen verschmelzen können. Bei Erkrankung der Nägel wird deren Hornsubstanz gelockert, sie verfärben sich und können schließlich völlig zerstört werden. Die *Behandlung* erfolgt mit antimykot. Lösungen, Salben oder Pasten. Die bei Tieren auftretenden Formen der T. bezeichnet man als →Glatzflechte.

Trichterlilie: Weiße Trichterlilie (Höhe 30–50 cm)

Trichterlinge: Mönchskopf (Höhe bis zu 30 cm)

Trichter, kegelförmiges Gefäß mit Abflussrohr zum Eingießen in enge Öffnungen.

Trichterbecherkultur, nach der typ. Gefäßform (Trichterbecher mit Tiefstichverzierung) benannte jungsteinzeitl. Kultur des 4./3. Jt. v. Chr. im nördl. und östl. Mitteleuropa sowie in S-Skandinavien; kennzeichnend sind u.a. Ackerbau, Viehhaltung, Bestattung in Großsteingräbern (deshalb früher auch **Megalithkultur** gen.), Gefäße mit Trichterrand, Feuersteinbeile und Streitäxte.

Trichterlilie (Paradieslilie, Paradisia), Gattung der Liliengewächse. Auf alpinen Wiesen kommt die geschützte, 30–50 cm hohe **Weiße T.** (Paradisia liliastrum) mit weißen Blütentrauben vor.

Trichterlinge (Clitocybe), Gattung der Lamellenpilze in Europa und Nordamerika. Der Hut ist bei alten Pilzen oft trichterförmig. Einige der meist in Hexenringen wachsenden T.-Arten enthalten das Pilzgift Muscarin, andere, wie der bis zu 30 cm hohe Mönchskopf, sind essbar.

Trichtermündung, →Ästuar.

Trickfilm (Animationsfilm), Sammelbez. für Zeichen-, Silhouetten-, Flachfiguren- und Puppenfilme, bei denen Bewegungsphasen durch Einzelbildschaltung der Bildaufnahmekamera aufgezeichnet werden. Der scheinbare Bewegungsablauf kommt durch Wiedergabe (Kineprojektion) mit normaler Bildfrequenz zustande. Die Besonderheit besteht in der »Belebung« (Animation) »toter« Dinge. Nicht zu den T. im eigentl. Sinn gehören Handpuppenfilme und Spielfilmtricks.

Trickfilm: Robert Zemeckis Film »Falsches Spiel mit Roger Rabbit« kombiniert Elemente aus Trickfilm und Spielfilm

Trickski [-ʃiː] *der* (Freestyle), Trendsportart auf kurzen elast. Skiern (1,3–1,4 m), hohe Skistöcke unterstützen die Ausführung von Schrittkombinationen, Schwüngen, Salti und Schrauben. Seit 1992 ist das Buckelpistenfahren, seit 1994 das Kunstspringen olymp. Disziplin; ferner gibt es eine Art Ballettform des T., den Aeroski.

Tricktrack [frz.] *das* (Puff, engl. Backgammon), Brettspiel zw. zwei Spielern auf dem T.- oder Puffbrett mit je 15 weißen und schwarzen Steinen und zwei Würfeln.

Tridentinisches Glaubensbekenntnis, Bekenntnis des kath. Glaubens, wie er durch das →Tridentinum formuliert worden ist; wurde 1546 durch Papst Pius IV. für kirchlich verbindlich erklärt und war bis 1967 als **Glaubenseid** von allen Geistlichen beim Empfang der Subdiakonatsweihe bzw. der Übernahme höherer kirchl. Ämter abzulegen.

Tridentinum (Tridentinisches Konzil, Konzil von Trient), das zw. 1545 und 1563 in drei Tagungsperioden (1545–47; 1551–52; 1562–63) in Trient tagende Konzil; nach Zählung der kath. Kirche das 19. ökumen. Konzil; verwirklichte die seit Ende des 14. Jh. geforderte Kirchenreform, stellte zahlr. kirchl. Missstände ab und formulierte in scharfer Abgrenzung zur Theologie der Reformation die Grundpositionen der kath. Glaubenslehre, v.a. Rechtfertigungslehre, Priesteramt, Opfercharakter der Messe (Transsubstantiationslehre), Siebenzahl der Sakramente, Verhältnis von Bibel und kirchl. Tradition; erließ Reformdekrete (u.a. über die Erziehung des Priesternachwuchses und die Verpflichtung der Bischöfe zur Visitation und regelmäßigen Abhaltung von Diözesansynoden), das Bücherverbot (→Index) und erklärte die →Vulgata zur allein verbindl. Bibelübersetzung. Kirchengeschichtlich besiegelte das T. die mit der Reformation aufgebrochene Spaltung der →lateinischen Kirche und begründete den Katholizismus als christl. Konfession.

Tridymit [grch.] *der,* Mineral, eine Modifikation von Quarz, bildet farblose oder weiße sechseckige Täfelchen; zw. 870 und 1470 °C stabil als hexagonaler Hoch-T.; wandelt sich unter 130 °C reversibel in rhomb. Tief-T. um.

Trieb, 1) *Botanik:* junger →Spross.

2) *Verhaltensforschung* und *Psychologie:* die auf Automatismen beruhende, das →Appetenzverhalten auslösende, auf Abreaktion drängende und anschließend neu entstehende aktionsspezif. Antriebsenergie. Die angestaute Erregung wirkt als Verhaltensursache für triebbefriedigende Handlungen oder eine Leerlaufhandlung. Beim Menschen ist die T.-Befriedigung weitgehend sozial überformt; es besteht die Möglichkeit der Ablenkung auf andere Gegenstände, der Hemmung durch eth. Zielsetzungen, der Aufschiebung der T.-Befriedigung, des T.-Verzichts sowie der Sublimierung.

Tridentinum: Das nach einem zeitgenössischen Original 1769 geschaffene Gemälde eines anonymen schweizerischen Malers bietet einen Blick in eine Konzilssitzung in der Kathedrale von Trient

Triebwagen, Schienenfahrzeug mit eigener Antriebsanlage zum Befördern von Personen und Gütern. **Elektr. T.** haben am Drehgestellrahmen aufgehängte Elektromotoren, die über Zahnräder auf die Treibachsen wirken; sie entnehmen den Fahrstrom mit Stromabnehmern einer Oberlei-

Trickfilm

Zerlege eine Bewegung in Einzelbilder, deren Projektion den Eindruck eines geschlossenen Bewegungsablaufs entstehen lässt! So einfach lautet das Grundprinzip des Trickfilms, und diesen zündenden Gedanken hatte ein Franzose schon geraume Zeit vor dem Entstehen der Filmkunst: Émile Reynaud. Die ersten Zeichentrickfilme der Filmgeschichte entstanden 1889 (»Un bon bock«) und 1890 (»Der Clown und seine Hunde«), der eigentliche Zeichentrickfilm, der auf der Einzelbildaufnahme beruht, im Jahre 1906. Der amerikanische Karikaturist J. Stuart Blackton zeichnete für die ersten Gehversuche verantwortlich. Seine Technik entfaltete anschließend auch in Amerika ihre große Blüte, nachdem Winsor McCay noch einige praktische Probleme aus dem Weg geräumt hatte. Ein weiterer Meilenstein war die Einführung der Zelluloidplatten durch Earl Hurd im Jahre 1915, was die Animation in großem Stil erst ermöglichte. In den Folgejahren eroberten einige Trickfilmstars das Herz der Zuschauer, so etwa 1919 »Felix, der Kater« von Pat Sullivan, bevor Walt Disney und Ub Iwerks den Superstar Mickey Mouse 1928 ins Rampenlicht schickten.

Trient 2): Blick über die Piazza del Duomo mit Neptunbrunnen (1768), Torre Civica und einen Teil des Palazzo Pretorio aus dem 13. Jahrhundert

tung, einer seitl. Stromschiene bei S- und U-Bahnen oder einer mitgeführten Akkumulatorenbatterie (Speicher- oder Akkumulatoren-T.). Bei **T. mit Verbrennungsmotor** treiben meist Dieselmotoren über Zahnradgetriebe, Flüssigkeitsgetriebe oder elektrisch über Generator und Elektromotor die Treibachsen an. Nach dem Einsatzgebiet werden **Schnell-T.** mit hohem Reisekomfort für weite Entfernungen und **Nahverkehrs-T.** mit großem Fassungsvermögen für schnellen Fahrgastwechsel unterschieden. (→Schienenomnibus)

Trient 2)
Stadtwappen

Triebwerk, bei Kraftfahrzeugen alle Bauteile, die zum Antrieb dienen (Verbrennungsmotoren mit Zusatzaggregaten, Kupplung, Getriebe, Differenzial u.a.). Bei Luftfahrzeugen werden nach Art der Antriebsmaschine Kolben- und Turbinen-T., nach Art der Vortriebserzeugung Luftschrauben- und →Strahltriebwerke unterschieden.

Triele:
Gewöhnlicher Triel

Triele (Burhinidae), Familie bis über 50 cm langer, dämmerungs- und nachtaktiver Watvögel an Ufern, Küsten und in Trockengebieten der gemäßigten bis trop. Regionen. In Dtl. kommt nur der **Gewöhnl. Triel (Brachhuhn,** Burhinus oedicnemus) vor, etwa 40 cm lang, Bodennestbrüter, Teilzieher.

Triere

»Vertraut auf die hölzernen Mauern« hatte das Delphische Orakel den Athenern angesichts der anrückenden Perser geraten und damit wohl gemeint, sie sollten zu Wasser fliehen. Themistokles erkannte darin jedoch die Aufforderung, die Kriegsflotte auszubauen. Die attischen Trieren waren die schnellsten und modernsten Schlachtschiffe der Zeit. Sie waren etwa 30 m lang, mit einem Rammsporn und drei Ruderbänken versehen, die übereinander lagen; bei längeren Fahrten konnten sie auch unter Segeln fahren. Gute Ausbildung und Disziplin der Ruderer waren für ihre Schlagkraft entscheidend.

Trient (italien. Trento), **1)** Provinz in der autonomen Region Trentino-Südtirol, Italien, 6207 km^2, (1995) 460000 Einwohner.

2) Hauptstadt von 1) und der autonomen Region Trentino-Südtirol, Italien, an der Etsch, 103200 Ew.; Erzbischofssitz; Univ., Museen; Handels- und Fremdenverkehrszentrum, Zement-, Metall-, chem. u.a. Industrie. – Dom (über Vorgängerbauten ab 1212 errichtet, Mitte des 16. Jh. vollendet, mit Fresken des 14. Jh.), der bedeutendste roman. Bau Venetiens, seine N-Seite schließt die Piazza del Duomo mit Neptunbrunnen (1768), Palazzo Pretorio (13. Jh.) und Torre Civica ab; Kirche Santa Maria Maggiore (1520–23), Jesuitenkirche San Francesco Saverio (1701 ff.); zahlr. Paläste aus Renaissance und Barock; Castello del Buonconsiglio (13.–16. Jh.). – Das röm. **Tridentum** (im 2. Jh. n. Chr. zur Kolonie erhoben) war eine rät. oder kelt. Gründung. Es kam 952 mit der Mark Verona an Bayern, wurde im 11. Jh. Hptst. des reichsunmittelbaren Bistums T., das im 14. Jh. in habsburg. Abhängigkeit geriet. 1545–63 tagte hier das Konzil von T. (→Tridentinum). Nach wechselnden Besitzverhältnissen in der napoleon. Zeit fiel T. 1813 wieder an Österreich und wurde im 19. Jh. ein Mittelpunkt der →Irredenta; 1919 kam es an Italien.

Trier, 1) RegBez. in Rheinl.-Pf., 4923 km^2, (1997) 507700 Ew.; umfasst die kreisfreie Stadt T. und die Landkreise Bernkastel-Wittlich, Bitburg-Prüm, Daun und T.-Saarburg; Hptst.: Trier. Laut Koalitionsbeschluss Ende 1997 soll der RegBez. T. aufgelöst werden.

2) kreisfreie Stadt und Verw.sitz des RegBez. T. und des Landkreises T.-Saarburg, an der Mosel, 99800 Ew.; Erzbischofssitz; Sitz der Internat. Moselgesellschaft; Univ., kath. theolog. Fakultät, FH; Dt. Richterakademie, Europ. Rechtsakademie, Bibliotheken, Stadtarchiv, Theater, Museen: u.a. Rhein. Landesmuseum (v.a. bed. Sammlung röm. Altertümer), Städt. Museum, Karl-Marx-Geburtshaus, Spielzeugmuseum; Weinbau sowie Wein- und Sekthandel, Tabakverarbeitung, Schuh- und Reifenfabrikation, feinmechan., Metall verarbeitende Ind., Schiffswerft; Moselhafen.

Baudenkmäler: Porta Nigra, Nordtor der röm. Stadtmauer (2. Jh., im 11./12. Jh. zur Simeonskirche umgebaut), Thermen (1. Jh. n. Chr., Museumsbauprojekt) sowie Barbara- und Kaiserthermen (2. und 4. Jh.), Amphitheater (um 100 n. Chr.), konstantin. Basilika (um 305), Pfeiler der Römerbrücke, Dom (im Kern 4. Jh., 11.–13. Jh. erweitert, im 18. Jh. umgebaut; reicher Domschatz), frühgot. Liebfrauenkirche (1233 ff.), Pfarrkirche St. Gangolf (958 gegr., Neubau 1410–59), St. Maximin (Ende 17. Jh., restauriert), St. Paulin (1734–54), Abtei St. Matthias (vor 707 gegr.), ehem. Jesuitenkolleg

(17./18. Jh.), Kurfürstl. Palast (17./18. Jh.) und Palais Kesselstatt (18. Jh.). Die röm. Bauten, der Dom und die Liebfrauenkirche wurden von der UNESCO zum Weltkulturerbe erklärt.

Die röm. Stadt **Augusta Treverorum** (im 7. Jh. **Treveris**), 16 v. Chr. von Augustus als Stadt im Gebiet der Treverer gegr., war 293–395 röm. Kaisersitz für die westl. Reichshälfte und kam 475 an die Franken. 902 erlangte der Erzbischof die Herrschaft über T.; 1190 Stadtrechtskodifizierung; im 15. Jh. freie Reichsstadt, um 1580 zur kurfürstl. Landstadt erklärt. 1794–1814 Hptst. des frz. Saardepartements; fiel 1815 an Preußen.

📖 ZENZ, E.: *Geschichte der Stadt T. im 19. Jh.*, *2 Bde. Trier 1979–80.* – ZENZ, E.: *Die Stadt T. im 20. Jh. Trier 1981.*

3) Bistum und ehem. geistl. Kurfürstentum; seit dem 3. Jh. als Bistum, im 6. Jh. als Erzbistum nachweisbar. Die Erzbischöfe von T. fanden Aufnahme in das Kurfürstenkollegium des Hl. Röm. Reiches und erhielten 1308/14 die Würde eines Erzkanzlers für Burgund. Eigentl. Schöpfer des Kurfürstentums T. war Erzbischof Balduin von Luxemburg (1307–54); Richard von Greiffenklau sicherte seinen Bestand in der Sickingenschen Fehde (1522/23). 1801 ging der linksrhein. Hauptteil an Frankreich verloren, die rechtsrhein. Teile kamen 1803 (Säkularisation) an Nassau-Weilburg, 1815 an Preußen. Seit 1821 gehört T. als Suffragan zur Kirchenprovinz Köln.

Trier, 1) Hann, Maler und Grafiker, *Kaiserswerth (heute zu Düsseldorf) 1. 8. 1915. Seine Bilder stehen dem Actionpainting und der informellen Kunst nahe, sind jedoch durch ihren netzartigen Aufbau stärker strukturiert (u. a. Deckenmalerei in Schloss Charlottenburg, Berlin, 1972).

2) Walter, Maler, Illustrator und Karikaturist, *Prag 25. 6. 1890, †Collingwood (Ontario) 11. 6. 1951; war als Zeichner für den »Simplicissimus«, die »Jugend« und die »Lustigen Blätter« tätig, bevor er 1932 nach England, 1947 nach Kanada emigrierte. T. schuf auch Mappenwerke und Buchillustrationen (v. a. zu E. Kästner).

Triere [von grch. triērēs »Dreiruderer«] *die* (Trireme, Dreiruderer), Kriegsschiff des Altertums mit drei Reihen Rudern auf jeder Seite.

Trierer Schule, Schule der Buchmalerei, Elfenbeinschnitzerei und Goldschmiedekunst unter Erzbischof →Egbert von Trier. Der **Egbert-Schrein** (Trierer Domschatz) gehört zu den Meisterwerken der otton. Kunst.

Trier-Saarburg, Landkreis im RegBez. Trier, Rheinl.-Pf., 1091 km², (1997) 134 700 Ew.; Krst.: Trier.

Triest (italien. Trieste, slowen. Trst), **1)** Provinz in der Region Friaul-Julisch-Venetien, Italien, 212 km², (1995) 255 500 Einwohner.

Trier 2): Die Porta Nigra, das Nordtor der römischen Stadtmauer, wurde im 2. Jahrhundert erbaut

2) Hauptstadt von 1) und der Region Friaul-Julisch-Venetien, 224 500 Ew.; Hafen-, Ind.- und Handelsstadt am Golf von T., eingeengt zw. Karsthochfläche, Grenze zu Slowenien und Adriat. Meer; Bischofssitz; Univ. (gegr. 1938, Wirtschaftshochschule seit 1924), astronom. und geophysikal. Observatorium, internat. Forschungszentrum für theoret. Physik, Inst. für Genetik und Biotechnologie, Museen, Meerwasseraquarium, Akademien. Dt. Kulturinst., Bibliotheken, Konservatorium, Kunstschule. T., mit bed. Hafenfunktionen für Österreich und Bayern, hat einen alten und einen neuen Handelsfreihafen, Container-, Holz-, Ind.-

Trier 2)
Stadtwappen

Trier – Stadtentwicklung in römischer Zeit und im Mittelalter

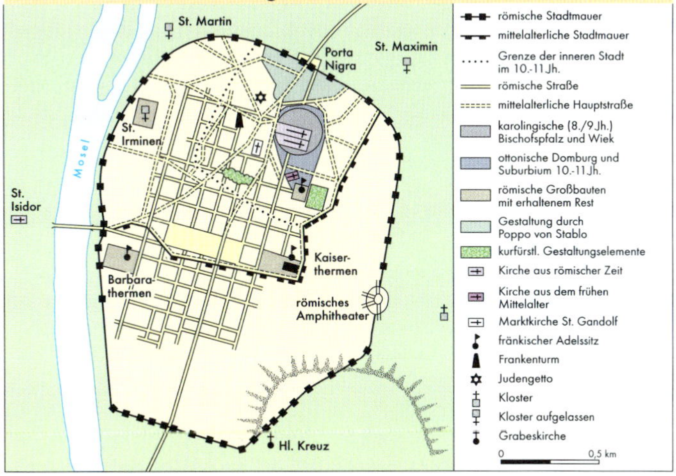

Triest 2)
Stadtwappen

Triforium

Juri Trifonow

und Erdölhafen; internat. Messen, Erdölraffinerien, Eisen- und Stahlwerk, Werft, Zement-, chem., Nahrungsmittelind., Maschinenbau, Aluminiumhütte; Fischerei; Transalpine Ölleitung (TAL) nach Ingolstadt und Schwechat. – Bed. Bauten: röm. Theater (2. Jh. n. Chr.); auf dem Burghügel Kastell (15.–17. Jh.) und Dom San Giusto (14. Jh., Reste aus dem 4. und 11. Jh.); Santa Maria Maggiore (1627–82); Bauten des 18./19. Jh.; in der Nähe das Schloss Miramare (1856–60; Museum).

Das seit dem 2. Jh. v. Chr. röm. **Tergeste** war seit 52 v. Chr. Colonia; kam nach der Herrschaft der Ostgoten (bis 539) zu Byzanz (752–774 langobardisch), 788 zum Fränk. Reich, 948 unter die Autorität der Bischöfe, 1202 unter venezian. Herrschaft, 1382 an Österreich (bis 1918; 1797, 1805 und 1809 frz. Besetzung, 1809–14 Teil Illyriens); Blüte ab Anfang 18. Jh. (1719–1891 Freihafen, künstl. Hafenanlagen); in der österr.-ungar. Monarchie Hptst. des österr. Kronlandes Küstenland; im Frieden von Saint-Germain-en-Laye 1919 an Italien; 1943 von dt. Truppen, 1945 von jugoslaw. Partisanen besetzt und damit Streitobjekt zw. Italien und Jugoslawien. Noch 1945 wurde T. mit westl. und nördl. Umland einer Zone A (unter angloamerikan. Besatzung) zugeteilt, die zus. mit der Zone B im S der Stadt (unter jugoslaw. Besatzung) gemäß dem Pariser Frieden 1947 einen Freistaat unter Aufsicht der UN (mit provisor. Verwaltung durch alliierte Befehlshaber) bildete. Nach dem Londoner Abkommen von 1954 wurde die Stadt T. mit dem Großteil der Zone A an Italien zurückgegeben, während die erweiterte Zone B bei Jugoslawien (Slowenien) verblieb. Ein italien.-jugoslaw. Abkommen von 1975 (Vertrag von Osimo) bestätigte im Wesentl. diese Regelung einschl. der Errichtung des Freihafens.

Trifels, Burg im Landkreis Südl. Weinstraße, Rheinl.-Pf., auf dem Sonnenberg (497 m ü. M.) bei Annweiler am Trifels. – Palas der stauf. Reichsburg (um 1050, ab 1648 Ruine; 1938–50 wieder aufgebaut); 1125–1273 (mit zwei Unterbrechungen) Aufbewahrungsort der Reichskleinodien und zeitweise Staatsgefängnis, u. a. für Richard Löwenherz.

Triffin, Robert, amerikan. Volkswirtschaftler belg. Herkunft, *Florbecq (Prov. Hennegau) 5. 10. 1911, †Ostende 23. 2. 1993; emigrierte 1939 in die USA; Prof. an der Yale University (1951–80); arbeitete v. a. über Preis- und Wettbewerbstheorie (triffinscher Substitutionskoeffizient) sowie über internat. Währungspolitik.

Trifonow, Juri Walentinowitsch, russ. Schriftsteller, *Moskau 28. 8. 1925, †ebd. 28. 3. 1981; gestaltete in lakon. Erzählweise die jüngste Vergangenheit und das Leben der Intellektuellen der Nach-Stalin-Zeit vor dem Hintergrund des Moskauer Alltags (»Moskauer Novellen«: »Der Tausch«, 1969; »Zwischenbilanz«, 1970; »Langer Abschied«, 1971); unvollendeter R.-Zyklus über die Zeit zw. 1937 und 1980: »Das Verschwinden« (hg. 1987), »Das Haus an der Uferstraße« (1976), »Der Alte« (1978), »Zeit und Ort« (1981).

Triforium [mlat.] *das, Baukunst:* im Innenraum roman. und bes. got. Kirchen ein sich in meist dreifachen Bogenstellungen öffnender schmaler Laufgang unter den Fenstern des Chors, dann auch des Mittel- und Querschiffs, v. a. der Wandgliederung dienend, oft nur eine Blendbogenreihe ohne Gang **(Blend-T.).** In der Hochgotik wurde auch die Außenwand hinter der Bogengalerie in Fenster aufgelöst (erstmals in Saint-Denis bei Paris).

Trift *die,* **1)** *Ozeanologie:* →Drift.

2) *Weidewirtschaft:* urspr. Grasflur, die zur Weide geeignet ist; dann Weg zum Weideauftrieb.

Trift|eis, das →Treibeis.

Trigeminus [lat. »dreiteilig«] *der* (Nervus trigeminus, Drillingsnerv), der paarige, vom verlängerten Mark ausgehende fünfte Hirn- oder Kopfnerv; Dreiteilung in **Augen-, Oberkiefer-** und **Unterkiefernerv;** diese versorgen die entsprechenden Gesichtspartien sensibel, letzterer die Kaumuskulatur außerdem motorisch.

Trigeminusneuralgie, eine Erkrankung, die mit anfallartigen Schmerzen in dem vom Trigeminus oder von einem seiner Äste versorgten Gebiet des Kopfes verbunden ist. Anfälle können durch versch. Reize (z. B. Sprechen, Kauen, Berühren bestimmter Hautbezirke, »Triggerzonen«) ausgelöst werden. Die Schmerzen, die meist nur eine Gesichtshälfte betreffen, schießen blitzartig ein, dauern meist nur wenige Sekunden und können sich alle Minuten wiederholen. Die *Behandlung* erfolgt medikamentös oder ggf. neurochirurgisch (Ausschaltung eines oder mehrerer Trigeminusäste).

Trigger [engl. »Auslöser«] *der, Elektronik:* elektron. Schaltung, die eine Aktion in einer anderen elektron. Schaltung – i. Allg. durch einen T.-Impuls – auslöst. Bekannt ist v. a. der **Schmitt-T.,** der durch eine sinusförmige Wechselspannung oder sägezahnförmige Schwingungen gesteuert werden kann.

Triglav [tri'glau̯] *der,* höchster Gipfel der Julischen Alpen und Sloweniens, 2864 m ü. M.; **T.-Nationalpark** 848 km^2. Bild Slowenien

Triglyph [grch. »Dreikerb«] *der* (Triglyphe), *antike Baukunst:* im Gebälk des dor. Tempels eine rechteckige Steinplatte, in die zwei senkrechte Kerben und am Rand je eine halbe Kerbe eingeschnitten sind, hervorgegangen aus den urspr. mit jeweils drei Brettchen verkleideten Balkenköpfen der Dachkonstruktion. Die T. bilden mit den Metopen den Fries des Tempels.

trigonal [grch.-lat.], *Mathematik:* dreieckig.

Trigonalschein, *Astronomie:* →Aspekt.

Trigonometrie [grch. »Dreiecksmessung«] *die,* Teilgebiet der Mathematik, das sich mit der Berechnung ebener und sphär. Dreiecke unter Verwendung der trigonometr. Funktionen (→Winkelfunktionen) befasst.

trigonometrische Funktionen, die →Winkelfunktionen.

trigonometrische Reihe, die →Fourier-Reihe.

trigonometrischer Punkt, *Geodäsie:* →Triangulation.

Trijodthyronin [grch.] *das,* Abk. **T_3,** Schilddrüsenhormon, das im Wesentlichen das gleiche Wirkungsspektrum besitzt wie das →Thyroxin.

Trikala (Trikkala), Hptst. des Verw.gebiets (Nomos) T. in NW-Thessalien, Griechenland, 45 200 Ew.; Textil-, Tabakindustrie.

triklines Kristallsystem, →Kristallsysteme.

Trikolore [frz.] *die,* eine »dreifarbige« Flagge, bes. die frz. Nationalflagge.

Trikot [tri'ko, frz.], **1)** *das, allg.:* eng anliegendes, sich am Körper dehnendes Kleidungsstück, v.a. für sportl. Betätigung.

2) *der,* selten *das, Textiltechnik:* 1) einflächige Kulierware (meist glatte Rundstuhlware mit einer rechten und einer linken Warenseite; →Wirkerei), die für Unterwäsche und Sportkleidung verwendet wird; 2) Kamm- oder Streichgarn (T.-Gewebe) mit feinen Rippen, das durch eine spezielle Art der Bindung der Fäden (T.-Bindung) eine den Maschenwaren ähnl. Elastizität erhalten hat; 3) bei der Herstellung von Kettenwirkware eine bestimmte Art der Fadenlegung (Trikotlegung).

Trikotagen [-'ta:ʒən, frz.], Textilerzeugnisse aus →Trikot.

Trilateration [lat.] *die, Geodäsie:* Verfahren zur Lagebestimmung von Festpunkten der Erdoberfläche durch ein Netz von Dreiecken, in denen sämtl. Dreieckseiten mittels elektron. Entfernungsmessung bestimmt werden.

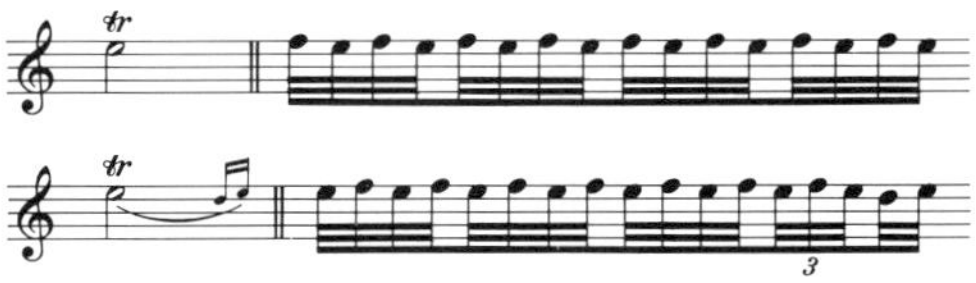

Triller: Triller mit Beginn auf der oberen Nebennote; darunter Triller mit Nachschlag, Beginn auf der Hauptnote

Triller [italien.] *der,* Abk. **t, tr,** Zeichen 𝆖, 𝆗, tr; musikal. Verzierung, die aus dem raschen, mehrmaligen Wechsel des Haupttons mit seiner kleinen oder großen Obersekunde besteht. Von der 2. Hälfte des 17. Jh. bis zum 19. Jh. beginnt der T. meist mit der Nebennote. Der T. endet mit einem →Nachschlag, wenn die nächsthöhere Note folgt, seltener auch beim Übergang zur nächsttieferen Note. Die nur einmalige Berührung der Nebennote heißt →Pralltriller. Ein Doppel-T. wird von zwei Stimmen gleichzeitig ausgeführt.

Trilliarde [lat.] *die,* tausend Trillionen (= 10^{21}).

Trillion [lat.] *die,* eine Million Billionen (= 10^{18}); in den USA 1 000 Milliarden (= 10^{12}).

Trilobiten [grch. trílobos »dreilappig«, nach der Dreiteilung des Rückenpanzers in Längs- und Querrichtung] (Dreilapper, Urkrebse, Trilobita), ausgestorbene, meeresbewohnende Gliederfüßer, die vom Kambrium bis Perm lebten; sie sind Leitfossilien im Kambrium und Ordovizium.

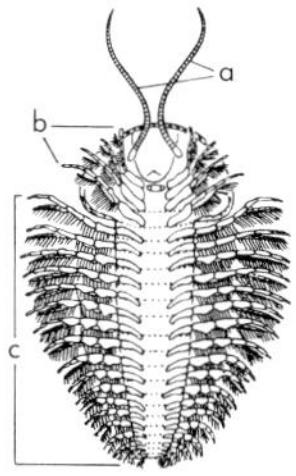

Trilobiten: verschiedene Organe; a Fühler, b Mundfühler unter dem Kopfschild, c Spaltfüße unter den Rumpfsegmenten und dem Schwanzschild

Trilogie [grch.] *die,* Folge von drei selbstständigen, inhaltlich zusammengehörigen und eine Einheit bildenden literar. oder musikal. Werken; im grch. Altertum drei hintereinander aufgeführte Tragödien. (→Tetralogie)

Trimaran [zu tri... und Katamaran] *der,* Dreirumpfschiff mit mittlerem Haupt- und zwei kleineren seitl. Stützrümpfen.

Trimester [lat.] *das,* Zeitraum von drei Monaten; im Bildungswesen vieler Staaten dritter Teil des Studienjahres.

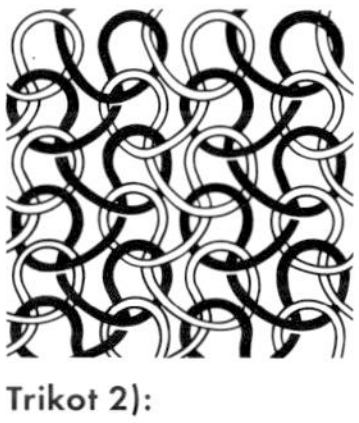

Trikot 2): Trikotbindung

Trimeter [grch.] *der, antike Metrik:* Vers aus drei metr. Einheiten; am verbreitetsten ist der jamb. T. als klass. Vers des att. Dramas, bestehend aus sechs jamb. Versfüßen: ⏒ ∪ –|⏒ ∪ –|⏒ ∪ ⏒.

trimmen [engl.], **1)** *Flugzeug:* die zur Aufrechterhaltung eines stationären Flugzustands erforderl. Steuerkräfte nahezu zum Verschwinden bringen: durch Veränderung des Einstellwinkels von Leitwerksflossen, den Ausschlag von Trimmrudern oder die Verlagerung von Massen (Umpumpen von Kraftstoff in einen **Trimmtank**).

2) *Schiff:* die Schwimmlage eines Schiffs in der Längsrichtung (Trimm) ändern, durch Verteilung der Ladung, des festen Ballasts oder durch Fluten und Lenzen (Auspumpen) von **Trimmtanks.**

Trimmer, *Elektronik:* Kondensator einstellbarer Kapazität zum Abgleich u.a. von Schwingkreisen.

Trimurti [Sanskrit »dreigestaltig«] *die,* die Dreiheit der hinduist. Hauptgötter: Brahma, der Schöpfer, Vishnu, der Erhalter, und Shiva, der Zerstörer; in der Ikonographie als ein dreiköpfiges Götterbild dargestellt.

Trinidad, 1) die südlichste der Westindischen Inseln, auf dem Schelf vor der NO-Küste Südamerikas, 4 827 km²; von drei von W nach O verlaufenden Gebirgen (im Mount Aripo 940 m ü.M.) durchzogen; im N überwiegt trop. Regenwald, in den übrigen Gebieten Savannen und Kulturland; im SW der Asphaltsee Pitch Lake. – T. ist politisch ein Teil von →Trinidad und Tobago. BILD S. 201

2) Stadt in Kuba, nahe dem Karib. Meer, 67 400 Ew.; Zucker-, Tabakindustrie. – Kolonialzeitliches Stadtbild (UNESCO-Weltkulturerbe). – Gegr. 1514 von D. de Velázquez.

Trinidad und Tobago

Fläche: 5 130 km²
Einwohner: (1995) 1,306 Mio.
Hauptstadt: Port of Spain
Verwaltungsgliederung: 3 Städte mit Selbstverwaltungsrecht und 8 Verwaltungsbezirke
Amtssprache: Englisch
Nationalfeiertag: 31. 8.
Währung: 1 T.-T.-Dollar (TT$) = 100 Cents (cts)
Zeitzone: MEZ –5 Std.

Staatswappen

TT

Internationales Kfz-Kennzeichen

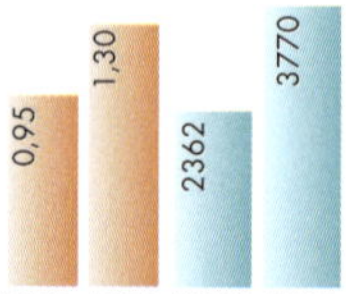

Bevölkerung (in Mio.)
Bruttosozialprodukt je Ew. (in US-$)

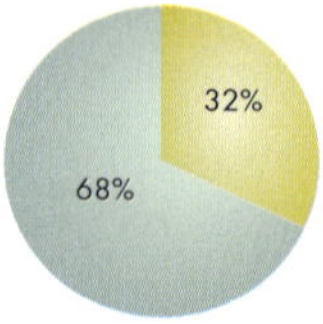

Stadt
Land

Bevölkerungsverteilung 1995

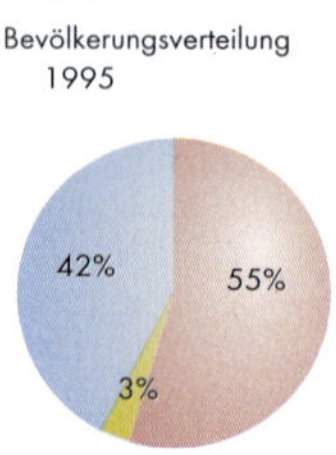

Industrie
Landwirtschaft
Dienstleistung

Bruttoinlandsprodukt 1995

Trinidad und Tobago (amtlich engl. Republic of Trinidad and Tobago), Staat vor der NO-Küste Südamerikas, umfasst die Inseln Trinidad und Tobago sowie sechs kleinere Inseln.

Staat und Recht: Nach der Verf. von 1976 ist T. u. T. eine präsidiale Rep. Staatsoberhaupt ist der von einem Wahlkollegium (Vertreter beider Kammern des Parlaments) auf fünf Jahre gewählte Präs. Die Legislative liegt beim Zweikammerparlament, bestehend aus Senat (31 ernannte Mitgl.) und Repräsentantenhaus (36 Abg., auf fünf Jahre gewählt), die Exekutive bei der Reg. unter Vorsitz des Premiermin. Parteien: Nat. Volksbewegung (PNM), Vereinigte Nat. Bewegung (UNM), Nat. Allianz für Wiederaufbau (NAR). Tobago hat seit 1987 volle innere Autonomie, eigenes Regionalparlament mit 15 Abgeordneten.

Landesnatur: → Trinidad, → Tobago.

Bevölkerung: Die Bev. Trinidads und diejenige Tobagos differieren erheblich. Tobago hat wie alle Westind. Inseln des britisch und frz. geprägten Kulturraumes vorwiegend Einwohner afrikan. Abstammung. Die Bev. Trinidads (96 % der Gesamtbev.) ist von großer ethn. Vielfalt: Schwarze (41 %; ehem. Sklaven, die sich nach ihrer Befreiung 1834 als Kleinbauern niederließen), Inder (41 %; seit 1846 eingewandert), Mulatten u. a. Mischlinge (16 %) sowie Chinesen (0,5 %) und Bewohner europ. und sonst. Herkunft. – Schulpflicht besteht vom 6. bis zum 12. Lebensjahr. Bei Port of Spain befinden sich Teile der University of the West Indies, die ihren Hauptsitz in Jamaica hat. – Über 50 % der Bev. sind Christen (v. a. Katholiken), rd. 25 % Hindus, rd. 6 % Muslime.

Wirtschaft, Verkehr: Führende Zweige sind die Förderung und Verarbeitung von Erdöl (Vorkommen im SW von Trinidad und vor dessen Küste; Raffinerien in Point Fortin und Pointe-à-Pierre); Rohöl und Erdölderivate erbringen 80 % des Exportwertes. Umfangreiche Erdgasvorkommen bilden die Grundlage für eine sich entwickelnde petrochem. Ind. und die Energiebasis für das Eisen- und Stahlwerk in Point Lisas. Eine Besonderheit ist das bedeutendste natürl. Asphaltvorkommen der Erde im 40 ha großen Asphaltsee Pitch Lake an der Küste des Golfs von Paria. Der geförderte Asphalt wird zu 50 % exportiert. Ind.zentrum ist Port of Spain. Die Landwirtschaft produziert v. a. für den Export (Zucker, Kakao, Zitrusfrüchte, Bananen, Reis, Mais u. a.). Viele Nahrungsmittel müssen daher eingeführt werden; Fremdenverkehr v. a. auf der Insel Tobago. – Das Straßennetz (rd. 8 000 km) ist auf Trinidad gut ausgebaut, auf Tobago dagegen wenig entwickelt. Das Eisenbahnnetz ist seit 1968 stillgelegt. Vom wichtigsten Hafen, Port of Spain, besteht Linienverkehr mit Scarborough (Tiefwasserhafen 1991 eröffnet), dem Hauptort Tobagos. Nat. Fluggesellschaft ist die BWIA International Airways; internat. Flughafen Piarco bei Port of Spain.

Trinidad und Tobago

Geschichte: Beide Inseln wurden 1498 von Kolumbus entdeckt; ab 1552 kolonisierten die Spanier Trinidad, 1797 wurde es von den Briten erobert (Kronkolonie 1802); 1814 wurde auch Tobago endgültig britisch und 1888 mit Trinidad vereinigt.

1962 erhielt T. u. T. die Unabhängigkeit, 1976 wurde der Staat Republik im Rahmen des brit. Commonwealth.

📖 HECK, G.: *T. u. T. Köln 1992.* – SPRENGER, A.: *Trinidad, Tobago. Köln 1993.*

Trinitari|er (lat. Ordo Sanctissimae Trinitatis de redemptione captivorum, Abk. OSST), 1198 von Johannes von Matha und Felix von Valois gegr. Orden zur Befreiung (Freikauf) christl. Gefangener und Sklaven; heute in Mission, Krankenpflege und Seelsorge für Strafgefangene tätig; Sitz des Generalministers ist Rom; seit 1236 weibl. Zweig: **Trinitarierinnen.**

Trinität [lat.] *die* (Dreieinigkeit, Dreifaltigkeit), zentrale Lehraussage der christl. Theologie über Gott, nach der der eine Gott von Ewigkeit her eine Einheit dreier wesensgleicher »Personen« (Seinsweisen) darstellt: Vater, Sohn und Hl. Geist; in ihrem »innergöttl. Verhältnis« darin unterschieden, dass vom Vater (als dem ursprungslosen Ursprung) der Sohn, vom Vater und vom Sohn der Hl. Geist ausgeht (→filioque), in der orth. Theologie vom Vater durch den Sohn; als verbindl. kirchl. Lehre in Abwehr des →Arianismus durch die Konzile von Nikaia (Nicäa, 325) und Konstantinopel (381) verkündet. – In der *bildenden Kunst* wird die T. meist symbolisch dargestellt, v. a. im gleichseitigen oder gleichschenkligen Dreieck (oft mit dem Auge Gottes). Symbole in der byzantin. Kunst sind der leere Thron Gottes, das Kreuz oder die Taube. Als Hinweis auf die T. gelten Szenen wie der Besuch der drei Männer bei Abraham und die drei Jünglinge im Feuerofen, später überhaupt die Darstellung von drei gleichaltrigen Männern. Eine eigene Darstellungsform ist der →Gnadenstuhl.

📖 MACGRATH, A.: *Vater, Sohn u. Heiliger Geist. Eine Verstehenshilfe. Wuppertal u. a. 1991.* – ACKVA, J.: *An den dreieinen Gott glauben. Ein Beitrag zur Rekonstruktion des trinitar. Gottesverständnisses ... Frankfurt am Main 1994.*

Trinitatis [lat.], →Dreifaltigkeitssonntag.

Trinitrotoluol, Abk. **TNT** (Trotyl), gelbl. kristalline Substanz, die durch mehrstufige Nitrierung von Toluol hergestellt wird. T. ist ein wichtiger →Explosivstoff, der nur durch →Initialsprengstoffe gezündet werden kann. Seine Sprengwirkung dient als Maß der Wirkung von Kernwaffen.

Trinkgeld, v. a. im Gaststätten- und Hotelgewerbe dem Bedienungspersonal vom Gast gewährte zusätzl. Vergütung. T., die einem Arbeitnehmer von Dritten gezahlt werden, ohne dass ein Rechtsanspruch darauf besteht, sind steuer- und sozialabgabenfrei, sofern sie 2400 DM im Kalenderjahr nicht übersteigen.

Trinkhorn, Trinkgefäß urspr. aus dem Horn eines Ochsen oder Büffels (auch anderer Tiere) oder in der Form eines Horns aus unterschiedlichsten Materialien (u. a. Elfenbein, Metall, Ton, Glas) geformt. BILD S. 202

Trinidad und Tobago: Landschaft am Asphaltsee Pitch Lake auf Trinidad, dem bedeutendstem natürlichen Asphaltvorkommen der Erde

Trinkwasser, für den menschl. Genuss und Gebrauch geeignetes Wasser, das nach der T.-Verordnung der Bundesrep. Dtl. frei von Krankheitserregern sein muss. Bestimmte Grenzwerte für chem. Stoffe dürfen nicht überschritten werden. Außerdem werden EU- oder WHO-Richtwerte als Vergleichsmaßstab gewählt. Gutes T. muss farb- und geruchlos, klar, frei von Verunreinigungen und schädl. Beimischungen in toxikolog. und mikrobieller Hinsicht sein. Der Geschmack des T. wird durch die Wasserhärte und durch die Wassertemperatur beeinflusst, die zw. 7 und 12 °C liegen sollte. (→Wasseraufbereitung)

Trinkwasserfluoridierung, →Fluoridierung.

Grenzwerte für chemische Stoffe im Trinkwasser

Stoff	Grenzwert (mg/l)
Antimon	0,01
Arsen	0,01
Blei	0,04
Cadmium	0,005
Chrom	0,05
Cyanid	0,05
Fuorid	1,5
Nickel	0,05
Nitrat	50
Nitrit	0,1
Quecksilber	0,001
Selen	0,01
organ. Chlorverbindungen insgesamt	0,01
organ.-chem. Stoffe zur Pflanzenbehandlung und Schädlingsbekämpfung einschließlich ihrer tox. Hauptabbauprodukte	
einzelne Substanz	0,0001
insgesamt	0,0005
polyzykl. aromat. Kohlenwasserstoffe insgesamt	0,0002

Jean-Louis Trintignant

Elsa Triolet

Trintignant [trɛ̃ti'ɲã], Jean-Louis, frz. Schauspieler, *Piolenc (Dép. Vaucluse) 11. 12. 1930; Charakterdarsteller in Filmen wie »Ein Mann und eine Frau« (1966), »Meine Nacht bei Maud« (1969), »Z« (1969), »Der Große Irrtum« (1970), »Das wilde Schaf« (1974), »Bunker Palace Hotel« (1989), »Drei Farben: Rot« (1994); auch Regiearbeiten.

Trio [italien.] *das,* 1) Komposition für drei Instrumentalsolostimmen, z. B. das **Klavier-T.** für Klavier, Geige, Violoncello, und das **Streich-T.** für Geige, Bratsche, Violoncello. Das T. ist entweder als →Serenade (Divertimento) aufgebaut (v. a. das Streich-T.) oder überwiegend in Sonatengestalt (→Sonate) mit drei bis vier Sätzen wie das Streichquartett. Das Klavier-T. gehört zu den Hauptgattungen der Kammermusik des ausgehenden 18. und des 19. Jh.; Streich- und Klavier-T. sind Mitte des 18. Jh. aus der T.-Sonate hervorgegangen. 2) Gruppe von drei Instrumentalisten. 3) in der Sinfonik des 18. und 19. Jh. der ruhigere Mittelteil von Marsch, Menuett und Scherzo.

Triode *die,* eine →Elektronenröhre.

Triole [italien.] *die, Musik:* Folge von drei Noten anstelle von zwei (seltener vier) im bisherigen Taktmaß.

Triolet [triɔ'lɛ], Elsa, eigtl. E. Kagan, frz. Schriftstellerin russ. Herkunft, *Moskau 25. 9. 1896, †Saint-Arnoult-en-Yvelines (Dép. Yvelines) 16. 6. 1970; lebte seit 1928 in Frankreich, ⚭ mit L. Aragon; gehörte während des 2. Weltkrieges zur Résistance; schrieb von sozialist. Positionen aus Romane um trag. Frauenschicksale (»Rosen auf Abzahlung«, 1959), auch Novellen und Essays.

Trinkhorn: niederdeutsche Arbeit aus der 2. Hälfte des 15. Jh. (Wien, Kunsthistorisches Museum)

Triosen [grch.], →Monosaccharide.

Triosonate, Kammermusikstück für zwei Melodieinstrumente (meist Geigen) und Generalbass, der von einem Streichinstrument (gewöhnlich dem Violoncello) und einem Generalbassinstrument (Cembalo, Orgel, Basslaute) gemeinsam ausgeführt wird. Die T. war die Hauptform der solist. Instrumentalmusik etwa 1650–1750. Unterschieden wurde zw. der meist viersätzigen **Kirchen-T.** und der häufig auf Tanzformen zurückgreifenden dreisätzigen **Kammer-T.** T. schrieben u. a. A. Corelli, A. Vivaldi, D. Buxtehude, G. P. Telemann, J. S. Bach, G. F. Händel, H. Purcell.

Trip [engl.] *der,* 1) *allg.:* Ausflug, kurze Reise; 2) *Jargon:* euphorischer Zustand nach dem Genuss von Rauschmitteln.

Tripelentente [-ãtãt] (Dreiverband), Bez. für das seit dem britisch-russ. Petersburger Vertrag (1907) bestehende, die britisch-frz. Entente cordiale (1904) und den frz.-russ. Zweiverband (1892) ergänzende Bündnisverhältnis zw. Frankreich, Großbritannien und Russland; richtete sich gegen den dt.-österreichisch-italien. →Dreibund.

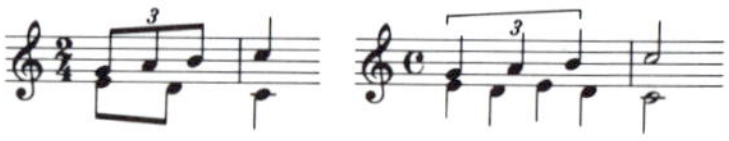

Triolen

Tripelfuge, Fuge mit drei Themen, die nacheinander in allen Stimmen durchgeführt werden und in der Schlusssteigerung zusammen erklingen.

Tripelkonzert, Konzert für drei Soloinstrumente und Orchester.

Tripelpunkt (Dreiphasenpunkt), durch Temperatur und Druck im Zustandsdiagramm eines chemisch einheitl. Stoffes festgelegter Punkt, in dem gleichzeitig die drei Phasen (fest, flüssig, gasförmig) nebeneinander im Gleichgewicht auftreten. Die Temperatur am T. des Wassers (bei dem Eis, Wasser und Wasserdampf im stabilen Gleichgewicht nebeneinander bestehen können) ist als Fundamentalpunkt der internat. Temperaturskala zu 273,16 K (= 0,01 °C) bei 612 Pa festgelegt.

Tripelspiegel, *Optik:* Spiegelkörper in Form einer Würfelecke, bei dem drei spiegelnde Flächen paarweise je einen Winkel von 90° miteinander bilden. Ein- und ausfallende Strahlen sind einander parallel. T. werden als Reflektoren oder Rückstrahler benutzt. Das Prinzip des T. wird auch in der Radartechnik angewendet.

Tripeltakt, *Musik:* der dreiteilige ungerade Takt (z. B. $^{3}/_{1}$, $^{3}/_{4}$, $^{3}/_{8}$).

Triphenylmethanfarbstoffe, →Triarylmethanfarbstoffe.

Tripitaka [Sanskrit] *das, Buddhismus:* →Tipitaka.

Triplett *das, Physik:* ein →Multiplett mit drei Komponenten.

Tripmadam [frz.], Pflanzenart der Gattung →Fetthenne.

Tripoli, 1) (arab. Tarabulus asch-Scham) Stadt im nördl. Libanon, 160 000 Ew.; Handelszentrum;

Erdölraffinerie; Endpunkt der Erdölleitung von Kirkuk; Hafen. – Aus der Kreuzfahrerzeit (12. Jh.) Ruinen des Kastells St. Gilles und der Kathedrale Sainte-Marie-de-la-Tour (im 14. Jh. in die Große Moschee umgewandelt).

2) italien. Name von →Tripolis.

Tripolis [grch. »Dreistadt«], **1)** Verw.sitz der grch. Region Peloponnes und Hptst. des Nomos Arkadien, 660 m ü. M., 21300 Ew.; orth. Bischofssitz; archäolog. Museum; Verkehrs- und Handelszentrum.

2) (arab. Tarabulus al-Gharb, italien. Tripoli) Hptst. Libyens, am Mittelmeer, 1,6 Mio. Ew.; Univ., Kunsthandwerkerschule, Fachschulen; Kunsthandwerk (Leder-, Gold-, Silberarbeiten), Nahrungsmittel-, Textil-, Reifenind., Lkw-Montage, Erdölraffinerie; internat. Messe; Hafen, internat. Flughafen. – Mark-Aurel-Bogen (163 n. Chr.), Malteserkastell (1535; heute Nationalmuseum), Moscheen. – Als **Oea** im 7. Jh. v. Chr. von Phönikern gegründet; im 2. Jh. Mittelpunkt der röm. Provinz Tripolitana.

Tripolitani|en, 1) Gebiet in NW-Libyen, umfasst einen Teil der Küstenebene Djeffara, das Tripolitan. Bergland (bis 968 m ü. M.) und die Felswüste Hammada el-Homra; grenzt im S mit einer Steilstufe an den Fessan. Mit Bewässerung Acker- und Gartenbau im Küstenstreifen und in Oasen (Oliven, Mandeln, Gemüse, Zitrusfrüchte); auf den Hochflächen nomad. Viehwirtschaft.

2) in der Antike die röm. Provinz **Tripolitana** mit dem Zentrum →Tripolis.

Tripoljekultur [nach dem Dorf Tripolje, Ukraine] (Cucuteni-Tripolje-Kultur), jungsteinzeitl., bereits metallführende Kultur im Gebiet zw. Dnjepr und Karpaten (Mitte 5. Jt. bis Ende 4. Jt. v. Chr.); typisch sind bemalte Keramik mit Spiral- und Wellenverzierung, Tonstatuetten, Kupfergegenstände.

Tripper *der* (Gonorrhö), häufigste Geschlechtskrankheit, hervorgerufen durch Bakterien der Art Neisseria gonorrhoea (sog. **Gonokokken**). Der T. wird i. d. R. durch den Geschlechtsverkehr übertragen; die Inkubationszeit beträgt meist drei (zwei bis sieben) Tage. Beim Mann tritt etwa zwei Tage nach Infektion unter Brennen und Jucken ein Harnröhrenkatarrh mit zunächst schleimigen, dann stark eitrigen Absonderungen auf. Auch ohne Behandlung gehen diese Entzündungserscheinungen nach einigen Wochen wieder zurück; die Erkrankung geht nun auf die Vorsteherdrüse, Samenblasen, Nebenhoden, Samenstränge und Blasenschleimhaut über und kann Verengung der Harnröhre sowie Unfruchtbarkeit bewirken. Bei der Frau wird die Schleimhaut der Harnröhre und des Gebärmutterhalskanals befallen; Symptome sind grünlich gelber Ausfluss und Brennen in der

Tripolis 2): Stadtansicht

Harnröhre. Erstreckt sich die Entzündung auch auf Gebärmutter, Eileiter, Eierstöcke und Bauchfell, hinterlässt sie bleibende Beschwerden und Unfruchtbarkeit. Die *Behandlung* erfolgt medikamentös, v. a. mit Penicillin.

Triptik [frz.] *das* (Triptyk), Zollpassierschein für Kraft- und Wasserfahrzeuge zur einmaligen oder wiederholten zollfreien Ein- und Ausreise in ein Land gegen Haftung durch einen Automobilclub. In Dtl. werden T. von ADAC, AvD und DTC (Deutscher Touring Automobil Club) gegen Gebühr ausgestellt. Innerhalb Europas wurde das T. nach Einführung des Europ. Binnenmarktes im Wesentlichen abgeschafft. Für Reisen in mehrere Länder des asiat. und afrikan. Raums wird ein **Carnet de Passage** für alle dem Carnetverkehr angeschlossenen Länder ausgestellt.

Tripoljekultur: Gefäßständer (Piatra Neamț, Rumänien, Archäologisches Museum)

Tripton [grch.] *das, Ökologie:* →Seston.

Triptychon [grch.] *das, bildende Kunst:* dreiteiliges Tafelbild, bes. der dreiteilige Flügelaltar (→Altar).

Tripura ['trɪpʊrə], Gliedstaat in →Indien, an der Grenze gegen Bangladesh.

Trireme [lat.], die →Triere.

Trischen, Insel mit Dünen und kleiner Wattfläche zw. der Außenelbe und Dithmarschen, seit 1942 Vogelschutzgebiet.

Tris|hagion [grch. »dreimal heilig«] *das, A. T.:* der Dreimalheilig-Ruf der Seraphim in der Berufungsvision des Propheten Jesaja (Jes. 6, 3); als liturg. Bitt- und Huldigungsruf in einer erweiterten Fassung Bestandteil der kath. Karfreitagsliturgie und der ostkirchl. Liturgien.

Trisomie [grch.] *die,* Auftreten eines überzähligen Chromosoms, das im diploiden Chromosomensatz nicht zweimal, sondern dreimal vorkommt; häufig mit krankhaften Störungen verbunden, z. B. T. 21 (→Down-Syndrom).

Elisabeth Trissenaar

Trissenaar, Elisabeth, österr. Schauspielerin, *Wien 13. 4. 1944; ⚭ mit H. Neuenfels; arbeitete bis 1992 an der Freien Volksbühne Berlin und

Tritonie: Montbretie

Tritonshorn: Gemeines Tritonshorn (Größe bis zu 40 cm)

übernahm auch Filmrollen, u.a. in: »Bolwieser« (1977), »Bittere Ernte« (1984), Marleneken (2 Tle., 1990, Fernsehfilm).

Tristan, Gestalt der mittelalterl. Literatur, deren Ursprung umstritten ist (keltisch, frz. oder orientalisch). Das T.-Epos des Chrétien de Troyes ist verloren gegangen, wahrscheinlich lehnt sich der mhd. »T.« des Eilhart von Oberg eng daran an. Kern des Stoffes ist die durch einen Liebestrank bewirkte außerehel. Liebe zw. dem Ritter T. und der schönen heil- und zauberkundigen Isolde; Missverständnisse und Verbrechen trennen die Liebenden, erst im Tod sind sie wieder vereint. Künstler. Höhepunkt der T.-Dichtungen ist →Gottfried von Straßburgs »T. und Isold« (entstanden um 1210). Die T.-Gestalt fand auch Eingang in die Erzählungen um die Tafelrunde des Königs →Artus. Der Stoff erlebte immer wieder Neubearbeitungen, so im 19. Jh. von A. C. Swinburne, im 20. Jh. von T. Hardy, E. A. Robinson und J. Cocteau; Oper von R. Wagner (»T. und Isolde«, Uraufführung 1865).

Tristan da Cunha ['trɪstən də 'ku:nə], Inselgruppe im S-Atlantik, Teil der brit. Kronkolonie Sankt Helena, umfasst die Vulkaninsel **T. da C.** (104 km², bis 2060 m ü. M., 300 Ew.) und die unbewohnten Inseln Inaccessible, Nightingale und Gough (400 km südsüdöstlich, 93 km², Wetterstation). – 1506 entdeckt.

Tritium [zu grch. trítos »dritter«] *das* (überschwerer Wasserstoff), chem. Symbol **T** oder **^{3}H,** schwerstes radioaktives Isotop des Wasserstoffs mit der Massenzahl 3 (→Triton); Ordnungszahl 1, relative Atommasse 3,01605, Dichte (flüssig) 0,260 g/cm³, Schmelzpunkt −252,5 °C, Siedepunkt −248,1 °C. T. zerfällt mit einer Halbwertszeit von 12,32 Jahren unter Aussendung weicher Betastrahlung in das Heliumisotop ^{3}He. Es entsteht in der oberen Atmosphäre durch Reaktion von Neutronen der Höhenstrahlung mit Stickstoff oder künstlich, z.B. bei Kernwaffenexplosionen. T. wird v.a. als →Tracer zur Markierung organ. Verbindungen **(Tritiierung)** verwendet und ist ferner für die →Kernfusion von Bedeutung.

Tritium|methode, Verfahren zur Altersbestimmung von Grundwässern und wasserhaltigen Stoffen (z.B. alten Weinen) durch Messung des Tritiumgehalts. Die T. ist wegen der kurzen Halbwertszeit des Tritiums von 12,32 Jahren auf Zeitabschnitte bis zu etwa 30 Jahren begrenzt.

Triton [grch. trítos »dritter«], **1)** *Astronomie:* ein Mond des Planeten →Neptun.

2) *das, Kernphysik:* Symbol **t,** der instabile Atomkern des →Tritiums, besteht aus einem Proton und zwei Neutronen.

Triton, *griech. Mythos:* Meeresgott, Sohn des Poseidon und der Amphitrite, Mischwesen, halb Mensch, halb Fisch. In der bildenden Kunst treten seit hellenist. Zeit **Tritonen** als Begleiter Poseidons und der Nereiden auf.

Tritoni|e [grch.] *die* (Tritonia), Gattung der Schwertliliengewächse; südafrikan. Zwiebelpflanzen mit gelben bis roten Blüten; eine beliebte Gartenzierpflanze ist die **Montbretie.**

Tritonshorn (Charonia), Gattung der Vorderkiemer, Meeresschnecken mit großem hochgetürmtem Gehäuse. Die 30–40 cm hohe **Trompetenschnecke** (Charonia lampas) diente den Römern als Kriegstrompete. Das bis zu 45 cm hohe **Gemeine T.** (Charonia tritonis) kommt v.a. im Ind. Ozean vor.

Tritonus [lat.] *der, Musik:* Intervall aus drei Ganztönen (übermäßige →Quarte), klanglich gleich der verminderten Quinte, z.B.: f–h.

Triumph [lat.] *der,* **1)** *allg.:* Genugtuung, großer Erfolg, Sieg.

2) *Geschichte:* im antiken Rom der Festzug des siegreichen Feldherrn **(Triumphator);** bedeutete höchste Ehrung und stand dem Diktator, Konsul oder Prätor, ab 17 n. Chr. nur dem Kaiser zu.

Triumphbogen, ein Torbogenbau mit Statuen, Reliefs und Inschriften, der in der röm. Antike als Gedächtnismal für einen Sieg und Triumph meist einem Kaiser zu Ehren errichtet wurde. Eintorig sind u.a. die T. in Rimini, Aosta, Susa, Pula, der →Titusbogen in Rom, dreitorig die T. in Timgad, der Severus- und der →Konstantinsbogen in Rom, viertorig z.B. der Mark-Aurel-Bogen in Tripolis. Die Form des antiken T. wirkte in der europ. Architektur weiter, so in Fassaden roman. Kirchen (Saint Gilles, Arles), in der Renaissancefassade von San Francesco in Rimini, im Triumphtor für König Alfons I. am Castel Nuovo in Neapel. Für fürstl. Einzüge wurden T. oft aus vergängl. Material hergestellt (Entwürfe J. B. Fischer von Erlachs in Wien), in ihrem Gefolge entstanden bes. seit dem Klassizismus T., die Akzente in der Stadtarchitektur setzten: Triumphpforte in Innsbruck (1765), →Brandenburger Tor in Potsdam (1788–91), Arc de Triomphe du Carrousel (1806–08) und Arc de Triomphe de l'Étoile (1810–36, →Arc de Triomphe) in Paris, Siegestor in München (1843–50).

Im *Kirchenbau* der das Mittelschiff vom Chor trennende Bogen, ben. nach dem dort häufig befindl. →Triumphkreuz.

Triumphkreuz, monumentales Kruzifix (oder Kreuzigungsgruppe), das im MA. oft unter dem Triumphbogen einer Kirche bzw. über Lettner oder Chorschranken angebracht war.

Triumvirat [lat. »Dreimännerkollegium«] *das,* im antiken Rom eine außerordentl. Kommission zur Durchsetzung von Staatsgeschäften. Das **1. T.** wurde 60 v. Chr. als private Übereinkunft zw. Pompeius, Cäsar und Crassus gebildet, das **2. T.**

entstand 43 v. Chr. zw. Octavianus, dem späteren Kaiser Augustus, Antonius und Lepidus; es wurde nachträglich durch ein Gesetz bestätigt.

Trivandrum, Stadt in Indien, →Thiruvananthapuram.

trivial [lat.], gedanklich unbedeutend; anspruchslos, alltäglich; unmittelbar einsichtig.

Trivialliteratur, seit den 1920er-Jahren in der dt. Literaturwissenschaft übl. Bezeichnung für klischee- und formelhaft verfasste Literatur mit geringem ästhet. Anspruchsniveau im Ggs. zur sog. Hochliteratur. – Unter den Bedingungen des 20. Jh. ist T. eine Massenliteratur, die ihre Ursprünge im 18. Jh. hat, als sich mit der zunehmenden Lesefähigkeit eines breiten Publikums ein Literaturmarkt herausbildete. Die Unterscheidung zw. trivialer, Unterhaltungs- und höherer Literatur wird zunehmend infrage gestellt, da Elemente und Techniken des Trivialen in allen literar. Formen zu finden sind. So versteht man T. heute nicht mehr als ursprüngl. Kunstphänomen, sondern als wirtsch. und sozial begründete Erscheinung, da sich die T. als massenhaft verbreitete Literatur nach dem Geschmack breitester Bevölkerungsschichten richtet. Für Publikumswirksamkeit und Marktorientiertheit hat die T. bestimmte Charakteristika bes. ausgeprägt, z. B. eine den Leser gefühlsmäßig an bestimmte Personen bindende Figurengestaltung, formel- und klischeehafte Sprache, variationsarmer Satzbau, schicksalhafte Entstehung bzw. vom Zufall bestimmte Lösung von Problemen, die zumeist entgegen der Erfahrung des Lesers in der alltägl. Wirklichkeit zu einem glückl. Ende (»Happyend«) geführt werden, eine Traumwelt suggerieren und den Wunschvorstellungen des Lesepublikums entgegenkommen. Die T. kommt in allen Hauptgattungen vor, ihr eigentl. Feld sind die Arzt-, Liebes-, Heimat- und Adelsromane, aber auch Kriminal- und Abenteuerliteratur, Horrorliteratur, Wildwestliteratur, Sciencefiction und Fantasy. Eine Sonderform der T. sind die Comicstrips. – Historisch wird die T. v. a. auf die Ritter- und Räuberromane, die Robinsonaden und den engl. sentimentalen Roman zurückgeführt; Grundmuster der T. finden sich jedoch in den bereits im 15. Jh. verbreiteten Einblattdrucken; die am Ende des 18. Jh. aufkommenden Sensationsberichte gelten als Vorläufer der Groschenheftliteratur; ebenfalls bis in das 15. Jh. gehen die Kalender zurück, in denen v. a. im 18. Jh. die Kalendergeschichte verbreitet war. Als Fortsetzungsroman in Zeitschriften erreichte die T. in der 2. Hälfte des 19. Jh. einen Höhepunkt. Im Theater sind bei Rührstück, Boulevardkomödie und Volksstück triviale Züge zu beobachten. Zeitgenöss. Formen sind Fernsehschwank und Seifenoper bzw. die TV-Familienserie. (→Unterhaltungsliteratur)

📖 SCHENDA, R.: *Die Lesestoffe der kleinen Leute. Studien zur populären Literatur im 19. u. 20. Jh. München 1976.* – *Erzählgattungen der T., hg. v.* Z. SKREB *u. a. Innsbruck 1984.* – SCHENDA, R.: *Volk ohne Buch. Studien zur Sozialgeschichte der populären Lesestoffe 1770–1910. Frankfurt am Main ³1988.* – *Unterhaltungsliteratur. Ziele u. Methoden ihrer Erforschung, hg. v.* D. PETZOLD *u.* E. SPÄTH. *Erlangen 1990.* – NUSSER, P.: *T. Stuttgart 1991.*

Trivium [lat.] *das,* Teil der →freien Künste.

Trizeps [lat.] *der,* dreiköpfiger Muskel a) an der Rückseite des Oberarms als Strecker des Unterarms, b) an der Wade als Beuger des Fußes.

Trizone, →Vereinigtes Wirtschaftsgebiet.

TRK-Werte [TRK, Abk. für **t**echnische **R**icht**k**onzentration], Konzentrationsangaben Krebs erzeugender und erbgutändernder Arbeitsstoffe in Form von Gasen, Dämpfen oder Schwebstoffen in der Luft, für die unter toxikolog. oder arbeitsmedizin. Gesichtspunkten keine →MAK-Werte aufgestellt werden können, da die Dosis-Wirkungs-Beziehung dieser Stoffe noch nicht ausreichend geklärt ist.

Triumphkreuz: Das um 1220 geschaffene Werk im Stephansdom zu Halberstadt hat eine Höhe von 5,15 m und eine Breite von 3,50 m

Trnava (dt. Tyrnau), Stadt im Westen der Slowakei, im östl. Vorland der Kleinen Karpaten, 72 200 Ew.; Erzbischofssitz; Forschungsinstitut für Maisanbau, Westslowak. Museum; Kfz- und Maschinenbau, Nahrungsmittel-, Textil- u. a. Industrie. – Traditionelles kath. Zentrum mit got. Domkirche (1380), Jesuitenkirche der ehem., 1635 gegr. Univ. – Stadtrecht 1238; bis 1876 königl. Freistadt.

Trnka, Jiří, tschech. Filmregisseur, *Pilsen 24. 2. 1912, †Prag 30. 12. 1969; Begründer eines Marionettentheaters; arbeitete 1941–45 am Nationaltheater in Prag; schuf richtungweisende Puppenfilme wie »Prinz Bajaja« (1950) und »Erzengel Gabriel und Mutter Gans« (1965); auch Zeichner (Kinderbücher) und Autor von fantast. Kurzgeschichten.

Jiří Trnka: Illustration aus dem Kinderbuch »Zahrada« (1962)

t-RNS (t-RNA), Abk. für **T**ransfer-**R**ibo**n**ucleins**ä**ure, →Ribonucleinsäure.

Troas *die,* antiker Name der Landschaft östlich der Dardanellen in Westanatolien, die Umgebung von →Troja.

Trochäus [grch.] *der,* antiker Versfuß aus einer langen (betonten) und einer kurzen (unbetonten) Silbe: –́∪. (Übersicht Metrik)

Trochilus [lat.] *der* (grch. Trochilos), *Baukunst:* Hohlkehle der att. Säulenbasis.

Trochiten [grch.], rädchenähnl. fossile Stielglieder von Seelilien (Crinoiden), im oberen Muschelkalk gesteinsbildend, volkstümlich **Bonifatiuspfennige** oder **Bischofspfennige** genannt.

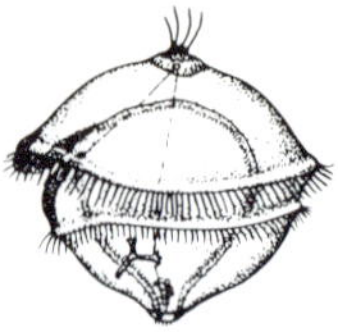

Trochophora

Trochoide [grch.] *die,* →Zykloide.

Trochophora [grch.] *die,* die bis etwa 1 mm große kugel- bis eiförmige Schwimmlarve von Tieren mit Spiralfurchung, z.B. bei Igelwürmern und Vielborstern; ihr Körper ist meist durch einen Wimpernkranz in zwei Regionen geteilt.

Trockenbeeren, am Weinstock rosinenartig eingetrocknete Beeren, aus denen edelsüße Weine **(T.-Auslese)** gewonnen werden.

Trockenblumen, die Blütenstände mancher Pflanzen (Strandflieder, Silberdistel, Gräser), die, abgeschnitten und luftgetrocknet, jahrelang Farbe und Form behalten. (→Immortellen)

Trocken|ei (Eipulver), meist durch Zerstäubungs- oder Gefriertrocknung aus pasteurisiertem Hühnerei gewonnenes pulverförmiges Produkt.

Trocken|eis, →Kohlendioxid.

Trocken|element, ein →galvanisches Element mit pastenartigen Elektrolyten.

Trockenfäule, Pflanzenkrankheiten (durch Parasiten, Nährstoffmangel) mit trockenem Zerfall pflanzl. Gewebe.

Trockenfeldbau (Trockenfarmsystem), eine Methode der Bodenbewirtschaftung an der klimat. Trockengrenze; es wechselt ein Jahr Brache zur Wasserspeicherung mit zwei Jahren Getreideanbau. Der T. wird vornehmlich in den USA (Dryfarming) angewendet.

Trockengebiete, die Gebiete der Erde, in denen im Jahresdurchschnitt die Verdunstung größer ist als der Niederschlag. Kennzeichnend ist geringer oder fehlender Pflanzenwuchs.

Trockengemüse (Dörrgemüse), durch Wasserentziehung (Trocknen) haltbar gemachtes Gemüse.

Trockengrenze, die Grenze zw. feuchten und trockenen Klimaten; an ihr sind Niederschlag und Verdunstung (Abfluss) fast gleich groß.

Trockenmasse (Trockensubstanz), Abk. **Tr.,** in der Lebensmitteltechnik übl. Bez. für den wasserfreien Anteil an der Gesamtmasse eines Lebensmittels. Die T. wird bei Käse als Bezugswert für den Fettgehalt (% i. Tr.) benutzt, weil der Wassergehalt der Käse starken Schwankungen unterworfen ist, während die T., die das Fett einschließt, unverändert bleibt.

Trockenmilch (Milchpulver), durch Zerstäubungs- oder Walzentrocknung von Voll- und Magermilch hergestellte pulverförmige Milchkonserve, die sich in Wasser wieder zu einer milchähnl. Flüssigkeit löst.

Trockenmittel, feste oder flüssige Stoffe, die leicht Wasser aufnehmen und daher zum Trocknen von Gasen, Flüssigkeiten (z.B. organ. Lösungsmittel) oder Feststoffen verwendet werden. Die Wirkung von T. kann auf einer chem. Reaktion mit Wasser (z.B. Phosphorpentoxid) oder auf der Bildung von Hydraten beruhen (z.B. Calciumchlorid). Bedeutung haben u.a. aktivierte →Aluminiumoxide und →Zeolithe.

Trocken|obst (Dörrobst), durch Trocknen haltbar gemachtes Obst; bes. geeignet sind Äpfel, Birnen, Pflaumen, Aprikosen und Feigen.

Trockenpflanzen, die →Xerophyten.

Trockenschlaf, länger dauerndes, schlafähnl. Ruhestadium mancher Tiere (bes. bei Schnecken, Lurchen, Schildkröten, Lungenfischen, manchen Gliederfüßern), v.a. in Trockengebieten während der Trockenzeit, eine Form des Sommerschlafs.

Trockenstoffe, i.d.R. öllösliche Metallsalze (→Metallseifen), die die Trockenzeit von trocknenden und halbtrocknenden Ölen (→Fette) und Bindemitteln verkürzen. **Sikkative** sind T. in gelöster Form.

Trockental, dauernd oder zeitweise wasserloses Tal, z.B. Karsttäler; am häufigsten in Trockengebieten als →Torrente oder →Wadi.

Trockenzeit, zwischen den Regenzeiten liegende niederschlagsarme oder -freie Jahreszeit der wechselfeuchten Tropen und Subtropen.

Trocknung, das Abtrennen von anhaftender Flüssigkeit (Feuchte) aus Feststoffen, auch die Entfernung von Wasserdampf aus Gasen (z.B. durch Trockenmittel oder Kondensation) und von gelöstem oder emulgiertem Wasser aus Flüssigkeiten (z.B. organ. Lösungsmitteln). Nach der Art des Wasserentzugs unterscheidet man **Verdunstungs-, Verdampfungs-** und **Sorptions-T.; Freiluft-T.** ist eine natürl. T. durch die Sonne und Wärme der Luft. Bei der **therm. T. (künstl. T.)** wird Wärme zugeführt (von außen oder im Inneren des zu trocknenden Gutes entwickelt). Je nach Art der Wärmezufuhr liegt Konvektions-T. (das Gut wird von T.-Gas um- oder durchströmt), Kontakt-T. (Wärmeübertragung von beheizten Einbauten des Trockners), Strahlungs-T. (Wärmeübertragung durch Strahler) oder Hochfrequenz-T. (Elektrowärme-T.) vor.

Troddelblume, das →Alpenglöckchen.

Troell [tru'ɛl], Jan, schwed. Filmregisseur, *Malmö 23. 7. 1931; drehte zunächst Kurzfilme, seit 1966 auch Spielfilme, u.a. »Hier hast du dein Leben« (1966), »Emigranten« (1970), »Zandys Braut« (1974), »Il Capitano« (1992).

Paul Troger: »Harmonie zwischen Glaube und Wissenschaft«, Deckengemälde (1735) im Marmorsaal der Benediktinerabtei Seitenstetten in Niederösterreich

Troeltsch, Ernst, evang. Theologe, Philosoph und Historiker, *Haunstetten (heute zu Augsburg) 17. 2. 1865, †Berlin 1. 2. 1923; Prof. in Bonn und Heidelberg (hier enge Arbeitsgemeinschaft mit M. Weber), seit 1914 in Berlin; unterzog, von der religionsgeschichtl. Schule kommend, das Christentum der histor. Kritik; stellte dessen Absolutheitsanspruch der religiösen Unüberbietbarkeit infrage, sah jedoch in der dauerhaften Festigung seiner kulturellen Werte im europ. Kulturkreis (Kultursynthese) die Aufgabe seiner Zeit; gilt als der bedeutendste Philosoph des Historismus (»Der Historismus und seine Probleme«, 1922) und einer der prägenden Vertreter der liberalen Theologie.

📖 Drescher, H.-G.: *E. T. Göttingen 1991.* – Fechtner, K.: *Volkskirche im neuzeitl. Christentum. Die Bedeutung E. T.s für eine künftige praktisch-theolog. Theorie der Kirche. Gütersloh 1995.*

Trog, *Meteorologie:* Gebiet tiefen Luftdrucks innerhalb der Rückseitenströmung eines kräftigen Tiefdruckgebiets. Ein T. ergibt Schauertätigkeit und starke bis stürm. Winde; er bestimmt oft über mehrere Tage die Witterung.

Troger, Paul, österr. Maler, getauft Welsberg (im Pustertal, Südtirol) 30. 10. 1698, †Wien 20. 7. 1762; ausgebildet in Italien, 1754–57 Akademiedirektor in Wien; malte neben Altar- und Andachtsbildern Deckenfresken in österr. Kirchen und Klöstern. Seine Arbeiten waren maßgebend für die spätbarocke Malerei in Österreich.

Tröger, Walther, Sportfunktionär und Jurist, *Wunsiedel 4. 2. 1929; seit 1992 Präs. des Nat. Olymp. Komitees für Dtl. (Nachfolger von W. Daume), seit 1989 Mitgl. des Internat. Olymp. Komitees.

Trogir (italien. Traù), Stadt in Kroatien, an der dalmatin. Küste, 7000 Ew.; Schiffswerft; Fremdenverkehr. – Die Altstadt ist UNESCO-Welterbe; bed. Bauten sind der Dom (13.–16. Jh.), die Barbarakirche (9./10. Jh.), Kirchen und Paläste des 14.–17. Jh. sowie zwei Kastelle des 15. Jh. – Urspr. grch. Kolonie **(Traugurion),** ab 56 v. Chr. römisch; im 9.–11. Jh. ein polit. und kulturelles Zentrum Kroatiens; 1062–1822 Bischofssitz.

Trogmuscheln (Mactridae), Familie in Sandböden der Gezeitenzone lebender Muscheln mit meist dreieckig-ovalen Schalen.

Trogons [grch. »Nager«], Ordnung meist sehr farbenprächtiger Vögel in den trop. Waldgebieten Amerikas, Afrikas und S-Asiens. Der geschützte, (ohne Schwanz) etwa 35 cm große **Quetzal** (Pharomachrus mocinno) wird mit den grün schillernden Oberschwanzdeckfedern bis zu 105 cm lang.

Trogtäler, Täler mit trog- (oder u-)förmigem Querschnitt, durch Gletscherschurf entstanden, kennzeichnend für gegenwärtig oder ehemals vergletscherte Gebiete. (→Tal)

Troika [russ.] *die,* Gespannart von drei Pferden; das Mittelpferd trabt, die beiden äußeren Pferde galoppieren. Auch das Fahrzeug heißt Troika.

Troisdorf ['tro:s-], Stadt im Rhein-Sieg-Kr., NRW, in der Kölner Bucht, 69700 Ew.; Europ. Astronauten-Centrum (EAC), Kinderbuchmuseum; Eisen- und Stahlverarbeitung, chem. Ind., Maschinen- und Apparatebau. – 1064 erstmals erwähnt, seit 1952 Stadt.

Trois-Frères [trwa 'frɛ:r; frz. »drei Brüder«], 1914 entdeckte und nach den drei Brüdern Bé-

Jan Troell

Walther Tröger

Ernst Troeltsch

Troja: Befestigungsmauer von Troja VI (1800–1250 v. Chr.)

gouën benannte Höhle bei Montesquieu-Avantès in den Pyrenäen (Dép. Ariège); zahlr. gravierte Tier- und einige Menschendarstellungen an den Wänden erweisen T.-F. als Kulthöhle der jüngeren Altsteinzeit (bes. des Magdalénien). In der Nähe befindet sich die Höhle Tuc d'Audoubert.

Trois Rivières [trwari'vjɛ:r; frz. »drei Flüsse«] (engl. Three Rivers), Stadt in der Prov. Quebec, Kanada, am N-Ufer des Sankt-Lorenz-Stroms, an der Mündung (drei Mündungsarme durch Flussinseln) des Saint Maurice River, (1990) 51 800 Ew.; kath. Bischofssitz; Univ. (gegr. 1969; Zweig der Université du Québec), Kunstgalerie, Museum der Ursulinen; Papier-, Textil-, Nahrungsmittel-, Metallindustrie; Hafen; Brücke über den Sankt-Lorenz-Strom. – 1634 von S. de Champlain gegründet.

Troja (Ilios, Ilion, lat. Ilium), der Hauptort von →Troas; Schauplatz des →Trojanischen Krieges. Die Stätte T. wurde von H. Schliemann nach geograph. Angaben Homers an der NW-Spitze Kleinasiens landeinwärts im rd. 20 m hohen Ruinenhügel von Hissarlik vermutet. Die Ausgrabungen begann Schliemann 1870; sie wurden 1893/94 und 1924 von W. Dörpfeld und 1932–38 von dem amerikan. Archäologen C. W. Blegen weitergeführt. Das homer. T. hatte Schliemann in der dörpfeldschen Siedlungsschicht II vermutet. In ihr wurden reiche Gold- und Silberschätze gefunden (u. a. der »Schatz des Priamos«). 1988 nahm Manfred Korfmann mit einem internat. Team die Grabungen wieder auf. Die neun von Dörpfeld ermittelten Schichten sind durch Unterteilungen von Blegen auf 46 gegeneinander abgesetzte Siedlungshorizonte erweitert worden. Die unterste Schicht (T. I) wird von M. Korfmann auf 2900–2500 v. Chr. angesetzt. 1992 gelang der Nachweis einer Unterstadt von T. VI (1800–1250 v. Chr.) mit etwa 80 000 m^2 Ausdehnung, die durch eine eigene Befestigungsanlage gesichert wurde. Archäologisch ist bisher in keiner Schicht des Hügels eine krieger. Zerstörung nachgewiesen, dagegen konnten Brandspuren festgestellt werden sowie Zerstörungen durch Erdbeben. – Das Gebiet um T. ist seit 1996 Histor. Nationalpark.

📖 SIEBLER, M.: *Troia – Homer – Schliemann. Mythos u. Wahrheit. Mainz 1990. – Troia. Brücke zw. Orient u. Okzident, hg. v.* I. GAMER-WALLERT. *Tübingen 1992.* – SIEBLER, M.: *Troia. Geschichte – Grabungen – Kontroversen. Mainz 1994.*

Trojahn, Manfred, Komponist, *Cremlingen (bei Braunschweig) 22. 10. 1949. Seine Kompositionen lassen Einflüsse u. a. von G. Mahler und A. Berg spüren, u. a. Orchester-, Kammer- und Vokalmusik (»Lieder auf der Flucht«, 1988/89; nach Gedichten von I. Bachmann), Oper »Enrico« (1991; nach L. Pirandello).

Trojaner, *Astronomie:* Gruppe von Planetoiden, die die Sonne im gleichen Abstand wie der Planet Jupiter umrunden, jedoch jeweils rd. 60° voraus oder nachfolgend. Die dem Jupiter vorauseilenden T. tragen die Namen grch. Helden, die nacheilenden Namen trojan. Helden aus dem Sagenkreis des Trojan. Krieges. Bislang sind 22 T. bekannt, die Gesamtzahl der T. heller als 21^m wird auf über 700 geschätzt.

Trojanischer Krieg, zentrales Ereignis der grch. Mythen, die Belagerung und Einnahme Trojas durch die Griechen. Anlass war die Entführung der schönen Helena durch den trojan. Königssohn Paris, die auf den »Zankapfel« der Göttin →Eris zurückging. Alle grch. Helden nahmen – unter der Führung Agamemnons – an dem Krieg teil, dessen entscheidende Phase in der »Ilias« (→Homer) geschildert wird. Älteste Quelle über das Ende des T. K. ist die »Odyssee«: Auf den Rat des Odysseus bauten die Griechen ein hölzernes Pferd **(Trojan. Pferd),** die Tapfersten versteckten sich darin, und die grch. Schiffe täuschten die Abfahrt vor. Die

Troja

Die von Heinrich Schliemann angestellten 64 Arbeiter erhielten 1870 den Lohn von 9 Piastern pro Tag. Dafür mussten sie 13 Stunden lang jeweils 4 Kubikmeter Erde und Schutt unter mühseligen Bedingungen abtransportieren. Schliemann schreibt in den »Trojanischen Altertümern«: »... so mußte ich zur Fortschaffung des Schuttes 52 Körbe zu Hülfe nehmen. Die Arbeit geht aber, da der Schutt über weite Strecken geschleppt werden muß, nur langsam vor sich und ist sehr ermüdend. Ich wende daher auch vier Karren an, die von Ochsen gezogen werden und deren jeder 20 Piaster kostet. Ich arbeite mit großer Energie und scheue keine Kosten.«
Den gleichen Einsatz erwartete er auch von seinen Arbeitskräften. Einen Streik schlug er nieder; die Anführer mussten danach länger als 13 Stunden für den gleichen Lohn wie zuvor arbeiten.

Troja

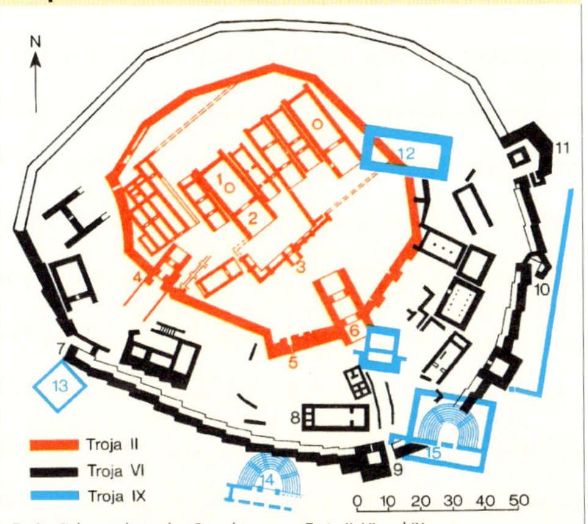

Troja: Rekonstruktion des Grundrisses von Troja II, VI und IX; Troja II: 1 Großes Megaron mit Vorhalle (2), 3 Hoftor, 4 Südwesttor mit Rampe, 5 Südtor, 6 Südosttor; Troja VI: 7 Westtor (nachträglich geschlossen), 8 Haus der Säulen, 9 Südtor, 10 Osttor, 11 Nordostbastion mit Zisterne; Troja IX: 12 Tempel der Athena Ilias, 13 Heiligtum, 14 Odeion, 15 Buleuterion

Trojaner hielten das Pferd für ein Weihgeschenk und holten es in die Stadt, sodass die Griechen die Tore von innen öffnen konnten. – Auch Ausgangspunkt der myth. Geschichte Roms (→Äneas).

🕮 KRAWCZUK, A.: *Der T. K. Mythos u. Geschichte. Leipzig u. a. 1990.*

Trokar [frz.] *der,* starke, an der Spitze dreikantige Nadel in einem Röhrchen (Schaft) zur Punktion und zum Entfernen von Flüssigkeiten aus Körperhöhlen.

Trökes, Heinz, Maler und Grafiker, * Hamborn (heute zu Duisburg) 15. 8. 1913, † Berlin 22. 4. 1997; fand, vom Surrealismus ausgehend, zu einer abstrakten Zeichensprache mit poet., oft an außereurop. Folklore orientierten Chiffren.

Troll [altnord. »Unhold«] *der,* im skandinav. Volksglauben Bez. für Dämonen beiderlei Geschlechts in Riesen- oder Zwergengestalt; können gut oder böse sein.

Trollblume (Trollius), Gattung der Hahnenfußgewächse in den kalten und gemäßigten Gebieten der N-Halbkugel. Einheimisch auf feuchten Wiesen und Bergwiesen ist die 10–50 cm hohe geschützte **Europ. T. (Goldranunkel, Schmalzblume,** Trollius europaeus) mit kugeligen, goldgelben Blüten; auch Gartenzierpflanze.

Trolleybus ['trɔli-, engl.], bes. schweizer. Bez. für den →Oberleitungsomnibus.

Trollhättan, Stadt im schwed. VerwBez. Älvsborg, 51 700 Ew.; elektrochem., elektrometallurg., Maschinenbau- und Flugzeugindustrie; Kraftwerke an den 32 m hohen **Trollhätta-Fällen** des →Götaälv. Die Fälle umgeht der **Trollhätta-Kanal** (28 km).

Trollinger [wohl entstellt aus Tirolinger, nach der Herkunft] *der* (Blauer T., Groß-Vernatsch), anspruchsvolle, spät reifende Rebsorte aus Tirol, die seit dem 17./18. Jh. auch in Württemberg angebaut wird; Tafel- und Keltertraube; liefert Schillerweine und Rotweine.

Trollope ['trɔləp], Anthony, engl. Schriftsteller, * London 24. 4. 1815, † Saint Marylebone (heute zu London) 6. 12. 1882; bed. realist. Romancier der viktorian. Zeit; schilderte in den »Barchester-Romanen« ironisch-humorvoll das Leben in einer fiktiven südengl. Bischofsstadt.

Anthony Trollope (Ausschnitt eines Gemäldes des englischen Malers Samuel Laurence, 1865)

Trombe [italien. »Trompete«] *die* (Windhose), heftiger, kleinräumiger Wirbelwind mit großer Zerstörungskraft, der an dem Wolkenschlauch oder der -säule an der Unterseite einer Cumulunimbuswolke erkennbar ist. Eine T. ist über Land mit hochgerissenem Staub und Sand **(Sandhose),** über Gewässern mit hochgesaugtem zerstäubtem Wasser **(Wasserhose)** angefüllt; Durchmesser 100–300 m; in extremen Fällen Windgeschwindigkeiten von 180–360 km/h. (→Tornado)

Trommel, Sammelbez. für Membranophone, die als Schlaginstrumente verwendet werden. Zu unterscheiden sind nach der Anzahl der Membranen (aus Kalb-, Esel-, Ziegenfell oder Kunststoff) ein- oder zweifellige T., ferner T. mit oder ohne Resonator, nach der Form z. B. Rahmen-, Walzen-, Fass-, Becher-T. – I. e. S. ist eine T. ein zweifelliges Membranophon mit zylindr. Korpus aus Holz oder Metall. Hauptformen sind: 1) **kleine T.,** mit flacher zylindr. Zarge aus Metall und Schnarrsaiten auf dem unteren Fell, wird mit Holzstöcken geschlagen, Ton hell rasselnd; 2) **Rühr-** oder **Landsknechts-T.,** mit hohem hölzernem Resonanzkörper, gespielt mit Holz- oder Paukenschlä-

Trollblume: Europäische Trollblume (Höhe 10–50 cm)

Trommel

Trommeln dienen nicht nur der rhythmischen Untermalung von Tänzen und Gesängen, sondern finden auch im Kult Verwendung. In der schamanischen Ekstasetechnik ist die Trommel ein den Trancezustand förderndes Instrument, in Ostasien gilt ihr Klang als kontemplatives Mittel. In Afrika gehört die Trommel als »Mund des Herrschers« zu den Machtinsignien lokaler Potentaten und dient außerdem der Nachrichtenübermittlung. Vielerorts begleiten Trommelsignale das militärische Zeremoniell.
Die seit dem 14. Jahrhundert nachweisbare Form der kleinen, zweifelligen Zylindertrommel kam wahrscheinlich mit den Kreuzzügen ins Abendland. Zu den verbreitetsten Typen des Mittelalters gehörte die vorwiegend von einem Spieler zusammen mit einem Blasinstrument gespielte kleine, zweifellige Einhandtrommel. Die Landknechtstrommel entstand im 15./16. Jahrhundert durch eine starke Vergrößerung der Zylindertrommel; sie entwickelte sich schließlich zur heute gebräuchlichen kleinen Trommel mit senkrechter Zarge. Durch die Türkenkriege gelangte um 1700 eine noch größere, mit waagerechter Zarge getragene oder aufgestellte Zylindertrommel ins Abendland. Sie ist bis heute Orchesterinstrument.

Tromsø: Blick auf die Inselstadt, die durch eine 1036 m lange Brücke mit dem Festland verbunden ist, dahinter erstreckt sich die Insel Kvaløy

geln; 3) **große T.,** ohne Schnarrsaiten, von dumpfem Klang, wird mit Filzschlägeln geschlagen. – Mit den Fingern bzw. den Händen gespielt werden Schellen-T., Bongo und Conga, sie sind einfellig. – In der modernen Tanz- und Unterhaltungsmusik ist die T. als Rhythmusinstrument wichtiger Bestandteil des Schlagzeugs. Im Jazz wird die kleine T. (Jazz-T.) verwendet.

Trommelfell (Paukenfell), locker gespannte Membran zw. äußerem Gehörgang und Mittelohr (Paukenhöhle). → Ohr

Trommelsucht, *Tiermedizin:* die → Aufblähung.

Trọmp, Maarten Harpertszoon, niederländ. Admiral, * Brielle (bei Rotterdam) 23. 4. 1598, ⚔ im Seegefecht vor Terheide (bei Den Haag) 10. 8. 1653; vernichtete 1639 auf der Reede von The Downs die span. Flotte und leitete 1652–53 den Kampf gegen die typenmäßig bereits überlegene engl. Flotte noch erfolgreich.

Trọmpe [frz.] *die, Baukunst:* eine nischenartige Wölbung in Trichter- oder Halbkugelform zw. zwei rechtwinklig aneinander stoßenden Mauern zur Überführung eines quadrat. Raumes in einen polygonalen; bes. bei oriental. und mittelalterl. Kuppelbauten. (→ Pendentif)

Trompe l'œil

Plinius der Ältere berichtet in seiner »Naturgeschichte« (1. Jahrhundert n. Chr.), der griechische Maler Zeuxis habe Trauben so täuschend echt zu malen verstanden, dass Vögel angelockt worden seien. In Pompeji sind einige der wenigen Beispiele antiker Trompe-l'œil-Malerei erhalten. Danach kam diese Darstellungsweise, die dem Künstler die Möglichkeit gibt, sein Können hinsichtlich Perspektive, Licht- und Schattenwirkung unter Beweis zu stellen, erst im 15. Jahrhundert bei Stillleben, besonders auf den Außenseiten von Altarflügeln, wieder auf. Für das niederländische Stillleben des 17. Jahrhunderts spielte sie eine große Rolle. Im 19. Jahrhundert wurde die Trompe-l'œil-Malerei gelegentlich wieder aufgegriffen, im 20. Jahrhundert wandten sich ihr der Surrealismus und die neuen realistischen Strömungen zu.

Trompe-l'œil [trɔ̃p'lœj; frz., eigtl. »Augentäuschung«] *das,* auch *der, bildende Kunst:* besondere Art des Stilllebens, in dem die Gegenstände so naturgetreu gemalt sind, dass sie dem Auge (im ersten Moment) als Wirklichkeit erscheinen.

Trompẹte [frz.] *die,* Blechblasinstrument aus einem schlaufenförmig gewundenen zylindr. Rohr (meist Messing) mit Kesselmundstück, drei Ventilen und leicht ausladender Stürze. Die **Natur-T.** ohne Ventile wird fast nur noch als Signal-T. verwendet. Die T. gehört zu den → transponierenden Instrumenten. Sie wird in versch. Stimmungen und Größen gebaut: Oktav-T. in B, kleine T. in D, Sopran-T. in B, C und A, Alt-T. in F und E, Bass-T. in B, C und A. – Trompetenartige Instrumente wurden seit der Antike gespielt, wobei die Unterscheidung vom Horn nicht eindeutig ist. Im MA. gelangte sie aus arab. Ländern nach Europa. Die **Busine,** eine gerade T. mit großem Mundstück, ist um 1100 (Rolandslied) nachweisbar. – Die Jazz-T. hat eine engere Mensur und Pumpventile.

Trompẹtenschnecke, Art der Gattung → Tritonshorn.

Trompẹtenzunge (Salpiglossis), Gattung in den Anden beheimateter Nachtschattengewächse mit netzadrig gezeichneten Trichterblüten; Zierpflanzen.

Tromsø ['trumsø:], Hptst. des Verw.gebiets Troms, N-Norwegen, auf einer Insel im Sund, 55 600 Ew.; Univ., Nordlichtobservatorium, Polar-, Freilichtmuseum; Fischfang und -verarbeitung, Brauerei; Hafen; Brücke zum Festland (1036 m lang) und zur Insel Kvaløy (1220 m lang).

Trondheim ['trɔnhɛjm] (früher dt. Drontheim, im MA. und 1928–31 Nidaros), Hptst. des Verw.-gebiets Sør-Trøndelag, Norwegen, Hafen- und Bahnknoten am T.-Fjord auf einer Halbinsel, 142 800 Ew.; luther. Bischofssitz; Univ., Kunstakademie, Norweg. Forschungsinst. für Meerestechnologie; Museen; Schiffbau, Metall-, Nahrungsmittel-, Holzind. – Der über dem Grab Olafs d. Hl. errichtete Nidarosdom im gotisch-normann. Stil wurde Anfang des 14. Jh. vollendet. Die von der Festung **Kristiansten** (1682–84) überragte Stadt hat vielfach noch alte Holzhäuser. – 997 als **Nidaros** von Olaf I. Tryggvason gegr., wurde Zentrum der Verehrung Olafs d. Hl. (Grabstätte); bis ins 13. Jh. wichtigste königl. Residenz, seit 1152 Erzbischofssitz; im MA. und wieder seit 1814 Krönungsstadt der norweg. Könige.

Tropaeolum [grch.-lat.] *das,* die → Kapuzinerkresse.

Trọpe [grch.] *die, Rhetorik:* der → Tropus.

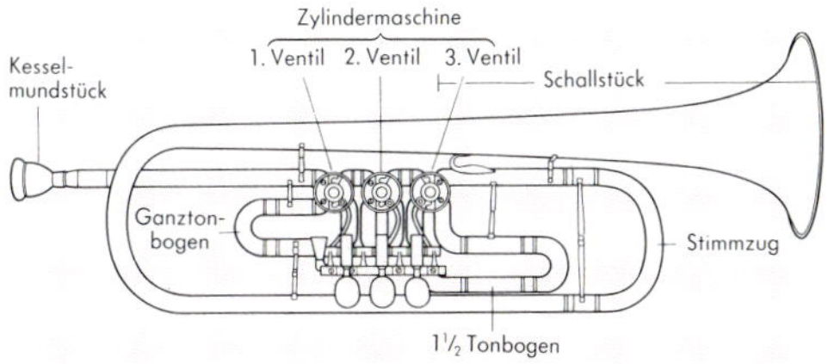

Trompete

Tropen [grch. tropḗ »Wende«], urspr. die Wendekreise, dann die zw. ihnen gelegene Zone (T.-Zone), die etwa 40% der Erdoberfläche umfasst; der Einfallswinkel der Sonnenstrahlen sinkt nie unter 43°; i.w.S. alle Länder mit **tropischem Klima.** Dieses ist durch hohe Lufttemperatur (außer in den Gebirgen) und hohe relative Luftfeuchtigkeit) gekennzeichnet, wobei im Tiefland zw. trop. Regenwaldklima **(innere T.)** und trop. Savannenklima **(äußere T.)** unterschieden wird; in den trop. Hochgebirgen →Tierra.

Tropenkrankheiten, Infektionskrankheiten, deren Weiterverbreitung nur unter trop. Verhältnissen möglich ist, z.B. Gelbfieber, Malaria, Schlafkrankheit.

Tröpfchen|infektion, unmittelbare Übertragung von Krankheitserregern durch die von einem Infektionsträger beim Sprechen, Niesen oder Husten versprühten feinsten Tröpfchen.

Tröpfchenmodell, *Physik:* →Kernmodelle.

Tropfen, kleine Flüssigkeitsmenge, die als Folge der Oberflächenspannung bestrebt ist, eine kugelförmige Gestalt anzunehmen. Vor dem Ablösen sind T. etwa birnenförmig.

Tropfkörper, Teil einer Kläranlage, in dem eine künstliche biolog. →Abwasserreinigung erzielt wird.

Tropfstein, eiszapfenähnl. oder säulenförmiges Gebilde aus Kalkspat (seltener Aragonit), das durch Verdunsten tropfenden, kalkreichen Wassers entsteht, vorwiegend in Höhlen. Es bilden sich Stalaktiten und Stalagmiten.

Trophäe [frz., aus grch.] *die,* 1) Siegeszeichen, v.a. in Gestalt erbeuteter Waffen; auch im Sport; 2) zur Erinnerung aufbewahrter Teil der Jagdbeute (z.B. Geweih).

trophotrop [grch.], auf den Stoffwechsel- bzw. Ernährungszustand von Organen bzw. Geweben einwirkend (Wiederherstellung der Leistungsfähigkeit); bes. auf die Wirkung des Parasympathikus bezogen.

Tropical ['trɔpɪkəl, engl.] *der, Textilkunde:* →Fresko.

Tropikvögel (Phaetontidae), Familie der Ruderfüßer, vorwiegend weiße seeschwalbenähnl., trop. Meeresvögel mit stark verlängerten mittleren Schwanzfedern.

tropisch, 1) *Astronomie:* auf den Frühlingspunkt bezogen, z.B. trop. →Jahr, trop. →Monat.

2) *Geographie:* die Tropen betreffend, südlich, heiß.

Tropismus [grch.] *der,* Krümmungsbewegung festsitzender Organismen (Pflanzen, sessile Tiere) oder von Organen unter Einwirkung derselben Außenreize wie bei Taxien. Die Organismen stellen sich in eine bestimmte Lage zur Reizquelle ein. Die Zuwendung zur Reizquelle hin **(positiver T.),** die Abwendung vom Reiz weg **(negativer T.)** oder die Einstellung der Organe in einem meist rechten Winkel zur Reizrichtung **(transversaler T.)** werden ausgelöst durch Schwerkraft **(Geo-T.),** Licht **(Foto-T.,** bei der Sonne **Helio-T.),** durch unterschiedl. Konzentrationen gelöster oder gasförmiger Stoffe **(Chemo-T.),** durch versch. Feuchtigkeitsgrade **(Hydro-T.),** einseitige Berührung z.B. bei Ranken **(Hapto-T., Thigmo-T.),** durch Einstellung bestimmter Pflanzenteile zur Strömungsrichtung einer Flüssigkeit **(Rheo-T.),** durch Temperaturunterschiede **(Thermo-T.)** oder einseitige Verwundung **(Traumatotropismus).**

Trompetenzunge
(Höhe 0,5–1 m)

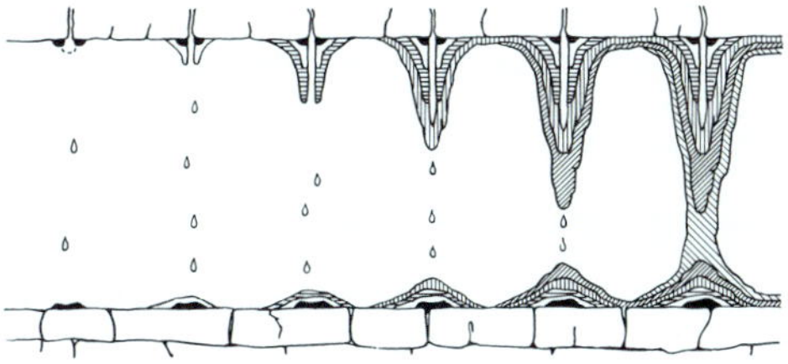

Tropfstein: schematische Darstellung der Entstehung von Stalaktiten (oben) und Stalagmiten

Tropopause [grch.], die Obergrenze der Troposphäre, →Atmosphäre.

Troposphäre [grch.], die unterste Schicht der →Atmosphäre.

Troppau (tschech. Opava), Stadt im Nordmähr. Gebiet, Tschech. Republik, an der Oppa, 63000 Ew.; Schles. Institut der Tschech. Akademie der

Tropfen

Ein Tropfen Rotwein oder Kaffee hinterlässt beim Eintrocknen auf einer Tischplatte einen hässlichen ringförmigen Rand, innerhalb dessen aber fast kein Fleck zu sehen ist. Erst in neuester Zeit wurde die Erklärung dafür gefunden: Verdunstet ein Tropfen auf einer festen Unterlage, so schrumpft er; der Tropfenrand kann sich aber nicht ohne weiteres zurückziehen, er wird vom Untergrund festgehalten. Deshalb muss die in der Nähe des Randes verdunstende Flüssigkeit laufend aus der Tropfenmitte ersetzt werden. Die so entstehende Kapillarströmung transportiert ca. 90% aller gelösten Stoffe zum Rand – und der ist deshalb besonders intensiv.

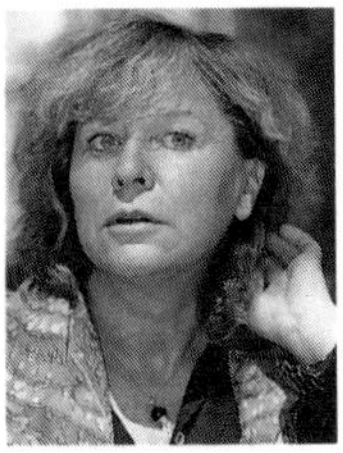
Margarethe von Trotta

Wiss.; Museen; Maschinenbau, Textilind., Holzverarbeitung. – Marienkirche (13.–15. Jh., innen barockisiert), Kaufmannshaus (bis 1580 Rathaus), Minoritenkirche (13. Jh., nach 1945 erneuert). – 1185 erstmals erwähnt; seit 1224 Stadt. Ab 1318 Hptst. des **Fürstentums (Herzogtums) T.** (1377 in die Fürstentümer T. und Jägerndorf geteilt; ab 1526 unter österr. Hoheit; 1742 zw. Preußen und Österreich geteilt); 1742–1918 Hptst. von Österr.-Schlesien; kam 1918/19 an die Tschechoslowakei.

troppo [italien. »zu viel«, »zu sehr«], in Verbindung mit musikal. Vortragsbezeichnungen verwendet, z. B. **allegro ma non t.**, schnell, lebhaft, aber nicht zu sehr.

Tropsch, Hans, Chemiker, *Plan (heute Planá, Westböhm. Gebiet) 7. 10. 1889, †Essen 8. 10. 1935; entwickelte 1926 mit F. Fischer die →Fischer-Tropsch-Synthese.

Tropus [grch.] *der,* **1)** *Musik:* aus der antiken Tradition in die mittelalterl. Musiklehre übernommene Bez. für Modus, Tonus sowie Kirchentöne (→Kirchentonarten). – Heute auch Bez. für nachträgl. syllab. Textierung vorhandener melismat. gregorian. Gesänge, dann auch nachträgl. musikalisch-textl. Einschub in den vorhandenen liturg. Text. Der T. dieser Art entstand vermutlich in der ersten Hälfte des 9. Jh.; Hauptpflegestätten waren St. Gallen (durch Tuotilo, †915) und Saint-Martial.

2) *Rhetorik:* (Trope) die Vertauschung des Einzelwortes durch einen bildl. Ausdruck, z. B. »fliegen« statt »eilen«.

Leo Trotzki
(um 1936)

Trosse, starkes Tau aus Faserstoffen oder Draht zum Festmachen oder Schleppen großer Schiffe.

Trossingen, Stadt im Landkr. Tuttlingen, Bad.-Württ., 760 m ü. M., auf der Baar, 14500 Ew.; Staatl. Hochschule für Musik, Bundesakademie für musikal. Jugendbildung, Hohner-Konservatorium; Heimatmuseum, Harmonikamuseum; Musikinstrumenten-, Holz-, Papier- u. a. Industrie.

Trostberg, Stadt im Landkr. Traunstein, Bayern, 490 m ü. M., an der Alz, im Chiemgau, 11500 Ew.; Heimatmuseum; Düngemittelwerk. – Spätgot. Pfarrkirche St. Andreas (mehrfach verändert), St. Sebastian (1650/51); Burg (12. Jh.) mit Kapelle St. Michael (15./16. Jh.). – 1233 gegr.; seit 1913 Stadt.

Trotta, Margarethe von, Schauspielerin und Filmregisseurin, *Berlin 21. 2. 1942; wirkte u. a. in Filmen von R. W. Fassbinder und V. Schlöndorff (mit diesem seit 1971 ⚭) mit; seit 1977 eigene Regiearbeit (u. a. »Die bleierne Zeit«, 1981; »Das zweite Erwachen der Christa Klages«, 1977; »Schwestern oder die Balance des Glücks«, 1979; »Rosa Luxemburg«, 1986; »Die Rückkehr«, 1990; »Zeit des Zorns«, 1993; »Das Versprechen«, 1995); erste Opernregie mit Alban Bergs »Lulu« (1997).

Trottellumme, Art der →Lummen.

Trott zu Solz, Adam von, Diplomat, *Potsdam 9. 9. 1909, † (hingerichtet) Berlin-Plötzensee 26. 8. 1944; seit 1940 im Auswärtigen Amt; versuchte bei den Alliierten Unterstützung für die dt. Widerstandsbewegung zu gewinnen; an der Verschwörung des 20. 7. 1944 beteiligt.

Trotyl *das,* das →Trinitrotoluol.

Trotzki, Lew (Leo) Dawidowitsch, seit 1902 Deckname von Leib Bronschtein, russ. Revolutionär, *Janowka (Gebiet Cherson) 28. 10. 1879, † (ermordet) Coyoacán (bei Mexiko) 21. 8. 1940; gründete 1897 den Südruss. Arbeiterbund; entzog sich zweimal der Verbannung durch Flucht ins Ausland; gehörte seit 1903 den Menschewiki an; ab 1907 Journalist in Wien, Zürich, Paris und in den USA; kehrte 1917 nach Russland zurück und schloss sich den Bolschewiki an; wurde Mitgl. des ZK sowie des Politbüros; als Vors. des Petrograder Sowjets und des Militärrevolutionären Komitees führend an der Oktoberrevolution beteiligt; wurde im Nov. 1917 Volkskommissar des Äußeren, im Dez. auch Leiter der Sowjetdelegation bei den Friedensverhandlungen mit den Mittelmächten in Brest-Litowsk, wo er Lenins Ziel eines schnellen Friedensschlusses mit Dtl. unterlief; stimmte dann für die Unterzeichnung des Friedensvertrags vom 3. 3. 1918, trat jedoch als Außenkommissar zurück. 1918 zum Volkskommissar für Verteidigung ernannt, schuf T. die Rote Armee und damit die Voraussetzung für den Sieg der Bolschewiki im Bürgerkrieg. Als Verfechter einer Theorie der »permanenten Revolution« unterlag er nach Lenins Tod (1924) im Machtkampf Stalin, der ihn aus Reg.- (1925) und Parteiämtern (1926/27) entfernte; 1928 nach Kasachstan verbannt, 1929 ausgewiesen; wirkte im Exil v. a. publizistisch gegen den Stalinismus und gründete 1938 die Vierte Internationale (→Trotzkismus); in Mexiko von einem NKWD-Agenten ermordet. Weiteres BILD Sowjetunion

Werke: Die permanente Revolution (1930), Gesch. der russ. Revolution, 2 Bde. (1931–33), Stalin (hg. 1941).

📖 HEDELER, W.: *Stalin – T. – Bucharin. Mainz 1994.* – WILDE, H.: *Leo T. mit Selbstzeugnissen u. Bilddokumenten. Reinbek 55–56. Tsd., [12]1995.*

Troubadour: Bernart de Ventadour in einer französischen Handschrift (13. Jh.; Paris, Bibliothèque Nationale)

Trotzkismus *der,* Bez. für eine auf dem Marxismus fußende, von L. D. Trotzki entwickelte polit. Theorie über die Revolution in Russland und die Weltrevolution sowie für die darauf beruhende polit. Bewegung. Trotzki ging davon aus, dass eine Revolution in dem überwiegend agrarisch strukturierten Russland nur durch das Proletariat durchgeführt werden könne, das die bürgerl. Revolution direkt durch eine proletarische fortsetzen und weltweit ausdehnen müsse **(permanente Revolution).** Er hielt dabei am proletar. Internationalismus fest und kritisierte die Bürokratisierung der Partei durch Stalin, der mit seiner Theorie vom »Aufbau des Sozialismus in einem Lande« erbitterter Gegner des T. war. 1938 wurde auf Veranlassung Trotzkis als Organisation des T. die Vierte Internationale gegründet.

📖 ALLES, W.: *Zur Politik u. Geschichte der dt. Trotzkisten ab 1930. Köln [2]1994.*

Troubadour ['tru:badu:r, auch 'du:r, frz.] *der* (provenzal. Trobador), südfrz. Dichter des 12./13. Jh., der seine Lieder selbst vertonte und vortrug. Überliefert sind Texte von rd. 460 namentlich bekannten T., darunter auch Frauen (Trobairitz). Sie stammten aus fast allen Ständen. Zu den bekanntesten gehören Herzog Wilhelm IX. von Aquitanien, Jaufré Rudel, Marcabru, Bernart de Ventadour, Bertran de Born, Peire Vidal. Berühmteste Frau war Beatriz de Dia. Die T.-Dichtung, die erste Blüte abendländ. Lyrik, erwuchs aus einer Zivilisation, in der feudal-höf. und reiche städt. Kultur fern einer Zentralgewalt zusammenwirkten, auch beeinflusst durch das arab. Spanien. Ihr Hauptgegenstand ist die Liebe im Sinne der →Minne, ihre Formen sind vielfältig, aber Regeln unterworfen (meist Kanzonen, auch Balladen, Pastorellen). Nach der Vernichtung dieser Zivilisation in den Albigenserkriegen 1209–29 wanderten die T. aus und brachten ihre Kunst an den Hof Friedrichs II. nach Sizilien und nach N-Frankreich (→Trouvère).

📖 *Leben u. Lieder der provenzial. T.s, hg. v.* E. LOMMATZSCH, *2 Bde. München [2]1972. – Trobairitz. Der Beitrag der Frau in der altokzitan. höf. Lyrik, hg. v.* A. RIEGER. *Tübingen 1991.*

Trouvère [tru'vɛ:r; frz., eigtl. »Erfinder von Versen«] *der,* in N-Frankreich im MA. der Dichter-Sänger, bes. der Hofdichter, der dem südfrz. Troubadour entspricht, v.a. Chrétien de Troyes, Thibaut IV. de Champagne, Grace Brulé, Adam de la Halle.

Trowbridge ['trəʊbrɪdʒ], Hptst. der engl. Cty. Wiltshire, 23 000 Ew.; Woll- bzw. Kammgarnind., Maschinenbau.

Tatjana Troyanos

Troyanos, Tatjana, amerikan. Sängerin (Mezzosopran), *New York 9. 12. 1938, †ebd. 21. 8. 1993; sang an den bed. internat. Opernbühnen. Ihr vielseitiges Repertoire reichte von Händel über Mozart, Wagner und R. Strauss bis zu italien. und frz. Opern und zeitgenöss. Werken.

Troyat [trwa'ja], Henri, eigtl. Lew Tarassow, frz. Schriftsteller russ. Herkunft, *Moskau 1. 11. 1911; kam 1920 nach Paris; schrieb neben psycholog., z. T. autobiograph. Romane über histor. und familiengeschichtl. Themen (u.a. »Die Giftspinne«, 1938), auch Dramen, Essays, Reiseberichte und Biographien (»Die große Katharina«, 1977; »Nikolaus II. Der letzte Zar«, 1991).

Troubadour

Adelige Frauen haben jene kulturelle Verfeinerung inspiriert, die die hohen Dichtungen der Troubadours kennzeichnet. So ist es kaum überraschend, dass es in Südfrankreich auch Lyrikerinnen, die »Trobairitz«, gab, die ihren männlichen Kollegen an musischer Bildung und technischem Können ebenbürtig waren. Man kann sich darüber wundern, dass in den Handschriften nur etwa 20 Namen von Autorinnen überliefert sind, denen 46 Texte zugeschrieben werden. Der Willkür der Manuskripttradition ist es auch anzulasten, dass die »Trobairitz« nicht in allen Gattungen der provenzalischen Lyrik vertreten sind, sondern im Wesentlichen als Verfasserinnen von höfischen Streitgedichten und Liebesliedern erscheinen.

Troyes [trwa], Hptst. des frz. Dép. Aube, an der Seine, 60 800 Ew.; Museen; Forschungszentrum für Wirkwaren; Herstellung von Wirkwaren und Nahrungsmitteln, Spinnerei, Färberei, Maschinenfabriken, Mühlen. – Gut erhaltene Altstadt mit zahlr. Kirchen, u. a. got. Kathedrale (13.–17. Jh.), Kirche St. Urbain (1262 ff.); Häuser des 16.–18. Jh. – T., das röm. **Augustobona Tricassium,** war seit dem 10. Jh. die Hptst. der Grafschaft Champagne; im 12./13. Jh. bed. Handelsmessen.

Nikolaj Trubezkoi

Pierre Trudeau

Troyon [trwaˈjɔ̃], Constant, frz. Maler, *Sèvres 28. 8. 1810, †Paris 20. 3. 1865; Vertreter der Schule von →Barbizon; malte mit kräftigem Farbauftrag stimmungsvolle Landschaften, häufig mit Tieren.

Trubar, Primož (dt. Primus Truber), slowen. Theologe, Schriftsteller und Reformator, *Raščica (bei Ljubljana) 9. 6. 1508, †Derendingen (heute zu Tübingen) 28. 6. 1586; wirkte für die Ausbreitung der Reformation unter den Slowenen; Mitbegründer der slowen. Schriftsprache; sein »Catechismus in der wind. Sprach'« (1550) war das erste in slowen. Sprache gedruckte Buch.

Trubezkoi, Nikolai Sergejewitsch, russ. Sprachwissenschaftler, *Moskau 16. 4. 1890, †Wien 25. 6. 1938; Prof. in Wien; Mitbegründer des Prager Linguistenkreises, der die von ihm begründete →Phonologie ausbaute.

Trübglas, nichtdurchsichtiges Glas, dessen Trübung durch Zugabe von Fluorverbindungen, Phosphaten oder Zinnoxid zur Glasschmelze entsteht. Je nach Art und Menge des Zuschlags sowie der Wärmebehandlung ist T. zart getönt (Beinglas, Opalglas, Milchglas), porzellanartig (Alabasterglas) oder vollkommen dicht (Opakglas).

Trübner, Wilhelm, Maler, *Heidelberg 3. 2. 1851, †Karlsruhe 21. 12. 1917; bed. Vertreter des Realismus in Dtl.; schloss sich dem Kreis um W. Leibl an. Seine Porträts und Landschaften der Frühzeit zeichnen sich durch meisterhafte Technik und nüchterne Sachlichkeit aus; wandte sich später

Wilhelm Trübner: Tor zum Stift Neuburg bei Heidelberg (1913; Mannheim, Städtische Kunsthalle)

Constant Troyon: »Jagdhüter bei seinen Hunden« (1854; Paris, Musée d'Orsay)

mytholog. und religiösen Themen zu. Mit seinen ab 1891 in breiten Pinselstrichen gemalten Porträts und Landschaften näherte er sich dem Impressionismus.

Trübströme (Trübeströme), *Geologie:* die →Suspensionsströme.

Truchsess [ahd. »der übers Gefolge Gesetzte«] (Seneschall, lat. Dapifer), mittelalterl. Hofbeamter, der die Aufsicht über die fürstl. Tafel führte; Vorsteher der Hofhaltung.

Trucial States [ˈtruːsjəl steɪts, engl.] (Vertragsstaaten), ehem. Bez. für die Vereinigten Arab. Emirate.

Trucksystem [ˈtrʌk-; engl. truck »Tausch(handel)«], Entlohnung der Arbeitnehmer in Naturalien, bes. Waren aus dem Erzeugungsprogramm des eigenen Unternehmens; in Dtl. durch § 115 GewO verboten **(Truckverbot).**

Trudeau, 1) [ˈtruːdəʊ], Garry Beekman, amerikan. Cartoonist, *New York 1948; wurde v. a. durch seine weltweit täglich in annähernd 1 000 Zeitungen abgedruckten, politisch-satir. »(Mike) Doonesbury«-Cartoons bekannt.

2) [tryˈdoː], Pierre Elliott, kanad. Politiker, *Montreal 18. 10. 1919; Rechtsanwalt, 1967/68 Justizmin. und Generalstaatsanwalt, 1968–84 Vors. der Liberalen Partei, 1968–79 und 1980–84 Premierminister.

Trudeln, durch eine unsymmetr. Störung aus einem überzogenen Flugzustand entstandene oder beim →Kunstflug absichtlich herbeigeführte Flugbewegung, bei der sich der Schwerpunkt des Flugzeugs auf einer schraubenlinienförmigen Bahn um eine vertikale **Trudelachse** mit konstanter Winkelgeschwindigkeit abwärts bewegt.

Truffaut [try'fo], François, frz. Filmregisseur, *Paris 6. 2. 1932, †Neuilly-sur-Seine 21. 10. 1984; zur Nouvelle Vague gehörig, bed. Vertreter des europ. Films; drehte u.a. »Sie küßten und sie schlugen ihn« (1959), »Schießen Sie auf den Pianisten« (1960), »Jules und Jim« (1961), »Fahrenheit 451« (1966), »Die Braut trug schwarz« (1967), »Der Wolfsjunge« (1969), »Die amerikan. Nacht« (1973), »Der Mann, der die Frauen liebte« (1977), »Die letzte Metro« (1980), »Auf Liebe und Tod« (1983).

Trüffel [frz.], **1)** *Botanik:* (Tuber) Gattung der Schlauchpilze (Ordnung Tuberales) in Europa und Nordamerika; Fruchtkörper unterirdisch, kartoffelähnlich, mit rauer, dunkler Rinde. T. sind die kostbarsten Speise- und Gewürzpilze, z.B. **Perigord-T.** (Tuber melanosporum), schwarzbraun, bis 15 cm groß, mit warziger Oberfläche, von leicht stechendem, pikantem Geruch; **Winter-T.** (**Muskat-T.**, Tuber brumale), warzig, rotbraun bis schwarz, bis 5 cm groß, aromatisch duftend; **Sommer-T.** (Tuber aestivum), außen grobwarzig, braunschwarz, innen gelblich hellbraun. T. werden mithilfe von abgerichteten Hunden und Schweinen aufgespürt.

2) *Lebensmittelkunde:* kugelige Praline aus schokoladenartiger Masse mit Geschmacksstoffen (z.B. Rum).

Trugdolde, die →Scheindolde.

Trughechte, Familie der Knochenfische, →Hornhechte.

Trughirsche (Odocoileinae), Unterfamilie der Hirsche in Eurasien, Nord- und Südamerika; männl. Tiere mit Geweih. Die T. umfassen Rehe, Ren, Elch und Neuwelthirsche.

Trugnattern (Boiginae), bes. in den Tropen verbreitete Unterfamilie der Nattern, deren hinterer Teil des Oberkiefers verlängerte Giftzähne trägt; Biss für den Menschen meist ungefährlich mit Ausnahme der bis 1,5 m langen, meist grünen **Boomslang** (Dispholidus typus) und der schlanken, spitzköpfigen **Lianenschlange** (Thelotornis kirtlandii).

Trugratten (Octodontidae), südamerikan. Nagerfamilie, u.a. mit dem etwa rattengroßen **Degu** (Octodon degus), der in weit verzweigten Erdbauten Vorräte anlegt.

Trugschluss, 1) *Logik:* (grch. Sophisma) ein absichtlich täuschender oder verwirrender Schluss; beruht entweder auf täuschenden Fragestellungen oder auf Schlussfehlern oder führt absichtlich zu Paradoxien; i.w.S. auch jeder der log. Folgerichtigkeit entbehrende Schluss.

2) *Musik:* harmon. Schlusswendung (→Kadenz), in der nach der Dominante nicht, wie üblich, die Tonika, sondern meist der Parallelklang folgt.

Trugwahrnehmung, →Halluzination.

Truhe, Kastenmöbel mit Klappdeckel (→Cassone, →Cassapanca).

Trulli in der apulischen Stadt Alberobello, derentwegen der betreffende Ortsteil zum Nationaldenkmal erklärt wurde

Trujillo, 1) [tru'xiʎo], Stadt in der Extremadura, Prov. Cáceres, W-Spanien, 564 m ü.M., 11 000 Ew.; Agrarzentrum, Viehmarkt, Nahrungsmittelproduktion; Fremdenverkehr. – Die von turmbewehrter Mauer mit sieben Toren umschlossene, hoch gelegene Altstadt (La Villa) entspricht der ehem. arab. Kernstadt (Medina; im 11. Jh. befestigt); sie wird überragt von der Araberburg (Castillo). Das Stadtbild wird bestimmt von den Palästen der Konquistadoren, so v.a. an der Plaza Mayor mit einem geschlossenen Ensemble von Herrensitzen des 16.–18. Jh.; got. Kirche Santa Maria (15. Jh.). – T., eine keltiber. Gründung, hieß in röm. Zeit **Turgalium,** in westgot. Zeit **Torgiela;** 712–1232 unter arab. Herrschaft (**Tardjala,** später **Truxillo**) Blütezeit; danach christl. Rückeroberung.

François Truffaut

2) [tru'xijo], Hptst. des Dep. La Libertad, Peru, 508 700 Ew.; Erzbischofssitz, zwei Univ.; Zucker-, Textilfabriken, Brauereien. – 1535 von F. Pizarro gegründet.

3) [tru'xijo], Hptst. des Staates T., Venezuela, in der Kordillere von Mérida, 32 700 Ew.; Bischofssitz; Handel mit Agrarprodukten (Kaffee, Mais, Zuckerrohr u.a.). – Gegr. 1559.

Trüffel 1): Sommertrüffel

Trujillo y Molina [tru'xijo i -], Rafael Leónidas, dominikan. Politiker, *San Cristóbal 24. 10. 1891, †(ermordet) Ciudad Trujillo (heute Santo Domingo) 30. 5. 1961; kam 1930 durch einen Staatsstreich an die Macht und beherrschte mit seiner Familie Politik und Wirtschaft des Landes; Präs. 1930–38 und 1942–52.

Truk, →Mikronesien (Staat).

Trulli [italien.], einräumige, steinerne Rundhäuser mit kegelförmigem Scheingewölbe, v.a. in der

Harry S. Truman

italien. Landschaft Apulien; im Ursprung wohl mit den Nuraghen auf Sardinien verwandt.

Truman ['tru:mən], Harry S., 33. Präs. der USA (1945–53), *Lamar (Mo.) 8. 5. 1884, †Kansas City (Mo.) 26. 12. 1972; 1935–44 demokrat. Senator für Missouri, 1945 Vizepräs. unter F. D. Roosevelt, nach dessen Tod am 12. 4. 1945 Nachfolger im Präsidentenamt (wieder gewählt 1948); beendete den Krieg gegen Japan durch den Einsatz der Atombombe; führte die Zusammenarbeit mit der Sowjetunion bis zum Ende des 2. Weltkrieges fort (Teilnahme an der Potsdamer Konferenz), widersetzte sich jedoch ab 1946/47 im Kalten Krieg entschieden der sowjet. Expansion mit einer Politik des →Containment (v.a. durch ein System von Pakten) und der →Truman-Doktrin; förderte mit der Marshallplanhilfe nachhaltig den wirtsch. Wiederaufbau W-Europas; entsandte 1950 Truppen nach Korea (→Koreakrieg); bemühte sich auf dem Gebiet der Wirtschafts- und Sozialpolitik, das Erbe des New Deal im →Fair Deal fortzuführen.

📖 LEE, R. A.: *H. S. T. Where did the buck stop? New York u. a. 1991.*

Trumscheit: Darstellung auf einem italienischen Kupferstich aus dem Jahr 1722

Truman-Doktrin ['tru:mən-], außenpolit. Leitlinie der USA im Kalten Krieg, wonach die USA bereit waren, anderen »freien« Völkern auf deren Ersuchen hin militär. und wirtsch. Hilfe gegen eine Gefährdung ihrer Freiheit von innen oder außen zu leisten. Vom amerikan. Präs. H. S. Truman in einer Rede vor dem Kongress am 12. 3. 1947 formuliert, in der er um die Zustimmung zu einer Militär- und Wirtschaftshilfe für die Türkei und für die antikommunist. Kräfte im grch. Bürgerkrieg ersuchte.

Trumeau [tryˈmo, frz.] *der,* urspr. der mittlere Steinpfeiler eines Portals, später allg. Wandpfeiler zw. zwei Fenstern, der, mit einem Spiegel geschmückt, in der höf. Barockbaukunst ein wichtiges Element der Innenraumgestaltung war; auch der Spiegel selbst.

Trümmer|erz, durch Aufbereitung älterer Lagerstätten im fließenden Wasser oder in der Meeresbrandung entstandene Erzanreicherung.

Trümmergesteine, die →klastischen Gesteine.

Trump, Georg, Grafiker, Schrift- und Buchkünstler, *Brettheim (heute zu Rot am See, Landkr. Schwäbisch Hall) 10. 7. 1896, †München 21. 12. 1985; schuf Titelblätter, Illustrationen, Signete, Briefmarken und zahlr. Schriften wie »City«, »Delphin«, »Forum«, »Schadow-Antiqua« und »Trump-Mediäval«.

Trumscheit (Marientrompete, Trompetengeige), vom 12. bis 18. Jh. gebräuchl., meist einsaitiges Streichinstrument mit langem, schmalem, sich nach oben verjüngendem Schallkörper.

Trundholm ['tronhɔlm], Moor bei Nykøbing (Seeland, Dänemark); hier wurde 1902 der »Sonnenwagen von T.«, ein rd. 60 cm langer, aus Bronze und Goldblech gefertigter Kultwagen der nord. Bronzezeit (14./13. Jh. v. Chr.), gefunden. BILD Bronzezeit

Trunkenheitsdelikte, Straftaten, die unter dem Einfluss alkohol. Getränke begangen werden. Trunkenheit des Täters kann gemäß §§ 20, 21 StGB zu verminderter Schuldfähigkeit oder zu Schuldunfähigkeit und damit Straflosigkeit führen. Bestraft wird der Täter, der sich vorsätzlich oder fahrlässig in einen die Schuldfähigkeit ausschließenden oder mindernden Rausch versetzt hat, wenn er in diesem Zustand eine rechtswidrige Tat (→Rauschtat) begeht. – Im Straßenverkehr gelten Kraftfahrer nach der Rechtsprechung ab einer Blutalkoholkonzentration von 1,1 ‰ als absolut fahruntüchtig, bei darunter liegenden Werten muss die Fahruntüchtigkeit individuell festgestellt werden. Ab 0,5 ‰ liegt eine Ordnungswidrigkeit vor, die mit Geldbuße bis zu 3 000 DM geahndet werden kann (§ 24 a Straßenverkehrs-Ges.). Wer im Verkehr ein Fahrzeug führt, obwohl er es infolge des Genusses alkohol. Getränke nicht sicher führen kann, wird, auch wenn er keine Gefährdung verursacht, nach § 316 StGB mit Geld- oder Freiheitsstrafe bis zu einem Jahr bestraft. Werden zusätzlich Leib oder Leben anderer oder fremde Sachen von bed. Wert gefährdet, kann der Tatbestand der →Straßenverkehrsgefährdung oder der →Transportgefährdung erfüllt sein. Bei T. kommt neben der Strafe die Unterbringung in einer Entziehungsanstalt in Betracht. – In *Österreich* ist der Betrieb von Fahrzeugen in alkoholbeeinträchtigtem Zustand (ab 0,8 ‰ Blutalkoholgehalt) als Verw.übertretung strafbar. Wer in der *Schweiz* ein Motorfahrzeug in angetrunkenem Zustand (ab 0,8 ‰) führt, wird mit Gefängnis bis zu drei Jahren oder Buße bestraft (Art. 91 Abs. 1 Straßenverkehrsgesetz).

Trunksucht, der →Alkoholismus.

Truppendienstgericht, →Wehrdienstgerichte.

Truthühner: Truthuhn, Männchen in Balzstellung (Größe bis zu 1,3 m)

Truppengattungen (früher Waffengattungen), nach Ausrüstung und Bewaffnung, Aufgaben und takt. Einsatzgrundsätzen sich voneinander unterscheidende Teile des Heeres. Truppenkörper bis zur Verbandsebene bestehen jeweils aus Einheiten einer T. (z.B. Panzerbataillon, Flugabwehrregiment), ab der Brigadeebene sind die (Groß-)Verbände aus Einheiten und Verbänden mehrerer T. zusammengesetzt.

Truro ['trʊərəʊ], Hptst. der engl. Cty. Cornwall and Isles of Scilly, 16 300 Ew.; Fremdenverkehr, Strickwaren-, Nahrungsmittelindustrie.

Trust [trʌst; engl., aus trust company »Treuhandgesellschaft«] *der,* Form des Unternehmenszusammenschlusses unter einer Dachgesellschaft (meist →Holdinggesellschaft), bei dem die einzelnen Unternehmen im Unterschied zum Konzern i.d.R. ihre rechtl. und wirtsch. Selbstständigkeit verlieren. Der T. ist auf Marktbeherrschung, innerbetriebl. Rationalisierung und betriebswirtsch. Kontrolle ausgerichtet. Man unterscheidet **Horizontal-T.** (Zusammenschluss mehrerer Unternehmen desselben Produktionszweiges) und **Vertikal-T.** (Zusammenschluss von Unternehmen, die alle zur Erzeugung eines Endprodukts erforderl. Zwischenprodukte herstellen).

Truth [tru:θ, engl.], *Elementarteilchenphysik:* charakterist. Quantenzahl des 6. →Quarks, genannt **Truthquark** oder **Topquark.**

Truthühner [zu mnd. droten »drohen«] (Meleagridinae), Unterfamilie der Fasanen mit zwei Arten. Das **Truthuhn** (Meleagris gallopavo) ist von Pennsylvania bis Mexiko verbreitet. Es wird in mehreren Rassen als schmackhaftes Geflügel gezüchtet. Das **Pfauen-T.** (Agriocharis ocellata) bewohnt Teile Mittelamerikas.

Trutnov (dt. Trautenau), Stadt im Ostböhm. Gebiet, Tschech. Rep., an der Aupa, 31 900 Ew.; Textil-, elektron., Leder-, Holzind. – Marienkirche (18. Jh.); Reste der ehem. Stadtbefestigung sowie Laubenhäuser erhalten. – 1340 Stadtrecht.

Trutzwaffen, Angriffswaffen (Blank-, Schlag-, Stangen- und Schusswaffen), im Ggs. zu den →Schutzwaffen wie Rüstung mit Helm und Schild.

Trypanosomen [grch.] (Trypanosoma), farblose parasit. Flagellaten der Familie Trypanosomatidae. Die T. besitzen nur eine Geißel, die über eine schwingende Membran mit der Zelloberfläche verbunden sein kann. Die meisten Arten treten in morpholog. Varianten (z.B. Trypanosomaform, Leptomonasform) auf, oft verbunden mit einem Wirtswechsel zw. Insekten oder Egeln und Wirbeltieren. T. sind z.T. gefährl. Krankheitserreger beim Menschen (Schlafkrankheit) und bei Haustieren (Beschälseuche).

Trypsin [grch.] *das,* proteinspaltendes Verdauungsenzym (Protease), das im Dünndarm aus seiner in der Bauchspeicheldrüse gebildeten Vorstufe **Trypsinogen** gebildet wird.

Tryptophan [grch.] *das,* Abk. **Trp,** essenzielle Aminosäure in zahlr. Proteinen. T. wird in großem Maß synthetisch hergestellt und z.B. bei künstl. Ernährung oder als Futterzusatz verwendet.

Trysilelv, Fluss in Norwegen, →Klarälv.

Trzcianka ['tʃtɕaŋka] (dt. Schönlanke), Stadt in der Wwschaft Piła (Schneidemühl), Polen, auf der südl. Pommerschen Seenplatte, 15 500 Ew.; Möbelfabrik, Schiffsausrüstungsbau. – 1731 Stadtrecht.

Trzebiatów [tʃɛ'bjatuf] (dt. Treptow an der Rega), Stadt in der Wwschaft Szczecin (Stettin), Polen, in Pommern, nahe der Regamündung, 9 200 Ew.; Maschinenbau; Holz-, Nahrungsmittelind. – Marienkirche (14. Jh.). – 1170 erstmals erwähnt, seit 1277 Stadt; bis nach 1450 Mitgl. der Hanse.

Truppengattungen im Heer der Bundeswehr

ABC-Abwehrtruppe	Instandsetzungstruppe
Artillerietruppe	Jägertruppe
Fallschirmjägertruppe	Nachschubtruppe
Feldjägertruppe	Panzeraufklärungstruppe
Feldnachrichtentruppe	Panzergrenadiertruppe
Fernmeldetruppe	Panzertruppe
Fernspähtruppe	Pioniertruppe
Gebirgsjägertruppe	Sanitätstruppe
Heeresfliegertruppe	Topographietruppe
Heeresflugabwehrtruppe	Truppe für Operative Information

Trzebnica [tʃɛb'nitsa] (dt. Trebnitz), Stadt in der Wwschaft Wrocław (Breslau), Polen, am Katzengebirge in Niederschlesien, 11 400 Ew.; Moorbad; Waggonfabrik. – Wallfahrtsort; spätroman. Basilika (1203–40; Turm 1785) der ehem. Zisterzienserabtei (Klostergebäude 1697–1726); neben dem Chor die Kapelle der Hl. Hedwig (1269; 17./18. Jh. umgebaut).

Tschad

Fläche: 1 284 000 km²
Einwohner: (1995) 6,361 Mio.
Hauptstadt: N'Djamena
Verwaltungsgliederung: 14 Präfekturen
Amtssprachen: Arabisch und Französisch
Nationalfeiertag: 11. 8.
Währung: 1 CFA-Franc = 100 Centimes (c)
Zeitzone: MEZ

Staatswappen

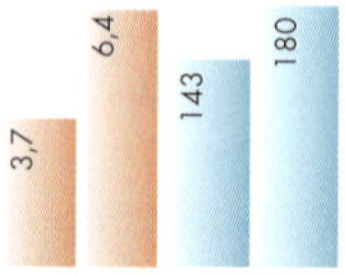

1970 1995 1970 1995
Bevölkerung (in Mio.) Bruttosozialprodukt je Ew. (in US-$)

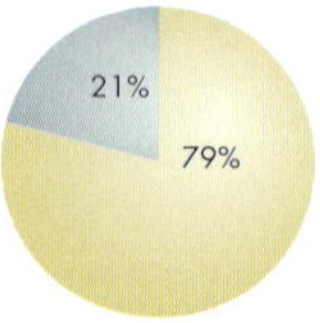

■ Stadt
■ Land

Bevölkerungsverteilung 1995

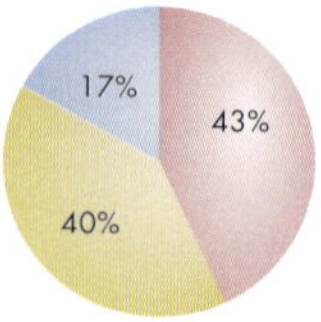

■ Industrie
■ Landwirtschaft
■ Dienstleistung

Bruttoinlandsprodukt 1995

Tsaidambecken [tʃai-], →Qaidambecken.

Tsamkong, Stadt in China, →Zhanjiang.

Tsantsa [indian.] *die,* Schrumpfkopf, den früher die Jívaro-Indianer aus dem mumifizierten Kopf eines getöteten Feindes herstellten.

Tsavo-Nationalpark, größter Nationalpark O-Afrikas, in SO-Kenia, 22 727 km²; Tierreservat.

Tschad [tʃat, tʃa:t] (amtlich arab. Djumhurijjat Taschat, frz. République du Tchad), Binnenstaat in Zentralafrika, grenzt im N an Libyen, im O an die Rep. Sudan, im S an die Zentralafrikan. Rep., im SW an Kamerun und Nigeria (Grenzverlauf im Tschadsee), im W an Niger.

Staat und Recht: Nach der Verf. von 1996 ist der T. eine präsidiale Rep. mit Mehrparteiensystem. Staatsoberhaupt und Oberbefehlshaber der Armee ist der auf fünf Jahre direkt gewählte Präs.; einmalige Wiederwahl ist möglich. Die Legislative liegt bei der Nationalversammlung (125 auf vier Jahre gewählte Abg.) und dem Senat (auf sechs Jahre gewählt). Die Exekutive wird vom Ministerrat unter der Leitung des vom Präs. ernannten MinPräs. ausgeübt. Wichtigste Parteien: Patriot. Wohlfahrtsbewegung (MPS), Union für Erneuerung und Demokratie (URD).

Landesnatur: T. erstreckt sich von der Sahara im N (Tibesti, 3415 m ü. M.) über die Klima- und Vegetationszonen (Dornstrauch- und Trockensavannen, an den Flüssen auch Überschwemmungssavannen und Galeriewälder) des Sahel und des Sudan bis zum Bereich der Trockenwälder im äußersten S. Es umfasst den östl. Teil des Tschadbeckens mit dem größten Teil des Tschadsees. Hauptflüsse sind Schari und Logone. Im S des Landes randtrop. Klima (bis über 1100 mm Niederschlag), im N Wüstenklima mit nur sporad. Niederschlägen (20–40 mm im Jahr, im Gebirge 1000 mm) und großen tägl. Temperaturunterschieden.

Bevölkerung: Im nördl. und mittleren T. leben Sudanaraber (18%) u. a. islam., z. T. arabisierte Gruppen (Maba, Kanembu, Tubu, Tama u. a.; zus. rd. 38% der Gesamt-Bev.) v. a. als Händler und Viehzüchter (z. T. Nomaden), im S Sara, Mbum und Massa (34%) als Ackerbauern, ferner zahlr. andere ethn. Gruppen (Fulbe, Hausa u. a.). – Allg. Schulpflicht vom 7. bis 12. Lebensjahr; Bildungswesen nach frz. Vorbild aufgebaut; Analphabetenquote rd. 75% (regional versch.); Univ. in N'Djamena (gegr. 1971), drei weitere Hochschuleinrichtungen. – Die Mehrzahl der Bev. sind Muslime (im N), ferner Anhänger traditioneller Naturreligionen und Christen (im S).

Wirtschaft, Verkehr: Bürgerkrieg und Dürreperioden haben die Wirtschaft des T. stark geschädigt; er gehört zu den ärmsten Ländern der Erde und ist auf internat. Hilfe angewiesen. Der größte Teil der Bev. lebt vom Ackerbau (v. a. Wanderhackbau) und Weidewirtschaft (Rinder, Schafe, Ziegen, Kamele). Zur Eigenversorgung werden

Tschad

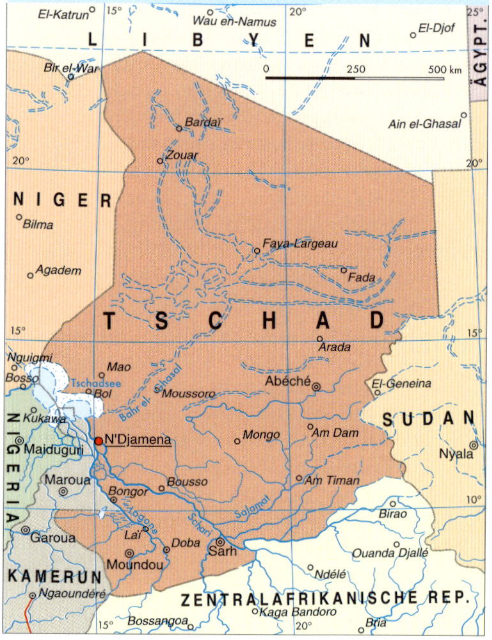

Hirse, Jamswurzel, Maniok, Erdnüsse, Reis, Bataten und Bohnen angebaut, für den Export v.a. Baumwolle, ferner Zuckerrohr, Tabak. Fischerei bes. im Tschadsee. Kaum Bodenschätze: Gewinnung von Natron- und Steinsalz. Die wenig entwickelte Textil-, Nahrungsmittel- und Tabakind. verarbeitet einheim. Produkte. Export: Baumwolle (40% des Exportanteils), Lebendvieh, Häute; Import: Erdölprodukte, Getreide, Arzneimittel, Maschinen, Fahrzeuge, Textilien u.a. Waren; Haupthandelspartner: Frankreich, Kamerun, Nigeria. – Der T. ist verkehrsmäßig wenig erschlossen; keine Eisenbahn; rd. 32000 km Straßen und Pisten; Binnenschifffahrt auf Tschadsee, Schari und Logone; internat. Flughafen bei N'Djamena; nat. Fluggesellschaft Air Tschad.

Geschichte: Das Tschadbecken gehörte vor dem Eindringen der Europäer zu den alten Reichen Bagirmi (16.–19. Jh.), →Kanem-Bornu und Wadai. 1900 setzte sich Frankreich im Tschadbecken fest. Das Gebiet gehörte seit 1910 zum Generalgouv. Frz.-Äquatorialafrika und wurde 1946 ein Überseeterritorium innerhalb der Frz. Union, 1958 eine autonome Rep. der Frz. Gemeinschaft, in der der T. auch nach der Unabhängigkeit (1960) verblieb. Staatspräs. N'Garta Tombalbaye konnte sich mithilfe frz. Truppen gegen die von Libyen unterstützten Aufständischen der »Front de Libération Nationale du Tchad« (FROLINAT) im N behaupten, wurde aber 1975 von der Armee gestürzt und getötet. General F. Malloum übernahm die Macht. Nach bürgerkriegsähnl. Zuständen und dem Eingreifen der Nachbarstaaten (u.a. Nigeria) kam 1979 eine Übergangsreg. der Nat. Union unter Beteiligung von elf rivalisierenden Gruppen zustande; Staats- und Reg.chef wurde der FROLINAT-Befehlshaber G. Oueddei. In die 1980 ausbrechenden Kämpfe griffen auf Ersuchen Oueddeis libysche Streitkräfte ein und vertrieben den Rebellenführer H. Habré. Sie zogen sich erst Ende 1981 zurück, als eine Friedenstruppe der OAU in den T. entsandt wurde, die den Fortgang des Bürgerkriegs jedoch nicht verhindern konnte. 1982 eroberten Truppen Habrés die Hptst. und stürzten Präs. Oueddei. Habré wurde 1982 Staatspräs.; er herrschte diktatorisch (schätzungsweise 40000 Menschen wurden hingerichtet oder starben in Haft). 1983 flammte der Bürgerkrieg wieder auf und führte zur direkten Konfrontation zw. Frankreich und Libyen. Nachdem sich Oueddei von Libyen 1986 losgesagt hatte, wandte er sich mit Präs. Habré gegen Libyen, das den N-Teil des T. besetzt hielt. 1989 beendete ein Friedensvertrag die Kämpfe; die Souveränität des T. über den von Libyen beanspruchten Teil bestätigte 1994 der Internat. Gerichtshof. 1990 wurde Habré von dem aus dem Sudan operierenden ehem. tschad. Offizier I. Déby gestürzt. Der von ihm angestoßene Demokratisierungsprozess schritt nach anfängl. Schwierigkeiten (ethn. bedingte Unruhen, wirtsch. Unzulänglichkeiten) voran. Im März 1996 wurde die neue Verf. per Referendum gebilligt. In einer Stichwahl (Juli 1996) setzte sich Déby als Präs. durch. Bei den Parlamentswahlen vom Jan. 1997 errang das Regierungslager (MPS und UDR) die absolute Mehrheit.

📖 Meier, Astrid: *Hunger u. Herrschaft. Vorkoloniale u. frühe koloniale Hungerkrisen im Nordtschad. Stuttgart 1995.*

Hissène Habré

Idris Déby

tschadische Sprachen (Tschadsprachen, früher tschadohamit. Sprachen), afrikan. Sprachfamilie des hamitosemit. Sprachstamms mit etwa 150 Sprachen, die in N-Nigeria, N-Kamerun und S-Tschad gesprochen werden; zu ihnen gehören u.a. das Hausa, Mandara, Masa, Tangale und Mubi.

Tschador [pers.] *der,* →Schleier.

Tschadsee ['tʃat-, 'tʃa:t-] (frz. Lac Tchad, engl. Lake Chad), 3–7 m tiefer, inselreicher, abflussloser Schwemmlandsee im zentralen Afrika, an dem Tschad, Niger, Nigeria und Kamerun Anteil haben; Zufluss v.a. durch den Schari; mit wechselnder Größe zw. 12000 und 26000 km².

Tschagatai (Tschaghatai), Mongolenfürst, →Dschagatai.

Tschaikowsky, Pjotr (Peter) Iljitsch, russ. Komponist, *Wotkinsk (heute in Udmurtien) 7.5. 1840, †Sankt Petersburg 6.11. 1893; Schüler u.a. von A. Rubinstein am Sankt Petersburger Konservatorium; lehrte 1866–78 Musiktheorie am Konservatorium in Moskau, wirkte ab 1878 zunehmend als Dirigent sowie als freischaffender Komponist. T. ist der bedeutendste Vertreter der westlich orientierten russ. Schule, jedoch zeigt seine Musik, etwa in der Melodik, auch nationalruss. Züge. Im Mittelpunkt seines fast alle musikal. Gattungen umfassenden Schaffens steht das sinfon. Werk.

Pjotr Tschaikowsky

Werke: Sechs Sinfonien, darunter Nr. 6 h-Moll Pathétique (1893); Ouvertüren, Suiten; Capriccio italien (1880); drei Klavierkonzerte (1875, 1880, 1893), Violinkonzert (1878), Rokokovariationen für Violoncello und Orchester (1876); Streichquartette, Klaviertrio, Streichsextett Souvenir de Florence; zwei Sonaten sowie zahlr. Stücke für Klavier; über 100 Lieder; 12 Opern, darunter Eugen Onegin (1879), Mazeppa (1884), Pique Dame (1890); Ballette: Schwanensee (1877), Dornröschen (1890), Der Nußknacker (1892); Bühnenmusiken. Weiteres Bild russische Musik

📖 Mountfield, D.: *Peter I. T., 1840–93. Leben, Werk u. Wirkung. A.d. Engl. München 1992.* – Lassahn, B.: *Klassik für Einsteiger: Peter T. Frankfurt am Main 1993.* – Berberova, N. N.: *T. Eine Biographie. A.d. Russ. Reinbek 1994.* – Brown, D.:

Peter T. im Spiegel seiner Zeit. A. d. Engl. Zürich u. a. 1996.

Tschako [ungar.] *der,* hohe Kopfbedeckung mit flachem, rundem Oberteil, ungar. Ursprungs; beim Militär bis 1918, danach teilweise noch von der dt. Polizei getragen.

Tschandragupta (Chandragupta, Candragupta Maurya, grch. Sandrakottos), ind. König (um 322 bis um 300 v.Chr.), Gründer der Dynastie der Maurya; eroberte große Teile N-Indiens.

Tschang Hsüeh-liang, chinesischer General, →Zhang Xueliang.

Tschangos (ungar. Csángók), stark romanisierte ungar. Volksgruppe im Gebiet der mittleren Moldau, Teil der Rumänienungarn; noch etwa 150 000; Katholiken.

Tschankiang, Stadt in China, →Zhanjiang.

Tschapka [poln.] *die,* urspr. Kopfbedeckung der poln. Ulanen, mit viereckigem Deckel, später von anderen Heeren übernommen.

Tschardschou (Čardžev), Hptst. des Gebiets T., Turkmenistan, am Amudarja, 166 400 Ew.; Baumwoll-, Naturseide-, Karakulfellverarbeitung, chem. Ind.; Bahnknotenpunkt, Flusshafen. – Seit 1469 bekannt; 1555 als Festung des Großfürstentums Moskau ausgebaut.

Tscheboksary, Hptst. der Rep. Tschuwaschien innerhalb der Russ. Föderation, am T.-Stausee der mittleren Wolga, 438 900 Ew.; Univ. u.a. Hochschulen; Maschinen-, Traktorenbau, Leichtind.; unterhalb T.-Wasserkraftwerk (1404 MW); Hafen. – Dreifaltigkeitskloster (1566), Kathedrale (1657).

tschechische Kunst: Josef Mánes, »Dorfkirche« (um 1855; Prag, Národni Galerie)

Tschebyschow, Pafnuti Lwowitsch, russ. Mathematiker, *Okatowo (Gebiet Kaluga) 16. 5. 1821, †Sankt Petersburg 8. 12. 1894; arbeitete zur Zahlentheorie, v.a. zur Primzahlverteilung, lieferte bed. Beiträge zur Approximations-, Integrations- und Wahrscheinlichkeitstheorie; verallgemeinerte das Gesetz der großen Zahlen.

Tschechen (Eigenbez. Češi), westslaw. Volk, v.a. in Böhmen und Mähren; etwa 10 Mio.; eigenständige Nationalsprache (Tschechisch); zumeist Katholiken.

Tschechilen, Kurzbez. für die →Tschechische Republik.

tschechische Kunst, die Kunst in Böhmen und Mähren.

Mittelalter: Erste Zeugnisse mittelalterl. Kunst stammen aus der Zeit des Großmähr. Reiches. Die frühesten erhaltenen Denkmäler der Baukunst aus Stein sind kleine Rundkirchen aus dem 9. Jh.; die 926–929 als Rotunde errichtete Gründungskirche Sankt Veit in Prag war richtungweisend für spätere Zentralbauten. Im 10. Jh. entstanden die ersten Klosterkirchen nach basilikalem Vorbild (Sankt Georg in Prag, um 1000). Ihren Höhepunkt erreichte die mittelalterl. Baukunst mit dem (3.) Neubau des Prager Veitsdoms (1344 begonnen, 1353 von P. Parler fortgeführt). Ein hervorragendes Beispiel spätgot. Baukunst ist der Wladislawsaal im Königspalast der Prager Burg von B. Ried (1493–1502). Bau und Ausstattung der Barbarakirche in Kutná Hora (Kuttenberg; 1388 von Parler begonnen, 1585 vollendet) leiten bereits in die Renaissance über. Zu den bed. Beispielen mittelalterl. Plastik gehören die Przemyslidengrabmäler und Triforienbüsten (1375–85) im Prager Veitsdom, die schon zum neuzeitl. Bildnis überleiten, sowie die Schönen Madonnen (Krumauer Madonna, um 1400). Die Malerei mit hervorragenden frühen Zeugnissen v.a. in Miniaturen und Wandmalereien gelangte wie die Baukunst und Plastik unter Karl IV. zu hoher Blüte (Wandmalereien im Emmauskloster in Prag, nach 1360). Tommaso da Modena und Theoderich von Prag malten auf der Burg Karlstein, der Meister von Hohenfurth und der Meister von Wittingau in S-Böhmen. Bedeutendster Maler der Spätgotik in Böhmen war der Meister des Altars von Leitmeritz (um 1500).

Renaissance: Die italien. Renaissancearchitektur hatte wesentlichen Einfluss auf die Profanbauten (Belvedere in Prag, 1538 ff.). Malerei und Plastik wurden z.Z. des Manierismus bes. gefördert unter Rudolf II., für den u.a. G. Arcimboldo, H. von Aachen, J. Heintz d. Ä., B. Spranger und A. de Vries tätig waren.

Barock: Die Architektur wurde tief greifend mitgeprägt von italien. Baumeistern wie C. Lurago, G. B. Alliprandi und G. Santini (Sankt-Johannes-

Nepomuk-Wallfahrtskirche auf dem Grünen Berg bei Zd'ár nad Sázavou, 1719–22), von den Wiener Architekten J. B. Fischer von Erlach (Palais Clam-Gallas in Prag, 1713–19) und J. L. Hildebrandt sowie von Mitgl. der süddt. Baumeisterfamilie Dientzenhofer (Nikolauskirche auf der Kleinseite in Prag, 1703–11 und 1737–53). Die Bildhauerkunst gipfelte in den expressiven Schöpfungen M. Brauns und im eher realist. Werk F. M. Brokoffs. Die Malerei hatte ihre bedeutendsten Vertreter in K. Škréta Šotnovský, J. C. Liška, J. Kupecký und P. J. Brandl. W. L. Reiner und N. Grund öffneten sich den Einflüssen des Rokoko.

19./20. Jh.: Im 19. Jh. setzte unter dem Einfluss der Idee der nat. Wiedergeburt mit monumentalen Historienbildern sowie patriotischen Landschaften (A. Mánes) eine nat. Strömung ein. J. Mánes ist der Hauptvertreter einer romant. Richtung. J. Navrátils Werke tragen impressionist. Züge. J. Čermák, K. Purkyně und V. Barvitius orientierten sich v. a. am frz. Realismus. Den Höhepunkt nat. betonter Kunst bildete der Bau des Prager Nationaltheaters (1868–78, von J. von Zítek; Ausstattung u. a. durch die Maler A. Chittussi, M. Aleš, V. Brožík, den Bildhauer J. V. Myslbek). A. Slavíček gelangte zu einer sehr persönl. Auffassung des Impressionismus. A. Mucha erlangte internat. Anerkennung mit Jugendstilplakaten. Von Symbolismus bzw. Jugendstiltendenzen geprägt sind u. a. die frühen Bilder M. Švabinskýs, J. Preislers sowie die frühen Skulpturen J. Štursas. Als Begründer der modernen tschech. Architektur gilt J. Kotěra. Die Architekten J. Chochol, J. Gočár und P. Janák setzten sich mit dem Kubismus auseinander und wandten sich schließlich neben E. Fuchs, J. Havlíček und J. Krejcar dem Funktionalismus zu. In der Malerei setzten sich E. Filla, A. Procházka, B. Kubišta, V. Špála und J. Čapek, in der Plastik O. Gutfreund mit dem Kubismus auseinander. F. Kupka war in Paris an der Entwicklung einer orphist. abstrakten Malerei beteiligt. Aus Mitgl. der 1920 gegr. avantgardist. Künstlervereinigung »Devětsil« (u. a. Toyen, J. Štyrský, F. Muzika) entstand 1934 die Prager Surrealistengruppe. Die Bildhauer V. Makovský, Hana Wichterlová und J. Wagner traten in den 30er-Jahren mit abstrakten Plastiken hervor. Sozial und politisch engagierte Bilder schufen u. a. die Mitgl. der 1939 gegründeten Gruppe »Sieben im Oktober« sowie der 1942 gebildeten »Gruppe 42« (František Gross, *1909; František Hudeček, *1909, †1990; Kamil Lhoták, *1912, †1990). Bedeutung für das Gegenwartsschaffen erlangten u. a. die Maler und Grafiker Josef Istler (*1919), Mikuláš Medek (*1926, †1974), Theodor Pištěk (*1932), Jiři Anderle (*1936), Jiři Kolář (*1914), Jiři Sopko (*1942), Ivan Ouhel (*1945), Vladimír Novák (*1947), Václav Bláha (*1949), die Künstlerin

tschechische Kunst: Adriena Simotová, »Die Abgrenzung des Menschen: Gitter« (1977; Privatbesitz)

Adriena Simotová (*1926), die Bildhauer Vladimir Janoušek (*1916, †1986), Karel Malich (*1924), Magdalena Jetelová (*1946), Kurt Gebauer (*1941), Petr Oriešek (*1941), Jiři Beránek (*1945), Jiři Sozanský (*1946). Auf dem Gebiet der Fotografie fand v. a. J. SUDEK internat. Anerkennung. Zu den hervorragendsten Leistungen der tschech. Architektur nach 1945 gehören die Bauten von Jan Šrámek (*1924, †1978) und Alena Šrámková (*1925), die in Zusammenarbeit mit Jan Bočan (*1937) die neue Abfertigungshalle des Prager Hauptbahnhofs entwarfen (erbaut 1972–79).

Zweiter Ausgang. Tschech. u. slowak. Künstler, Redaktion: J. SEVCÍKOVÁ *u.* J. SEVCÍK, *Ausst.-Kat. Ludwig-Forum für Internat. Kunst, Aachen 1993.*

tschechische Literatur. Am Anfang der t. L. stehen lat. Legenden (Ludmilla, Wenzel) sowie die lat. Chronik des →Cosmas von Prag. Mit der Tätigkeit der Slawenapostel Kyrillos und Methodios beginnt eine Übersetzungslit. in altkirchenslaw. Sprache (Kirchenlieder, »Wenzelslied« um 1300). Seit Anfang des 14. Jh. entwickelte sich eine reichhaltige Versdichtung: Heiligenlegenden (v. a. die Katharinenlegende, Mitte des 14. Jh.), Marien-, Passions- und Osterspiele, Verschroniken. Als Werke der ritterl. Poesie entstanden um 1310 das Epos »Alexandreis« sowie um 1314 die »Dalimilchronik«, die älteste alttschech. Reimchronik. Das erste bed. Prosawerk ist der um 1409 entstandene »Tkadleček«, ein am »Ackermann aus Böhmen« des Johannes von Tepl orientiertes Zwiegespräch zw. dem Autor und dem personifizierten Unglück. Als bed. religiös-philosoph. Schriftsteller trat P. Chelčický hervor; er wurde zum geistigen Begründer der →Böhmischen Brüder, deren große Leistung die »Kralitzer Bibel« (6 Tle., 1579–93)

Jan Neruda

Jaroslav Seifert

Jaroslav Hašek

Bohumil Hrabal

Václav Havel

Pavel Kohout

Ivan Klíma

war. Nach der Schlacht am Weißen Berg bei Prag (1620) kam es zu einer allmähl. literar. Stagnation und einem Verfall der tschech. Sprache. Viele Vertreter tschech. Kultur und Literatur emigrierten, so der Bischof der Böhm. Brüder J. A. Comenius. – Die Reformen Josephs II. (1781 Aufhebung der Leibeigenschaft) gaben den Anstoß zu einer nat. Wiedergeburt (»obrozeni«) des Tschechentums, die am Anfang der neueren t. L. steht. Es entfaltete sich eine intensive Tätigkeit auf philolog. und histor. Gebiet (F. M. Pelcl, J. Dobrovský). Die t. L. dieser Zeit orientierte sich v. a. an anakreont. Vorbildern, u. a. V. Thám und der Kreis um A. J. Puchmajer, der auch die Richtung des europ. Rokoko und des Klassizismus vermittelte. Durch die Berührung mit der dt. Romantik, bes. mit den Ideen J. G. Herders, kam es zu einer Blüte der t. L. Große Wirkung hatte die Dichtung über die ruhmvolle Vergangenheit der Slawen »Tochter der Sláva« (1824) von G. Kollár mit der panslawist. Forderung nach einer »slaw. Wechselseitigkeit«. Da die t. L. keine Nationalepen und Heldenlieder besaß, gab V. Hanka eigene Dichtungen (→Königinhofer Handschrift, »Grünberger Handschrift«) als literar. Denkmäler aus dem 13. Jh. bzw. 9. Jh. heraus. Daneben entstanden Dichtungen im Stil des Volksliedes, bes. der Volksballade (F. L. Čelakovský, K. J. Erben). K. H. Mácha schrieb lyrisch-ep. Werke (»Der Mai«, 1836). Als Begründer des modernen tschech. Dramas gelten V. K. Klicpera und J. K. Tyl. An der Wende zw. Romantik und Realismus steht der Roman »Großmutter« (1855) von Božena Nemcová. Der Realismus bevorzugte zunächst soziale (J. Neruda), dann immer stärker polit. Themen. J. Vrchlický vertrat eine weltbürgerl. Richtung. In den 1860er- bis 1890er-Jahren gruppierten sich die literar. Strömungen um drei Zeitschriften: die »Máj«-Bewegung (u. a. J. Neruda, V. Hálek), die nat. Akzente setzende »Ruch«-Gruppe, insbesondere S. Čech, K. V. Rais, J. Holeček, A. Jirásek, Z. Winter, Teréza Nováková, und die »Lumír«-Bewegung (mit J. Zeyer, J. Vrchlický), die kosmopolitisch ausgerichtet war. Daneben erschienen sozialkrit. Werke unter dem Einfluss der russ. Realisten und É. Zolas. In den 1890er-Jahren formte sich die tschech. Moderne unter dem Einfluss bes. des frz. Symbolismus unter der krit. Führung von F. X. Šalda und erreichte ihren Höhepunkt in der sprachgewandten, individualisierten, auch soziale Themen gestaltenden Lyrik von O. Březina, A. Sova und P. Bezruč; daneben auch J. Hora mit Lyrik des proletar. Großstadtelends. Mit starker Betonung religiöser Thematik bildete sich als Gegenpol eine kath. Moderne.

Die 1920er-Jahre waren durch die Künstlergruppe des »Devětsil« bestimmt, die zunächst dem Proletkult nahe stand, v. a. V. Nezval und K. Teige, die Schöpfer der literar. Avantgardebewegung des Poetismus. Weitere Vertreter waren K. Biebl und J. Seifert (Nobelpreis für Literatur 1984) sowie – in ihren Anfängen – F. Halas, V. Holan und V. Vančura. Diese Avantgardebewegung war auch nach der Auflösung des »Devětsil« (seit Ende der 1920er-Jahre) weiter lebendig. Wirkungsvollste Erzähler der 1930er-Jahre waren J. Hašek, K. Čapek, I. Olbracht, Božena Benešová, Marie Majerová und Marie Pujmanová. Während der Zeit der dt. Okkupation wurde nahezu alles literar. Schaffen und Publizieren mit Gewalt unterdrückt. Nach dem 2. Weltkrieg erzwangen die polit. Verhältnisse die Anpassung an Normen des sozialist. Realismus, der eine Reihe von Autoren folgte, u. a. Nezval, Olbracht, Majerová, Pujmanová, J. Drda und V. Řezáč; einige Autoren emigrierten (E. Hortovský, J. Čep) oder verstummten (F. Langer, V. Holan, J. Deml, J. Weil). Erst Ende der 1950er-Jahre bis zum Höhe- und Wendepunkt 1968 konnte sich die t. L. in Teilbereichen vom polit. Druck befreien. Die t. L. der 1960er-Jahre wandte sich von vereinfachten Konstruktionen und Klischees ab und berücksichtigte stärker persönl. Erfahrungswelt und Philosophie, in der Lyrik F. Hrubin, J. Skácel, I. Skála, O. Mikulášek, V. Závada, in der Prosa L. Fuks, J. Gruša, I. Klíma, M. Kundera, V. Páral, J. Procházka, B. Hrabal, Věra Linhartová, L. Vaculík, im Drama P. Kohout und V. Havel. Die sowjet. Invasion im Aug. 1968 beendete die Phase der relativen Liberalisierung des literar. Schaffens: Die Literatur wurde einer rigorosen polit. Zensur unterworfen und ideologisch gleichgeschaltet, die literar. Presse liquidiert, der Schriftstellerverband aufgelöst und neu gegründet; die literar. Führer des Prager Frühlings wurden verfolgt, z. T. in die Emigration getrieben, viele Autoren erhielten Publikationsverbot. Dies alles führte zu einer weitgehenden Spaltung der t. L. in die offiziell gebilligte Literatur, die Untergrund- und die Exilliteratur. Zur Emigration entschlossen sich u. a. J. Škvorecký, A. Lustig, Kundera, Gruša, Kohout, M. Napravník, I. Diviš. Die in der Tschechoslowakei verbliebenen Autoren, die offiziell nicht publizieren durften, u. a. Havel, M. Uhde, Klíma, J. Trefulka, A. Kliment, M. Šimečka, Vaculík, K. Sidon, K. Recka, veröffentlichten in Exil- und Samisdatverlagen. – Seit der »sanften« Revolution im Nov. 1989 stehen Fragen der Normalisierung des kulturellen Lebens, die Veröffentlichung und Aufführung der seit Ende der 1960er-Jahre verbotenen Werke, die Rückkehr der exilierten Autoren und die literar. Aufarbeitung der letzten Jahrzehnte (J. Putík, J. Zábrana, J. Kratochvíl, M. Viewegh u. a.) im Vordergrund.

📖 MÜHLBERGER, J.: *T. Literaturgeschichte. Von den Anfängen bis zur Gegenwart.* München 1970. –

Tschechische Republik

Fläche: 78 864 km²
Einwohner: (1995) 10,296 Mio.
Hauptstadt: Prag
Verwaltungsgliederung: 75 Gebiete und vier gebietsfreie Städte
Amtssprache: Tschechisch
Nationalfeiertage: 8. 5., 5. 7., 6. 7., 28. 10.
Währung: 1 Tschech. Krone (Koruna, kč) = 100 Heller (Hálěrů)
Zeitzone: MEZ

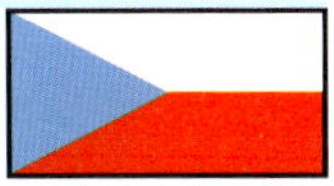

KUNSTMANN, H.: *Tschech. Erzählkunst im 20. Jh.* Köln 1974. – BAUMANN, W.: *Die Lit. des Mittelalters in Boehmen. Deutsch-lateinisch-t. L. vom 10. bis 15. Jh. München 1978.* – MĚŠTAN, A. *u.* LETTENBAUER, W.: *Geschichte der t. L. im 19. u. 20. Jh. Köln 1984.* – SCHAMSCHULA, W.: *Geschichte der t. L.,* 2 *Bde. Köln 1990–96.* – *Zur t. L. 1945–85. Mit einem Titelverzeichnis der Samisdat-Reihe »Hinter Schloß u. Riegel«, hg. v.* W. KASACK. *Berlin 1990.* – BOCK, I.: *Die Spaltung u. ihre Folgen. Einige Tendenzen der t. L. 1969–1989. Berlin 1993.*

tschẹchische Musịk. Die landschaftlich sehr unterschiedl. Volksmusik der Tschechen ist seit dem 11. Jh. belegt; bes. bed. der geistl. Volksgesang der Hussiten im 15. Jh., der auf die Lieder der Böhm. Brüder Anfang des 16. Jh. einwirkte. 1558 gab der Bischof der Böhm. Gemeinde J. Blahoslav die erste musiktheoret. Schrift in tschech. Sprache, »Musica«, heraus und kurz danach ein Gesangbuch (1561), an das J. A. COMENIUS mit seinem Amsterdamer Gesangbuch (1639) anknüpfte. Die tschech. Kunstmusik des 18. und 19. Jh. ist mit den überwiegend in Prag tätigen Musikern B. M. Černohorský, F. X. Brixi, F. X. Dušek und V. J. Tomášek vertreten. Daneben machten sich »böhm.« Musiker in ganz Europa einen Namen, u. a. J. Zach, J. D. Zelenka, J. Stamitz, F. und G. A. Benda, J. Mysliveček, J. L. Dussek, A. Reicha. – Die tschech. Nationalmusik entfaltete sich seit den 1860er-Jahren mit B. Smetanas Eintreten für eine nat. geprägte tschech., v. a. dramat. Musik. Seinem Beispiel folgten A. Dvořák und auch Z. Fibich. Eine neue musikal. Entwicklung setzte mit L. Janáček ein, dessen Vokalmusik, Opern und Instrumentalwerke stilistisch auf der Basis der mähr. und ostslaw. Volksmusik und auf der Sprachmelodie aufbauen. Dvořák und Janáček bildeten Schulen, zu denen u. a. V. Novák und J. Suk gehören. In der Musik dieser Komponistengeneration setzten sich bereits impressionist. und frühexpressionist. Züge durch. Zur Moderne zählen der folkloristisch-neoklassizist. B. Martinů und der Mikroton-Avantgardist A. Hába. In der mehrschichtigen Entwicklung nach 1945 knüpfen u. a. J. Řídký, J. Seidel, V. Dobiáš an die Tradition an. Prinzipien der Neuen Musik verwenden in sehr persönl. Art u. a. M. Kabeláč, J. Kapr, M. Kopelent, J. Rychlík, Z. Vostřák, J. Novák, J. Tausinger, J. Berg, M. Ištvan, J. Klusák, L. Fišer und der seit 1969 in den USA lebende P. Kotík.

Tschẹchische Republịk (amtlich tschech. Česká Republika, Abk. ČR, dt. Tschech. Rep., Tschechien), Staat in Mitteleuropa; grenzt im W und NW an Dtl., im N und NO an Polen, im O und SO an die Slowak. Rep. und im S an Österreich.

Staat und Recht: Nach der am 1. 1. 1993 in Kraft getretenen Verf. ist die T. R. eine souveräne, demokrat. Rep. mit Mehrparteiensystem. Staatsoberhaupt ist der vom Parlament auf fünf Jahre gewählte Präs. (maximal zwei Legislaturperioden zulässig). Er ist Oberbefehlshaber der Streitkräfte, vertritt das Land nach außen und verfügt über ein Vetorecht im Gesetzgebungsverfahren. Die Legislative liegt beim Zweikammerparlament, bestehend aus dem Abgeordnetenhaus (200 Abg., auf vier Jahre gewählt) und dem Senat (81 Mitglieder, auf sechs Jahre gewählt). Träger der Exekutivgewalt ist die Reg. unter Vorsitz des MinPräs., die dem Nationalrat verantwortlich ist. Einflussreichste Parteien: Demokrat. Bürgerpartei (ODS), Tschech. Sozialdemokraten (ČSSD), Vereinigung für die Rep.-Republikan. Partei (SPR–RSČ), Christlich-Demokrat. Union–Tschech. Volkspartei (KDU–ČSL), Demokrat. Bürgerallianz (ODA), Kommunist. Partei Tschechiens und Böhmens (KSČM).

Landesnatur: Das von Moldau und Elbe entwässerte, von kleinen Mittelgebirgen durchsetzte Böhm. Becken bildet den zentralen Landesteil. Es wird an den Rändern von waldreichen Mittelgebirgen (im SW Böhmerwald, im NW Erzgebirge und Elbsandsteingebirge, im NO Sudeten mit dem höchsten Punkt der T. R., der Schneekoppe mit 1602 m ü. M. im Riesengebirge u. a.) eingerahmt. Die flachwelligen Höhenzüge der Böhmisch-

Staatswappen

CZ

Internationales Kfz-Kennzeichen

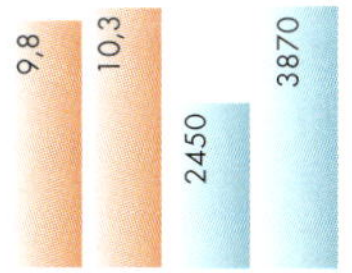

Bevölkerung (in Mio.)

Bruttosozialprodukt je Ew. (in US-$)

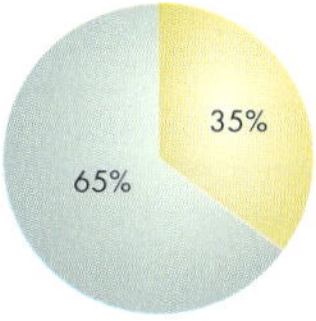

Stadt
Land

Bevölkerungsverteilung 1995

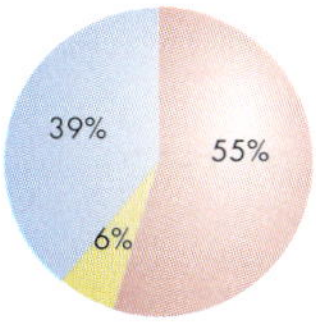

Industrie
Landwirtschaft
Dienstleistung

Bruttoinlandsprodukt 1995

Tschechische Republik, Verwaltungsgliederung (1995)

Verwaltungsgebiete	Fläche in km²	Ew. in 1 000	Ew. je km²	Hauptstadt
Prag	496	1 214,6	2 449	-
Mittelböhm. Gebiet	11 013	1 108,0	101	Prag
Südböhm. Gebiet	11 345	701,1	62	Budweis
Westböhm. Gebiet	10 875	861,8	79	Pilsen
Nordböhm. Gebiet	7 799	1 177,9	151	Ústí nod Labem
Ostböhm. Gebiet	11 240	1 236,8	110	Königgrätz
Südmähr. Gebiet	15 028	2 059,2	137	Brünn
Nordmähr. Gebiet	11 068	1 973,9	178	Ostrau
Tschechische Republik	78 864	10 333,2	131	Prag

Václav Havel

Mähr. Höhe im SO trennen es von der fruchtbaren Marchsenke, die im O von den W-Karpaten begrenzt wird und nach SO zu in das Donautiefland übergeht. Das Klima ist im W durch ozean. Einfluss mild, im O gemäßigt kontinental. Die Gebirgsumrahmung schützt die sommerwarmen, wintermilden Beckenlandschaften vor Kaltlufteinbrüchen. Kälteste und auch niederschlagsreichste Gebiete sind die Kämme der böhm. Randgebirge (bis über 1 000 mm); klimatisch begünstigt sind das Elbegebiet und die Marchniederung.

Bevölkerung: 94,9 % der Bev. sind Tschechen, 3 % Slowaken, 0,6 % Polen, 0,5 % Deutsche (1930: 29,2 %) und 1,0 % Angehörige anderer Nationalitäten, u. a. etwa 300 000 Roma. Am dichtesten sind Mittelböhmen mit dem Zentrum Prag sowie die Ind.regionen in N-Böhmen und N-Mähren, am schwächsten SW-Böhmen (Böhmerwald) besiedelt. – Neunjährige Schulpflicht vom 7. bis 15. Lebensjahr; drei Univ. (Karls-Univ. in Prag, 1348 gegr.; Olmütz, Brünn) sowie die Neugründungen in Troppau, Pilsen und Aussig, zwei TH, Hochschulen. – Zur kath. Kirche gehören rd. 40 % der Bev., rd. 40 % sind nicht religiös gebunden; Minderheiten bilden die Tschechoslowak. Hussit. Kirche, die Evang. Kirche der Böhm. Brüder und die orth. Kirche.

Tschechische Republik - Wirtschaft

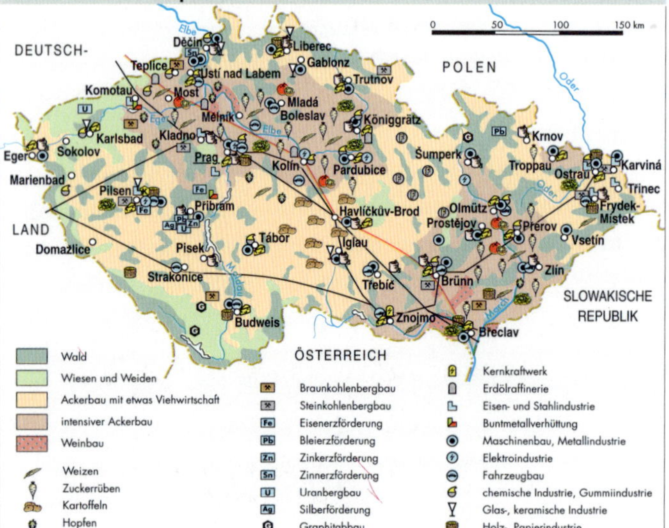

Wirtschaft, Verkehr: Ab 1990 eingeleitete Reformen zielen auf eine Umstrukturierung der ehem. Planwirtschaft in ein marktwirtsch. System ab. Seit 1991 wurden die meisten Kleinbetriebe sowie einige wirtsch. rentable Mittel- und Großbetriebe privatisiert (»Kleine Privatisierung«); die unrentableren Mittel- und Großbetriebe (etwa die Hälfte des Nationaleigentums der T. R.) werden durch Direktverkauf, Versteigerungen, Umwandlung in Aktiengesellschaften und Verkauf mittels Coupon (Voucherprivatisierung) in Privateigentum überführt (»Große Privatisierung«). Führender Zweig ist eine energieintensive Industrie, basierend auf Stein- (im Gebiet von Ostrau-Karviná, bei Kladno und Pilsen) und Braunkohlenbergbau (Nordböhm. Becken: Sokolov, Komotau, Most). Bei Vernachlässigung der Konsumgüterind. entwickelten sich bes. die Schwerind. (Gebiet von Ostrau-Karviná mit Roheisen-, Stahl- und Walzstahlerzeugung) und der Maschinenbau (Prag, Pilsen, Brünn, Ostrau) mit Schwer- und Präzisionsmaschinenbau sowie spezialisiertem Fahrzeugbau, gefolgt von der chem. Ind.; ferner Baustoff-, elektrotechn., Leicht- (bes. Glas-, Keramik-), Nahrungs- und Genussmittelind.; weltbekannt sind die Bierbrauereien in Pilsen, Budweis und Prag. In der Landwirtschaft werden Weizen, Gerste (bes. Braugerste), Roggen, Zuckerrüben und Kartoffeln, ferner Flachs, Hülsenfrüchte, Gemüse, Obst, Wein und Hopfen erzeugt; in der Viehwirtschaft Rinder-, Schweine- und Geflügelhaltung; im Gebirge auch Schafhaltung. Teichwirtschaft (v. a. Karpfen) in S-Böhmen; Forstwirtschaft in den Gebirgen (stark umweltgeschädigte Wälder). Zahlr. Erholungsgebiete mit Kurorten (u. a. Špindlerův Mlýn [Spindlermühle]) und Bädern (u. a. das Bäderdreieck Karlsbad – Marienbad – Franzensbad). – Wichtigster Verkehrsträger ist die Eisenbahn: 9 454 km (2 597 km elektrifiziert); Straßennetz: 55 800 km. Es gibt nur eine Autobahn (Prag–Brünn–Preßburg). Der Binnenstaat verfügt über eine eigene Handelsflotte (Freihafenrechte in Hamburg und Stettin). Prag hat einen internat. Flughafen.

Geschichte: Die ehemaligen tschechischen Kronländer → Böhmen, → Mähren und (ehem. Österreichisch-)Schlesien gehörten 1620–1918 zu Österreich-Ungarn (das Hultschiner Ländchen 1742–1918 zu Preußen); 1918–39 bildeten sie den dominierenden Teil der ČSR (1927 Zusammenlegung von Mähren und Schlesien zu Mährisch-

Schlesien [tschech. Morava a Slezsko]). Nach der Zerschlagung der ČSR im Münchener Abkommen entstand aus ihnen das dt. »Protektorat Böhmen und Mähren« (1939–45), während das Sudetenland dt. Reichsgau wurde (1938–45). Nach 1945 wieder dominierender Teil der (seit 1948) kommunistisch regierten ČSSR (→ Tschechoslowakei, Geschichte), wurden die **Tschech. Länder** (tschech. České země) nach Niederschlagung des Prager Frühlings (Aug. 1968) und der Umwandlung der ČSSR in einen Föderativstaat (ab 1. 1. 1969) als Tschech. Sozialist. Rep. zu einem der beiden offiziell gleichberechtigten Nationalstaaten der ČSSR (mit eigener Reg., Verf. und Parlament; jedoch ohne prakt. Bedeutung). Erst nach Zusammenbruch der kommunist. Herrschaft im Zuge der »sanften« (»samtenen«) Revolution (Zentrum: Prag) 1989/90 erfolgte im Frühjahr 1990 die wirkl. Umwandlung in eine föderative Rep. (T. R.) innerhalb der ČSFR. Die ersten freien Parlamentswahlen am 8./9. 6. 1990 gewann das Bürgerforum (OF); P. Pithart (OF; seit Mai 1991 Bürgerbewegung, OH) wurde MinPräs. einer Koalitionsreg. aus OF und (tschech.) Volkspartei (SL) aus dem Wahlbündnis Christdemokrat. Union (KDU). Autonomiebestrebungen in Schlesien und Mähren (politisch getragen von der Gesellschaft für Mähren und Schlesien) blieben bedeutungslos. Febr. bis Mai 1991 spaltete sich das Bürgerforum in die starke ODS, die ODA und die (seit Juni 1992 bedeutungslose) OH. Bei den Wahlen am 5./6. 6. 1992 wurde die ODS stärkste Partei und V. Klaus am 2. 7. 1992 neuer MinPräs. Da er in den Verhandlungen mit dem slowak. MinPräs. V. Mečiar den Erhalt des Bundesstaates in seiner bisherigen Form nicht durchsetzen konnte, kam es am 20. 7. 1992 zur Vereinbarung über die Trennung der beiden Teilrep.; am 1. 1. 1993 trat sie mit der Auflösung der ČSFR in Kraft. Am 26. 1. 1993 wurde V. Havel zum Staatspräs. der T. R. gewählt (1998 wieder gewählt). Außenpolitisch bemühte sich die T. R. um einen schnellen Anschluss an die EU und die NATO (seit 1993 Mitgl. des Europarats, 1993 Assoziierungsabkommen mit der EU und Unterzeichnung des NATO-Programms »Partnerschaft für den Frieden«, 1996 Antrag auf EU-Vollmitgliedschaft; März 1999 Aufnahme in die NATO). Die dt.-tschech. Versöhnungserklärung (Dez. 1996 / Jan. 1997) war ein wichtiger Schritt zur Normalisierung zw. beiden Staaten. Bei den Parlamentswahlen von 1996 verlor die bürgerl. Koalition unter Min.Präs. V. Klaus die absolute Mehrheit und war seitdem als Minderheitsreg. auf die Unterstützung der Sozialdemokratie angewiesen. Nach dem Zerfall der Reg. Klaus (Nov. 1997) führte J. Tašovský (parteilos) seit Dez. 1997 die Regierung; nach Neuwahlen im Juni 1998 wurde eine Minderheitsregierung unter dem Sozialdemokraten M. Zeman gebildet.

🕮 SCHWARZ, K.-P.: *Tschechen u. Slowaken. Der lange Weg zur friedl. Trennung. Wien u. a. 1993.* – JUCHLER, J.: *Osteuropa im Umbruch. Polit., wirtschaftl. u. gesellschaftl. Entwicklungen 1989–93. Zürich 1994.* – KEILHOFER, F. X.: *Wirtschaftl. Transformation in der Tschech. Republik u. in der Slowak. Republik. Stuttgart 1995.* – *Tschechien, Slowakei, Text v.* M. FRANK *u. a., Fotos v.* A. M. MOSLER. *München 1996.*

tschechische Sprache, westslaw. Sprache (→ slawische Sprachen), gesprochen von etwa 10 Mio. Tschechen in der Tschech. Rep., außerdem von 0,6 Mio. in angrenzenden Ländern und Minderheiten in den USA und Kanada. Die t. S. wird mit lat. Buchstaben und zusätzl. diakrit. Zeichen geschrieben: Hаček (háček) bei č, Ď, ě, ň, ř, š, Ť, ž; Akut (čárka) für die Länge der Vokale á, é, í, ó, ú, ý; resultiert langes u aus o, wird die Länge durch ° bezeichnet (ů); zur Kennzeichnung der Palatalität am Wortende und vor dem Konsonant wird auch ’ verwendet: d’, t’; i, í und e bezeichnen ebenfalls die Palatalität der vorhergehenden Konsonanten. Betont wird grundsätzlich die 1. Silbe. Die Dialekte teilt man heute in den zentralböhm. Dialekt und drei mähr. Dialektgruppen ein; die Hochsprache beruht auf dem böhm. Dialekt. Zw. Schrift- und Umgangssprache besteht ein erhebl. Unterschied. – Die Geschichte der t. S. wird in folgende Perioden unterteilt: 9.–11. Jh. das Urtschechische, 12.–15. Jh. das Alttschechische, 16.–18. Jh. das Mitteltschechische, mit dem 19. Jh. begann die neutschech. Periode.

🕮 FISCHER, R.: *Tschech. Grammatik. Leitfaden zur Einführung in die t. S. Leipzig ⁴1975.* – KOENITZ,

Václav Klaus

Milos Zeman

Tschechoslowakei: Bei der gewaltsamen Beendigung des Prager Frühlings durch den Einmarsch von Truppen des Warschauer Pakts am 21. August 1968 bemalten Demonstranten einen sowjetischen Panzer mit einem Hakenkreuz und setzten ihn in Brand

B.: *Grundkurs der t. S., 3 Bde. Leipzig* [1–2]*1981–82.* – Koenitz, B.: *Geschichte der t. S. Leipzig 1982.* – Eben, T.: *Tschechisch. Ismaning 1991.*

Tschechisch-Teschen, Stadt in der Tschech. Rep., → Teschen.

Tschechoslowakei (tschech. und slowak. Československo, amtl. 1918–39 und 1945–60 Tschechoslowak. Rep., Abk. ČSR, 1960–89 Tschechoslowak. Sozialist. Rep., Abk. ČSSR, 1990–92 Tschech. und Slowak. Föderative Rep., Abk. ČSFR), ehem. Bundesstaat in Mitteleuropa, 1918–92 bestehend aus den heutigen Staaten → Tschechische Republik und → Slowakische Republik.

Geschichte

Seit 1848 wandte sich die Nationalbewegung der Tschechen in → Böhmen und → Mähren (zunächst »Alttschechen« unter F. Palacký, später »Jungtschechen«) gegen die österr., der Slowaken in der → Slowakei (aber auch starke Emigration in die USA) gegen die ungar. Herrschaft. Noch vor dem Zerfall Österreich-Ungarns schloss T. G. Masaryk am 30. 5. 1918 mit Vertretern der slowak. Emigration in Pittsburgh einen Vertrag über den staatlichen Zusammenschluss der beiden Nationen **(Pittsburgher Abkommen).**

Die erste Republik (1918–39): Am 29. 10. 1918 wurde die Tschechoslowak. Rep. (ČSR) in Prag ausgerufen und von der Pariser Friedenskonferenz am 10. 9. 1919 im Vertrag von Saint-Germain-en-Laye bestätigt. Sie umfasste die wirtsch. und sozial entwickelten Gebiete der heutigen Tschech. Rep., die rückständige Slowakei (einschl. Zips) und die unterentwickelte Karpato-Ukraine (als Karpato-Russland, tschech. Podkarpatská Rus; ab Juni 1919). Am 29. 2. 1920 verabschiedete eine Provisor. Nationalversammlung ohne Mitwirkung der Minderheitenvertreter eine nach frz. Vorbild ausgearbeitete zentralist. parlamentarisch-demokrat. Verf.; Gründerpräs. T. G. Masaryk (1918–35) und sein langjähriger Außenmin. und Nachfolger E. Beneš (1935–38) bemühten sich, dem in das frz. Paktsys-

Tomáš Garrique Masaryk

tem (1924) und die Kleine Entente (1921) einbezogenen, ab 1935 auch mit der UdSSR verbundenen Nationalitätenstaat ein Höchstmaß an außen- und innenpolit. Kontinuität zu geben. Letztlich blieben aber die Nationalitätenprobleme ungelöst. Bes. die von K. Henlein gegr. Sudetendt. Heimatfront (ab April 1935: Sudetendt. Partei) verlangte nach ihrem Wahlerfolg im Mai 1935 eine Föderalisierung der ČSR. Gegen Hitlers Entschlossenheit, die von Sudetendeutschen bewohnten Randgebiete dem Dt. Reich einzugliedern (Sudetenkrise, April bis Sept. 1939; → Runciman-Bericht), blieb die Prager Reg. machtlos. Nach der Zustimmung der brit. und frz. Reg. im Münchener Abkommen (29. 9. 1938) war die T. zur Abtretung der dt., bald danach der poln. (der Rest des 1920 geteilten Olsagebiets um Teschen; Okt. 1938 von Polen besetzt) und der ungar. Siedlungsgebiete (Randgebiete der südl. Slowakei) sowie des Großteils der Karpato-Ukraine (1. Wiener Schiedsspruch, 2. 11. 1938) an die Nachbarstaaten gezwungen. Staatspräs. Beneš trat im Okt. 1938 zurück; Nachfolger wurde im Nov. E. Hácha. Nach dem Einmarsch der dt. Truppen am 15. 3. 1939 gliederte Hitler das Restgebiet als »Protektorat Böhmen und Mähren« dem Dt. Reich an (Erlass Hitlers vom 16. 3. 1939); am 14. 3. 1939 war unter dt. Schutz (daher »Schutzstaat«) die Selbstständigkeit der Slowakei proklamiert worden (Vertrag vom 23. 3. 1939); März/Juni 1939 fiel auch der Rest der Karpato-Ukraine an Ungarn.

Das Protektorat Böhmen und Mähren und der Schutzstaat Slowakei (1939–45): Dem Protektorat wurde eine autonome Selbstverw. mit einem Präs. (E. Hácha) und eine eigene Reg. unter strikter Oberaufsicht des Reichsprotektors (K. Freiherr von Neurath, W. Frick) zugestanden. Erst nach der »Vergeltungsaktion« für das Attentat auf R. Heyd-

Tschechoslowakei: Das Bild zeigt die Reaktion von Prager Bürgern während des Einmarschs deutscher Truppen am 15. März 1939

rich (17. 5. 1942), der Zerstörung des Dorfes Lidice, begann ein stärkerer Widerstand gegen die nat.-soz. Willkürherrschaft, unter der v.a. die Juden zu leiden hatten. – Im Schutzstaat Slowakei versuchten die Reg. J. Tiso und V. Tuka (Okt. 1938 bis Sept. 1944) die Möglichkeiten einer wirtsch. und kulturellen Entfaltung zu nutzen. 1943 schlossen sich im Untergrund »tschechoslowakisch« ausgerichtete Politiker mit den Kommunisten zusammen und lösten am 29. 8. 1944 den Slowak. Nationalaufstand aus (erst Okt. 1944 von dt. Truppen niedergeschlagen). – E. Beneš bildete im Herbst 1939 in London ein Tschechoslowak. Nationalkomitee, das am 23. 7. 1940 die vorläufige Anerkennung als »Provisor. Reg. der T.« durch die Alliierten erhielt. Am 11. 12. 1940 konstituierte sich ein von Beneš ernannter Staatsrat als Exilparlament (u.a. 1943 Vertrag mit der UdSSR).

»Volksdemokratie« und kommunistische Herrschaft (1945/46–89): 1945 wurde die T. in ihrem Gebietsstand von 1937 wiederhergestellt, nur die Karpato-Ukraine fiel an die UdSSR (→Transkarpatien). Am 5. 4. 1945 proklamierte die von dem Sozialdemokraten Z. Fierlinger geführte neue Reg. ein Programm, das v.a. die Errichtung eines Wohlfahrtsstaates und die Verstaatlichung der Grundind. sowie der Banken und Versicherungen ankündigte; am 4. 5. 1945 wurde Beneš Präs. der »Zweiten Republik«. Die rasche und z.T. brutale Aussiedlung der Sudetendeutschen (u.a. Massaker von Aussig, 31. 7. 1945) und Karpatendeutschen sowie der Ungarn (seit Mai 1945 nach den sog. Beneš-Dekreten) erschütterte das bisherige Sozialgefüge. Dank ihrer Kontrolle der Schlüsselministerien und der Massenmedien stieg die KP zur stärksten polit. Kraft auf (Wahlen vom 26. 5. 1946). Der durch die UdSSR im Sommer 1947 erzwungene Verzicht auf die Teilnahme an der Marshallplanhilfe gefährdete den wirtsch. Wiederaufbau. Nach dem Scheitern der Pläne des seit Mai 1945 wieder amtierenden Staatspräs. Beneš, einen konstruktiven Modus Vivendi mit der UdSSR zu erreichen, versuchten die demokrat. Parteien im Herbst 1947, die KP aus ihrer dominierenden Stellung zu verdrängen. Den Rücktritt bürgerl. Minister nutzend, erzwang die KP im Febr. 1948 die Bildung einer neuen Reg. unter K. Gottwald und übernahm die alleinige Macht. Beneš trat am 7. 6. 1948 zurück, Gottwald wurde sein Nachfolger.

Unter Abbau der der Slowakei 1945 urspr. zugestandenen Autonomie ging die KP daran, die gesamte Staatsorganisation nach dem Vorbild der UdSSR zu ordnen (u.a. 9. 5. 1948 Annahme einer Verf. nach sowjet. Vorbild; 27. 6./27. 9. 1948 Vereinigung der Sozialdemokraten mit der KP). Nach der Übernahme des sowjet. Planungsmodells für die Volkswirtschaft geriet die ČSR (1960 in ČSSR umbenannt) mit dem Beitritt zum RGW (1949) auch ökonomisch in starke Abhängigkeit von der UdSSR. Dem Kampf gegen die Kirchen 1949–51 folgten stalinist. Säuberungen innerhalb der KP, denen u.a. Gen.-Sekr. R. Slánský in einem Schauprozess zum Opfer fiel (Okt. bis Dez. 1952). – Der zunehmend erstarkende reformer. Flügel im ZK der KP (O. Šik, O. Černík, A. Dubček, J. Smrkovský u.a.) einigte sich am 5. 1. 1968 auf Dubček als Nachfolger von Staatspräs. A. Novotný (1957–68) als KP-Chef; Staatspräs. wurde im März 1968 L. Svoboda. Die nun folgende Reformphase des sog. Prager Frühlings führte zu bed. Ansätzen einer Liberalisierung und Demokratisierung der Gesellschaft (»Sozialismus mit menschl. Antlitz«), wobei jedoch das Bündnis mit der UdSSR nicht infrage gestellt wurde. Mit diplomat. und militär. Druck gelang es der UdSSR nicht, die Reformen zu stoppen; sie wurden brutal mit einer militär. Aktion von Truppen des Warschauer Vertrages (außer Rumänien) am 20./21. 8. 1968 niedergeschlagen (Abzug der sowjet. Truppen erst Ende Febr. 1990 bis Mitte 1991). Die zum 1. 1. 1969 formal eingeleitete Föderalisierung der T. in einen Bundesstaat der Tschechen und Slowaken verwirklichte ein wichtiges Anliegen der Reformer. Die Ansätze der Liberalisierung wurden nach 1968 konsequent rückgängig gemacht (u.a. April 1969 Absetzung von Dubček). Unter dem Eindruck der KSZE-Schlussakte von Helsinki (1975) entwickelte sich jedoch eine Bürgerrechtsbewegung (»Charta 77«), die, von der Reg. bekämpft, oppositionelles Gedankengut aufnahm und im Herbst 1989 zu neuer Wirksamkeit brachte. – Im Dez. 1987 war G. Husák als KP-Chef (seit April 1969; seit 1975 auch Staatspräs.), im Okt. 1988 MinPräs. L. Štrougal (seit Jan. 1970) zurückgetreten; die Reformversuche der Nachfolger blieben erfolglos.

Der demokratisch-föderative Staat (1989/90–92): Mit Demonstrationen, die zunächst (Ende Okt.; Prag und Brünn) von der Polizei brutal zerstreut wurden, erzwang das Volk im Nov. 1989 den Dialog zw. Reg. und Oppositionsgruppen und forderte tief greifende Umgestaltungen in der Gesellschaft (»sanfte« oder »samtene« Revolution; Höhepunkt: Generalstreik am 27. 11.). Reformkommunist M. Čalfa wurde am 10. 12. 1989 MinPräs. einer erstmals nicht kommunistisch dominierten Koalitionsreg. der nat. Verständigung. Der Sprecher des am 19. 11. 1989 gegr. Bürgerforums (OF), V. Havel, wurde nach dem Rücktritt von Staatspräs. Husák (10. 12. 1989) am 29. 12. zu dessen Nachfolger gewählt (Juli 1990 wieder gewählt), am Tag zuvor war Dubček Parlamentspräs. geworden (bis Juni 1992). Bereits am 29. 11. hatte das Parlament den Führungsanspruch der KP aus der Verf. gestrichen. Am 20. 4. 1990 erfolgte die Umbenen-

Edvard Beneš

Klement Gottwald

Rudolf Slánský

Alexander Dubček

Gustav Husák

nung in Tschech. und Slowak. Föderative Rep. (ČSFR), um die angestrebte Gleichberechtigung von Tschechen und Slowaken in einem neuen Föderativstaat zu verdeutlichen. Nach den ersten freien Wahlen zur Volkskammer und zum Haus der Nationen (zus. das Bundesparlament) am 8./9. 6. 1990 bildeten das Bürgerforum bzw. seine slowak. Partnerorganisation Öffentlichkeit gegen Gewalt (VPN) eine Koalitionsreg. mit der slowak. Christlich-Demokrat. Bewegung (KDH) aus dem tschechisch-slowak. Wahlbündnis Christdemokrat. Union (KDU); M. Čalfa (seit 1990 VPN) wurde erneut MinPräs.; Schwerpunkte der Innenpolitik blieben Wirtschaftsreformen (Übergang zur Marktwirtschaft), stärkere Föderalisierung und Aufbau der kommunalen Selbstverwaltung. Im Frühjahr 1991 spalteten sich Bürgerforum und VPN in versch. Parteien.

Am 27. 2. 1992 wurde der → Deutsch-Tschechoslowakische Vertrag über gute Nachbarschaft und freundschaftliche Zusammenarbeit abgeschlossen. – Ab 1990/91 nahmen nationalistisch-separatist. Bestrebungen in der Slowak. Rep. deutlich zu. Nach den Wahlen vom 5./6. 6. 1992 konnten sich die beiden neuen MinPräs. (V. Klaus in der Tschech., V. Mečiar in der Slowak. Rep.) nicht mehr auf den Fortbestand der Föderation in der bestehenden Form einigen. Nach der Proklamation der Unabhängigkeit der Slowakei (17. 7. 1992) trat Staatspräs. Havel am 20. 7. 1992 zurück, ohne Volksentscheid wurde die Trennung der ČSFR zum 1. 1. 1993 beschlossen. Weiteres BILD Europa

Olga Tschechowa

📖 *Handbuch der Geschichte der böhm. Länder, hg. v.* K. BOSL, *Bd. 4: Der tschechoslowak. Staat im Zeitalter der modernen Massendemokratie u. Diktatur. Stuttgart 1970.* – KORBEL, J.: *Twentieth-century Czechoslovakia. The meanings of its history. New York 1977.* – *Die böhm. Länder zwischen Ost u. West, hg. v.* F. SEIBT. *München u. a. 1983.* – STRÖBINGER, R.: *Schicksalsjahre an der Moldau. Die T. Siebzig Jahre einer Republik. Gernsbach 1988.* – HOENSCH, J. K.: *Geschichte der T. Stuttgart u. a. ³1992.*

Tschẹchow, Anton Pawlowitsch, russ. Schriftsteller, *Taganrog 29. 1. 1860, †Badenweiler 15. 7. 1904; Onkel von O. Tschechowa; Arzt, lebte seit 1898, an Tuberkulose erkrankt, in S-Russland und in westeurop. Kurorten; ab 1901 ⚭ mit der Schauspielerin Olga L. Knipper. In seinen Werken setzt er durch die Analyse menschl. Verhaltens und sozialer Missstände die Tradition des krit. Realismus fort, andererseits ist er durch die subtile Darstellung und Deutung seel. Zustände und nuancierter Stimmungen dem europ. Impressionismus und Symbolismus verbunden. Er schildert bes. die Welt des damals neu entstehenden russ. Kleinbürgertums, der Intelligenz und des sich auflösenden Gutsadels. T. war Meister der kleinen Form (»Eine langweilige Geschichte«, 1889; »Das Duell«, 1891; »Die Dame mit dem Hündchen«, 1899). In seinen dramat. Hauptwerken (»Die Möwe«, 1896; »Onkel Wanja«, 1897; »Drei Schwestern«, 1901; »Der Kirschgarten«, 1904) entwickelte er einen neuen Typus des »impressionist.« Stimmungsdramas, das, bei weitgehendem Verzicht auf äußere dramat. Handlung, seine Wirkung v. a. aus dem Neben- und Gegeneinander von Seelenzuständen und Stimmungen bezieht. Weiteres BILD russische Literatur

Anton Tschechow (1903)

📖 KLUGE, R.-D.: *Anton P. Čechov. Eine Einführung in Leben u. Werk. Darmstadt 1995.* – WOLFFHEIM, E.: *A. Čechov mit Selbstzeugnissen u. Bilddokumenten. Reinbek 19.–20. Tsd., ⁵1996.*

Tschẹchowa, Olga, geb. von Knipper, Filmschauspielerin, *Alexandropol (heute Gümri, Armenien) 26. 4. 1897, †München 9. 3. 1980; Nichte von A. P. Tschechow, wirkte in zahlr. Filmen (»Maskerade«, 1934) mit; schrieb »Meine Uhren gehen anders« (1973).

Tschẹka *die,* russ. Kw. für Außerordentl. Kommission zum Kampf gegen Konterrevolution und Sabotage, 1917–22 polit. Polizei in Sowjetrussland; trug unter F. E. Dserschinski durch »Roten Terror« zur Konsolidierung des Sowjetsystems bei; 1922 in die → GPU umgewandelt.

Tscheljạbinsk, Hptst. des Gebiets T., Russland, auf der O-Flanke des Südl. Urals, 1,14 Mio. Ew.; Univ., sechs weitere Hochschulen, strahlenmedizin. Zentrum; vier Theater, Museen; Eisenmetallurgie und Rüstungsind., Röhrenwalzwerk, Zinkhütte, Maschinen-, Traktoren-, Gerätebau, chem., Leichtind., nahebei Braunkohlenbergbau; Verkehrsknotenpunkt. – 1736 als russ. Festung gegr., seit 1743 Stadt; entwickelte sich mit dem Bau der Transsibir. Eisenbahn (ab 1891) zu einem Handels- und Industriezentrum.

Tscheljuskin, Kap (Nordostkap), nördlichster Festlandspunkt Asiens, auf der Halbinsel Taimyr, Russland, 77° 43' n. Br., 104° 18' ö. L.

Tschengteh, Stadt in China, → Chengde.

Tschengtschou, Stadt in China, → Zhengzhou.

Tschenstochau (Czenstochau, poln. Częstochowa), Hptst. der gleichnamigen Wwschaft, Polen, an der Warthe, 259 900 Ew.; kath. Erzbischofssitz; TH, PH, Philharmonie, Theater; Textil-, Eisenhütten-, Maschinenbauind.; Verkehrsknoten. – In der Basilika des Klosters (nach Brand Wiederaufbau 1690–1702) die »Schwarze Mutter Gottes von T.« (14. Jh.), ein Marienbild byzantin. Herkunft, das als Nationalheiligtum Polens gilt. – 1220 erstmals erwähnt, erhielt 1356 dt. Stadtrecht; seit Gründung des Paulinerklosters **Jasna Góra** 1382 bedeutendster poln. Wallfahrtsort.

Tscheremchowo [-ˈxɔvɔ], Stadt im Gebiet Irkutsk, Russland, an der Transsibir. Eisenbahn, 73 000 Ew.; Bergbauzentrum im Irkutsker Kohlenbecken, Maschinenbau.

Tscheremissen, finnougr. Volk, → Mari.

Tscherenkow, Pawel Alexejewitsch, sowjet. Physiker, * Nowaja Tschigla (Gebiet Woronesch) 28. 7. 1904, † Moskau 6. 1. 1990; entdeckte 1934 die nach ihm benannte **T.-Strahlung** an Uranyl-Salzlösungen und erhielt hierfür 1958 zus. mit I. M. Frank und I. J. Tamm, die 1936 die theoret. Deutung dieses Phänomens lieferten, den Nobelpreis für Physik.

Tschenstochau: Die »Schwarze Mutter Gottes von Tschenstochau« aus dem 14. Jh. gilt als Nationalheiligtum Polens

Tscherenkow-Strahlung [nach P. A. Tscherenkow], sichtbare oder ultraviolette Strahlung, die in einem opt. Medium von energiereichen geladenen Teilchen erzeugt wird, wenn ihre Geschwindigkeit größer als die Phasengeschwindigkeit des Lichtes in diesem Stoff ist. Die T.-S. wurde theoretisch als elektromagnet. Analogon der Mach-Wellen in Überschallströmungen erklärt, vergleichbar dem Auftreten einer Kopfwelle in Form eines Mach-Kegels. Über die T.-S. kann die Geschwindigkeit schneller Elementarteilchen bestimmt werden **(Tscherenkow-Zähler).**

Tscherepnin, Alexander Nikolajewitsch, russ. Komponist und Pianist, * Sankt Petersburg 20. 1. 1899, † Paris 29. 9. 1977; experimentierte mit neuen Tonleitern und kontrapunkt. Verfahren; schrieb Opern, Orchesterwerke, Kammermusik u. a.

Tscherepowez [-ˈvjɛts], Stadt im Gebiet Wologda, Russland, an der Mündung der Scheksna (Teil des Wolga-Ostsee-Wasserwegs) in den Rybinsker Stausee, 317 100 Ew.; PH; Eisen-, Stahl- und Walzwerk, Schiffbau, chem., Holzind.; Hafen. Bei T. der T.-(Scheksna-)Stausee (1 670 km²).

Tscherkassy, Hptst. des Gebiets T., Ukraine, Hafen am Krementschuger Dnjepr-Stausee, 312 000 Ew.; Maschinenbau, Chemiewerk, Textil-, Zuckerindustrie.

Tscherkessen (Eigenbez. Adyge, Adighe, früher Zerkassier), Bez. für kaukas., vorwiegend muslim. Völker, die in Russland administrativ in **Adyge** (125 000), → Kabardiner (395 000) und die eigentl. **T.** (52 000) gegliedert werden; schätzungsweise 1,2 Mio. T. leben heute, nach der Flucht aus ihrer 1860 von den Russen eroberten kaukas. Heimat, in Vorderasien (Syrien, Jordanien, Israel, Irak, Türkei). – Die **tscherkess. Sprache (Adygeisch)** gehört zu den → kaukasischen Sprachen.

Tscherkessk, Hptst. von Karatschai-Tscherkessien innerhalb der Russ. Föderation, am Kuban, 113 000 Ew.; Museum, Theater; Kühlanlagenbau, elektrotechn., chem. u. a. Industrie.

Tschermak, Erich, Edler von Seysenegg, österr. Botaniker, * Wien 15. 11. 1871, † ebd. 11. 10. 1962; gelangte durch Bastardisierungsversuche an Erbsen (gleichzeitig mit C. E. Correns und H. de Vries) zur Wiederentdeckung der mendelschen Regeln.

Tschernenko, Konstantin Ustinowitsch, sowjet. Politiker, * Bolschaja Tes (Region Krasnojarsk) 24. 9. 1911, † Moskau 10. 3. 1985; wurde 1978 Mitgl. des Politbüros des ZK der KPdSU, 1984 Gen.-Sekr. der Partei und Vors. des Präsidiums des Obersten Sowjets (Staatsoberhaupt).

Tschernigow (ukrain. Tschernihiw), Hptst. des Gebiets T., Ukraine, an der Desna, im südl. Polesien, 314 000 Ew.; PH, Museen, Theater; Chemiefaser-, Metall-, Textil- u. a. Ind.; Hafen. – Spasso-Preobraschenski-Kathedrale (1036, 1237 zerstört, 1675 wieder aufgebaut, 1770–99 umgestaltet), Eliaskirche (11./12. Jh., im 17. Jh. umgebaut), Boris-und-Gleb-Kathedrale (12. Jh., später umgebaut), Paraskewa-Pjatniza-Kirche (12./13. Jh., im 18./19. Jh. umgebaut). – 907 erstmals erwähnt.

Tschernjachowsk (dt. Insterburg), Stadt im Gebiet Kaliningrad (Königsberg), Russland, an der Angerapp, nahe ihrer Vereinigung mit der Inster

Pawel Tscherenkow

Alexander Tscherepnin

Konstantin Tschernenko

zum Pregel, 30 000 Ew.; Möbel-, Nahrungsmittel-, Leder-, elektrotechn. Ind.; Eisenbahnknotenpunkt. – Deutschordensburg (1457 zerstört, Wiederaufbau um 1700). – Seit 1583 Stadtrecht.

Tschernobyl: Die Luftaufnahme vom 9. Mai 1986 zeigt das Kraftwerk nach dem Reaktorunfall; der Pfeil weist auf den völlig zerstörten Reaktorblock

Wiktor Tschernomyrdin

Nikolai Tschernyschewski

Tschernọbyl (ukrain. Tschornobyl), Stadt im Gebiet Kiew, Ukraine, am Pripjet, nahe seiner Mündung in den Kiewer Stausee des Dnjepr. – Am 26. 4. 1986 ereignete sich im Block 4 des Kernkraftwerkes (insgesamt vier Blöcke mit je 1 000 MW elektr. Leistung), einem graphitmoderierten Druckröhrenreaktor (→Kernreaktor), der bislang folgenschwerste Reaktorunfall. Während eines Tests an den Turbogeneratoren des Blocks 4 kam es unter veränderten Betriebsbedingungen des Reaktors infolge eines sekundenschnellen, nicht mehr beeinflussbaren Leistungsanstiegs zu mehreren Dampfexplosionen und Bränden, die den Reaktor vollkommen zerstörten. Dabei wurden 3–4 % des radioaktiven Inventars freigesetzt (rd. $6{,}5 \cdot 10^{15}$ kBq). Etwa 200 unmittelbar beteiligte Personen erhielten eine effektive Äquivalentdosis von mehreren Sievert (Sv). Rd. 135 000 Personen aus der 30-km-Zone um das Kernkraftwerk wurden in den ersten Tagen nach der Katastrophe evakuiert. Die Zahl der erhebl. Strahlenbelastungen (rd. 1 Sv) ausgesetzten Menschen (insbesondere die zu Aufräumarbeiten herangezogenen sog. »Liquidatoren«) wurde auf mehr als 600 000 geschätzt. Da präzise Gesundheitsstatistiken fehlen, ist eine zuverlässige Bewertung der aufgetretenen Fälle von Krebserkrankungen, Missbildungen u. a. Körperschäden nur schwer möglich. Nach Reg.-Angaben starben in der Ukraine 1986–94 125 000 Menschen an Strahlenkrankheiten.

In Regionen der Ukraine, Weißrusslands und Russlands sind Gebiete mit einer Fläche von insgesamt etwa 25 000 km^2 und einer Bev. von rd. 1 Mio. Menschen durch radioaktiven Fall-out, v. a. des Radionuklids Cäsium 137 (Halbwertszeit 30,1 Jahre), mit mehr als 185 (bis über 1480) kBq/m^2 langfristig kontaminiert. Weite Teile Europas (v. a. Finnland, Schweden, Polen und Rumänien) wurden radioaktiv belastet. In Dtl. lag im S und SO eine größere Bodenkontamination vor als im N und W (München etwa 35 kBq/m^2), die Belastung ging aber nach wenigen Jahren auf die Werte der natürl. Radioaktivität zurück. – Teile des Kernkraftwerkes, dessen havarierter Reaktorblock zur Isolierung von einem Mantel (»Sarkophag«) aus Stahl und Beton eingeschlossen wurde, nahm man bereits 1986 wieder in Betrieb. Wiederholte Beschlüsse der ukrain. Reg., das Kraftwerk stillzulegen, wurden bislang nicht realisiert.

🕮 MEDWEDEW, G.: *Verbrannte Seelen. Die Katastrophe von T. A. d. Russ. München u. a. 1991.* – *Der T.-Schock. Zehn Jahre nach dem Super-GAU, hg. v.* K.-H. KARISCH *u.* J. WILLE. *Frankfurt am Main 1996.*

Tschernomy̱rdin, Wiktor Stepanowitsch, russ. Politiker, * Tschorny Otrog (Gebiet Orenburg) 9. 4. 1938; Ingenieur, zunächst führend in der Energiewirtschaft tätig, 1992–98 MinPräs. Russlands; 1999 russ. Sonderbeauftragter im Kosovo-Konflikt.

Tschernọwzy (ukrain. Tscherniwzi, rumän. Cernăuți, dt. Czernowitz), Gebiets-Hptst. in der Ukraine, am Pruth, 262 000 Ew.; kultureller Mittelpunkt der N-Bukowina; ukrain.-orth. Bischofssitz; Univ. (gegr. 1875 als östlichste dt.-sprachige Univ.), medizin. Hochschule, Museen, zwei Theater, Philharmonie; Schuh-, Textil-, Nahrungsmittel-, chem. Ind., Maschinenbau. – 1408 erstmals erwähnt, fiel 1775 mit der Bukowina an Österreich, 1786–1849 Verw.zentrum der Bukowina innerhalb Galiziens, 1849–1918 Hptst. des österr. Kronlandes Bukowina und Zentrum der Bukowinadeutschen; kam 1918/19 an Rumänien, 1940 mit der nördl. Bukowina an die UdSSR (Ukraine) angeschlossen; 1941–44 erneut rumänisch.

Tschernyschẹwski, Nikolai Gawrilowitsch, russ. Schriftsteller und Literaturkritiker, * Saratow 24. 7. 1828, † ebd. 29. 10. 1889; als Verfechter radikal-sozialist. Ideen 1862 verhaftet und 1864–83 in sibir. Verbannung; schrieb den Roman »Was tun?« (1863).

Tscherokẹsen, Indianerstamm, →Cherokee.

Tscherwọnez [russ.], urspr. (seit dem 15. Jh.) russ. Bez. für westeurop. Goldmünzen (v. a. Dukaten); in der UdSSR ab Nov. 1922 Währungsnominal (1 T. = 10 Rubel), 1923 auch in Gold geprägt.

Tschẹtniks, serb. Freischärler, →Četnici.

Tschetschẹnen (Eigenbez. Nachtschi), muslim. Volk (958 000) im nördl. Kaukasien, v. a. in →Inguschien, →Tschetschenien und →Dagestan; urspr. Viehzüchter; rd. 40 000 T. leben in der Türkei.

Tschetschenien (Rep. der Tschetschenen), 1992 aus der Rep. der Tschetschenen und Inguschen (→Tschetscheno-Inguschetien) hervorgegangene Teilrep. der Russ. Föderation im östl. Kaukasien, etwa 16000 km², (1995) 904000 Ew. (1992: 75% Tschetschenen, 20% Russen, 1% Armenier, 1% Ukrainer, 3% Angehörige anderer kaukas. Völker); Hptst.: Grosny. T. erstreckt sich von der N-Abdachung des Kaukasus (bis 4493 m ü.M.) über die fruchtbare Tschetschen. Ebene bis zur nördlich des Terek liegenden Trockensteppe des Terek-Kuma-Tieflandes; Obst- und Weinbau, Anbau von Getreide, Gemüse, Zuckerrohr, Sonnenblumen; um Grosny Erdölförderung. T. ist wichtig als Transitland: Fernstraße und Bahnlinie Aserbaidschan/Dagestan-Russland, Erdgasleitung von Baku und Erdölleitung von Machatschkala zu den russ. Schwarzmeerhäfen Tuapse und Noworossisk.

Geschichte: Die seit altersher das heutige T. besiedelnden Stämme bildeten keinen eigenen Staat aus. Erst innerhalb der UdSSR kam es zu einem staatl. Rahmen. 1922 wurde das Tschetschenische, 1924 das Ingusch. Autonome Gebiet geschaffen. 1934 wurden beide Gebiete vereinigt und 1936 zur ASSR erhoben. Diese wurde 1944 wegen angebl. Zusammenarbeit der Bev. mit den Deutschen aufgelöst, die Tschetschenen und Inguschen zwangsumgesiedelt; 1957 Wiederherstellung der ASSR der Tschetschenen und Inguschen. 1991 erzwangen die Tschetschenen den Rücktritt der kommunist. ASSR-Reg. und riefen in ihrem Siedlungsgebiet im Okt. 1991 zu einer von der russ. Regierung für illegal erklärten Präsidentschaftswahl auf. Der gewählte Präs. D. M. Dudajew erklärte im Nov. 1991 die Unabhängigkeit T.s. Mit der Entsendung von Truppen suchte Russland im Dez. 1994 die Unabhängigkeit zu unterbinden. Die blutigen Kämpfe endeten im Aug. 1996 mit einem Waffenstillstand, der den Rückzug der russ. Truppen zur Folge hatte, die Frage der Unabhängigkeit aber ausklammerte (1997 Friedensvertrag).

Tschetscheno-Inguschetien (Republik der Tschetschenen und Inguschen), ehem. Teilrepublik der Russ. Föderation in Nordkaukasien, 19300 km², (1991) 1,31 Mio. Ew. (1989: 57,8% Tschetschenen, 12,9% Inguschen, 23,1% Russen); Hptst.: Grosny. – Seit 1992 getrennt in die Republiken →Inguschien und →Tschetschenien.

Tschiang Kai-schek, chines. General und Politiker, →Chiang Kai-shek.

Tschiang Tsching, chines. Politikerin, →Jiang Qing.

Tschiang Tsching-kuo, chinesischer Politiker, →Chiang Ching-kuo.

Tschibuk *der,* lange türk. Tabakspfeife aus rotem, gebranntem Ton, mit kleinem, deckellosem Kopf.

Tschichold, Jan, Buchkünstler, Typograph und Grafiker, * Leipzig 2. 4. 1902, † Berzona (Kt. Tessin) 15. 8. 1974; hatte durch seine theoret. Arbeiten maßgebl. Einfluss auf die zeitgenöss. Buchkunst und Typographie. Aus seiner Werkstatt stammen u.a. die Druckschriften Saskia (1931) und Sabon (1964).

Tschimkent (kasach. Schymkent), Hptst. des Gebiets T., im S Kasachstans, 404000 Ew.; chem.-techn., Kulturhochschule, PH, Museum, Theater; Phosphordüngerwerk, Bleihütte und -walzwerk, Erdöl-, Baumwollverarbeitung, Metall-, Arzneimittelind.; an der Turkestan-Sibir. Eisenbahn, Flughafen.

Tschinggis Chan [-ˈkaːn], →Dschingis Khan.

Tschintschou, Stadt in China, →Jinzhou.

Tschirnhaus, Ehrenfried Walther Graf von, Mathematiker, Naturwissenschaftler, Technologe, * Kieslingswalde (heute Sławnikowice, bei Görlitz) 10. 4. 1651, † Dresden 11. 10. 1708; stellte gemeinsam mit J. F. →Böttger das erste weiße europ. Hartporzellan her.

Tschirtschik, 1) *der,* rechter Nebenfluss des Syrdarja, im westl. Tienschan, Usbekistan, 155 km lang; 19 Wasserkraftwerke (bis 600 MW).

2) Stadt im Gebiet Taschkent, Usbekistan, am T. 1), 159000 Ew.; elektrochem. Ind., Hartlegierungswerk, Maschinenbau.

Tschistjakowo, bis 1964 Name der russ. Stadt →Tores.

Tschistka [russ. »Säuberung«] *die,* Bez. für die Entfernung politisch verdächtiger oder missliebiger Personen in der Sowjetunion (Gegner des Gesellschafts- und Regierungssystems, innerparteil. Kritiker); eine in unregelmäßigen Abständen wiederholte Form der polit. →Säuberung im sowjet. Partei- und Staatsgefüge; offiziell 1939 abgeschafft. Die **Große T.** (1935–39) war die umfassendste von J. W. Stalin durchgeführte Säuberung mit schwerwiegenden Folgen für die Entwicklung der Sowjetunion. Ausgelöst durch die Ermordung von S. M. Kirow am 1. 12. 1934, erstreckte sie sich auf alle Ebenen des Partei-, Staats-, Wirtschafts- und Kulturapparats und die Rote Armee. Darüber hinaus betraf sie die in der Sowjetunion lebenden ausländ. Kommunisten. Gestützt auf →NKWD und Staatsanwaltschaft (A. Wyschinski), ließ Stalin unter mannigfaltigen Beschuldigungen (konspirative Tätigkeit, Spionage, Attentatspläne gegen Stalin, Wirtschaftssabotage, Wiederherstellung der »bürgerlich-kapitalist. Ordnung«) nicht nur seine ehem. innerparteil. Gegner, sondern auch eine sehr große Zahl von Parteimitgl. und Sowjetbürgern verhaften. Seine Rivalen aus der Zeit der innerparteil. Machtkämpfe (u.a. G. J. Sinowjew, L. B. Kamenew, K. B. Radek, N. I. Bucharin, A. I. Rykow) ließ Stalin in Schauprozessen verurteilen (viele von ihnen zum Tode). 1937/38 wurde die Führung der Roten Armee, darunter ein großer Teil der höheren Offiziere und der größte Teil der Generalität (u. a. M. N. Tuchatschewski), in Geheimprozessen verurteilt und hingerichtet. 1936–38 waren rd. 5 % der damaligen Gesamtbevölkerung der Sowjetunion in Gefängnissen des NKWD inhaftiert. In N-Russland und Sibirien entstand ein Netz von Straflagern mit Mio. Häftlingen (→GULAG). – Die Große T. war Teil der 1928/29 eingeleiteten »Revolution von oben«. Sie wurde ideologisch begründet mit der These von der »Verschärfung des Klassenkampfes bei fortschreitendem Aufbau des Sozialismus« in der Sowjetunion (→Stalinismus) und war der letzte Schritt Stalins auf dem Wege zur Alleinherrschaft. Die Große T. ersetzte die alte revolutionäre Führungsschicht durch die techn. Intelligenz und durch »Apparatschiks«, die Stalin ganz ergeben waren.

Wassili Tschuikow

Tschita, Hptst. des Gebiets T., Russland, in Transbaikalien, 376 500 Ew.; drei Hochschulen, geolog. Forschungsinst., Philharmonie, Theater; Maschinenbau, Leichtind.; Braunkohlenbergbau; an der Transsibir. Eisenbahn.

Tschitscherin, Georgi Wassiljewitsch, sowjet. Politiker, *Karaul (Gouv. Tambow) 24. 11. 1872, †Moskau 7. 7. 1936; 1918–30 Volkskommissar des Äußeren (1922 am Abschluss des Rapallovertrags beteiligt).

Tschittagong, Stadt in Bangladesh, →Chittagong.

Tschkalow, 1938–57 Name der russ. Stadt →Orenburg.

Tschoga Zanbil [-zan-], Ruinenstätte der Mitte des 13. Jh. v. Chr. gegr., im 7. Jh. zerstörten elam. Stadt Dur-Untasch, etwa 25 km südöstlich von Susa. Iranisch-frz. Ausgrabungen legten u. a. die Ruinen des noch 25 m hohen Tempelturms frei, der im Ggs. zu babylon. Tempeltürmen durch innere Treppen zugänglich war. T. Z. gehört zum UNESCO-Weltkulturerbe.

Tschoibalsan, Chorlogiin, mongol. Marschall (seit 1936) und Politiker, *Zezenchan 8. 2. 1895, †Moskau 26. 1. 1952; seit 1924 Oberkommandierender der Streitkräfte, seit 1930 mehrmals Min.; 1935–39 Erster stellv. MinPräs., seit 1939 MinPräs. und Erster Sekretär des ZK der Mongol. Revolutionären Volkspartei; errichtete ein diktator. Regime (Massenrepressalien, Entmachtung und Verfolgung der lamaist. Religionsgemeinschaft).

Tschokwe, Bantuvolk, →Chokwe.

Tschombe, Moïse Kapenda, kongoles. Politiker, →Tshombé.

Tschomolungma, tibet. Name des Mount →Everest.

Tschorten [tibet.] *der,* die tibet. Form des →Stupa, mit meist quadrat. Basis, blasenförmigem Mittelteil und 13fach unterteilter Spitze, gekrönt von liegendem Halbmond, Sonne und züngelnder Flamme. Bilder Qinghai Hu, Tibet

Tschou En-lai, chines. Politiker, →Zhou Enlai.

Tschuang-tse, chines. Philosoph, →Zhuangzi.

Tschuchrai, Grigori Naumowitsch, russ. Filmregisseur, *Melitopol 23. 5. 1921; verdient um die Wiederentdeckung des individuellen Ausdrucks im sowjet. Film (»Der Einundvierzigste«, auch u. d. T. »Der letzte Schuß«, 1956; »Klarer Himmel«, 1960; »Das Leben ist wunderbar«, 1980).

Tschudi, Ägidius (Gilg), schweizer. Politiker und Geschichtsschreiber, *Glarus 5. 2. 1505, †ebd. 28. 2. 1572; als Landammann Führer der kath. Glarner (T.-Krieg 1560–64); auf sein »Chronicon Helveticum« (2 Bde., hg. 1734–36) geht die Tellsage in ihrer späteren Gestalt zurück.

Tschudskoje osero, See in Russland, →Peipussee.

Tschuikow, Wassili Iwanowitsch, Marschall der Sowjetunion (seit 1955), *Serebrjanyje Prudy (Gebiet Moskau) 12. 2. 1900, †Moskau 18. 3. 1982; Armeekommandeur im Finnisch-Sowjet. Winterkrieg (1939/40), im 2. Weltkrieg Oberbefehlshaber der 62. Armee, die 1942/43 Stalingrad verteidigte; 1949–53 Oberkommandierender der sowjet. Streitkräfte in Dtl., zugleich Chef der sowjet. Kontrollmission in der DDR; 1960–64 stellv. Verteidigungsminister.

Tschuktschen (Eigenbez. Luorawetlan), zu den Paläosibiriern gehörendes Volk (15 000) in NO-Sibirien, in zwei Gruppen unterteilt: Als Nomaden leben die Rentierzüchter, die sesshaften Küstenbewohner von der Jagd auf Meeressäugetiere und vom Fischfang.

Tschuktschen, Autonomer Kreis der, autonomes Gebiet innerhalb der Russ. Föderation, im äußersten NO Asiens, auf der Tschuktschenhalbinsel und dem anschließenden Festland, 737 700 km², (1995) 101 000 Ew. (7,3 % Tschuktschen, 66,1 % Russen, ferner Ukrainer, Weißrussen, Tataren u. a.); Hptst.: Anadyr; überwiegend tundrenbedecktes Gebirgsland; Ren-, Pelztierzucht, Fischerei, Bergbau (Bunt-, Edelmetalle, Kohle); bei Bilibino Kernkraftwerk.

Tschuktschenhalbinsel, nordostsibir. gebirgige Halbinsel im äußersten NO Asiens, Russland, zw. Tschuktschensee, Beringstraße und Anadyrgolf (Beringmeer), bis 1843 m ü. M.; Abbau von Zinn-, Wolfram-, Gold- u. a. Erzen.

Tschuktschensee, Randmeer des Nordpolarmeeres, durch die Beringstraße mit dem Beringmeer (Pazifik) verbunden, 595 000 km², bis 1256 m tief; nahezu ganzjährig eisbedeckt.

Tschumi, 1) Bernard, schweizerisch-frz. Architekt und Architekturtheoretiker, *Lausanne 25. 1. 1944, Sohn von 2); Vertreter des Dekonstruktivismus, wurde v.a. mit seinen Entwürfen zu den Pavillonbauten (»Folies«) im 1986 eröffneten Hightechpark La Villette in Paris bekannt; das Kunstzentrum »Cité d'Architecture« (seit 1991) in Tourcoing und das »Lerner Student Center« der Columbia Univ. (seit 1994) sollen 1999 realisiert sein.

2) Jean, schweizer. Architekt, *Genf 14. 2. 1904, †zw. Paris und Lausanne 25. 1. 1962, Vater von 1); zählte zu den führenden modernen Architekten der Schweiz, v.a. im Verwaltungsbau. BILD Treppe

3) Otto, schweizer. Maler und Grafiker, *Bittwil (Kt. Bern) 4. 8. 1904, †Bern 18. 2. 1985; hielt sich 1936–40 in Paris auf. Angeregt v.a. durch Max Ernst fand er in dieser Zeit zu einem abstrahierenden surrealist. Stil. Neben Arbeiten zu Traum- und Todesvisionen schuf er heitere Fantasiestücke; auch Illustrationszyklen.

Tschungking, Stadt in China, →Chongqing.

Tschu Teh, chines. Marschall und Politiker, →Zhu De.

Tschuwaschen, Turkvolk (rd. 1,8 Mio.) in Tschuwaschien, Tatarstan, Baschkirien sowie in Sibirien; traditionelle Tätigkeiten sind Ackerbau, Viehzucht und Fischerei; meist orth. Christen. Ihre Sprache, das **Tschuwaschische,** gehört zu den →Turksprachen.

Tschuwaschi|en (Tschuwaschische Rep., bis 1991 Tschuwaschis. Autonome Sozialist. Sowjetrep.), Teilrep. der Russ. Föderation, rechts der mittleren Wolga, 18300 km², (1995) 1,36 Mio. Ew. (67,8% Tschuwaschen, 26,7% Russen, 2,7% Tataren); Hptst. ist Tscheboksary. Ackerbau, Fleisch- und Milchwirtschaft, Imkerei; Maschinenbau, Holzverarbeitung, chem., Textil- u.a. Ind.; Wasserkraftwerk Tscheboksary.

Tsedenbal, Jumdschagin, mongol. Politiker, →Zedenbal.

Tsetsefliegen: stark vergrößerte Aufnahme der 6,5–12 mm langen Fliege

Tsetsefliegen [Bantusprache] (Zungenfliegen, Glossina), Gattung der Fliegen, deren Arten mit einer Ausnahme (S-Arabien) im trop. Afrika vorkommen; 6,5–12 mm lang. Beide Geschlechter sind Blutsauger; beim Stich können sie →Trypanosomen übertragen (→Schlafkrankheit).

T-Shirt ['ti:ʃə:t; engl., vermutlich nach dem T-förmigen Schnitt] *das,* Hemd aus Baumwolltrikot mit kurzen, später auch langen Ärmeln. Urspr. Männerunterhemd, seit den 1960er-Jahren Sport- und Freizeitkleidung beider Geschlechter.

Bernard Tschumi: Für den 1986 in Paris eröffneten Hightechpark La Villette schuf der Architekt rote Pavillonbauten (»Folies«), hier der Bau »Folie L 5«

Tshombé ['tʃɔmbe, tʃɔm'be] (Tschombe), Moïse Kapenda, kongoles. Politiker, *Musumba (Shaba) 18. 11. 1919, †(in Haft) Algier 29. 6. 1969; trennte 1960 die Prov. Shaba als Rep. Katanga vom unabhängig gewordenen Kongo ab, 1960–63 deren Präs.; soll mitverantwortlich sein für die Ermordung P. Lumumbas; 1964–65 (durch Militärputsch gestürzt) MinPräs. der kongoles. Zentralreg.; 1967 in Abwesenheit zum Tode verurteilt, kurz darauf nach Algerien entführt.

Tsimshian ['tʃɪmʃ-], Stammesgruppe der →Nordwestküstenindianer; Siedlungsgebiet im nördl. British Columbia und im südl. Alaska; 6300 Angehörige.

Tsinan [dʒ-], Stadt in China, →Jinan.

Tsinghai [tʃ-], Provinz in China, →Qinghai.

Tsingtau (chines. Qingdao), bed. Hafenstadt der chines. Prov. Shandong, am Eingang der Bucht von →Kiautschou, 1,46 Mio. Ew.; Univ., TH, Seefahrts-, medizin. Hochschule, Forschungsinstitute; Baumwollverarbeitung, Lokomotiv-, Maschinen- und Schiffbau, Nahrungsmittel- u.a. Ind., Brauereien. – Urspr. Fischerdorf, 1891 befestigt; wurde 1898 Teil des dt. Pachtgebietes Kiautschou und entwickelte sich zu einer europ. geprägten Großstadt.

Tsining [dʒ-], Stadt in China, →Jining.

Tsinlingshan [tʃɪŋlɪŋʃan], Gebirge in China, →Qinling Shan.

Tsitsikar, Stadt in China, →Qiqihar.

Tsuba *das,* das Stichblatt des japan. Schwerts, eine kreisförmige Metallplatte, die meist kunstvoll dekoriert ist.

Tsuga [japan.], die Gattung →Hemlocktanne.

Tsugaru|straße, Meeresstraße zw. den japan. Inseln Honshū und Hokkaidō, an der schmalsten Stelle 20 km breit; im W vom →Seikantunnel unterquert.

Tsukuba, japan. Stadt und Wissenschaftszentrum auf Honshū, nordöstlich von Tokio; 152 200 Ew.; über 50 staatl. und private Forschungsinst., zwei Univ. sowie Unternehmen der Hightechindustrie; 1985 Weltausstellung.

Tsunami

Einer der bisher größten Tsunamis entstand 1628 v. Chr. nach dem Explosionsausbruch der griechischen Kykladeninsel Santorin (Thera). Er schuf einen 83 km² großen Kraterkessel (Caldera) und dürfte die kretisch-minoische Kultur vernichtet haben. Eine Flutwelle von 30 m Höhe brandete gegen die Küste Kretas und erreichte eine Stunde später das Nildelta. Spekulationen wollen den Untergang von Atlantis auf diese größte mittelmeerische Katastrophe zurückführen; auch die in vielen Urzeitmythen vorkommenden Erzählungen von einer »Sintflut« könnten sich auf ein solches Ereignis beziehen. – Eine ähnliche Katastrophe ereignete sich 1883 nach dem Ausbruch des Krakatau.

Tsumeb, Bergbaustadt in N-Namibia, im Otavibergland, 1279 m ü. M., 13 500 Ew.; Abbau von Kupfer-, Blei-, Zink-, Vanadiumerzen; Bahnverbindung zum Atlantik, Flugplatz.

Tsunami [japan.] *der* (seismische Woge), durch submarine Erdbeben oder Vulkanausbrüche erzeugte Welle mit einer Wandergeschwindigkeit bis zu 700 km/h, die beim Auflaufen auf die Küste bis über 30 m Höhe erreichen und schwere Schäden anrichten kann.

Tsushima [-ʃi-], Doppelinsel Japans, gliedert den Meeresraum zw. Korea und Japan in die Korea- und **T.-Straße,** 698 km². – In der Seeschlacht von T. vernichteten am 27. 5. 1905 die Japaner die russ. Flotte.

Tswana (Betschuana), leben v. a. in der Rep. Südafrika (v. a. im ehem. Homeland Bophutha-Tswana) und (als Staatsvolk) in Botswana; etwa 3,9 Mio. in rd. 65 Stämmen.

T-Tauri-Sterne, Gruppe von etwa 35 eruptiven unregelmäßigen →Veränderlichen. Die T.-T.-S. sind sehr junge Sterne (etwa 10^5 bis 10^7 Jahre) der Spektraltypen F bis M, oberhalb der Hauptreihe im Hertzsprung-Russell-Diagramm. Sie treten gewöhnlich in Gruppen auf **(T-Assoziationen),** meist in diffusen Nebeln, und zeigen ausgeprägte Emissionslinien, die auf ausgedehnte Gashüllen hinweisen.

TTL, Abk. für: **1)** →**T**ransistor-**T**ransistor-**L**ogik. **2)** für engl. **t**hrough **t**he **l**ens, →Belichtungsmesser.

TU, Abk. für **t**echnische **U**niversität.

Tuaillon [tyaˈjɔ̃], Louis, Bildhauer, *Berlin 7. 9. 1862, †ebd. 21. 2. 1919; lebte 1885–1902 in Rom, seit 1906 Akademie-Prof. in Berlin. Ausgehend vom neubarocken Stil seines Lehrers R. Begas, fand T. in Rom zu einer klass. Klarheit der Form. Er nahm damit die Tradition des Klassizismus G. Schadows und C. D. Rauchs wieder auf. T. schuf u. a. das Bronzebildwerk der Amazone vor der Nationalgalerie in Berlin (1895) sowie Reiterstandbilder Kaiser Wilhelms II. (1907–10) und Kaiser Friedrichs III. (1908–10; beide Köln, Hohenzollernbrücke).

Tuamotuinseln (Paumotuinseln), Inselgruppe im Pazif. Ozean, zu Frz.-Polynesien gehörend, 78 Atolle (größtes: Rangiroa), in einer doppelten, etwa 1500 km langen Kette angeordnet, rd. 900 km², (1990) 15 000 Ew.; Verw.sitz auf Apataki; die Atolle Mururoa und Fangataufa dienten als frz. Atombombenversuchsgelände. – 1521 Entdeckung der ersten T.; 1947 erreichte T. Heyerdahl mit seinem Floß »Kon-Tiki« das Atoll Raroia.

Tuapse, Hafenstadt am Schwarzen Meer, Russland, am Fuß des Großen Kaukasus, 64 000 Ew.; Erdölraffinerie, Maschinenbau, Reparaturwerft, Nahrungsmittelindustrie.

Tuareg (Eigenbez. Imuschag), Volk in den Gebirgen der westl. Zentralsahara und im südl. anschließenden Sahel, berber. Ursprungs, über 1 Mio. Nur die nördl. T. sind reine Wüstenbewohner, alle anderen (über 90 %) leben in der Savanne; traditionelles Klassensystem (Adlige, tributpflichtige Vasallen, geistl. Führer, Leibeigene, Schmiede und Jäger), heute in Auflösung; die Männer tragen Baumwollschleier (Litham). Die T. sind Muslime, haben aber ältere Glaubensvorstellungen und

Tuareg: Die Männer tragen einen Litham genannten Baumwollschleier

mutterrechtl. Elemente bewahrt und leben in Monogamie; sie sprechen Tamashag, eine Berbersprache; eigene Schrift (Tifinagh). Ihre Abstammung führen sie auf die Königin Ti-N-Hiane zurück, deren Grab in Abelessa, einer Oase nordwestlich von Tamanrasset, verehrt wird.

📖 Göttler, G.: *Die T. Kulturelle Einheit u. regionale Vielfalt eines Hirtenvolkes. Köln 1989.*

Tuba [lat.] *die,* **1)** zur Familie der Bügelhörner gehörendes Blechblasinstrument in Basslage, von weiter Mensur, mit drei bis fünf Ventilen, Kesselmundstück und nach oben gebogenem Schalltrichter: **Bass-T.** (Orchester-T.) in F, Bass-T. in Es (Bombardon, in der Blasmusik verwendet), **Doppel-T.** (Verbindung von Bass- und Kontrabass-T.) in F/C und F/B, **Kontrabass-T.** in C oder B.

2) lang gestreckte altröm. Heerestrompete.

3) Zungenregister der Orgel zu 16-, 8- und 4-Fuß, auch 32-Fuß im Pedal.

Tubarão [tubɔ'rãu], brasilian. Exporthafen im →Eisernen Viereck.

Tübbing, gebogenes, plattenförmiges Ringsegment aus Gusseisen, Walzstahl oder Stahlbeton zum Schacht- und Tunnelausbau in stark Wasser führendem oder weichem Baugrund.

Tube [lat.] *die,* **1)** *Anatomie:* Kurzbez. für den trichterförmigen menschl. Eileiter (Tuba uterina) und die Eustachi-Röhre (Ohrtrompete).

2) *Verpackungstechnik:* zylindrischer Behälter mit Schraubverschluss, meist aus Aluminium oder Kunststoff, für pastenartige Stoffe.

Tubenkatarrh, Schleimhautschwellung der Ohrtrompete, verhindert den Luftaustausch zw. Mittelohr und Nasenrachenraum, führt zu Schwerhörigkeit und Ohrensausen.

Tubenschwangerschaft, eine Form der →Extrauteringravidität.

Tuberkel [lat. tuberculum »Höckerchen«] *der,* Tuberkelbakterien enthaltende, knötchenförmige Geschwulst als örtl. Reaktion des infizierten Gewebes. (→Tuberkulose)

Tuberkelbakteri|en (Tuberkulosebakterien, Tuberkelbazillen, Koch-Bazillen), Arten der Mykobakterien, Erreger der Tuberkulose. Das **Mycobacterium tuberculosis,** 1882 von Robert Koch entdeckt, ist ein säurefestes, widerstandsfähiges Stäbchen von 2–4 µm Länge. Seltener ist das **Mycobacterium bovis,** der Erreger der Rindertuberkulose. Ein bei Hühnern häufiger Tuberkuloseerreger ist das **Mycobacterium avium.**

Tuberkulin *das,* aus gelösten Zerfallsprodukten von Tuberkelbakterien bestehendes Antigen. Der **T.-Test** besteht in der unterschiedl. Anwendung exakt dosierter, kleinster Mengen von T., die in die Haut eingerieben, eingespritzt oder (heute meist) eingeritzt werden; dient zum Nachweis einer bestehenden oder überstandenen Infektion bzw. einer erfolgreichen Tuberkuloseschutzimpfung.

Tuberkulose [zu Tuberkel] *die,* Abk. **Tb, Tbc, Tbk,** i. d. R. zyklisch-chronisch verlaufende meldepflichtige Infektionskrankheit, hervorgerufen durch das Tuberkelbakterium (Mycobacterium tuberculosis). Die Übertragung der T. erfolgt meist durch Tröpfcheninfektion, die Ausbreitung je nach Organstruktur vom Erstherd aus durch schrittweises Vordringen innerhalb des gleichen Gewebes, durch Einbruch in Organkanäle (z. B. in den Bronchialbaum), durch Einbruch in die Lymphbahn oder durch Verschleppung mit dem Blut. Aus Kavernen in der Lunge kann tuberkulöses Material nicht nur in die Bronchien, sondern auch in den Brustfellraum (tuberkulöse Rippenfellentzündung) gelangen. Die Verschleppung auf dem Blutweg streut meist bes. weit, die Ausbreitung auf dem Lymphweg wird unter Lymphknotenbeteiligung in den Lymphknotenfiltern aufgehalten **(Lymphknoten-T.).** Häufigster Sitz der Erkrankung ist die Lunge.

Die **Lungen-T.** verläuft in der Regel chronisch. Erstes Stadium (Primär-T.): 5–6 Wochen nach dem ersten Kontakt entsteht eine Überempfindlichkeit gegen die Bakteriengifte, die Tuberkulinprobe ist positiv. In der Lunge kommt es meist im Oberlappen zu einer kleinen Einschmelzung oder einer tuberkulösen Verkäsung (Primärherd). Von dort gelangen die Tuberkelbakterien mit der Lungenlymphe in die zugehörigen Hiluslymphknoten an der Lungenpforte, die ebenfalls käsig zerfallen. Die Kombination von Parenchym- und Lymphknotenherd ist der typ. Ausdruck der tuberkulösen Primärinfektion (tuberkulöser Primärkomplex). Es kommt u. a. zu uncharakterist. Unwohlsein mit

Tuberkulose

Noch vor gut hundert Jahren galt die Tuberkulose als regelrechte Volksseuche. Die Schwindsucht fand sogar Eingang in Literatur und Kunst. Während 1901 in Deutschland noch 117 000 Menschen an Tuberkulose starben, waren es achtzig Jahre später gerade noch 1 800. Allerdings war die Sterblichkeitskurve schon vor der Jahrhundertwende rapide abgefallen. Diesen beständigen Rückgang haben aber keine medizinischen oder pharmazeutischen Meisterleistungen bewirkt, sondern bessere Lebensbedingungen: Wohnungen und Ernährung hatten einen höheren Hygienestandard erreicht.
Beschrieben wurden die Symptome der Krankheit übrigens schon 752 in China, und zwar von Wang Dao. Den Erreger entdeckte erst Robert Koch im Jahre 1882. Einen Impfstoff gegen die Krankheit konnten 1921 die Franzosen Albert Calmette und Camille Guérin entwickeln. Schutzimpfung und Chemotherapie haben die Sterblichkeit noch einmal senken können, und auch die Lungenheilstätten haben gewiss ihren Anteil daran. Die überragende Bedeutung der allgemeinen Lebensbedingungen kommt aber auch darin traurig zum Ausdruck, dass die Tuberkulose in manchen Entwicklungsländern noch immer ein großes Problem ist.

leichtem Husten, Müdigkeit, Appetitlosigkeit, Kopf- und Brustschmerzen sowie geringem Temperaturanstieg. Das zweite Stadium der Lungen-T., das ggf. lange Zeit nach der Primärinfektion auftritt, wird durch die Aussaat von Tuberkelbakterien über die Lymphe in die Blutbahn geprägt. Sie können sich wieder in der Lunge absiedeln, mit dem Blut aber auch in den Körper ausgeschwemmt werden. Dort entstehen durch die Gewebsreaktion die hirsegroßen, später auch im Röntgenbild sichtbaren Tuberkel **(Miliar-T.).** Die Krankheitserscheinungen sind hohes Fieber, Husten, Atemnot, Kopfschmerz, Erbrechen, Blausucht und Atembeschwerden. Am häufigsten sind neben der Lunge Leber und Milz befallen. Beim dritten Stadium kommt es infolge verminderter Abwehrkraft zum Wiederaufflammen alter, ruhender T.-Herde. Diese Reaktivierung der Lungen-T. geht meist von einem walnussgroßen, nach der früheren Aussaat zunächst inaktiven Herd unterhalb des Schlüsselbeins aus (Frühinfiltrat). Schmilzt das Lungengewebe erst ein und entsteht durch Entleerung eine Frühkaverne, so verläuft der Heilungsprozess langwierig. Unter starkem Husten wird jetzt oft bröckeliger, manchmal auch blutiger Auswurf mit ansteckungsfähigen Erregern entleert **(offene T.).** In diesem Stadium kann es auch zu stärkeren Blutungen (Blutsturz) kommen. Es entsteht schließlich eine käsige Lungenentzündung, die mit hohem Fieber und schwerer Beeinträchtigung des Allgemeinzustandes verbunden ist (sog. galoppierende Schwindsucht).

Tübingen 3)
Stadtwappen

Neben der Lunge befällt die T. u.a. auch die Nieren, die Haut, die Gelenke (→ Gelenkkrankheiten) und die Knochen. Die **Nieren-T.** (Nierenphthisis) befällt zuerst die Nierenrinde, dann das Nierenmark und die ableitenden Harnwege. Die häufigste Form der **Haut-T.** (Tuberculosis cutis) ist der Lupus vulgaris (fressende Flechte, Hautwolf). Er tritt v.a. im Bereich des Gesichts oder der Gliedmaßen in Form stecknadelkopf- bis linsengroßer, kaum erhabener, braunroter Knötchen auf. Diese zerfallen im Laufe der Zeit und es entstehen entstellende Verstümmelungen. Das Skrofuloderm (Schwindbeule) besteht aus blauroten Knoten unter der Haut, die sich v.a. im Bereich des Halses aus befallenen Lymphknoten entwickeln; sie können eitrig verschmelzen, nach außen durchbrechen und heilen dann unter starker Narbenbildung ab. Bei der **Knochen-T.** ist das Blut bildende Knochenmark (Wirbelkörper, Röhrenknochen) betroffen. Nach Ausbildung eines tuberkulösen Granulationsgewebes folgt meist eine Verkäsung mit eitriger Einschmelzung des Herdes mit Knochenzerstörung. Die **Genital-T.** befällt beim Mann in erster Linie Vorsteherdrüse und Nebenhoden. Der Hoden wird seltener, meist erst im späten Stadium, von dem Nebenhoden aus beteiligt. Die männl. Genital-T. führt häufig zur Sterilität, auch zur Organzerstörung. Bei der Frau handelt es sich in rd. 80% der Fälle um eine T. der Eileiter, die auf die Eierstöcke und die Gebärmutter übergreifen kann und häufig auch das Bauchfell befällt. Durch Verklebung der Eileiter und Zerstörung oder narbigen Umbau der Gebärmutterschleimhaut kommt es fast immer zur Sterilität. – Die *Behandlung* erfolgt mit Chemotherapeutika und Antibiotika (Tuberkulostatika).

Tübingen 3): Blick auf den am Neckar gelegenen »Hölderlinturm« (18. Jh.); der Turm ist nach dem Dichter Friedrich Hölderlin benannt, der dort von 1807 bis zu seinem Tod im Jahr 1843 unter Obhut der Schreinerfamilie Zimmer lebte

📖 VOIGT, J.: *T. Geschichte einer Krankheit. Köln 1994.*

Tuberose [lat.] *die* (Nachthyazinthe, Polianthes tuberosa), mexikan., Knollen tragendes Liliengewächs mit hyazinthenähnl. Traube weißer, duftender Blüten; Zierpflanze; zur Gewinnung von **T.-Blütenöl** (für Parfümerien) angebaut.

Tübingen, 1) RegBez. in Bad.-Württ., 8918 km², (1996) 1,73 Mio. Ew.; umfasst den Stadtkreis Ulm und die Landkreise Alb-Donau-Kreis, Biberach, Bodenseekreis, Ravensburg, Reutlingen, Sigmaringen, Tübingen, Zollernalbkreis.

2) Landkreis in Bad.-Württ., 519 km², (1996) 204000 Einwohner.

3) Krst. von 2) und Verw.sitz des RegBez. T., Bad.-Württ., Große Kreisstadt, 341 m ü.M., am Neckar am südl. Rand des Schönbuch, 81800 Ew.; Eberhard-Karls-Univ., Tübinger Stift (württemberg. Bildungsanstalt für evang. Theologen, 1536 gegr.), Bundesforschungsanstalt für Viruskrankheiten der Tiere, Max-Planck-Inst. für Biologie und Virusforschung, Dt. Inst. für ärztl. Mission, Dt. Inst. für Fernstudien; Landestheater, Museen, Kunsthalle; Metall-, Maschinenbau-, Elektro-,

Textilind.; Verlage und Druckereien. – Die maler. Altstadt mit Fachwerkhäusern (17./18. Jh.) wird vom Schloss **Hohen-T.** (16./17. Jh.) überragt, die spätgotische Stiftskirche St. Georg (15. Jh.) besitzt Grabmäler der württemberg. Fürsten; Rathaus (15./16. Jh., mit Sgraffitomalerei und astronom. Uhr); Neue Univ. (1841–45). Am Neckar die Alte Aula (1547, 1777 umgestaltet), der »Hölderlinturm« (18. Jh.) und der fünfgeschossige Bau des Tübinger Stifts. – T. geht zurück auf eine alemann. Siedlung (7. Jh.); 1078 erstmals erwähnt, 1231 als Stadt genannt; kam 1342 von den Pfalzgrafen von T. (seit 1146) an Württemberg. 1477 gründete Graf Eberhard im Bart die Univ., die eine bed. Stätte des Humanismus und nach 1534 ein Zentrum der Reformation wurde. 1945–52 Hptst. von Württemberg-Hohenzollern.

Tübke, Werner, Maler und Grafiker, *Schönebeck (Elbe) 30. 7. 1929; seit 1972 Prof. in Leipzig; Vertreter einer realist., z. T. surreale Visionen einbeziehenden Malerei mit Stilanleihen aus Renaissance und Manierismus (Panoramagemälde zum dt. Bauernkrieg bei Bad Frankenhausen/Kyffhäuser, 1983–87), Altar der Sankt-Salvatoris-Kirche in Clausthal-Zellerfeld, 1997). Weiteres BILD Bad Frankenhausen/Kyffhäuser

Tubu (Tibbu, Tebu), äthiopides Volk in der östl. Zentralsahara, rd. 395 000 T., v. a. im nördl. Tschad, in Niger, Libyen und Sudan; untergliedert in die eigentl. T. oder Teda in der Wüste und die Daza im Sahel. Die T., regional zu Stämmen zusammengeschlossen, sind Nomaden, Halbnomaden und sesshafte Oasenbauern; sunnit. Muslime, die z. T. ältere Glaubensvorstellungen (Ahnenkult) erhalten haben.

Kurt Tucholsky: Kohlezeichnung des Zeitgenossen Otto Schloss aus dem Jahr 1929 mit der Unterschrift Tucholskys

Tubuai-Inseln (Australinseln, frz. Îles Australes), Inselgruppe im südl. Pazif. Ozean, Teil von Frz.-Polynesien, bestehend aus dem unbewohnten Atoll Maria, den gebirgigen Vulkaninseln Rimatara, Rurutu, Tubuai (mit dem Verw.sitz Mataura), Raivavai und Rapa sowie den neun felsigen Bass- oder Marotiri-Inseln; 164 km², (1995) 7200 Ew.; Anbau von Taro, Kaffee, Orangen, Gemüse; Kokospalmen; Fischerei. – 1777 von J. Cook entdeckt, seit 1889 frz. Besitz.

Tubus [lat. »Röhre«] *der,* **1)** *Chemie:* Rohrstück an chem. Geräten zum Einführen und Befestigen von Thermometern u. Ä.

2) *Optik:* Fassungsrohr für Linsen an optischen Geräten.

Werner Tübke: »Bildnis eines sizilianischen Großgrundbesitzers mit Marionetten« (1972; Dresden, Staatliche Kunstsammlungen)

T. U. C., Abk. für engl. **T**rade **U**nions **C**ongress, →Trade Unions.

Tuc d'Audoubert [tyk dodu'bɛːr], 1912 in der Nähe von →Trois-Frères entdeckte Höhle bei Montesquieu-Avantès (Dép. Ariège, Frankreich); Fundstätte zahlr. Gravierungen, künstlerisch gestalteter Gegenstände und Werkzeuge des Magdalénien; Kultplatz mit Lehmplastiken (Bisonpaar) und Tanzspuren (Fersenabdrücke).

Tuch, Gewebe aus Wollstreichgarn, auch mit Kammgarn kombiniert, in Leinwand- oder Köperbindung (→Bindung) mit Walkausrüstung.

Werner Tübke

Tuchatschewski, Michail Nikolajewitsch, Marschall der Sowjetunion (seit 1935), *Gut Alexandrowskoje (Gebiet Smolensk) 16. 2. 1893, †(hingerichtet) Moskau 11. 6. 1937; kämpfte im Bürgerkrieg als Armeeführer erfolgreich gegen die »weißen« Generale Koltschak und Denikin; 1920 Oberbefehlshaber der sowjet. Truppen im Krieg gegen Polen, schlug 1921 zus. mit Trotzki den Kronstädter Aufstand nieder; hatte als Stabschef der Roten Armee (1925–28) und stellv. Volkskommissar für Verteidigung (1931–37) entscheidenden Anteil an der Modernisierung der sowjet. Streitkräfte. 1937 wegen angebl. Spionage sowie Verschwörung gegen die sowjet. Staatsführung in einem Geheimprozess zum Tode verurteilt.

Michail Tuchatschewski

Tuchhalle, das →Gewandhaus.

Tucholsky, Kurt, Schriftsteller und Journalist, Pseud. Theobald Tiger, Ignaz Wrobel, Peter Panter, Kaspar Hauser, *Berlin 9. 1. 1890, †(Selbstmord) Hindås (bei Göteborg) 21. 12. 1935; lebte seit 1924 in Paris, seit 1929 in Schweden; 1933 aus Dtl. ausgebürgert. T. war Literatur- und Theaterkritiker der »Schaubühne« (ab 1918 »Weltbühne«), 1926 deren Herausgeber und entwickelte sie zu einem Organ der linken Intellektuellen. T. war als Satiriker und Zeitkritiker in Vers und Prosa von großer Treffsicherheit und beißender Ironie; er vertrat einen linksgerichteten pazifist. Humanismus (»Deutschland, Deutschland über alles«, 1929, mit J. Heartfield; »Lerne lachen ohne zu weinen«, 1931); schrieb auch Liebesgeschichten (»Rheinsberg«, 1912; »Schloß Gripsholm«, 1931).

📖 BEMMANN, H.: *K. T. Ein Lebensbild. Neuausg. München 1994.* – SCHULZ, KLAUS-PETER: *K. T. mit Selbstzeugnissen u. Bilddokumenten. Reinbek 146.–148. Tsd., ^{25}1995.*

Tucson [tu:'sɔn], Stadt im Staat Arizona, USA, am Santa Cruz River in halbwüstenhafter Umgebung, 405 000 Ew.; kath. Bischofssitz; Univ., botan. Laboratorium des Carnegie Institute und staatl. geolog. Versuchsanstalt; nahebei drei astronom. Observatorien; Mittelpunkt eines Bergbaugebiets (Kupfer, Blei, Zink, Silber, Molybdän); Flugzeug-, Raketenbau-, Maschinenbau- u. a. Ind.; internat. Flughafen.

Franjo Tudjman

Tucumán (San Miguel de T.), argentin. Provinz-Hptst., am Fuß der Anden, 622 300 Ew.; Erzbischofssitz; zwei Univ., Museen; Mittelpunkt des argentin. Zuckerrohranbaus.

Tudjman ['tudʑ-], Franjo, kroat. Politiker, *Veliko Trgovišće (bei Zagreb) 14. 5. 1922; nahm im 2. Weltkrieg am Partisanenkampf Titos teil; danach im Militärdienst, den er 1961 als Generalmajor verließ; wurde nach Studium der Geschichte Prof. in Zagreb. Nach Ausschluss (1967) aus dem Bund der Kommunisten wegen »staatsfeindl. Propaganda« mehrmals inhaftiert, gründete er im Febr. 1989 die Kroat. Demokrat. Gemeinschaft (kroat. Abk.: HDZ). Am 30. 5. 1990 und am 2. 8. 1992 wurde er zum Präs. des (seit 1991/92 unabhängigen) Staates Kroatien gewählt (im Juni 1997 wieder gewählt).

Tudor ['tju:də], engl. Königshaus (1485–1603), einem walis. Geschlecht entstammend. Die T. kämpften in den Rosenkriegen aufseiten des Hauses Lancaster. Der erste T. auf dem engl. Thron, →Heinrich VII., setzte seinen Thronanspruch im Kampf gegen Richard III. durch. Letzte Herrscherin aus dem Haus T. war Elisabeth I., nach deren Tod 1603 der Thronanspruch des schott. Königshauses Stuart wirksam wurde. →Großbritannien und Nordirland (Geschichte).

Tudorstil ['tju:də-], *Baukunst:* nach dem engl. Königshaus Tudor ben. Spätphase des →Perpendicular Style; als Hauptbau gilt die Lady Chapel (1503–12) Heinrichs VII. an der Westminster Abbey in London mit reichem Fächergewölbe und hängenden Schlusssteinen. Als **Tudorbogen** wird fälschlicherweise der in der engl. Spätgotik gebräuchliche flache, angespitzte Bogen bezeichnet.

Tuff [italien.], *Geologie:* 1) nachträglich verfestigtes vulkan. Lockermaterial, das häufig geschichtet ist; eingeteilt nach der Art der Förderung (Staub-, Aschen-, Bimsstein-, Schlacken-T. u. a.), der Korngröße, den Bestandteilen **(Kristall-, Glas-T.)** oder dem Ausgangsgestein. 2) mürbe, meist poröse Absätze von Calciumcarbonat **(Kalk-T., Kalksinter)** oder Kieselsäure **(Kiesel-T.)** aus Quellwasser und Lösungen.

Tuffit *der,* mit klast. Sedimentmaterial vermengter Tuff; entsteht durch vulkan. Aschefall in Wasser oder bei Umlagerung vulkan. Lockermassen.

Tu Fu, chines. Dichter, →Du Fu.

Tugan-Baranowski, Michail Iwanowitsch, russ. Volkswirtschaftler, *im Gebiet Charkow 8. 1. 1865, †(in der Eisenbahn zw. Kiew und Odessa) 21. 1. 1919. Urspr. Marxist, vertrat er später revisionist. Positionen; 1917 Finanzmin. der ukrain. Nationalregierung; vertrat die These, dass Krisen durch die Disproportionalität zw. Investition, Sparen und Konsumtion verursacht werden.

Tugela *der,* Fluss in der Provinz KwaZulu-Natal, Rep. Südafrika, 520 km, entspringt in den Drakensbergen, im Oberlauf Wasserfälle (der größte 411 m), mündet bei Durban in den Ind. Ozean.

Tugend, Tüchtigkeit, sittl. Haltung. Urspr. Bez. für jede besonders entwickelte Fähigkeit, wurde T. von Sokrates definiert als Gesinnung, die auf die Verwirklichung moral. Werte ausgerichtet ist. Aristoteles unterschied in seiner T.-Lehre die Verstandes-T. von den eth. T., die im Einhalten der jeweils richtigen Mitte zw. Extremen bestehen. Seit Platon wurden bestimmte Grund-T. festgeschrieben (→Kardinaltugenden). – Der Personifizierung von T. und Laster begegnet man schon in der grch., häufiger in der röm. Kunst. Maßgeblich für die christl. Kunst wurde v. a. Prudentius, dessen Lehrgedicht »Psychomachia« den Kampf zw. T. und Laster schildert.

Tugendhat, Ernst, Philosoph, *Brünn 8. 3. 1930; Prof. in Heidelberg und Berlin; engagiert in der Friedensbewegung. Von Heidegger geprägt, wendete sich T. Wittgenstein und der sprachanalyt. Philosophie zu, die er für eine Kritik des Bewusstseinsbegriffs v. a. des deutschen Idealismus nutzte.

Werke: Der Wahrheitsbegriff bei Husserl und Heidegger (1966); Selbstbewusstsein und Selbstbestimmung (1979); Probleme der Ethik (1984).

Tugendrose, die →Goldene Rose.

Tuggurt, alger. Oasenstadt, →Touggourt.

TUI, Abk. für **T**ouristik **U**nion **I**nternational GmbH & Co. KG, größter europ. Reiseveranstalter, Sitz: Hannover, gegr. 1967; TUI-Gesellschaften sind u. a. airtours, TransEuropa Reisen, Seetours; Kapitaleigner: Hapag Lloyd, West LB (je 30 %), Dt. Bahn AG und Schickedanz-Gruppe (je 20 %).

Tuilerien [tɥilə'riːən; frz. »Ziegeleien« (die früher dort standen)], Parkanlage in Paris, 1664 ff. von A. Le Nôtre angelegt. Bis 1871 lag hier das »Palais des Tuileries«, das den →Louvre nach W hin abschloss; es wurde 1564 unter Katharina von Medici begonnen; 1871, während des Kommuneaufstands, wurde es niedergebrannt und 1882 abgetragen.

Tukan (lat. Tucana), Sternbild des südl. Himmels.

Tukane [Tupí-Guaraní], die →Pfefferfresser.

Tukano, indian. Sprachfamilie mit einem östl. (Amazonastiefland Kolumbiens und NW-Brasiliens) und einem westl. Zweig (W-Kolumbien, NO-Peru, O-Ecuador).

Tukulor (frz. Toucouleur, Tekarir), mit Fulbe und Soninke vermischtes Volk in NO-Senegal, W-Mali und Mauretanien; etwa 700 000 T.; sprechen einen Fulbedialekt. Sie sind die Gründer des mittelalterl. Staates Tekrur am unteren Senegal.

Tukur, Ulrich, Schauspieler, *Viernheim 29. 7. 1957; kam über Berlin und Zürich an das Dt. Schauspielhaus Hamburg; übernahm auch Film- und Fernsehrollen (»Die weiße Rose«, 1982; »Die Schaukel«, 1983; »Stammheim«, 1985; »Wehner – Die unerzählte Geschichte«, 1993, und »Nikolaikirche«, 1995).

Tula, 1) Hauptstadt des Gebiets T., Russland, südlich von Moskau, 541 400 Ew.; russ.-orth. Bischofssitz; TH und PH, Theater, Philharmonie; Stahl- und Walzwerke, Maschinen-, Leicht- und Nahrungsmittelind.; Herstellung von Sport- und Jagdwaffen, Samowaren und Musikinstrumenten; Verkehrsknotenpunkt. – Seit 1146 Stadt; kam 1503 zum Großfürstentum Moskau; im 16./17. Jh. entstanden hier berühmte Eisen- und Waffenschmieden.

2) T. (Tollan) Ruinenstätte im mexikan. Hochland; 920–1160 Hptst. der →Tolteken; ausgegraben wurde u. a. der »Tempel des Morgensterns« auf einer fünfstufigen Pyramide, die von Säulen- und Pfeilerhallen umgeben war.

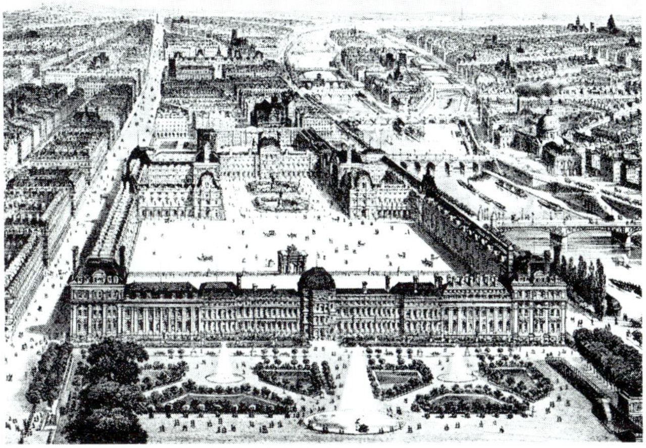

Tuilerien: Der Ausschnitt einer Lithographie des französischen Künstlers Charles Fichot stellt das »Palais des Tuileries« vor der Zerstörung 1871 dar; im Hintergrund der Louvre und (rechts davon) die Île de la Cité

Tulpe: Die Waldtulpe blüht von April bis Mai

Tular|ämie [nach der Cty. Tulare, Calif.] *die* (Hasenpest, Ohara-Krankheit, Deerfly-Fever), in Dtl. meldepflichtige bakterielle Infektionskrankheit der Nagetiere, die auch beim Menschen auftreten kann; die Übertragung erfolgt durch Tierkontakt, infiziertes Wildfleisch und Insektenstich. Der Erreger ist das Bakterium Francisella tularensis. Die **äußere T.** führt zu Haut- und Schleimhautgeschwüren mit Lymphknotenschwellung, die **innere T.** ist durch hohes Fieber und typhusartige Erscheinungen gekennzeichnet. Die *Behandlung* erfolgt mit Antibiotika.

Ulrich Tukur

Tüll [nach der frz. Stadt Tulle] *der,* Sammelbez. für lockere, netzartige Gewebe (früher v. a. aus Baumwolle oder Seide, heute auch aus Chemiefasern), die v. a. für Gardinen verwendet werden. Im Ggs. zu anderen Geweben verlaufen beim T. die Schussfäden schräg zu den Kettfäden und umschlingen diese.

Tulle [tyl], Hptst. des Dép. Corrèze, Frankreich, 18 700 Ew.; Bischofssitz (seit 1317); Waffen-, Metall-, Textil- u. a. Ind. – Kathedrale (12.–14. Jh.). – T. entstand um eine im 7. Jh. erwähnte Benediktinerabtei.

Tulln, Bezirks-Hptst. in Niederösterreich, an der Donau, in der fruchtbaren Ebene des **Tullner Beckens,** 12 000 Ew.; Feuerwehrmuseum; Maschinen- und Apparatebau, Genussmittel- u. a. Ind. – Pfarrkirche St. Stephan (12. Jh., um 1500 gotisiert, 1752 umgestaltet); spätroman. Karner. – Urspr. Römerkastell **Comagenis;** 1014 als Civitas, 1159 als Stadt genannt.

Tulpe (Tulipa), Gattung der Liliengewächse, früh blühende Zwiebelgewächse der gemäßigten Zone der Alten Welt mit schaftständiger, aufrech-

Tulpe: Gartentulpe

ter Blütenhülle und stumpf dreikantiger Kapsel. Die einzige in Dtl. wild vorkommende Art ist die geschützte, grüngelb blühende, 20–40 cm hohe **Wald-T. (Wilde T.,** Tulipa sylvestris). Garten-T. werden in vielen Formengruppen gezüchtet, z.B. Lilienblütige T., Papageien-T. – Die T. wurde in der Türkei schon früh kultiviert. Um 1570 in den Niederlanden bekannt, die zum Zentrum der T.-Zucht wurden.

Tulpe

*1554 entdeckte Ogier Ghislain de Busbecq (*1522, †1592), der Gesandte des Kaisers Ferdinand I., in den Gärten Konstantinopels eine herrliche Blume, die »Tülbent« genannt wurde. Er erwarb für einen beachtlichen Preis einige Zwiebeln und sandte sie nach Wien. Bald darauf brachten auch venezianische Handelsschiffe Tulpenzwiebeln aus dem Orient mit. Die Niederlande, wo die Gartentulpe seit 1570 bekannt war, wurden zum Zentrum der Tulpenzucht. Für die damals seltene Blume flossen astronomische Summen nach Holland. Auf dem Höhepunkt des »Tulpenwahns« zwischen 1634 und 1637 zahlte ein unbekannter Käufer für eine einzige Zwiebel der Sorte »Viceroy«: 4 Tonnen Weizen, 8 Tonnen Roggen, 4 Ochsen, 8 Schweine, 12 Schafe, 500 Liter Wein, 250 Liter Bier, 100 Kilo Butter, 500 Kilo Käse, ein Bett, ein Gewand und einen silbernen Trinkbecher.*

Tulpenbaum (Liriodendron), Gattung der Magnoliengewächse, in Nordamerika und China, mit meist vierlappigen Blättern und gelblich grünen, tulpenförmigen Blüten (Liriodendron tulipifera); beliebter Parkbaum.

Tulsa ['tʌlsə], Stadt im Bundesstaat Oklahoma, USA, am Arkansas River, inmitten reicher Erdöl- und Erdgasfelder, 367 000 Ew.; zwei Univ.; Sitz zahlr. Erdölgesellschaften; Erdölraffination, Raketen- und Flugzeugbau, Eisenverarbeitung. – 1836 als Siedlung von Creek-Indianern entstanden.

Tulụm, Ruinenstätte der Maya an der O-Küste der Halbinsel Yucatán, Mexiko, an einer Steilküste gelegen, die anderen drei Seiten stark befestigt; Blütezeit der Stadt 1200–1550.

Tundra

Die vegetative Periode währt in der Tundra lediglich zwei oder drei Monate. Zudem pfeifen schneidende Winde über das Land, und es ist über lange Zeiträume des Jahres kalt. Diese ungünstigen Bedingungen sorgen dafür, dass die Pflanzen nur sehr langsam wachsen. Sträucher wie die Zwergweiden bilden nur zwei oder drei Blätter pro Saison. So hat man auf einer arktischen Insel einen Zwergginster gefunden, mehr als 500 Jahre alt, der aber dennoch weniger als 1 m als Buschdurchmesser aufwies. Sobald aber nur ein minimaler Windschutz vorhanden ist, wird auch die Vegetation buschiger und höher. So sind die Täler und Vertiefungen ein günstiger Standort für Zwergweiden, Zwergbirken und kleine Erlen, die dort ein dichtes Gestrüpp bilden.

Tụmba [lat.] *die,* sarkophagartiges, oft auf Füßen ruhendes und mit einem Baldachin überdachtes →Grabmal, meist mit einer Liegefigur des Toten auf der Grabplatte.

Tumen (korean. Tumangang), Grenzfluss von Nord-Korea gegen China und für die letzten 30 km gegen Russland, 521 km lang, entspringt am Paektusan, mündet ins Japan. Meer.

Tummler (frz. Boitout, Stehauf), Trinkglas ohne Fuß, dessen Schwerpunkt im abgerundeten Boden liegt, sodass es sich aus der Schräglage wieder aufrichtet (16.–18. Jh.).

Tümmler, 1) (Großer T.) Art der →Delphine.

2) (Kleiner T.) →Schweinswale.

Tụmor [lat.] *der,* die →Geschwulst.

Tụmormarker, v.a. im Blutserum feststellbare Substanzen und zelluläre Veränderungen, deren qualitativer und quantitativer Nachweis einen Rückschluss auf einen bestehenden bösartigen Tumor zulässt. Es werden **zelluläre** und **humorale T.** unterschieden.

Tụmulus [lat.] *der* (*Pl.:* Tumuli), *Archäologie:* Grabhügel, Hügelgrab; i.e.S. Bez. für etruskische Kuppelgräber.

Tunbridge Wells ['tʌnbrɪdʒ 'welz], engl. Stadt, →Royal Tunbridge Wells.

Tụndra [russ.] *die,* Vegetationsform der Arktis in Eurasien und Nordamerika mit baumlosen Pflanzenbeständen (u.a. Zwergsträucher, bodenanliegende Weidearten, Heidekrautgewächse, Moose, Flechten) auf Dauerfrostboden, der im Sommer oberflächlich auftaut. In der **Wald-T.** sind Wald (Taiga) und T. mosaikartig verzahnt. BILD Arktis

Tụndrenzeit (Dryaszeit), späte Phasen der letzten (Weichsel-)Eiszeit nach dem Zurückweichen des Eises aus N-Dtl.; baumlose Tundren mit der Silberwurz (Dryas). →Holozän (Übersicht)

Tuner ['tju:nə; engl., zu to tune »abstimmen«] *der,* im Fernsehrundfunk meist **Kanalwähler,** in frequenzmodulierten Rundfunk- und Fernsehempfängern der Eingangsteil zur Abstimmung auf die gewünschte Frequenz bzw. den gewünschten Kanal. Wird gleichzeitig eine Frequenzumsetzung vorgenommen, heißt der T. auch **Konverter.**

Tunẹsi|en (amtlich arab. Al-Djumhurijja at-Tunisijja), Staat in N-Afrika, grenzt im N und NO an das Mittelmeer, im SO an Libyen, im SW und W an Algerien.

Staat und Recht: Nach der Verf. von 1959 (mit Änderungen von 1988) ist T. eine präsidiale Republik. Staatsoberhaupt, Oberbefehlshaber der Streitkräfte und oberster Inhaber der Exekutive ist der auf fünf Jahre direkt gewählte Präs. (zweimalige Wiederwahl möglich). Er ernennt und entlässt die Reg. unter Vorsitz des MinPräs. und hat Veto-

Tunesien

Fläche: 163 610 km²
Einwohner: (1995) 8,896 Mio.
Hauptstadt: Tunis
Verwaltungsgliederung: 23 Gouvernorate
Amtssprache: Arabisch
Nationalfeiertag: 1. 6.
Währung: 1 Tunesischer Dinar (tD) = 1 000 Millimes
Zeitzone: MEZ

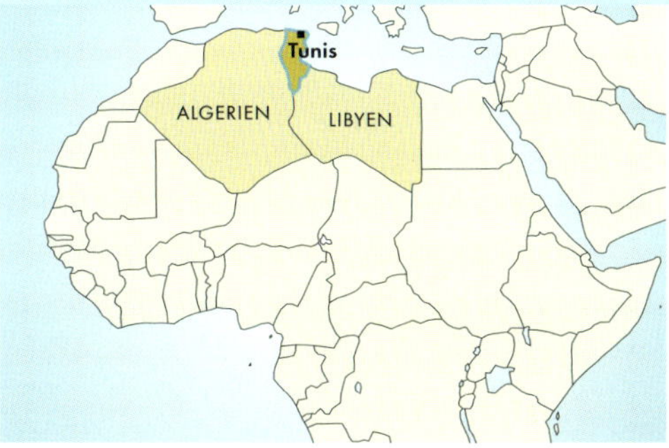

recht im Gesetzgebungsverfahren. Die Legislative liegt bei der Nationalversammlung (163 Abg., auf fünf Jahre gewählt). Neben der staatstragenden Konstitutionellen Demokrat. Sammlung (RCD) existieren sechs zugelassene Oppositionsparteien. Unter den nicht zugelassenen Parteien gewann v. a. die Partei der Wiedergeburt – En-Nadha, eine fundamentalist. islam. Partei, an Bedeutung.

Landesnatur: T. erstreckt sich vom Mittelmeer bis in die Sahara. Die über 1000 km lange Küste, im N meist steil, im O lagunenreich, ist durch die Golfe von Tunis, Hammamet und Gabès gegliedert, mit vorgelagerten flachen Inseln (Djerba, Kerkennainseln); im N vorherrschend Bergland, gebildet von den Ausläufern des Tell- und Saharaatlas. Südlich der Gebirgszone erstrecken sich die zentraltunes. Steppenlandschaften sowie die Salztonebenen und Salzseen des Schott. Der wüstenhafte S besteht aus den Dünengebieten des Östl. Großen Erg; nach SO hat T. Anteil an der Küstenebene Djeffara. Klimatisch reicht T. vom mediterranen Klima mit Winterregen (im Bergland bis über 1500 mm; vereinzelt noch Hartlaubwälder) im N bis zum Wüstenklima mit nur episod. Niederschlägen im S. BILD Afrika

Bevölkerung: Rd. 98 % der Bev. sind Araber und arabisierte Berber, 1–2 % Berber mit eigenen Dialekten. 70 % leben im N des Landes und im östl. Küstengebiet, über 50 % in Städten; größte Bev.dichte im Raum Tunis. – Allg. Schulpflicht besteht vom 7. bis 14. Lebensjahr; die Einschulungsquote liegt bei etwa 95 %; Univ. in Tunis, Sfax und Sousse. – Der Islam ist Staatsreligion, zu dem sich rd. 99 % der Bev. bekennen.

Wirtschaft, Verkehr: Die wichtigsten Bereiche sind Erdöl- und Phosphatförderung, Landwirtschaft, Tourismus und verarbeitende Ind. Rd. 50 % der Landesfläche werden landwirtsch. genutzt, davon 12 % über Stauwerke bewässert, bes. am Medjerda. Hauptanbaugebiete sind der fruchtbare N (Getreide, Zitrusfrüchte u. a. Obst, Gemüse, auch Wein; Rinderzucht) und die Zentralregion (Getreide, Oliven, Datteln; Schafweiden); im S nur in Oasen Anbau, sonst Weidewirtschaft (Ziegen). Es gibt kaum noch geschlossene Waldgebiete; Aufforstung wird betrieben; Gewinnung von Alfagras (für Papier- und Zellstoffind.) und Kork. Küstenfischerei, bes. um Sfax. – Von den reichen Bodenschätzen werden abgebaut: Phosphate, Erdgas und Erdöl (z. T. im Offshorebereich), ferner Eisen-, Blei- und Zinkerz. Wichtigste Ind.zweige sind die Textil-, Leder-, Elektroind., ferner Nahrungsmittel-, chem. Ind., Erdölraffinerie, Eisen- und Stahlverarbeitung, Kfz-Montagewerk. Der Fremdenverkehr (v. a. an den Küsten und auf der Insel Djerba) ist ein bed. Devisenbringer. Exportiert werden Phosphate, Erdöl, Olivenöl, Zitrusfrüchte, Wein, Textilien und Lederwaren; Haupthandelspartner sind Frankreich, Italien, Dtl. – Das Eisenbahnnetz ist 2260 km lang, das Straßennetz über 29 000 km, davon etwa 17 000 km asphaltiert. Wichtigste Häfen sind Tunis-La Goulette, Sfax, Biserta, Sousse, La Skhirra und Gabès; internat. Flughäfen: Tunis, Djerba, Monastir, Sfax, Tozeur.

Geschichte: Um 1100 v. Chr. kolonisierten Phöniker das von Berbern bewohnte Gebiet des heutigen T. Ihre Nachfolger gründeten 814 Karthago. Nach dessen Zerstörung (146 v. Chr.) im 3. Pun. Krieg wurde das Gebiet Teil der röm. Provinz Africa. Nach 439 wurde es Mittelpunkt des Reichs der → Wandalen und stand ab 533 unter byzantin. Herrschaft. Im 7. Jh. eroberten die Araber das Land und gründeten Kairuan als Provinz-Hptst. des Kalifenreichs. Vom 10. bis 16. Jh. stand T. unter der Herrschaft eigener islam. Dynastien (u. a. Fatimiden, Almohaden, Hafsiden), unter denen es allmählich als wiss. und polit. Zentrum größere Bedeutung gewann. 1574 eroberten die Osmanen endgültig das Land, das nunmehr von Paschas, Deis und schließlich von Beis (1705–1957 aus der Dynastie der Husainiden) in Vertretung des Sultans verwaltet wurde. Seit der Eroberung Algeriens durch Frankreich (1830) wuchs der frz. Einfluss in T., das im Bardo-Vertrag 1881 frz. Protektorat wurde. 1920 schloss sich die einheim. Führungsschicht in der Destur-Partei zusammen, die

Staatswappen

TN

Internationales Kfz-Kennzeichen

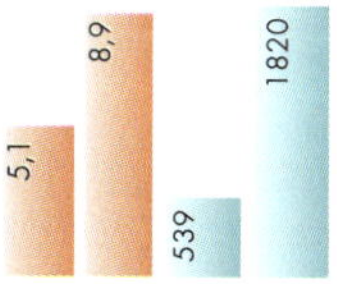

Bevölkerung (in Mio.) – Bruttosozialprodukt je Ew. (in US-$)

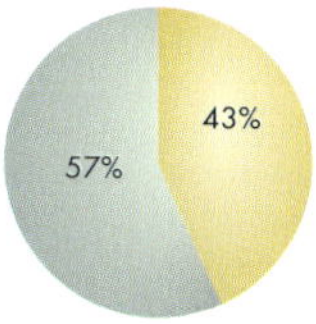

Bevölkerungsverteilung 1995

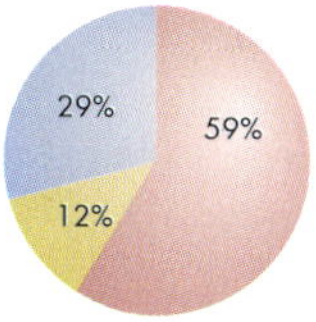

Bruttoinlandsprodukt 1995

16 B 15/14

Habib Bourguiba

Zine el-Abidine Ben Ali

die Unabhängigkeit verlangte. Ihr zu Kompromissen nicht bereiter Flügel spaltete sich 1934 als Neo-Destur-Partei unter der Führung von H. Bourguiba ab. Nach Streiks, blutigen Unruhen und Verhandlungen über die innere Autonomie erkannte Frankreich 1956 die Unabhängigkeit T.s an; Bourguiba wurde zum MinPräs. gewählt. 1957 erklärte das Parlament T. zur Rep. und wählte Bourguiba zum Staatspräs. (1975 auf Lebenszeit). 1964 wurden die Destur-Partei und die Neo-Destur-Partei in der Einheitspartei Sozialist. Destur-Partei (PSD) neu organisiert. Die vorsichtige innenpolit. Liberalisierung seit 1980 führte zur Zulassung weiterer polit. Gruppierungen bei den Parlamentswahlen 1981. Die Wahlen 1986 wurden von der Opposition boykottiert. Nachdem Bourguiba Amtsunfähigkeit bescheinigt worden war, wurde er 1987 durch MinPräs. Ben Ali entmachtet, der das Amt des Staatspräs. übernahm. Ein 1988 verabschiedetes Parteiengesetz institutionalisierte zwar das Mehrparteiensystem, wird aber wegen des darin festgeschriebenen Vorrangs für die Reg.partei RCD, der früheren PSD, und der restriktiven Bestimmungen von der Opposition abgelehnt. Die (umstrittenen) Wahlen 1989 gewann die RCD. Bei den Präsidentschaftswahlen 1994 wurde Präs. Ben Ali im Amt bestätigt. Bei den gleichzeitigen Parlamentswahlen gewann die RCD alle Sitze, doch erhielten erstmals aufgrund einer zuvorigen Wahlrechtsreform die sechs Oppositionsparteien ihrem jeweiligen Stimmenanteil entsprechend 19 Sitze im Parlament. Einem Erstarken der islamist. Gruppen suchte die Reg. mit dem Ausbau der sozialen Versorgung, Förderung der Bildung sowie dem Abbau der hohen Arbeitslosigkeit zu begegnen.

Tunesien: Ruine einer byzantinischen Burg nordwestlich von Kairouan

📖 Fushöller, D.: *T. u. Ostalgerien in der Römerzeit. Bonn 1979.* – Adeli, A. H.: *Die sozio-kulturellen u. religiös-polit. Auswirkungen der Re-Islamisierung in den Maghrebstaaten Algerien u. T. seit der Islamischen Revolution von 1979 im Iran. Engelsbach u. a. 1994.* – *T. Landschaft, Kultur, Geschichte, mit Beiträgen v.* F. Mellah *u. a. Stuttgart u. a. 1994.*

Tungusen, 1) früher Name der →Ewenken.

2) die Völker in Mittel- und O-Sibirien, die →tungusische Sprachen sprechen; rd. 100 000 Menschen, u. a. Ewenken, Mandschu, Ewenen, Golden, Orotschen, Oroken, Oltschen, Biraren, Negidalen.

tungusische Sprachen. Die t. S. gehören zu den altaischen Sprachen (→uralaltaische Sprachen). Sie gliedern sich in einen **nordosttungus. Zweig,** zu dem auch Ewenkisch gehört, einen **zentraltungus. Zweig** (meist nicht literar. Sprachen) und den **südtungus. Zweig** (mandschur. Gruppe) mit dem früher in der →Mandschurei gesprochenen Mandschurisch.

Tunguska *die,* **1)** linker Nebenfluss des Amur, mit Quellfluss Urmi 544 km lang; mündet 15 km unterhalb von Chabarowsk.

2) Mittlere T. (Steinige T., russ. Srednjaja T., Podkammennaja T.) rechter Nebenfluss des Jenissei, 1865 km lang, entspringt an der NW-Flanke der Angarakette, mündet bei Podkamennaja Tunguska. Im Flussgebiet der T. fand am 30. 6. 1908 das **T.-Ereignis** statt (großflächige Zerstörungen in der Taiga durch Einschlag eines Steinmeteoriten oder Kometen).

3) Obere T. (russ. Werchnjaja T.), früherer Name für den Unterlauf der →Angara.

Tunesien - Wirtschaft

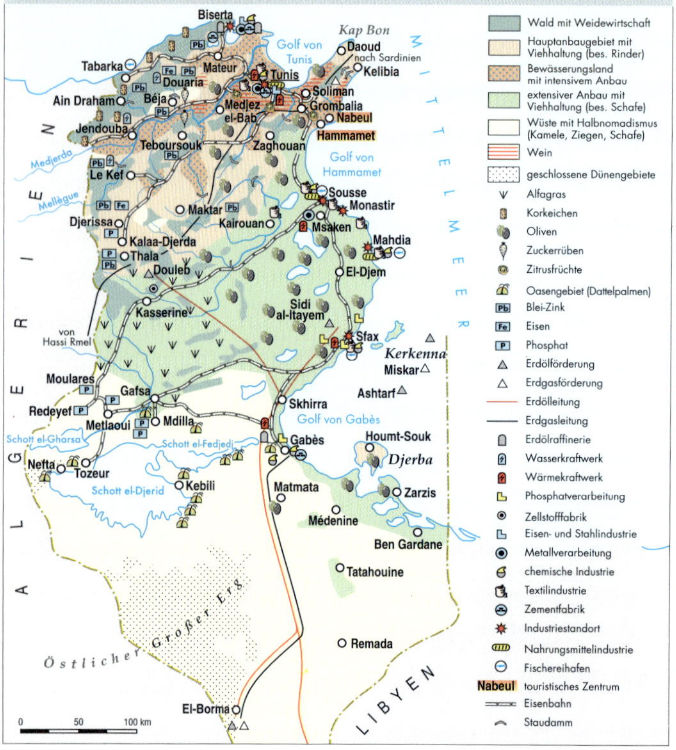

4) Untere T. (russ. Nischnjaja T.), rechter Nebenfluss des Jenissei, 2989 km lang, entspringt an der NO-Flanke der Angarakette und mündet bei Turuchansk.

Tunguska-Kohlenbecken, zweitgrößte Kohlenlagerstätte Russlands, im Mittelsibir. Bergland; enthält auf einer Fläche von 1,05 Mio. km^2 bis in 1800 m Tiefe 1980 Mrd. t Braun- und Steinkohle (auch Anthrazit); Abbau bei Norilsk.

Tunhuang, Stadt in China, → Dunhuang.

Tunika [lat.] *die,* altröm. Unter- und Obergewand für Männer und Frauen, anfangs ärmellos und körpernah, seit dem 1. Jh. v. Chr. weiter und die Oberarme bedeckend. Die aus gleich großen Vorder- und Rückenteilen zusammengenähte, im Normalfall weiße T. wurde gegürtet getragen und reichte bis knapp unter die Knie. Die T. der Senatoren hatte einen breiten Purpurstreifen (latus clavus), die der Ritter einen schmalen (angustus clavus). Im 3. Jh. bekam die nun bis an die Füße reichende T. lange Ärmel. BILD Toga

Tuning ['tjuːnɪŋ, engl.] *das,* **1)** *Funktechnik:* das Abstimmen eines Empfangsgeräts auf eine bestimmte Frequenz.

2) *Kfz-Technik:* Maßnahmen zur Steigerung der Fahrleistung bei Serienautomobilen (Motor, Karosserie, Fahrwerk).

Tunis [frz. ty'nis], Hauptstadt von Tunesien, an einer Lagune (El-Bahira) des Golfes von T., 674100 (städt. Agglomeration über 2 Mio.) Ew.; kulturelles und wirtsch. Zentrum des Landes; Sitz eines orth. Metropoliten; Univ. (gegr. 1958), Fachhochschulen; Konservatorium, Goethe-Inst., Nationalbibliothek, -archiv, -museum; Nahrungsmittel-, chem., metallurg., Textilindustrie; Stadtbahnnetz (32 km); Kanalverbindung zum Hafen La Goulette; internat. Flughafen. – In der Altstadt (UNESCO-Weltkulturerbe) zahlr. Moscheen, u. a. Große Moschee (732 gegr., v. a. 13.–15. Jh.), Moschee der ehem. Kasba (13. Jh.), und Paläste. Zw. Altstadt und Hafen die von den Franzosen schachbrettartig angelegte Neustadt. – Im Altertum **Tynes, Tunes;** erlangte unter arab. Herrschaft ab 697 Bedeutung; seit 1957 Hauptstadt.

Tunja ['tunxa], Hptst. des Dep. Boyacá, Kolumbien, 2820 m ü. M., in der Ostkordillere, 114900 Ew.; Erzbischofssitz; TU, PH; Handelszentrum. – In vorspan. Zeit Hptst. der → Muisca, 1538 zerstört, 1539 als span. Siedlung neu gegründet.

Tunnel [engl.], künstlich angelegter, an beiden Seiten zutage tretender und entsprechend ausgebauter Verkehrsweg für Eisenbahn, Untergrundbahn, Straße und Kanal unter der Erdoberfläche oder unter Gewässern. T.-Querschnittsausbildung und T.-Lichtraumverhältnisse sind abhängig von der Zweckbestimmung und Beanspruchung der T.-Wandungen. Man unterscheidet Gebirgs-, Unterwasser- und Unterpflastertunnel. – **Gebirgs-T.** werden in bergmänn. Bauweise und i. d. R. dann ausgeführt, wenn ein Einschnitt teurer ist. Sie haben immer gewölbten Querschnitt. Die Wahl der Ausführung ist abhängig von der Gebirgsstruktur. Bei der Unterfangbauweise wird zunächst eine Kalotte ausgebrochen, danach werden die Firstgewölbe eingezogen, die seitl. Widerlager werden nachträglich hochgeführt. Bei der Kernbauweise bleibt in der T.-Achse ein Massivkern stehen, auf den sich die Verzimmerung abstützt. Der Kern wird erst nach Fertigstellung der T.-Wandungen ausgebrochen. Nach anderen Methoden wird der Querschnitt in abschnittsweisem Vollausbruch mit Auszimmerung und sofort anschließender Ausmauerung hergestellt (engl. Bauweise), oder der

Tunis: Blick auf die Altstadt

Tunnel

Die Römer gelten als hervorragende Straßenbauer. Diesem Ruf wurden sie auch beim Überwinden von Hindernissen gerecht. Denn sie bauten damals schon erste kurze Straßentunnel. Diese wurden mit Hammer, Meißel und Hacke aus dem Gestein geschlagen. Ihren Längenrekord stellten sie allerdings bei einem technischen Bauwerk für andere Zwecke auf: Um einen See in Mittelitalien trockenzulegen, gruben sie einen 5,6 km langen Stollen.

Die eigentliche Zeit der langen Tunnel mit großen Querschnitten begann dann im 19. Jahrhundert. Eine technische Glanzleistung war der Bau eines Tunnels in London, der von 1825 bis 1841 unter der Themse vorgetrieben wurde. Noch heute durchfahren ihn die Untergrundbahnen.

Erstmals mit Dynamit arbeiteten die Mineure am Gotthard, wo sie 1880 den Durchstich unter dem Alpenhauptkamm schafften.

Im Zuge der wichtigen europäischen Verbindungen stehen für die Zukunft neue Durchfahrungen des Alpenhauptkamms auf dem Programm, so am Brennerpass. Schon jetzt fährt man im Eurotunnel auf 50,45 km Länge unterirdisch von Frankreich nach Großbritannien, unter dem Meer hindurch. Auch heute aber fließt durch den längsten Tunnel der Welt Wasser: Der Stollen ist 170 km lang und dient zur Versorgung der Stadt New York.

Tunnel: Tunnelvortriebsmaschine

Vollausbruch erfolgt absatzweise mit Höhenabstufungen von oben nach unten. Die Vortriebsarbeiten sind heute fast ausschl. mechanisiert. Mit leistungsfähigen Vortriebsmaschinen, die mit Rollenmeißel oder Frässcheiben das Fest- oder Lockergestein aus den Steinwandungen (Ortsbrust) lösen, werden hohe Vortriebsleistungen erreicht. In stark wasserhaltigem Gebirge hat sich das Gefrierverfahren bewährt. – **Unterwasser-T.** haben meist runden Querschnitt, gelegentlich auch Rechteckquerschnitt. Je nach den Wasser- und Untergrundverhältnissen werden sie in offener Baugrube oder, bei weichem Untergrund, mittels auf die vorbereitete Gründungssohle abgesenkter, vorgefertigter bis 100 m langer T.-Abschnitte aus Stahlrohren mit Betonauskleidung, Stahlbetonrohren mit Außendichtung (Stahlblech oder Klebedichtung), auch aus Spannbetonrohren oder im Schildvortrieb (Schildbauweise) hergestellt. Bei standfestem und undurchlässigem Fels erfolgt der Ausbau wie beim Gebirgs-T. – **Unterpflaster-T.** haben meist rechteckigen Querschnitt und werden i. d. R. in offener Baugrube hergestellt.

Tunnel (Auswahl von Tunneln über 2,5 km Länge)

Name	Lage	Länge in m	eröffnet
Straßentunnel			
Neuer Elbtunnel	Deutschland (Hamburg)	2653	1975
Hollandtunnel	USA (New York)	2820	1927
Brooklin-Battery-Tunnel	USA (New York)	2970	1950
Transpyrenäentunnel	Frankreich – Spanien	3010	1971
Merseytunnel	Großbritannien (Liverpool)	3400	1934
Kammontunnel*)	Japan (Honshū – Kyūshū)	3605	1958
Katschbergtunnel	Österreich (Niedere Tauern)	5424	1975
Viellatunnel	Spanien (Pyrenäen)	5430	1929
Bosrucktunnel	Österreich (Wels – Graz)	5500	1983
Felber-Tauern-Tunnel	Österreich (Hohe Tauern)	5600	1967
Großer-Sankt-Bernhard-Tunnel	Schweiz – Italien (Rhonetal – Aostatal)	5885	1964
Tauerntunnel	Österreich (Niedere Tauern)	6400	1975
San-Bernardino-Tunnel	Schweiz (Graubünden)	6596	1967
Vogesentunnel	Frankreich (Sainte-Marie-Pass, Schlettstadt – Saint-Dié, 1937–73 Eisenbahntunnel)	6872	1976
Karawankentunnel	Österreich – Slowenien	7863	1991
Gleinalmtunnel	Österreich (Wels – Graz)	8320	1978
Seelisbergtunnel	Schweiz (Beckenried – Altdorf)	9250	1980
Montblanc-Straßentunnel	Frankreich – Italien (Chamonix-Montblanc – Courmayeur)	11600	1965
Fréjustunnel	Frankreich – Italien (Modane – Bardonecchia)	12720	1980
Arlbergtunnel	Österreich (Vorarlberg – Tirol)	13972	1978
Gotthard-Straßentunnel	Schweiz (Reusstal – Tessintal)	16322	1980

*) Unterwassertunnel

📖 *Unterwassertunnel, hg. v.* H. Fritsch. *Stuttgart* [4]*1993.* – Maidl, B.: *Der Eurotunnel. Geschichte, Planung, Bau u. Betrieb. Essen 1995.*

Tunneldiode (Esaki-Diode), Halbleiterdiode (→Diode) mit hoch dotierten Halbleitergebieten, wobei die Stromstärke bes. durch den →Tunneleffekt beeinflusst wird. In T. gibt es keine Ladungsspeichereffekte, weshalb Grenzfrequenzen im Gigahertz- und Schaltzeiten im Nanosekundenbereich möglich sind; Anwendung in Verstärkern, Multivibratoren und Hochfrequenzoszillatoren.

Tunneleffekt, nach den Gesetzen der klass. Physik nicht zu erklärende quantenmechan. Erscheinung, dass atomare und subatomare Teilchen der Energie E einen endlich breiten Potenzialwall (Potenzialbarriere) der Höhe (potenziellen Energie) V auch dann überwinden (»durchtunneln«) können, wenn $E<V$. Die Durchdringungswahrscheinlichkeit nimmt mit wachsender Höhe und Breite des Potenzialwalls exponenziell ab. Im Falle $E>V$ können solche Teilchen auch reflektiert werden, während klass. Teilchen die Barriere überwinden. Der T. wird als Folge der Welleneigenschaften der Materie (→Dualismus) erklärt und ermöglicht die Deutung und Anwendung zahlr. physikal. Phänomene wie Alphazerfall, Feldelektronenemission, spontane Kernspaltung, kalte Kernfusion, Josephson-Effekte; wichtige Anwendungen sind u. a. Tunneldiode und Rastertunnelmikroskop.

Tunnelmikroskop, das →Rastertunnelmikroskop.

Tupamaros [span.], Guerillabewegung Uruguays, hervorgegangen aus den sozialrevolutionären Kämpfen zu Beginn der 1960er-Jahre. Der Name geht auf den peruan. Indianerführer Tupac Amaru II. (*1743, †1781) zurück, der nach einer Revolte gegen die span. Kolonialherrschaft hingerichtet wurde. Die T. waren v. a. 1963–73 terroristisch aktiv. Nach Wiedererlangung demokrat. Strukturen in Uruguay 1985 reorganisierten sie sich als polit. Partei (1989 anerkannt).

Tupel [Kw.] *das, Mathematik:* Begriff zur Verallgemeinerung der Wertegruppen Paar, Tripel, Quadrupel usw.; eine entsprechende Zusammenfassung von n geordneten Elementen $(a_1, a_2, \ldots, a_n)$ heißt ***n*-Tupel.**

Tüpfel, v.a. dem Stoffaustausch zw. den Zellen dienende Aussparungen in der Sekundärwand pflanzl. Zellen.

Tüpfel|analyse, Verfahren der qualitativen chem. Mikroanalyse, bei dem Farb- und Fällungsreaktionen meist nur mit wenigen Tropfen Untersuchungs- und Reagenzlösung auf Filterpapier, Glas- oder Porzellanplatten durchgeführt werden.

Tüpfelfarn (Polypodium), Gattung der Farne mit überwiegend trop. und subtrop., meist epiphyt., immergrünen Arten. Der **Gemeine T.** (**Engelsüß,** Polypodium vulgare) ist an Bäumen und Felsen auch in Europa verbreitet; sein zuckerreicher Wurzelstock wurde in der Volksheilkunde verwendet. BILD S. 246

Tupí-Guaraní, Sprachfamilie Südamerikas, die fast ausschließlich im Amazonasbecken verbreitet ist. Zu den T.-G.-Sprachen gehören u.a. Guaraní, Guarayo, Siriono, Kokama und Tupinamba (Alt-Tupí); aus Letzterem entstand die Verkehrs- und Handelssprache des Amazonasgebietes, das Nheengatu.

Tụpolew, Andrei Nikolajewitsch, sowjet. Flugzeugkonstrukteur, *Pustomasowo (Gebiet Twer) 10. 11. 1888, †Moskau 23. 12. 1972; baute ab 1924 die ersten sowjet. Ganzmetallflugzeuge. Er entwarf über 100 Flugzeugtypen, u.a. das Langstreckenflugzeug ANT-4 (Flug Moskau–Seattle 1929), die viermotorige ANT-6 (um 1930 das größte Ganzmetallflugzeug), die 1934 gebaute einmotorige ANT-25 (1937 erster Transpolarflug) und die Tu-104 (1956) als eines der ersten Verkehrsflugzeuge mit Turboluftstrahltriebwerk. – Sein Sohn Alexei Andrejewitsch T. (*1925) war Konstrukteur des Überschallverkehrsflugzeugs Tu-144, dessen Erstflug am 31. 12. 1968 stattfand.

Andrei Tupolew

Tür, Eingang eines Gebäudes oder Raumes, verschließbare Öffnung zur Verbindung bzw. zum Abschluss von Räumen als **Innen-T.,** zum Verschluss eines Hauses als **Außen-T.;** nach der Anzahl der Flügel bezeichnet als ein-, zwei- oder dreiflügelige T., nach der Bauart als Rahmen-, Füllungs- oder Ganzblatt-T., nach der Bewegungsart als Dreh-, Schiebe- oder Roll-T., nach dem Werkstoff als Holz-, Stahl-, Leichtmetall- oder Glas-T., nach der Öffnungsart als Rechts- oder Linkstür. Der **T.-Anschlag** soll die T. abdichten, indem gegen diesen T.-Zargen sowie Futter- und Blendrahmen eingesetzt werden. **Schiebe-T.** haben einen Spezialbeschlag, laufen auf Rollen und haben meist eine Führung. Eine **Hub-T.** wird angehoben und unter die Decke gekippt. Die **Falt-T. (Harmonika-T.)** besteht aus mehreren durch Scharniere verbundenen Blättern, die in einer Fußbodenschiene geführt werden. **Dreh-T. (Windschutz-T.)** bestehen aus meist vier um eine senkrechte Achse drehbaren Blättern; **Pendel-T.** schlagen nach beiden Seiten auf. Die **Teleskop-T.** hat ineinander verschiebbare Teile (z.B. für Aufzüge). **Feuerhemmende T.** schließen selbsttätig und sind meist doppelwandige, mit feuerfesten Materialien gefüllte Stahltüren.

Geschichte: Aus Assur und Babylon sind Pfosten-T. bekannt, bei denen sich in einem ausgehöhlten Angelstein der mit einem entsprechend abgerundeten Bronzeschuh versehene T.-Pfosten drehte. In Ägypten gab es ein- oder doppelflügelige T. aus Holz. Schiebe-T. bzw. Schiebewände aus Holz oder Bambus verbreiteten sich in Ostasien (bes. Japan) ab dem 12. Jh. n. Chr. Künstlerisch ausgestattet wurden T., bes. die T.-Gewände,

Tunnel (Auswahl von Tunneln über 2,5 km Länge; Fortsetzung)

Name	Lage	Länge in m	eröffnet
Eisenbahntunnel			
Brandleitetunnel	Deutschland (Erfurt – Meiningen)	3038	1884
Distelrasentunnel	Deutschland (Fulda – Hanau)	3575	1914
Kammontunnel*)	Japan (Honshū – Kyūshū)	3614	1942
Kirchheimtunnel	Deutschland (Hannover – Fulda)	3820	1991
Kaiser-Wilhelm-Tunnel	Deutschland (Koblenz – Trier)	4203	1879
Zugspitzbahntunnel	Deutschland (Zugspitze)	4466	1930
Bosrucktunnel	Österreich (Linz – Graz)	4770	1906
Rauhebergtunnel	Deutschland (Hannover – Fulda)	5211	1991
Pfingstbergtunnel	Deutschland (Mannheim – Stuttgart)	5380	1991
Freudensteintunnel	Deutschland (Mannheim – Stuttgart)	6800	1991
Severntunnel*)	Großbritannien (Cardiff – Bristol)	7011	1886
Jungfraubahntunnel	Schweiz (Berner Oberland)	7123	1912
Somporttunnel	Spanien (Pyrenäen)	7260	1928
Dietershantunnel	Deutschland (Hannover – Fulda)	7375	1991
Karawankentunnel	Österreich – Slowenien	7976	1906
Colle-di-Tenda-Tunnel	Frankreich – Italien (Seealpen)	8100	1898
Andentunnel	Argentinien – Chile	8100	1910
Tauerntunnel	Österreich (Badgastein – Mallnitz)	8551	1909
Grenchenbergtunnel	Schweiz (Kt. Solothurn)	8565	1915
Rickentunnel	Schweiz (Kt. St. Gallen)	8603	1910
Rimutakatunnel	Neuseeland	8798	1955
Shimizutunnel	Japan (Honshū)	9702	1931
Arlbergtunnel	Österreich (Langen – Sankt Anton)	10 250	1884
Mündener Tunnel	Deutschland (Hannover – Fulda)	10 525	1991
Landrückentunnel	Deutschland (Fulda – Würzburg)	10 785	1988
Mont-Cenis-Tunnel	Frankreich – Italien (Modane – Bardonecchia)	12 200	1871
Cascadetunnel	USA (Cascade Range)	12 542	1929
Hokurikutunnel	Japan (Honshū)	13 870	1962
Lötschbergtunnel	Schweiz (Rhonetal – Kandertal)	14 612	1913
Mount-Mac-Donald-Tunnel	Kanada (British Columbia)	14 660	1989
Gotthard-Straßentunnel	Schweiz (Reusstal – Tessintal)	14 998	1882
Furkabasistunnel	Schweiz (Rhonetal – Reusstal)	15 442	1982
Rokkōtunnel	Japan (Honshū)	16 250	1971
Apennintunnel	Italien (Bologna – Florenz)	18 519	1934
Shin-Kammon-Tunnel*)	Japan (Honshū – Kyūshū)	18 560	1975
Simplontunnel	Schweiz – Italien		
Erste Röhre	(Rhonetal – Domodossola)	19 803	1906
Zweite Röhre		19 823	1922
Dai-Shimizu-Tunnel	Japan (Honshū)	22 200	1979
Eurotunnel*)	Frankreich – Großbritannien (Calais – Folkstone)	50 450	1994
Seikantunnel*)	Japan (Honshū – Hokkaidō)	53 850	1988

*) Unterwassertunnel

bereits bei den Sumerern; mit figürl. Reliefs versehene T.-Flügel sind erst aus der Zeit der frühchristl. Kunst überliefert.

Tura, Hauptort des Autonomen Kreises der Ewenken, Russ. Föderation, an der Unteren Tunguska, 5100 Ew.; Holzwirtschaft; Hafen.

Tura, Cosmè, eigtl. Cosimo T., italien. Maler, *Ferrara 1429 oder 1430, †ebd. April 1495; ein Hauptmeister der Schule von Ferrara; schuf v.a. Altarwerke, in denen er Schärfe der Zeichnung und metall. Härte der Formgebung mit einer Vorliebe für Dekoratives verband. Als Hofmaler der Este leitete er die Ausmalung des Palazzo Schifanoia in Ferrara.

Turakos: Riesenturako

Turakos [westafrikan.] (Bananenfresser, Musophagidae), afrikan. Familie der Kuckucksvögel mit meist sehr farbenprächtigem Gefieder; brüten in flachen Baumnestern (z.B. der Riesenturako).

Turan, Tiefland von, Tiefland in Mittelasien (Turkmenistan, Usbekistan, Kasachstan), östlich vom Kasp. Meer, etwa 1,8 Mio. km² groß, zu 4/5 von Wüsten (Karakum, Kysylkum) bedeckt, mit subtropisch-kontinentalem Klima. – Seit der Vorherrschaft der Türken in diesem Raum (11. Jh.) wurde T. gleichbedeutend mit →Turkestan.

Turandot, Märchenprinzessin in der frz. Sammlung »Tausendundein Tag« (1710–12, von Pétis de la Croix). Sie gibt ihren Freiern Rätsel auf und lässt sie köpfen, wenn sie keine Lösung finden; Prinz Kalaf gelingt es schließlich, sie zur Gemahlin zu gewinnen; zahlr. Bearbeitungen des Stoffes, u.a. Opern von F. Busoni (1917), G. Puccini (1926).

Tüpfelfarn: Gemeiner Tüpfelfarn

Turang Tepe, Siedlungshügel in der Gorgan-Ebene, N-Iran, nahe der SO-Küste des Kasp. Meeres. Seit 1960 legten frz. Grabungen sieben Kulturschichten von der neolith. bis zur sassanid. Zeit frei.

turb... [lat., vgl. Turbine] (turbo...), **1)** Dreh..., Kreisel...

2) *Technik:* durch Turbinen angetrieben.

Turbae [lat. »Scharen«], in Oratorien, Passionen u.Ä. die in die Handlung eingreifenden dramat. Chöre des Volkes (z.B. Jünger, Soldaten), die den Einzelpersonen (Soliloquenten, z.B. der Evangelist, Christus) gegenübertreten.

Turban [pers.-türk.] *der,* Kopfbedeckung der Hindus, Muslime und Sikhs, die aus einem kunstvoll drapierten, feinen Stoffstreifen besteht.

Turbidimetrie [lat.] *die,* →Nephelometrie.

Turbine [frz., zu lat. turbo, turbinis »Kreisel«, »Wirbel«] *die,* zu den →Strömungsmaschinen gehörende Kraftmaschine, die einem Fluid (Wasser, Gas oder Dampf) Energie entzieht und diese in mechan. Energie wandelt. Das Fluid tritt zunächst durch eine feste Leiteinrichtung (z.B. ein Leitrad), die eine gerichtete Strömungsbewegung erzeugt, wird auf die gekrümmten Schaufeln des Laufrads geleitet und treibt dieses an. Ihre Leistung gibt die T. an der Welle des Laufrads ab. Bei Axial-T. trifft das Laufrad parallel zur Welle, bei Radial-T. senkrecht dazu auf. Nach dem Arbeitsmittel unterscheidet man: →Dampfturbine, →Gasturbine, →Wasserturbine.

Turbinenkraftstoffe, Kraftstoffe zum Betrieb von →Gasturbinen. Für den normalen Bedarf der zivilen Luftfahrt werden T. vom Kerosintyp (z.B. Jet A1), v.a. für militär. Zwecke **Flug-T.** vom Benzin-Kerosin-Typ (z.B. Jet B) verwendet. Als **Hochleistungs-T.** werden Kohlenwasserstoffgemische mit hohem Anteil an zykl. Verbindungen (z.B. Decalin) sowie Wasserstoffverbindungen von Bor, Aluminium u.a. Metallen verwendet. Als T. für industrielle Zwecke (z.B. Kraftwerke) sind Erdgas und Heizöle geeignet.

Turbinen-Luftstrahltriebwerk (TL-Triebwerk, Turbotriebwerk), ein →Strahltriebwerk.

Turbo, Kurzbez. für Abgasturbolader (→Abgasturbine) oder einen damit ausgerüsteten Motor.

turbo|elektrischer Antrieb, Antrieb für Schiffe und Lokomotiven, bei dem von Gas- oder Dampfturbinen angetriebene Generatoren Strom für die elektr. Fahrmotoren liefern.

Turbogenerator, *elektr. Energietechnik:* →Generator.

Turbulenz [lat.] *die,* **1)** *allg.:* Unruhe, wildes Durcheinander.

2) *Meereskunde:* Störungen einer großräumigen Bewegung im Meer, bes. in der oberflächennahen, unter Einfluss von Wind und Sonne gut durchmischten, etwa 100 m dicken Deckschicht oder in einer etwa 10 m dicken, durch Bodenreibung durchmischten Bodenschicht des Meeres. Großflächige Wirbel bis zu mehreren 100 km Durchmesser finden sich im gesamten Weltmeer.

3) *Meteorologie:* ungeordneter, wirbelhafter Zustand einer Luftströmung mit raschen Geschwindigkeits- und Druckschwankungen. In der Nähe der Erdoberfläche sind die Rauigkeit und Hindernisse des Untergrundes die Hauptursachen. An einem erdfesten Beobachtungspunkt können die durch die T. erzwungenen Geschwindigkeits- und Richtungsschwankungen registriert werden; diese hängen außerdem von der Windgeschwindigkeit selbst, von deren Änderung in der Vertikalen und vom vertikalen Temperaturgefälle ab.

4) *Physik:* Bewegungszustand von Flüssigkeiten oder Gasen, bei dem, im Ggs. zur laminaren Strömung, der mittleren Hauptbewegung starke Wirbelbewegungen überlagert sind, die zu völlig unregelmäßigen Schwankungen von Druck und Geschwindigkeit in der Strömung führen (→Strömungslehre). Dadurch wird der Reibungswiderstand an Flächen (z.B. Wänden, Leitungen, Kanälen, Tragflügelprofilen) wesentlich vergrößert. Die Theorie der T. (turbulenter Strömungen) ist eine der Wurzeln der Chaostheorie.

Turckheim [tyrˈkɛm], Stadt im Oberelsass, →Türkheim.

turco [italien. »türkisch«] (alla turca), musikal. Vortragsbezeichnung: in der Art der →Janitscharenmusik.

Turenne [tyˈrɛn], Henri de La Tour d'Auvergne, Vicomte de, frz. Marschall (seit 1643), *Sedan 11. 9. 1611, ⚔bei Sasbach (Ortenaukreis) 27. 7. 1675; Enkel Wilhelms I. von Oranien, seit 1630 in frz. Diensten, u.a. siegreich als Oberbefehlshaber gegen die Bayern (1645/48). Beteiligt an der →Fronde, nach Aussöhnung mit Ludwig XIV. wieder dessen erfolgreicher Feldherr (seit 1661 Generalfeldmarschall), u.a. im →Devolutionskrieg; verantwortlich für die Verwüstung der Pfalz 1674. T. war neben Condé der bedeutendste Feldherr seiner Zeit, auch ein bed. Militärschriftsteller. Ludwig XIV. ließ T. in der Königsgruft von Saint-Denis beisetzen, Napoleon I. veranlasste 1800 seine Überführung in den Invalidendom.

Henri de la Tour d'Auvergne, Vicomte de Turenne (Ausschnitt eines zeitgenössischen Kupferstichs)

Turf [tɔ:f; engl. »Rasen«] *der,* engl. Bez. für Pferderennbahn und Pferderennsport.

Turfan (Turpan), Oase im N des Tarimbeckens, am Rand der wüstenhaften T.-Senke (bis 154 m u. M.), in der Autonomen Region Sinkiang, China, etwa 20000 Ew.; Knotenpunkt von Karawanenstraßen; Anbau von Baumwolle, Weizen, Gerste, Mais, Reis; Reb-, Maulbeerbaumkulturen (Seidenraupenzucht). – Die Funde der Ruinenstätten von T. (v.a. Qocho) erwiesen, dass diese Oase in der 2. Hälfte des 1. Jt. n. Chr. ein kulturelles Zentrum an der Seidenstraße war, wobei Religionen und Kulturen Irans, Indiens und Chinas neben- und miteinander bestanden (Höhlentempel, Wandmalereien, Textilien, Skulpturen, Handschriften).

Iwan Turgenjew

Turgai, Tafelland von, etwa 200 bis 300 m ü. M. gelegenes Tafelland zw. dem Westsibir. Tiefland im N und dem Tiefland von Turan im S, Kasachstan und Russland; im O geht das Tafelland in die Kasach. Schwelle über, im W in die Mugodscharberge und den Südl. Ural; Bergbau (Eisen, Bauxit, Gold, Braunkohle).

Turgenjew, Iwan Sergejewitsch, russ. Schriftsteller, *Gut Spasskoje (bei Orel) 9. 11. 1818, †Bougival (bei Paris) 3. 9. 1883; entstammte einer Adelsfamilie, studierte in Moskau, Sankt Petersburg und Berlin, lebte dann meist im Ausland; schrieb zuerst der Romantik verbundene Poeme und Erzählungen sowie dramat. Versuche (»Ein Monat auf dem Lande«, 1855). Seine »Aufzeichnungen eines Jägers« (1852), Erzählungen in Ichform über das Leben der russ. Bauern, stellten einen Protest gegen die Leibeigenschaft dar. Darauf folgten Romane (»Rudin«, 1856; »Ein Adelsnest«, 1859; »Am Vorabend«, 1860; »Väter und Söhne«, 1862; »Rauch«, 1867; »Neuland«, 1877), in denen er ein krit. Panorama der zeitgenöss. russ. Gesellschaft entwarf, wobei er als Zentralfigur meist einen gerade aktuellen Zeittypus wählte. Seine Novellen behandeln vorwiegend allgemein menschl. Probleme, bes. das Liebesthema (»Assja«, 1858; »Erste Liebe«, 1860; »Frühlingsfluten«, 1871, u.a.); Spätwerk: »Gedichte in Prosa« (1882).

📖 KLUGE, R.-D.: *I. S. T. Dichtung zwischen Hoffnung u. Entsagung. München 1992. – Ivan S. Turgenev. Leben, Werk u. Wirkung, hg. v.* P. THIERGEN. *München 1995.*

Turgor [lat.] *der* (Turgordruck, Turgeszenz, Saftdruck), der von innen auf die Zellwand lebender pflanzl. Zellen ausgeübte Druck; entsteht durch osmosebedingte Wasseraufnahme in die Vakuole, wodurch der Protoplast (Zellleib) zunehmend gegen die Zellwand gedrückt und diese gedehnt wird. Bei Wasserverlust (sinkendem T.) tritt Erschlaffung (Welken) ein.

Anne Robert Jacques Turgot (Ausschnitt eines zeitgenössischen Kupferstichs)

Turgot [tyrˈgo:], Anne Robert Jacques, Baron de l'Aulne, frz. Staatsmann und Nationalökonom, *Paris 10. 5. 1727, †ebd. 20. 3. 1781; Anhänger der Aufklärung und Vertreter des →Physiokratismus, leistete einen Beitrag zur Arbeitswerttheorie und formulierte als Erster das Gesetz vom abnehmenden Ertragszuwachs (→Ertragsgesetz). Als Finanzmin. (1774–76) Ludwigs XVI. bemühte er sich um Verw.-, Finanz- und Justizreformen (u.a. Aufhebung des Zunftzwanges, Ablösung der Frondienste, Besteuerung des Grundbesitzes, Sanierung der Staatsfinanzen durch Sparpolitik). Sein Reformwerk scheiterte an der Verschwendungssucht des Hofes, am Widerstand der privilegierten Stände und an höf. Intrigen.

Werk: Betrachtungen über die Bildung und die Verteilung des Reichtums (1766).

Türheim, Ulrich von, mhd. Epiker, →Ulrich von Türheim.

Turin (italien. Torino), **1)** Prov. Italiens, in Piemont, 6830 km², (1995) 2,22 Mio. Einwohner.

Turiner Grabtuch: Negativwiedergabe des Gesichtsabdrucks (Foto 1898)

2) Hptst. von 1) und der Region Piemont, an der Mündung der Dora Riparia in den Po, 929 400 Ew.; Erzbischofssitz; Univ. (gegr. 1404), TH, Musikhochschule, Kunstakademie, Akademie der Wiss., Bibliotheken und Museen (u.a. ein Automobilmuseum), mehrere Theater, Opernhaus (Teatro Regio) und wiss. Gesellschaften. Schwerpunkt der italien. Autoind. (FIAT), Stahlwerk, Eisenbahn- und Flugzeugbau, elektron. und elektrotechn., feinmechan., Schreib- und Druckmaschinen-, Textil-, Gummi- und chem. Industrie. Weltruf genießen der Vermouth di Torino (Cinzano, Martini) und die Rotweine aus der Umgebung; internat. Messen; Flughafen.

Turin 2) Stadtwappen

Die geradlinigen, sich rechtwinklig kreuzenden Straßenzüge der röm. Stadt (Reste des Amphitheaters und Porta Palatina, beide 1. Jh. n. Chr.) blieben für die spätere Stadtanlage maßgebend. Im Zentrum Piazza Castello und Piazza Reale mit dem Palazzo Madama (1718 Ausbau einer älteren Anlage), Palazzo Reale (1646 begonnen), Palazzo Carignano (1679–85) und Palazzo dell'Accademia (1678; u.a. mit der bed. Gemäldegalerie »Sabauda«); Dom (15. Jh.), daran angebaut Capella della Santa Sindone (1694 vollendet, birgt das →Turiner Grabtuch); S. Lorenzo (17. Jh.). Wahrzeichen der Stadt ist die Mole Antonelliana (1863, 167 m hoch; mit Filmmuseum); im S Castello del Valentino (17. Jh.), Botan. Garten (1729 gegr.) und Ausstellungsgelände (Bauten u.a. P. L. Nervi). Auf dem rechten Po-Ufer die Basilika Superga, südwestlich der Stadt das Jagdschloss Stupinigi (beide von F. →Juvarra). Die Residenzen der Savoyer in T. und seiner Umgebung wurden zum UNESCO-Welterbe erklärt.

T., als **Taurasia** Hauptort der ligur. Tauriner, seit Augustus als **Augusta Taurinorum** röm. Kolonie, wurde im 6. Jh. Sitz langobard. Herzöge und im 9. Jh. fränk. Grafen. 1048, endgültig 1280 kam es zu Savoyen, seit dem 15. Jh. dessen Zentrum; im 16./17. Jh. wiederholt von den Franzosen belagert, wurde 1720 Hptst. des Königreichs Sardinien-Piemont, war 1861–65 Hptst. des Königreichs Italien.

Turiner Grabtuch, ein seit 1578 im Turiner Dom als →Grabtuch Christi verehrtes Leinentuch (1,10 × 4,36 m) mit dem Abdruck eines Gekreuzig-

Turin 2): Stadtansicht, das 1919–26 erbaute alte FIAT-Werk mit der Teststrecke auf dem Dach beherbergt heute das Automobilmuseum; rechts daneben einer der zahlreichen Turiner Paläste, das im Stil einer mittelalterlichen Stadt erbaute Anwesen stammt aus dem späten 19. Jahrhundert

Türkei

Fläche: 779 452 km²
Einwohner: (1995) 61,945 Mio.
Hauptstadt: Ankara
Verwaltungsgliederung: 75 Provinzen
Amtssprache: Türkisch
Nationalfeiertag: 29. 10.
Währung: 1 Türkisches Pfund/Türkische Lira (TL.) = 100 Kuruş (krş.)
Zeitzone: MEZ +1 Std.

ten. Das Alter des T. G. (bezeugt seit dem 14. Jh.) konnte bislang trotz wiss. Untersuchungen nicht eindeutig geklärt werden.

Turing-Maschine ['tjʊərɪŋ-; nach dem brit. Mathematiker A. M. Turing, *1912, †1954], Gedankenmodell über den grundsätzl. Aufbau eines universellen Rechenautomaten, bei dem die Eingangssignale seinem Speicher entnommen und die Ausgangssignale wieder dem Speicher zugeführt werden. Dieser ist (bei der Einband-T.-M.) als unendlich langer, in Felder unterteilter Bandspeicher gedacht, dessen gespeicherte Informationen zeichenweise verarbeitet werden. Nach dem Modell wurde der Begriff der Berechenbarkeit definiert, wonach jede berechenbare Zahl durch einen endl. Prozess auch automatisch berechenbar ist.

Turkanasee (früher Rudolfsee), abflussloser, schwach salziger See in NW-Kenia (N-Spitze in Äthiopien), 427 m ü. M., 300 km lang, 8 000–8 600 km² groß, bis 73 m tief, fischreich. Das Gebiet des T. ist durch zahlr. Hominidenfunde bekannt geworden. Die Fundstätte **Sibiloi-Insel** an der Ostküste wurde zum UNESCO-Welterbe erklärt. Die hier lebenden nilohamit. **Turkana (Elgume)** sind Hirtennomaden, neuerdings auch Fischer.

Türkei (türk. Türkiye, amtl. Türkiye Cumhuriyeti), Staat in Vorderasien und SO-Europa. Die T. grenzt im N an das Schwarze Meer, im zentralen S und im W an das Mittelmeer. Die das Schwarze Meer und das Mittelmeer verbindende Wasserstraße Bosporus–Marmarameer–Dardanellen trennt die europ. T. (O-Thrakien) im W von der asiat. T. (Anatolien). O-Thrakien grenzt im W an Griechenland, im N an Bulgarien; Anatolien grenzt im NO an Georgien und Armenien, im O an Iran, im S an Irak und Syrien.

Staat und Recht: Nach der Verf. von 1982 ist die T. eine parlamentar. Rep. Staatsoberhaupt ist der vom Parlament auf sieben Jahre (keine Wiederwahl möglich) gewählte Präsident. Er ernennt den MinPräs. und auf dessen Vorschlag die Min., kann den Vorsitz im Min.rat übernehmen und hat das Recht, das Parlament aufzulösen und Neuwahlen anzusetzen. Die Legislative liegt bei der Großen Nationalversammlung (450 Abg., für fünf Jahre gewählt). Einflussreichste Parteien: Partei des Rechten Weges (DYP), Mutterlandspartei (ANAP), Sozialdemokratische Volkspartei (SHP), Wohlfahrtspartei (RP, Jan. 1998 verboten; Nachfolgepartei ist seit Februar 1998 die Tugendpartei), Demokrat. Linkspartei (DSP). Am 9. 9. 1992 kam es zur Neugründung der 1980 von den Militärs aufgelösten Republikan. Volkspartei (CHP); die Arbeiterpartei Kurdistans (PKK) und die prokurdische Arbeiterpartei des Volkes sind wie die Wohlfahrtspartei seit Jan. 1998 verboten.

Landesnatur: Außer einem kleinen Anteil an Europa umfasst die T. die Halbinsel Kleinasien und reicht im O bis zum Ararathochland mit dem höchsten Berg des Landes, dem Ararat (5 137 m ü. M.). Inneranatolien, ein 900–1 200 m ü. M. hohes steppenhaftes Hochland, ist von Bergzügen durchsetzt und von Gebirgen (im N Pont. Gebirge, im S Taurus, im W westanatol. Bergland) nach außen abgeschlossen. Hauptflüsse sind Kızılırmak im W sowie Euphrat und Tigris im O; zahlr. Seen, darunter Tuz Gölü und Vansee. – Thrakien und Inneranatolien haben kontinentales Klima mit heißen, trockenen Sommern und kalten, in Ostanatolien schneereichen Wintern. Ausreichende Niederschläge zu allen Jahreszeiten und gemäßigte Temperaturen hat die Schwarzmeerküste. Zum mittelmeer. Klimabereich (milde, feuchte Winter, trockene Sommer) gehören die westl. Küstenregion Anatoliens und der S-Fuß des Taurus. Bildtafel S. 254, weitere Bilder Ankara, Ararathochland

Bevölkerung: Rd. 80 % sind Türken; v. a. im SO Anatoliens leben →Kurden (12 Mio.); an der syr. Grenze Araber (1 %); ferner Griechen, Armenier (beide vorwiegend in Istanbul), Araber, Tscherkessen, Georgier, Lasen, Pomaken u. a. Am dichtesten besiedelt sind die Küstenzonen; 38 Städte haben mehr als 100 000 Ew.; durch ausgedehnte Binnenwanderungen starkes Wachstum der Stadtrandzonen (Gecekondu-Siedlungen). –

Staatswappen

TR

Internationales Kfz-Kennzeichen

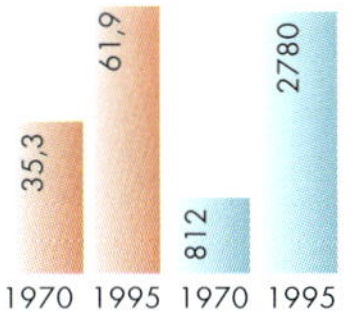

Bevölkerung (in Mio.)
Bruttosozialprodukt je Ew. (in US-$)

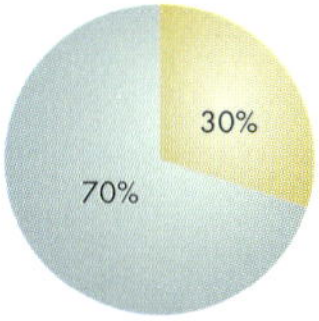

Stadt
Land
Bevölkerungsverteilung 1995

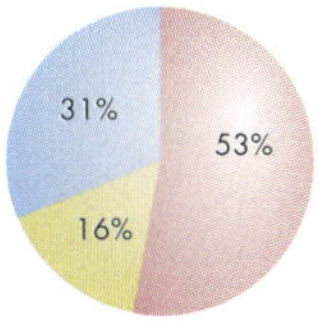

Industrie
Landwirtschaft
Dienstleistung
Bruttoinlandsprodukt 1995

Im Aug. 1997 wurde die allg. Schulpflicht von 5 auf 8 Jahre verlängert, um den Einfluss der islamist. Koranschulen zu verringern; es gibt 29 Univ., älteste Gründung in Kayseri (1206). – 98% der Bev. sind Muslime (überwiegend Sunniten); in den Großstädten leben zahlr. zu den Schiiten gezählte Aleviten (meist kurd. Abstammung), die dem aufkommenden fundamentalist. Islam kritisch gegenüberstehen; kleine christl. Minderheiten (Griechen, Armenier, Syrer; insgesamt weniger als 100000); etwa 25000 Ladino sprechende Juden.

Wirtschaft, Verkehr: Charakteristisch ist ein starkes W-O-Gefälle zw. dem industriell entwickelten W und dem strukturschwachen, v.a. agrarisch ausgerichteten O. Die T. strebt die EU-Vollmitgliedschaft an. Haupterwerbszweig ist die Landwirtschaft; im Bergland überwiegend Getreideanbau. Die wichtigsten landwirtsch. Ausfuhrprodukte sind Baumwolle (W- und S-Anatolien), frische und getrocknete Früchte, Haselnüsse (östl. Schwarzmeerküste, Raum Trabzon; weltgrößter Erzeuger und Exporteur) und Tabak (Hinterland von İzmir, am Marmarameer und am Schwarzen Meer). Die berühmten Smyrna-Feigen kommen aus dem Raum İzmir (heutiger Name von Smyrna); Weinbau (geringe Weinbereitung, v.a. Sultaninen und Tafeltrauben). Die Bewässerungsflächen sollen im Rahmen des →Südostanatolien-Projekts erheblich ausgedehnt werden. Waldgebiete sind vorwiegend in Staatsbesitz. Als Nutzholz werden Nussbäume, Zedern, Kiefern, Pappeln und Weiden geschlagen. Die T. gehört zu den bed. Chromerzlieferanten (Abbau bei Güleman, Fethiye). Darüber hinaus werden Steinkohle (bei Zonguldak), Braunkohle und Eisenerz (bei Divriği) abgebaut, die beide den Aufbau einer eigenen Eisen- und Stahlind. (in Karabük, Ereğli und İskenderun) ermöglichen. Zum Export gelangen auch Borax, Antimon, Quecksilber und Blisterkupfer. Bei Batman, im SO des Landes, wird Erdöl gefördert. Die Industrialisierung hat bed. Fortschritte gemacht. Der hohe Anteil von Staatsbetrieben wird seit 1986 durch Reprivatisierung zurückgedrängt. Die bedeutendsten Ind.standorte sind Istanbul, Ankara, İzmir, Adana und Bursa. Führender Zweig ist die Textilind. (Teppichknüpferei, Zentrum Kayseri), es folgen Fahrzeug-, Landmaschinen- und Schiffbau, die Zement- und die chem. Ind.; Erdölraffinerien in Batman, Mersin sowie Derince und Aliaga bei İzmir. Hauptenergieträger ist das größtenteils importierte Erdöl (40%). Mit den großen hydrotechn. Projekten am Euphrat (1992 Einweihung des Atatürk-Staudammes) ist der Bau mehrerer Wasserkraftwerke sowie ein großflächiges Bewässerungsprogramm in der Urfaebene verbunden. Wesentl. Deviseneinnahmen erbringt der Tourismus, der sich v.a. auf die W- und S-Küste sowie Istanbul konzentriert. Der größte Teil der Deviseneinkünfte stammt jedoch von den im Ausland arbeitenden Türken. – Das Verkehrsnetz umfasst 8430 km (davon 567 km elektrifiziert) Bahnlinien und 59000 km Straßen

Türkei - Wirtschaft

Türkei – Aufstieg des Osmanischen Reichs bis 1683

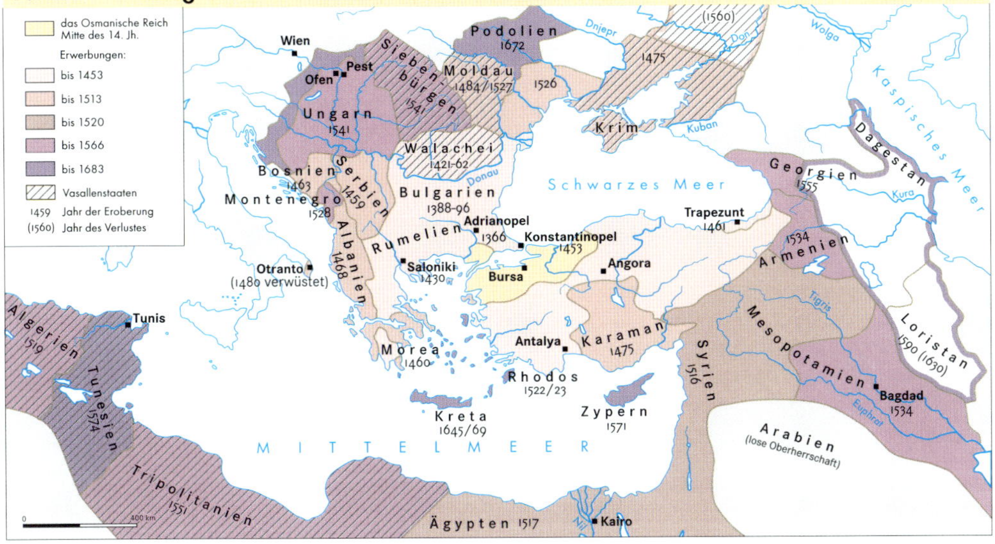

(über 75% asphaltiert); Haupthäfen: Istanbul, İzmir. Größte internat. Flughäfen sind Istanbul und Ankara.

Geschichte: Zur *Vorgeschichte* und *vorosmanischen Geschichte* des Gebiets der asiat. T. →Kleinasien, →Mittelmeerraum.

Ausgangspunkt der Türkisierung und Islamisierung des heutigen Staatsgebiets der T. wurde das Sultanant der anatol. →Seldschuken (Rumseldschuken) um Konya und Kayseri, das hier nach dem Sieg des Seldschukensultans Alp Arslan über Byzanz 1071 bei Mantzikert entstanden war. In der Folge drängten türk. Nomaden in großer Zahl nach Kleinasien, das unter den Rumseldschuken im 12. Jh. die erste islamisch geprägte Blüte erlebte. Der Auflösungsprozess, eingeleitet durch den Mongoleneinfall von 1243, ließ neue türk. Kleinstaaten entstehen, u.a. in NW-Anatolien ein Grenzfürstentum unter dem ogusischen Hordenführer Ertogul, dessen Sohn →Osman I. Ghasi namengebend für das spätere Reich und seine Dynastie wurde. Das 1361 eroberte Adrianopel (Edirne) wurde Hptst. dieses **Osman. Reiches,** dem das Byzantin. Reich tributpflichtig wurde. Thrakien und Makedonien kamen 1371 nach dem Sieg über die Heere Serbiens, Ungarns, Bulgariens und Bosniens

Türkei – Zerfall des Osmanischen Reichs 1699–1856

an der Maritza in osman. Besitz. Nach dem Sieg Murads I. (1359–89) auf dem Amselfeld 1389 wurde Serbien tributpflichtig, 1395 die Walachei; Bulgarien und Thessalien wurden 1393/94 erobert. Trotz der Niederlage gegen Timur-Leng 1402 bei Ankara blieb das Osman. Reich in seinem Grundbestand erhalten und konnte den letzten Kreuzzug zur Rettung des Byzantin. Reiches 1444 bei Warna abwehren. Der von J. Hunyadi organisierte Widerstand brach nach 1448 (Niederlage auf dem Amselfeld) zusammen; Muhammad II., der Eroberer (1451–81), annektierte das restl. Byzantin. Reich, eroberte Konstantinopel am 29. 5. 1453 und machte es zur Hptst. des Osman. Reiches. Durch seine größte Macht und Ausdehnung (15./16. Jh.) war es auch in Europa als polit. Faktor und Weltmacht ernst zu nehmen: 1454–63 wurden Serbien, Trapezunt und Bosnien türk. Provinzen (Paschaliks); der 2. Türkisch-Venezian. Krieg 1463–79 brachte die Peloponnes und Athen ein und sicherte die Herrschaft über Albanien; das Osman. Reich wurde zur beherrschenden Seemacht im östl. Mittelmeer (Sieg über Venedig im Seekrieg 1499–1503). Selim I., der Strenge (1512–20), unterwarf 1514 Armenien, 1516/17 Syrien und Ägypten. Der Sultan trug seit 1517 auch den Kalifentitel und übernahm den Schutz der hl. Stätten des Islam in Mekka und Medina. Süleiman II., der Prächtige (1520–66), besetzte Belgrad und nach der Schlacht von Mohács (29. 8. 1526) große Teile Ungarns; 1529 drang er bis Wien vor. Mesopotamien kam 1534, Tripolitanien 1551, Zypern 1570/71, Tunesien 1574 unter osman. Herrschaft. Süleimans Seemacht beherrschte durch seinen Admiral →Cheireddin den S des Mittelmeeres. Auch im Innern schuf Süleiman eine zentrale Verw., die Jahrhunderte hindurch in Kraft blieb.

Türkei (Geschichte): Die Miniatur aus dem 16. Jahrhundert stellt Osman I. Ghasi dar

Türkei (Geschichte): Staatspräsident Mustafa Kemal Atatürk (rechts) ließ als Teil eines weitreichenden Reformprogramms die lateinische Schrift einführen, Foto aus dem Jahr 1930

Niedergang des Osman. Reiches (1566–1920/23): Bald nach der in Europa gefeierten vernichtenden Niederlage der türk. Flotte gegen die Hl. Liga (1571 bei Lepanto) begann der äußere und innere Verfall; neben den →Janitscharen erlangten Zivilbeamte die Macht. Die örtl. Machthaber in den Provinzen wurden immer selbstständiger, Aufstände schwächten die Reg. der Hohen Pforte. Seit 1711 erlebten die Griechen eine Stärkung ihrer Stellung (→Phanarioten). Die Reformen Selims III. (1789–1807) und seiner Nachfolger konnten das Auseinanderfallen des Reichs nicht aufhalten. Zwar wurde im 6. Türkisch-Venezian. Krieg (1645–69) Kreta erobert, doch mit der vergebl. Belagerung Wiens 1683 war die Kraft der osman. Armee erschöpft. Der nun folgende Große Türkenkrieg (1683–99) mit der Hl. Liga von 1684 endete mit großen Verlusten. Nach Österreich, Ungarn, Venedig, Polen und dem Hl. Röm. Reich wurde ab um 1750 Russland zum Hauptgegner der Osmanen (→Türkenkriege). In den Friedensschlüssen von Küçük Kaynarci (1774) und Jassy (1792) zwang Russland die Osmanen, alle Gebiete im N des Schwarzen Meeres bis zum Dnjestr aufzugeben (weitere Gebietsverluste im Russisch-Türk. Krieg 1806–12). Frankreich, Großbritannien und Russland setzten nach dem Sieg über die türkisch-ägypt. Flotte bei Navarino (20. 10. 1827) die Unabhängigkeit der Griechen durch. Nach dem Russisch-Türk. Krieg von 1828/29 musste der Sultan die Autonomie Serbiens, der Moldau und der Walachei anerkennen (Frieden von Adrianopel 1829, Londoner Protokoll 1830). In der Folge des verlorenen Krimkrieges 1853/54–56 musste das Osman. Reich 1875 die Zahlungsunfähigkeit erklären. Trotz aller Reformbemühungen nahm die Schwäche des Reiches weiter zu (»Kranker Mann am Bosporus«). Nach dem Russisch-Türk. Krieg

1877/78 erhielten Serbien, Montenegro und Rumänien auf dem Berliner Kongress 1878 die volle Unabhängigkeit, Bulgarien nur z.T.; Bosnien und Herzegowina kamen unter österr. Verw., Zypern zu Großbritannien. Frankreich, das 1830–70 Algerien annektiert hatte, besetzte 1881 Tunesien, Großbritannien 1882 Ägypten. Die liberal-reformerisch und panislamisch ausgerichteten »Jungtürken« unter Enver Pascha und Talat Pascha setzten 1909 Sultan Abd Al Hamid II. (seit 1876) ab und entmachteten seinen Nachfolger Muhammad V. (1908–18). Doch die Schwächung des Reichs setzte sich fort: Unabhängigkeit Bulgariens (mit Rumelien) 1908; Verlust von Tripolis, der Cyrenaika und des Dodekanes im Italien.-Türk. Krieg 1911/12; fast völliger Verlust der verbliebenen europ. Besitzungen in den Balkankriegen 1912/13. Ansätze einer inneren Erneuerung verhinderte der Kriegseintritt auf der Seite der Mittelmächte am 1. 11. 1914. Im 1. Weltkrieg gingen Irak, Palästina und Syrien verloren. Im Sykes-Picot-Geheimabkommen (1916) teilten Großbritannien und Frankreich das Osman. Reich in Einflusssphären auf. Zw. 1894 und 1921 mehrmalige blutige Armenierverfolgungen (Höhepunkt: 1915/16).

Im Vertrag von Sèvres 1920 musste sich die T. auf Kleinasien und einen Zipfel des europ. Festlandes beschränken und kam unter alliierte Kontrolle. Die Griechen besetzten 1919–22 İzmir; Istanbul und die Meerengen kamen 1918–23 unter alliierte Verw. Die vollständige Demobilisierung wurde von Mustafa Kemal Pascha (Kemal Atatürk) verhindert, der sich 1919 in Anatolien an die Spitze der nat. Widerstandsbewegung stellte und die Griechen aus den von ihnen besetzten westanatol. Gebieten vertrieb (Grch.-Türk. Krieg 1919–22). Im Frieden von Lausanne 1923 gewann die T. Teile O-Thrakiens sowie die volle Kontrolle über Anatolien mit Türkisch-Armenien zurück.

Die Republik (seit 1923): Nach der Absetzung Muhammads VI. wurde am 29. 10. 1923 die Republik ausgerufen (Aufhebung des Kalifats am 3. 3. 1924). Kemal Atatürk (seitdem Präs.) bemühte sich, die T. zu einem europäisch orientierten, säkularen Nationalstaat zu formen (u.a. Einführung der lat. Schrift) und außenpolitisch durch Ausgleich mit den Siegermächten des 1. Weltkrieges und den Nachbarstaaten abzusichern. – Im 2. Weltkrieg blieb die T. neutral. – 1952 wurde die T. Mitgl. der NATO, 1955 des Bagdadpakts (1959 CENTO). Gegen die regierende Republikan. Volkspartei gewann 1950 die konservative Demokrat. Partei die Wahlen: M. C. Bayar wurde Staatspräs.; als MinPräs. A. Menderes (ab 1950) infolge wirtsch. Schwierigkeiten die Unterstützung des Parlaments verlor, hielt er sich durch Unterdrückung der Opposition an der Macht (1960 durch Militärputsch gestürzt; 1961 hingerichtet). Unter MinPräs. S. Demirel (1965–71) kam es zur engen Anlehnung an den Westen. Die ungelöste Zypernfrage, blutige Studentenunruhen und zahlr. Terrorakte führten 1971 erneut zum Eingreifen des Militärs. MinPräs. B. Ecevit (ab 1974) löste durch sein Vorgehen im Konflikt mit Griechenland, v.a. durch die Besetzung des N-Teils von Zypern durch türk. Truppen 1974, nat. Begeisterung aus. Die instabile innenpolit. Situation ab 1975 beendete das Militär am 12. 9. 1980 durch einen unblutigen Militärputsch unter Generalstabschef K. Evren (1982–89 Staatspräs.). Alle polit. Aktivitäten wurden verboten. Es kam zu zahlr. willkürl. Verhaftungen, Hinrichtungen und anderen Menschenrechtsverletzungen (v.a. Verfolgung der in der T. lebenden →Kurden seit Ausbruch der Kämpfe um ihre Autonomie im mehrheitlich von ihnen bewohnten SO-Anatolien, 1984). Bei den Parlamentswahlen 1983 und 1987 siegte jeweils die ANAP unter T. Özal (ab 1983 MinPräs., 1989 zum Staatspräs. gewählt). Im 1. und v.a. im 2. Golfkrieg gewährte die T. Hunderttausenden aus dem Irak flüchtenden Kurden beschränkte Aufnahme. Nach den Wahlen 1991 wurde S. Demirel MinPräs. einer DYP-SHP-Koalitionsreg.; nach seiner Wahl zum Staatspräs. (1993) folgte ihm mit T. Çiller (DYP) erstmals eine Frau im Amt des MinPräs. Bei den Parlamentswahlen vom Dez. 1995 wurde die von N. Erbakan geführte fundamentalistisch-islam. RP stärkste polit. Kraft. Die Koalitionsreg. von RP und DYP unter MinPräs. Erbakan verfolgte einen zunehmend islamist. Kurs (Juni 1996 bis Juni 1997; Rücktritt unter dem Druck des Militärs). MinPräs. wurde danach erneut M. Yılmaz (bis Nov. 1998), nach Neuwahlen im April 1999 B. Ecevit. Im Jan. 1998 wurde die RP, die im Parlament die größte Fraktion stellte, verboten. Der mit großer Härte geführte Kampf gegen die militant-separatist. PKK (gegr. 1978) in SO-Anatolien sowie deren anhaltende Guerillaaktionen (seit 1992/93 wieder verschärft) und die bisher unerfüllten Autonomieforderungen der dort lebenden Kurden blieben das größte innenpolit. Problem; 1999 wurde PKK-Gen.-Sekr. Abdullah Öcalan in Kenia verhaftet und in die Türkei verbracht (Hochverratsprozess ab Mai 1999).

📖 LOUIS, H.: *Landeskunde der T. Stuttgart 1985.* – KIRAKOSSIAN, J. S.: *The Armenian genocide. The young Turks before the judgement of history A. d. Armen., Madison, Conn., 1992.* – NEUMANN-ADRIAN, M.: *Die T. Ein Land u. seine 9000 Jahre Geschichte. Neuausg. München 1993.* – ADANIR, F.: *Geschichte der Republik T. Mannheim u.a. 1995.* – HÖHFELD, V.: *T. Schwellenland der Gegensätze. Gotha 1995.* – BUHBE, M.: *T. Politik u. Zeitgeschichte. Opladen 1996.* – SEN, F.: *T. München [4]1996.*

Süleyman Demirel

Bülent Ecevit

Kenan Evren

Tansu Çiller

Mesut Yılmaz

Türkei

1

2

3

4

| **1** Das antike Theater der lykischen Stadt Pinara liegt in der Nähe von Xanthos, im Hintergrund erstreckt sich der Westtaurus mit dem Ak Dağ | **2** In den Tuffkegeln von Göreme im östlichen Inneranatolien wurden zahlreiche byzantinische Klöster, Kirchen und Wohnungen angelegt | **3** Die Passstraße im nördlichen Amanos-Gebirge führt in die fruchtbare Ebene von Adana | **4** Blick auf die Mittelmeerküste westlich von Antalya

Tụrken (früher Osmanen), Turkvolk in Kleinasien (Türkei etwa 46 Mio.), auf der Balkanhalbinsel (etwa 1,4 Mio.), auf Zypern (etwa 160 000) sowie in anderen Staaten (u.a. in Dtl. rd. 1,7 Mio.); vorwiegend sunnit. Muslime. Die T. sind die Nachkommen der seit dem 11. Jh. in Anatolien eingedrungenen Turkvölker (→Türkei, Geschichte), die sich allmählich mit den Bewohnern des Landes (Griechen im W, Armenier und Kurden im O, Lasen und Georgier im NO) vermischten.

Tụrkenbund, *Botanik:* →Lilie.

Tụrkenkriege, die Kriege europäisch-christl. Staaten gegen das islam. Osman. Reich. Neben Österreich, das sich im 1526 ererbten Königreich Ungarn behaupten musste, führten Venedig, Polen und v.a. Russland, das seit dem 18. Jh. den Zugang zum Schwarzen Meer und später die Kontrolle über die Meerengen anstrebte, Kriege gegen die Hohe Pforte.

Die türkisch-venezianischen Kriege: Das Interesse Venedigs als der führenden Seemacht im östl. Mittelmeer galt v.a. der Wahrung seiner Handelsprivilegien im Osman. Reich. In einer Vielzahl von Kriegen (1423–30, 1463–79, 1499–1503, 1537–40, 1570/71, 1645–69, 1683–99, 1714–18) konnten die Venezianer die osman. Expansion nicht verhindern. Lediglich Zypern brachten sie 1489–1570/71 unter ihre Herrschaft; im Frieden von Karlowitz (1699) konnten sie früher Verlorenes zurückgewinnen. Der Sieg von Lepanto (1571), an dem die venezian. Flotte beteiligt war, blieb u.a. wegen des Separatfriedens Venedigs mit der Hohen Pforte 1573 ungenutzt. Nach dem Verlust ihrer letzten Stützpunkte auf Kreta und der Peloponnes im

Frieden von Passarowitz (1718) spielte Venedig in den T. keine Rolle mehr.

Die Türkenkriege der Habsburger: Unter Sultan Süleiman II. drangen die Türken erfolgreich nach SO-Europa vor (u.a. Eroberung Belgrads 1521, Schlacht bei Mohács 1526, 1. Belagerung Wiens 1529, Eroberung von Ofen 1541; Siebenbürgen wurde osman. Vasall); die Habsburger richteten zur Abwehr die →Militärgrenze ein. Mit osman. Hilfe befreiten sich die Ungarn unter I. Thököly von der habsburg. Herrschaft (1678–80/82). Mit dem **Großen Türkenkrieg** (1683–99) der von Papst Innozenz XI. initiierten Hl. Liga von 1684 (Österreich/Hl. Röm. Reich, Polen, Venedig, Papst) begann die Vertreibung der Osmanen aus Europa: Großwesir Kara Mustafa belagerte ab dem 14. 7. 1683 Wien, bis das Entsatzheer unter Herzog Karl V. Leopold von Lothringen und dem poln. König Johann III. Sobieski am 12. 9. 1683 die Schlacht am Kahlenberg gewann und Wien befreite. Prinz Eugen von Savoyen siegte am 11. 9. 1697 bei Zenta (Senta) über Sultan Mustafa II. Im Frieden von Karlowitz (26. 1. 1699) musste die Türkei an Österreich ganz Ungarn (außer dem Banat von Temesvar) und Siebenbürgen, an Venedig das 1685–87 von ihm eroberte Morea (Peloponnes), an Polen Podolien abtreten. Erneut siegte Prinz Eugen bei Petrovaradin (5. 8. 1716) und Belgrad (16. 8. 1717). Die Türkei trat im Frieden von Passarowitz (21. 7. 1718) das Banat, die nördl. Teile Bosniens und Serbiens (mit Belgrad) und die Kleine Walachei an Österreich ab; Venedig erhielt anstelle der Peloponnes dalmatin. und alban. Küstenplätze. Kaiser Karl VI. verlor im Frieden von Belgrad (18. 9. 1739) alle Erwerbungen von 1718 außer dem Banat; bis auf die Abtretung der Bukowina (1775) blieb die Grenze zw. Österreich und dem Osman. Reich bis 1878 (Berliner Kongress) stabil. Weiteres BILD Österreich

Die Türkenkriege Russlands: Der Russisch-Türk. Krieg 1710/11 führte zur Einschließung Peters I., d. Gr., am Pruth; im Frieden am Pruth (12. 7. 1711) konnte er sich u. a. durch die Rückgabe Asows (am 28. 7. 1696 eingenommen, 1702 erworben) freikaufen. Durch die beiden siegreichen T. der Kaiserin Katharina II. (1768–74, beendet durch den Frieden von Küçük Kaynarcı 21. 7. 1774; 1787–92, Friedensschluss von Jassy am 9. 1. 1792) kam das gesamte Nordufer des Schwarzen Meers in russ. Besitz; Russland hatte am 5. 7. 1770 bei Çeşme die türk. Flotte vernichtet, und A. W. Suworow erfocht 1789/90 mehrere Siege an der Moldau. Der Russisch-Türk. Krieg 1806–12 endete mit der Abtretung Bessarabiens und der östl. Moldau an Russland (28. 5. 1812). Nach dem Russisch-Türk. Krieg 1828/29 erhielt Russland die Ostküste des Schwarzen Meers, ferner die Inseln an der Donaumündung, die Schutzherrschaft über die Donaufürstentümer Moldau und Walachei sowie freie Durchfahrt durch die Dardanellen (Frieden von Adrianopel, 14. 8. 1829). Griechenland wurde unabhängig. Nach dem →Krimkrieg 1853–56 musste Russland die Schutzherrschaft über die Donaufürstentümer aufgeben (Pariser Frieden, 30. 3. 1856). Der Russisch-Türk. Krieg 1877/78 endete mit dem →Berliner Kongress. (→Balkankriege)

📖 EICKHOFF, E.: *Venedig, Wien u. die Osmanen. Umbruch in Südosteuropa 1645–1700. Stuttgart ²1992.* – NIEDERKORN, J. P.: *Die europ. Mächte u. der »Lange Türkenkrieg« Kaiser Rudolfs II. (1593–1606). Wien 1993.*

Türkensattel (Sella turcica), *Anatomie:* Vertiefung des Keilbeinkörpers an der Innenfläche der Schädelbasis, beinhaltet die Hypophyse.

Türkentaube, →Tauben.

Turkestan ['tʊr-, -'tɑːn] (veraltet Turkistan), histor. Name für das von Turkvölkern bewohnte Gebiet Mittelasiens; gliedert sich in **West-T. (Russisch-T.)** mit Turkmenistan, Usbekistan, Tadschikistan, Kasachstan, Kirgistan und in **Ost-T. (Chinesisch-T.),** das in China den SW des Autonomen Gebiets →Sinkiang mit dem Tarimbecken umfasst.

Geschichte: Das histor. **West-T.,** zu dem auch Teile Irans und Afghanistans zu rechnen sind, war im 1. Jt. v. Chr. von iran. Völkern (Saken, Sogdier, Choresmier, Parther) besiedelt; einige seiner Gebiete gehörten seit dem 6. Jh. v. Chr. zu Persien und fielen in hellenist. Zeit schließlich an →Baktrien. In **Ost-T.** trafen Chinesen und Xiongnu (→Hunnen) aufeinander und verdrängten seit dem 2. Jh. v. Chr. die dort ansässigen iran. Stämme nach West-T., das im 5. Jh. n. Chr. zum Reich der Hephthaliten gehörte und im 6. Jh. zw. den Sassaniden und dem alttürk. Großreich aufgeteilt wurde. Im 7./8. Jh. eroberten muslim. Araber T. Im 9. Jh. gründeten die islamisierten türk. Ogusen das Reich der Iligchane, die 999 die arab. Samaniden aus Buchara verdrängten, das im 12. Jh. an die mongol. Kara-Kitai fiel. Die Herrschaft des Charism-Schah (seit 1210) beendete die Besetzung des Landes durch Dschingis Khan 1219/20. Um 1370 brachte Timur Transoxanien unter seine Gewalt und machte es zur Ausgangsbasis seiner Eroberungszüge. Nach ihrem Einfall um 1500 herrschten die Usbeken (Schaibaniden) ein Jh. lang. Danach bestanden in T. die Khanate Buchara, Chiwa und Kokand. 1865 eroberte Russland Taschkent und bildete 1867 das Generalgouvernement T.; 1868 kam Buchara unter russ. Oberhoheit, 1873 Chiwa, 1876 Kokand. 1918 wurde die Turkestan. ASSR innerhalb der RSFSR geschaffen, 1920 die Kirgis. (später Kasach.) ASSR bzw. SSR; im gleichen Jahr Vertreibung des Khans von Chiwa und des Emirs

Aziz Nesin

Yaşar Kemal

Nazım Hikmet

Aras Ören

Emine Sevgi Özdamar

von Buchara und Bildung der Sowjet. VR (später Sozialist. Sowjetrepubliken) Choresm (Chiwa) und Buchara. Aus der Neuorganisation der Turkestan. ASSR 1924 gingen die Sowjetrep. Turkmenistan, Usbekistan sowie schließlich Kirgistan und Tadschikistan hervor. 1991 erlangten die fünf mittelasiat. Rep. der Sowjetunion ihre Unabhängigkeit und schlossen sich der → GUS an.

📖 *T. als histor. Faktor u. polit. Idee, hg. v.* E. VON MENDE. *Köln 1988.*

Turkestan-Sibirische Eisenbahn ['tʊr-, -'tɑ:n] (Abk. Turksib), 1927–31 erbaute Bahnlinie in Kasachstan von Lugowoi (östlich von Dschambul) über Almaty nach Semipalatinsk (1452 km lang); i.w.S. von Taschkent nach Nowosibirsk (2160 km).

Türkheim (frz. Turckheim), Stadt im frz. Dép. Haut-Rhin, an der Fecht am Ausgang des Münstertals, 3600 Ew.; Papier-, Textilind.; Weinbau; spätgot. Steinhäuser und Fachwerkbauten (15.–17. Jh.), drei Tortürme, Rathaus (1620). – 1312 Reichsstadt (seit 1354 im elsäss. Zehnstädtebund).

Türkis [von altfrz. turquois »türkisch«] *der* (Kallait), wachsglänzendes und undurchsichtiges, blaugrünes, schleifbares triklines Mineral der chem. Zusammensetzung $CuAl_6[(OH)_8|(PO_4)_4] \cdot 4H_2O$; geschätzter Schmuckstein.

türkische Literatur, i.e.S. die Literatur der Türken Anatoliens und der europ. Türkei in vorosman., osman. und nachosman. Zeit. Die altanatolisch-türk. Periode (13.–15. Jh.) umfasst sowohl das an den Höfen der türk. Kleinfürstentümer Anatoliens entstandene rumseldschuk. Schrifttum als auch die altosman. Literatur. Die ersten bedeutenden Vertreter der sufischen Derwischdichtung waren Sultan Veled und der volkstüml. Mystiker Junus Emre. Schulebildend wirkte auch Nesimi, der zugleich der frühaserbaidschan. Literatur angehört. Ein wichtiges Zeugnis der Volksdichtung ist der ogus. Epenzyklus des Dede Korkut. Ein bekannter Vertreter der Volkspoesie war Kaygusuz Abdal. Für die klassisch-osman. Hochliteratur (etwa ab 1453) waren in einem noch stärkeren Maße pers. Vorbilder maßgeblich. Zu den führenden Dichtern zählen im 15. Jh. Ahmed Pascha, im 16. Jh. Baki, Fuzuli, Lamii und Jachja Bej, im 17. Jh. der Satiriker Nefi und der thematisch vielseitige Sabit, im 18. Jh. A. Nedim sowie Scheich Ghalib. Volksschauspielgattungen waren das komisch-satir. Schattenspiel (→ Karagöz), das Puppenspiel und das »orta oyunu« (eine Art Schauspielertheater ohne Bühne). Im 19. Jh. setzte sich europ., v.a. frz. Einfluss immer mehr durch, bes. in der Publizistik und Bühnendichtung des Ibrahim Schinasi und bei dem ersten bed. Vertreter patriotischer Dichtung, M. Namyk Kemal. Nach 1908 dominierten die vom »Türkismus« des Ziya Gök Alp beeinflussten, national und sprachpuristisch orientierten Autoren. Einer der bedeutendsten Erzähler der nat. Literatur war R. H. Karay.

Die junge Literatur der republikan. Zeit war stark patriotisch geprägt. Nach der Schriftreform (Ersetzung der arab. Schrift durch die Lateinschrift 1928) und den Sprachreformen erfolgte eine Vitalisierung des literar. Lebens. Die Prosa, meist in Form von Kurzgeschichten und Kurzromanen, gewann an Eigenständigkeit durch Autoren wie H. E. Adıvar, Reşat Nuri Güntekin und Y. K. Karaosmanoğlu, die u.a. den nat. Freiheitskampf schilderten. Ein früherer Vertreter der sozial engagierten Richtung war der Novellist Sadri Ertem. Einflussreich waren Sabahattin Alis Bilder aus dem anatol. Provinzleben und S. F. Abasıyanıks impressionist. Skizzen aus Istanbul. A. Nesin spiegelt in seiner satir. Prosa die vielfach widersprüchl. gesellschaftl. Verhältnisse der modernen Türkei. Die von Mahmut Makal eingeleitete und mehrere Jahrzehnte dominierende »Dorfliteratur« behandelt gesellschaftl. Probleme aus der Sicht der Landbevölkerung Anatoliens (Kemal Tahir, F. Baykurt, Kemal Bilbaşar, S. Kocagöz); ihr bedeutendster Vertreter ist Yaşar Kemal. O. Kemal beschrieb soziale Folgen von Urbanisierung und Slumbildung. Von Kemal Tahir stammt eine Reihe krit. Romane zum histor. Hintergrund der modernen Türkei. Eine bed. moderne Theaterdichtung entstand erst in der republikan. Zeit. In bewusstem Gegensatz zum entstandenen Neoklassizismus und Ästhetizismus führte Nazım Hikmet den freien Vers und die Volkssprache in die Poesie ein. Dieser zu Lebzeiten in der Türkei als Marxist politisch verfolgte Autor hat der modernen türk. Dichtung Weltgeltung verschafft. Der bekannteste moderne Vertreter der alten Volkssängertradition ist Âşık Veysel Şatıroğlu. Auf die politisch engagierte Literatur der 60er- und 70er-Jahre folgte schon einige Jahre vor dem Militärputsch von 1980 eine Reaktion, die u.a. Pluralismus und größere Offenheit für internat. Strömungen förderte. Zu den führenden Prosaautoren und -autorinnen gehören z.B. B. Adalet Ağaoğlu, N. Meriç, T. Yücel, Füruzan (Selçuk), S. Soysal, F. Edgü und S. İleri. Mit den Romanen O. Pamuks tritt die t. L. in die Postmoderne ein.

Seit Ende der 60er-Jahre entwickelt sich eine t. L. auch in Westeuropa, bes. in Dtl., die sich z.T. mit der Situation der Arbeitsmigration auseinander setzt. Bed. Vertreter sind der Lyriker und Erzähler A. Ören, der Lyriker und Essayist Y. Pazarkaya und (seit 1979) F. Baykurt. Einige deutschlandtürk. Autoren (z.B. Ören, Pazarkaya, S. Dikmen) und Autorinnen (u.a. Emine Sevgi Özdamar) schreiben auch in dt. Sprache.

📖 GIBB, E. J.: *A history of Ottoman poetry, 6 Bde. London 1900–09, Nachdr. ebd. 1958–67.* – SPIES,

Turkmenistan

Fläche: 488 100 km²
Einwohner: (1995) 4,099 Mio.
Hauptstadt: Aschchabad (turkmen. Ašgabad)
Verwaltungsgliederung: 5 Regionen
Amtssprache: Turkmenisch
Nationalfeiertag: 27. 10.
Währung: 1 T.-Manat (TMM) = 100 Tenge
Zeitzone: MEZ +3 Std.

O.: *Die türk. Prosaliteratur der Gegenwart. Leipzig 1943.* – SPULER, C.-U.: *Das Türk. Drama der Gegenwart. Eine literarhistor. Studie. Leiden 1968.* – ÖZTÜRK, A. O.: *Das türk. Volkslied als sprachl. Kunstwerk. Bern u.a. 1994.* – *T. L. in dt. Sprache. Eine Bibliographie, mit Beiträgen v.* T. DEMIR *u.a. Wuppertal 1995.*

türkische Musik. Die höf. Kunstmusik der Osmanen gründet auf der im 14. Jh. übermittelten pers. Hofmusik. Ihr v.a. »kompositor.« Stil mit Melodiemodellen (→Maqam) in kleinstufigen Gebrauchsleitern und metr. »Takt«-Gruppen wurde in Konstantinopel weiterentwickelt und führte bis zum 19. Jh. zu immer komplexeren Formen. Mehrteilige »Konzerte« mit Gesangssätzen und diese umrahmenden Instrumentalstücken wurden in kammermusikal. Besetzung auf Laute (Ud), Hackbrett (Santur), Zither (Kanun), Langhalslaute (Saz), Streichinstrumenten (Rabab, Kemantsche) und Rohrflöte (Naj) gespielt, begleitet von Pauken u.a. Rhythmusinstrumenten und geleitet vom »Obersänger«. – Die nat. Militärmusik wurde unter den Osmanen in bis zu 300 Mann starker Besetzung gespielt und als →Janitscharenmusik in Europa nachgeahmt. Wesentlich zur reichen türk. Musikkultur trugen auch (bis 1925) die Derwischorden bei. – In der sehr vielfältigen ländl. Musik herrschen diaton. (z.B. pentaton.) Melodien vor. Neben fest metrisierten Volksliedern zeigen metrisch freie »lange Lieder« zentralasiat. Verwandtschaft, ebenso das Spiel auf großer Trommel und Oboe, womit Volkstänze begleitet werden.

📖 REINHARD, K. *u.* REINHARD, U.: *Musik der Türkei, 2 Bde. Wilhelmshaven 1984.* – AKDEMIR, H.: *Die neue t. M. Berlin 1991.*

Türkischer Weizen, der →Mais.

türkisches Bad, Verbindung von Heißluft- und Dampfbad.

türkische Sprache, in der Neuzeit die wichtigste der →Turksprachen. Sie ist Amtssprache der Türkei (Türkeitürkisch) und wird auch von Minderheiten u.a. auf Zypern, auf der Balkanhalbinsel und in Dtl. gesprochen. Einige Zeichen der 1928 eingeführten Lateinschrift haben einen besonderen Lautwert: c [dʒ], ç [tʃ], ğ (bezeichnet meist nur die Länge des vorangehenden Vokals), ı [ə], j [ʒ], ş [ʃ], y [j], z [z]. 1993 wurden zusätzl. Schriftzeichen eingeführt, um eine gemeinsame Basis mit den turksprachigen Nachfolgestaaten der Sowjetunion zu schaffen.

Vom 12. Jh. an setzte sich die t. S. allmählich in Anatolien und Teilen der Balkanhalbinsel durch. Ihre älteren Stufen (Altosmanisch bis zum 15. Jh., Mittelosmanisch im 16./17. Jh., später Neuosmanisch) wurden in arab. (gelegentlich auch in uigur., armen., georg., grch. und hebr.) Schrift geschrieben. In der Hochsprache nahmen arabisch-pers. lexikal. und grammat. Elemente in einem Maße zu, dass der türk. Charakter stark zurückgedrängt wurde. Die Anfänge einer Sprachreformbewegung gehen bis auf das 19. Jh. zurück.

📖 JANSKY, H.: *Lehrbuch der t. S. Wiesbaden* [11]*1986.*

Turkmenbaschi (bis 1993 Krasnowodsk), Hafenstadt in Turkmenistan, am O-Ufer des Kasp. Meeres, 59 000 Ew.; Erdölindustrie; Meerwasserentsalzungsanlage; Eisenbahnfähre nach Baku.

Turkmenen, Turkvolk in Vorder- und Mittelasien, v.a. in Turkmenistan (2,7 Mio.), in Iran (700 000), in Afghanistan (600 000; etwa 10 000 flohen nach dem sowjet. Einmarsch 1979 nach Pakistan), in Irak (200 000), in Usbekistan (119 000), in der Türkei (120 000) sowie in Syrien und Jordanien. Die T., urspr. Vollnomaden, gingen z.T. zur Sesshaftigkeit über, meist mit halbnomad. Wirtschaftsformen; bed. Teppichknüpferei; sunnit. Muslime. (→Turkmenistan, Geschichte)

turkmenische Sprache, →Turksprachen.

Turkmenistan (amtlich turkmen. Türkmenistan Jumhuriyat; dt. Rep. T.), Staat im SW Mittelasiens, grenzt im W an das Kasp. Meer, im NW an Kasachstan, im N und O an Usbekistan, im S an Afghanistan, im SW an Iran.

Staat und Recht: Nach der Verf. vom 18. 5. 1992 ist T. eine präsidiale Republik. Staatsoberhaupt

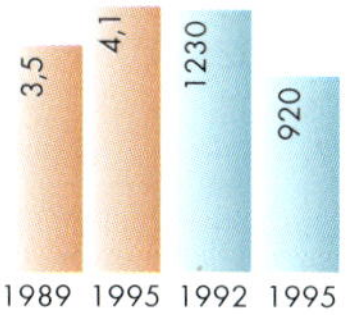

Bevölkerung (in Mio.)
Bruttosozialprodukt je Ew. (in US-$)

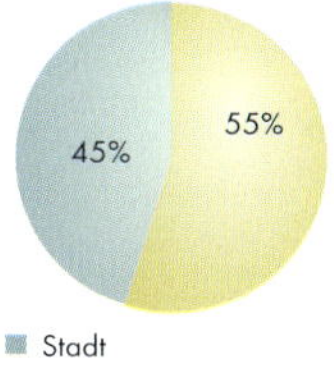

Bevölkerungsverteilung 1992

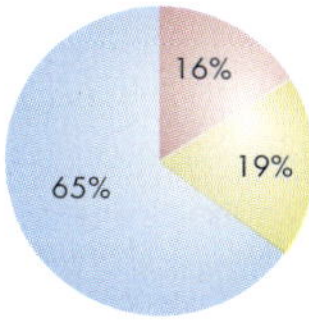

Bruttoinlandsprodukt 1995

Turkmenistan: südwestlicher Rand der Wüste Karakum am Übergang zum Gebirgsmassiv des Kopet-Dag

und oberster Inhaber der Exekutive (Reg.chef) ist der mit weitgehenden Vollmachten ausgestattete Präs. (auf fünf Jahre direkt gewählt). Die Legislative wird beim Einkammerparlament (Medjlis; 50 Abg., auf fünf Jahre gewählt) liegt. Dominierende Partei ist die Demokrat. Partei T.s (Nachfolgeorganisation der KP). Daneben existieren bisher nicht zugelassene Oppositionsbewegungen, darunter die Volksfront Agzybirlik (»Einstimmigkeit«), sowie als überregional strukturierte Organisationen die Turkestanpartei und die Islam. Partei der Wiedergeburt.

Landesnatur: T. erstreckt sich zwischen Kasp. Meer im W und Amudarja im O und SO. Es wird überwiegend vom Tiefland von Turan eingenommen, besteht größtenteils aus der Wüste →Karakum und liegt 100–200 m ü. M., in den Niederungen am Kasp. Meer bis 81 m u. M. Im SW hat T. Anteil am Kopet-Dag (bis 2942 m ü. M.). Im N breitet sich das Ust-Urt-Plateau aus; im SO reichen Ausläufer des Hissar-Alai-Systems (bis 3139 m ü. M.) hinein. Das Klima ist extrem kontinental, mit heißen, trockenen Sommern und relativ milden Wintern; Niederschläge 75–150 mm im Tiefland, bis 400 mm im südl. Bergland. In der Karakum spärl. Vegetation; an den Flüssen Galeriewälder, im Gebirge nur Steppen; durch Bewässerung (bes. Karakumkanal) entstanden Gebirgsfußoasen.

Bevölkerung: Sie setzt sich aus 73 % Turkmenen, 10 % Russen, 9 % Usbeken, 2 % Kasachen, 1 % Tataren und 1 % Ukrainern zusammen, ferner Aserbaidschaner, Armenier und Belutschen. 45 % der Bewohner leben in Städten; starke Zuwanderung aus anderen Gebieten der früheren Sowjetunion. – Die allg. Schulpflicht beträgt 8–10 Jahre. T. hat eine Akad. der Wiss., eine Univ. in Aschchabad (gegr. 1950) und acht weitere Hochschulen. Unterrichtssprache ist jetzt überwiegend Turkmenisch (in Fach- und Hochschulen Russisch). – Die Mehrheit der Bev. gehört dem sunnit. Islam an; Minderheiten sind russ. und armen. Christen.

Wirtschaft, Verkehr: Innerhalb der sowjet. Wirtschaft war T. v. a. Rohstofflieferant von Baumwolle und Brennstoffen (Erdgas und Erdöl), was die Entwicklung einer differenzierten Ind. und Landwirtschaft verhinderte. Langsam erfolgt eine marktwirtsch. Umstrukturierung. Wegen der ungünstigen natürl. Bedingungen lassen sich nur 3 % der Landesfläche ackerbaulich nutzen (meist mit Bewässerung); dabei dominiert der Baumwollanbau. Die Erträge aus Getreide-, Gemüse- und Obstanbau decken nicht den Nahrungsbedarf der Bevölkerung. Wichtigster Bereich nach dem Baumwollanbau ist die Viehwirtschaft (bes. Karakulschafzucht; Kamelhaltung), Bedeutung hat auch die Seidenraupenzucht. T. verfügt über bed. Bodenschätze; gefördert werden v. a. Erdgas und Erdöl, ferner Schwefel, Stein- und Kalisalz, Schwerspat und Gold. Hauptindustriezweige sind traditionell Textil- (bes. Teppichherstellung) und Nahrungsmittelind.; zunehmend petrochem., chem., Baustoffind., Metallverarbeitung und Maschinenbau. Exportiert werden v. a. Erdöl, Erdgas, Baumwolle, Naturseide, Felle, Häute und Teppiche, importiert werden Maschinen, Ind.ausrüstungen, Fahrzeuge, Nahrungsmittel u. a. Konsumgüter. Haupthandelspartner: Russland u. a. GUS-Rep., Türkei, Iran (seit 1996 Eisenbahn nach Meschhed). – Das Eisenbahnnetz umfasst 2120 km, das Straßennetz 22600 km; 900 km Binnenwasserstraßen auf dem Amudarja und Karakumkanal; Haupthafen Krasnowodsk. Internat. Flughafen bei Aschchabad.

Geschichte: Im Altertum gehörte das Territorium von T. zum pers. Großreich der →Achaime-

niden. Im 7./8. Jh. wurde T. von den Arabern erobert. Seit dem 8. Jh. drangen die Vorfahren der Turkmenen, die türk. Ogusen, die im Lauf der arab. Eroberung Zentralasiens islamisiert wurden (etwa seit dem 10. Jh. als Turkmenen bezeichnet) in das Gebiet vor. Im 13. Jh. fielen die Mongolen in T. ein. Nach dem Zerfall der →Goldenen Horde kamen die nomadisch lebenden Turkmenen seit dem 16. Jh. teilweise unter die Herrschaft der Khanate Buchara und Chiwa, teils unter pers. Oberhoheit. Im letzten Drittel des 19. Jh. unterwarf Russland mehrere turkmen. Stämme (1881 Eroberung der turkmen. Festung Gök-Tepe, 1884 Einnahme von Merw) und unterstellte sich das »Transkaspien« gen. Gebiet; ein Teil der Turkmenen verblieb bei Buchara und Chiwa. 1916 beteiligten sich die Turkmenen am zentralasiat. Aufstand gegen die russ. Verwaltung.

Nach der Oktoberrevolution leisteten sie erbitterten Widerstand gegen die Errichtung der bolschewist. Herrschaft, die in T. erst 1920 durchgesetzt werden konnte. 1918–24 war T. Bestandteil der Turkestan. ASSR. Im Okt. 1924 wurde aus einem Teil von dieser sowie aus Gebieten der Sowjetrep. Buchara und Choresm die Turkmen. SSR gebildet. Ende der 1920er-/Anfang der 1930er-Jahre wurde die mit der zwangsweisen Sesshaftmachung der Nomaden verbundene Kollektivierung der Landwirtschaft durchgeführt.

Die von M. Gorbatschow 1985 eingeleitete Politik der Perestroika wirkte sich in T. kaum aus. Dem Beispiel anderer Unionsrep. folgend, erklärte T. am 22. 8. 1990 seine Souveränität innerhalb der Sowjetunion und nach einem Referendum am 27. 10. 1991 seine Unabhängigkeit (Umbenennung in Rep. T.). Die Ende 1991 aus der KP hervorgegangene Demokrat. Partei T.s konnte sich die Macht sichern. Im Dez. 1991 trat T. der GUS bei, im März 1992 wurde es Mitgl. der UN. Nach Annahme einer neuen Verf. (18. 5. 1992), die ein Präsidialsystem mit weitgehend autoritären Strukturen festschrieb, wurde Staatspräs. S. Nijasow (im Amt seit 1990) im Juni 1992 wieder gewählt. Im Jan. 1993 vereinbarte T. mit den anderen zentralasiat. GUS-Republiken eine Wirtschaftsgemeinschaft. 1994 vereinbarten T. und Iran den Bau einer Erdgaspipeline durch Iran. In einer Volksabstimmung ließ sich Präs. Nijasow 1995 bis zum Jahr 2002 im Amt bestätigen.

📖 DZIKIEV, A.: *Das turkmen. Volk im Mittelalter. A. d. Russ. Berlin 1994.* – GÖTZ, R. *u.* HALBACH, U.: *Polit. Lexikon GUS. München* ³*1996.* – *Mittelasien. Die Entwicklung in Tadschikistan, Usbekistan, T. u. Kyrgysstan seit der Unabhängigkeit, bearb. v.* M. MARSALL. *Sankt Augustin 1996.*

Turksib, Abk. für →**Turk**estan-**Sib**irische Eisenbahn.

Turksprachen, die Sprachen der →Turkvölker. Sie werden den altaischen Sprachen (→uralaltaische Sprache) zugerechnet; die Urverwandtschaft ist jedoch umstritten, Gemeinsamkeiten werden z. T. auf Sprachkontakteinflüsse zurückgeführt. Die T. gliedern sich in folgende Gruppen: 1) SW-Gruppe (Ogusisch): Osmanisch/Türkeitürkisch (→türkische Sprache), Aserbaidschanisch, Khorasantürkisch, Turkmenisch u. a. 2) SO-Gruppe (Uigurisch): Usbekisch und osttürk. Vorläufersprachen, Neuuigurisch u. a. 3) NW-Gruppe (Kiptschakisch): Tatarisch, Baschkirisch, Krimtatarisch, Kasachisch, Karakalpakisch, Kirgisisch, Nogaisch, Kumückisch, Karaimisch, Karatschaisch-Balkarisch. Das Kumanische kann als ein Vorläufer gelten. 4) NO-Gruppe: südsibir. T. (Altaitürkisch, Chakassisch, Tuwinisch u. a.), nordsibir. T. (Jakutisch, Dolganisch). 5) Tschuwaschisch (Wolgagebiet); vom Gemeintürkischen stark abweichend; Vorläufer: Wolgabulgarisch. 6) Chaladschisch (Mittelpersien); archaisch.

Charakteristisch für den Sprachbau der T. sind reiche Erweiterungsmöglichkeiten der Stammwörter durch Suffixe, Regelmäßigkeit der Formenlehre, Lautharmonie (u. a. Vokalharmonie) und attributive Verwendung ganzer Satzgefüge. Im Wortschatz finden sich bereits in den alten Sprachstufen Lehnwörter aus Nachbarsprachen: zunächst indoiran. und chines., seit dem 10. Jh. arab. und pers., seit dem 13. Jh. auch mongol. Herkunft. In der Neuzeit gewinnt europ. Wortgut an Bedeutung. Bei den heutigen Schriftsprachen der ehem. Sowjetunion ist der Einfluss des Russischen z. T. erheblich. In den turksprachigen Nachfolgestaaten wird statt der kyrill. Schrift schrittweise die Lateinschrift (wieder) eingeführt.

📖 *Laut- u. Wortgeschichte der Türksprachen, hg. v.* B. KELLNER-HEINKELE *u.* M. STACHOWSKI. *Wiesbaden 1995.*

Turks- und Caicosinseln [tə:ks-, 'kaıkəs-, engl.] (engl. Turks and Caicos Islands), brit. Kronkolonie (seit 1793) im Bereich der Westind. Inseln, 430 km², (1991) 12 000 Ew. (überwiegend Schwarze und Mulatten); Verw.sitz: Grand Turk (Cockburn Town); etwa 30 flache Koralleninseln (sechs bewohnt). Die Caicos- (Grand Caicos, North Caicos, South Caicos, Provinciales u. a.) und Turksinseln (Grand Turk, Salt Cay u. a.) sind durch eine 30 km breite Meeresstraße getrennt. Wirtschaftlich wichtig sind Fischerei und Fremdenverkehr; Offshore-Finanzzentrum. – 1512 von J. Ponce de León entdeckt, seit 1766 britisch.

Turku (schwed. Åbo), Hauptstadt der Prov. T.-Pori, Finnland, am Bottn. Meerbusen, 160 400 Ew. (etwa 5% schwedischsprachig); luther. Erzbischofssitz; finn. (1920) und schwed. (1917) Univ., Wirtschaftshochschule, Technikum; mehrere

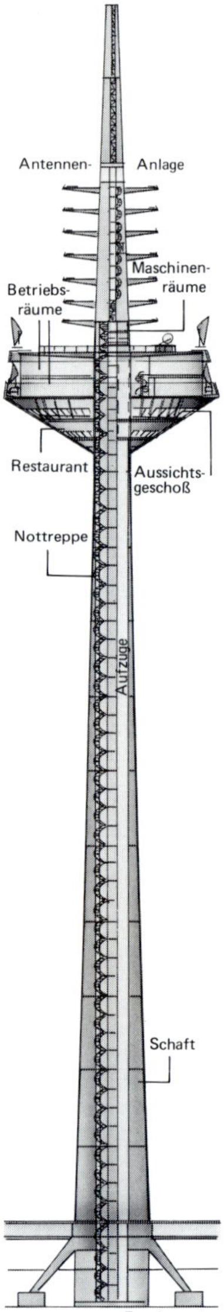

Turm: Schema des 331 m hohen Fernmeldeturms in Frankfurt am Main

Kathleen Turner

Theater, Museen; Werften, Maschinen-, Möbel- u.a. Ind.; Seehafen. – Dom (13. Jh., spätere Veränderungen), Schloss (um 1300, weitere Bauphasen 14.–17. Jh.), Observatorium (1818), Rathaus (1885).

Turkvölker, Sprach- und Völkergruppe im SO Europas (Türken), in Nord-, Mittel- und Vorderasien (u.a. Aserbaidschaner, Baschkiren, Kirgisen, Kasachen, Tataren, Turkmenen, Uiguren, Usbeken); etwa 130 Mio.; zumeist Muslime. Die Urheimat der T. (erste Erwähnung des Namens »Türk« im 6. Jh.) lag in Zentralasien (Altairegion). Vom 6. bis 8. Jh. bildeten die nomad. T. Steppenimperien von der Mongolei bis zur Ukraine. Durch Wanderungen einzelner Stämme oder Stammesverbände dehnte sich ihr Siedlungsgebiet nach W aus, wobei viele Nomaden unter iran. Einfluss sesshaft wurden. Im 11. Jh. drangen die türk. Seldschuken nach Kleinasien vor, wo im 13. Jh. das Osman. Reich entstand. Zu den T. gehören auch Protobulgaren, Chasaren und Kumanen (Polowzer).

Turm, hohes Bauwerk, dessen Grundfläche im Verhältnis zur Höhe gering ist; errichtet aus Mauerwerk, Holz, Stahl oder Stahlbeton; meist für techn. Zwecke, aber auch Aussichts-T. oder Bestandteil militär. Anlagen (Wach-T., Festungs-T.). In vielen Religionen haben T. (Kirch-T., Glocken-T.) symbol. Bedeutung für die Bindung zw. Himmel und Erde bzw. Gott und Mensch.

📖 *Türme aller Zeiten – aller Kulturen, Beiträge v.* E. Heinle *u.* F. Leonhardt. *Stuttgart* ^{2}*1990.*

Turmair (latinisiert Aventinus), Johannes, Geschichtsschreiber, *Abensberg 4. 7. 1477, †Regensburg 9. 1. 1534; Verfasser einer »Bayr. Chronik« (entstanden 1519–22; erst nach 1534 gedruckt); gab 1523 die erste Karte Bayerns heraus.

Turmalin [frz. aus singhalesisch] *der,* trigonales Mineral, ein Ringsilikat aus Si_6O_{18}-Ringen und BO_3-Inseln, die durch Natrium, Magnesium, Eisen und Aluminium zusammengehalten werden. T. bildet säulige oder radialstrahlige Aggregate mit zahlr. Farbvarianten. Man unterscheidet **Achroit** (farblos bis blassgrün), **Dravit** (braun), **Indigolith** (blau), **Rubellit** (sattrot), **Schörl** (schwarz), **Verdelith** (grün) und **Chrom-T.** (smaragdgrün). Durchsichtiger T. wird als Schmuckstein verwendet. Techn. Anwendungen finden der Pleochroismus sowie die pyro- und piezoelektr. Eigenschaften des Turmalins.

Turmbau zu Babel, →Babylonischer Turm.

Türme des Schweigens, die Bestattungstürme der Parsen, →Dakhmas, →Parsismus.

Turm|erlebnis, die von M. Luther in seinem Studierzimmer im Turm des Wittenberger Augustinerklosters 1518 gewonnene Einsicht, dass nach Röm. 1,17 »Gottes Gerechtigkeit« »allein durch den Glauben« – und nicht durch eigene Werke – erlangt werden könne. (→Rechtfertigung)

Turmschädel (Turrizephalie), auf vorzeitiger Verknöcherung einzelner Schädelnähte beruhende Schädelmissbildung; gekennzeichnet durch steiles Ansteigen der Scheitelbeine und des Hinterhauptsbeins bei erhöhter Stirn.

Turmschnecken (Turritella), Gattung der Vorderkiemer mit spitzem, turmförmigem Gehäuse; sehr häufig ist die **Gemeine T.** (Turritella communis).

Turmspringen, →Wasserspringen.

Turmteleskop, in einen Turm eingebautes senkrecht stehendes Fernrohr, in dessen waagerecht liegendes Objektiv das Licht eines Himmelskörpers, meist der Sonne **(Sonnenturm),** durch einen →Zölostaten hineingespiegelt wird. Das Bild des Himmelskörpers, insbesondere sein Spektrum, wird in dem unterirdisch gegen Temperatureinflüsse gesicherten Laboratorium untersucht.

William Turnbull: Pferd (1954; London, Tate Gallery)

Turnbull ['tə:nbʊl], William, schott. Bildhauer und Maler, *Dundee 11. 1. 1922; begann unter dem Einfluss A. Giacomettis, schuf dann Masken und pfahlartige Idole aus Holz; gelangte über eine zunehmende Abstraktion zu stereometr. Skulpturen aus bemaltem Stahl, die der Minimal-art nahe stehen; Pionier des Hardedge in England.

Turnen, von F. L. Jahn geprägter Begriff für die Gesamtheit der von ihm entwickelten Körperübungen, dann v.a für das Geräte-T. verwendet, heute wieder weiter gefasst. Neben der Grundgymnastik mit und ohne Handgeräten zählten dazu auch Freiübungen, Turnspiele, Geräte- oder Hindernis-T., Trampolinturnen und Übungsformen aus anderen Grundsportarten oder Trendsports sowie das Sonder-T. (gegen Haltungsschäden). Boden- und Geräte-T. ist als **Kunst-T.** olymp. Sportart (seit 1896, Frauen seit 1928); außerdem gibt es Welt- und Europameisterschaften. 1996 wurde der Zwölfkampf für Männer durch den Sechskampf abgelöst (je eine Kürübung am Boden, Pauschenpferd, Langpferd, Barren, an Reck und Ringen), der Achtkampf für Frauen durch den Vierkampf (je eine Kürübung am Boden, quer gestellten Langpferd, Stufenbarren und Schwebebalken).

Organisationen: Dt. Turner-Bund e.V. (DTB), gegr. 1950, Sitz: Frankfurt am Main; Österr. Fachverband für T. (ÖFfT), gegr. 1946, Sitz: Wien; Schweizer. Turnverband (STV), gegr. als Eidgenöss. Turnverband 1832, Sitz: Aarau. Internat. Fachverbände: Fédération Internationale de Gymnastique (FIG, Internat. Turnerbund), gegr. 1897, Sitz: Moutier (Schweiz); Union Européenne de Gymnastique (UEG), Sitz: Lausanne.

Geschichte: Die heutige Form des T. wurde bes. von F. L. Jahn, E. W. B. Eiselen, K. F. Friesen u.a. zu Beginn des 19. Jh. entwickelt. Älteste Turngemeinschaften in Dtl. sind die Hamburger Turnerschaft (1816) und die Mainzer Turnerschaft (1817). Die liberalen Ideen der Turner führten zum Verbot öffentl. Turnveranstaltungen (1820–42). Danach enfaltete sich das Hallen-T. und es kam zu zahlr. Vereinsgründungen. Das erste überregionale Turnfest fand 1841 in Frankfurt am Main statt; 1848 wurde anlässlich des 1. Dt. Turntages in Hanau der Dt. Turner-Bund gegründet, 1868 die Dt. Turnerschaft (DT).

Turner ['tə:nə], **1)** Joseph Mallord William, engl. Maler, * London 23. 4. 1775, † ebd. 19. 12. 1851; begann als Zeichner von Architektur- und Stadtansichten. Zunächst von J. Cozens und R. Wilson ausgehend, ab 1800 bes. an C. Lorrain, N. Poussin, aber auch an der venezian. und niederländ. Malerei orientiert, schuf er Landschaften und Seestücke, die er durch mytholog. Figuren und dramat. Motive ins Romantische steigerte. Nach den Eindrücken, die er auf Studienreisen, bes. 1819 in Italien, empfangen hatte, löste er sich immer mehr von der Gegenstandswiedergabe, um die Wirkung von Licht, Luft und Farbe zu erfassen. Bes. in seinen späten Aquarellen gelangte er zu visionären Darstellungen, in denen sich die Formen in Fluten von Licht und Farben verlieren (u.a. Die »Fighting Téméraire«, 1838, London, National Gallery; Regen, Dampf und Geschwindigkeit – Die »Great Western Railway«, 1844, London, Tate Gallery). Weiteres Bild Landschaftsmalerei

2) Kathleen, amerikan. Filmschauspielerin, * Springfield (Mo.) 19. 6. 1954; internat. bekannt durch die Filme »Die Jagd nach dem grünen Diamanten« (1984), »Die Jagd nach dem Juwel vom Nil« (1985), »Die Ehre der Prizzis« (1985), »Peggy Sue hat geheiratet« (1986), »Der Rosenkrieg« (1989), »V. I. Warshawski« (1991), »Naked in New York« (1994).

3) Nat, amerikan. schwarzer Rebell, * Southampton County (Va.) 2. 10. 1800, † (hingerichtet) Jerusalem (Va.) 11. 11. 1831; hielt sich für einen Propheten Gottes, ausersehen zur Befreiung der Schwarzen aus der Sklaverei. Die von ihm geführte Revolte (21. 8. 1831) wurde blutig niedergeschlagen und löste eine Verschärfung der Zwangsgesetze gegen die Skaven aus.

4) Tina, eigtl. Annie Mae Bullock, amerikan. Rock- und Popsängerin, * Brownsville (Tenn.) 26. 11. 1939; gehört seit Anfang der 1960er-Jahre zu den internat. erfolgreichsten Interpretinnen von Rhythm and Blues und Soul sowie Rockmusik (Comeback 1984). Bild S. 262

Turner-Syndrom ['tə:nə-; nach dem amerikan. Endokrinologen Henry H. Turner, * 1892, † 1970], angeborene Missbildung als Folge einer Chromosomenanomalie. Die inneren Geschlechtsorgane der äußerlich weibl. Patienten sind unvollständig ausgebildet (Gonadendysgenesie), sekundäre Geschlechtsmerkmale fehlen; Minderwuchs.

Turnhallenkonferenz, → Namibia (Geschichte).

Höhen einiger Türme (in m, gerundet)

Sendemast von Radio Warschau in Konstantynów[1]	646
Fernsehmast in Fargo (N. D., USA)	629
CN Tower im Metro Center Toronto[2]	553
Ostankino Fernsehturm in Moskau	541
Fernsehturm in Berlin[3]	365
Fernmeldeturm in Frankfurt am Main	331
Eiffelturm in Paris (mit Antenne 320,8 m)	300
Fernsehturm in München	290
Fernsehturm in Sankt Chrischona (Kt. Basel-Stadt)	248
Kabeltürme der Golden-Gate-Brücke in San Francisco	227
Fernsehturm in Stuttgart[4]	211
Kirchturm des Ulmer Münsters[5]	161
Kirchturm von St. Martin und Kastulus in Landshut[6]	131
Glockenturm »Torrazzo« in Cremona	111
»Schiefer Turm« in Pisa	55

[1] 1991 umgestürzt, bis dahin höchstes Bauwerk der Erde. – [2] höchster, nicht kabelverankerter Turm. – [3] höchster Turm in Deutschland. – [4] erster Stahlbetonfernsehturm, erbaut 1954/55. – [5] höchster Kirchturm. – [6] höchster Ziegelsteinturm

Turmschnecken: Gemeine Turmschnecke (Höhe bis zu 5 cm)

William Turner: Die »Fighting Téméraire« (1838; London, National Gallery)

Turnier 1): Illustration zu einem Turnier von 1561 aus einem Buch über historische Turniere (spätes 16. Jh.; New York, Metropolitan Museum of Art)

Turnhout ['tyrnhɔut], Stadt in der Prov. Antwerpen, Belgien, 37600 Ew.; Spielkarten-Nationalmuseum; Textil-, Pelzbekleidungs-, elektrotechn., Eisen- u. a. Ind., Maschinenbau, Spielkartenherstellung. – Got. Sint-Pieters-Kerk (13. Jh.) mit Glockenspiel; Schloss der Herzöge von Brabant (16. und 17. Jh.).

Turnier [altfrz.] *das,* **1)** *Rittertum:* das Reiterkampfspiel des MA. mit streng festgelegtem Zeremoniell. Teilnehmer waren nur adlige Ritter in schwerer Rüstung; das T.-Feld war ein offener, ebener, von Schranken umsäumter Platz mit Tribünen für die vornehmen Zuschauer; meist verteilte eine Dame die Siegespreise. Arten: das T. i. e. S. zwischen zwei Reitergruppen mit stumpfen Speeren; der **Buhurt,** ein waffenloser Reiterkampf, Schar gegen Schar; die **Tjost** (Tjoste), ein Einzelkampf mit dem Speer. Im Spät-MA. herrschten die Zweikämpfe der **Rennen** und **Stechen** vor, teilweise mit einer Planke (»Pallia«) zw. den Gegnern. Tödl. Unglücksfälle waren nicht selten (König Heinrich II. von Frankreich 1559). Im 16. Jh. verschwand das T. allmählich.

Tina Turner

2) *Sport:* größere, oft mehrere Tage dauernde Sportveranstaltung an einem oder mehreren Orten.

Turnpike ['tə:npaɪk, engl.] *der,* autobahnähnliche gebührenpflichtige Schnellverkehrsstraße in den USA.

Turnüre [frz.] *die* (Tournüre), längl. Halbreifengestell aus Stahl- oder Fischbeinstäben und Rosshaarpolstern zur Unterstützung der nach hinten bauschig ausladenden, mod. Silhouette der Frauenkleidung um 1868–88.

Peter Turrini

Turnu Severin, Stadt in Rumänien, → Drobeta-Turnu Severin.

Turrini, Peter, österr. Schriftsteller, * Sankt Margarethen (Kärnten) 26. 9. 1944; Vertreter des gesellschaftskrit. Volksstücks. In seinen provokanten Heimatstücken werden (z. T. unter Verwendung von Dialekt) Brutalität, Intoleranz und Korruption in der (modernen) Gesellschaft entlarvt, u. a. »Rozznjogd« (Uraufführung 1971), »Sauschlachten« (1971), »Tod und Teufel« (1990), »Alpenglühen« (Uraufführung 1993); seit 1974 auch Fernseharbeiten, u. a. »Alpensaga« (mit W. Pevny und R. Palla, 6 Tle., TV-Serie 1976–89, Buchausgabe 1980).

Tuscania, Gemeinde in der Prov. Viterbo, Italien, 7700 Ew.; etrusk. Grabanlagen, Basilika S. Pietro (8.–13. Jh.), Kirche S. Maria Maggiore (8. Jh., im 12. Jh. umgestaltet).

Tusch, Festsignal in Form eines aufsteigenden gebrochenen Dreiklangs.

Tusche, feine, zum Zeichnen oder für Kunstschrift verwendete Pigmentaufschwemmung oder eine Farbstofflösung, die größere Mengen an Bindemitteln enthält und daher (im Gegensatz zu den Tinten) in Form feiner Filme auftrocknet. Schwarze T. wird i. Allg. aus Gasruß hergestellt, der in kolloidalen Lösungen von (verseiftem) Schellack und Bindemitteln (z. B. Gummiarabikum, Leim) fein verteilt wird.

Tuschmalerei, monochrome Malerei mit Tusche; in China seit der Song-Zeit verbreitet, in Japan gegen Ende des 13. Jh. von japan. Zen-Mönchen aus China eingeführt und wichtigste Kunstform im 14.–16. Jh. Die T. verlangt ein hohes Maß an Spontaneität und Ausdruckskraft, da auf den mit Alaun getränkten Seiden und Papieren Korrekturen unmöglich sind. Weiteres BILD Sesshū

Tuschmalerei: Mu Qi, »Sechs Kakifrüchte« (Mitte des 13. Jh.; Kyōto, Daitokuji)

Tusculum (Tuskulum), antike Stadt in Latium, beim heutigen Frascati, mit Resten zahlr. Villen der röm. Kaiserzeit.

Tuszilen, mittelalterl. Name der Landschaft →Toskana.

Tutanchamun (Tutanchaton, Tutenchamun), ägypt. König der 18. Dynastie, regierte etwa 1347–1339 v. Chr.; als Regent für den minderjährigen (bei seinem Tod etwa 18-jährigen) König amtierte Haremhab. Unter T.s Reg. wurde die Sonnenreligion seines Schwiegervaters Amenophis IV. Echnaton aufgehoben und der Amunkult erneuert. Sein 1922 von dem brit. Archäologen H. Carter im →Tal der Könige entdecktes Grab enthielt reiche Grabbeigaben (u. a. Thronsessel, Goldsarg des Königs, Goldmaske und goldener Brustschmuck der Mumie; heute im Ägypt. Museum in Kairo).

📖 SCHLÖGL, H. A.: *Echnaton – T. Daten, Fakten, Literatur. Wiesbaden ⁴1993.* – WINSTONE, H. V. F.: *Howard Carter u. die Entdeckung des Grabmals von Tut-ench-Amun. A. d. Engl. Köln 1993.*

Tutanchamun: Goldmaske der Mumie, Höhe 54 cm (um 1337 v. Chr.; Kairo, Ägyptisches Museum)

Tutenmergel (Tutenkalk, Tütenmergel), *Geologie:* in Wechsellagerungen von Kalk und Ton auftretende, ineinander gestellte, tongesäumte Kalkkegel, die sich lagenweise die Spitzen zukehren und untereinander verzahnt sind. Durch Verwitterung entstehen auf der Schichtfläche nagelkopfartige Erhebungen **(Nagelkalk).**

Tuticorin, Hafenstadt in Tamil Nadu, S-Indien, 193 000 Ew.; kath. Bischofssitz; Zement-, Baumwollind., Fischerei, Salzgewinnung; Seehafen.

Tutilo (Tuotilo), Mönch in St. Gallen, *um 850, †St. Gallen 27. 4. 913 (?); Baumeister, Bildhauer, bed. Vertreter der karoling. Elfenbeinschnitzerei; Goldschmied, Komponist und erster namentlich genannter Verfasser dt. und lat. Tropen in Prosa.

Tutor [lat.] *der,* ein fortgeschrittener Student, der kleinere Gruppen von Studenten betreut.

Tutsi (Watussi), in Ruanda und Burundi Name der →Hima.

tutti [italien. »alle«], das volle Orchester oder der ganze Chor, im Ggs. zum →Solo; bei der Orgel: volles Werk mit allen Registern.

Tuttifrutti [italien. »alle Früchte«] *das,* Obstsalat (aus eingemachten Früchten).

Tuttlingen, 1) Landkreis im RegBez. Freiburg, Bad.-Württ., 734 km², (1996) 129 500 Einwohner.

2) Kreisstadt von 1), an der oberen Donau, Große Krst., 35 000 Ew.; Herstellung medizintechn. Geräte, Maschinenbau, Schuh-, Textilindustrie. – Ruine der spätgot. Burg Honberg (Türme im 19. Jh. restauriert), Stadtkirche (19. Jh., Jugendstildekoration von 1902/03). – 797 erstmals erwähnt; um 1250 Stadt.

Tutu, Desmond Mpilo, südafrikan. anglikan. Theologe, *Klerksdorp (Nordwestprov.) 7. 10. 1931; 1977–78 Bischof von Lesotho, 1984 von Kapstadt; 1986–96 Erzbischof von Kapstadt und damit erstes schwarzes Oberhaupt der anglikan. Kirche in Südafrika; erhielt 1984 den Friedensnobelpreis für seinen gewaltlosen Einsatz gegen das Apartheidregime; führend im Rahmen der Aussöhnungspolitik N. Mandelas tätig (seit 1995 Vors. der Wahrheitkommission).

Desmond Mpilo Tutu

Tutuola, Amos, nigerian. Schriftsteller engl. Sprache, *Abeokuta 1920, †Ibadan 8. 6. 1997; schrieb märchenhafte Romane mit folklorist. und myth. Stoffen: »Der Palmweintrinker« (1952).

Amos Tutuola

Tutzing, Gemeinde im Landkreis Starnberg, Oberbayern, am Starnberger See, 9 200 Ew.; Akademie für polit. Bildung, evang. Akademie; biochem. Forschungsstätte.

TÜV, Abk. für →**T**echnische **Ü**berwachungs-**V**ereine.

Tuvalu, Inselstaat im südwestl. Pazifik, umfasst neun Atolle (Nanumea, Nanumanga, Niutao, Nui, Vaitupu, Nukufetau, Funafuti, Nukulaelae, Niulakita) der Ellice-Inseln, 4 000 km nordöstlich von Australien.

Staat und Recht: Nach der Verf. von 1978 ist T. eine konstitutionelle Monarchie im Commonwealth. Staatsoberhaupt ist der brit. Monarch, vertreten durch einen einheim. Generalgouverneur. Die Legislative liegt beim Einkammerparlament (zwölf Abg., auf vier Jahre gewählt), die Exekutive bei der Reg. unter Vorsitz des Premiermin., die dem Parlament verantwortlich ist. Parteien existieren nicht.

Landesnatur: Die Inselgruppe erstreckt sich in einer Kette über 590 km von NW nach SO, in ei-

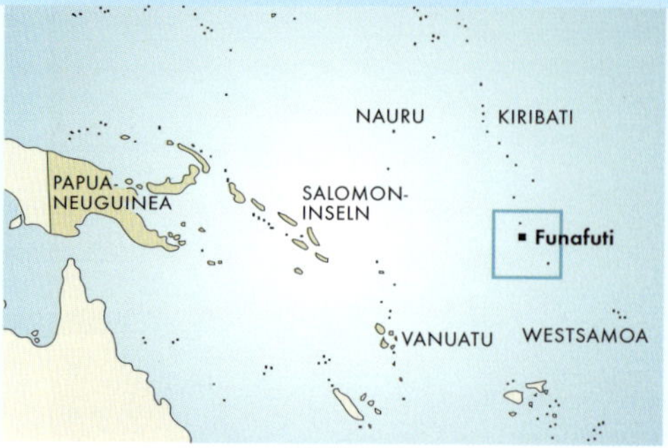

Tuvalu

Fläche: 26 km²
Einwohner: (1995) 10 000
Hauptstadt: Fongafale (auf Funafuti)
Amtssprachen: Englisch, Tuvalu
Nationalfeiertag: 1. 10.
Währung: 1 Austral. Dollar ($A) = 100 Cents
Zeitzone: MEZ +11 Std.

Staatswappen

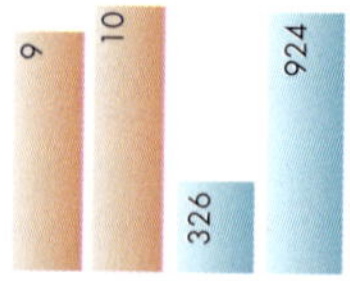

Bevölkerung (in Tausend) · Bruttosozialprodukt je Ew. (in US-$)

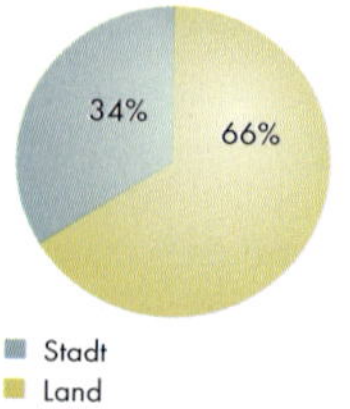

Bevölkerungsverteilung 1985

nem beanspruchten Meeresgebiet von 1,3 Mio. km²; sie besteht aus Korallenkalken, bis 5 m ü. M. Das Klima ist tropisch-maritim, Jahresniederschläge 3000–4000 mm; vorwiegend Kokospalmen, ferner Brotfrucht- und Schraubenbäume.

Bevölkerung: Die Ew. sind Polynesier (auf Nui Mikronesier aus Kiribati), überwiegend prot. Christen.

Wirtschaft, Verkehr: Die Bev. betreibt Taro- und Gemüseanbau, Kopragewinnung, Schweine- und Geflügelhaltung sowie Fischerei. Haupteinnahmen (Devisen) durch Verkauf von Kopra, Fischen und Briefmarken. Ein Viertel der Erwerbstätigen arbeitet im Ausland, v. a. in Phosphatminen auf Nauru und als Seeleute auf ausländ. Schiffen. Wichtigster Hafen und internat. Flughafen auf Funafuti.

Geschichte: 1568 Entdeckung der ersten Insel durch den Spanier A. Mendaña de Neyra; im 19. Jh. Dezimierung der Bev. durch Sklavenhändler; als Ellice-Inseln seit 1892 brit. Protektoratsgebiet, ab 1916 Bestandteil der brit. Kronkolonie Gilbert and Ellice Islands. Nach Referendum (1974) und Umbenennung in T. (1975) endgültig administrative Trennung von den Gilbertinseln am 1. 1. 1976; erhielt im Mai 1978 innere Selbstverwaltung, am 1. 10. 1978 die Unabhängigkeit.

Tuwim, Julian, poln. Schriftsteller, *Lodz 13. 9. 1894, †Zakopane 27. 12. 1953; 1939–46 in der Emigration; trat zunächst mit an impressionist., expressionist. und futurist. Elementen reichen Gedichten, später mit experimenteller Dichtung sowie Lyrik mit satir. und gesellschaftl. Inhalten hervor.

Tuwinen (Tuwa, Tuba, Urjanchai, Sojoten), Volk mit Turksprache, v. a. in Tuwa (196 000), in der Mongolei und in China, zus. etwa 234 000 Menschen; Rentierzüchter, Jäger, im S auch Ackerbauern und Viehzüchter; vorwiegend Lamaisten.

Tuwinische Republik, Kurzbez. **Tuwa** (russ. Tuwinskaja Respublika), Teilrep. der Russ. Föderation, 170 500 km², (1995) 308 000 Ew. (64 % Tuwinen, 32 % Russen, je 0,7 % Chakassen und Ukrainer, 0,4 % Tataren); Hptst. ist Kysyl. – T. liegt im äußersten S Ostsibiriens an der Grenze zur Mongolei und umfasst hauptsächlich das von den Gebirgen Südsibiriens umgebene, steppenbedeckte Tuwin. Becken (600–900 m ü. M.); an den N-Hängen der Gebirge Taiga. Viehzucht (Schafe, Rinder, Pferde; im NO Pelztierhaltung), wenig landwirtsch. Anbau (Getreide, Futterpflanzen); Bergbau (Asbest, Kobalt- u. a. Buntmetall-, Eisenerze, Kohle), Verarbeitung land- und forstwirtsch. Produkte.

Seit dem Paläolithikum besiedelt, vom 2. Jh. v. Chr. bis zum 1. Jh. n. Chr. von den ostasiat. Hunnen (Xiongnu) beherrscht; im 8. Jh. von den Uiguren, im 9. Jh. von den Kirgisen und 1207 von Dschingis Khan erobert, blieb bis ins 18. Jh. unter mongol. Herrschaft. Seit 1757 als Urjanchai unter mandschurisch-chines. Herrschaft, erklärte T. nach der Revolution in China 1912 seine Unabhängigkeit; seit 1914 war es russ. Protektorat, wurde 1921 als **Tannu Tuwa** formal unabhängige Volksrep., 1944 autonomes Gebiet innerhalb der RSFSR und 1961–91 Tuwin. Autonome Sozialist. Sowjetrepublik.

Tuzla ['tu:zla], Stadt in Bosnien und Herzegowina, 131 900 Ew.; serb.-orth. Bischofssitz; Univ.; Mittelpunkt eines Ind.-, Bergbau- und Landwirtschaftsgebiets; Flughafen.

TV [ti:'vi:, engl.], Abk. für **Te**le**v**ision, →Fernsehen.

t-Verteilung (Student-Verteilung), von W. S. →Gosset angegebene wichtige statist. Prüfverteilung, für Differenzen zw. Mittelwerten verwendet.

Twain [tweɪn], amerikan. Schriftsteller, →Mark Twain.

Twardowski, 1) Alexandr Trifonowitsch, russ. Lyriker, *Sagorje (Gebiet Smolensk) 21. 6. 1910, †Krasnaja Pachra (bei Moskau) 18. 12. 1971; förderte als Chefredakteur der Literaturzeitschrift »Nowy Mir« (1950–54, 1958–70) die krit. Literatur; schrieb: »Das Wunderland Murawia« (1936), »Wassili Tjorkin« (teilw. 1942, vollständig 1946).

2) Kazimierz, poln. Philosoph, *Wien 20. 10. 1866, †Lemberg 1938; Schüler F. Brentanos und W. Wundts; Begründer der einflussreichen sprachanalytisch ausgerichteten Warschau-Lemberg-Schule (→Warschauer Schule).

Tweed [twiːd, engl.] *der,* klein gemustertes, weiches Wollgewebe für Oberbekleidung.

Tweed [twiːd] *der,* Fluss in Schottland, 156 km, bildet im Unterlauf die Grenze zu England, mündet in die Nordsee.

Twẹn [engl. twenty »zwanzig«] *der,* Bez. für einen 20- bis 30-Jährigen.

Twẹnte, Landschaft in der niederländ. Provinz Overijssel, mit wichtigen Ind.standorten (v. a. Textilind.) und Landwirtschaft.

Twentieth Century Fox Film ['twentɪəθ 'sentʃʊrɪ fɔks -], Abk. **20th Century Fox,** amerikan. Filmgesellschaft, gegr. 1915; Sitz: Los Angeles (Calif.); seit 1989 **Fox Film Corp;** gehört zu R. K. Murdochs Medienkonzern.

Twẹr (1931–90 Kalinin), Hauptstadt des Gebiets T., Russland, an der Mündung der Twerza in die Wolga, 455 600 Ew.; Univ., drei Hochschulen, Museen; Maschinenbau, Waggonbau, Textilind.; bei T. Kernkraftwerk (2 000 MW); Hafen. – Putewoi-Palast (1763–67) Katharinas II., Magistratsgebäude (1770–80). – Im 12. Jh. entstanden, 1208/09 erstmals erwähnt, 1246–1485 Hptst. des selbstständigen Fürstentums Twer.

Twịnset [engl. »Zwillingsset«] *der* oder *das,* Pullover und Jacke aus demselben Material (Strickware).

Cy Twombly: Ohne Titel (1969; New York, Whitney Museum of American Art)

Twịst [engl.] *der,* Modetanz aus den USA in geradem Takt, kam Anfang der 1960er-Jahre nach Europa; gehört musikalisch zum Rhythm and Blues.

Twịste *die,* Nebenfluss der Diemel in Hessen, 37 km lang. Unterhalb des Dorfes Twistetal bei Arolsen die 1981 fertig gestellte **T.-Talsperre** (Stauraum 10,3 Mio. m³, 1,2 km²).

Twombly ['twɔmblɪ], Cy, amerikan. Maler und Zeichner, *Lexington (Va.) 25. 4. 1928; lebt seit 1957 meist in Rom; ging vom abstrakten Expressionismus aus, den er zu einer an Kritzeleien erinnernden, Schrift- wie Textfragmente einschließenden Form weiterentwickelte.

Twostep ['tuːstep; engl. »Zweischritt«] *der,* Gesellschaftstanz im lebhaften 2/4-Takt; kam um 1900 aus den USA nach Europa.

Tyche, *grch. Mythos:* Göttin des Zufalls, des laun. Schicksals, seit dem 4. Jh. v. Chr. häufig dargestellt mit Füllhorn, Steuerruder, Mauerkrone und Kugel, entspricht der röm. Fortuna.

Tychọnischer Stern, die von Tycho Brahe 1572 beobachtete →Supernova.

Tychy ['tixi] (dt. Tichau), Stadt in der Wwschaft Katowice (Kattowitz), Polen, im Oberschles. Ind.gebiet, 138 800 Ew.; Steinkohlenbergbau, Automontage, Cellulose-, Papierindustrie.

Tyler ['taɪlər], **1)** Anne, amerikan. Schriftstellerin, *Minneapolis (Minn.) 25. 10. 1941; behandelt in Familienszenarien mit immer ähnl. Helden Themen menschl. Einsamkeit; schrieb u. a. »Nur nicht stehenbleiben« (R., 1977), »Atemübungen« (R., 1988), »Fast ein Heiliger« (R., 1991).

2) John, 10. Präs. der USA (1841–45), *Charles City County (Va.) 29. 3. 1790, †Richmond (Va.) 18. 1. 1862; Rechtsanwalt, zunächst Vizepräs. unter W. H. Harrison. Unter T. wurde 1845 Texas in die Union aufgenommen.

Tympanal|organe [zu Tympanon] (Trommelfellorgane), unterschiedlich hoch differenzierte, symmetrisch angeordnete paarige Gehörorgane am Körper versch. Insekten, die mit einem »Trommelfell« (Tympanum) ausgestattet sind.

Tympanie *die,* die →Aufblähung.

Tympanon [grch. »Pauke«] *das,* **1)** *Baukunst:* das meist mit einem Relief ausgefüllte Bogenfeld über dem Türsturz eines Portals, bes. im Kirchenbau des MA. in Dtl. und Frankreich ausgebildet. BILD Autun

2) *Musik:* ein- oder zweifellige Rahmentrommel der grch. Antike. Sie wurde, meist von Tänzerinnen gespielt, mit der linken Hand hochgehalten und mit der rechten Hand geschlagen oder gezupft, oft in Verbindung mit dem Aulos. Ähnl. Instrumente gab es bereits im Alten Orient (z. B. bei den Sumerern; bei den Juden unter dem Namen **Toph**). Nach Griechenland kam das T. mit dem Vordringen der Kulte des Dionysos (aus Thrakien) und der Kybele (aus Phrygien). In der röm. Antike und im MA. bezeichnete T. ein- oder zweiseitig bespannte Trommelinstrumente; im 16. und 17. Jh. allg. die Heerpauke.

Tympanoplạstik, gehörverbessernde Operation durch mikrochirurg. Maßnahmen am Trommelfell (Trommelfellersatz) und im Mittelohr (Er-

Tyche: Statue der Schicksalsgöttin (4. Jh. n. Chr.; London, Britisches Museum)

John Tyler

Alexandr Twardowski

satz oder Wiederaufbau der Gehörknöchelchenkette).

Tyndale [tɪndl] (Tindale), William, engl. Theologe und Bibelübersetzer, *Cty. Gloucestershire um 1490, †Vilvoorde (bei Brüssel) 6. 10. 1536; hielt sich 1524 in Wittenberg auf, seit 1529 in den Niederlanden; dort 1535 als Anhänger Luthers von der Inquisition festgenommen, schließlich erdrosselt und verbrannt; übersetzte (1525–34) in enger Anlehnung an Luther das N.T. vollständig, das A.T. teilweise ins Englische.

John Tyndall

Tyndall [tɪndl], John, irischer Physiker, *Leighlin Bridge (bei Carlow) 2. 8. 1820, †Hindhead (Cty. Surrey) 4. 12. 1893; lieferte wertvolle Untersuchungen über Diamagnetismus, Thermoelektrizität, Wärmestrahlung, Gletscherkunde sowie die Lichtstreuung an feinen Partikeln (Tyndall-Effekt) und Molekülen.

Tyndall-Effekt ['tɪndl-], von J. Tyndall erstmals 1868 untersuchte Erscheinungen, die auf der Lichtstreuung in trüben Medien, v.a. in kolloidalen Lösungen, beruhen, wie Polarisation, Spektrum (Farbe) und Intensität des Streulichts. I.e.S. die Erscheinung, dass ein Lichtstrahl beim Durchgang durch ein trübes Medium infolge Streuung von der Seite sichtbar ist (als **Tyndall-Kegel,** wenn das Strahlenbündel konvergent ist). →Nephelometrie.

Tyne and Wear ['taɪn ənd 'wɪə], Metrop. County (seit 1974) in NO-England, 540 km², (1995) 1,131 Mio. Ew.; Verw.sitz: Newcastle upon Tyne.

Tynemouth ['taɪnmaʊθ], Hafenstadt in der Metrop. Cty. Tyne and Wear, England, an der Mündung des Tyne in die Nordsee, 60 000 Ew.; Seehafen, Fischerei; mehrere Seebäder. – Percykapelle (15. Jh.) der Prioratskirche (1090, Ruine).

Tynjanow, Juri Nikolajewitsch, russ. Schriftsteller und Literaturwissenschaftler, *Reschiza (Gebiet Witebsk, Weißrussland) 18. 10. 1894, †Moskau 20. 12. 1943; bed. Theoretiker des russ. Formalismus (»Das Problem der Verssprache«, 1924, erweitert 1965) und führendes Mitgl. der formalist. Gruppe »Opojas« (Gesellschaft zur Erforschung der poet. Sprache); verfasste histor. Romane und Novellen (u.a. »Der Tod des Wasir-Muchtar«, 1929; »Puschkin«, 3 Tle., R., 1935–45, unvollendet).

Typ [grch.] *der,* →Typus.

Type *die,* Kurzbez. für Druck-T. (→Letter).

Typhon, *grch. Mythos:* ein Riese mit 100 Schlangenköpfen, Sohn der Gaia; nach Hesiod von Zeus nach wechselvollem Kampf begraben.

Typhus [grch. »Rauch«] *der* (Typhus abdominalis, Abdominaltyphus, Unterleibstyphus), durch Salmonella typhi verursachte, melde- und isolierpflichtige Infektionskrankheit. Die Übertragung erfolgt gewöhnlich durch verunreinigte Nahrungsmittel oder Trinkwasser, seltener durch Kontakt mit Kranken (Schmierinfektion). Der T. beginnt nach einer Inkubationszeit von durchschnittlich 10 (3–60) Tagen mit Abgeschlagenheit, Kopf- und Gliederschmerzen, Frösteln und dem in typ. Weise treppenförmig ansteigenden Fieber. Das Fieber bleibt dann bei zunehmendem Krankheitsgefühl 1–3 Wochen gleichmäßig hoch (40–41 °C); es lassen sich in dieser Zeit die T.-Bakterien im Blut nachweisen. Die Milz ist deutlich fühlbar; es besteht relativ niedrige Pulsfrequenz, auch Apathie bis zur Bewusstlosigkeit. Ein zarter, fleckenförmiger Hautausschlag (Roseolen), bes. am Bauch, tritt oft in Schüben auf. In dieser Zeit zerfallen die Lymphfollikel des Darms geschwürig, und es kann zu dünnbreiigen Durchfällen im Wechsel mit Verstopfung kommen, schließlich auch zu Darmblutung oder Darmperforation mit Bauchfellentzündung. Wichtig ist die Vorbeugung durch hygien. Maßnahmen (z.B. Kochen von Trinkwasser und Speisen) und Schutzimpfung bes. vor Einreise in vom T. bedrohte Länder. Die *Behandlung* umfasst v.a. die Gabe von Chemotherapeutika (bes. Chloramphenicol), Flüssigkeits- und Elektrolytersatz sowie Diät und Hautpflege.

Typograph [grch.] *der,* jemand, der ein Schriftbild gestaltet; als T. können Grafikdesigner, Schriftsetzer, Buchbinder oder Künstler arbeiten.

Typographie [zu Type und grch. gráphein »schreiben«] *die,* die künstler. Gestaltung eines Druckwerks, heute auch die ästhet. Formgebung für Medienoberflächen (Bildschirmoberflächen) u.a. Anwendungen (z.B. Wegeleitsysteme). Zur typograph. Tätigkeit gehören u.a. die Wahl von Type und Schriftgrad und die Bestimmung des Satzspiegels.

typographischer Punkt, Einheitenzeichen **p,** nichtgesetzl. Längeneinheit in der graf. Technik, 1 p = 0,376 mm.

Typologie [grch.] *die* (Typenlehre), Lehre vom →Typus, wiss. Beschreibung und Einteilung eines Gegenstandsbereichs nach Typen. Besondere Bedeutung erlangte die T. als Methode auf geistesgeschichtl., ästhet. und anthropolog. Gebiet, ferner in der Sozial- und Wirtschaftsgeschichte, Kunstwissenschaft (Stilgeschichte), Paläographie und Prähistorie. Eine Vielzahl von T., z.B. nach Temperament, Konstitution, Charakter oder Wahrnehmung, wurden in der Psychologie entwickelt (→Charakterologie).

typomorphe Minerale, die →Indexminerale.

Typschein (eigtl. Typenbetriebserlaubnis), allg. Betriebserlaubnis für serienmäßig gefertigte Fahrzeuge (§20 StVZO).

Typus [grch. »Gestalt«, »Vorbild«] *der* (in vielen Fällen Typ), die einer Gruppe von Personen oder Dingen gemeinsame Grundform oder Urgestalt, auch das prägnante oder vorbildl. Muster, das Charakter oder Gestalt einer solchen Gruppe rein darstellt. Innerhalb der Typologie auch reiner Ordnungsbegriff (Zoologie, Botanik). Die Wissenschaftslehre, Kulturwissenschaften und ältere Soziologie unterschieden zw. **Durchschnitts-** und **Ideal-T.**, der die wesentlichsten Eigenschaften und Beziehungen darstellt, während tatsächlich vorkommende **Realtypen** i. d. R. Mischtypen sind. Die Genetik unterscheidet den **Genotyp** als Inbegriff aller Erbanlagen vom **Phänotyp** als dem Erscheinungsbild der wahrnehmbaren Eigenschaften.

Týr (ahd. Ziu, Tiu), altnord. Gott, urspr. wohl ein Himmelsgott, in der jüngeren Edda Gott des Krieges und des Zweikampfs, von Tacitus mit Mars identifiziert.

Tyrann [grch. »Herr«, »Herrscher«] *der,* im antiken Griechenland der unumschränkte Alleinherrscher (→Tyrannis). Im übertragenen Sinne Bez. für einen herrschsüchtigen Menschen.

Tyrannen (Tyrannidae), Familie der →Tyrannenschreivögel, die mit fast 400 Arten von Goldhähnchen- bis Drosselgröße in ganz Amerika südlich der nördl. Baumgrenze verbreitet ist. In Aussehen und Verhalten sehr vielgestaltig, besiedeln sie unterschiedlichste Lebensräume. Sie sind größtenteils Insektenjäger, fangen aber auch kleine Wirbeltiere oder nehmen Früchte zu sich. Im Gefieder überwiegen gedeckte Färbungen, viele Arten (z. B. der **Mexikan. Königstyrann**) haben aber auffällig gefärbte Scheitelfedern, die sie bei Erregung aufstellen. Die meisten Arten bauen freistehende Nester, andere brüten in Baum- oder Erdhöhlen.

Tyrannen: Mexikanischer Königstyrann

Tyrannenmord, die vorsätzl. Tötung eines Tyrannen. Die grch. Demokratie des 5. Jh. v. Chr. sah in dem Tyrannen v. a. den illegitimen Herrscher, der sich gegen die rechtl. Ordnung vergeht, und verherrlichte deshalb die Tyrannenmörder als Begründer der Freiheit. In der Neuzeit wurde das Recht zur Absetzung und Bestrafung eines tyrann. Herrschers (Diktators), dessen Regierungsausübung verbrecher. Züge zeigt, anerkannt. (→Monarchomachen, →Widerstandsrecht)

Tyrannenschreivögel (Tyranni), Unterordnung der →Sperlingsvögel. Sie umfasst die (z. T. auch in die Unterordnung Schreivögel gestellten) rein amerikanischen Familien der Baumsteiger (Dendrocolaptidae), Töpfervögel (Furnariidae), Ameisenvögel (Formicariidae), Bürzelstelzer (Rhinocryptidae), Tyrannen (Tyrannidae), Schnurrvögel (Pipridae), Schmuckvögel (Cotingidae) und Pflanzenmäher (Phytotomidae).

Tyrannis [grch.] *die,* im antiken Griechenland die unumschränkte Herrschaft eines Einzelnen, der, gestützt auf den Demos oder die Söldnertruppen, meist gewaltsam zur Macht gelangte. Von der älteren T. (7./6. Jh. bis etwa Mitte des 5. Jh. v. Chr.), die die demokratischeren Staatsformen des 5. Jh. vorbereitete und die Städte vielfach zu kultureller und wirtsch. Blüte führte, wird die jüngere T. (Ende des 5.–3. Jh. v. Chr., v. a. in Syrakus) unterschieden.

📖 BERVE, H.: *Die T. bei den Griechen, 2 Bde. München 1967.*

Tyrmand, Leopold, poln. Schriftsteller, *Warschau 16. 5. 1920, †Fort Myers (Fla.) 19. 3. 1985; zu Beginn des Zweiten Weltkriegs aktiv gegen die dt. und sowjet. Besetzung Polens; lebte nach der Flucht (aus dem Arbeitseinsatz in Dtl.) im Untergrund in Norwegen, 1949 Rückkehr nach Polen; seit 1966 in den USA, wo er als Journalist tätig war und in engl. Sprache publizierte. T. zeichnet in den zeitbezogenen Romanen »Der Böse« (1955) und »Ein Hotel in Darlowo« (1959) ein satir.-kritisches Bild der polit. und sozialen Verhältnisse im Nachkriegspolen. T. verfasste auch Essays (»The ugly beautiful people«, 1985).

Tyrnau, Stadt in der Slowakei, →Trnava.

Tyrol, alte Schreibung von →Tirol; heute noch im frz. und angelsächs. Sprachbereich üblich.

Tyrolienne [tirɔl'jɛn; frz. »Tirolerische«] *die,* volkstümlicher frz. Rundtanz in synkopiertem ¾-Takt, eine Abart des dt. Ländlers; in der Kunstmusik u. a. verwendet von G. Rossini (»Wilhelm Tell«, 3. Akt).

Tyros (lat. Tyrus, phönik. Sor, heute Sur), Stadt in Libanon; im Altertum bedeutende phönik. Handelsstadt, unter Hiram I. auf der Höhe ihrer Macht, später unter pers. Herrschaft, 332 v. Chr. von Alexander d. Gr. eingenommen, in röm. Kaiserzeit Provinz-Hptst.; Ausgrabungen legten v. a. Bauten aus röm. und byzantin. Zeit frei (z. B. Triumphbogen, Aquädukt, Thermen, christl. Basilika; UNESCO-Weltkulturerbe).

Tyrosin [grch.] *das,* Abk. **Tyr,** nichtessenzielle Aminosäure, in den meisten Proteinen, v. a. im Casein. Ausgangssubstanz für die Biosynthese von Catecholaminen und Melanin.

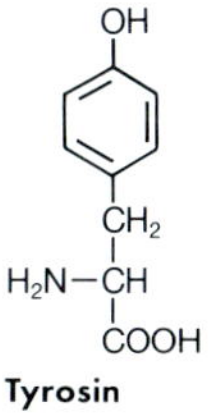

Tyrosin

Tyrrhenisches Meer [nach den Tyrrhenoi, (Etruskern)] (italien. Mare Tirreno), Teil des Mittelmeers zw. der Apenninenhalbinsel, Korsika, Sardinien und Sizilien, bis 3785 m tief.

Tyrus, phönik. Stadt, →Tyros.

Tzara, Tristan, eigtl. Samuel Rosenstock, frz. Schriftsteller rumän. Herkunft, *Moinești (bei Bacău) 16. 4. 1896, †Paris 24. 12. 1963; gründete mit H. Arp u. a. die Züricher Gruppe des literar. Dadaismus, ab 1917 Hg. der Zeitschrift »Dada«; 1920 mit A. Breton u. a. Gründer der Pariser Gruppe, schrieb dadaist. Lyrik und Stücke, auch Essays; näherte sich später dem Surrealismus (»L'homme approximatif«, Gedichtzyklus, 1931). Engagierte sich im Span. Bürgerkrieg und später in der Résistance.

Tristan Tzara

u, U, 1) der 21. Buchstabe des dt. u. a. Alphabete (→Laut); hat sich erst im MA. in vokal. Geltung vom V abgetrennt.

2) *Chemie:* **U,** chem. Symbol für →Uran.

3) *Einheitenzeichen:* **u** für →atomare Masseneinheit.

4) *Formelzeichen: U* für elektr. Spannung und innere Energie.

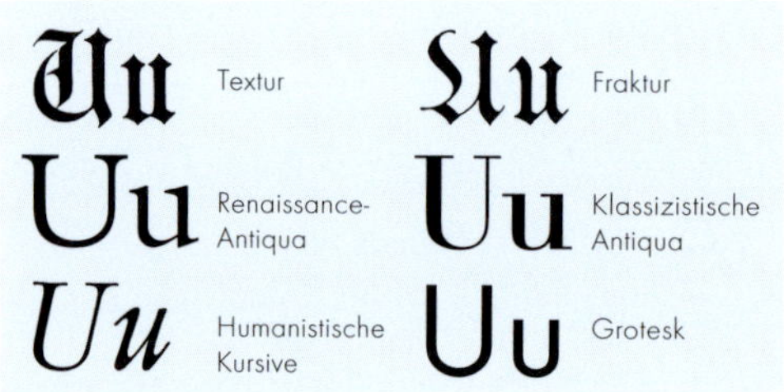

Druckschriftvarianten des Buchstabens **U**

ü, Ü, Umlaut des U, Lautwert [y] (→Laut).

UAE, Abk. für **U**nited **A**rab **E**mirates, →Vereinigte Arabische Emirate.

Ụbach-Pạlenberg, Stadt im Kreis Heinsberg, NRW, am Rand der Jülicher Börde, 23 900 Ew.; Maschinenbau. – Entstand 1935 durch den Zusammenschluss der Gemeinden **Übach** (1172 erstmals gen.), **Palenberg** (867 erstmals gen.) und **Frelenberg** (7./8. Jh.); seit 1967 Stadt.

U-Bahn, Kurzform für →Untergrundbahn.

Ubạngi *der,* rechter und längster Nebenfluss des Kongo, entsteht durch Zusammenfluss der beiden Quellflüsse Uelle und Bomu, mündet bei Mbandaka, rd. 1 000 km lang; Grenzfluss zw. der Demokrat. Rep. Kongo, der Rep. Kongo und der Zentralafrikan. Republik.

Ubạngi-Schạri, →Zentralafrikanische Republik.

Ụbbelohde, Otto, Maler und Grafiker, *Marburg 5. 1. 1867, †Goßfelden (heute zu Lahntal, Kr. Marburg-Biedenkopf) 8. 5. 1922; wirkte bes. als Illustrator der Märchen der Gebrüder Grimm; malte auch Landschaften und Stillleben.

Ube, Hafenstadt in der japan. Präfektur Yamaguchi, auf Honshū, 175 100 Ew.; Kunstfaser-, Düngemittel-, Maschinen-, Zementindustrie.

Úbeda ['uβeða], Stadt in Andalusien, Prov. Jaén, Spanien, 29 000 Ew.; keram., Möbelind., Maschinenbau. – Maur. Stadtbefestigung, Hospital Santiago mit Kirche (16. Jh.), Kirchen San Salvador (1540–56) und Santa María de los Reales Alcázeres (13. Jh.), Renaissancepaläste.

Übel, in objektivem Sinne das Böse, Normenwidrige, das Gegenteil des Guten; in subjektivem Sinne das Unangenehme, Widerwärtige. G. W. Leibniz kennt das **metaphys. Ü.,** das in der Endlichkeit alles Geschaffenen besteht und ihm zur Rechtfertigung des Schöpfergottes dient (→Theodizee).

Übelkeit, meist mit Brechreiz verbundene Missempfindung, die z. B. durch Magenstörungen, Erkrankungen von Galle, Leber oder Bauchspeicheldrüse, Genuss verdorbener Speisen, ungewohnten Tabak- und Alkoholgenuss, Blutleere des Gehirns, Schwangerschaft, Gleichgewichtsstörungen (Seekrankheit) ausgelöst werden kann.

Über|alterung, Altersaufbau, in dem durch den Ausfall jüngerer Jahrgänge ein bes. hoher Anteil alter Menschen an der Gesamtbev. vorhanden ist (z. B. bei starker Zunahme der Lebenserwartung, Geburtenrückgang, Krieg); →Altersgliederung.

Überbau, 1) *Bautechnik:* bei Brücken der die Pfeiler und Widerlager überspannende Teil.

2) *Philosophie:* →Marxismus.

3) *Recht:* die Errichtung eines Gebäudes oder -teiles durch einen Grundstückseigentümer, das über die Grundstücksgrenze hinausgeht. Der Nachbar hat den Ü. zu dulden, wenn dem anderen Teil weder Vorsatz noch grobe Fahrlässigkeit zur Last fällt und nicht vor oder sofort nach der Grenzüberschreitung Widerspruch erhoben worden ist. Für die Duldung ist der Nachbar durch eine jährl. Geldrente zu entschädigen (§§ 912 ff. BGB).

Überbein (Ganglion), *Medizin:* einzeln oder in Mehrzahl vorkommende Geschwulst im Bereich des Kapsel- oder Sehnengleitgewebes mit gallertartig verändertem Bindegewebe; tritt v.a. an den Streckseiten des Handgelenks auf.

Überblasen, bei Blasinstrumenten das Hervorbringen eines höheren Teiltons anstatt des Grundtons durch verstärktes Anblasen, v.a. bei Trompeten, bei denen sich durch Ü. ein großer Teil der Naturtonreihe (→Naturtöne, →Obertöne) erreichen lässt.

Überblenden, *Film-, Hörfunk-, Fernsehtechnik:* Verbindung zweier Bild- oder Schallereignisse derart, dass das eine in das andere kontinuierlich übergeht.

Überbrettl, von E. von Wolzogen nach dem Vorbild des frz. Cabaret und des literar. Varietees 1901 in Berlin gegr. Kleinkunstbühne (→Kabarett).

Überbringerklausel, der Scheckaufdruck »oder Überbringer«, →Scheck.

Über|eignung, die rechtsgeschäftl. Übertragung des Eigentums vom Veräußerer auf den Erwerber (Eigentumsübergang). Die Ü. eines Grundstücks erfolgt grundsätzlich durch formgebundene Einigung (→Auflassung) und Eintragung in das Grundbuch (§§ 873, 925 BGB), die einer bewegl. Sache meist durch Einigung und Übergabe der Sache (§ 929 BGB).

Über|empfindlichkeit, →Allergie.

Überfall, *Recht:* 1) im Strafrecht ein unvorhergesehener Angriff, auf den sich der Angegriffene nicht rechtzeitig einstellen kann. Der hinterlistige Ü. ist ein Tatbestandsmerkmal der gefährl. Körperverletzung. 2) Im Zivilrecht bedeutet Ü. das Hinüberfallen von Früchten auf ein Nachbargrundstück. Die Früchte gelten als Früchte des Nachbargrundstücks (§ 911 BGB).

Überfangglas, Flach- oder Hohlglas, dem auf einer Seite eine zweite, andersfarbige oder (bei farblosem Grund) farbige Glasschicht aufgeschmolzen ist (auch als mehrfacher Vorgang); v.a. im Hellenismus (Portlandvase, 1. Jh. v. Chr., London, Brit. Museum), Biedermeier und Jugendstil sowie in der ostasiat. Glaskunst.

Überfremdung, *Soziologie:* die Gesamtheit von desintegrativ wirkenden Strukturveränderungen im ländlich-dörfl. Leben durch Einwirkungen städt. Kultur bei zunehmender Urbanisierung; heute auch die nationalistisch gefärbte Bez. für eine Entwicklung der Bev.struktur und Kultur eines Landes, bei der Ausländer bzw. Einwanderungsgruppen einen hohen Anteil der Bev. bilden.

Überfrucht, →Deckfrucht.

Überfruchtung (Superfetation), die Befruchtung von zwei Eizellen aus verschiedenen Ovulationszyklen.

Übergabe, *Recht:* die Übertragung des unmittelbaren Besitzes an einer Sache durch körperl. Übergeben oder durch Einräumen unmittelbarer Verfügungsgewalt.

Übergang, *Physik:* Änderung des energet. Zustandes eines quantenmechan. Systems, die mit einer gewissen (Ü.-)Wahrscheinlichkeit erfolgt. Man unterscheidet Strahlungs- und strahlungslose Ü., wobei die prinzipiell mögl. Ü. durch Auswahlregeln eingeschränkt sind.

Übergangs|elemente (Übergangsmetalle), metallische Elemente, deren Atome eine inkomplette innere Elektronenschale (d-Schale) haben (→Atom). Sie sind im Periodensystem der chemischen Elemente in den Nebengruppen angeordnet und werden deshalb (abweichend von den IUPAC-Regeln) auch als Nebengruppenelemente bezeichnet. Zu den Ü. gehören die Elemente der Ordnungszahlen 21–30, 39–48, 57–80, 89–103 und die folgenden Elemente 104–112 (→Transactinoide). Sie treten häufig in mehreren Oxidationsstufen auf und bilden zahlr. Komplexverbindungen.

Übergangsgeld, in der Sozialversicherung während einer medizin. oder berufl. Rehabilitationsmaßnahme von der Renten- und der Unfallversicherung sowie der Bundesanstalt für Arbeit als Ersatz für Verdienstausfall gezahlte Leistung.

Übergangstemperatur, kurz für kritische Ü. (→Supraleitung).

Übergewicht, →Körpergewicht.

Überhälter, gesunder, gut geformter älterer Baum, den man beim Abtrieb eines Waldbestandes zur Erzeugung von Wertholz bzw. zur Naturverjüngung stehen lässt.

Überhang, *Recht:* vom Nachbargrundstück eingedrungene Wurzeln oder überhängende Zweige. Der Grundstückseigentümer hat das Recht, diese abzuschneiden, sofern die Beseitigung vergeblich angemahnt wurde und die Benutzung des Grundstücks beeinträchtigt wird (§ 910 BGB).

Überhangmandate, im dt. System der personalisierten Verhältniswahl (Kombination aus Verhältnis- und Mehrheitswahl) die Direktmandate, die einer Partei nach der Zahl der gewonnenen Wahlkreise (Erststimmen) zufallen und die bei ihr verbleiben, obwohl sie die Zahl der Mandate übersteigen, die ihr nach den für die Sitzverteilung maßgebl. Zweitstimmen an sich zustehen.

Überhitzer, bei Dampfkesseln ein System aus Stahlrohren, in dem der aus dem Kessel zugeführte Sattdampf getrocknet und ohne Drucksteigerung überhitzt, d.h. über die Siedetemperatur erwärmt wird.

Überhitzung, Erwärmung eines Stoffes über eine Temperatur hinaus, bei der er schon in eine andere Phase oder Modifikation übergegangen sein müsste, z.B. überhitzter Dampf.

Überhöhung, 1) *Kartographie:* die Vergrößerung des Höhenmaßstabs gegenüber dem Längenmaßstab; wird angewendet in Blockdiagrammen,

Militärperspektiven, Profilen und Reliefs, um die Oberflächenformen und Höhenunterschiede besser erkennbar zu machen. Die Ü. verfälscht jedoch die Hangneigungswinkel.

2) *Straßen-* und *Eisenbahnbau:* das Höherlegen des äußeren Kurventeils eines Verkehrsweges, um der Zentrifugalkraft entgegenzuwirken.

Übermensch

Dieser Begriff – obgleich schon sehr viel früher existierend – wurde durch den deutschen Philosophen Friedrich Nietzsche zu einem Schlagwort. Der Übermensch als ein den Durchschnittsmenschen weit überragender Menschentypus erscheint in Nietzsches Schrift »Also sprach Zarathustra« aus dem Jahr 1883/85. Nietzsche postuliert darin, dass der Mensch etwas sei, »das überwunden werden soll«. Der irische Dramatiker George Bernard Shaw hat das Thema des Übermenschen in einem Stück mit dem Titel »Man and Superman« (deutsch: »Mensch und Übermensch«) behandelt. Der »Superman« als Comicfigur stellt schließlich eine ins Triviale abgewandelte Form des Übermenschen dar.

Über-Ich, in der Psychoanalyse von S. Freud eine Kontrollinstanz der Persönlichkeit (Gewissen); vertritt die aus Familie und Gesellschaft übernommenen moral. Maßstäbe.

Überkingen, Bad →Bad Überkingen.

Überkippung, *Geologie:* Aufrichtung von Gesteinsschichten um mehr als 90°, wodurch inverse Lagerung entsteht.

Überkompensation, der Ausgleich von Minderwertigkeitsgefühlen entweder durch übersteigerte Korrektur des empfundenen Mangels oder durch Überentwicklung einer Ersatzfunktion (z.B. Überheblichkeit, Ichbetonung).

überkritisch, *Kerntechnik:* →Kernreaktor.

Überlagerung (Mischung), *Informationstechnik:* Verfahren zur Frequenzumsetzung, bei dem die Zeitverläufe zweier Wechselspannungen miteinander multipliziert werden; Anwendung der Ü. u.a. im Rundfunkempfänger, wobei das modulierte hochfrequente Empfangssignal mit einem Ü.-Signal gemischt wird; das entstehende Differenzfrequenzsignal wird durch Filter ausgesiebt und als Zwischenfrequenzsignal verarbeitet.

Überlagerungs|empfänger, →Rundfunk.

Überlagerungsprinzip, *Physik:* das →Superpositionsprinzip.

Überlassungsvertrag, in der DDR Vertrag über die zeitlich begrenzte Überlassung von Grundstücken an DDR-Bürger zu Wohn- oder Erholungszwecken. Ü. wurden im Wesentlichen über Grundstücke abgeschlossen, deren Eigentümer ihren Wohnsitz oder ständigen Aufenthalt in der Bundesrep. Dtl. oder Berlin (West) hatten und deren Grundstücke sich in vorläufiger Verw. der Organe der DDR befanden. Nach dem Schuldrechtsanpassungs-Ges. vom 21. 9. 1994 (§§34ff.) werden Ü. zu Wohnzwecken als Mietverträge, die für unbestimmte Zeit geschlossen wurden, fortgesetzt und dem Wohnraummietrecht unterworfen. Bei Beendigung des Ü. kann der Nutzer Ersatz für bis zum 1. 1. 1995 getätigte werterhöhende Aufwendungen verlangen.

Überläufer, 1) *Jägersprache:* Wildschwein im 2. Lebensjahr.

2) *Militär:* Soldat, der im Krieg zum Feind überläuft; hiervon abgeleitet auch: zur Gegenpartei überwechselnder Politiker.

Überlingen, Stadt im Bodenseekreis, Bad.-Württ., am NO-Ufer des **Überlinger Sees** (Bodensee), 20500 Ew.; Geräte- und Maschinenbau u.a. Ind. – Alte Stadtbefestigung, fünfschiffiges got. Münster (1350 begonnen) mit Hochaltar von J. Zürn, spätgot. Rathaus, spätgot. Franziskanerkirche (1466 geweiht, innen barockisiert), Patrizierhäuser. Im Stadtteil **Goldbach** die Sylvesterkapelle mit otton. Monumentalmalerei (um 1000). Oberhalb von Ü. das Naturata-Haus (1992). – 770 als **Iburinga** erwähnt, um 1200 Stadtrecht, 1268–1803 Reichsstadt; kam 1803 an Baden.

übermäßig, *Musik:* Bez. für die um einen chromat. Halbton erhöhten reinen und großen →Intervalle; Ggs.: vermindert.

Übermensch, Vorstellung von einem Idealmenschen, der über sein bisheriges Wesen hinausgewachsen ist. Der Begriff wurde u.a. von J. G. Herder, Goethe und F. Nietzsche verwendet.

Überproduktion, eine die Nachfrage übersteigende Herstellung von Gütern; als Missverhältnis zw. dem Bedarf und seiner Deckung eine Krisenerscheinung der Wirtschaft, die zu ruinöser Konkurrenz führen kann.

Über|reichweite, nur unter besonderen Ausbreitungsbedingungen in der Atmosphäre auftretende, ungewöhnlich große Reichweite elektromagnet. Wellen.

Über|riese, *Astronomie:* →Riesen.

Über|rollbügel (Umsturzbügel), bei Kraftfahrzeugen, v.a. Renn- und Sportwagen, ein über dem Kopf des Fahrers verlaufender Stahlbügel als Schutz bei Überschlägen.

Überschallflug, Bewegung von Flugkörpern mit **Überschallgeschwindigkeit,** d.h. mit einer Geschwindigkeit, die größer als die Schallgeschwindigkeit in Luft ist. Da der Wirkungsgrad von Propellertriebwerken bei Annäherung an die Schallgeschwindigkeit stark absinkt, sind Flugzeuge für Ü. mit Strahl- oder Raketentriebwerken ausgerüstet. Der Übergang vom Unterschallflug zum Ü. wird als Durchbrechen der →Schallmauer bezeichnet. – Der erste Ü. eines bemannten Flugzeugs wurde 1947 mit dem Raketenflugzeug Bell X-1 durchgeführt.

Überschichtung, soziolog. Bez. für die Herausbildung sozialer Schichten innerhalb einer Bev.; man unterscheidet zw. ethn. (exogener) und sozialer (endogener) Überschichtung.

Überschiebung, *Geologie:* Lagerungsstörung, bei der ein Stück der Erdkruste über ein anderes geschoben ist. Ü. vollziehen sich an Bruchflächen oder gehen aus Faltungen (→Falte) hervor. **Decken-Ü. (Deckengebirge)** sind Ü. von großer Länge; die bewegte Masse heißt kurz »Decke«.

Überschlag, 1) *Elektrotechnik:* →Durchschlag.

2) *Turnen:* aus dem Stand ausgeführte ganze Körperdrehung um die Breitenachse vor- oder rückwärts zum Stand, wobei nach der halben Drehung der Boden mit den Händen berührt wird; der freie Ü. heißt Salto.

Überschuldung, Vermögenslage, bei der die Schulden größer sind als das Vermögen. Kapitalges. müssen in diesem Fall die Eröffnung eines Konkurs- oder Vergleichsverfahrens beantragen (§92 Aktien-Ges., §64 GmbH-Ges.), auch wenn Zahlungsunfähigkeit (noch) nicht vorliegt. Bei Personengesellschaften und Einzelkaufleuten ist Ü. kein zwingender Konkursgrund. Ü. des Nachlasses führt zum →Nachlasskonkurs oder zum →Nachlassvergleichsverfahren.

Überschussreserve, über die →Mindestreserve bei den Notenbanken hinausgehende, von den Geldinstituten gehaltene Guthaben, Teil der freien Liquiditätsreserven der Banken.

Überschwängerung (Superfekundation), Befruchtung von zwei Eizellen derselben Ovulation aus zwei versch. Begattungsakten. Ü. ist beim Menschen möglich.

Überschwemmung, ein Hochwasser, bei dem das Wasser über die Ufer tritt. Die vorsätzl. Herbeiführung einer Ü. wird, wenn sie mit Gefahr für Menschenleben (→gemeingefährliche Straftaten) verbunden ist, mit Freiheitsstrafe nicht unter zehn Jahren, fahrlässige Ü. mit Freiheitsstrafe bis zu einem Jahr, bei Tod eines Menschen bis zu fünf Jahren bestraft (§§312–314 StGB).

überschwere Elẹmente, die →superschweren Elemente.

Übersetzer, *Datenverarbeitung:* →Compiler.

Übersetzung, 1) *allg.:* die Übertragung von Geschriebenem oder Gesprochenem aus einer Sprache in eine andere (→Dolmetscher).

2) *Computerlinguistik:* (Sprach-Ü.) die Übertragung geschriebener oder gesprochener Sprachkomplexe aus einer natürl. Sprache in eine andere mittels EDV-Systemen **(Ü.-Computer).** Nach dem Grad des Einsatzes der EDV wird zw. maschinen- oder computerunterstützter Ü. und automat. (maschineller) Ü. unterschieden; Letztere umfasst die automat. Realisierung von Sprachanalyse, -transfer und -synthese. (→Spracherkennung)

Übersetzungsverhältnis (Übersetzung), *Maschinenbau:* das Verhältnis der Drehzahlen zweier (über ein Getriebe gekoppelter) Wellen, gerechnet in Richtung des Kraftflusses; man unterscheidet zw. Übersetzung ins Schnelle und Übersetzung ins Langsame (gemeinsprachlich »Untersetzung«).

Übersichtigkeit, Form der Fehlsichtigkeit (→Brechungsfehler des Auges), bei der parallel ins Auge einfallende Strahlen erst hinter der Netzhaut vereinigt werden. Ursache der Ü. ist meist ein im Verhältnis zur Brechkraft des dioptr. Apparats zu kurzer Augapfel, seltener eine zu geringe Brechkraft; Korrektur durch Konvexgläser.

Übersiedler, Bez. für Deutsche, die auf Antrag aus der DDR in die Bundesrep. Dtl. übergesiedelt waren. Urspr. bestehende Sonderregelungen für Ü. sind entfallen.

Überspannung, die elektr. Spannung in elektrotechn. Geräten und Anlagen, die höher als die Nennspannung ist; eine Abweichung bis 10% ist zulässig (ansonsten ggf. Geräteschäden).

Überspielen, das Aufnehmen von Funksendungen auf Ton- und Bildträger oder das Übertragen von Bild- oder Tonaufzeichnungen von einem Träger auf einen anderen. Urheberrechtlich fällt das Ü. in Bezug auf das überspielte Werk unter das Vervielfältigungsrecht. Es steht dem Urheber oder einer Person zu, der der Urheber ein entsprechendes Nutzungsrecht eingeräumt hat. Wenn das Ü. zum privaten Gebrauch erfolgt, ist es auch ohne Genehmigung des Urhebers zulässig, jedoch vergütungspflichtig (§§53, 54 Urheberrechts-Ges.). Die Vergütung haben die Hersteller von Geräten und Bild- oder Tonträgern durch eine Abgabe an eine Verwertungsgesellschaft zu leisten.

Überschallflug

Das bekannteste Überschallflugzeug, die Concorde, ist ökologisch höchst bedenklich: Sie braucht etwa 3,5 Stunden für einen Flug über den Atlantik und verbraucht dabei 70 t Kerosin. Sie hat eine Kapazität von 128 Sitzplätzen. Ein Jumbojet braucht zwar sieben Stunden, transportiert aber mit demselben Kerosinverbrauch 380 Passagiere und 30 t Fracht. Durch die Flughöhe der Concorde von 18 km sind außerdem die Abgase noch höher in der Atmosphäre und damit noch schädlicher für die Ozonschicht als die Abgase des Unterschallflugverkehrs.

Übersprechen, die unerwünschte gegenseitige Beeinflussung von benachbarten Informationskanälen meist über magnet. oder elektr. Felder, z.B. bei nebeneinander verlaufenden Fernsprechleitungen, frequenzmäßig eng beieinander liegenden Rundfunksendern, benachbarten Spuren bei der analogen Schallaufzeichnung.

Übersprungbewegung (Übersprunghandlung), Verhaltensweise bei Tieren (auch beim

Menschen) im Verlauf eines Verhaltenskomplexes ohne sinnvollen Bezug zur gegebenen Situation, z. B. wenn der normale Ablauf einer Instinkthandlung gestört ist oder wenn gegenläufige Impulse (z. B. Flucht und Angriff) miteinander in Konflikt geraten. Ausweichhandlungen (Ersatzhandlungen) sind z. B. das plötzl. Gefiederputzen bei kämpfenden Vogelweibchen.

Übersteuern, **1)** *Elektrotechnik:* Überschreiten des zulässigen Aussteuerbereichs elektron. und elektroakust. Baugruppen und Geräte; bewirkt nichtlineare Verzerrungen des Ausgangssignals.

2) *Fahrzeugtechnik:* Lenkverhalten, bei dem ein schnell fahrendes Kraftfahrzeug einen kleineren Kurvenradius beschreibt, als es der geometr. Stellung der gelenkten Räder entspricht. Ggs.: **Untersteuern** (größerer Kurvenradius).

Überstunden, über die regelmäßige betriebl. Arbeitszeit hinaus geleistete Arbeit. Soweit die Ü. zugleich die normale gesetzl. →Arbeitszeit überschreiten, liegt →Mehrarbeit vor. Für Ü. ist, wenn dies tariflich oder anderweitig vereinbart oder üblich ist, ein Ü.-Zuschlag zu zahlen.

Übertragbarkeit, die Fähigkeit eines Rechts oder einer Verpflichtung, von einer Person auf eine andere überzugehen (Abtretung, Schuldübernahme); ausgenommen sind höchstpersönliche Rechte (z. B. Nießbrauch).

Überträgerstoffe (Überträgersubstanzen), die →Neurotransmitter.

Übertragung, **1)** *Gynäkologie:* (Schwangerschaftsübertragung) das Überschreiten der durchschnittl. Schwangerschaftsdauer von 280 Tagen um mehr als 10–14 Tage; häufig ist eine medikamentöse Geburtseinleitung oder eine operative Beendigung der Schwangerschaft erforderlich.

2) *Psychoanalyse:* die positive oder negative Gefühls- oder Affektbindung an den behandelnden Arzt oder Psychotherapeuten. In der therapeut. Situation werden frühkindl. Konflikte und Gefühle wieder erlebt und auf den Therapeuten projiziert.

Übertragungsbereich, Kenngröße für den Frequenzbereich bei Audio- und Videogeräten; gibt an, welche Tonfrequenzen in der Lautstärke gegenüber anderen Frequenzen weder merklich angehoben noch abgesenkt werden.

Übertragungsglied, eine elektron. Schaltung, deren Ausgangssignal nicht auf das Eingangssignal zurückwirkt und durch die Ankopplung des nachfolgenden Gliedes nicht verändert wird.

Übertragungs|system, alle Einrichtungen und Medien, die bei der Übertragung und Wiedergabe von Nachrichten (Informationen, Daten) bzw. deren physikal. Repräsentationen, den Signalen, beteiligt sind. Dazu gehören Wandler, Sender und Empfänger sowie der Übertragungskanal. Bei der Modellierung eines Ü. wird meist auch eine Störquelle zur Darstellung der bei jeder Übertragung unvermeidl. Störeinflüsse hinzugefügt.

Übertragungstechnik, die Technik der Übertragungssysteme; teilweise und zunehmend Synonym für Nachrichtentechnik.

Übertretung, früher Straftat, die mit Freiheitsstrafe bis zu sechs Wochen oder mit Geldstrafe bis zu 500 DM bestraft wurde. Die Ü. wurden entweder in Vergehen oder Ordnungswidrigkeiten umgewandelt oder entfielen seit 1. 1. 1975 ersatzlos.

Überversicherung, →Doppelversicherung.

Übervölkerung, ein Missverhältnis zw. der Bev.zahl eines bestimmten Raumes und dessen wirtsch. Grundlagen. Unter welchen Bedingungen und ab welchem quantitativen Wert Ü. vorliegt, wird in Tragfähigkeitsanalysen untersucht, die wegen unterschiedlicher Annahmen und Nebenbedingungen beträchtlich differieren.

Überwallung, *Botanik:* →Kallus.

Überwälzung, →Steuerüberwälzung.

Überweisung, *Bankwesen:* Form der bargeldlosen Zahlung; die Weisung eines Kontoinhabers (Geschäftsbesorgungsvertrag) an seine Bank, zulasten seines Girokontos einen bestimmten Betrag dem Konto eines Dritten (Zahlungsempfänger) gutzuschreiben bzw. gutschreiben zu lassen.

Überweisungsbeschluss, Vollstreckungsmaßnahme in der Zwangsvollstreckung, durch die die beim Schuldner gepfändeten Forderungen und andere Vermögensrechte zur Befriedigung an den Gläubiger überwiesen werden (→Pfändung).

Überzeichnung, bei der Emission von Wertpapieren der Überschuss der Summe der gezeichneten Beträge gegenüber dem angebotenen Gesamtbetrag, sodass eine beschränkte Zuteilung stattfinden oder der Emissionsbetrag erhöht werden muss.

Überzeugungstäter, der Täter, der sich durch seine sittl., religiöse oder polit. Überzeugung zur Begehung einer Straftat verpflichtet fühlt. Eine sittlich achtenswerte Überzeugung kann zu Strafmilderung führen.

Überziehung, Kreditinanspruchnahme auf einem Bankkonto (Kontokorrentkonto) ohne vorherige Vereinbarung oder über das vereinbarte Kreditlimit bzw. die vereinbarte Laufzeit hinaus.

Überziehungskredit, dem Bankkunden formlos eingeräumter Kredit beim Überziehen des Kontos. Für den Ü. wird neben Soll- und Überziehungszinsen i. d. R. eine Überziehungsprovision berechnet.

Ubichinon [lat.] *das* (Coenzym Q), niedermolekulare Komponente beim Elektronentransport der Atmungskette.

Ubi|er, westgerman. Stamm, urspr. zw. Main und Lahn ansässig, seit 38 v. Chr. von Agrippa auf dem linken Rheinufer zum Schutz der römischen

Paolo Uccello: Reiterbild des John Hawkwood (1436; Florenz, Dom Santa Maria del Fiore)

Grenze angesiedelt; ihr Hauptort war **Oppidum Ubiorum,** die Keimzelle des heutigen Köln.

Ubiquisten [lat. ubique »überall«], Organismen ohne besondere Bindung an Standort oder Lebensraum; sie kommen daher in den verschiedensten Pflanzen- bzw. Tiergesellschaften vor.

Ubiquität [lat.] *die, Theologie:* die Allgegenwart Gottes; in der luth. Abendmahlslehre die Begründung der →Realpräsenz.

üble Nachrede, *Recht:* →Beleidigung.

U-Boot, Abk. für →Unterseeboot.

Übung, *Lernpsychologie* und *Sport:* die Steigerung der körperl. oder geistigen Leistungsfähigkeit durch regelmäßige Beanspruchung und durch Wiederholung bestimmter Schwierigkeiten. Der Ü.-Erfolg hängt von Gegenstand und Methode der Ü. sowie der Disposition des Lernenden ab. Bestimmte Tätigkeiten können durch Ü. automatisiert werden und laufen dann ohne bewusste Steuerung ab.

Ucayali, Río [uka'jali -] *der,* der längste der Hauptquellflüsse des Amazonas, entsteht in Peru aus dem Zusammenfluss von Apurimac und Urubamba; rd. 1600 km lang.

Uccello [ut'tʃɛllo], Paolo, eigtl. P. di Dono, italien. Maler, *Pratovecchio (bei Arezzo) um 1397, †Florenz 10. 12. 1475; Schüler von Ghiberti. Sein Interesse galt der Perspektive, deren Erforschung ihn zu illusionist. Meisterleistungen wie dem Reiterbild des John Hawkwood (1436; Florenz, Dom) befähigte. In seiner v.a. auf eine mathematisch exakte Wiedergabe von Figuren und Raum gerichteten Kunst erreichte er eine ästhet. Stilisierung, die weit vom herkömml. Renaissancebegriff abweicht. – *Weitere Werke:* Fresken im Chiostro Verde der Kirche Santa Maria Novella, Florenz (vor 1450); Schlacht von San Romano, drei Tafelbilder (um 1456: Florenz, Uffizien; London, National Gallery; Paris, Louvre). Weiteres BILD Georg

Uccle [ykl, frz.] (fläm. Ukkel), Gemeinde im S der Region Brüssel, Belgien, 74000 Ew.; Sternwarte, meteorolog. Inst.; Gemüsebau.

Uckermark (Ukermark), **1)** glazial geformte Landschaft zw. oberer Havel und unterer Oder, beidseits der oberen und mittleren Uecker, in Brandenburg, nördl. Ausläufer noch in Meckl.-Vorp., etwa 4000 km² groß; seenreich (Naturpark Uckermärk. Seen, 895 km²); im N vorwiegend Ackerbau, der S ist stärker bewaldet (Schorfheide); Hauptorte: Prenzlau, Angermünde, Templin. – Nach den slaw. Ukranen benannt; 1250 von den brandenburg. Markgrafen erworben.

2) Landkreis in Brandenburg, 3058 km², (1997) 159000 Ew.; Krst. ist Prenzlau.

UDA, Abk. für →**U**lster **D**efence **A**ssociation.

Udaipur [ʊ'daɪpʊə], Stadt in Rajasthan, Indien, im Aravalligebirge, 308000 Ew.; zwei Univ.; chem., Textilind., Kunsthandwerk; Fremdenverkehr. – Zahlr. Paläste, v.a. die Residenz des Maharadschas (um 1570).

Uddevalla, Hafenstadt im Län Göteborg und Bohus, Schweden, am Byfjord, 48200 Ew.; Schiffbau, Textil- und Bekleidungsindustrie.

Udaipur: Die Residenz des Maharadschas (um 1570), einer von mehreren Palästen der Stadt, liegt an einem aufgestauten See

Udet, Ernst, Generaloberst (seit 1940), *Frankfurt am Main 26. 4. 1896, †(Selbstmord) Berlin 17. 11. 1941; einer der erfolgreichsten dt. Jagdflieger im 1. Weltkrieg, seit 1938 Generalluftzeugmeister. Von Hitler und Göring für die Krise der dt. Luftwaffe und Fehlentscheidungen in der Flugzeugproduktion verantwortlich gemacht, nahm er sich das Leben.

Udine, 1) Prov. N-Italiens, in der Region Friaul-Julisch-Venetien, 4893 km², (1995) 520100 Einwohner.

2) Hptst. von 1), 95700 Ew.; Univ.; Erzbischofssitz; Museen, Theater; Maschinenbau, Metall verarbeitende, Textil-, chem. Ind. – Über der nach dem Vorbild des Markusplatzes in Venedig gestalteten Piazza della Libertà mit Palazzo del Comune (15. Jh.) und Loggia di San Giovanni (16. Jh) mit Uhrturm (1527) liegen Schloss (1517 ff.) und Schlosskirche (12./13. Jh., Campanile und Fassade 16. Jh.); Dom (13.–15. Jh.; im 18. Jh. barockisiert; Fresken von G. B. Tiepolo, 1726 ff.); Manin-Kapelle (1718); Oratorio della Purità (1757 ff.) mit Fresken Tiepolos, ebenso im erzbischöfl. Palast (1726 ff.); weitere Palazzi (16.–18. Jh.). – Kaiser Otto II. schenkte 983 das Kastell U. den Patriarchen von Aquileja, die in der ersten Hälfte des 13. Jh. die Stadt gründeten und bis 1752 hier ihren Sitz hatten. 1420 kam U. an Venedig, 1797 an Österreich, 1868 an Italien.

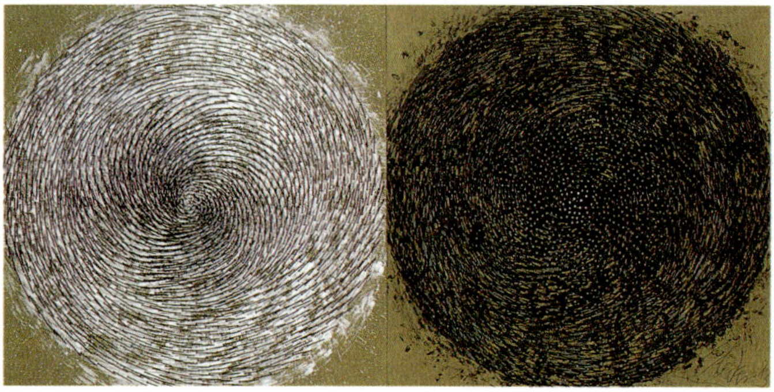

Günther Uecker: »Zwischen Hell und Dunkel«, Nägel und Öl auf Holz (1983; Düsseldorf, Kunstsammlung Nordrhein-Westfalen)

Udmurten (Wotjaken), Volk mit finnougr. Sprache am Unterlauf von Kama und Wjatka (mittlere Wolga), das überwiegend in Udmurtien lebt; etwa 747000 Menschen; v. a. Anbau von Hanf, Flachs; seit Unterwerfung durch die Russen (16./17. Jh.) orth. Christen.

Jakob von Uexküll

Udmurtilen, Teilrepublik der Russ. Föderation, 42100 km², (1995) 1,64 Mio. Ew. (30,9 % Udmurten, 58,9 % Russen, 6,9 % Tataren); Hptst.: Ischewsk. U. umfasst das hügelige, waldreiche Wjatka-Kama-Zwischenstromland im westl. Uralvorland; Getreide-, Futterpflanzen-, Flachsanbau; Maschinen-, Fahrzeug-, Gerätebau, Stahl-, Nahrungsmittel-, Holzind., Erdölförderung und -verarbeitung. – Gehörte vom 8. bis 13. Jh. den Kama-Bulgaren; wurde dann von der Goldenen Horde erobert; nach dem Zerfall dieses Reichs 1489 Anschluss des nördl. Teils an Russland; 1552 stellten sich auch die übrigen Teile unter russ. Oberhoheit; 1920 Bildung des Autonomen Gebietes der Wotjaken, 1932 Umbenennung in Udmurt. Autonomes Gebiet, 1934 Umbildung in die Udmurt. ASSR.

UdSSR, Abk. für **U**nion **d**er **S**ozialistischen **S**owjet**r**epubliken, → Sowjetunion.

Uechtland, Landschaft zw. Aare und Saane in den schweizer. Kantonen Bern und Freiburg, von der dt.-frz. Sprachgrenze durchzogen. Hauptort ist Freiburg.

Uecker [ˈykər] *die* (Ücker, Ucker), Küstenfluss in Vorpommern, 94 km lang; entspringt östlich von Templin, durchschneidet die Uckermark, wo sie bei Prenzlau den **Oberueckersee** (7,4 km²) und den **Unterueckersee** (11,6 km²) durchströmt, mündet bei Ueckermünde in das Stettiner Haff.

Uecker [ˈykər], Günther, Maler und Objektkünstler, *Wendorf (Mecklenburg) 13. 3. 1930; wurde bekannt mit Nagelbildern (ab 1957), deren weiß bemalte Oberfläche auf meditative Wirkungen zielt; auch Nagelobjekte; wandte sich als Mitgl. der Gruppe Zero der kinet. Lichtkunst zu.

Ueckermünde [ykər-], Stadt im Landkreis Uecker-Randow, Meckl.-Vorp., nahe der Ueckermündung in das Stettiner Haff, 12100 Ew.; Eisengießerei, Ziegelei, Fischverarbeitung; Badeort. – 1223 erstmals erwähnt; vor 1260 lüb. Recht (1276 Stadt); war bis 1994 Kreisstadt.

Uecker-Randow [ykərˈrando:], Landkreis in Meckl.-Vorp., 1594 km², (1997) 88800 Ew., Krst. ist Pasewalk.

UEFA, Abk. für engl. **U**nion of **E**uropean **F**ootball **A**ssociations, 1954 gegründete internat. Vereinigung der europ. Fußballverbände; kontrolliert u. a. die Durchführung der Europameisterschaft und die Spiele um die Europapokale; Sitz: Bern.

Uelzen [ˈyltsən], **1)** Landkreis im RegBez. Lüneburg, Ndsachs., 1454 km², (1997) 96200 Einwohner.

2) Krst. von 1) in Ndsachs., in der Lüneburger Heide, an der Ilmenau und am Elbeseitenkanal, 35400 Ew.; Heimatmuseum; Zuckerfabrik, Milchwerke; Hafen. – Marienkirche (13.–14. Jh.). – Entstand zw. 1250 und 1266; 1270 Stadtrecht.

Uetersen [ˈy:tər-], Stadt im Kr. Pinneberg, Schlesw.-Holst., am Rand der Geest gegen die Elbmarschen, 18200 Ew.; Museen; Binnenhafen an der Pinnau; Rosenzuchtgebiet; Papier-, pharmazeut., chem., Maschinen- u. a. Industrie.

Uetliberg [ˈyə-], Aussichtsgipfel des → Albis.

Uexküll [ˈykskyl], **1)** Jakob von, schwed.-dt. Journalist, *Uppsala 19. 8. 1944, Enkel von 2); Gründer (1980) der Right Livelihood Award Stiftelsen, die den alternativen → Nobelpreis vergibt.

2) Jakob Johann Baron von, Biologe, *Keblas (Estland) 8. 9. 1864, †Capri 25. 7. 1944, Großvater von 1); Leiter des von ihm gegr. Inst. für Umweltforschung in Hamburg; Begründer einer Umwelttheorie, in der die subjektive, artspezif. Umwelt als Teil einer sinnvollen biolog. Einheit dargestellt wird (»Umwelt und Innenwelt der Tiere«, 1909).

Uffizien: In den 1560–1588 erbauten Uffizien ist eine der bedeutendsten Kunstsammlungen untergebracht

Ufa, Abk. für **U**niversum **F**ilm **A**ktiengesellschaft, dt. Filmproduktionsgesellschaft, gegr. 1917 in Potsdam-Babelsberg als Vereinigung mehrerer Produktionsfirmen auf Veranlassung und mit finanzieller Unterstützung der Reichsregierung. Später wurde die Ufa zu einem Konzern mit 71 Tochtergesellschaften. Auf Betreiben des Reichspropagandamin. J. Goebbels wurde 1937 die Filmindustrie – und mit ihr die Ufa – verstaatlicht. 1942 wurde als staatl. Holdinggesellschaft die Ufa Film GmbH (Ufi) gegründet (Vereinnahmung von 138 Einzelfirmen). – 1946 entstand in der sowjet. Besatzungszone die →DEFA. Nach der 1953 in der Bundesrep. Dtl. erfolgten Entflechtung entstanden die Bavaria Filmkunst GmbH, München, die Ufa-Theater AG, Düsseldorf, sowie die Universum Film AG, Berlin, die 1964 in eine GmbH im Besitz des Bertelsmann-Konzerns umgewandelt wurde. Bertelsmann verfolgt seine Fernseh-, Film- und Rechteinteressen heute mit mehreren Ufa-Gesellschaften (z.B. UFA Film & TV Produktion in Berlin-Babelsberg) und hat seine TV- und Filmgruppe UFA 1997 mit dem Luxemburger Fernsehveranstalter CLT zur CLT-UFA zusammengeschlossen.

Ufa, Hptst. der Rep. Baschkortostan innerhalb der Russ. Föderation, an der Belaja und der Einmündung der vom Ural kommenden Ufa, 1,097 Mio. Ew.; russ.-orth. Bischofssitz; Univ., sechs Hochschulen, Museen und Theater, Philharmonie; Erdölraffinerie, chem., elektrotechn., Maschinenbau-, Leichtind.; Hafen, Flughafen.

Ufer, seitl., von den Wasserspiegelschwankungen des jeweiligen Gewässers geformte Begrenzung eines Binnengewässers **(Fluss-U., See-U.).** Fluss-U. werden, in Fließrichtung gesehen, als linkes und rechtes U. bezeichnet.

Ufer|aas, Art der →Eintagsfliegen.

Uferbolde (Steinfliegen, Plecoptera), Insektenordnung, deren Larven im Wasser und deren flugträge Vollkerfe auf dem Land, häufig auf Steinen in Gewässernähe, leben.

Uferfiltrat, durch das Gewässerbett (Sohle und Ufer) in die Umgebung gelangendes Wasser.

Uferläufer (Flussuferläufer, Tringa hypoleucos), etwa 20 cm langer, oberseits olivbrauner, unterseits weißer Schnepfenvogel, der Flussufer im nördl. Eurasien bewohnt; Zugvogel.

Uferschnepfe (Limosa limosa), etwa 40 cm langer Schnepfenvogel mit hohen Beinen, langem Schnabel, weißer Schwanzwurzel und schwarzer Endbinde des Schwanzes; verbreitet im nördl. Eurasien und in Mitteleuropa.

Uffizi|en, urspr. Verwaltungsgebäude in Florenz (1560 von G. Vasari begonnen, nach 1580 von B. Buontalenti ausgebaut), dessen Obergeschoss für die Kunstsammlung der Medici eingerichtet wurde; heute Kunstmuseum und Staatsarchiv (seit 1852). Die Sammlungen der U. umfassen Meisterwerke der italien., niederländ. und dt. Malerei, antike Bildwerke und Skulpturen der Neuzeit, Zeichnungen, Stiche sowie eine bed. Sammlung von Selbstporträts (im Verbindungsgang über den Arno zum Palazzo Pitti).

UFO [Kw. aus engl. **u**nidentified **f**lying **o**bject »nichtidentifiziertes fliegendes Objekt«] *das,* Bez. für beobachtete Objekte unbekannter Art und Herkunft, die oft als scheiben- oder zigarrenförmig, häufig als hell leuchtend und bewegt beschrieben werden (»fliegende Untertassen«). Der Beginn der UFO-Sichtungen als moderne Massenerscheinung datiert von 1947 in den USA. Der

Firmenzeichen von 1917

UFA

Firmenzeichen der UFA Film & TV Produktion von 1992

UFO

*Als der amerikanische Pilot und Astronaut L. Gordon Cooper (*1927) 1953 in Europa stationiert war, sah er bei einem seiner Flüge über der Bundesrepublik Deutschland ein unbekanntes Flugobjekt: »Nun glaube ich fest an extraterrestrische Luftschiffe«, gab er zu Protokoll. Man scheint daraufhin nicht an seiner geistigen Gesundheit gezweifelt zu haben, denn 1963 war er Kopilot von »Mercury 9« und 1965 Kommandant von »Gemini 5«.*

Auch ein US-Präsident war schon UFO-Zeuge: 1973, als er noch Gouverneur seines Heimatstaates Georgia war, sah Jimmy Carter auf der Veranda eines Hauses in Thomastown ein UFO, »das so groß wie der Mond zu sein schien und manchmal die Farbe von Rot nach Grün wechselte«.

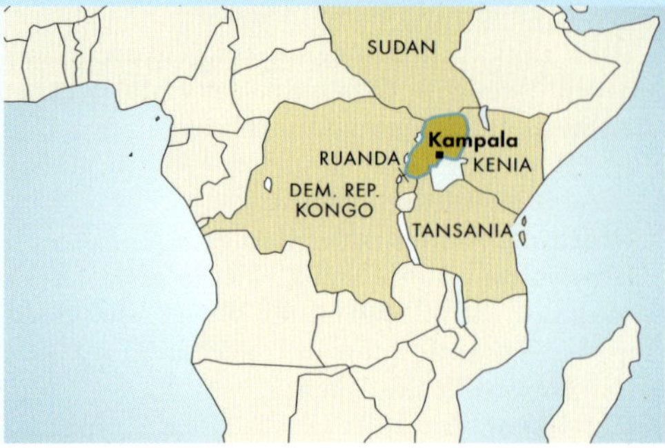

Uganda

Fläche: 241 038 km²
Einwohner: (1995) 21,297 Mio.
Hauptstadt: Kampala
Verwaltungsgliederung: 34 Distrikte
Amtssprachen: Englisch, Suaheli
Nationalfeiertag: 9. 10.
Währung: 1 U.-Schilling (U. Sh.)
Zeitzone: MEZ +2 Std.

Staatswappen

EAU
Internationales Kfz-Kennzeichen

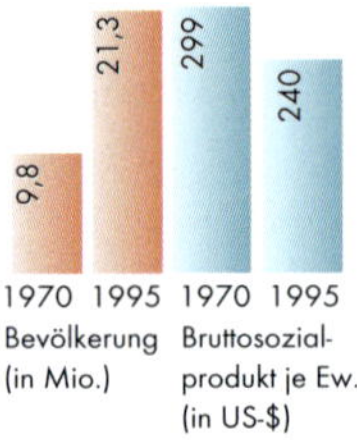

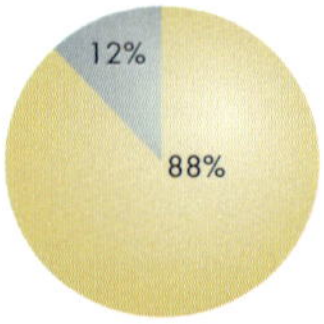

Bevölkerungsverteilung 1995

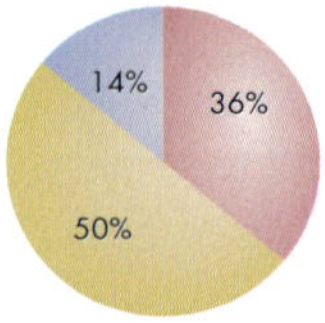

Bruttoinlandsprodukt 1995

außerird. Ursprung der UFOs (»Raumschiffe«, »Zeitmaschinen«) ist Spekulation: Beobachtungsberichte über UFO-Sichtungen können in den meisten Fällen auf erklärbare natürl. oder künstl. Phänomene zurückgeführt werden.

📖 CLARK, J.: *The UFO encyclopedia, auf mehrere Bde. ber. Detroit, Mich., 1990 ff.* – BRAND, I.: *Der Stand der UFO-Forschung. Frankfurt am Main u. a. [4]1994.*

UFZ – Umweltforschungszentrum Leipzig-Halle GmbH, Forschungseinrichtung in Leipzig und Bad Lauchstädt, gegr. 1991 (Träger: der Bund, Sachsen und Sa.-Anh.), Mitgl. der Hermann von Helmholtz-Gemeinschaft Dt. Forschungszentren. Hauptaufgabe ist die ökolog. Forschung zur Bewältigung von Umweltproblemen in hoch belasteten Ballungsräumen.

Uganda (amtlich engl. Republic of Uganda, Suaheli: Jamhuri ya Uganda), Staat in O-Afrika, grenzt im N an die Rep. Sudan, im O an Kenia, im S an Tansania und Ruanda, im W an die Demokrat. Rep. Kongo; Grenzverlauf gegen Kenia und Tansania z. T. durch den Victoriasee, gegen die Demokrat. Rep. Kongo z. T. durch den Edward- und Albertsee.

Staat und Recht: U. ist eine präsidiale Republik. Die Verf. von 1967 ist seit 1985 suspendiert, das gegenwärtige System wurde im Wesentlichen 1986 durchgesetzt. Staatsoberhaupt und oberster Inhaber der Exekutive ist der Präsident. Er ernennt den Vizepräs. sowie die Reg. unter Vorsitz des Premierministers. Als Übergangsparlament fungiert seit 1989 der Nat. Widerstandsrat (210 gewählte, 68 vom Präs. ernannte Mitgl.). Parteien sind nicht verboten, dürfen jedoch politisch nicht aktiv werden. Eine verfassungsgebende Versammlung mit 214 gewählten und 74 ernannten Mitgl. hat eine Verfassung erarbeitet, die am 8. 10. 1995 verkündet wurde. Sie sieht für 1999 ein Referendum über die Einführung eines Mehrparteiensystems vor.

Landesnatur: U. ist Teil des Ostafrikan. Hochlands (1000–1500 m ü. M.), das vom Ostafrikan. Grabensystem durchzogen wird, nach W zu den Randschwellen des Zentralafrikan. Grabens ansteigt (im Ruwenzori 5119 m ü. M.) und nach O vom vulkan. Mount Elgon (4321 m ü. M.) überragt wird; im äußersten SW liegen die tätigen Virungavulkane. Rd. 40000 km² der Gesamtfläche nehmen Binnengewässer ein, mit Kiogasee und Anteilen am Victoria-, Edward- und Albertsee. Das trop. Klima ist durch die Höhenlage gemildert (ganzjährige Niederschläge, größtenteils 1000–1500 mm, mit stärker ausgeprägten Regenzeiten etwa von März bis Mai und Sept. bis Nov.). Es überwiegen Savannen; in den Gebirgen Bergwälder.

Bevölkerung: Sie besteht aus 40 versch. Völkern; Bantustämme (mit ²⁄₃ Bev.anteil; Ganda, Nkole oder Banyankore, Soga u. a.) leben bes. im S und W, Niloten (v. a. Lango und Acholi) im N, Hamito-Niloten (bes. Teso und Karamojong) im NO; die im 16. Jh. eingewanderten Hima leben v. a. in Ankole; 1972 wurden rd. 50000 Asiaten ausgewiesen. – Es gibt keine allg. Schulpflicht; Analphabetenquote 52 %; Univ. und techn. College in Kampala, islam. Univ. in Mbarara, TU in Mbale. – Rd. ²⁄₃ der Bev. sind Christen, 8 % Muslime, ferner Anhänger von Natur- u. a. Religionen.

Wirtschaft, Verkehr: U. ist ein Agrarland; rd. 80 % der Bev. leben von der Landwirtschaft, die 25 % der Landesfläche als Ackerland nutzt und 95 % der Exporterlöse erbringt. Für den Eigenbedarf werden v. a. Kochbananen, Mais, Hirse, Bataten, Maniok und Hülsenfrüchte angebaut; für den Export Kaffee, Baumwolle, Tee, Tabak. Wichtig sind auch Viehhaltung (Rinder, Schafe, Ziegen), Forstwirtschaft und Binnenfischerei. Gefördert werden geringe Mengen an Kupfer- und Chromerz. Wichtigste Ind.zweige sind Tabakverarbeitung, Nahrungsmittel-, Textil-, Holz-, chem., Metall- und Baustoffind.; Wasserkraftwerk an den Owenfällen. Exportiert werden v. a. Kaffee (bis über 90 % Exportanteil), Baumwolle, Tabak, Tee; importiert u. a. Erdöl, Ind.güter, Maschinen, Fahrzeuge. Haupthandelspartner: Kenia, Großbritannien, Dtl. – Das Verkehrsnetz umfasst 1230 km Eisenbahnen und rd. 28 000 km Straßen. Wichtigste Eisenbahnlinie ist Kampala–Jinja–Tororo–Mombasa (Exporthafen in Kenia); Eisenbahnfähren auf dem Victoriasee zw. Jinja und Mwanza (Tansania) bzw. Kisumu (Kenia). Internat. Flughafen ist Entebbe bei Kampala; nat. Flugges. Uganda Airlines.

Geschichte: 1890 wurden im Helgoland-Sansibar-Vertrag die vier Himastaaten im Gebiet des heutigen U. (Ankole, Buganda, Bunyoro, Toro) Großbritannien überlassen, das 1896 das Protektorat U. proklamierte. U. erlangte am 9. 10. 1962 die Unabhängigkeit und wurde 1963 Republik. Nach einem Staatsstreich 1966 wurde A. M. Obote Staatsoberhaupt, der einen sozialist. Kurs verfolgte. 1971 putschte die Armee. Obote floh nach Tansania; neuer Präs. wurde Idi Amin Dada, der sich 1976 zum Präs. auf Lebenszeit ernennen ließ. Außenpolitisch wandte sich U., das von der Sowjetunion unterstützt wurde, den arab. Ländern, bes. Libyen, zu. Amin Dada, der sich ausschl. auf die Armee stützte, vermochte sich nur durch systemat. Terror und Massenmord an der Macht zu halten. Ein militär. Angriff gegen Tansania 1978 löste einen Krieg aus, in dem tansan. Truppen und Verbände der in der Emigration gegründeten Nat. Befreiungsfront U. (UNLF) U. bis zum Mai 1979 eroberten; Amin Dada floh nach Libyen. Die Macht vereinnahmte nach Absetzung der Präs. Yusufu Lule (1979) und Godfrey Binaisa (1979/80) die Militärkommission der UNLF. 1980 kehrte Obote nach U. zurück und gewann die Wahlen vom Dez. 1980. Nach anhaltenden Kämpfen zw. Reg.truppen und Amin-treuen Soldaten sowie Anhängern von Yoweri Museveni (*1944) flohen Zehntausende in die Nachbarländer Sudan, Ruanda und

Uganda: Aus dem Victoriasee, dem größten See Afrikas, fließt der Victorianil ab; im Bildvordergrund das Wasserkraftwerk an den Owenfällen

Zaire. Mitte 1985 wurde Obote durch einen Militärputsch gestürzt. Die National Resistance Movement (NRM) unter Museveni nahm ihre Militäraktionen wieder auf und konnte Anfang 1986 Kampala einnehmen. Die Militärreg. setzte sich nach Tansania ab; Museveni wurde im Jan. 1989 als Staatspräs. vereidigt. Er leitete einen Demokratisierungsprozess ein, der 1994 zur Wahl einer verfassunggebenden Versammlung führte. Die von ihr erarbeitete Verf. trat am 8. 10. 1995 in Kraft. Bei den Präsidentschaftswahlen im Mai 1996 siegte Y. Museveni. Bei den von internat. Beobachtern als fair und frei bezeichneten Parlamentswahlen im Juni 1996, zu denen laut Verf. keine Parteien, sondern nur Einzelkandidaten zugelassen waren, wurden fast ausschließlich Anhänger des Präs. gewählt.

🕮 KARUGIRE, S. R.: *A political history of U.* London 1980. – JØRGENSEN, J. J.: *U., a modern history.* New York 1981. – SATHYAMURTHY, T. V.: *The political development of U. 1900–86.* Aldershot 1986. – HECKLAU, H.: *Ostafrika. (Kenya, Tanzania, U.).* Darmstadt 1989. – MUTIBWA, P.: *U. since independence.* London 1992.

Ugarit (heute Ras Schamra), antike Stadt an der O-Küste des Mittelmeeres, nördlich von Latakia (Syrien), heute die Ruinenstätte **Ras Schamra;** im Altertum Handelsmetropole und bedeutendes Kulturzentrum, seit etwa 2400 v. Chr. keilschriftlich bezeugt. Die Könige des Stadtstaats U. standen im 15. und 14. Jh. v. Chr. unter ägyptischer, seit etwa 1340 v. Chr. unter hethit. Oberhoheit. Um 1200 v. Chr. wurde U. von den Seevölkern zerstört. Den archäolog. Befunden nach lag die Blütezeit des rd. 100 Ortschaften umfassenden Stadtstaats um 1400–1200 v. Chr. Die oft hochrangigen Fund-

Milton Obote

Idi Amin Dada

Yoweri Museveni

Ugarit: Fruchtbarkeitsgöttin auf dem Deckel einer Elfenbeindose (14. Jh. v. Chr.; Paris, Louvre)

gegenstände (Keramik, Schmuck, Waffen, Gebrauchsgüter, Prunkgeschirre, z. B. goldene Schale, Bronzestatuetten, Elfenbeinarbeiten, Steinstelen mit Götterbild) zeigen wie die ausgegrabenen spätbronzezeitl. Paläste und Tempel Einflüsse aus Ägypten, Mesopotamien, Kleinasien und der Ägäis. Deutlich ist die Verwandtschaft zur phönikischen Kunst.

ugrische Sprachen, Gruppe der →finnougrischen Sprachen; zu ihr gehören das Ungarische und das Obugrische.

Uhde, 1) Fritz von, Maler, *Wolkenburg (heute zu Wolkenburg-Kaufungen, Kreis Chemnitzer Land) 22. 5. 1848, †München 25. 2. 1911; ab 1880 in München, wo er unter dem Einfluss von M. Liebermann zur Freilichtmalerei fand. In seinen religiösen Bildern übertrug U. das bibl. Heilsgeschehen in das zeitgenöss. Milieu der Bauern und Handwerker. Bed. sind seine Darstellungen aus dem Leben seiner Familie und Kinderbilder.

Fritz von Uhde: »Das Tischgebet« (1885; Berlin, Alte Nationalgalerie)

2) Milan, tschech. Schriftsteller, *Brünn 28. 7. 1936; 1977 Unterzeichner der »Charta 77«, hatte danach teilweise Publikationsverbot; 1990–92 Kultusmin. der Tschech. Rep., schreibt v. a. Film- und Fernsehdrehbücher, Hörspiele, Kurzgeschichten und Dramen.

Uhland, Ludwig, Schriftsteller und Germanist, *Tübingen 26. 4. 1787, †ebd. 13. 11. 1862; ab 1814 Rechtsanwalt in Stuttgart; 1819–26 sowie 1833–38 liberaler Abgeordneter im württemberg. Landtag; 1830–33 Prof. für Literatur in Tübingen. 1848/49 gehörte er, großdt. und liberal gesinnt, der Frankfurter Nationalversammlung an. U. gilt als bedeutendster Vertreter des schwäb. Dichterbundes. Seine überaus erfolgreichen »Gedichte« (1815) verbinden klass. Formstrenge mit volkstüml. Schlichtheit (u. a. »Die Kapelle«, »Der Wirtin Töchterlein«), viele wurden von J. Brahms, F. Liszt,

Ludwig Uhland: Ausschnitt eines Ölgemäldes des Zeitgenossen Carl Jäger

F. Schubert und R. Schumann vertont. Neben Liebes- und Naturlyrik finden sich auch zahlr. patriot. Gedichte (»An das Vaterland«, »Der gute Kamerad«). Seine Geschichts- und Sagenstoffe in den Balladen und Romanzen korrespondieren mit seiner wiss. Tätigkeit (»Sagenforschungen«, 1836) und sind Ausdruck seiner poet. Auseinandersetzung mit aktuellen polit. Problemen. U. schrieb die Monographie »Walther von der Vogelweide, ein altdt. Dichter« (1822) und gab die Sammlung »Alte hoch- und niederdt. Volkslieder« (2 Bde., 1844/45) heraus.

📖 *L. U. Dichter – Politiker – Gelehrter, hg. v.* H. Bausinger. *Tübingen 1988.*

Uhlig, Max, Grafiker und Maler, *Dresden 23. 6. 1937; gestaltet Zeichnungen und Lithographien in einem dynam., verdichteten Liniengefüge; daneben Künstlerbildnisse (1969–74).

Uhlmann, Hans, Bildhauer, *Berlin 27. 11. 1900, †Berlin (West) 28. 10. 1975; schuf geometr. Figurationen aus Draht und Eisenelementen, deren konstruktivist. Aufbau im Spätwerk die Suggestion von Bewegung mit einbezieht; auch Zeichnungen und Aquarelle.

Uhr (von links): Uhr aus dem Nordturm der Nürnberger Sebalduskirche (1. Hälfte des 15. Jh.; Nürnberg, Germanisches Nationalmuseum); das schmiedeeiserne Turmuhrwerk verfügt über ein getrenntes Lauf- und Schlagwerk (um 1575; London, Science Museum); das Modell geht auf einen Entwurf Galileo Galileis für ein Pendeluhrwerk aus dem Jahre 1641 zurück (1883; London, Science Museum)

Uhr [mnd., von lat. hora »Stunde«], Gerät zur Messung, Anzeige und/oder Registrierung der Zeit oder von Zeitintervallen. I.d.R. benutzen U. als Zeitmaß die Periodendauer eines zeitlich period. Vorgangs (meist eine Schwingung), dessen Frequenz mechanisch oder elektrisch/elektronisch umgesetzt (meist reduziert) und in den Einheiten Sekunde, Minute, Stunde angezeigt wird. Als Anzeige dienen v.a. Zeiger (Analoganzeige) oder Ziffern, die die Uhrzeit bzw. die Zeitspanne numerisch angeben (Digitalanzeige). Historisch unterscheidet man zw. Sonnen-, Wasser-, Öl-, Räder-, elektr. U. und elektron. U. sowie Quarz- und Atomuhren. Nach der Werkdicke werden U. eingeteilt in Klein-U. (Armband-, Taschen-U.) und Groß-U. (Wand-, Stand-U.); weitere Unterteilung nach Aufzug, Antrieb oder Schwingsystem.

Mechan. U. haben einen mechan. Aufzug. Außerdem verfügen sie über Antrieb, Räderwerk, Hemmung, Schwingsystem (Unruh). Bei **elektr. U.** wird meist nach dem elektrodynam. Prinzip die Energie direkt dem Schwingungssystem zugeführt. **Elektron. U.** (z.B. →Quarzuhr) setzen die durch das Schwingungssystem erzeugten Frequenzen mithilfe elektron. Schaltungen um. Sie sind weniger störanfällig und anzeigegenauer als mechan. oder elektr. Uhren. In Verbindung mit der integrierten Schaltungstechnik, speziell den Mikroprozessoren, gestatten sie neben der übl. Anzeige außerdem die Erweiterung durch viele Zusatzfunktionen, z.B. als Wecker, Termin-U. oder mit Datumsanzeige. Für Sonderzwecke gibt es Kurzzeitmesser, Kontroll-U., Spielzeit-U. und Schalt-U., die lediglich Zeitintervalle, jedoch nicht die laufende Zeit anzeigen. Zusätzl. Einrichtungen oder Ausstattungen erweitern den Einsatzbereich (z.B. bei Taucher-U., U. mit Schlagwerk).

Uhr

Die genaueste Uhr der Welt steht in der Physikalischen Bundesanstalt in Braunschweig. Sie basiert auf der Schwingung von Cäsiumatomen und weicht in einer Million Jahren nur um eine Sekunde ab. Die Verwendung einer solchen Uhr ist nur sinnvoll bei Satellitennavigationssystemen und in der physikalischen Grundlagenforschung.

Eine neue, verbesserte Uhr ist schon in Planung: Das Max-Planck-Institut für Quantenoptik will eine Atomuhr auf der Basis des Indiumions bauen. Die hätte dann eine Ganggenauigkeit von einer Sekunde in einer Milliarde Jahren.

Geschichte: Die ältesten Formen sind Sonnen-, Wasser- und Sanduhren. Ende des 13. Jh. kamen durch Gewichte angetriebene Räderuhren auf. Die ersten tragbaren U. (»Sack-U.«) wurden von dem

Uhr

Warum bewegen sich die Zeiger unserer Uhren immer nach rechts?

Bevor die heute gebräuchlichen Uhren erfunden wurden, benutzte man vorwiegend Sonnenuhren; und in der nördlichen Hemisphäre wandert der Schatten auf ihnen in unserem Uhrzeigersinn. Die Zeiger auf unseren heutigen Uhren simulieren also den Lauf dieses Schattens. Wären Uhren in der südlichen Hemisphäre erfunden worden, so liefen sie wohl andersherum!

Uhu

Nürnberger Schlosser P. Henlein um 1510 gefertigt; sie waren Federuhren. C. Huygens führte 1657 das Pendel als Gangregler ein und erfand 1674 die Spiralfederunruh; damit waren die Konstruktionselemente der Taschen-U. gegeben. Den ruhenden Ankergang erfand G. Graham (1715), die erste Ankerhemmung T. Mudge (um 1760). 1845 gründete A. Lange die Präzisionsuhrenindustrie in Glashütte. Um 1840 wurden auch schon elektr. U. gebaut, die aber erst um 1920 Verbreitung fanden. Die ersten Quarz-U. stammen von W. A. Marrison (1928) sowie von A. Scheibe und U. Adelsberger (um 1932/33). Die erste praktisch verwendbare Atom-U. wurde 1948 gebaut. Weiteres BILD Chronometer

📖 SCHÜTZ, M.: *Elektron. Uhren. Grundlagen – Schaltungen – Software. Finning 1993.* – ABELER, J.: *Ullstein-Uhrenbuch. Eine Kulturgeschichte der Zeitmessung. Frankfurt am Main u. a. 1994.* – DOHRN-VAN ROSSUM, G.: *Die Geschichte der Stunde. Uhren u. moderne Zeitordnung. Tb.-Ausg. München 1995.* – MARTÍNEK, Z. u. REHOR, J.: *Mechan. Uhren. A. d. Tschech. Berlin u. a.* ^{9}*1996.*

Uhren|anlage, Zeitanzeigeeinrichtung mit mehreren Nebenuhren, die von einer gemeinsamen Hauptuhr mit Schaltimpulsen gesteuert werden, sodass bei gleichzeitigem Start alle Uhren die gleiche Zeit anzeigen. U. ermöglichen beim Ausfall der Stromversorgung ein rasches Korrigieren aller Nebenuhren durch Schaltimpulse mit einer erhöhten Schaltfrequenz.

Uhrenparadoxon, *Physik:* das →Zwillingsparadoxon.

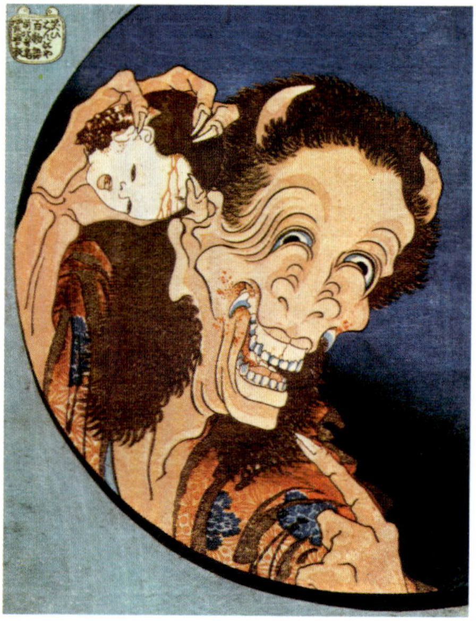

Ukiyo-e: Hokusai, »Die lachende Hannya«, Farbholzschnitt aus der Folge »Hundert Erzählungen« (um 1893)

Uhu (Eurasiatischer U., Bubo bubo), die größte, bis zu 70 cm lange Eulenart, ockergelb-braun-schwarz-weiß gezeichnet, in Europa, Zentral- und O-Asien sowie N-Afrika; in Mitteleuropa nur noch selten, in Dtl. im Bestand gefährdet; jagt nachts u. a. Hasen, Kaninchen, Wald- und Feldhühner, nistet am Boden oder in Felsen.

Ukelei (Länge bis zu 18 cm)

Uhuru [Suaheli »Freiheit«], 1970 von Kenia aus gestarteter US-amerikan. Röntgensatellit. Mit U. wurde die erste vollständige Durchmusterung des Himmels nach Röntgenquellen durchgeführt; er entdeckte u. a. den Röntgenstern →Hercules X-1.

UHV, Abk. für **U**ltra**h**och**v**akuum (→Vakuum).

UIC, Abk. für frz. **U**nion **i**nternationale des **c**hemins de fer, 1922 gegr. internat. Eisenbahnverband; Sitz: Paris. In der UIC sind 85 Bahnen zusammengeschlossen; Hauptaufgabe ist die rechtl., techn. und betriebl. Koordinierung und Förderung des internat. Eisenbahnverkehrs.

Uiguren, Turkvolk in Sinkiang (NW-China; etwa 6,8 Mio.) sowie in Kasachstan, Kirgistan und Usbekistan (rd. 300 000). – Die U. eroberten 745 das Reich der Osttürken am Orchon und wurden zur Vormacht in der Mongolei. 840 wurde ihr Reich von den Kirgisen zerstört. – Aus dem **Uigurischen,** einer Turksprache, entstand die Schriftsprache Neuuigurisch.

Ujjain [uːˈdʒaɪn], Stadt in Madhya Pradesh, Indien, 367 000 Ew.; Univ.; Baumwollspinnereien; eine der sieben hl. Städte der Hindu mit vielen Tempeln und Palästen.

Ujung Pandang [ˈudʒʊŋ-] (bis 1973 Makasar, Makassar), Provinz-Hptst. auf Celebes, Indonesien, 913 200 Ew.; kath. Erzbischofssitz; drei Univ.; Textil-, Papierind.; Hafen, Ausfuhr bes. von Kopra und Pflanzenöl; Flughafen.

U. K. [juːˈkeɪ], Abk. für **U**nited **K**ingdom (dt. »Vereinigtes Königreich«). →Großbritannien und Nordirland.

Ukas [russ. -ˈkas] *der,* Erlass, Verordnung.

Ukelei [aus slaw.] *der* (Alburnus alburnus), in ruhigen Gewässern nördlich der Alpen häufiger, bis zu 18 cm langer Karpfenfisch; früher wurde aus seinen Schuppen Perlenessenz (Fischsilber) gewonnen.

Ukerewe, größte Insel im Victoriasee, rd. 700 km^2, zu Tansania gehörend.

Ukiyo-e [japan. »Malerei der vergängl. Welt«] *das,* die bürgerl. Genremalerei in Japan seit dem

Ukraine

Fläche: 603 700 km^2
Einwohner: (1995) 51,38 Mio.
Hauptstadt: Kiew (ukrain. Kijiw)
Verwaltungsgliederung: 24 Gebiete und die autonome Teilrep. Krim
Amtssprache: Ukrainisch
Nationalfeiertage: 24. 6. und 24. 8.
Währung: 1 Hrywnja (Griwna, UAH) = 100 Kopijki
Zeitzone: OEZ

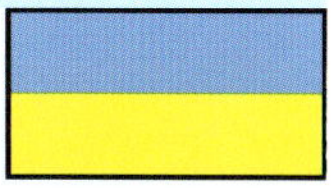

Ende des 16. Jh. (→japanische Kunst); Motive v.a. aus dem Milieu der Kurtisanen, Schauspieler und des Kabukitheaters; in der Kunst des japan. Holzschnitts erlangte es Weltgeltung; bed. Künstler waren u.a. Utamaro, Hiroshige sowie Hokusai.

Ukkel ['ykəl], Stadt in Belgien, →Uccle.

Ukraine (amtlich ukrain. Ukraïna), Staat in Osteuropa, grenzt im N an Weißrussland, im NO und O an Russland, im S an das Asowsche und Schwarze Meer, im SW an Rumänien, Moldawien und Ungarn, im W an die Slowak. Rep. und Polen.

Staat und Recht: Nach der Verf. vom 28. 6. 1996 ist die U. eine souveräne Rep. mit Präsidialsystem. Staatsoberhaupt ist der mit weitgehenden Vollmachten ausgestattete Präs. (auf fünf Jahre direkt gewählt), höchstes Legislativorgan ist der Oberste Sowjet (450 Abg., auf vier Jahre gewählt). Die Exekutive wird von der Reg. unter Vorsitz des Min.-Präs. ausgeübt. Das Parteienspektrum umfasst u.a.: Kommunisten der Ukraine für soziale Gerechtigkeit und Volksmacht, Nat. Volksfront »Ruch«, Bauernpartei, Sozialist. Partei und Republikan. Partei.

Landesnatur: Die U. umfasst den SW der Osteurop. Ebene, gekennzeichnet durch ein Nebeneinander von höheren Landplatten (200–400 m, maximal bis 471 m ü.M.) und flachen Niederungen (Polesien, Dnjepr-, Schwarzmeerniederung). Mit den Waldkarpaten (Gowerla, 2061 m ü.M.) und dem Krimgebirge (bis 1545 m ü.M.) hat sie außerdem Anteil an der alpid. Faltengebirgszone. Mit Ausnahme eines Gebietsstreifens im N ist die U. weithin mit Löss bedeckt. Hauptflüsse sind Dnjepr, Dnjestr und Südl. Bug. – Das Klima ist gemäßigt kontinental, an der Südküste der Krim herrscht feuchtsubtrop. Klima; Jahresniederschläge in den Ebenen 700 mm im NW, 300 mm im S, in den Gebirgen über 1000 mm. Der nördl. Teil der U. liegt in der Mischwaldzone, der mittlere und südl. Teil in der Waldsteppen- und Steppenzone mit fruchtbaren Schwarzerdeböden (heute weitgehend Ackerland). Die ursprüngliche Steppenflora und -fauna ist nur noch in Naturschutzgebieten wie →Askanija Nowa erhalten; Wald bedeckt etwa 15 % der Landesfläche.

Bevölkerung: Sie setzt sich zusammen aus Ukrainern (72,7 %), Russen (22,1 %), Weißrussen (0,9 %), Juden (0,9 %), Rumänen (Moldawiern, 0,9 %), ferner Bulgaren, Polen, Ungarn, Tataren und →Krimtataren, Griechen und Deutsche. In Gebieten mit geschlossenen russ. Siedlungsräumen ist auch Russisch Amtssprache. – Es besteht Schulpflicht vom 6. bis 17. Lebensjahr. Die früher überwiegend russ. Schulen werden zunehmend von ukrain. abgelöst, Russisch ist auf Hochschulebene aber nach wie vor unentbehrlich. Die U. hat eine Akademie der Wiss., neun Univ. und 96 weitere Hochschulen. – Die dominierende Glaubensgemeinschaft ist die ukrainisch-orth. Kirche.

Wirtschaft, Verkehr: Dank reicher Rohstoffvorkommen und fruchtbarer Böden verfügt die U. über eine bed. Ind. und Landwirtschaft. In der sowjet. Wirtschaft hatte sie die zweitwichtigste Position und erbrachte rd. 40 % an Roheisen, Stahl sowie Walzwerkerzeugnissen und fast die Hälfte der landwirtsch. Produktion. Trotzdem gestaltet sich der Aufbau einer selbstständigen, marktwirtschaftlich orientierten Wirtschaft äußerst schwierig. Zudem sind durch hohe Schadstoffemissionen der Ind. und das Reaktorunglück von →Tschernobyl weite Teile der U. ökologisch schwer belastet. In der Landwirtschaft herrschen Weizen- und Zuckerrübenanbau vor, außerdem werden u.a. Sonnenblumen, Mais, Kartoffeln, Gemüse und Tabak angebaut; in der Schwarzmeerküstenregion dominieren Obst- und Weinbau; auch bed. Rinder-, Schweine-, Schafzucht und Geflügelhaltung. – Die U. besitzt die größten Steinkohlelagerstätten der Erde, bes. im →Donez-Steinkohlenbecken; reiche Eisenerzlager v.a. im Bereich von Kriwoi Rog, Manganerze im Raum Nikopol; daneben Vorkommen von Erdöl, Erdgas, Uran-, Blei-, Zinkerz, Salz, Graphit, Gips. Neben dem Bergbau sind die wichtigsten Ind.bereiche Metallurgie, Schiff-, Maschinen-, Fahrzeug- und Apparatebau, Kohleverarbei-

Staatswappen

UA

Internationales Kfz-Kennzeichen

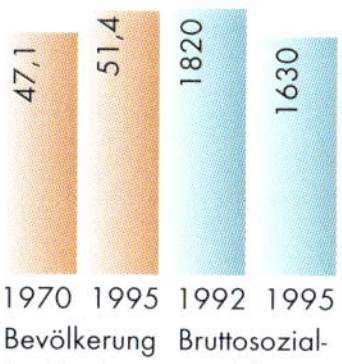

Bevölkerung (in Mio.) Bruttosozialprodukt je Ew. (in US-$)

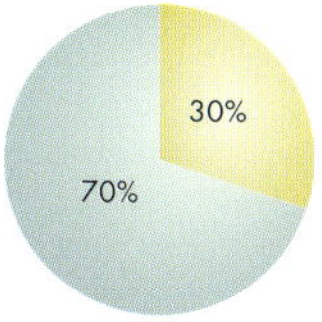

Bevölkerungsverteilung 1995

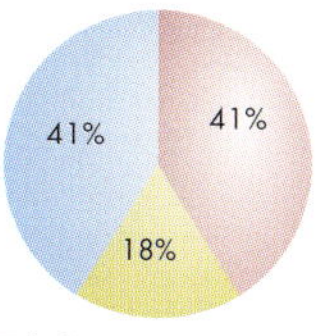

Bruttoinlandsprodukt 1995

tung und chem. Ind.; bed. sind Nahrungsmittel-, ferner Textil-, Leder-, elektrotechn. und elektron., Baustoff- und Holzindustrie. Zur Energieversorgung ist die U. weitgehend auf Erdöl- und Erdgaslieferungen aus Russland angewiesen; Anteil an der Energieerzeugung haben v.a. Wasserkraftwerke am Dnjepr und mehrere Kernkraftwerke, die 30 % der Elektroenergie liefern. – Ausgeführt werden v.a. Kohle, Eisenerze, metallurg. Erzeugnisse, Nahrungsmittel, Schwermaschinen, Fahrzeuge, elektrotechn. und elektron. Geräte; eingeführt werden Konsumgüter, Erdöl und -gas, Ind.einrichtungen; wichtigste Handelspartner: Russland u.a. Republiken der GUS, China, Dtl., Polen, Ungarn, Slowak. und Tschech. Republik. – Die U. verfügt über ein relativ dichtes Verkehrsnetz: Das Eisenbahnnetz beträgt 22 760 km (davon 8 600 km elektrifiziert), das Straßennetz 220 000 km; die Binnenwasserstraßen umfassen 3 900 km. Die wichtigsten Seehäfen sind Odessa, Iljitschowsk (Eisenbahnfähre nach Warna), Cherson, Ismail, Mariupol, Kertsch. Internat. Flughafen ist Borispol bei Kiew.

Ukraine

Ukraine - Wirtschaft

Geschichte: Nach skyth. und grch. Besiedlung (8./7. Jh. v. Chr.) ließen sich seit dem 3. Jh. v. Chr. Sarmaten in der U. nieder. Im 9. Jh. entstand am mittleren Dnjepr, einem Kerngebiet ostslaw. Stämme, das Kiewer Reich **(Kiewer Rus);** nach dessen Zerfall im 12. Jh. bildeten sich mehrere Fürstentümer (bed. v.a. Galitsch-Wolhynien), die 1239/40 unter die Herrschaft der →Goldenen Horde gerieten. Im 14. Jh. kamen Galizien (Galitsch) und ein Teil W-Wolhyniens an Polen, an Litauen fielen Podolien, Kiew und ein Teil Wolhyniens. Das um 1450 in der Süd-U. entstandene Krimkhanat unternahm im 15./16. Jh. verheerende Raubzüge in den SW des Landes. Durch die Lubliner Union 1569 (Zusammenschluss Litauens mit Polen) gelangte die U. weitgehend unter poln. Herrschaft; mit der Union von Brest-Litowsk (1596) gingen Teile der orthodoxen ukrain. Kirche eine Union mit der kath. Kirche ein (→ukrainische Kirche). Träger des Widerstandes gegen die poln. Magnaten waren die Saporoger Kosaken, die nach einem Aufstand unter Hetman S. B. M. Chmelnizki 1648 einen selbstständigen Staat (»Hetmanstaat«) bildeten, der sich aber 1654 unter den Schutz des russ. Zaren stellte. Im daraus folgenden russisch-poln. Krieg (1654–67) verlor Polen die ukrain. Gebiete östlich des Dnjepr. Während des Nord. Krieges (1700–21) versuchte der Kosakenhetman I. S. Masepa im Bündnis mit Karl XII. von Schweden vergeblich, die U. von Russland zu lösen; nach der Niederlage von Poltawa (1709) allmähl. Beseitigung der Autonomie der Kosaken (1764 Aufhebung des Hetmanats, 1775 der Saporoger Setsch). Durch die Poln. Teilungen (1772–95) fielen die ukrain. Gebiete westlich des Dnjepr und Wolhynien an Russland (1796 Bildung von Gouvernements); an Österreich kamen Galizien und die Bukowina. Die von Russland betriebene Russifizierungspolitik wurde bis in die 2. Hälfte des 19. Jh. fortgeführt (1863–1905 Druckverbot für Bücher in ukrain. Sprache). In der österr. »Westukraine« wurde hingegen Ukrainisch als Gegengewicht zum Polentum gefördert (Lehrstuhl für ukrain. Sprache und Literatur an der Univ. Lemberg 1848).

Die nach der russ. Februarrevolution 1917 gebildete bürgerl. Zentralrada, die im Jan. 1918 die Unabhängigkeit der U. ausrief und im Febr. 1918 einen Separatfrieden mit den Mittelmächten schloss, stand der im Dez. 1917 in Charkow konstituierten

Ukraine (von links): Die ursprüngliche Federgrassteppe findet sich nur noch in Naturschutzgebieten, hier Askanija Nowa; die Schafherde weidet in den bis zu über 2000 m hohen Waldkarpaten

prosowjet. Reg. im Machtkampf gegenüber. Im März/April 1918 besetzten dt. und österr.-ungar. Truppen die U. (bis Dez.); national-konservative Kräfte errichteten mit dt. Unterstützung das Hetmanat wieder; bei dessen Sturz bildete sich im Nov. 1918 das kurzlebige ententefreundl. Direktorium unter S. W. Petljura. Die im Jan. 1919 in Kiew einziehenden Bolschewiki, die am 14. 1. 1919 die Ukrain. SSR proklamierten, wurden nur noch vorübergehend von Truppen Denikins und im Mai/Juni 1920 von den Polen verdrängt. Im Frieden von Riga (1921) musste aber das zeitweise schon sowjet. Galizien (West-Ukrain. Volksrep.) Polen überlassen werden. In der 1922 an der Gründung der Sowjetunion beteiligten Ukrain. SSR kam es durch die Zwangskollektivierung unter Stalin zu einer schweren Hungersnot (rd. 6–8 Mio. Opfer). Zu Beginn des 2. Weltkrieges 1939 gliederte die sowjet. Regierung gemäß dem Hitler-Stalin-Pakt die West-U. wieder an, 1940 auch Teile Bessarabiens und die nördl. Bukowina. 1941–44 war die U. von dt. Truppen besetzt (schwere Verluste an Menschen sowie Wirtschafts- und Kulturgütern, Mord an der jüd. Bev., →Babi Jar) und bildete einen der Hauptkriegsschauplätze. Danach wurden Teile der Bev. unter dem (inzwischen revidierten) Pauschalvorwurf der Kollaboration mit den Deutschen v.a. nach Sibirien deportiert (bis 1950 etwa 300 000). 1946 kam Transkarpatien an die U., die 1945 Gründungsmitgl. der UN war. 1954 trat die Russ. SFSR die Krim an die U. ab.

Ende der 80er-Jahre verstärkten sich in der U. die Unabhängigkeitsbestrebungen (getragen v.a. von der Volksbewegung »Ruch«). Nachdem die U. bereits am 16. 7. 1990 ihre Souveränität innerhalb der Sowjetunion erklärt hatte, proklamierte sie unter Parlamentspräs. L. Krawtschuk am 24. 8. 1991 ihre Unabhängigkeit und verbot die Tätigkeit der KP (1993 wieder zugelassen). Im Dez. 1991 wurde Krawtschuk zum Staatspräs. gewählt. Im selben Monat gründete die U. mit Russland und Weißrussland die →GUS, in der sie sich gegen russ. Vormachtstreben wandte (u.a. Auseinandersetzungen um die Schwarzmeerflotte und die →Krim, 1997 beigelegt). Die unter den MinPräs. W. Fokin (1990–92) und L. Kutschma (1992–93) eingeleiteten wirtsch. Reformmaßnahmen kamen nur schleppend in Gang und stießen z.T. auf Ablehnung in der Bev. (Bergarbeiterstreiks 1993) sowie auf Widerstand im Parlament. Im Jan. 1994 unterzeichneten die U., Russland und die USA ein Abkommen über den Abbau und die Vernichtung der ukrain. Atomwaffen (bis Juni 1996 erfüllt). Im Juli 1994 wurde Kutschma zum Staatspräs. gewählt. Neuer MinPräs. ist seit Juli 1997 W. Pustowoitenko. Bei den Parlamentswahlen im März 1998 wurden die Kommunisten stärkste polit. Kraft.

📖 *Geschichte der U., hg. v.* F. Golczewski. *Göttingen 1993. – U., Beiträge v.* H. Siwik *u.* M. Saslawskaja. *München 1993. – U. Gegenwart u. Geschichte eines neues Staates, hg. v.* G. Hausmann *u.* A. Kappeler. *Baden-Baden 1993.* – Lüdemann, E.: *U. München 1995.* – Götz, R. *u.* Halbach, U.: *Polit. Lexikon GUS. München* [3]*1996.*

Ukrainer (früher auch Kleinrussen, Ruthenen), ostslaw. Volk, v.a. in der Ukraine (37,9 Mio.), in Russland (4,4 Mio.) und Kasachstan (900 000) sowie in mehreren europ. Ländern und Nordamerika; insgesamt etwa 46 Mio. Angehörige. Die U. sind Nachkommen alter ostslaw. Stämme (Poljanen, Drewljanen, Sewerjanen u.a.), die seit dem 6. Jh. vom mittleren Dnjepr bis zu beiden Hängen der mittleren Karpaten sesshaft waren.

ukrainische Kirche, Kurzbez. für die in der Ukraine entstandenen und v.a. dort verbreiteten Ostkirchen:

1) (orth. Kirche der Ukraine), 1) das durch den Metropoliten von Kiew und Galitsch geleitete Exarchat der Ukraine der russisch-orth. Kirche, seit 1686 dem Moskauer Patriarchat unterstellt

Leonid Krawtschuk

Leonid Kutschma

Waleri Pustowoitenko

(vorher Konstantinopel); 2) die selbstständige ukrainisch-orth. Kirche, gegr. 1919 im Zuge nat. und kirchl. Autonomiebestrebungen neben dem ukrain. Exarchat (von der russisch-orth. Kirche nicht anerkannt; von der Sowjetreg. verfolgt und verboten); 3) die 1992 gegr. selbstständige »vereinigte ukrainisch-orth. Kirche«.

2) (ukrainisch-kath. Kirche), die durch die Union von Brest-Litowsk (1595/96) mit der kath. Kirche unierte Kirche der Ukraine; 1946 Zwangseingliederung in die russisch-orth. Kirche. 1990 Neukonstituierung der ukrainisch-kath. Kirche.

3) (ruthenische Kirche), die durch die Union von Uschgorod (1646) mit der kath. Kirche unierte Kirche der Karpato-Ukraine; Zwangseingliederung in die rumänisch-orth. Kirche (1948), russisch-orth. Kirche (1949) bzw. gänzl. Unterdrückung (Slowakei); 1968 Wiederherstellung der ruthen. Kirche in der Slowakei; 1990 in Rumänien; 1990/91 in der Ukraine.

ukrainische Literatur (ruthenische Literatur), das Schrifttum der Kiewer Zeit im 9. Jh. (→russische Literatur) kann zugleich als die älteste u. L. gelten. Mit dem Tatareneinfall und der Zeit der litauischen und poln. Herrschaft gewann die polit. Literatur an Bedeutung. Im 16. Jh. entstanden Annalen und Chroniken, scholast. Predigten, Gedichte, auch dramat. Dichtung, daneben eine bürgerlich-volkstüml. Dichtung.

Die neuere u. L. begann gegen Ende des 18. Jh. mit philosoph., humanist. und poet. Werken von H. S. Skoworoda. Bahnbrechend wirkte I. P. Kotljarewsky, der durch seine klassizist., in der ukrain. Volkssprache geschriebene »Äneis«-Travestie (»Eneida«, 1798) die Entstehung der modernen ukrain. Schrift- und Literatursprache entscheidend förderte. Für die Prosadichtung gab H. F. Kwitka-Osnowjanenko entscheidende Anregungen. Von großer Bedeutung wurde die 1846 gegr. geheime Kyrillos-Methodios-Gesellschaft, in der sich nat., panslawist. und soziale Bestrebungen verbanden, die T. H. Schewtschenko vollendet zum Ausdruck brachte. Zu seinem Kreis gehörten u. a. M. I. Kostomarow und P. O. Kulisch. Vertreter der Romantik waren O. O. Korsun und J. P. Hrebinka. Die offizielle russ. Reaktion auf die nat.-ukrain. Bewegung ab 1845 war eine verstärkte Zensur, Druckverbot (1863–1905) für Publikationen in Ukrainisch und eine verschärfte Russifizierungspolitik. M. S. Schaschkewytsch trug durch seine romantisch-histor. und reflexive Lyrik zur literar. Wiedergeburt der ukrain. Volkssprache der W-Ukraine bei. Im Realismus der 1860er- und 1870er-Jahre traten soziale Fragestellungen in den Vordergrund; neben Schilderungen der Leibeigenschaft wurden die Probleme der sich entwickelnden kapitalist. Gesellschaftsordnung aufgegriffen (I. Netschui-Lewyzky, P. Myrny, B. D. Hrintschenko). Höhepunkt dieser Periode war das Schaffen des Westukrainers I. J. Franko. Herausragende Vertreter der Übergangsperiode zur Moderne waren der Prosaiker M. M. Kozjubynsky, die Dramatikerin L. Ukrajinka sowie der Lyriker O. Oles. Einen erneuten Aufschwung nahm die u. L. nach 1917; in den 20er-Jahren wirkten Strömungen wie Impressionismus (H. M. Kossynka), Symbolismus (P. H. Tytschyna, M. P. Baschan), Futurismus (M. S. Semenko), Kiewer Neoklassizismus (M. T. Rylsky, M. Serow) und Neuromantik (W. S. Sosjura). In den stalinist. Verfolgungen kamen zahlr. ukrain. Schriftsteller ums Leben (Semenko, Kossynka, W. P. Pidmohylny, Serow, Kulisch, M. Chwylewy u. a.), verstummten (M. Iwtschenko) oder passten sich der offiziellen Literaturdoktrin des sozialistischen Realismus an (Tytschyna, Rylsky). Der 2. Weltkrieg, die Vereinigung der Westukraine mit der Ukrain. Sowjetrepublik und die damit verbundene Sowjetisierung sowie die anschließenden Jahre des Wiederaufbaus erweiterten die Thematik. Eine Reihe neuer Dichter und Prosaiker trat auf (A. Malyschko, D. Pawlyschenko, O. Korn). Nach 1956 wurde von einigen Erzählern auch das Thema des stalinist. Terrors behandelt (O. T. Hontschar, M. P. Stelmach). Mit histor. und patriot. Dramen trat O. J. Kornitschuk hervor. Besinnung auf die nat. Eigenständigkeit und Geschichte, unkonventionelles Herangehen an alle Fragen des menschl. Seins sowie assoziations- und metaphernreiche Ausdrucksweise kennzeichnen die junge Dichtergeneration der 60er-Jahre, in der Lyrik L. W. Kostenko, I. F. Dratsch, W. S. Stus; in der Prosa W. Drosd, J. P. Huzalo, W. O. Schewtschuk. Diese »Tauwetter«-Periode endete Anfang der 70er-Jahre mit Repressionen gegen ihre mutigsten Vertreter (u. a. Stus). Die nichtsystemkonformen Autoren zogen sich in den Untergrund zurück. Die kulturelle Wiedergeburt gelang Ende der 80er-Jahre. Bed. im Prozess der Rehabilitation totgeschwiegener, umgekommener und exilierter Autoren war die Zeitschrift des ukrain. Schriftstellerverbandes »Literatura Ukrajina«. Zur jüngeren Generation ukrain. Autoren gehören u. a. A. Streljany und J. N. Schtscherbak.

📖 VOZNJAK, M.: *Geschichte der u. L., 3 Bde. A. d. Ukrain. Gießen 1975.* – *Ukrain. Romantik u. Neuromantik vor dem Hintergrund der europ. Literatur, hg. v.* J. BOJKO-BLOCHYN. *Heidelberg 1985.* – LUCKYJ, G.: *Literary politics in the Soviet Ukraine 1917–34. Neuausg. Durham 1990.*

Ukrainischer Schild, Teil der Osteurop. Tafel, in dem der präkambr. Untergrund zutage tritt.

ukrainische Sprache (früher auch ruthenische Sprache, fälschlich kleinruss. Sprache), zur ostslaw.

Gruppe der slaw. Sprachen gehörend; nach der Zahl der Sprecher die zweitgrößte slaw. Sprache, gesprochen von etwa 38 Mio. in der Ukraine (seit 1989 Amtssprache) und etwa 6 Mio. in anderen Nachfolgestaaten der Sowjetunion, außerdem in Polen, der Slowakei und Rumänien sowie u.a. in den USA (etwa 1 Mio.) und Kanada (etwa 700000). Die u. S. wird in kyrill. Schrift geschrieben (mit einigen Besonderheiten). Die ukrain. Schriftsprache entwickelte sich auf der Grundlage der südöstl. Mundart. Historisch unterscheidet man die altukrain. Periode (7.–12. Jh.), das frühe Mittelukrainisch (12.–15. Jh.), die mittelukrain. Periode (16.–18. Jh.). In der Romantik wurde auf der Grundlage der Volkssprache die ukrain. Literatursprache geschaffen, die sich jedoch erst zw. 1905 und 1914 und den ersten Jahren nach der Oktoberrevolution ausbildete und sich nach 1991 wieder voll entfaltete.

📖 ANHALT-BÖSCHE, O.: *Ukrainisch. Einführendes Lehrbuch. Wiesbaden 1996.*

Ukulele [polynes.] *die* oder *das,* kleine Gitarre mit vier Stahlsaiten (a, d¹, fis¹, h¹); wird auf Hawaii und seit etwa 1920 in der amerikan. und europ. Tanzmusik verwendet.

UKW, Abk. für →**U**ltra**k**urz**w**ellen.

Ulan [poln., von türk. oğlan »junger Mann«] *der,* mit der Lanze bewaffneter Reiter, leichter Lanzenreiter. U. wurden zuerst (16. Jh.) in Polen aufgestellt, in Preußen seit 1807. Im Dt. Reich gab es (bis 1918) 26 Ulanenregimenter.

Ulan-Bator (Ulaanbaatar, bis 1924 Urga), Hptst. der Mongolei, 1350 m ü.M., 680000 Ew.; Univ., Akademie der Wiss., TH, PH, Hochschule für Gesundheitswesen, Staatsarchiv, Museen, Theater; Textil-, Leder- u.a. Ind.; internat. Flughafen; durch Transmongol. Eisenbahn Anschluss an das russ. Eisenbahnnetz. – U.-B. entstand 1639 als zeitweilige (seit 1778 ständige) Klosterresidenz des Oberhaupts des mongol. Lamaismus und entwickelte sich rasch zu einem bed. Handelszentrum; ab der 2. Hälfte des 18. Jh. Verw.zentrum der mandschur. Statthalter, 1911–21 Sitz der Autonomen Mongol. Reg.; wurde 1924 Hptst. der Mongol. Volksrep. (seit 1992 Staat der Mongolei).

Ulanka [poln.] *die,* der zweireihige Uniformrock der Ulanen.

Ulanowa, Galina Sergejewna, russ. Tänzerin, *Sankt Petersburg 8. 1. 1910, †Moskau 21. 3. 1998; 1928–44 Mitgl. des Kirow-Balletts in Leningrad, 1944–61 Primaballerina assoluta des Bolschoi-Balletts in Moskau; hervorragende Interpretin bes. von Rollen des klass. Fachs; auch als Tanzpädagogin sehr geschätzt.

Ulan-Ude (bis 1934 Werchneudinsk), Hptst. der Rep. Burjatien innerhalb der Russ. Föderation, in Transbaikalien, an der Selenga, 366000 Ew.; Zweigstelle der Akademie der Wiss., vier Hochschulen, Museen, Theater; Maschinen- und Fahrzeugbau, Eisenbahnwerkstätten, Metallverarbeitung, Nahrungsmittel-, Leichtind.; Abzweigung der Transmongol. von der Transsibir. Eisenbahn; Flughafen.

Ulbricht, Walter, Politiker (KPD, SED), *Leipzig 30. 6. 1893, †Berlin (Ost) 1. 8. 1973; Tischler, ab 1912 Mitgl. der SPD, 1918 des Spartakusbundes, am 31. 12. 1918/1. 1. 1919 Mitbegründer der KPD, 1928–33 MdR, emigrierte 1933, seit 1938 in der UdSSR, 1943 Mitgründer des Nationalkomitees Freies Dtl.; bereitete, seit 30. 4. 1945 wieder in Dtl. (»Gruppe U.«), die kommunist. Machtergreifung in der späteren SBZ vor; betrieb 1946 die Verschmelzung von SPD und KPD zur SED; 1946–50 stellv. Vors. der SED, 1949–60 Stellv. bzw. Erster Stellv. MinPräs. der DDR; 1950–53 Gen.-Sekr., 1953–71 (von E. Honecker u.a. erzwungener Rücktritt) Erster Sekr. des ZK der SED, ab Sept. 1960 Vors. des Staatsrates und damit faktisch Staatsoberhaupt (bis 1973). Zw. 1945 und 1971 Hauptverantwortlicher für die eng an die UdSSR angelehnte Entwicklung in der SBZ/DDR; schaltete innerparteil. Gegner (u.a. R. Herrnstadt, K. Schirdewan) aus; nach dem 13. 8. 1961 (Bau der Berliner Mauer) um die internat. Anerkennung der DDR bemüht (zuletzt mit gewissen Eigenständigkeitsbestrebungen gegenüber der UdSSR).

Walter Ulbricht

Ulcus [lat.] *das,* das →Geschwür.

Ulcus cruris, das →Beingeschwür.

Ulcus duodeni, das →Zwölffingerdarmgeschwür.

Ulcus ventriculi, das →Magengeschwür.

Uleåborg [yːloːˈbɔrj], finn. Stadt, →Oulu.

Ulema [arab.] *der,* islam. Rechts- und Religionsgelehrter.

Ulenspegel [niederdt.], Held eines Schwankromans, →Eulenspiegel.

Ulexit [nach dem Chemiker Georg Ludwig Ulex, *1811, †1883] *der* (Boronatrocalit), triklines, in feinfaserigen Aggregaten vorkommendes, weißes Mineral, $NaCaB_5O_9 \cdot 8H_2O$; Rohstoff für Bor.

Galina Ulanowa

Ulfilas, got. Missionsbischof, →Wulfila.

Ulixes, lat. Bez. für →Odysseus.

Uljanowsk (bis 1924 und kurze Zeit nach 1991 Simbirsk), Gebietshptst. in Russland, an der hier zum Samaraer Stausee gestauten Wolga, 625000 Ew.; drei Hochschulen, mehrere Museen und Theater, Philharmonie; Maschinen-, Kfz-, Motoren-, Schiffsbau, vielseitige Gebrauchsgüterind.; Verkehrsknotenpunkt, Fluss- und Flughafen. – Gegr. 1648 als Festung. Geburtsort von W. J. Uljanow (Lenin).

Ulkus [lat.] *das,* das →Geschwür.

Ulkuskrankheit, →Magengeschwür.

Ullmann, 1) Liv, norweg. Schauspielerin, Regisseurin, *Tokio 16. 12. 1938; wurde bekannt bes.

Liv Ullmann

Viktor Ullmann

Jan Ullrich

Luise Ullrich

Guntis Ulmanis

Ulm
Stadtwappen

durch Rollen in Filmen von I. Bergman: »Persona« (1966), »Szenen einer Ehe« (1975), »Schlangenei« (1977), »Gabi Brimmer« (1986), »Der Rosengarten« (1989), führte Regie, u.a. in »Sofie« (1992); schrieb autobiograph. Werke (»Wandlungen«, 1976; »Gezeiten«, 1984); Sonderbotschafterin der UNICEF seit 1980.

2) Viktor, österr. Komponist, *Teschen 1. 1. 1898, †KZ Auschwitz 18. 10. 1944; Schüler u.a. von A. Schönberg und A. Haba; setzte sich mit der Zwölftontechnik auseinander; schrieb u.a. die Oper »Der Sturz des Antichrist« (1936, aufgeführt 1995), Klavierkonzert, zwei Sinfonien, Klaviersonaten und Liederzyklen.

3) Wolfgang, Politiker (Bündnis 90/Die Grünen), *Bad Gottleuba 18. 8. 1929; evang. Theologe und Kirchenhistoriker; befasste sich mit den grch. Kirchenvätern und mit T. Müntzer. In den 1980er-Jahren arbeitete er in der unter dem Dach der evang. Kirche organisierten Oppositionsbewegung; 1989 maßgeblich an der Bildung der Bürgerbewegung »Demokratie Jetzt« beteiligt. Von April bis Okt. 1990 war er Vizepräs. der Volkskammer der DDR; MdB (1990–94), MdEP (seit 1994).

Ullrich, 1) Jan, Radrennfahrer, *Rostock 2. 12. 1973; 1993 Amateur-Straßenweltmeister, 1996 und 1998 Zweiter sowie 1997 Sieger der Tour de France.

2) Luise, Schauspielerin, *Wien 31. 10. 1911, †München 21. 1. 1985; spielte in Berlin und München zunächst Mädchen-, später Charakterrollen (Mütter); auch Film- und Fernsehrollen.

Ullstein Verlag, von Leopold Ullstein (*1828, †1899) 1877 in Berlin gegr. Verlag, der in der Weimarer Republik einer der größten dt. Presse- und Buchverlage war (u.a. Berliner und Voss. Zeitung); seit 1934 Teil des NSDAP-Verlagskonzerns nach erzwungenem Verkauf. Der seit 1960 mehrheitlich der Axel Springer Verlag AG gehörende U. V. war 1985–95 Teil der Holdinggesellschaft Ullstein-Langen-Müller GmbH & Co. KG und ist seit 1996 wieder im alleinigen Besitz von Springer.

Ulm, kreisfreie Stadt in Bad.-Württ. und Verw.sitz des Alb-Donau-Kreises, am linken Ufer der Donau, gegenüber dem bayer. Neu-Ulm, 115 700 Ew.; Univ.; FH; Museen (u.a. Dt. Brotmuseum), Theater; Fahrzeugbau, Elektro-, Metall-, Textil-, Bekleidungs- u.a. Industrie. – Wieder aufgebaut nach starker Zerstörung der Altstadt (1944) sind das repräsentative got. Rathaus (14.–16. Jh.) mit astronom. Uhr und Skulpturen von H. Multscher (1427–36, Originale im Museum), Kornhaus (1594), Schwörhaus (1612/13), Neuer Bau (urspr. Lagerhaus, 1585–93) im Renaissancestil, Löwenbau im Zeughaussaal (1606/07); berühmtestes Bauwerk ist das →Ulmer Münster; evang. Pauluskirche von T. Fischer (1908–10); Stadthaus von R. A. Meier (1989–93). – Im Ortsteil **Wiblingen** ehem. Benediktinerabtei (1093 gegr.; Klostergebäude, 1714–60; Abteikirche, 1772–78). Evang. Gemeindezentrum (1959–64) von O. A. Gulbransson.

Geschichte: 854 als Königspfalz erwähnt; zw. 1163 und 1181 Stadtrecht; wurde führende schwäb. Reichsstadt (seit 14. Jh.; u.a. seit Mitte 17. Jh. Tagungsort des Schwäb. Kreises), nahm 1529/30 die Reformation an; kam mit dem großen reichsstädt. Herrschaftsgebiet 1802 an Bayern, 1810 mit dem Gebiet nördlich der Donau an Württemberg; ab 1842 zur Festung des Dt. Bundes ausgebaut.

📖 *U. Ein verlorenes Stadtbild, bearb. v.* H. Pflüger. *Gudensberg 1994.*

Ulm: Das gotische Rathaus (14.–16. Jh.) wurde nach dem Zweiten Weltkrieg wieder aufgebaut; im Hintergrund die Turmspitze des Ulmer Münsters

Ulmanis, 1) Guntis, lett. Politiker, *Riga 13. 8. 1939, Großneffe von 2); Wirtschaftswissenschaftler, Mitgl. der Bauernunion, wurde 1993 Staatspräs. (1996 wieder gewählt).

2) Kārlis, lett. Politiker, *Berze 4. 9. 1877, †1942, Großonkel von 1); gründete 1917 die Lett. Bauernunion, nach der Proklamation der Unabhängigkeit (1918) wiederholt MinPräs. (1918–21, 1925/26, 1931 und 1934–40); errichtete durch einen Staatsstreich (1934) ein autoritäres Regime; 1936–40 Staatspräs.; nach der Besetzung Lettlands durch sowjet. Truppen (1940) deportiert.

Ulme [lat.] (Rüster, Ulmus), Gattung der Ulmengewächse in der nördl. gemäßigten Zone und in den Gebirgen des trop. Asiens; sommergrüne, seltener halbimmergrüne Bäume oder Sträucher; Blätter eiförmig, häufig doppelt gesägt, Blüten unscheinbar, Frucht eine von einem breiten Flügelrand umgebene Nuss. Wichtige einheim. Arten sind: **Berg-U.** (**Bergrüster,** Ulmus montana), bis 30 m hoch, v.a. in Bergregionen; Blätter doppelt gesägt, oberseits rau; **Feld-U.** (**Feldrüster,** Ulmus campestris), bis 40 m hoch, in Wäldern und Flussauen tieferer Lagen; mit reichästiger, breiter

Krone; **Flatter-U.** (**Flatterrüster,** Ulmus laevis), bis 35 m hoch v. a. in feuchten Wäldern; Blätter doppelt gesägt, unterseits behaart. Die aus dem östl. Nordamerika stammende **Amerikan. U.** (Ulmus americana) wird als Parkbaum angepflanzt. – Das **Ulmensterben** (Ulmenkrankheit) ist eine Erkrankung der U. mit vorzeitigem Blattfall, Absterben einzelner Zweige, dann ganzer Bäume. Erreger ist der Schlauchpilz Ceratocystis ulmi, der durch den **Großen Ulmensplintkäfer** (Scolytus scolytus) verbreitet wird.

Ulmer Münster, größte dt. Pfarrkirche (124 m lang, Gewölbehöhe des Mittelschiffs 42 m); Baubeginn 1377 (unter den Baumeistern Parler als Hallenkirche konzipiert), 1392–1417 Umgestaltung zur Basilika, Planung des Westturmes (U. Ensinger); 1477 ff. Vollendung des Turmvierecks und Beginn des Oktogons (M. Böblinger); 1493 ff. Umwandlung in eine fünfschiffige Basilika (Burkhard Engelberg); 1543 Einstellung des Baus; 1844–90 Errichtung des achteckigen Turmaufbaus mit dem durchbrochenen Helm (161 m) nach Böblingers Bauriss. Wertvollste Ausstattungsstücke sind v. a. das Chorgestühl von J. Syrlin d. Ä. (Bild) und Michel Erhart (1469–74) und das 28 m hohe Sakramentshaus (vollendet 1471); am reich geschmückten W-Portal Schmerzensmann von H. Multscher.

Ulpianus, Domitius, röm. Jurist, *Tyros (Phönikien) um 170, † (ermordet) Rom 228; hatte maßgebenden Einfluss auf die Leitung des röm. Staates. Ein Teil seiner enzyklopäd. Schriften ist in den »Pandekten« des Corpus Iuris Civilis erhalten.

Ulrich, Herzog von Württemberg (1498–1519 und 1534–50), *Reichenweier (Elsass) 8. 2. 1487, † Tübingen 6. 11. 1550; schlug 1514 den Bauernaufstand des »Armen Konrad« nieder; 1516 geächtet. 1519 vom Schwäb. Bund vertrieben, irrte er als der »rote Utz« umher, bis Landgraf Philipp I., der Großmütige, von Hessen (Sieg bei Lauffen, 13. 5. 1534) ihm die Rückkehr ermöglichte. 1534 führte er in seinem Herzogtum (nun österr. Afterlehen) die Reformation ein.

Timm Ulrichs: »Der Findling«, aus der Performance »Zehn Stunden im geschlossenen Stein« (1981; heutiger Standort vor dem Konzert- und Theatersaal in Nordhorn)

Ulmer Münster

Ulrich von Lichtenstein, mhd. Dichter, *um 1200, † um 1275 oder 1276, aus steiermärk. Ministerialgeschlecht; Truchsess der Steiermark und Landesrichter. U. schrieb formvollendete Minne- und Tanzlieder, die er in seinen autobiograph. Versroman »Frauendienst« (1255) einflocht. Sein minnetheoret. Disput »Frauenbuch« (1257) beklagt den Verfall ritterl. Zucht und Sitte.

Ulrich von Türheim, mhd. Epiker der ersten Hälfte des 13. Jh.; aus schwäb. Adelsgeschlecht, setzte um 1235 den »Tristan« Gottfrieds von Straßburg fort, vollendete zw. 1240 und 1250 »Rennewart« (35 500 Verse), eine Fortsetzung des »Willehalm« Wolframs von Eschenbach.

Ulrichs, Timm, Künstler, *Berlin 31. 3. 1940; seit 1972 Prof. in Münster; Vertreter des Neodadaismus und der Conceptart. Seine »Tautologien« setzen verbale Begriffe in Objekte um; auch Environments, Aktionen und Performances.

Ulsan, Hafenstadt in Süd-Korea, 682 400 Ew.; Werften (darunter größte der Erde), Erdölraffinerie, chem., Eisen- und Stahlind., Automontage.

Ulster [nach der Prov. Ulster] *der,* Ende des 19. Jh. aufgekommener, meist zweireihiger Herrenwintermantel aus **U.-Stoff**, einem schweren Walkgewebe.

Ulme: Feldulme; blühender Zweig, Frucht und Laubzweig

Ulster ['ʌlstə], histor. Provinz im N der Insel Irland, umfasst die 1973 in Distrikte aufgelösten Counties Antrim, Down, Armagh, Londonderry, Fermanagh, Tyrone in Nordirland sowie die Counties Cavan, Donegal und Monaghan der Rep. Irland.

Ulster Defence Association ['ʌlstə dɪ'fens əsəʊsɪ'eɪʃn], Abk. **UDA,** 1972 gegr. paramilitärische prot. Organisation in →Nordirland; sie bekämpft – auch mit terrorist. Mitteln – kath.-nationalist. Organisationen, v. a. die IRA. Im Aug. 1992 wurde sie von der brit. Regierung verboten.

Ulrich, Herzog von Württemberg

Ultima [lat.] *die,* die letzte Silbe eines Wortes.

Ultima Ratio [lat.] *die,* letztes Mittel.

Ultimatum [nlat., zu lat. ultimus »der Letzte«] *das,* im zwischenstaatl. Verkehr das Überreichen einer Forderung an einen Gegner oder Verhandlungspartner mit der Ankündigung nachteiliger Maßnahmen, falls der Forderung innerhalb einer gesetzten Frist nicht entsprochen wird.

Ultimo [lat.] *der, allg.:* der letzte Tag des Monats; im *Geld-* und *Börsenverkehr* der letzte Börsentag des Monats, häufig Stichtag für das Auslaufen limitierter Börsenaufträge. **U.-Geschäft,** am Monatsschluss fälliges Börsentermingeschäft.

ultra... [lat. »über ... hinaus«, »jenseits«], äußerst, extrem; jenseits.

Ultrabasite (ultrabasische Gesteine), Magmatite mit weniger als 45% SiO_2-Gehalt, mehr als 90% dunklen Gemengteilen, v.a. Tiefengesteine, z.B. Peridotit.

Ultrafiltration, → Membranverfahren.

Ultrahoch|erhitzung, die → Uperisation.

Ultraismus *der* (span. Ultraísmo), mit dem lateinamerikan. Creacionismo, der eine schöpferisch-naturhafte Erneuerung der Dichtung forderte, die hispan. Variante der europ. Avantgardebewegungen des Expressionismus, Surrealismus und Futurismus (v.a. 1918–23).

Ultima Ratio

Der lateinische Ausdruck mit der Bedeutung »letztes, äußerstes Mittel« wurde häufig für militärische Auseinandersetzungen nach ergebnislosen Verhandlungen verwendet. Die Wendung »Ultima ratio regum« – letztes Mittel der Könige – geht auf den spanischen Dichter P. Calderón de la Barca zurück. In seinem Drama »In diesem Leben ist alles wahr und alles Lüge« (vor 1644) ist von Pulver und Blei als »Ultima razon de reyes« die Rede. Im 17. Jahrhundert war die Wendung eine häufige Inschrift auf französischen Kanonen. In Preußen verwendete man sie in der abgewandelten Form »Ultima ratio regis« seit 1742.

Ultrakurzwellen, Abk. **UKW,** elektromagnet. Wellen von 87,5 bis 108 MHz bzw. 3,43 bis 2,78 m (UKW i.e.S.) für Hörfunk; in Osteuropa liegen die Frequenzen etwas niedriger (ab 67 MHz), für Funksprechanlagen wird ein Bereich von etwa 70 bis 470 MHz genutzt. U. lassen sich wie Licht bündeln, breiten sich geradlinig aus und werden ebenso reflektiert und gebrochen. Ihre Reichweite im Sendebetrieb liegt bei ca. 40 bis 120 km, weshalb die Sendeantennen möglichst hoch angeordnet werden. U. werden von atmosphär. Störungen nicht beeinflusst und gestatten aufgrund der Frequenzmodulation und der Kanalbreite von lediglich 300 kHz störungsfreien Empfang.

Ultrametamorphose, Gesteinsumwandlung unter hohen Temperaturen (650–800 °C) und Drücken (2000–6000 bar), die zur Neubildung einer Schmelze und zur Granitisation führen kann. Durch U. entstehen Migmatite.

Ultramontanismus [von lat. ultra montes »jenseits der Berge (Alpen)«] *der,* seit dem 18. Jh. im frz. (polit.) Katholizismus Bez. für die im Ggs. zum → Gallikanismus streng päpstl., d.h. nach Rom orientierte Richtung; fand in Dtl. als polit. Kampfbegriff v.a. im → Kulturkampf Verbreitung.

Ultrarot, ältere Bez. für → Infrarot.

Ultraschall, Schallwellen mit Frequenzen oberhalb der menschl. Hörgrenze, d.h. über 20 kHz; U. mit mehr als 1 GHz heißt **Hyperschall.** Zur U.-Erzeugung wurden früher kleine Stimmgabeln, Platten oder Longitudinalsaiten, später die U.-Pfeife (→ Galton-Pfeife) verwendet. Techn. Bedeutung haben **magnetostriktive U.-Geber** (bis 300 kHz), bei denen z.B. ein Nickelstab in ein starkes magnet. Wechselfeld gebracht wird, dessen Frequenz gleich seiner elast. Eigenfrequenz ist. Unter dem Einfluss der Feldänderungen gerät der Stab in mechan. Schwingungen. Höhere Frequenzen werden durch **elektr. U.-Geber** erzielt, v.a. piezoelektr. → Schwingquarze. – Wichtige Anwendungen des U. sind z.B. Messung von Schallgeschwindigkeiten, Nachrichtenübermittlung unter Wasser, Echolotung, Werkstoffprüfung (→ Ultraschallprüfung) und -bearbeitung, Entgasen von Flüssigkeiten oder Schmelzen, Reinigung schwer zugängl. Oberflächen, ferner die medizin. → Ultraschalldiagnostik und -therapie sowie die Ultraschallmikroskopie.

Ultraschallchemie (Sonochemie), Teilgebiet der Chemie, das sich mit der chem. Wirkung des Ultraschalls befasst. Sonochem. Reaktionen verlaufen nur in flüssiger Phase.

Ultraschalldiagnostik (Sonographie), bildgebendes Untersuchungsverfahren, das die teilweise Reflexion von hochfrequenten Ultraschallwellen (1–10 MHz) an Grenzflächen unterschiedl. Gewebestrukturen im Körper nutzt. Die U. dient zur Beurteilung v.a. von Bauchorganen, Herz, Schilddrüse, Auge, Gehirn, einschl. krankhafter Veränderungen, z.B. Tumor, Zyste, Stein, Blutung, sowie zur Kontrolle von Lage, Wachstum und Gestalt des Feten. Ein Schallkopf sendet kurze Schallimpulse in den Körper, empfängt die reflektierten Echoimpulse und leitet sie zu einer Bildröhre weiter **(Impulsechoverfahren).** Beim **A-Bild-Verfahren (A-Scan)** werden die Echoamplituden als »Zacken« angezeigt; geeignet zur Erkennung von Hirntumoren und -blutungen sowie Augenfremdkörpern. Beim **B-Bild-Verfahren (Ultraschalltomographie, B-Scan)** tasten gerichtete Schallbündel Organe und Weichteilformationen im Körper entlang einer Schnittebene ab und zeichnen ein helligkeitsmoduliertes, zweidimensionales, anschaulicheres »Schnittbild« auf; bes. geeignet zur

Oberbauchdiagnostik und in der Geburtshilfe. Mit dem **Weg-Zeit-(Time-Motion-)Verfahren** (modifizierte A-Bild-Methode) werden Bewegungsabläufe und bewegte Strukturen, bes. am Herzen (Echokardiographie) und an Blutgefäßen, erfasst. Das **Ultraschall-Doppler-Verfahren (Dauerschallverfahren)** benutzt getrennte Sende- und Empfangswandler und beruht auf der Frequenzänderung von Schallwellen an bewegten Strukturen (Doppler-Effekt); es dient v.a. der quantitativen Durchblutungsmessung. Verbesserungen brachten digitale Bildverarbeitungsverfahren (Computer-, Farb- und 3-D-Sonographie). Vorteil der U. gegenüber der Röntgenuntersuchung sind u.a.: keine Belastung des Patienten, keine ionisierende Strahlung, keine Kontrastmittelinjektionen.

📖 *Einf. in die U. Kurzgefaßtes Lb. u. Atlas, hg. v.* W. G. ZOLLER *u. a. Basel u. a.* ²*1994*.

Ultraschallmikroskop (akustisches Mikroskop), Mikroskop, bei dem die Absorption und Ablenkung von Ultraschallwellen zur Messung und bildhaften Darstellung lokaler elast. Eigenschaften einer festen Probe dienen. Beim **akust. Reflexions-Rastermikroskop** (engl. Abk. **SAM,** von **s**canning **a**coustic **m**icroscope) wird die von einem Ultraschallschwinger erzeugte Welle von einem Überträgerstab (Saphir), dessen Ende linsenförmig geschliffen ist, über ein Kopplungsmedium (z.B. Wasser, Öl) auf das Objekt fokussiert. Gemessen wird die reflektierte Welle, während Objekt und Mikroskop relativ zueinander bewegt (abgetastet) werden. Da die Wechselwirkung Welle–Probe v.a. auf den elast. Eigenschaften der Probe beruht, können mit U. Strukturen beobachtet werden, die optisch nicht sichtbar sind (z.B. in der Werkstoffprüfung, Elektronik oder Medizin). U. arbeiten v.a. mit Schallfrequenzen zw. 10 und 100 MHz (auch im GHz-Bereich) und erreichen Auflösungen, die im Grenzfall denen hoch auflösender Lichtmikroskope entsprechen.

Ultraschallprüfung, zerstörungsfreie Werkstoffprüfung zum Auffinden von Lunkern, Rissen, Einschleusen u.a. Fehlern, bei dem Ultraschall in das Werkstück eingekoppelt wird. Trifft ein Schallwellenbündel auf einen Fehler, so wird die Energie ganz oder teilweise reflektiert. Mithilfe von Sonogrammen oder der Impulsechos lässt sich die Tiefe und Größe des Fehlers bestimmen.

Ultraschalltherapie, Anwendung von hochfrequentem Ultraschall zu Heilzwecken; a) Verfahren der Physiotherapie mit Anwendung von hochfrequentem, als Vibrationsmassage wirkendem Ultraschall (175–800 kHz), bes. bei chron. Gelenk- und Wirbelsäulenerkrankungen sowie Nervenreizungen; b) operatives Verfahren zur Zertrümmerung von Gallen- und Harnsteinen, Knochenverschweißung (20–30 kHz) u.a.; c) Ultraschall-Aerosolinhalationsbehandlung (2,5 MHz).

Ultrastrahlung, die →kosmische Strahlung.

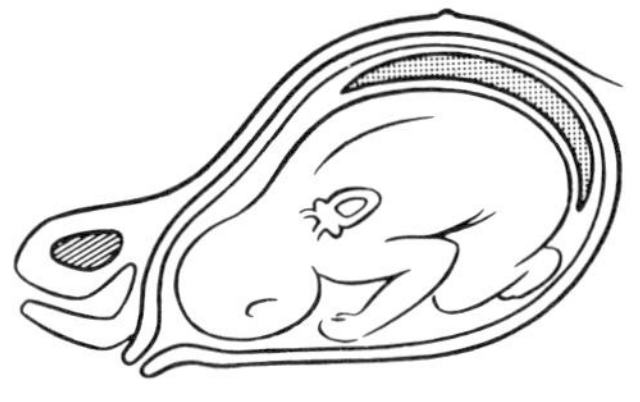

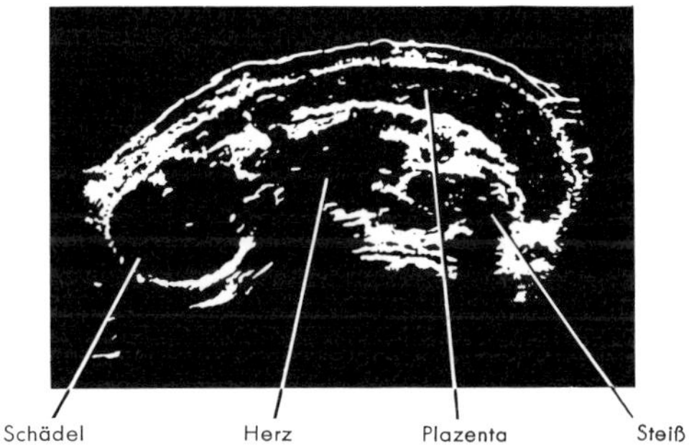

Ultraschalldiagnostik des Fetus gegen Ende der Schwangerschaft im B-Bild-Verfahren (unten); darüber schematische Darstellung des Kindes

Ultraviolett *das,* Abk. **UV** (Ultraviolettstrahlung), der Teil des Spektrums der elektromagnet. Wellen, der sich von etwa 400 nm bis 10 nm erstreckt. Nach ihrer biolog. Wirkung werden folgende UV-Bereiche unterschieden: **UV-A** (im Allg. 400–320 nm, fluoreszenzanregend); **UV-B,** auch **Dorno-Strahlung** (320–280 nm, erzeugt Hautrötung und bewirkt Vitamin-D-Photosynthese); **UV-C** (< 280 nm, bewirkt Sonnenbrand, Bindehautentzündung u.a., wird weitgehend in der Atmosphäre absorbiert). Neben einer Vielzahl von positiven Wirkungen der UV-Strahlung wie Aktivierung der D-Provitamine in der Haut, Heilung von Hautkrankheiten (Schuppenflechte, Akne) oder günstige Beeinflussung des Allgemeinbefindens gibt es aber auch UV-Schäden wie Hautatrophie, Genmutationen oder Hautkrebs.

Da UV-Strahlung unterhalb von etwa 300 nm von gewöhnl. Glas absorbiert wird, verwendet man zu deren Untersuchung Prismen und Linsen aus Quarz, Steinsalz und Flussspat. Der größte Teil des von der Sonne emittierten UV-Lichts wird durch Ozon und Sauerstoff absorbiert, sodass nur Wellenlängen über ca. 290 nm die Erdoberfläche erreichen und schädigendes UV-Licht abgehalten wird. Künstl. UV-Strahler sind z.B. Wolframbandlampen mit Quarzfenster, Edelgaslampen, Quecksilberdampflampen sowie hoch erhitzte Temperaturstrahler. Der Nachweis des UV kann durch Fluoreszenzanalyse, UV-empfindliche Photozellen

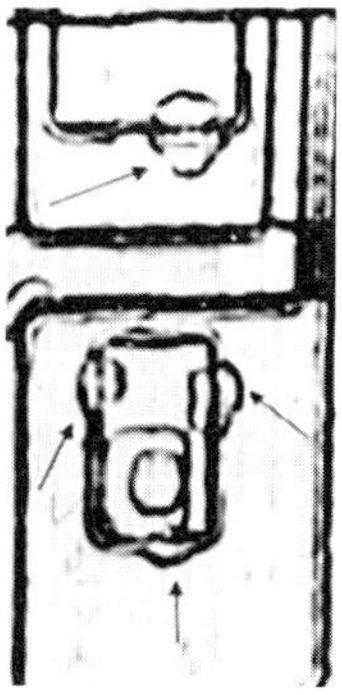

Ultraschallmikroskop: Die Aufnahme der integrierten Schaltung per Ultraschallmikroskop zeigt deren blasenförmige Defekte (Pfeile)

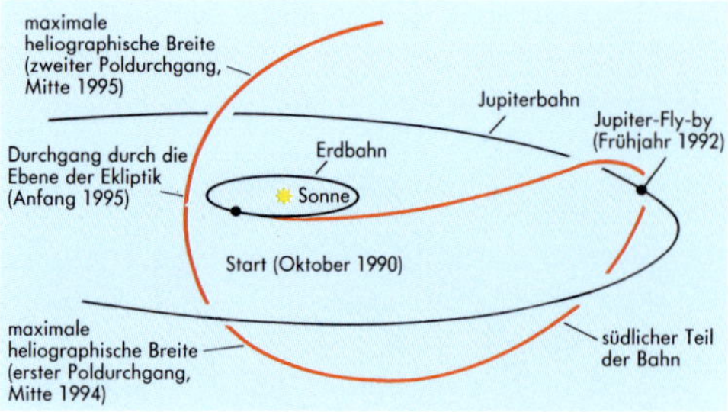

Ulysses: schematische Darstellung des Bahnverlaufs der Raumsonde während der ersten Jahre im Sonnensystem; durch ein Fly-by-Manöver bei Jupiter verlässt Ulysses die Ebene der Ekliptik, wobei der Planet Jupiter den entsprechenden Rückstoß aufnimmt

oder chem. Aktinometrie erfolgen. Anwendung findet UV-Strahlung u.a. in der Photochemie (z.B. zur Photopolymerisation, Lackhärtung), Spektroskopie, Reprographie, zur Trinkwasserentkeimung, in Solarien oder als opt. Aufheller.

Ulysses

Warum wird eine Sonde zur Sonne zunächst zum Jupiter gestartet?

Man hat beim Abschuss von Ulysses die sog. Swing-by-Technik verwendet. Dabei wird die Gravitation des Planeten ausgenützt, um die Sonde in Richtung Sonne zu beschleunigen. Dieses Verfahren spart Treibstoff (und macht weite Flüge erst möglich), erfordert aber eine extrem genau bestimmte Flugbahn: Nur 1 km Abweichung von der Sollbahn beim Jupiter hat einen Fehler von mehreren 10 000 km beim Sonnenüberflug zur Folge.

Ultraviolett|astronomie, Teilgebiet der Astronomie, das die von kosm. Objekten (Sonne, spezielle Sterngruppen, interstellare Materie) emittierte Ultraviolettstrahlung untersucht; erfolgt auch mittels Satelliten (→IUE, →Hubble-Weltraumteleskop).

Ultrazentrifuge, Gerät zur Absetzung von Teilchen in Schwerefeldern bis zum mehr als 500000fachen der Erdbeschleunigung, bei Umdrehungszahlen von 60000 bis zu mehr als 100000 pro Minute. U. werden verwendet zur Isolierung von Viren aus Nährlösung, zur Bestimmung von Molekulargewichten von Makromolekülen (Proteine, Enzyme u.a.).

Ulug Beg (U. B. Gurgan), eigtl. Muhammad Taragay, mittelasiat. Herrscher und Astronom, *Soltanije (Prov. Sandjan) 22. 3. 1394, †Samarkand 25. oder 27. 10. 1449; Enkel Timurs und durch Heirat mit der Sippe von Dschingis Khan verbunden, weshalb er sich auch Gurgan (Schwiegersohn) nannte; seit 1447 Herrscher über das timurid. Gesamtreich; gründete in Samarkand 1420 eine Hochschule und 1425 ein Observatorium, dessen Größe v.a. aufgrund des (z.T. erhaltenen) gemauerten Sextanten mit einem Radius von 40,21 m eine bis dahin nicht erreichte Messgenauigkeit ermöglichte, und betrieb dort astronom. Studien.

Ulysses [juːˈlɪsiːz], anglizierte Form von Ulixes, dem lat. Namen von →Odysseus.

Ulysses [engl. juːˈlɪsiːz], 1990 zum Jupiter gestartete Raumsonde der ESA zur Erforschung der Sonne. Nach dem Vorbeiflug an Jupiter 1992 (u.a. Daten zum Magnetfeld und zur Radiostrahlung des Planeten und seines Mondes Io, Nachweis interstellarer Partikel) überflog U. im Herbst 1994 den Südpol und im Sommer 1995 den Nordpol der Sonne und maß dabei deren Magnetfeld.

Ulzeration [lat.] *die,* Geschwürbildung.

Umbanda [Bantu »Arzt«] *die,* neue Religion in Brasilien, die die Vorstellungen afrikan. Naturreligionen mit Elementen indian. Religionen, des Christentums (Katholizismus) und des Spiritismus verbindet. Im Mittelpunkt steht die Verehrung der Orixas (mit den kath. Heiligen gleichgesetzte göttl. Naturkräfte), deren größter (Oxala) die höchste Macht (U.) repräsentiert und mit Jesus Christus identifiziert wird; seit den 1970er-Jahren stark wachsende Anhängerschaft.

umbauter Raum, der Inhalt (in m^3) des durch die Außenflächen eines Bauwerks bestimmten Raumes.

Umberfische (Sciaenidae), Familie der Barschartigen Fische, v.a. in küstennahen Meeresregionen; ihre dickwandige Schwimmblase hat seitl. Anhänge, die viele Kammern bilden und die Hauptblase einhüllen können; durch Muskeln wird das Organ in Schwingungen versetzt und erzeugt brummende oder trommelnde Töne (Trommelfische). Zu den U. gehört z.B. der im Mittelmeer und O-Atlantik lebende bis zu 1,8 m lange **Adlerfisch** (Johnius hololepidotus).

Umberfische: Adlerfisch (Länge bis zu 1,8 m)

Umberto, Könige von Italien:

1) U. I. (1878–1900), *Turin 14. 3. 1844, †(ermordet) Monza 29. 7. 1900, Großvater von 2); schloss 1882 wegen kolonialer Gegensätze zu Frankreich den →Dreibund. U. wurde von einem Anarchisten erschossen.

2) U. II., *Racconigi (Prov. Cuneo) 15. 9. 1904, †Genf 18. 3. 1983, Enkel von 1); war im 2. Weltkrieg Marschall, 1944 Generalstatthalter; nach Abdankung seines Vaters Viktor Emanuel III. König (10. 5.–12. 6. 1946); musste nach dem Volksentscheid für die Republik Italien verlassen und ging nach Portugal.

Umbra [lat. »Schatten«] *die,* **1)** *Astronomie:* →Sonnenflecken.

2) *Chemie:* (Erdbraun, Römischbraun, Sepiabraun) natürlich vorkommendes, braunes Pigment, chemisch ein eisen- und manganoxidhaltiger Ton, der durch Verwitterung von Eisen- und Manganerzlagern entsteht. Durch Mahlen und Glühen erhält man tiefrotbraune **gebrannte Umbra.**

Umbrer, altitalisches Volk in Mittelitalien, das sich um 1000 v. Chr., von N kommend, beiderseits des oberen Tibers ansiedelte, von Etruskern und Kelten in den Apennin östlich des Tibers verdrängt und später romanisiert wurde. Ihre Sprache, das **Umbrische,** ist eine →italische Sprache. Bild Iguvinische Tafeln

Umbriel, ein Mond des Planeten →Uranus.

Umbrien (italien. Umbria), Region in Mittelitalien mit den Prov. Perugia und Terni, 8456 km², (1995) 824100 Ew.; Hptst. ist Perugia. U. umfasst die Höhenzüge und Becken des mittleren Apennin und wird vom Tiber durchflossen; reiches Landwirtschaftsgebiet (Ölbäume, Wein, Weizen), Ind. bes. in Terni. – Die röm. Region Umbria wurde unter Diokletian mit Etrurien vereinigt; in langobard. Zeit dominierte das Herzogtum Spoleto, im MA. kämpften die Kommunen (die reichen Städte Spoleto, Perugia, Orvieto, Todi, Assisi, Gubbio) um Autonomie von Kaiser und Papst; seit 1549 gehörte U. zum Kirchenstaat. Weitere Bilder Assisi, Spoleto, Todi

Umbruch, *Drucktechnik:* Zusammenstellung des in Fahnen vorliegenden Satzes sowie der vorgesehenen Bilder, Tabellen u. a. zu fertigen Druckseiten; zunehmend erfolgt die Zusammenstellung und Positionierung im Computer mithilfe entsprechender Umbruchprogramme.

Umdrehung, Drehung um einen Vollwinkel ($= 2\pi\,\mathrm{rad} = 360°$), dient als Hilfseinheit zur Kennzeichnung von →Drehzahlen.

Umeå ['u:məo:], Hptst. des Verw.gebiets (Län) Västerbotten, Schweden, oberhalb der Mündung des Umeälv in den Bottn. Meerbusen, 94900 Ew.; Univ., Museum; Holz-, Zellstoff-, Papierind.; Seehafen.

Umesterung, Reaktion eines Esters mit Alkoholen, Säuren oder anderen Estern, wobei ein Austausch der Alkohol- oder Säurekomponente im Ester erfolgt.

Umfang, *Mathematik:* die Länge der Begrenzungslinie einer Fläche (z. B. eines →Kreises).

Umfluter (Flutkanal), künstl. oder natürl. zweites Gewässerbett zur Entlastung eines Wasserlaufs bei Hochwasser.

Umformen, Hauptgruppe der Fertigungsverfahren, bei denen ein fester Werkstoff durch geeignete Kräfte plastisch so verformt wird, dass ohne Veränderung der Masse oder des Stoffzusammenhalts das gewünschte Werkstück aus ihm entsteht, z. B. durch Schmieden, Prägen, Walzen, Pressen, Biegen, Tiefziehen (Umformtechnik).

Umbrien: Landschaft in der Provinz Perugia

Umformer, *Elektrotechnik:* rotierende elektr. Maschine oder Maschinensatz zur Umwandlung elektr. Energie einer Stromart in eine andere, wobei Spannung, Stromstärke, Frequenz und Phasenzahl geändert werden können. U. werden zunehmend durch Stromrichtergeräte, sog. →Umrichter, abgelöst.

Umformtechnik, Bez. für die Verfahren und Maschinen zum →Umformen.

Umgangsrecht (Besuchsrecht, früher: Verkehrsrecht), sowohl das Recht eines Elternteils (auch des nichtehelichen), dem die elterl. Sorge nicht oder nicht mehr zusteht, mit dem Kind persönlich in Kontakt zu bleiben, als auch das Recht des Kindes auf diesen Kontakt. Soweit es dem Kindeswohl nützt, steht das U. auch anderen Angehörigen zu (§§ 1634 f. BGB)

Umgangssprache, Form der gesprochenen Sprache, die zw. der genormten Standard-(Hoch)-

Umfang

Der Umfang U eines Kreises hängt gemäß der Formel $U = \pi D$ von seinem Durchmesser D ab. Die Umfangsveränderung dagegen ist von D unabhängig: Soll der Umfang beispielsweise um 1 m verlängert werden, nimmt der Durchmesser um ca. 32 cm zu. Das gilt gleichermaßen für die Erde wie für eine Apfelsine – mit dem Unterschied, dass dies bei einem Erddurchmesser von 12740 km prozentual kaum ins Gewicht fällt, wogegen eine Orange mit 32 cm vergrößertem Durchmesser eher einem Kürbis gleicht.

Sprache und der Mundart steht; sie ist landschaftlich gefärbt und jeweils von Bildungsstand und sozialer Umwelt des Sprechers bestimmt.

Umgebinde, Balkengefüge (Pfosten, Rahmen, Riegel, Kopfbänder), das als tragendes Gerüst wie eine Blendarkade um die Blockstube eines Hauses (U.-Haus) gelegt wird; traditionell bes. in der Lausitz und in Nordböhmen.

Umgebung, *Topologie:* Eine (offene) Teilmenge U eines topolog. Raumes heißt U. des Punktes P, wenn P innerer Punkt von U ist.

Umgehungskreislauf, *Medizin:* der →Kollateralkreislauf.

Umgründung, *Recht:* →Umwandlung.

Umiak *der* oder *das,* großes, offenes Walfang- und Transportboot (»Weiberboot«) der Eskimo, aus einem mit Seehundfellen überzogenen Holzgerippe.

Umkehrfilm, ein fotograf. →Film, der durch besondere Entwicklung (Umkehrentwicklung, Umkehrverfahren, Direkt-Positiv-Prozess) unmittelbar das Positiv ergibt.

Umkehrfunktion (inverse Funktion), die einer eindeutig umkehrbaren Funktion f mit der Funktionsgleichung $y = f(x)$ zugeordnete Funktion f^{-1}, deren Funktionsgleichung $y = f^{-1}(x)$ sich durch Vertauschen der Variablen in $y = f(x)$ und Auflösen nach y ergibt; z.B. ist $y = \ln x$ die U. von $y = e^x$.

Umkehr|osmose, ein →Membranverfahren.

Umkehrung eines Themas: I Melodieanfang des Liedes »Vom Himmel hoch da komm' ich her«, II Umkehrung, III Krebs, IV Umkehrung des Krebses

Umkehrung, *Musik:* das Vertauschen von Tönen und Stimmverläufen im Richtungssinn »oben – unten« (vertikal). Ein Intervall wird umgekehrt, indem ein Ton in die obere oder untere Oktave versetzt wird. Bei der U. von Akkorden wird ein anderer Ton als der Grundton zum Basston. Die U. von Themen, Motiven oder Melodien besteht darin, dass alle Intervallschritte im gleichen Rhythmus genau in umgekehrter Richtung gemacht werden. – Die U. in der Horizontalen nennt man →Krebs.

Umkippen, das Absterben der Lebewesen in einem Gewässer infolge sehr starker →Eutrophierung.

Umkreis, *Mathematik:* der durch alle Eckpunkte eines Vielecks gehende Kreis.

Umkristallisation, **1)** *Mineralogie:* (Rekristallisation) Vorgang bei der Diagenese und bei der Gesteinsmetamorphose, durch den es zum Wachstum neuer Mineralkristalle auf Kosten älterer kommt.

2) *Verfahrenstechnik:* eines der wichtigsten Verfahren zur Reinigung kristallisierbarer Substanzen. Die unreine Probe wird in der Hitze in möglichst wenig Lösungsmittel gelöst. Beim Abkühlen kristallisiert der Stoff aus, die Verunreinigungen bleiben in der restl. Lösung (der »Mutterlauge«) zurück. Unter Umständen muss die U. mehrmals wiederholt werden.

Umlagerung, *Chemie:* chem. Reaktion, bei der ein Atom oder eine Atomgruppe von einem Atom zu einem anderen innerhalb des gleichen Moleküls wandert.

Umlageverfahren, Verfahren zur Aufbringung der Mittel durch den jeweils materiell interessierten Personenkreis. Bei der gesetzl. Sozialversicherung (z.B. Kranken- und Unfallversicherung) wird das U. nach dem Grundsatz angewandt, die von den Versicherungspflichtigen zu zahlenden Leistungen so zu bemessen, dass sie die innerhalb des betreffenden Zeitraums anfallenden Ausgaben decken. Bei Genossenschaften dient das U. dazu, die die Geschäftsanteile übersteigenden Nachschussbeträge auf die Mitgl. zu verteilen.

Umlauf, die →Fingerentzündung.

Umlaufberg, Berg in einer abgeschnürten Flussschlinge.

Umlaufen, stetige Richtungsänderung des Windes.

Umlaufgeschwindigkeit, Häufigkeit, mit der das Geld in einer Volkswirtschaft umgesetzt wird. Eine Steigerung der U. wirkt wie eine Vergrößerung der Geldmenge (mit der gleichen Geldmenge werden mehr Tauschakte vollzogen), eine Verringerung wie eine Verminderung der Geldmenge. Die U. ist ein Faktor der Preisbildung. (→Quantitätstheorie)

Umlaufgetriebe, das →Planetengetriebe.

Umlaufvermögen (Betriebskapital), Vermögensteile, die im Ggs. zum Anlagevermögen nur vorübergehend im Unternehmen verbleiben und verwertet werden oder der finanziellen Abwicklung dienen (z.B. Vorräte, Forderungen, Kassenbestände, Guthaben bei Kreditinstituten).

Umlaufzeit (Umlaufszeit, Umlaufperiode), *Astronomie:* die Zeit, die ein Himmelskörper oder ein Satellit benötigt, um einen anderen Himmelskörper einmal zu umkreisen. Je nach Bezugspunkt unterscheidet man **sider.** und **synod. U.,** die sich auf die gleiche Stellung zu den Fixsternen bzw. zur Sonne bezieht.

Umlaut, *Sprachwiss.:* partielle Assimilierung eines Vokals unter dem Einfluss eines Vokals der folgenden Silbe, bes. der Wandel der dt. a, o, u zu ä, ö, ü durch ein i oder j der Folgesilbe (i-Umlaut), z.B. falle (ahd. vallu), aber fällst (ahd. vellis). Der U.

spielt in der dt. Wortbildung und Flexion eine große Rolle. Er hat sich seit dem Ende der Völkerwanderung in allen german. Sprachen durchgesetzt.

Umlegung, frühere Bez. für die →Flurbereinigung.

Umluft, derjenige Teil der Abluft einer Lüftungsanlage, der nach Aufbereitung dem zu lüftenden Raum wieder zugeführt wird.

Umma [arab. »Volk«, »Gemeinschaft«] *die,* die Gemeinschaft der Muslime, →Islam.

Umm al-Kaiwain (Umm al-Qaiwayn), ein Scheichtum der →Vereinigten Arabischen Emirate.

Ummanz, flache Boddeninsel vor der W-Küste von Rügen, 19,7 km², 700 Ew.; in der Kirche im Ort U. bed. Antwerpener Schnitzaltar (um 1520).

Umm Kasr (Umm Qasr), irak. Überseehafen am Pers. Golf, 60 km südlich von Basra; 1967 eröffnet. – Im 2. Golfkrieg (1991) stark zerstört, danach wieder aufgebaut.

Umrichter, i.e.S. ein Stromrichter, der ein- oder mehrphasigen Wechselstrom in Wechselstrom anderer Frequenz und/oder Phasenzahl ohne Gleichstromzwischenkreis umformt; i.w.S. eine Stromrichterschaltung mit gleichem Effekt, ggf. mit Gleichstromzwischenkreis (erste Stufe »Gleichrichten«, zweite Stufe »Wechselrichten«).

Umsatz, 1) *Chemie:* (Stoffumsatz) Bez. für das Verhältnis der Substanzmenge, die reagiert hat, zur Ausgangsmenge.

2) *Wirtschaft:* Erlös aus dem Verkauf von Gütern (Sachgütern, Dienstleistungen), bezogen auf eine Zeitperiode (Tages-, Monats-, Jahresumsatz).

Umsatzsteuer, Steuer auf Lieferungen und sonstige Leistungen, die ein Unternehmer im Rahmen seines Unternehmens im Inland gegen Entgelt ausführt, auf den Eigenverbrauch, auf die Einfuhr von Gegenständen aus dem Drittlands- in das Zollgebiet **(Einfuhr-U.)** sowie auf den innergemeinschaftl. Erwerb im Inland gegen Entgelt; aus ökonom. Sicht eine allg. Verbrauchsteuer, unter jurist. Aspekt eine Verkehrsteuer, da die Steuerpflicht am Umsatz- oder Verkehrsakt anknüpft. Am 1. 1. 1968 wurde die alte Brutto-U. durch eine Netto-U. **(Mehrwertsteuer)** ersetzt, bei der nur der durch das Unternehmen erarbeitete Wertzuwachs besteuert wird. Der Unternehmer kann die in Zahlungen für Vorleistungen anderer Unternehmen enthaltene U. als Vorsteuer (→Vorsteuerabzug) von seiner U.-Schuld abziehen; zum Steuerträger wird damit letztlich der Endverbraucher. Rechtsgrundlage ist in Dtl. das überaus komplizierte U.-Gesetz i.d.F.v. 27. 4. 1993. Um die Wirkung der U. zu mindern, unterliegen bestimmte Güter (z.B. Lebensmittel, Bücher, Zeitschriften) nicht dem normalen U.-Satz, sondern einem verminderten Steuersatz. Kleinunternehmer erhalten im Zuge der Mittelstandsförderung einen gestaffelten Steuerabzugsbetrag. Die Einnahmen aus der U., die Bund und Ländern anteilig zufließen, an denen aber auch die Gemeinden nach Wegfall der Gewerbekapitalsteuer beteiligt werden, betrugen 1996 200,4 Mrd. DM. Mit der Steuerharmonisierung in der EU soll die U. schrittweise vereinheitlicht werden; seit 1998 gilt ein U.-Mindestsatz von 16% (derzeitiger Regelsatz in den EU-Ländern zw. 15 und 25%).

Umm al-Kaiwain
Flagge

Umsatzsteuersätze ausgewählter Länder (1998; in %)

Staat	Normalsatz	ermäßigte Sätze	Nullsatz*)
Belgien	21	12; 6	ja
Dänemark	25	–	ja
Deutschland	16	7	–
Finnland	22	12; 6	ja
Frankreich	20,6	5,5; 2,1	–
Griechenland	18	8; 4	–
Großbritannien	17,5	8,0	ja
Irland	21	12,5; 2,5	ja
Italien	19	16; 10; 4	ja
Luxemburg	15	12,6	–
Niederlande	17,5	6	–
Österreich	20	10	–
Portugal	17	5	–
Schweden	25	21; 12	ja
Schweiz	6,5	3; 2	–
Spanien	16	7; 4	–

*) Nullsatz = Steuerbefreiung mit Vorsteuerabzug; hier nur erwähnt, sofern er außer für Ausfuhrumsätze auch für bestimmte Inlandsumsätze gilt

Umschlag, 1) *Handel* und *Verkehr:* das Ein-, Um- und Ausladen von Gütern; meist ergänzender Bestandteil von Transport- und Lagerungsvorgängen. U.-Platz ist ein Ort mit größerem Umladeverkehr.

2) *Rechnungswesen:* Verhältnis zw. Umsatz und Durchschnittsbestand als Mittel zur Überwachung der Umlaufgeschwindigkeit der in einem Betrieb eingesetzten Mittel.

Umschrift (Legende), Inschrift auf Siegeln, Geldstücken und Medaillen, die parallel zum Rand läuft.

Umschuldung, Umwandlung eines meist kurzfristigen Kredits in einen langfristigen (→Konsolidierung).

Umlaufzeit

Wer einen Stern durch eine Visiereinrichtung mehrere Tage hintereinander beobachtet, kann feststellen, dass er jede Nacht etwa vier Minuten früher hinter dem Horizont verschwindet. Dies liegt daran, dass sich die Erde nicht nur um die eigene Achse, sondern auch um die Sonne dreht. Nach einer Drehung um sich selbst ist sie auf der Bahn um die Sonne ein Stück weiter als Tags zuvor. Um genau dieselbe Blickrichtung zu einem Stern zu erhalten, muss sie sich noch ein Stückchen weiter drehen. Genau das macht den Unterschied zwischen der synodischen und der siderischen Umlaufzeit aus.

Umschulung, Ausbildung von bereits qualifizierten Arbeitskräften für einen neuen Beruf, bes. zur Überwindung von Arbeitslosigkeit, nach schweren Krankheiten oder zur Anspassung an veränderte Anforderungen der Arbeitsmarktlage. Maßnahmen zur U. führen u.a. durch: Bundesanstalt für Arbeit, Träger der Unfallversicherung, der Rentenversicherung und der Sozialhilfe.

Umschwung, *Geräteturnen:* schwungvoll ausgeführte Rotation des Körpers von 360° um die Breitenachse.

Umsetzer, Gerät zum Umwandeln elektr. Signale (z.B. Messwerte) von der analogen in die digitale Darstellungsform (→Analog-digital-Umsetzer) und umgekehrt (→Digital-analog-Umsetzer); außerdem eine Einrichtung zur Umsetzung von digitalen Zeichen auf versch. Leitungssysteme.

Umsiedler, →Vertriebene.

Umsiedlung, staatlich geförderte oder erzwungene Veränderung des Wohnsitzes von Personen- oder Volksgruppen innerhalb eines Staates oder zw. Staaten. Die erzwungene U. verfolgt i.d.R. macht- oder bevölkerungspolit. Ziele. Die Deportation der Zivilbevölkerung kommt, obwohl sie völkerrechtswidrig ist, häufig im Zusammenhang mit einer krieger. Besetzung vor. U. über eine Landesgrenze hinaus bedürfen einer völkerrechtl. Vereinbarung und können mit einem Optionsrecht verbunden sein. Sie haben häufig dem nationalstaatl. Ziel einer ethnisch einheitl. Bev. gedient (→Bevölkerungstausch). Jede Zwangs-U. (→Vertreibung, →Zwangsaussiedlung) ist ein Eingriff in die Menschenrechte.

Umspanner, *Elektrotechnik:* der →Transformator.

Umspannstation (Umspannwerk), Transformatorenstation zur Energieverteilung bei Umspannung von Mittel- (meist 10 kV) in Niederspannung (z.B. 220 V).

Umstandsbestimmung, *Sprachwiss.:* →adverbiale Bestimmung.

Umstandswort, *Sprachwiss.:* →Adverb.

Umsteuerung, Vorrichtung an Antriebsmaschinen zur direkten Umkehrung ihrer Drehrichtung, z.B. die Kulissensteuerung bei Kolbendampfmaschinen; auch die Umkehrung der Drehrichtung selbst. Bei Verbrennungs- und Strömungskraftmaschinen wird ein Wendegetriebe verwendet, bei größeren Schiffen eine zusätzl. Rückwärtsturbine.

Umtali, Stadt in Simbabwe, →Mutare.

Umtata, Stadt in der Prov. Ost-Kap, Rep. Südafrika, 100000 Ew.; Univ., Nahrungsmittel- u.a. Ind.; Flugplatz. – U. war Hptst. des 1994 aufgelösten Homelands Transkei.

Umtausch, von der Kulanz des Verkäufers, seinen allg. Geschäftsbedingungen oder dem Handelsbrauch abhängige Rückgabe gekaufter Waren (z.B. bei Nichtgefallen) gegen Gutschrift des Rechnungsbetrags oder gegen Bezug anderer Waren. Bei mangelhafter Ware (auch im »Ausverkauf« gekaufter) kann der Käufer statt des U. Rückgängigmachung des Kaufs verlangen.

Umtrieb, *Forstwirtschaft:* die Zeitspanne vom Pflanzen bis zum Ernten eines Bestandes bzw. bis zum Abholzen des Unterholzes im Mittelwald.

U-Musik, Abk. für →Unterhaltungsmusik.

Umwandlung, 1) *Gesellschaftsrecht:* (Umgründung) die Veränderung der Unternehmensform. Nach dem U.-Gesetz vom 28. 10. 1994 können Personen- und Kapitalgesellschaften, teilweise aber auch Körperschaften und Anstalten des öffentl. Rechts, in ihrer Rechtsform umgewandelt werden. Es ist zu unterscheiden: Beim **Formwechsel** ändert der Rechtsträger nur seine Rechtsform, die Identität bleibt erhalten, ein Vermögensübertrag findet nicht statt. Bei der **Verschmelzung (Fusion)** werden die Vermögen von mindestens zwei Rechtsträgern gegen Ausgabe neuer Anteile an die bisherigen Inhaber vereinigt. Möglich ist auch die Verschmelzung durch Aufnahme, bei der ein Rechtsträger sein Vermögen als Ganzes auf einen bestehenden anderen Rechtsträger im Wege der Gesamtrechtsnachfolge überträgt; dies bedarf notarieller Beurkundung. Bei der **Spaltung,** die in drei Formen erfolgen kann, kann ein Rechtsträger sein Vermögen auflösen und auf mehrere Rechtsträger übertragen (Aufspaltung) oder nur teilweise übertragen, während der gespaltene Rechtsträger weiter bestehen bleibt (Abspaltung); er kann ferner aus seinem Vermögen einen Teil ausgliedern und diesen übertragen (Ausgliederung). Bei der **Vermögensübertragung** kann ein Rechtsträger unter Auflösung ohne Abwicklung sein Vermögen auf einen bestehenden anderen Rechtsträger übertragen. Im Zuge der U. sind besondere betriebsverfassungsrechtl. und steuerl. Regelungen zu beachten, z.B. durch das U.-Steuer-Ges. vom 28. 10. 1994.

2) *Physik:* a) →Kernumwandlung; b) Phasen-U. (→Phasenübergang).

Umwandlungswärme (Umwandlungsenthalpie), Wärme, die bei →Phasenübergängen 1. Art verbraucht oder freigesetzt wird, ohne zu einer entsprechenden Temperaturveränderung zu führen. Die Temperatur, bei der der Übergang erfolgt, heißt **Umwandlungspunkt.** Zugeführte Wärme bewirkt z.B. beim Schmelzen von Eis keinen Temperaturanstieg, solange Eis und Wasser nebeneinander vorliegen, sondern sie wird als Schmelzwärme (Schmelzenthalpie) gebunden und beim Gefrieren wieder freigesetzt (Kristallisations-, Erstarrungswärme). Weitere U. sind u.a. die Verdampfungswärme (→Verdampfen), die Kondensationswärme (→Kondensation) und die Sublimationswärme (→Sublimation).

Umwelt, die Gesamtheit aller auf einen Organismus einwirkenden ökologischen (einschl. der sozialen) Faktoren, z. B. Temperatur, Feuchtigkeit, Licht, andere Lebewesen. Nach J. J. von Uexküll (1921) die spezif., lebenswichtige Umgebung einer Tierart, die als **Merkwelt** (Gesamtheit ihrer Merkmale) wahrgenommen wird und als **Wirkwelt** (Gesamtheit ihrer Wirkmale) alle die Umgebungsfaktoren umfasst, mit denen das Tier aktiv in Beziehung tritt und an denen es wirkt. Da sich diese Definition als zu eng erwiesen hat, wurde eine Differenzierung in psycholog., minimale, physiolog., ökolog. und kosm. U. vorgenommen. – Für den Menschen ist neben der phys. U. (natürl. Faktoren) und der techn. U. (die von Menschen geschaffene) bes. die soziale U. von Bedeutung (→Milieu).

📖 *Diercke-Wörterbuch Ökologie u. Umwelt, hg. v.* H. LESER *u. a., 2 Bde. München u. a. 1993.* – GOUDIE, A.: *Mensch u. U. Eine Einführung. A. d. Engl. Heidelberg u. a. 1994.*

Umweltabgaben, →Ökosteuern.

Umweltaudit (Ökoaudit), unternehmensexternes Verfahrenskontrollsystem zur Überprüfung und Sicherstellung der Wirksamkeit unternehmer. Umweltschutzaktivitäten. Rechtsgrundlage ist das U.-Gesetz von 1995, das auf einer EG-VO von 1993 basiert. Gegenstand des U. sind die einzelwirtschaftl. Methoden des Umweltmanagements.

Umweltauflagen, staatl. Ge- und Verbote, die bestimmte Aktivitäten von Unternehmen und Haushalten aus Gründen des Umweltschutzes einschränken. U. sind neben Umweltabgaben und -lizenzen die am häufigsten angewandten umweltpolit. Instrumente. Sie umfassen u. a. Auflagen hinsichtlich Produkten und Produktionsverfahren (z. B. Ansiedlungsverbote, Produktionseinschränkungen oder -verbote), Emissionsauflagen (Einhaltung von Schadstoffgrenzwerten, Reduzierungs- und Kennzeichnungspflichten) und Verwendungsauflagen (Fahrverbote und -beschränkungen).

Umweltbelastung (Umweltkontamination), die negative (belastende) Beeinflussung und Veränderung der natürl. Umwelt durch physikal., chem. und techn. Eingriffe. Verunreinigungen (z. B. durch Staub, Mikroorganismen, Chemikalien, Strahlen) können zur **Umweltverschmutzung** führen, wenn sie über die natürl. Regenerationskraft der verschmutzten Medien hinausgehen.

Umweltbilanz, andere Bez. für Ökobilanz.

Umweltblume, ein →Umweltzeichen.

Umweltbundesamt, 1974 mit Sitz in Berlin errichtete Bundesoberbehörde, die zentrale Aufgaben auf dem Gebiet der Umweltforschung und des Umweltschutzes wahrnimmt; jetzt Dessau.

Umweltchemikali|en, Bez. für Stoffe, die als Folge menschl. Aktivitäten (z. B. industrieller Herstellung) in die Umwelt gelangen und in Mengen oder Konzentrationen auftreten können, die geeignet sind, Lebewesen, Ökosysteme und/oder Sachgüter zu gefährden. Maßgebend für die Gefährlichkeit sind v. a. die Humantoxizität, die Auswirkungen auf die übrige belebte Umwelt und der Einfluss auf das Gleichgewicht von Ökosystemen sowie Produktionsmenge, Nebenprodukte, Persistenz, Bioakkumulation, Abbaubarkeit und Verbreitung.

📖 BLIEFERT, C.: *Umweltchemie. Neuausg. Weinheim u. a. 1995.*

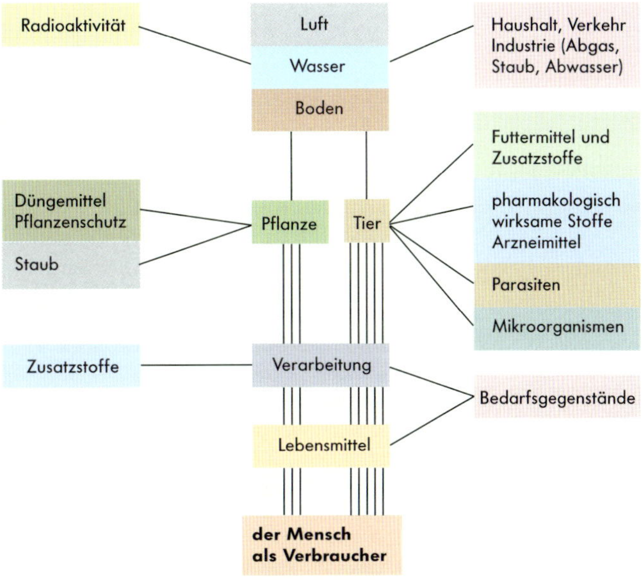

Umweltchemikalien: schematische Darstellung der möglichen Einwirkung von Umweltchemikalien über Pflanzen und Tiere auf den Menschen

Umweltfaktoren (ökologische Faktoren), alle Faktoren der unbelebten und belebten Umwelt, die auf Lebewesen einwirken. Die Ökologie unterscheidet **abiot. Faktoren** (z. B. Licht, Temperatur, Boden) und **biot. Faktoren** (u. a. Geschlechtspartner, Nahrung, Konkurrenten, Parasiten, stoffl. Ausscheidungen). Die U. bestimmen Entwicklung, Fortpflanzung, Leben und Tod des Individuums und der Population sowie die Arterhaltung. Meist bestehen enge Wechselbeziehungen zw. den Einzelfaktoren, sodass diese als Faktorenkomplexe wirksam werden und dabei Populationen und Biozönosen beeinflussen.

Umweltforschung, im biolog. Sinne svw. →Ökologie; im soziolog. Sinne die Untersuchung und Erforschung der durch die Tätigkeit des Menschen auftretenden Veränderungen seiner Umwelt und der Wechselwirkung zw. dieser und dem natürl. Ökosystem. (→Environtologie)

Umweltgipfel, →Rio-Gipfel, →Weltklimakonferenz.

Umwelthaftung, die durch das Umwelthaftungs-Ges. vom 10. 12. 1990 (UmweltHG) eingeführte Gefährdungshaftung des Inhabers bestimmter Anlagen (z. B. der chem. Ind.) für von der Anlage ausgehende Umwelteinwirkungen (z. B. Gase, Dämpfe, Erschütterungen), durch die Menschen zu Schaden kommen oder eine Sache beschädigt wird. Zugunsten des Geschädigten bestehen Beweiserleichterungen, wenn die Anlage geeignet ist, den entstandenen Schaden zu verursachen. Die Haftung ist durch Höchstbeträge begrenzt. Eine weiter gehende Haftung aufgrund anderer Vorschriften, insbesondere bei Verschulden aus unerlaubter Handlung, bleibt weiter bestehen.

Umweltkontamination, →Umweltbelastung.

Umweltkriegsübereinkommen, die →Konvention über das Verbot der Verwendung umweltverändernder Techniken zu militärischen Zwecken.

Umweltlizenz (Umweltzertifikat), eine gegen Geld zu erwerbende Berechtigung zur Emission von Schadstoffen. Nur Inhaber der handelbaren U. sind z. B. zu CO_2-Emissionen berechtigt. Anderenfalls müssen Schadstoffausstöße reduziert oder U. von anderen Inhabern erworben werden.

Umweltmanagement [-mænɪdʒmənt], die Gesamtheit aller unternehmenspolit. Entscheidungen zur Gestaltung der Beziehungen zw. Unternehmen und den von ihren Aktivitäten direkt und indirekt betroffenen Bezugsgruppen (Konsumenten, Staat, Banken, Lieferanten u. a.). Dieser wettbewerbsstrateg. und soziopolit. Definition wird neuerdings ein am Umweltschutz orientiertes Verständnis gegenübergestellt. Danach meint U. die Gestaltung sämtl. Unternehmensaktivitäten, die im Zusammenhang mit dem Schutz der natürl. Umwelt stehen. U. wird in diesem Fall auch als **Ökologiemanagement, ökologieorientierte Unternehmensführung** oder **betriebl. Umweltökonomie** bezeichnet und umfasst dann die Planung, Durchführung und Kontrolle von strateg. und operativen Maßnahmen zur Vermeidung, Verminderung und Beseitigung von Umweltschäden sowie die Ausschöpfung der sich durch Umweltschutz eröffnenden Marktpotenziale. Ein wichtiges Mittel des U. ist neben der →Ökobilanz das **Ökocontrolling,** das die Entscheidungsträger mit den notwendigen umweltbezogenen Informationen zu den ökolog., ökonom., rechtl. und gesellschaftl. Rahmenbedingungen und Effekten der Leistungserstellung und -verwertung versorgt.

Umweltmedizin (medizinische Environtologie), Bereich der Medizin, der sich bes. mit den Auswirkungen der kontaminierten Umwelt auf den Organismus befasst und in enger Beziehung zur Sozial- und Arbeitsmedizin steht.

📖 GUNDERMANN, K.-O.: *Umwelt u. Gesundheit. Wege u. Ziele der Umwelthygiene. München 1997.*

Umweltökonomik (Umweltökonomie), Teilgebiet der Wirtschaftswiss., das die gegenseitige Abhängigkeit von natürl. Umwelt und Wirtschaft analysiert. I. d. R. werden die durch Produktionsprozesse und die Nutzung von Ressourcen bzw. hergestellten Waren verursachten Schädigungen von Menschen und Umwelt als externe Effekte betrachtet, die zwar volkswirtsch. Kosten verursachen, aber nicht in das betriebswirtsch. Kalkül des einzelnen Unternehmens eingehen. Daher spiegeln die Preise für umweltschädlich hergestellte Güter nicht die tatsächlich entstandenen volkswirtsch. Kosten wider. Die U. bemüht sich mit der →umweltökonomischen Gesamtrechnung um eine Bewertung der externen Effekte mit dem Ziel, ein Gleichgewicht zw. Produktionsvolumen (bei gegebener Produktionstechnik) und Umweltbelastung zu ermitteln. Methodisch schwierig ist dabei die Erfassung der häufig erst langfristig auftretenden Umweltschäden, ihre monetäre Bewertung und die Ermittlung des jeweiligen Verursachers.

umweltökonomische Gesamtrechnung, ein statist. Berichtssystem, das die Beziehungen zw. wirtsch. Aktivitäten und der Entwicklung des Umweltzustandes dokumentiert. Erfasst werden dabei: 1) Entnahme und Verbrauch der natürl. Rohstoffe; 2) Ausstoß und Verbleib von Emissionen; 3) Nutzung der natürlichen Umwelt als Standort für menschl. Aktivitäten; 4) qualitativer Zustand der Umwelt (Immissionslage); 5) Umweltschutzmaßnahmen. Neben einem Ansatz, der sich an die volkswirtsch. Gesamtrechnung (VGR) anlehnt und die umweltrelevanten Erscheinungen in Geld (monetär) bewertet und eine Art Ökosozialprodukt errechnet, gibt es Ansätze, die auf physischen Größen basieren.

Umweltpolitik, die Gesamtheit der Maßnahmen zur Verbesserung oder zur Aufrechterhaltung einer gegebenen Umweltqualität. Durch die Tätigkeit öffentl. und gesellschaftl. Institutionen auf dem Gebiet des →Umweltschutzes sollen Umweltschäden möglichst beseitigt oder vermieden werden, um ein regionales, nat., kontinentales oder globales »ökolog. Gleichgewicht« wieder herzustellen. Wichtige Träger der U. sind u. a. das Bundesministerium für Umwelt, Naturschutz und Reaktorsicherheit (»Bundesumweltministerium«), das Umweltbundesamt und das Bundesgesundheitsamt sowie als Beratungsgremium der Rat von Sachverständigen für Umweltfragen. Eine wichtige Institution auf internat. Ebene ist die »United

Nations Conference on Environment and Development« (UNCED), die erstmals 1972 stattgefunden hat und deren 1992 in Rio de Janeiro durchgeführte Tagung (→Rio-Gipfel) wichtige Ergebnisse hervorbrachte. Dabei wurde unterstrichen, dass Umweltschutz und Entwicklung untrennbar miteinander verbunden sind und nachhaltige Entwicklung ökonom. und ökolog. Gesichtspunkte gleichermaßen berücksichtigen muss. Unternehmen und Verbraucher tragen durch ihr Verhalten zum Erreichen umweltpolit. Ziele entscheidend bei, sodass Umweltmanagement und Verbraucherpolitik wesentl. Elemente der U. sind.

📖 Simonis, U. E.: *Globale U. Ansätze u. Perspektiven. Mannheim u.a. 1996. – Umweltgutachten 1996, hg. vom Rat von Sachverständigen für Umweltfragen. Stuttgart 1996.*

Umweltprobenbank, Institution zur Langzeitkonservierung und Aufbewahrung von bes. ausgewählten Proben (z.B. menschl., tier., pflanzl. Gewebeteile, Lebensmittel, andere organ. Materialien). Zweck der U. ist es, durch Vergleichsanalysen eine kontinuierl. und zuverlässige Überwachung der Schadstoffbelastung von Ökosystemen und eine zurückblickende Beurteilung von Umweltveränderungen zu ermöglichen. Die ausgewählten Probetypen sind repräsentativ für den menschl. Organismus, für den marinen Bereich sowie für Bodensysteme und Nahrungsketten.

Umweltschutz, die auf Umweltforschung und Umweltrecht basierenden Maßnahmen und Bestrebungen, die dem Erhalt der Lebensgrundlagen des Menschen, dem Schutz der Natur sowie dem Ausgleich gestörter ökolog. Beziehungen dienen. Insbesondere zielen U. und →Umweltpolitik auf die Vermeidung bzw. Verringerung von Umweltbelastungen, -schädigungen und -zerstörungen, die von der industriellen Produktion im weitesten Sinne ausgehen. Grundlagen der **Umweltvorsorge,** die der stärker werdenden Forderung, die natürl. Lebensgrundlage künftiger Generationen zu bewahren, nachkommt, sind neben den nach dem Stand der Technik möglichen techn. und technolog. Voraussetzungen (→Umweltschutztechnik) insbesondere umweltpolit. Prinzipien, wie das →Vorsorgeprinzip und das →Verursacherprinzip sowie deren gesetzl. Regelungen.

Luft, Wasser, Boden, Pflanzen- und Tierwelt stellen die **Grundbereiche des U.** dar. Die entsprechenden Teilaspekte des ökolog. und techn. U. beinhalten Maßnahmen zum Immissionsschutz (→Bundesimmissionsschutzgesetz), bes. zur →Luftreinhaltung und zum →Lärmschutz, zum →Gewässerschutz, →Bodenschutz, →Naturschutz und Landschaftsschutz (→Landespflege). Zum U. gehören u.a. Vorschriften und Auflagen zur Erreichung größerer Umweltverträglichkeit von Wasch- und Reinigungsmitteln, von Pflanzenschutzmitteln (→Schädlingsbekämpfung), Maßnahmen zum Transport und zur grundwasserungefährl. Lagerung von Erdöl und Kraftstoffen sowie u.a. zur Rekultivierung ausgebeuteter Rohstofflagerstätten. Darüber hinaus sind die Wiedergewinnung von Abfallstoffen (→Recycling) und Abwärme sowie der →Strahlenschutz wesentl. Bestandteile des Umweltschutzes.

Das Problem der Umweltgefährdung hat im öffentl. Bewusstsein und im Bereich der Wiss. in den letzten Jahren einen starken Bedeutungswandel erfahren. Wurde es anfangs als lokales Problem der Ind.länder gesehen, so stehen heute nicht nur grenzüberschreitende regionale und kontinentale Umweltfragen im Vordergrund (z.B. saurer Regen), sondern in hohem Maße auch internat. und globale Problemstellungen (z.B. Treibhauseffekt), die die Notwendigkeit weltweiter U.-Abkommen und -Maßnahmen aufzeigen (→Rio-Gipfel). Zu einem wirksamen U. gehören ebenso die Aufklärung der Bev. (Entwicklung des Umweltbewusstseins) und deren Mitwirkung.

Die Möglichkeit einer Umwelt- und menschl. Selbstzerstörung hat die Ethik vor neue Aufgaben und Fragen gestellt. So enthält bereits der 1. Bericht des Club of Rome (1972) die Forderung nach einem Umdenken im Grundsatz und nach einer Veränderung der menschl. Handlungsziele auf allen Feldern der Verantwortung. Bis heute sind der kartes. Dualismus von Geist (Subjekt) und Materie (Objekt) und das von R. Descartes und I. Newton begründete mechanistisch-kausale Erkenntnisideal, die Leitziele techn. Nutzbarkeit und rationaler Beherrschung, weitgehend bestimmend für die Wiss. und unsere Auffassung von der Natur. Demgegenüber versuchen die christl. Umweltethik (u.a. C. Améry), Stellungnahmen von kirchl. Seite und versch. philosoph. Ansätze, die sich mit dem Status von Pflanzen, Tieren und Menschen und den Pflichten des Menschen als sittl. Wesen gegenüber der gesamten belebten Natur befassen, für eine veränderte Auffassung der Natur und für deren Bewahrung einzutreten (z.B. A. Schweitzer, F. Capra).

Geplante und bewusste **Umweltpolitik** erfolgt in Dtl. seit dem Beginn der 1970er-Jahre. Zunächst war v.a. das Bundesministerium des Innern für den U. zuständig, im Juni 1986 wurde das Bundesministerium für Umwelt, Naturschutz und Reaktorsicherheit eingerichtet. Auch bei den Ländern bestehen Umweltministerien, z.T. liegt die Zuständigkeit für den U. bei den Landwirtschaftsministerien und nachgeordneten Behörden. Die in den 1970er-Jahren entstandene →ökologische Bewegung, die sich gegen Ursachen und Auswirkungen von Umweltzerstörungen wendet, engagiert sich im nat. und internat. Rahmen (→Grüne,

→Greenpeace). U.-Maßnahmen der UN werden über das Umweltprogramm der Vereinten Nationen (UNEP) koordiniert. – Die EU hat mehr als 400 Richtlinien, Verordnungen und Empfehlungen erlassen, die verbindl. Ziele vorgeben. Deren Umsetzung ist den Mitgl.staaten jedoch freigestellt. Das darin zum Ausdruck kommende und durch die Verträge von Maastricht weiter ausgebaute →Subsidiaritätsprinzip lässt den Nationalstaaten erhebl. Spielräume.

Recht: Seit Ende der 1960er-/Anfang der 1970er-Jahre wurden in vielen Ind.staaten neue Rechtsvorschriften und Maßregeln für den U. gefordert und erlassen. In Dtl. sind Teilaspekte des U. in zahlreichen Gesetzen, Rechtsverordnungen und Verw.vorschriften des Bundes und der Länder geregelt. Wichtige Bundes-Ges. sind u.a. das Atom-Ges. i.d.F.v. 15. 7. 1985, das Kreislaufwirtschafts- und Abfall-Ges. vom 27. 9. 1994, das Bundesimmissionsschutz-Ges. i.d.F.v. 14. 5. 1990, das Wasserhaushalts-Ges. i.d.F.v. 12. 11. 1996, das Bundesnaturschutz-Ges. i.d.F.v. 21. 9. 1998, das Umwelthaftungs-Ges. (→Umwelthaftung). Durch das Ges. zur Bekämpfung der Umweltkriminalität vom 28. 3. 1980 wurden im 28. Abschnitt des StGB die wichtigsten Strafvorschriften bei Zuwiderhandlungen gegen den U. zusammengefasst: 1) Verunreinigung eines Gewässers (§ 324 StGB); 2) Luftverunreinigung und Lärm (§ 325 StGB); 3) umweltgefährdende Abfallbeseitigung (§ 326 StGB); 4) unerlaubtes Betreiben von Anlagen (§ 327 StGB); 5) unerlaubter Umgang mit Kernbrennstoffen (§ 328 StGB); 6) Gefährdung schutzbedürftiger Gebiete (§ 329 StGB); 7) schwere Umweltgefährdung (§ 330 StGB); 8) schwere Gefährdung durch Freisetzen von Giften (§ 330 a StGB). Der U. ist 1994 als Staatszielbestimmung in das GG (Art. 20 a) aufgenommen worden.

Umweltzeichen:
»Blauer Engel«

In *Österreich* sind Fragen des U. in zahlr. Einzelgesetzen geregelt. In der *Schweiz* wurde 1971 ein Artikel über den U. in die Bundesverf. aufgenommen. Die →Einheitliche Europäische Akte erklärte 1986 den U. zum verfassungsmäßigen Ziel der EG.

UN
Signet

UN
Flagge

📖 Brunnengräber, R.: *Dtl. – deine Landschaften. Ein Geographiebuch zum Thema Umweltzerstörung. Neuausg. Frankfurt am Main 1991. – Rote Listen gefährdeter Pflanzen in der Bundesrep. Dtl. Referate u. Ergebnisse des Arbeitstreffens in der Internat. Naturschutzakad. Insel Vilm ... 1991, hg. v. der Bundesforschungsanstalt für Naturschutz u. Landschaftsökologie. Münster-Hiltrup 1992.* – Schlitt, M.: *Umweltethik. Paderborn u.a. 1992.* – Haber, W.: *Ökolog. Grundlagen des U. Bonn 1993. – Umwelt – Ökologie. Auswahlbibliographie, hg. vom Deutschen Bibliotheksinstitut. Berlin 1995.*

Umweltschutztechnik (Umwelttechnik), diejenigen techn. und technolog. Bereiche, die die Entwicklung und den Einsatz spezieller Verfahren zum Schutz der Umwelt sowie zur Wiederherstellung bereits geschädigter Ökosysteme beinhalten. Neben der messtechn. Erfassung und Überwachung von Umweltschäden, Schadstoffen u.Ä., den Problemen der Entsorgung (z.B. Abfallbeseitigung, Abwasserreinigung, Wasseraufbereitung) sowie techn. Maßnahmen zum Gewässer-, Lärm- und Strahlenschutz, der Luft-, Staub- und Klimatechnik u.a. ist die Einbeziehung des Vorsorgeprinzips in der U. von besonderer Bedeutung.

Umweltstraftaten, strafbare Handlungen, die Rechtsgüter verletzen, die dem →Umweltschutz dienen.

Umweltverschmutzung, →Umweltbelastung.

Umweltverträglichkeitsprüfung, Abk. **UVP,** Verfahren, in dem Projekte, die negative Auswirkungen auf die Umwelt erwarten lassen, überprüft werden (Ges. über die UVP vom 12. 2. 1990). Das Ergebnis der UVP ist bei der Entscheidung über die Zulässigkeit des Projekts zu berücksichtigen.

Umweltvorsorge, →Umweltschutz.

Umweltzeichen, Bildsymbole zur Kennzeichnung umweltfreundl. Produkte. Das U. der Vereinten Nationen (»Blauer Engel«, Umweltengel) wird seit 1978 in der Bundesrep. Dtl. vergeben. Die Vergabekriterien (z.B. Reduzierung von Gefahrstoffen, Ressourcenschonung) werden von der unabhängigen »Jury U.« beschlossen. Das U. der EU (Umweltblume mit dem E) kennzeichnet Erzeugnisse, die von der Entwicklung bis zum Verbrauch weniger schädlich sind als vergleichbare Produkte.

UN, Abk. für engl. **U**nited **N**ations (Vereinte Nationen; amtl. engl. United Nations Organization, Abk. UNO; amtl. frz. Organisation des Nations Unies, Abk. ONU), umfassendste internat. zwischenstaatl. Organisation zur Sicherung des Weltfriedens und zur Förderung friedl. zwischenstaatl. Beziehungen und internat. Zusammenarbeit. Sie wurde 1945 als Nachfolgeorganisation des Völkerbundes gegründet. Der Sitz des ständigen Hauptquartiers ist New York (Bild); UN-Zentren für Europa sind Genf und Wien, für Afrika Nairobi. Die zu den UN gehörenden zahlr. Unter- und Sonderorganisationen haben ihren Sitz an versch. Orten. Die Mitgliedschaft steht allen Staaten offen (Universalitätsprinzip), die nach dem Urteil der Organisation fähig und gewillt sind, die in der UN-Charta (Satzung der Vereinten Nationen) enthaltenen Verpflichtungen zu erfüllen.

Die Hauptorgane der UN sind die Generalversammlung, der Sicherheitsrat, das Sekretariat, der Wirtschafts- und Sozialrat, der Treuhandrat und der Internat. Gerichtshof.

Die **Generalversammlung** (Vollversammlung) aller Mitgl. der UN tagt mindestens einmal im Jahr, wobei jedes Land von höchstens fünf Repräsentan-

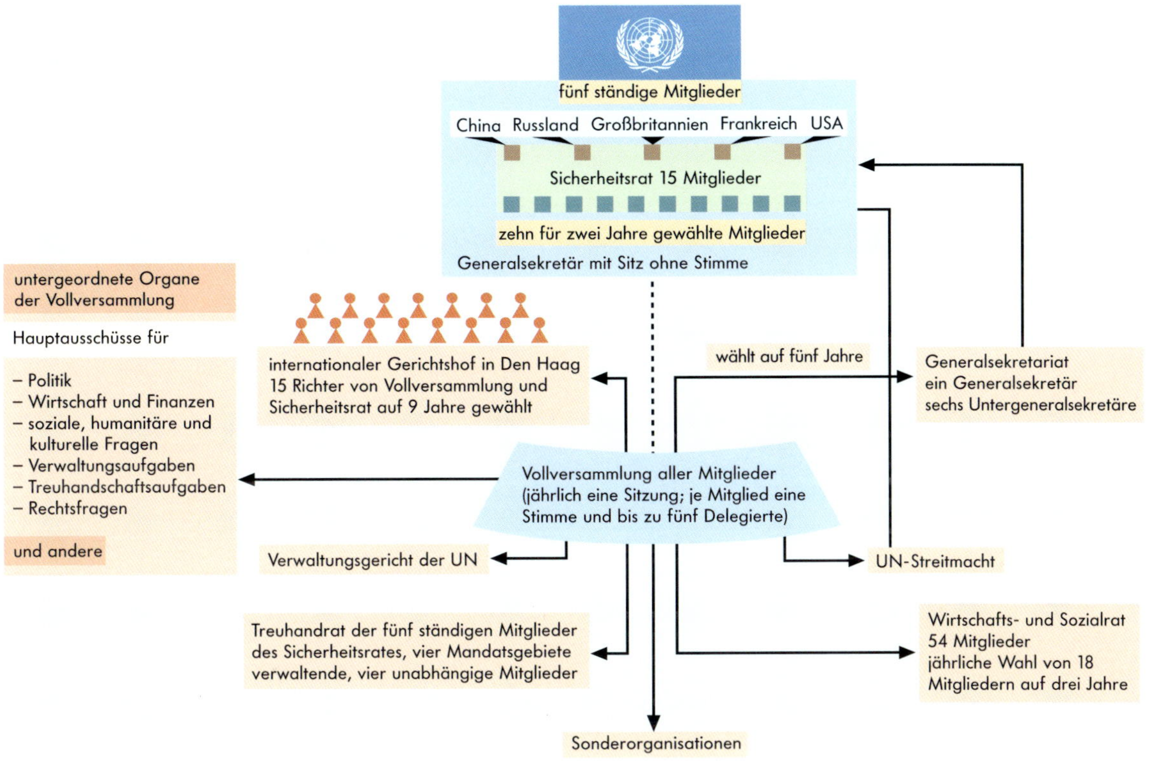

UN: Organisationsschema

ten mit zus. einer Stimme vertreten wird. Sie wählt einen Präs. als Sitzungsleiter. Die Generalversammlung berät über alle Gegenstände, die durch die Charta erfasst werden. Abstimmungen in »wichtigen Fragen« (z.B. Aufrechterhaltung von Frieden und Sicherheit sowie Aufnahme oder Ausschluss von Mitgl.) bedürfen der Zweidrittelmehrheit der Anwesenden; in anderen Fragen genügt die einfache Mehrheit. Nach außen gerichtete Beschlüsse haben den Charakter von »Empfehlungen«, d.h., sie sind nicht bindend. Der **Sicherheitsrat (Weltsicherheitsrat),** bestehend aus fünf ständigen (USA, Russland, Großbritannien, Frankreich, VR China) und zehn alle zwei Jahre von der Generalversammlung gewählten Mitgl., trägt die Hauptverantwortung für die Einleitung und Durchführung von Verfahren zur Beilegung internat. Streitigkeiten. Eine Erweiterung des Gremiums um weitere ständige Mitgl., v.a. um Japan und Dtl., wird erwogen. Im Rahmen der Charta sind die UN-Mitgl. seinen Entscheidungen unterworfen. Jedes Ratsmitgl. hat jeweils eine Stimme, jedes ständige Mitgl. kann darüber hinaus mit seinem Veto jede Entscheidung des Rates blockieren. Außer in Fällen der Friedensgefährdung oder einer bereits eingetretenen Verletzung der Friedenspflicht gibt auch der Sicherheitsrat nur Empfehlungen. Da die von der UN-Charta vorgesehene internat. Streitmacht für Fälle des Friedensbruchs bisher noch nicht bereitgestellt werden konnte, können die UN nur mit von einzelnen Mitgl. freiwillig gestellten Truppeneinheiten (»Blauhelme«; →UN-Friedenstruppe) zur Friedenssicherung oder -erhaltung militärisch eingreifen oder zivile Kommissionen entsenden.

UN: Generalsekretäre

Trygve Halvdan Lie (Norwegen)	1946–52
Dag Hammarskjöld (Schweden)	1953–61
Sithu U Thant (Birma)	1961–71
Kurt Waldheim (Österreich)	1972–81
Javier Pérez de Cuéllar (Peru)	1982–91
Boutros Ghali (Ägypten)	1992–96
Kofi Annan (Ghana)	seit 1997

Das **Sekretariat,** das Verw.organ der UN, steht unter der Leitung des Gen.-Sekr., des höchsten Verw.beamten der UN, der von der Generalversammlung für fünf Jahre gewählt wird (seit 1997 als siebter Gen.-Sekr. der Ghanaer Kofi Annan). Er

UN-Sonderorganisationen, Sonderorgane und Programme (Stand Juli 1997)

Abk.	Name englisch (deutsch)	Sitz	Gründungsjahr	Zahl der Mitglieder
UN-Sonderorganisationen				
FAO	Food and Agriculture Organization of the United Nations (Ernährungs- und Landwirtschaftsorganisation)	Rom	1945	174
ICAO	International Civil Aviation Organization (Internat. Zivilluftfahrtorganisation)	Montreal	1947	185
IFAD	International Fund for Agricultural Development (Internat. Fonds für landwirtsch. Entwicklung)	Rom	1974	160
ILO	International Labour Organization (Internat. Arbeitsorganisation)	Genf (1919)	1946	174
IMF	International Monetary Fund (Internat. Währungsfonds)	Washington	1944	181
IMO	International Maritime Organization (Internat. Seeschifffahrtsorganisation)	London	1948	155
ITU	International Telecommunication Union (Internat. Fernmeldeverein)	Genf (1865)	1947	187
UNESCO	United Nations Educational, Scientific and Cultural Organization (Organisation der UN für Erziehung, Wiss. und Kultur)	Paris	1945	185
UNIDO	United Nations Industrial Development Organization (Organisation der UN für industrielle Entwicklung)	Wien	1966/86	168
UPU	Universal Postal Union (Weltpostverein)	Bern (1874)	1948	189
WHO	World Health Organization (Weltgesundheitsorganisation)	Genf	1948	190
WIPO	World Intellectual Property Organization (Weltorganisation für geistiges Eigentum)	Genf	1967	164
WMO	World Meteorological Organization (Weltorganisation für Meteorologie)	Genf	1950	185
UN-Weltbankgruppe				
IBRD	International Bank for Reconstruction and Development; Worldbank (Internat. Bank für Wiederaufbau und Entwicklung; Weltbank)	Washington	1944	180
IDA	International Development Association (Internat. Entwicklungsorganisation)	Washington	1960	159
IFC	International Finance Corporation (Internat. Finanz-Corporation)	Washington	1956	171
UN-Sonderorgane und Programme				
UNCHS/ Habitat	UN Centre for Human Settlements (Zentrum der UN für Wohn-/Siedlungswesen)	Nairobi	1977	58
UNCTAD	UN Conference on Trade and Development (Konferenz der UN für Handel und Entwicklung; Welthandelskonferenz)	Genf	1964	188
UNDP*)	UN Development Programme (Entwicklungsprogramm der UN)	New York	1965	
UNEP*)	UN Environment Programme (Umweltprogramm der UN)	Nairobi	1972	
UNHCR*)	United Nations High Commissioner for Refugees (Hoher Flüchtlingskommissar der UN)	Genf	1950/51	
UNICEF*)	United Nations Children's Fund (Internat. Kinderhilfsfonds)	New York	1946	
UNITAR*)	United Nations Institute for Training and Research (Ausbildungs- und Forschungsinstitut der UN)	New York	1966	
UNRWA*)	United Nations Relief and Works Agency for Palestine Refugees (Hilfswerk der UN für Palästina-Flüchtlinge)	Wien	1949	
WFP*)	World Food Programme (Welternährungsprogramm)	Rom	1961	
eigenständige UN-Organisationen				
GATT	General Agreement on Tariffs and Trade (Allg. Zoll- und Handelsabkommen)	Genf	1947	111
WTO	World Trade Organization (Welthandelsorganisation)	Genf	1995	130
IAEA	International Atomic Energy Agency (Internat. Atomenergie-Behörde)	Wien	1957	124

*) diese Unterorganisationen besitzen keine feste Mitgliederzahl (sog. offene Programme)

kann Fälle der Friedensbedrohung vor den Sicherheitsrat bringen, fasst im Rahmen seiner Zuständigkeit Beschlüsse im eigenen Ermessen und hat eigene diplomat. Handlungsmöglichkeiten.

Der **Wirtschafts- und Sozialrat** (Economic and Social Council, Abk. ECOSOC; jährl. Wahl von 18 Mitgl. auf drei Jahre, insgesamt 54 Mitgl.) fördert den wirtsch. und sozialen Fortschritt sowie die umfassende friedl. Zusammenarbeit der Staaten auf allen Gebieten und sucht den allg. Menschenrechten überall zur Geltung zu verhelfen. Er kann allg. Empfehlungen geben, internat. Abkommen entwerfen und internat. Staatenkonferenzen einberufen. – Der **Treuhandrat** (Trusteeship Council), verantwortliches Organ für die →Treuhandgebiete und die Gebiete ohne Selbstregierung, hat 1994 seine Arbeit eingestellt. – Dem **Internat. Gerichtshof** in Den Haag, Nachfolgeorgan des Ständigen Internat. Gerichtshofs des Völkerbundes, gehören 15 von der Generalversammlung und vom Sicherheitsrat gewählte Richter an. Der Gerichtshof kann nur von Staaten angerufen werden.

Spezialorgane (Unterorgane, Unterorganisationen) sind u.a. das Weltkinderhilfswerk →UNICEF, der →Hohe Flüchtlingskommissar der Vereinten Nationen (UNHCR), die Organisation für industrielle Entwicklung (UNIDO), das Entwicklungsprogramm der UN (UNDP), die Konferenz für Handel und Entwicklung (→UNCTAD) sowie das Umweltprogramm UNEP.

Die **Sonderorganisationen** sind eigenständige internat., mit Organen der UN durch Abkommen und Koordinierungsorgane verbundene Organisationen. Wichtig sind v.a. die Organisation für Erziehung, Wiss. und Kultur (→UNESCO), die →Internat. Arbeitsorganisation (ILO), die Ernährungs- und Landwirtschaftsorganisation (→FAO), die →Weltgesundheitsorganisation (WHO), der →Internationale Währungsfonds (IMF), die →Weltbank, der →Weltpostverein, die Internat. Fernmelde-Union (IFO), die →Internationale Atomenergie-Behörde (IAEA), die →Welthandelsorganisation (seit 1996, bis dahin Allg. Zoll- und Handelsabkommen, Abk. GATT). Mitglieder von

Sonderorganisationen können auch Länder sein, die nicht Mitgl. der UN sind.

In Fragen des Völkerrechts und der Fortentwicklung des internat. Rechts wirken die UN in besonderem Maße mit; dies gilt v.a. für die Entwicklung der →Menschenrechte, für die Lage der →Flüchtlinge und die Verfolgung von Kriegsverbrechen (→Kriegsverbrechertribunal). Die von ihnen ausgegangenen und von den UN erwarteten Maßnahmen zur Wahrung des Friedens, bes. nach dem Ende des Kalten Krieges, haben die UN vor neue vielfältige Aufgaben gestellt. Die Schwerfälligkeit und Kostenträchtigkeit ihrer Organisation sind z.T. heftig kritisiert worden und verlangen nach Reformen.

📖 HÜFNER, K.: *Die Vereinten Nationen u. ihre Sonderorganisationen. Strukturen, Aufgaben, Dokumente, 2 Bde. Bonn ³1991–92.* – VOLGER, H.: *Die Vereinten Nationen. München u. a. 1994.* – *Das System der Vereinten Nationen u. seine Vorläufer, hg. v.* F. KNIPPING *u. a., auf mehrere Bde. ber. Bern 1995 ff.*

unabdingbares Recht, Rechtsnormen, die einseitig zwingend gelten, d.h., von denen durch Vereinbarung nur zugunsten einer Partei abgewichen werden kann; z.B. Rechtsnormen des Tarifvertrags, die Inhalt, Abschluss oder Beendigung von Arbeitsverhältnissen ordnen.

Unabhängige Sozialdemokratische Partei Deutschlands, Abk. **USPD,** polit. Partei in Dtl.; gegr. im April 1917 unter dem Vorsitz von H. Haase und W. Dittmann; nach der Novemberrevolution 1918 bis Jahresende neben der SPD im Rat der Volksbeauftragten vertreten; im Okt. 1920 Vereinigung der linken Mehrheit mit der KPD; der verbliebene Teil der USPD vereinigte sich im Sept. 1922 wieder mit der SPD.

Unabhängigkeit, 1) *Recht:* Teil der →Souveränität.

2) *Statistik* und *Wahrscheinlichkeitsrechnung:* Eigenschaft von Zufallsgrößen.

Unabhängigkeitskrieg (Nordamerikanischer U.), 1775–83 der Krieg der 13 nordamerikan. Kolonien gegen die brit. Herrschaft (→Vereinigte Staaten von Amerika, Geschichte).

unabwendbares Ereignis, Geschehnis, das auch bei äußerster, nach den Umständen mögl. und zumutbarer Sorgfalt nicht zu vermeiden ist; bedeutsam bei der →Straßenverkehrshaftung.

una corda [italien.], *Musik:* →Corda.

Unam sanctam [lat. »die eine heilige (Kirche)«], Anfangsworte der von Bonifatius VIII. 1302 gegen Philipp IV., den Schönen, von Frankreich erlassenen Bulle, die unter Hinweis auf Röm. 13, 1 den Vorrang der geistl. vor der weltl. Macht forderte (→Zweischwerterlehre).

Unamuno y Jugo [-ı ˈxuɣo], Miguel de, span. Schriftsteller und Philosoph, *Bilbao 29. 9. 1864, †Salamanca 31. 12. 1936; war ab 1891 Prof. für Griechisch in Salamanca; wichtigster Repräsentant der »Generation von 98«, die die veränderte histor. Situation Spaniens verarbeiten musste. Sein vom unlösbaren Dualismus zw. Leib und Seele bestimmtes Weltbild formulierte er in »Das trag. Lebensgefühl« (zwölf Essays, 1913). Die Romane (u. a. »Nebel«, 1914; »Abel Sánchez«, 1917; »San Manuel der Gute«, 1931) gehen in der Gestaltung seel. Konflikte über den zeitgenöss. Realismus hinaus; bed. Lyriker, schrieb auch Dramen und weitere Essays.

📖 SCHÜRR, F.: *M. de U. Der Dichterphilosoph des trag. Lebensgefühls. Bern 1962.* – LACY, A.: *M. de U. The rhetoric of existence. Den Haag 1967.* – NOZICK, M.: *M. de U. Princeton, N. Y., 1982.*

Miguel de Unamuno y Jugo (um 1928)

Unanimismus [lat.-frz.] *der,* philosophisch-ästhet. Bewegung in Frankreich zu Beginn des 20. Jh., die von der Vorstellung einer Gruppenseele ausging, die kollektive emotionale Kräfte freisetzen könne. Hauptvertreter war J. Romains.

Unbefleckte Empfängnis (lat. Conceptio immaculata), 1854 durch Papst Pius IX. verkündetes Dogma der kath. Kirche, dass Maria, die Mutter Jesu, im Augenblick ihrer Empfängnis durch die besondere Gnade Gottes vor der Erbsünde bewahrt blieb; Fest der U. E.: 8. 12.

Unberührbare, →Paria.

Unbestimmte, *Mathematik:* →Variable.

unbestimmtes Fürwort, →Pronomen.

Unbestimmtheitsrelation, die heisenbergsche →Unschärferelation.

unbewegliche Sachen, →Immobilien.

Unbewusstes, seel. Vorgänge, die nicht unmittelbar der Selbstbeobachtung zugänglich sind, aber an ihren Wirkungen erkannt werden. In der →Psychoanalyse wird das U. (auch **Unterbewusstsein**) als ein eigenständiges psych. System aufgefasst, in dem die gesamte Triebdynamik und ein großer Teil der Erlebnisverarbeitung lokalisiert werden. So erscheint das U. auch als Ort der verdrängten Triebtendenzen, die das Verhalten beeinflussen, aber nicht bewusst erlebt werden können. Häufig äußern sich diese in neurot. Symptomen. Im Unterschied zu der einseitig triebdynam. Auffassung S. Freuds sieht C. G. Jung im U. die Grundlage der seelisch-geistigen Entwicklung. Er unterscheidet ein **persönl. U.** (v. a. Vergessenes, Verdrängtes, entspricht dem Unterbewusstsein) von einem **kollektiven U.**, in dem, unabhängig von individueller Erfahrung, die Urerfahrungen der Menschheit als Antriebs- und Auffassungsbereitschaften ihren Niederschlag gefunden haben sollen.

Unbrauchbarmachung, die im Strafurteil anzuordnende Vernichtung von Schriften, Abbildungen oder Darstellungen wegen ihres strafbaren Inhalts sowie der zu ihrer Herstellung bestimmten Platten und Formen (§ 74d StGB).

unbunt, → Farbe.

UN-Charta [-'karta], die am 26. 6. 1945 in San Francisco unterzeichnete und am 24. 10. 1945 in Kraft getretene Verfassung (Satzung) der Vereinten Nationen (→ UN).

Uncle Sam ['ʌŋkl 'sæm, engl.], die USA und ihre Regierung symbolisierende Figur; wohl hervorgegangen aus der früheren, amerikan. Bundeseigentum betreffenden amtl. Abk. U. S.-Am.

UNCTAD, Abk. für engl. **U**nited **N**ations **C**onference on **T**rade **a**nd **D**evelopment, Konferenz der UN für Handel und Entwicklung, durch Beschluss der UN-Vollversammlung vom 30. 12. 1964 als Unterorganisation der UN institutionalisierte Weltwirtschaftskonferenz; Sitz: Genf. Hauptziele sind die Förderung des internat. Handels, v. a. zw. Ind.- und Entwicklungsländern, Finanz- und Technologietransfer sowie wirtsch. Kooperation zw. den Entwicklungsländern. Hauptorgane sind die Konferenz der Mitgl.staaten (1997: 188), die i. d. R. alle vier Jahre stattfindet, zuletzt 1996 in Midrand bei Johannesburg (UNCTAD IX), der Rat (Trade and Development Board), der die Aufgaben der Konferenz bis zu deren nächstem Zusammentreffen wahrnimmt und drei Kommissionen. Die UNCTAD gibt jährlich den »Trade and Development Report« und den »World Investment Report« heraus.

Sigrid Undset

Undation [lat. »das Wellenschlagen«] *die, Geologie:* durch tief liegende Magmaströmungen hervorgerufene großwellige Erdkrustenverlagerung, die die Bildung von Schwellen und Senken bewirkt. Die seit 1933 entwickelte **U.-Theorie** von R. W. van Bemmelen stellt eine Weiterentwicklung der → Oszillationstheorie dar.

Undergroundfilm ['ʌndəgraʊnd-, engl.] (Untergrundfilm), der nonkonformist. Film; nach 1968 gesellschaftspolitisch interpretiert, auch Avantgarde- und Experimentalfilm. U. sind finanziell unabhängig von der kommerziellen Produktion, künstlerisch alternativ zu etablierten Formen gestaltet, thematisch provokativ von anstößig-tabuisierten oder sinnlosen Inhalten bestimmt; U. drehten u. a. A. Warhol, R. von Praunheim, O. Muehl.

Undergroundliteratur ['ʌndəgraʊnd-, engl.] (Untergrundliteratur), **1)** Literatur, deren Verfasser aus polit., ideolog. Gründen in den Untergrund gehen müssen, die illegal erscheinen muss und illegal vertrieben wird (z. B. → Samisdat).

2) Sammelbegriff für unterschiedl. literar. Strömungen und Formen, die seit etwa 1960, ausgehend von den USA, Teil einer subkulturellen Szene waren. Die Vertreter der U. bedienten sich nicht nur neuer bzw. weiterentwickelter dichter. Gestaltungsmittel (z. B. der → Collage) und medienübergreifender Darstellungsweisen (z. B. Comics, Multimedia, → Happening), sondern auch eigenständiger (»alternativer«) Produktions-, Kommunikations- und Distributionskanäle. Diese gingen einher mit der Propagierung neuer Lebensformen (z. B. Kommune) und einer geänderten Bewertung künstler. Schaffens. Da die U. über ein gefühlsmäßig betontes polit. Engagement meist kaum hinauskam, fand sie sich bereits Ende der 1960er-Jahre beinahe vollständig kommerzialisiert und in die Kulturind. integriert, während andererseits die traditionelle Lit. Elemente und Formen der U. aufgriff.

Understatement [ʌndə'steɪtmənt, engl.] *das,* Herunterspielen, Untertreibung; in der modernen Lit. und Schauspielkunst bewusst unpathet., nüchterne Darstellung.

Underwriter ['ʌndəraɪtə; engl. »Unterzeichner«] *der,* in Großbritannien Bez. für Finanzinstitute, Makler u. a., die bes. bei Wertpapieremissionen einen bestimmten (nicht untergebrachten) Teil der Emission selbst übernehmen.

Undezime [lat. undecimus »der Elfte«] *die, Musik:* das Intervall im Abstand von elf diaton. Tonstufen, die Quarte über der Oktave des Grundtons.

UND-Glied, elektron. Grundschaltung der Digitaltechnik zur log. Verknüpfung von zwei oder mehreren Eingangssignalen im Sinn der → Schaltalgebra. Der Ausgang eines UND-G. führt den Signalzustand logisch 1, wenn gleichzeitig an allen Eingängen ebenfalls eine logische 1 anliegt.

Undine [zu lat. unda »Welle«] *die,* Elementargeist in Gestalt einer schönen Frau; sie begehrt die Verbindung mit einem Menschen, um eine unsterbl. Seele zu erringen, und bestraft Untreue mit dem Tod. Der Stoff ist überliefert durch Paracelsus; seit F. de la Motte Fouqué (Märchennovelle »Undine«, 1811) ist U. eine Wasserfrau; Opern von E. T. A. Hoffmann (1816), A. Lortzing (1845), Drama von J. Giraudoux (1939).

Undset ['unsɛt], Sigrid, norweg. Schriftstellerin, * Kalundborg (Dänemark) 20. 5. 1882, † Lillehammer 10. 6. 1949; emigrierte 1940 in die USA (Rückkehr 1945); schrieb Gegenwartsromane und -novellen (»Harriet Waage«, R., 1917), später großangelegte realistische Romane mit Stoffen aus der norweg. Vergangenheit (»Kristin Lavranstochter«, 3 Bde., 1920–22); »Olav Audunssohn«, 4 Tle., 1925–27); erhielt 1928 den Nobelpreis für Literatur.

Sigrid Undset: Buchumschlag einer deutschen Ausgabe des Romans »Kristin Lavranstocher« mit einem Porträt der Schriftstellerin

unedle Metalle, Sammelbez. für rd. 55 metall. Elemente, die an der Luft oxidieren und von nicht oxidierenden Säuren auch unter Luftabschluss angegriffen werden. Die u. M. haben in der elektrochem. →Spannungsreihe ein gegenüber Wasserstoff negatives Normalpotenzial (→Normalelektrode).

uneheliche Kinder, →nichteheliche Kinder.

Unehrlichkeit, im alten dt. Recht die geminderte Rechtsstellung dessen, der ein »unehrl. Gewerbe« betrieb: Henker, Abdecker, fahrende Leute, seit dem 15. Jh. auch Schäfer, Müller, Gerber, Barbiere u. a., sowie deren Kinder und Enkel; im 19. Jh. beseitigt. Der Begriff bezeichnete eine soziale, keine moral. Kategorie.

unendlich, *Mathematik:* Zeichen ∞, größer als jede endl. Zahl (u. groß, transfinit, auch $+\infty$); als u. klein ($-\infty$) kleiner als jede beliebig kleine Zahl; v. a. bei der Bildung von →Grenzwerten von Bedeutung.

Unendlichkeit, Eigenschaft des Grenzenlosen, Nichtendlichen; Ggs.: →Endlichkeit. – In der *Mathematik* wird das Unendliche meist als **potenziell Unendliches** aufgefasst, d. h., die Aussage, dass es unendlich viele natürl. Zahlen gibt, bedeutet, dass zu jeder Zahl n eine größere existiert, z. B. $n+1$. – In der *Philosophie* bezeichnet das Unendliche das Grenzenlose, unvorstellbar Große, Göttliche. In der grch. Philosophie wurde es als Apeiron diskutiert (→Anaximander). Anknüpfend an Philon von Alexandria wurde von der christl. Philosophie und Theologie U. dem Göttlichen zugesprochen.

unentgeltliche Prozessführung, →Prozesskostenhilfe.

unerlaubte Handlung (Delikt), der widerrechtl. und schuldhafte Eingriff in ein fremdes Rechtsgut. Er verpflichtet bei einem hieraus kausal (→Kausalität) entstandenen Schaden zum Schadensersatz (§§ 823–853 BGB), z. B. bei Verletzung des Lebens, des Körpers, der Gesundheit, der Freiheit, des Eigentums, des Namens- oder Urheberrechts, bei Verstoß gegen ein →Schutzgesetz, bei →Kreditgefährdung, bei sittenwidriger Schadenszufügung sowie bei Amtspflichtverletzung (→Staatshaftung). Für →Verrichtungsgehilfen haftet der Geschäftsherr, wenn er sich nicht durch den Nachweis sorgfältiger Auswahl und ausreichender Überwachung entlasten kann. Zum Inhalt der Ersatzpflicht →Schadensersatz. Der Anspruch auf Schadensersatz verjährt in drei Jahren nach Kenntnis des Schadens und der Person des Ersatzpflichtigen. Kinder unter sieben Jahren sind für einen Schaden nicht verantwortlich (→Aufsichtspflicht), auch nicht Jugendliche zw. 7 und 18 Jahren und Taubstumme, wenn sie bei Begehung der schädigenden Handlung nicht die zur Erkenntnis der Verantwortlichkeit erforderl. Einsicht hatten. – Nach *österr.* Recht verpflichtet grundsätzlich jede schuldhafte rechtswidrige Handlung zum Schadensersatz (§ 1295 ABGB). In der *Schweiz* gelten ähnl. Grundsätze wie im dt. Recht (Art. 41 ff. OR).

UNESCO, Abk. für engl. **U**nited **N**ations **E**ducational, **S**cientific and **C**ultural **O**rganisation, UN-Sonderorganisation für Erziehung, Wiss. und Kultur, 1945 in London gegr., seit 1946 mit Sitz in Paris. – Aufgaben der UNESCO sind v. a. die Förderung der internat. Zusammenarbeit auf den Gebieten der Erziehung, Wiss. und Information, die Förderung des Zugangs aller Menschen zu Bildung und Kultur, die Durchsetzung der Menschenrechte und Hebung des Bildungsniveaus. Sie befasst sich mit dem Schutz des geistigen Eigentums und fördert den internat. Literatur- und Kulturaustausch. Eine neuere Aufgabe der UNESCO ist der Schutz des →Weltkulturerbes. – Organe der UNESCO sind die Generalkonferenz, der Exekutivrat und das Sekretariat.

UNESCO

»Zwei Dinge sind **unendlich**: *das Universum und die menschliche Dummheit. Aber bei dem Universum bin ich mir noch nicht ganz sicher.«*

Albert Einstein

unendlich

Dass es im Unendlichen eine Reihe von Abstufungen gibt, zeigt »Hilberts Hotel«. Dieses Hotel hat unendlich viele nummerierte Zimmer und ist voll belegt. Wenn jetzt ein Gast kommt, kann der Wirt ihn aber trotzdem aufnehmen: Er schickt den Gast aus Zimmer 1 in Zimmer 2, den von Zimmer 2 auf Zimmer 3 usw. und kann den neuen Gast in Zimmer 1 unterbringen. – Hilberts Hotel hat »abzählbar unendlich« viele Zimmer. Dagegen ist beispielsweise die Zahl der Brüche zwischen 0 und 1 »überabzählbar unendlich«.

UNESCO-Handbuch, hg. v. K. Hüfner *u.* W. Reuther. *Neuwied u. a. 1996.*

Unfall, unbeabsichtigtes, plötzlich auftretendes, auf äußerer Einwirkung (Stoß, Fall, Verbrennung u. a.) beruhendes Ereignis, durch das Schädigung von Gesundheit und Leben oder Sachschäden hervorgerufen werden. Die wichtigsten Unfallbereiche sind Straßenverkehr, Beruf (Arbeits-U.) sowie Freizeit und Haushalt. (→ Elektrounfall)

Unfallflucht (Fahrerflucht), → Verkehrsunfallflucht.

Unfallverhütung (Unfallschutz), Maßnahmen zur Verhütung von Unfällen, v. a. in Betrieben; → Arbeitsschutz, → Betriebsschutz.

Unfallversicherung, 1) (gesetzliche U.) als Zweig der → Sozialversicherung die Versicherung von Arbeitnehmern gegen die wirtsch. Folgen von Arbeitsunfällen und → Berufskrankheiten. Gesetzl. Grundlage der U. ist das Siebte Buch des Sozialgesetzbuchs (SGB VII), das 1997 die Reichsversicherungsordnung ablöste. Träger der U. sind die (gewerbl., landwirtsch. und See-) → Berufsgenossenschaften, die Eisenbahn-Unfallkasse, die Unfallkasse Post und Telekom, die Unfallkassen der Länder sowie die Gemeinde-U.-Verbände und Ausführungsbehörden für U., bei denen die bei Bund, Ländern und Gemeinden Beschäftigten versichert sind. Die Beiträge werden allein von den Arbeitgebern geleistet. Pflichtversichert sind alle aufgrund eines Dienst-, Arbeits- oder Ausbildungsverhältnisses Beschäftigten, landwirtsch. Unternehmer, die im Gesundheits- und Veterinärwesen und in der Wohlfahrtspflege Tätigen, Studenten, Schüler, Kinder in Kindergärten u. a. Der Verbesserung von Arbeitsschutz und Unfallverhütung dient das Gesetz über Betriebsärzte, Sicherheitsingenieure und Fachkräfte für Arbeitssicherheit von 1973. – Gegenstand der U. ist der Ersatz des Schadens, der durch Tötung, Körperverletzung oder eine Berufskrankheit entsteht. Die Leistungen bestehen bei Verletzungen u. a. in Heilbehandlung (ärztl. Behandlung, Pflege, Anstaltspflege), Berufshilfe (Hilfe zur Wiedererlangung der durch den Unfall beeinträchtigten Erwerbsfähigkeit, Ausbildung für einen neuen Beruf), Übergangsgeld, Überbrückungsgeld und Verletztenrente (bei vollständiger Erwerbsunfähigkeit Vollrente in Höhe von $2/3$ des Jahresarbeitsverdienstes, bei beschränkter Erwerbsfähigkeit Teilrente) oder Verletztengeld für die Dauer der Erwerbsunfähigkeit; bei Tötung in Sterbegeld und Hinterbliebenenrenten. – In *Österreich* ist die U. durch das Allg. Sozialversicherungs-Ges. von 1955, in der *Schweiz* seit 1918 durch die Schweizer. Unfallversicherungsanstalt (SUVA) in Luzern zentral geregelt.

2) (private U.) eine Personenversicherung gegen die wirtsch. Folgen von Unfällen, Erwerbsunfähigkeit oder Tod. Der Versicherer leistet je nach Unfallfolgen und Vertrag Tagegeld, Invaliditätsentschädigung (oder -rente) oder eine Todesfallsumme.

Unfehlbarkeit (lat. Infallibilität), *kath. Kirche:* die dogmatisch definierte Irrtumslosigkeit der kirchl. Lehrverkündigung; Grundlage ist das → kirchliche Lehramt; Träger ist die Gesamtheit der Bischöfe und seit dem 1. Vatikan. Konzil (1870) in besonderer Weise der Papst als Haupt und Repräsentant des Gesamtepiskopats **(päpstl. U.).** Mit U. gefasste Entscheidungen (Glaubensurteile) gelten als definitive Auslegungen der in der Bibel und Tradition niedergelegten christl. Offenbarung und sind für die gesamte Kirche verbindlich. Solche Glaubensurteile sind die Lehrentscheidungen der allg. Konzilien und die persönl. Lehrverkündigung des Papstes → ex cathedra. Letzteres geschah bislang nur einmal durch Papst Pius XII. nach vorheriger Befragung der Bischöfe (Dogmatisierung der Aufnahme Marias in den Himmel, 1950).

UN-Friedenstruppe, zusammenfassende Bez. für multinational zusammengesetzte Truppenkontingente (»Blauhelme«), die auf Ersuchen des UN-Sicherheitsrates zur Aufrechterhaltung des Weltfriedens und der internat. Sicherheit von Mitgliedstaaten der UN freiwillig zur Verfügung gestellt werden. Sie wurden in Konfliktgebieten (östl. Mittelmeer, Pers. Golf, indisch-pakistan. Grenze, Kroatien, Bosnien und Herzegowina, Mittelamerika, Afrika, Kambodscha u. a.) eingesetzt. 1988 erhielt die UN-F. den Friedensnobelpreis.

Unfruchtbarkeit, → Sterilität.

Unfruchtbarmachung, → Sterilisation.

Unfug, jedes ungeziemende Benehmen. Strafrechtlich erfasst wird nur der **beschimpfende U.** an Hoheitszeichen, an Orten, die dem Gottesdienst von Religionsgemeinschaften oder den Feiern von Weltanschauungsvereinigungen gewidmet sind (§ 167 StGB), und an Beisetzungsstätten (§ 168 StGB, → Störung der Totenruhe). Der früher (nach § 360 StGB) strafbare **grobe U.** ist z. T. in §§ 117–119 Ordnungswidrigkeitengesetz erfasst.

Giuseppe Ungaretti

Ungaretti, Giuseppe, italien. Lyriker, * Alexandria (Ägypten) 10. 2. 1888, † Mailand 1. 6. 1970; ging 1912 von Ägypten nach Paris (bis 1914), dort Freundschaft u. a. mit G. Apollinaire, P. Picasso; neben E. Montale einer der großen Erneuerer der italien. Lyrik des 20. Jh. Seine Lyrik gehört dem Hermetismus an, der – unter Einfluss des Symbolismus und Futurismus – nach einer sinnbildhaften Umsetzung persönl. Erfahrung im Gedicht strebt (u. a. »Die Heiterkeit«, 1919; »Der Schmerz«, 1947; »Das verheißene Land«, 1950; italien.-dt. Auswahl u. d. T. »Ich suche ein unschuldiges Land«, 1988); auch vielseitige Übersetzertätigkeit (W. Shakespeare, J. Racine).

ungarische Kunst (von links): Attila Mata, »Die Büste« (1988; Privatbesitz); István Nádler, Gouache ohne Titel (1974; Privatbesitz); Der Hörsaalturm der Agraruniversität in Kaposvár wurde Ende der 1980er-Jahre nach Plänen des ungarischen Architekten Deszö Ekler erbaut

📖 JONES, F. J.: *G. U. Poet and critic. Edinburgh 1977.* – MAURO, W.: *Vita di G. U. Mailand 1990.*

ungarische Kunst. Funde aus dem ausgehenden 9. Jh. lassen Zusammenhänge mit der →Steppenkunst erkennen. Viele Bauten des MA. wurden durch den Mongolensturm (1241) und später in der Türkenzeit vernichtet. Zu den bedeutendsten Bauwerken der Romanik gehören Kirchen in Pécs, Ják und Zsámbék sowie das Árpáden-Schloss in Esztergom (1242 zerstört; Kapelle 1935–37 freigelegt). Architektur und Bauplastik lassen Beziehungen zu Dtl. und Italien (bes. Lombardei) erkennen. Seit der Mitte des 13. Jh. breitete sich der got. Stil aus, der bis ins 16. Jh. dominierend blieb. Spätgot. Bauten und Altarwerke sind v. a. in den Randgebieten der Slowakei und Siebenbürgens erhalten. Durch Matthias I. Corvinus und seine Bibliothek (Corvina) fand die italien. Renaissance früh Eingang (Bakócz-Kapelle in Esztergom, 1506/07). Nach der Türkenzeit herrschte zunächst der österr. und süddt. Barock vor; als Maler wirkten P. Troger, F. A. Maulbertsch u. a. Im 19. Jh. entstanden in Budapest Bauten des Klassizismus (Nationalmuseum, 1837–47, von M. Pollack), der Neurenaissance (Oper, 1875–84, von M. Ybl) und der Neugotik (Parlament, 1884–1904, von I. Steindl). Versuch einer typisch »magyar.« Architektur war das Kunstgewerbemuseum Ö. Lechners (1893–96). I. Ferenczy vertrat die klassizist. Plastik, M. Iszó die nat. Romantik. Nat. Themen gestaltete der Historienmaler B. Székely von Ádámos. Eine z. T. sozialkrit. realistische Malerei vertrat M. Munkácsy, dessen Schüler J. Rippl-Rónai sich den →Nabis anschloss. Die 1896 in Nagybánya (heute Baia Mare) sich bildende Künstlerkolonie widmete sich der Freilichtmalerei (u. a. P. Szinyei Merse, K. Ferenczy). Csontváry war Gründer einer visionär-expressiven Malerei. Bed. Bildhauer des Kubismus wurde J. Csáky. Aus dem Künstlerkreis um L. Kassák gingen hervorragende Vertreter des Konstruktivismus hervor, u. a. S. Bortnyik (sein bekanntester Schüler wurde V. Vasarély), ferner L. Moholy-Nagy, der am Bauhaus lehrte. Die Grundsätze des Bauhauses wirkten auf die Tätigkeit der Architektengruppe »Cirpac«. Die Bildhauerkunst stand unter dem Einfluss von A. Maillol, so z. B. Ferenc Medgyessy und Beni Ferenczy. Nach dem 2. Weltkrieg und bes. seit Mitte der 1960er-Jahre begann sich ein an internat. Strömungen orientiertes breites Spektrum künstler. Aktivitäten zw. den Gegenpolen konstruktivistisch-serieller Kunst (A. Péter Türk) und Aktionismus (Miklós Erdély, Tamás Szentjóby) zu entfalten. Um 1970 nahmen alle Richtungen Merkmale der Conceptart an. Der bedeutendste Architekt, Imre Makovecz, verband humanökolog. Gedankengut mit Formen der Folklore. Ab Anfang der 1980er-Jahre dominierten lyrisch-expressive Bilder von István Nádler und Akos Birkás; multimediale Installationen mit narrativem Charakter zeigten János Szirtes und János Sugár; internat. Rang behaupten die Skulpturen u. a. von Attila Mata. Weitere BILDER Lechner, Moholy-Nagy, Rippl-Rónai

📖 SZABADI, J.: *Jugendstil in Ungarn. Malerei, Graphik, Plastik. A. d. Ungar. Wien u. a. 1982.* – *Meisterwerke aus tausend Jahren. Ein Bildband zur u. K., mit einer Einf. v.* D. KERESTURY. *A. d. Ungar. Budapest 1988.* – *Kunst-Landschaft Ungarn, Text v.* G. BIEDERMANN, *Fotos v.* W. VAN DER KALLEN. *Würzburg 1990.* – *Das goldene Zeitalter. Kunst u. Gesellschaft in Ungarn 1896–1914, bearb. v.* G. ÉRI *u. a. A. d. Ungar. Budapest 1993.* – *U. K. im 20. Jh. Die*

Sándor Petőfi (Ausschnitt einer zeitgenössischen Lithographie)

Ferenc Molnár

Tibor Déry

László Németh

Magda Szabó

Sammlung Kolozsváry, Gyr. Ausst.-Kat. Galerie Stadt Sindelfingen, 1993. – Csárdás im Quadrat. Ungar. Avantgarde (1919–1930) u. traditionelle Bauernkultur, hg. v. P. Rochard. *Mainz 1995.*

ungarische Literatur, die Literatur in ungar. Sprache. Mündlich überlieferte Märchen, Sagen und Lieder lassen auf eine nennenswerte Volksdichtung der Ungarn in vorchristl. Zeit (vor 1000 n. Chr.) schließen. Die Christianisierung führte zum Untergang dieser Dichtung. So sind Übersetzungen geistl. Texte aus dem Lateinischen erste Zeugnisse in ungar. Sprache; wichtigster Vertreter der lat. Dichtung war der Humanist J. Pannonius. Mit der Reformation ging eine starke Belebung und Kultivierung der ungar. Sprache einher; 1590 erschien eine Bibel in vollständiger Übersetzung von K. Károlyi. Einen ersten Höhepunkt erreichte die u. L. in der Lyrik des Renaissancedichters B. Balassi. Der geistige Führer der Gegenreformation, P. Pázmány, schuf in seinen polem. Schriften einen neuen barocken Stil. Dichter des ungar. Barock waren M. Zrínyi, Verfasser des an antiken und italien. Mustern orientierten Heldenepos »Der Fall von Sziget« (1651), und I. Gyöngyösi. Die Ideen der Aufklärung lösten in der Regierungszeit Maria Theresias und Josephs II. eine starke Belebung der Literatur aus, doch verhinderte die Niederschlagung der Verschwörung der ungar. Jakobiner (1794) ihre weitere Verbreitung. Die u. L. der Folgezeit stand im Zeichen von Innerlichkeit und ständ. Patriotismus. Der Spracherneuerer F. Kazinczy setzte klassizist. Ideale durch. D. Berzsenyi verfasste Oden und Elegien nach antiken Mustern, F. Kölcsey schrieb pessimist. und patriot. Lyrik sowie polit. und literar. Essays, M. Csokonai Vitéz wandte sich der Volkspoesie zu; er wurde, wie J. Katona mit seinem Drama »Bánk bán« (1814), erst nach seinem Tod gewürdigt. Im ungar. Vormärz war der Romantiker M. Vörösmarty die führende Dichtergestalt. Mit dem gehobenen Stil der ständ. Romantik brach S. Petőfi, der mit unkonventioneller Natur- und Stimmungslyrik sowie mit seinen revolutionären Gedichten eine neue Stilepoche einleitete. Neben Vörösmarty und Petőfi war J. Arany die dritte Hauptgestalt der nat. Klassik; der bäuerl. Held seiner »Toldi«-Trilogie (1846–79) gilt als Idealbild des ungar. Volkscharakters.

Neben J. Eötvös und Z. Kemény mit histor. und Tendenzromanen steht M. Jókai, der sich durch seine heute noch wirksame Fabulierkunst und romant. Fantasie auszeichnet. Im dramat. Werk I. Madáchs kündigte sich bereits die Problematik des beginnenden bürgerl. Zeitalters an. Weiterhin traditionsgebunden schrieben die Erzähler K. Mikszáth und G. Gárdonyi. Die revolutionäre Tradition nach Petőfi hielt der Lyriker J. Vajda wach.

Mit der politisch radikalen und sprachlich eigenwillig verschlüsselten Lyrik von E. Ady begann die Moderne. Sammelpunkt der neuen Autoren war die 1908 gegr. liberale Zeitschrift »Nyugat« (Westen). Die namhaftesten Vertreter der literar. Erneuerung neben Ady waren F. Molnár mit seinen geistvoll-krit. Erzählungen, G. Krúdy mit impressionist. Romanen und Novellen, der naturalist. Erzähler Z. Móricz sowie die Lyriker M. Babits und D. Kosztolányi. Während sich in den 1930er-Jahren die unpolit. Autoren um Babits sammelten, spalteten sich die engagierten Schriftsteller in zwei Richtungen: D. Szabó war der Verkünder einer völk. Ideologie. Auf der anderen Seite standen u. a. der proletar. Lyriker A. József sowie der sozialkrit. Erzähler L. Nagy, der eine Art Neuer Sachlichkeit in die u. L. einführte; ebenfalls zu den linksorientierten Schriftstellern gehörten L. Kassák und T. Déry, die sich in allen avantgardist. Richtungen ihrer Zeit versuchten. Der ungar. Volkskultur und der Wiederbelebung vergangener Traditionen verpflichtet waren G. Illyés und L. Németh. In der Zwischenkriegszeit erschien u. a. der erste Gedichtband des Lyrikers S. Weöres. Von der siebenbürg. Landschaft geprägte Erzählungen schrieb A. Tamási.

Der Zusammenbruch des alten Ungarn 1945 samt seinen politisch-gesellschaftl. Folgen veränderte die u. L. grundlegend. Einer bis 1948 andauernden, allen zeitgenöss. Geistesströmungen gegenüber noch offenen Übergangsperiode folgte eine Zeit der stalinist. Restriktionen. Einziges literar. Ereignis der frühen 50er-Jahre war das Auftreten des Lyrikers F. Juhász. Intellektuelle Führer des Petőfi-Klubs und damit des Budapester Aufstandes 1956 waren u. a. G. Lukács, T. Déry und G. Hay. Erst einige Zeit nach dem gescheiterten Volksaufstand entwickelte sich eine neue, krit. Geistigkeit. Die am Anfang der 1960er-Jahre auftretende Autorengeneration (E. Fejes, F. Sánta, T. Cseres; S. Somogyi-Tóth, I. Mándy, I. Csurka, Magda Szabó) vollzog jene zeitgeschichtliche Bestandsaufnahme, die der im Sinne des sozialist. Realismus indoktrinierten Literatur nicht gelingen konnte. Nicht direkt sozialkritisch, eher individualpsychologisch bemerkenswert sind die dem Existenzialismus nahe stehenden Romane von G. Ottlik und M. Mészöly. Die ersten ausgereiften und eigenwilligen surrealist. oder der Literatur des Absurden zugewandten Prosatexte der u. L. verfassten in dieser Zeit T. Tardos und I. Örkény. Die seit dem Ende der 1960er-Jahre in den Vordergrund tretenden Autoren brachen nicht nur mit den jahrzehntelang obligaten politisch-weltanschaul. Denkschemata, sondern auch mit allen traditionell-realist. Stilidealen. Das Spiel mit Möglichkeiten und Grenzen der Sprache, mit Zitaten aus eigenen und fremden Werken, die Ausschaltung jegl. Transzendenz und Beschränkung auf

Alltagserscheinungen waren die Leitprinzipien der literar. Avantgarde; dies gilt für P. Esterházy, D. Tandori, G. Konrád. Daneben vertreten L. Nagy, S. Csoóri, G. Petri, P. Nádas, G. Dalos und L. Krasznahorkai die u. L. der Gegenwart.

📖 SIVIRSKY, A.: *Die u. L. der Gegenwart. Bern u. a. 1962.* – SZERB, A.: *Ungar. Literaturgeschichte, 2 Bde. A. d. Ungar. Youngstown, Oh., 1975.* – *Handbuch der u. L., hg. v.* T. KLANICZAY. *A. d. Ungar. Budapest 1977.* – *Vom Besten der alten u. L., 11. bis 18. Jh., hg. v.* T. KLANICZAY. *Budapest 1978.* – *Literatur Ungarns 1945 bis 1980. Einzeldarstellungen, mit Beiträgen v.* M. SZABOLCSI *u. a. Berlin (Ost) 1984.* – CZIGÁNY, L.: *The Oxford history of Hungarian literature. Neuausg. Oxford 1986.* – *A journey into history. Essays on Hungarian literature, , hg. v.* M. M. NAGY. *New York u. a. 1990.* – *»Kakanien«. Aufsätze zur österreich. und u. L., Kunst u. Kultur um die Jahrhundertwende, hg. v.* E. THURNHER *u. a. Budapest 1991.* – GYÖRGY, D.: *Vom Propheten zum Produzenten. Zum Rollenwandel der Literaten in Ungarn u. Osteuropa. Wien 1992.* – *Hungarian literature, hg. v.* E. MOLNÁR BASA. *New York 1993.* – CHINEZU, I.: *Aspects of Transylvanian Hungarian literature. Klausenburg 1997.*

ungarische Musik. Der ungar. Volksmusik liegt im ältesten einstimmigen Volkslied die halbtonlose Fünftonleiter (→Pentatonik) zugrunde. Eine jüngere Schicht zeigt eine siebenstufige Skala. Die Kunstmusik beginnt mit gregorian. Gesängen sowie volkssprachl. Epik und dem Wirken ausländ. Musiker am Königshof (um 1000). Mittel- und westeurop. Einwanderer (seit dem 12. Jh.) brachten ihre Musik mit. Vermittelt durch fahrende Sänger, sind seit Ende des 15. Jh. ungar. Tänze (Ungaresca) Bestandteil des gesamteurop. Repertoires. Während der türk. Herrschaft (seit 1526) lebten bes. im österr. Teil »Historiengesänge« (Reimchroniken, polit. Lieder) weiter; sie fanden 1690–1711 in den »Kurutzenliedern« ihre Fortsetzung. Seit etwa 1750 erscheint der meist von Roma gespielte Verbunkos; er und seine Abzweigungen in Csárdás, städt. Lied, Freiheits- und Studentenlied bilden einen volkstüml. Stil, der von 1790 bis ins 20. Jh. als typisch ungarisch galt. Im 19. Jh. schufen F. Liszt, M. Mosonyi und F. Erkel eine nationale u. M. romant. Prägung. Im 20. Jh. bestimmten Z. Kodály und B. Bartók die Musikentwicklung; sie griffen in ihren Kompositionen auf die ursprüngl. Bauernmusik zurück. Kodálys System (M. Seiber, A. Doráti, S. Veress u. a., zahlr. Schüler) schuf mit Chorbewegung und Musikschulen bes. seit 1945 die Grundlage der neuen ungar. Musikkultur. Bed. Vertreter der zeitgenöss. Musik sind u. a. G. Kurtág, G. Ligeti, E. Petrovics, S. Szokolay, I. Láng, Z. Durkó, P. Eötvös, R. Wittinger und Z. Kocsis.

📖 KRÓO, G.: *U. M. – gestern u. heute. A. d. Ungar. Budapest 1980.* – BALÁZS, I.: *Musikführer durch Ungarn. A. d. Ungar. Budapest 1991.* – DOBSZAY, L.: *Abriß der ungar. Musikgeschichte. A. d. Ungar. Budapest 1993.*

Ungarisches Mittelgebirge, waldreiches Gebirge in Ungarn beiderseits der Donau, gegliedert in das **Transdanub. Mittelgebirge** (bis 757 m ü. M.) mit Bakonywald, Vértesgebirge, Budaer Bergland, Pilis- und Gerecsegebirge sowie Visegráder Gebirge und das **Nordungar. Mittelgebirge** (bis 1015 m ü. M.) mit Börzsönygebirge, Cserhát, Matra-, Bükk- und Zempliner Gebirge. Abbau von Erzen und Braunkohle; Thermalquellen; Weinbau.

ungarische Sprache (magyarische Sprache), zur ugrischen Gruppe der →finnougrischen Sprachen gehörende Sprache der Ungarn, gesprochen in Ungarn, in den ungar. Nachbarländern und verstreut in versch. europ. und Überseeländern. – Die u. S. ist dialektal wenig gegliedert. Belegt ist die u. S. durch Einzelwörter seit dem 10. Jh.; der älteste zusammenhängende Text, eine Totenrede, stammt aus dem ausgehenden 12. Jh., die erste Grammatik erschien 1539. Die meisten älteren Lehnwörter der u. S. sind lat., slaw., dt. und türk. Ursprungs. Charakteristisch sind u. a. in lautl. Hinsicht die Anfangsbetonung im Wort, die →Vokalharmonie, der Ggs. von kurzen und langen Vokalen bzw. Konsonanten (Länge wird durch Akzent bzw. Verdopplung gekennzeichnet), grammatisch die Vielzahl der Affixe, beim Nomen das Fehlen der Genera und der Kasusreichtum, beim Verb das Auftreten der objektiven Konjugation neben der subjektiven.

📖 KERESZTES, L.: *Prakt. ungar. Grammatik. A. d. Ungar. Debrecen 1992.* – ROT, S.: *Ungarisch: eine europ. Sprache. Budapest 1994.* – SZENT-IVÁNYI, B.: *Der ungar. Sprachbau. Eine kurze Darstellung mit Erläuterungen für die Praxis. Hamburg [3]1995.*

Ungarisches Tiefland, die z. T. lössbedeckte Tiefebene innerhalb des Karpatenbogens, durch das Ungar. Mittelgebirge in das Große Ungar. Tiefland (Alföld) im O, an dem auch Rumänien und Jugoslawien Anteil haben, und das Kleine Ungar. Tiefland (Kisalföld) im W geteilt; vorwiegend waldarmes Ackerbaugebiet.

ungarische Weine. In Ungarn sind in 14 Weinbaugebieten insgesamt rd. 180 000 ha mit Reben bestanden. Das größte Gebiet ist das Ungar. Tiefland (Alföld) zw. Donau und Theiß (100 000 ha). Für den Export wichtig sind Tokaj-Hegyalja (7 000 ha) im NO, das den berühmten →Tokajer liefert, und die Gebiete am nördl. Ufer des Plattensees (rd. 8 000 ha). Wichtige Rebsorten sind u. a. Kadarka (Rotweine) und Welschriesling (Weißweine).

ungarische Literatur: György Konrád

ungarische Literatur: Péter Nádas

Ungarn

Fläche: 93 032 km²
Einwohner: (1995) 10,115 Mio.
Hauptstadt: Budapest
Verwaltungsgliederung: 20 Bezirke (Megye)
Amtssprache: Ungarisch
Nationalfeiertage: 15. 3., 20. 8., 23. 10.
Währung: 1 Forint (Ft) = 100 Filler (f)
Zeitzone: MEZ

Staatswappen

H

Internationales Kfz-Kennzeichen

1970 1995 Bevölkerung (in Mio.)
1970 1995 Bruttosozialprodukt je Ew. (in US-$)

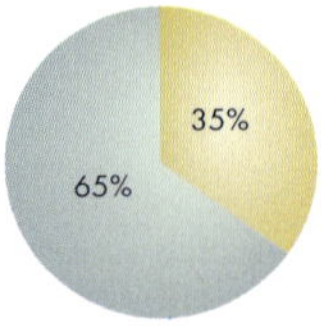

■ Stadt
■ Land
Bevölkerungsverteilung 1995

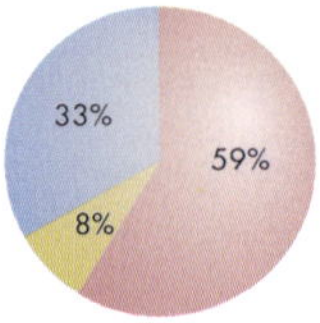

■ Industrie
■ Landwirtschaft
■ Dienstleistung
Bruttoinlandsprodukt 1995

Ungarn (ungar. Magyarország, amtl. Vollform Magyar Köztársaság; dt. Ungar. Rep.), Staat im SO Mitteleuropas, grenzt im N an die Slowak. Rep., im NO an die Ukraine, im O an Rumänien, im S an Jugoslawien (Serbien), Kroatien, Slowenien, im W an Österreich.

Staat und Recht: Nach der Verf. von 1949 (mehrfach, zuletzt 1989 geändert) ist U. eine parlamentar. Republik. Staatsoberhaupt ist der vom Parlament gewählte Präsident. Die Legislative liegt bei der Nationalversammlung (386 Abg., auf fünf Jahre gewählt), die Exekutive bei der Reg. unter Vorsitz des MinPräs. Einflussreichste Parteien: Ungar. Demokrat. Forum (MDF), Bund Freier Demokraten (SzDSz), Unabhängige Partei der Kleinen Landwirte, Landarbeiter und Bürger (FKgP), Ungar. Sozialist. Partei (MSzP), FIDESz – Ungar. Bürgerpartei (FIDESz-MPP, vorher Verband Junger Demokraten), Christlich-Demokrat. Volkspartei (KDNP).

Landesnatur: U. liegt im vom alpiden Gebirgssystem (im W, N und S) umschlossenen Pannon. Becken; es umfasst hauptsächlich das vom →Ungarischen Mittelgebirge geteilte →Ungarische Tiefland, das von Donau und Theiß, den Hauptflüssen des Landes, durchzogen wird. Im SW zw. Donau und Drau erhebt sich das Transdanub. Hügelland mit dem Mecsekgebirge (bis 682 m ü. M.); an der österr. Grenze hat U. Anteil an den Ausläufern der Alpen: Ödenburger Gebirge, Günser Gebirge. Größte Seen sind der Plattensee und der Velencer See; zu U. gehört außerdem der südlichste Teil des Neusiedler Sees. – Das Klima ist gemäßigt-kontinental, mit atlant. und subtrop.-mediterranen Einflüssen; mittlere Jahresniederschläge 500–800 mm. Rd. 16 % der Fläche sind bewaldet.

Bevölkerung: Über 90 % sind Ungarn (→Magyaren), ferner Ungarndeutsche (2,2 %), Slowaken (0,9 %), Kroaten (0,8 %), Rumänen (0,2 %), Serben, Slowenen, Bulgaren, Griechen, Armenier, Polen sowie 400 000–600 000 Sinti und Roma. 65 % der Bev. wohnen in Städten, allein rd. 20 % in Budapest; etwa 5 Mio. Ungarn leben im Ausland. – Allg. Schulpflicht besteht vom 7. bis 16. Lebensjahr. Die Angehörigen der nat. Minderheiten haben das Recht auf Unterricht in der Muttersprache. Es bestehen 21 Univ. u. a. Hochschulen (davon 6 TU), die ältesten in Pécs (gegr. 1367) und in Budapest (gegr. 1635). – Rund ⅔ der Bev. sind Katholiken, 25 % Protestanten.

Wirtschaft, Verkehr: Mit dem Übergang zur Marktwirtschaft befindet sich die gesamte Wirtschaft in der Umstrukturierung; schrittweise erfolgt die Privatisierung. Die Landwirtschaft nutzt 70 % der Landesfläche und erbringt fast 30 % Exportanteil. Angebaut werden v. a. Weizen und Mais, ferner Gerste, Kartoffeln, Zuckerrüben, Gemüse (Tomaten, Paprika, Zwiebeln), Obst und Wein. Viehhaltung (Rinder, Schweine, Schafe, Geflügel) ist von großer Bedeutung, Forstwirtschaft und Fischerei sind nachrangig. U. ist relativ arm an Bodenschätzen; wichtigstes Bergbauprodukt ist Bauxit. Gefördert werden ferner Stein- und Braunkohle, Eisenerz, Kupfererz, Mangan, Erdöl, Erdgas. Die Ind. konzentriert sich im Raum Budapest; die wichtigsten Bereiche sind Maschinen- und Fahrzeugbau, Nahrungsmittel-, chem., metallurg., Textil-, Bekleidungs-, Baustoff-, Leder-, Holz- und Papierindustrie. Der Tourismus ist ein wichtiger Devisenbringer. Exportiert werden v. a. Konsumgüter, Maschinen, Nahrungsmittel; Haupthandelspartner: Dtl. u. a. EG-Länder sowie Staaten der GUS. – U. ist ein Transitland; Eisenbahnnetz rd. 8 000 km lang, davon 2 249 km elektrifiziert; Straßennetz rd. 30 000 km. Wichtigste Schifffahrtswege: Donau und Theiß. Internat. Flughafen ist Budapest-Ferihegy; nat. Flugges. MALEV.

Geschichte

Zur *Vorgeschichte* →Südosteuropa.

Bis zur Christianisierung (5.–11. Jh.): In das mittlere Donautal, das röm. Pannonien, strömten seit dem Rückzug der Römer (um 400) german. und hunn. Stämme. Zunächst Mittelpunkt des Hunnenreichs unter Attila (†453), zogen später Wandalen und Langobarden durch, Gepiden siedelten dauerhaft. Der Awarenherrschaft seit 567 setzte Karl d. Gr. zwischen 791 und 803 ein Ende. Seit 896 besetzten die →Magyaren das Pannon. Becken und unternahmen Raubzüge in ganz Europa (besiegt bei Riade 933, auf dem Lechfeld 955, vor Byzanz 970). Fürst Géza (etwa 970–997) aus der Dynastie der Árpáden festigte die fürstl. Macht und bereitete die Christianisierung vor. Sein Sohn Stephan I., der Heilige, ließ sich im Jahre 1000 zum König krönen (→Stephanskrone).

Das unabhängige Königreich Ungarn (bis 1526): 906 um die Slowakei vergrößert, Mitte des 11. Jh. vorübergehend vom dt. Reich lehensabhängig, kam es 1102 zur Personalunion mit Kroatien. Unter König Géza II. (1141–62) begann um 1150 die Ansiedlung von Deutschen in Siebenbürgen (→Siebenbürger Sachsen), später auch in der →Zips; nach 1239/40 wanderten Kumanen ein. 1222 erzwang der ungar. Adel in der »Goldenen Bulle« die Bestätigung seiner Vorrechte. 1241/42 besetzten die Mongolen das Land. Nach dem Aussterben der Árpáden (1301) folgten Herrscher aus versch. Häusern. Ludwig I., d. Gr., (1342–82), seit 1370 auch König von Polen, betrieb eine expansive Außenpolitik (v. a. gegenüber den Balkanländern). Sein Schwiegersohn, Sigismund von Luxemburg (1387 bis 1437; seit 1410/11 auch Röm. König), wandte sich nach der Niederlage gegen die Osmanen bei Nikopol 1396 stärker der Politik im Hl. Röm. Reich zu und suchte eine europ. Koalition gegen die Osmanen zu bilden. Aber erst der Sieg von J. Hunyadi bei Belgrad (1456) bannte die osman. Gefahr für längere Zeit. Matthias I. Corvinus (1458–90) eroberte Mähren, Schlesien und die Lausitz, Niederösterreich und die Steiermark. 1485 zog er in Wien ein und machte es zu seiner Residenz; Wirtschaft und Kultur erlebten eine Blütezeit (Renaissance). Unter der Dynastie der Jagiellonen (1490–1526) zerfiel die Zentralmacht. Nach der grausamen Niederschlagung des Bauernkrieges 1514 unter G. Dózsa wurde die Leibeigenschaft verschärft und gesetzlich fixiert. Die verbliebene, zahlenmäßig schwache Adelsarmee unterlag den Türken 1526 bei Mohács, auch König Ludwig II. (1516–26) fiel; Ungarn zerfiel in drei Teile.

Ungarn unter den Osmanen und den Habsburgern (1526–1918): Nach der Doppelwahl von 1526 konnte Johann I. Zápolya, Woiwode von Siebenbürgen (1526–64), mit osman. Unterstützung den Machtbereich seines habsburg. Gegenkönigs Ferdinand I. (1526/27–64) auf Ober-U. (die Slowakei) und einen schmalen Teil West-U.s beschränken, das zur österr. Provinz herabsank. Mittel-U. (mit Slawonien) wurde ab 1541 als Paschalik Ofen türkisch (Türkisch-U.), Ost-U. (Siebenbürgen) selbstständiges Fürstentum unter türk. Oberhoheit. Fürst Stephan IV. Báthory (1571–86) legte die

Ungarn - Wirtschaft

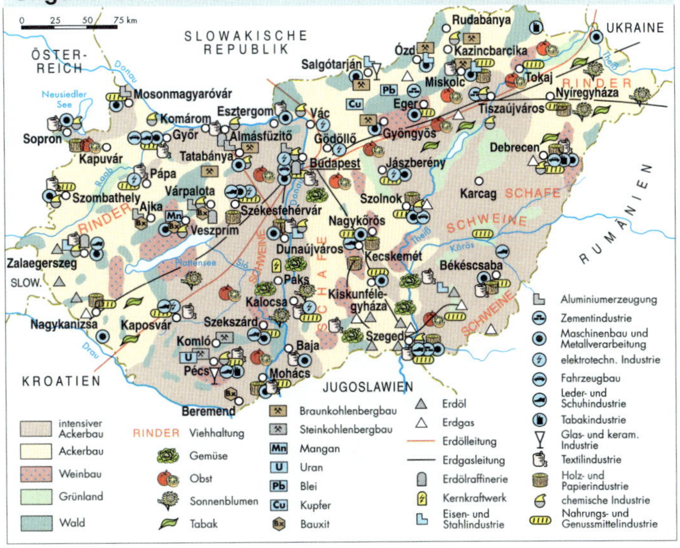

Grundlagen eines starken siebenbürg. Staates, dessen Unabhängigkeit und Religionsfreiheit (Reformation) nach einem Aufstand der ungar. Stände unter I. Bocskay (1605–06) von Österreich im Wiener Frieden (1606) anerkannt wurden. Als die Türken den Aufstand von Graf I. Thököly (1678–82) unterstützten, entbrannte der Große Türkenkrieg (1683–99). Nach der raschen Eroberung U.s durch kaiserl. Truppen (1686 Fall Budas, 1697 Sieg bei Zenta) traten die Osmanen im Frieden von Karlo-

Ungarn 1038–1301

Ungarn

1

2

3

| **1** Die waldarme Landschaft im Donau-Theiß-Zwischenstromland wird agrarisch genutzt | **2** Die Donau teilt bei Visegrád nördlich von Budapest das waldreiche Ungarische Mittelgebirge; im Hintergrund das Visegráder Gebirge | **3** Die Landschaft am Nordufer des Plattensees steht unter Naturschutz

witz 1699 U. (mit Ausnahme des Banats von Temesvar), Kroatien und Slawonien an Österreich ab. Nach dem Tokajer Kuruzenaufstand 1697 und dem Freiheitskampf unter Franz II. Rákóczi (1703–11) sicherte der Friede von Sathmar (1711) die ständische Verf. und die Religionsfreiheit; die Stände behaupteten in der Folgezeit immer wieder ihre Sonderrechte (Steuerfreiheit des Adels, Leibeigenschaftssystem). Im Gebiet der →Militärgrenze wurden die vor den Türken geflohenen Serben und Kroaten angesiedelt. Die Kolonisation in der Batschka und im Banat (Banater Schwaben), v.a. unter Maria Theresia (1740–80), ließ die Magyaren im Land zur Minderheit werden. Joseph II. (1780–90) gewährte Religionsfreiheit durch das Toleranzpatent von 1781 und Freizügigkeit für Leibeigene 1785; doch der wachsende Zentralismus, bes. aber die einschneidenden Verwaltungsreformen (u.a. Deutsch als Amts- und Unterrichtssprache) scheiterten am Widerstand des ungar. Adels. Während der 1. Hälfte des 19. Jh. erwachte das ungar. Nationalbewusstsein, begleitet von einem kulturellen Aufschwung, wenngleich die Unzufriedenheit mit dem »System Metternich« immer breitere Kreise erfasste. Unter dem Eindruck der Revolutionen in Paris und Wien brach am 15. 3. 1848 unter Führung von S. Petőfi in Pest die ungar. Revolution aus. Am 17. 3. akzeptierte Wien die Bildung einer liberalen ungar. Regierung unter L. Graf Batthyány. Im Sept. 1848 kam es zum offenen Bruch mit Habsburg, dessen Truppen L. Kossuth mit der Honvéd-Armee bezwang (Anfang 1849; am 14. 4. 1849 Erklärung der Unabhängigkeit U.s). Mit russ. Hilfe konnte Österreich den ungar. Freiheitskampf im Aug. 1849 niederwerfen. U. wurde der zentralistischen österr. Verwaltung eingegliedert und nach dem Muster der übrigen österr. Kronländer regiert. Nach der Niederlage

Österreichs im Dt. Krieg 1866 kam es zum österreichisch-ungar. Ausgleich von 1867, durch den U. in Realunion mit Österreich selbstständiges Königreich wurde (→Österreich, Geschichte; →Österreich-Ungarn). Der kroatisch-ungar. Ausgleich vom Juni 1868 regelte das Verhältnis zu Kroatien mit Slawonien; die Union Siebenbürgens mit U. wurde im Dez. 1868 endgültig vollzogen. Das Banat war 1860 wieder an U. gekommen. Nach 1875 verschärften sich die sozialen (Arbeiterunruhen) und ethn. (v.a. durch die forcierte Magyarisierung) Gegensätze. Eine Auswanderungswelle nach Übersee kam in Gang.

Die Republik Ungarn und die restaurierte Monarchie (1918–45): Die Niederlage im 1. Weltkrieg führte zur Revolution und Ausrufung der Republik am 16. 11. 1918. Die Reg. unter M. Graf Károlyi musste weite Gebiete im S und O des Landes räumen. Kroatien-Slawonien hatte bereits am 29. 10. die staatsrechtl. Verbindung mit U. gelöst. Unter dem Schutz der Entente-Alliierten besetzten die Tschechen Ober-U. (Slowakei), die Rumänen Siebenbürgen und die Serben Südungarn. Am 21. 3. 1919 musste Károlyi einer sozialdemokratisch-kommunist. Reg. weichen, die faktisch von B. Kun geleitet wurde und die Ungar. Räterepublik proklamierte (bis 1. 8. 1919). Nach blutiger Abrechnung mit den Anhängern der Räterepublik und u.a. antisemit. Pogromen siegte bei den Wahlen zur Nationalversammlung die 1909 gegr. Partei der Kleinen Landwirte; am 1. 3. 1920 wählte die Nationalversammlung M. Horthy zum Reichsverweser und stellte trotz späterer Amtsenthebung der Habsburger (6. 11. 1921) die Monarchie wieder her. Nach dem Friedensvertrag von →Trianon (4. 6. 1920) verlor U. 68% seines früheren Staatsgebietes und 59% seiner früheren Bev. Die Wiener Schiedssprüche von 1938/40 und die Teilnahme am Angriffskrieg gegen Jugoslawien 1941 brachten U. einen Teil der 1918/20 verlorenen Gebiete zurück (Batschka, Karpato-Ukraine, Nordsiebenbürgen). Am 19. 3. 1944 besetzten dt. Truppen das Land und zwangen Horthy, eine deutschfreundl. Reg. einzusetzen. Sein Versuch, am 15. 10. 1944 Waffenstillstand zu schließen, scheiterte. Horthy dankte ab und übergab die Macht dem Pfeilkreuzlerführer F. Szálasi. Sowjet. Truppen besetzten das Land schrittweise ab 23. 9. 1944 bis zum 4. 4 1945. Am 22. 12. 1944 hatte sich im sowjetisch besetzten Debrecen eine provisor. Reg. der Ungar. Nationalen Unabhängigkeitsfront gebildet, die am 28. 12. Dtl. den Krieg erklärte und am 20. 1. 1945 einen Waffenstillstand mit den Alliierten schloss.

»Volksdemokratie« und kommunistische Herrschaft (1945–89): Nach den Wahlen zur Nationalversammlung Herbst 1945 wurde Z. Tildy zum Min.-Präs. und am 1. 2. 1946 zum Staatspräs. gewählt. Der Pariser Friede vom 10. 2. 1947 stellte die ungar. Grenzen vom 1. 1. 1938 wieder her. 1946–49 vollzog sich eine Adaption des sowjet. Sozialismusmodells, die u.a. zu schweren wirtsch. und polit. Deformationen (Schauprozesse gegen Oppositionelle wie J. Kardinal Mindszenty oder L. Rajk) führte. Bis Sommer 1948 waren fast alle Parteien verboten oder hatten sich selbst aufgelöst; am 12. 6. 1948 erfolgte (unter Druck) die Vereinigung der Sozialdemokraten mit der KP zur Partei der Ungar. Werktätigen (seit 1956 Ungar. Sozialist. Arbeiterpartei, USAP). Die Verf. vom 20. 8. 1949 erklärte U. zur Volksrepublik. Anstelle des Stalinisten M. Rákosi wurde am 3. 7. 1953 I. Nagy als MinPräs. eingesetzt. Er führte 1953–55 polit. und wirtsch. Reformen (v.a. Milderung der schnellen Industrialisierung und der auf Gewalt begründeten Kollektivierung) durch; der polit. Terror ließ nach. Nagy scheiterte 1955 jedoch am Widerstand der dogmat. Kräfte um Rákosi, der 1956 durch den ebenfalls dogmat. Stalinisten E. Gerő als Gen.-Sekr. abgelöst wurde. Dessen starrer Haltung ist es zuzuschreiben, dass es am 23. 10. 1956 zum ungar. Volksaufstand kam; Nagy bildete eine Koalitionsregierung und kündigte den Austritt aus dem Warschauer Pakt an. Am 4. 11. 1956 bildete J. Kádár eine Gegenregierung und ließ den Volksaufstand von sowjet. Truppen blutig niederschlagen; fast 200000 Ungarn flüchteten ins westl. Ausland.

Als Erster ZK-Sekretär der neuen USAP konnte Kádár (bis 1958 und 1961–65 auch MinPräs.) unter gewaltsamer Ausschaltung der Parteiopposition unter Nagy (1958 hingerichtet) sowie der Konservativen um J. Révai das polit. und ökonom. System konsolidieren. Nach einer in der Folgezeit wieder eindeutig prosowjet. Politik begannen Anfang der 60er-Jahre schrittweise Korrekturen hin zu einem

Miklós Horthy

Imre Nagy

János Kádár

Ungarn: Aufständische Ungarn haben im November 1956 einen sowjetischen Panzer erbeutet

selbstständigen Sozialismusmodell, welche relativ schnell zu sozialen Verbesserungen, einem Wirtschaftsaufschwung sowie einer gewissen Liberalisierung führten (»Gulaschkommunismus«; v.a. ab 1978 intensiviert). Die schon vor Beginn der sowjet. Politik von Glasnost und Perestroika einsetzenden reformkommunist. Bestrebungen, die dann durch diese verstärkt wurden, schlugen ab 1987 in eine umfassende Liberalisierung um (u.a. Mai 1988 Entmachtung Kádárs), die den Übergang zum polit. Pluralismus (Okt. 1989 gesetzlich verankert) und zur Marktwirtschaft vorbereitete.

Gyula Horn

Das neue demokrat. Ungarn (seit 1989/90): Schon am 27.9.1987 war das Ungar. Demokrat. Forum (MDF bzw. UDF) gegründet worden. Weitere Parteien entstanden 1988/89, u.a. der Bund Freier Demokraten (SzDSz bzw. BFD), die Partei der Kleinen Landwirte (FKgP, wieder gegr.) und die Christlich-Demokrat. Volkspartei (KDNP). Der am 2.5.1989 begonnene Abbau der Sperranlagen an der österr.-ungar. Grenze führte ab Sommer 1989 zu einer in ihrem Ausmaß nicht vorhergesehenen Flüchtlingswelle v.a. jüngerer DDR-Bürger, da Außenmin. G. Horn diesen am 11.9.1989 die Grenze zur freien Ausreise öffnen ließ; die damit verbundenen polit. Erschütterungen beschleunigten den tief greifenden gesellschaftl. Umbruch in der DDR und ganz Osteuropa. Im Ergebnis der Selbstauflösung der USAP (7./8.10.1989) entstand u.a. die (sozialdemokrat.) Ungar. Sozialist. Partei (MSzP bzw. USP). Am 23.10.1989 änderte das Parlament den Staatsnamen in **Republik U.;** am 10.3.1990 wurde der vollständige Abzug der sowjet. Truppen bis Ende Juni 1991 vereinbart (bis 17.6.1991 realisiert). Die ersten freien Wahlen seit 1947 (25.3. bzw. 8.4.1990) gewann das MDF; MinPräs. einer Koalitionsreg. von MDF, FKgP und KDNP wurde J. Antall (MDF; †1993). Am 2.3.1990 wählte das Parlament Á. Göncz (SzDSz) zum Parlamentspräs., am 3.8.1990 zum Staatspräs. (wieder gewählt 1995). Durch Grundlagenverträge, die die Rechte ethn. Minderheiten regeln, suchte U. das Verhältnis zur Ukraine (1993), zur Slowak. Rep. (1994) und zu Rumänien (1996) zu bessern. Im Febr. 1994 trat U. dem NATO-Programm »Partnerschaft für den Frieden« bei, im März 1999 der NATO. Nach den Wahlen vom Mai 1994 (Sieger die bislang oppositionelle MSzP) wurde G. Horn MinPräs. einer Koalitionsreg. aus MSzP und SzDSz, die nach den Wahlen vom Mai 1998 von der FIDESz – Ungar. Bürgerpartei abgelöst wurde. Neuer MinPräs. ist Viktor Orbán, Vorsitzender von FiDESz.

Árpád Göncz

Viktor Orbán

📖 DIENES, I.: *Die U. um die Zeit der Landnahme. A. d. Ungar. Budapest 1972.* – BOGYAY, T. VON: *Grundzüge der Geschichte U.s. Darmstadt* ^{4}*1990.* – LÁZÁR, I.: *Kleine Geschichte U.s. A. d. Ungar. Budapest 1993.* – *Der Schock der Freiheit. U. auf dem Weg in die Demokratie, hg. v.* J. BAYER *u.* R. DEPPE. *A. d. Ungar. Frankfurt am Main 1993.* – *U. im neuen Europa, hg. v.* J. ENGELHARD. *Wiesbaden 1993.* – VÁRKONYI, B. *u.* LIEBMANN, K.: *U. Eine kleine polit. Landeskunde. A. d. Ungar. München u. a. 1993.* – *Vor der Wende. Polit. System, Gesellschaft u. Reformen im U. der achtziger Jahre, hg. v.* S. KURTÁN. *Wien u. a. 1993.* – HEGEDÜS, L.: *U., 1100 Jahre. A. d. Ungar. Budapest 1994.* – JUCHLER, J.: *Osteuropa im Umbruch. Polit., wirtschaftl. u. gesellschaftl. Entwicklungen 1989–1993. Zürich 1994.* – *Nationen, Nationalitäten, Minderheiten. Probleme des Nationalismus in Jugoslawien, U., Rumänien, der Tschechoslowakei, Bulgarien, Polen, der Ukraine, Italien u. Österreich 1945–1990, hg. v.* V. HEUBERGER *u. a. Wien u. a. 1994.* – SZABÓ, M.: *U. auf dem Weg zur Demokratie. Bonn 1994.* – *Die Ungarn, ihre Geschichte u. Kultur, hg. v.* L. KÓSA. *A. d. Ungar. Budapest 1994.* – KORNAI, J.: *Unterwegs. Essays zur wirtschaftl. Umgestaltung in U. A. d. Engl. Marburg 1996.* – ALFÖLDY, G.: *U. 1956. Heidelberg 1997.* – PICKEL, S.: *U. in Europa. Demokratisierung durch polit. Dialog? Wiesbaden 1997.*

Ungarn, Volk in SO-Europa, →Magyaren.

Ungarndeutsche, die heute zw. Ungar. Mittelgebirge und Donau ansässige deutschstämmige Bevölkerungsgruppe, zw. 200 000 und 240 000 Personen; größte ethn. Minderheit in Ungarn, nur noch z.T. mit Deutsch als Muttersprache.

Geschichte: Nach den Ansiedlungen dt. Bergleute und Siedler (»Sachsen«) im 12. Jh. in Siebenbürgen und in der Zips entstanden im 17./18. Jh. nach den Türkenkriegen im habsburg. Ungarn mehrere Siedlungsgebiete von zumeist aus Südwest-Dtl. stammenden dt. Siedlern (daher »Donauschwaben«) sowie im 19. Jh. an der ehem. →Militärgrenze in Bosnien (→Deutsche); 1945/46, gestützt auf das Potsdamer Abkommen, erfolgte deren Vertreibung; nur etwa 270 000 U. blieben im Land; seit Ende der 1980er-Jahre verstärkte Betonung der nat. und kulturellen Identität.

Ungehorsam, die Nichtbefolgung von Geboten, Befehlen und Anordnungen. – Zum U. von Soldaten →Gehorsamspflicht.

Unger, 1) Carl, österr. Maler und Zeichner, *Wolframitzkirchen (heute Olbramkostel, bei Znaim) 24.8.1915, †Wien 21.12.1995; entwickelte in Verbindung zur frz. Malerei um die École de Paris einen verhalten expressiven abstrakten Stil.

2) Georg Christian, Architekt, *Bayreuth 1743, †Berlin 20.2.1799; Schüler K. von Gontards; errichtete zahlreiche Bauten in Berlin und Potsdam (u.a. 1770–72 nach Plänen Friedrichs d. Gr. das Belvedere auf dem Klausberg, 1990–93 wiederhergestellt).

3) Johann Friedrich, Buchdrucker und Verleger, *Berlin 16.8.1753, †ebd. 26.12.1804; betrieb in Berlin eine Buchdruckerei, Schriftgießerei und

Verlagsbuchhandlung, die viele Werke der Goethezeit herausgab; schuf die **U.-Fraktur** (1794).

4) Rudolf, Literaturhistoriker, * Hildburghausen 8. 5. 1876, † Göttingen 2. 2. 1942; stellte die Literaturforschung im Anschluss an W. Dilthey als eine problemgeschichtl. in den Zusammenhang eines psychologisch fundierten Typensystems.

ungerade Zahl, jede nicht durch zwei teilbare Zahl.

ungerechtfertigte Bereicherung, auf Kosten eines anderen ohne rechtl. Grund erlangte Vermögensmehrung. Der Vermögenszuwachs kann auf der Leistung eines anderen beruhen, z. B. bei der Zahlung einer nicht bestehenden Schuld, oder auf sonstige Weise erlangt sein, z. B. durch Verbrauch einer fremden Sache. Der Bereicherte ist grundsätzlich zur Herausgabe des ungerechtfertigt Erhaltenen verpflichtet (§ 812 ff. BGB). – In *Österreich* (§§ 1041, 1431 ff. ABGB) und der *Schweiz* (Art. 62 ff. OR) bestehen ähnl. Regelungen.

Ungerer, Tomi, frz. Zeichner und Cartoonist, * Straßburg 28. 11. 1931; lebt seit 1976 in Irland; Karikaturist des schwarzen Humors, auch Fotograf, Buchillustrator und Kinderbuchautor.

Ungers, Oswald Mathias, Architekt, * Kaisersesch (Kr. Cochem-Zell) 12. 7. 1926. Nach ersten Bauten und Projekten im Sinne des Brutalismus bekennt er sich seit den 70er-Jahren zur → rationalen Architektur. – *Werke:* Dt. Architekturmuseum in Frankfurt am Main (1981–84); Messehochhaus, ebd. (1983–85); Erweiterungsbau der Kunsthalle in Hamburg (1992–97); Residenz des dt. Botschafters in Washington D. C. (1995).

Oswald Mathias Ungers: Messehochhaus in Frankfurt am Main (1983–85)

ungesättigte Verbindungen, chem. Verbindungen, die freie Valenzen oder Mehrfachbindungen enthalten.

Ungeziefer, aus hygien. und wirtsch. Gründen bekämpfte tier. Schädlinge (z. B. Flöhe, Läuse, Wanzen, Milben, Schaben, Motten), die als Blutsauger sowie als Schädlinge in Wohnräumen, Speichern, an Textilien, Vorräten sowie Zimmer- und Gartenpflanzen auftreten.

Carl Unger: »Donaulandschaft I« (1952; Graz, Landesmuseum Joanneum)

Ungleichung, Ausdruck für die Nichtgleichheit zweier mathemat. Objekte, der eines der Zeichen $\neq$ (ungleich), $<$ (kleiner als), $>$ (größer als), $\leqq$ bzw. $\geqq$ (kleiner bzw. größer [oder] gleich) enthält.

Unguentum [lat.] *das,* die → Salbe.

UNHCR, → Hoher Flüchtlingskommissar der Vereinten Nationen.

UNICEF, Abk. für engl. **U**nited **N**ations **I**nternational **C**hildren's **E**mergency **F**und (Internationaler Kinderhilfsfonds), 1946 gegr. Organisation der UN; Sitz: New York. Urspr. eingerichtet, um den vom 2. Weltkrieg betroffenen Kindern zu helfen, wurde sie zu einem Hilfsfonds zur Unterstützung Not leidender Kinder v. a. in den Entwicklungsländern, die sich aus freiwilligen (Reg.-)Beiträgen und aus Spenden finanziert.

UNICEF

unierte Kirchen, 1) *Ostkirchen:* mit der römisch-kath. Kirche unter Beibehaltung ihres eigenen Ritus verbundene (unierte) Kirchen bzw. Teilkirchen (→ Ostkirchen).

2) *Protestantismus:* die im 19. Jh. und 20. Jh. entstandenen Zusammenschlüsse von prot. Kirchen gleichen oder unterschiedl. Bekenntnisses **(Kirchenunion),** u. a. → Evangelische Kirche der Union.

Uniform [lat.] *die,* die nach bestimmten Richtlinien in Stoff, Farbe und Schnitt einheitl. Dienstkleidung der Soldaten, ferner versch. Institutionen (z. B. Polizei, Zoll, Eisenbahn, Feuerwehr), Verbände und Vereine. Die im 17. Jh. mit der Errichtung stehender Heere aufgekommenen farbenprächtigen und schmuckvollen U. gibt es nur noch in wenigen Heeren für Paraden, offizielle Wachen und den Empfang hoher Besuche. Seit

United Airlines, Inc.

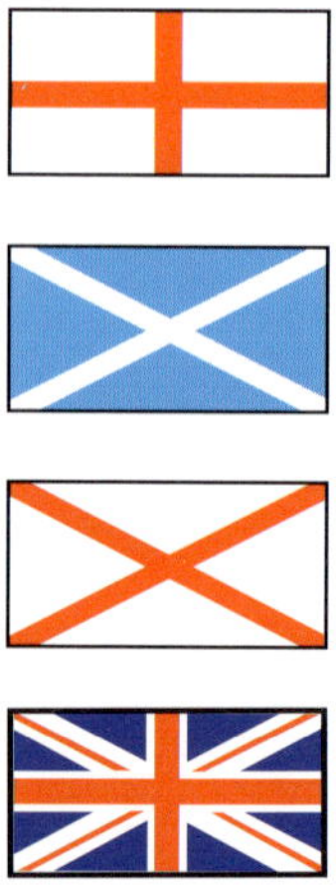

Union Jack (unten) und seine einzelnen Bestandteile (von oben): englisches Georgskreuz, schottisches Andreaskreuz und irisches Patrickskreuz

dem 1. Weltkrieg haben dem Gelände angepasste Tarn-U. weite Verwendung gefunden.

Unikat [lat.] *das,* einzige Ausfertigung eines Schriftstücks; einziges Kunstwerk seiner Art.

UNILAC [Abk. für engl. **uni**versal **l**inear **acc**elerator], Beschleuniger der Gesellschaft für → Schwerionenforschung in Darmstadt.

unilateral [lat.], einseitig.

Unilever Konzern [engl. 'ju:nɪli:və-, niederländ. 'y:nile:vər-], brit.-niederländ. und weltgrößter Nahrungs- und Waschmittelkonzern; gegr. 1927 als N.V. Margarine Unie; Sitz: Rotterdam und London. Dt. Tochtergesellschaften sind die Dt. Unilever, Langnese-Iglo und »Nordsee« Dt. Hochseefischerei GmbH.

Union [lat.] *die,* **1)** *allg.:* Zusammenschluss, Vereinigung, Bund, Verband; bes. ein Staatenbund (→ Personalunion, → Realunion); auch Bez. für supranat. Einrichtungen, die zur Erreichung eines gemeinsamen polit. Zieles geschaffen werden (z.B. Montan-U., Europäische Union).

2) *Kirchenrecht:* (Kirchenunion) Zusammenschluss von Kirchen versch. Riten oder Bekenntnisse (unierte Kirchen).

3) *Reformation:* (protestantische U.) 1608 geschlossenes Bündnis prot. deutscher Fürsten (außer Kursachsen) unter Führung des Kurfürsten Friedrich IV. von der Pfalz, dem später auch Reichsstädte beitraten; erwies sich bei Ausbruch des Dreißigjährigen Krieges als der 1609 gegr. Kath. Liga nicht gewachsen; löste sich 1621 auf.

4) *Verfassungsgeschichte:* der 1849/50 von Preußen (J. M. von Radowitz; Erfurter U.-Parlament) vergeblich erstrebte kleindt. Bundesstaat. Preußen verzichtete auf die U. in der Olmützer Punktation (→ Olmütz).

Union Carbide Corporation ['ju:njən 'kɑ:baɪd kɔ:pə'reɪʃn], amerikan. Chemiekonzern, 1917 durch Fusion entstanden, Sitz: Danbury (Conn.). 1984 wurden bei einem Giftgasunfall im Werk → Bhopal 2800 Menschen getötet.

Union der Arabischen Maghreb-Staaten, → Maghreb-Union.

Union der Europäischen Rundfunkorganisationen, Abk. **UER,** zur Förderung der internat. Zusammenarbeit und zum Programmaustausch (Eurovision) 1950 gegr. Institution vorwiegend europ. Rundfunkanstalten; Sitz: Genf.

Union der Sozialistischen Sowjetrepubliken, Abk. **UdSSR,** → Sowjetunion.

Union Jack ['ju:njən 'dʒæk, engl.] *der,* volkstüml. Name der brit. Nationalflagge.

Unisono [italien.] *das, Musik:* das Fortschreiten mehrerer Stimmen im Einklang oder in Oktaven.

UNITA, Abk. für portugies. **U**nião **N**acional para **I**ndepêndencia **T**otal de **A**ngola, Nat. Union für die vollständige Unabhängigkeit Angolas, als Befreiungsbewegung gegen die portugies. Kolonialherrschaft gegr. Organisation in → Angola.

Unitarier [zu lat. unitas »Einheit«], bes. im angelsächs. Sprachraum Bez. für prot. Gruppen, die im Sinne der → Antitrinitarier und → Sozinianer die Trinitätslehre ablehnen und stattdessen die Einheit Gottes betonen. Die U. vertreten ein liberal-rationalist., ethisch-humanist. Christentum. In England breitete sich der Unitarismus seit dem 17. Jh. aus (J. Biddle, J. Priestley). In den USA war er v.a. im 19. Jh. einflussreich (u.a. R. W. Emerson).

Unitarismus *der,* innerhalb eines Bundesstaats oder Staatenbundes das Streben nach Stärkung der Rechte des Gesamtstaats gegenüber den Gliedstaaten. Der entschiedene U. führt zum zentralisierten, der maßvolle U. zum dezentralisierten → Einheitsstaat. Ggs.: → Föderalismus.

United Airlines, Inc. [ju:'naɪtɪd 'eəlaɪnz ɪn'kɔ:pəreɪtɪd], Abk. **UAL,** große nordamerikan. Luftverkehrsgesellschaft, gegr. 1926. (ÜBERSICHT Luftverkehrsgesellschaften)

United Artists Communications Co. Inc. [jʊ'naɪtɪd 'ɑ:tɪsts kəmju:nɪ'keɪʃnz 'kʌmpənɪ ɪn'kɔ:pəreɪtɪd], amerikan. Filmproduktions- und -verleihgesellschaft, 1919 von C. Chaplin, Mary Pickford, D. Fairbanks und D. W. Griffith gegründet; seit 1981 Teil der Metro-Goldwyn-Mayer Inc.

United Kingdom of Great Britain and Northern Ireland [ju:'naɪtɪd 'kɪŋdəm əv 'greɪt 'brɪtn ænd 'nɔ:ðn 'aɪələnd], das Vereinigte Königreich von → Großbritannien und Nordirland.

United Nations [ju:'naɪtɪd 'neɪʃnz, engl.], die Vereinten Nationen (→ UN).

United States of America [ju:'naɪtɪd steɪts əv ə'merɪkə], Abk. **USA,** die → Vereinigten Staaten von Amerika.

universal [lat.] (universell), allgemein, allumfassend.

Universalepiskopat, die vom Papst beanspruchte höchste Amtsgewalt über alle Kirchen (→ Primat).

Universalerbe (Alleinerbe), derjenige, der eine Person aufgrund gesetzl. Erbfolge oder Verfügung von Todes wegen allein, d.h. ohne Miterben, beerbt.

Universale Transversale Mercatorprojektion, Abk. **UTM,** aus der Militärkartographie (USA/NATO) stammende Bez. einer konformen transversalen Zylinderabbildung (→ Kartennetzentwürfe) des Internat. Erdellipsoids in 60 Meridianstreifensystemen (Zonen) von je 6° Ost-West-Ausdehnung. Durch Zählung der Zonen und deren Teilung in Felder entsteht ein universelles Meldegitter (UTM-Gitter) zur Lageangabe von Punkten auf Karten. Für die Polargebiete gibt es die **Universale Polare Stereograph. Projektion (UPS).**

Universalgeschichte, → Weltgeschichte.

Universalien [lat.], Allgemeines, allg. Ideen, allg. Wesenheiten, Allgemeinbegriffe (bes. in der Philosophie).

Universalienstreit, Bez. für die seit Boethius und bes. im MA. diskutierte philosoph. Frage nach dem Wirklichkeitsgehalt der Allgemeinbegriffe (Universalien) im Verhältnis zur Realität der Einzeldinge. Es entwickelten sich v. a. drei Positionen: 1) der Idealismus (radikaler Begriffsrealismus), der den Allgemeinbegriffen eine von der des Einzeldings unabhängige Realität in den Ideen zuspricht (Platoniker u. a.); 2) der (gemäßigte) Realismus (→ Konzeptualismus), der den Allgemeinbegriffen objektive Gültigkeit zuerkennt (Thomas von Aquin); 3) der Nominalismus, der den Allgemeinbegriffen als bloßen Worten für die Dinge keinerlei Wirklichkeit zugesteht (P. Abälard, W. von Ockham u. a.). Im Zusammenhang mit dem Grundlagenstreit der modernen Mathematik und Logik erfuhr der U. eine Wiederbelebung.

Universalindikatoren, aus Gemischen von → Indikatorfarbstoffen aufgebaute Indikatoren, die über weite pH-Bereiche versch. Farbumschläge zeigen. Der pH-Wert kann anhand einer Farbskala ermittelt werden. U. gibt es als Lösungen, Reagenzpapier und Teststäbchen.

Universalismus [lat.] *der, Philosophie:* die Lehre, die das Ganze oder Allgemeine dem Einzelnen überordnet und dieses von der Ganzheit her zu erklären sucht; Ggs.: Partikularismus, Individualismus.

Universalmotor, kleiner Elektromotor (Allstrommotor) für Elektrowerkzeuge und Haushaltsgeräte.

Universal Pictures Company Inc. [ju:nɪˈvə:sl ˈpɪktʃəz ˈkʌmpənɪ ɪnˈkɔ:pəreɪtɪd], 1912 von C. Laemmle gegr. Filmstudio in Hollywood; Eigner ist heute die Music Corporation of America.

Universalprinzip, *Strafrecht:* das System der Weltrechtspflege, wonach jeder Staat jeden von ihm ergriffenen Täter verfolgen soll ohne Rücksicht auf dessen Staatsangehörigkeit und den Begehungsort; findet im dt. Recht Anwendung bei der Verletzung internat. geschützter Rechtsgüter (z. B. Völkermord, Menschenhandel, § 6 StGB).

Universalsukzession, → Rechtsnachfolge.

Universal Time [ju:nɪˈvə:səl taɪm, engl.], die → Weltzeit.

Universität [zu lat. universitas »Gesamtheit (der Lehrenden und Lernenden)«] *die,* älteste und traditionell ranghöchste Form der wiss. Hochschule, heute Namensbestandteil fast aller wiss. Hochschulen (→ Hochschulen).

Universitäten der Bundeswehr, 1973 in Hamburg und München als Bundeswehrhochschulen errichtete bundeswehreigene Univ.; Hochschulreife, eine Dienstverpflichtung von mindestens zwölf Jahren und die bestandene Offiziersprüfung sind Zulassungsvoraussetzungen für das Studium, das Kernstück der Ausbildung der Berufsoffiziere ist.

University Press [ju:nɪˈvə:sɪtɪ pres], in Großbritannien und den USA den Univ. angeschlossene Verlage und Druckereien.

Universum [lat.] *das,* das → Weltall.

Universum Film AG, → Ufa.

UNIX [ˈju:nɪks, engl.], Betriebssystem für leistungsfähige Mikrocomputer, Computer und Großrechner, das aufgrund seiner leichten Anpassung an neue Rechner eine große Verbreitung erlangt hat. Es ist fast vollständig in der Programmiersprache C geschrieben, für den Mehrbenutzer- und Mehrprogrammbetrieb ausgelegt und ermöglicht Dialog- sowie Stapelbetrieb.

Unken (Bombina), Gattung der Froschlurche mit mehreren, etwa 3,5–7 cm großen Arten in Eurasien; Körper plump, mit warziger Rückenhaut; ohne Trommelfell; in Mitteleuropa die **Gelbbauchunke** (Bombina variegata), grau, unterseits mit orangegelben Flecken, und die **Rotbauchunke** (Bombina bombina), schwarzgrau, unterseits mit roten und weißen Flecken.

Unken: Gelbbauchunke (oben) und Rotbauchunke

Unkrautbekämpfungsmittel, → Herbizide.

Unkräuter (Segetalpflanzen), Stauden **(Wurzel-U.)** oder ein- bzw. zweijährige Kräuter **(Samen-U.),** die in Kulturpflanzenbestände eindringen und mit den Nutz- und Zierpflanzen um Bodenraum, Licht, Wasser und Nährstoffe konkurrieren und damit deren Wachstum hemmen. U. kennzeichnet gegenüber Kulturpflanzen meist eine kürzere Entwicklungszeit, höhere Widerstandsfähigkeit (z. B. gegen Trockenheit) sowie ausgeprägtere Regenerations- und Ausbreitungsfähigkeit. – Heute häufig als **Wildkräuter** bezeichnet.

unlauterer Wettbewerb, das Streben nach geschäftl. Vorteilen mit unlauteren, gegen die guten Sitten verstoßenden Mitteln, z. B. Täuschung der Abnehmer, Absatzbehinderung von Konkurrenten. Das Ges. gegen den u. W. **(UWG)** vom 7. 6. 1909 bestimmt in § 1, dass derjenige, der u. W. betreibt, auf Unterlassung und Schadensersatz in Anspruch genommen werden kann. Sondervorschriften gelten für → Ausverkauf, Preisnachlässe (→ Rabatt) u. a. In bestimmten Fällen ist u. W. auch strafbar. Gegen Maßnahmen des u. W. können alle verletzten Wettbewerbsteilnehmer, Industrie- und Handelskammern, Handwerkskammern und rechtsfähige Interessenverbände auf Unterlassung klagen. Der Klage muss eine erfolglose Abmahnung vorausgehen, deren Kosten der Verletzer zu tragen hat. Missbräuchlich ist die Geltendmachung des Unterlassungsanspruchs, z. B. wenn diese v. a. dazu dient, einen Anspruch auf Ersatz von Kosten

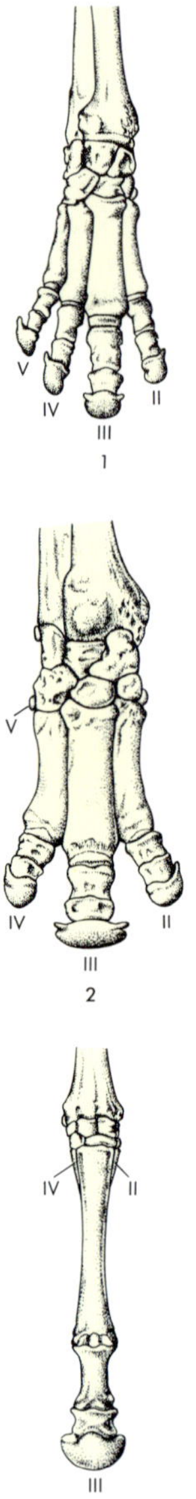

Unpaarhufer: schematische Darstellung der Fußknochen; 1 Tapir, 2 Nashorn, 3 Pferd; II–V zweite bis fünfte Zehe

der Rechtsverfolgung entstehen zu lassen (z.T. durch sog. Abmahnvereine praktiziert). – In *Österreich* (UWG 1984) und in der *Schweiz* (Bundes-Ges. vom 19. 12. 1986) gelten ähnl. Vorschriften.

unmittelbarer Zwang, ein Zwangsmittel zur Durchsetzung eines Verwaltungsakts, der ein Ge- oder Verbot ausspricht. U. Z. besteht im gewaltsamen Einwirken auf Personen oder Sachen, z.B. im Schlag mit dem Gummiknüppel, im Eintreten einer Tür oder im → Schusswaffengebrauch.

Unmittelbarkeit, *Recht:* in allen Verfahrensordnungen geltender Grundsatz, wonach mündl. Verhandlung und Beweisaufnahme unmittelbar vor dem erkennenden Gericht erfolgen müssen. Ausnahmen sind nur in gesetzlich bestimmten Fällen möglich.

Unmöglichkeit der Leistung, *Schuldrecht:* Bez. für eine Situation, in der eine Leistung endgültig nicht erbracht werden kann. Das Ges. unterscheidet zw. **objektiver U. d. L.,** die vorliegt, wenn die Leistung von niemandem bewirkt werden kann (z.B. wenn die geschuldete Sache vernichtet wurde), und **subjektiver U. d. L. (Unvermögen),** bei der nur der Schuldner die Leistung nicht erbringen kann, ferner zw. **ursprüngl. U. d. L.,** die schon bei Vertragsschluss besteht, und **nachträgl. U. d. L.,** die erst nach Vertragsschluss eintritt. Ein Vertrag, der auf eine urspr. objektiv unmögl. Leistung gerichtet ist, ist nichtig (§ 306 BGB), unter Umständen besteht aber eine Pflicht zum Ersatz des Schadens (§ 307 BGB). Das ursprüngl. Unvermögen berührt dagegen die Wirksamkeit des Vertrages nicht; der Schuldner hat für sein fehlendes Leistungsvermögen einzustehen, d.h., er ist zum Ersatz des Nichterfüllungsschadens verpflichtet. Nachträgl. objektive und nachträgl. subjektive U. werden in § 275 BGB gleich behandelt. Der Schuldner wird von seiner primären Leistungspflicht frei, muss aber, wenn er seinerseits für den geschuldeten Gegenstand einen Ersatz oder Ersatzanspruch erhalten hat, diesen an den Gläubiger auf Verlangen herausgeben. Hat der Schuldner die U. verschuldet, hat er Schadensersatz zu leisten (§ 280 BGB).

Unmündigkeit, rechtlich der Zustand bis zur → Volljährigkeit.

Unna, 1) Kreis im RegBez. Arnsberg, NRW, 543 km^2, (1997) 425 300 Einwohner.

2) Kreisstadt von 1) in NRW, im östl. Ruhrgebiet, in der fruchtbaren Hellweg-Ebene, 67 300 Ew.; Maschinen-, Rohrleitungs- und Apparatebau, Baustoff-, Stahl-, Elektro-, Metallwaren-, Textilindustrie. – Got. Hallenkirche (14./15. Jh.), ehem. Burg (im Kern 14. Jh., heute Hellweg-Museum), Fachwerkbauten (16.–18. Jh.). – 1032 erstmals erwähnt, erhielt U. um 1290 städt. Rechte.

Unnilhexium [lat.] *das,* frühere Bez. für das chem. Element 106, jetzt → Seaborgium.

Unnilpentium [lat.] *das,* frühere Bez. für das chem. Element 105, jetzt → Dubnium.

Unnilquadium [lat.] *das,* frühere Bez. für das chem. Element 104, jetzt → Rutherfordium.

un|notierte Werte, Wertpapiere, die im Ggs. zu den amtlich notierten Werten nicht an der Börse, sondern nur im Freiverkehr gehandelt werden.

UNO, die Vereinten Nationen (→ UN).

Unold, Max, Maler und Grafiker, * Memmingen 1. 10. 1885, † München 18. 5. 1964; anfangs vom Kreis um W. Leibl, in Frankreich (1911–13) von P. Cézanne beeinflusst, näherte sich später der Neuen Sachlichkeit; illustrierte zahlreiche Bücher.

Unpaarhufer (Unpaarzeher, Perissodactyla), Ordnung der Säugetiere (Gruppe Huftiere), bei denen die Mittelzehe am stärksten ausgebildet ist, mit den Familien Tapire, Nashörner und Pferde.

Unperson, in totalitären Staaten eine ehem. einflussreiche Person des öffentl. Lebens, deren Name aus ideolog. Gründen aus histor. und publizist. Darstellungen getilgt wird.

unpfändbare Sachen, → Pfändungsschutz, → Zwangsvollstreckung.

UNPO, Abk. für engl. **U**nrepresented **N**ations and **P**eoples **O**rganization, Organisation nicht repräsentierter Nationen und Völker, gegr. 1991, Interessenvertretung von Völkern, die in den UN und anderen internat. Organisationen nicht oder nur unzureichend vertreten sind; Sitz: Den Haag. In ihr sind u.a. vertreten: Kurden, Exiltibeter, die Ureinwohner Australiens (Aborigines).

unpolare Bindung, Art der → chemischen Bindung.

Unrechtsbereinigungsgesetz, → Rehabilitation.

Unruh, der Frequenzgeber (zeitbestimmendes Glied) einer mechan. Uhr.

Unruh, Fritz von, Schriftsteller, * Koblenz 10. 5. 1885, † Diez 28. 11. 1970; Offizier, wurde durch das Erlebnis des 1. Weltkriegs zum Pazifisten; emigrierte 1932, lebte seit 1962 wieder meist in Dtl. Sein Drama »Ein Geschlecht« (1917; 2. Teil »Platz«, 1920) und die Erzählung »Opfergang« (1919) gelten als bed. Werke des Expressionismus; im Spätwerk Übergang zu einem sachl. und weniger rhetor. Stil. 1914 erhielt er den Kleist-Preis.

📖 Kasang, D.: *Wilhelminismus u. Expressionismus: Das Frühwerk F. von U.s 1904–1921. Stuttgart 1980.*

Unschärferelation (heisenbergsche U., Unbestimmtheitsrelation), von W. Heisenberg formuliertes quantenmechan. Prinzip, wonach Ort (q) und Impuls (p) eines Teilchens nicht zugleich mit beliebiger Genauigkeit bestimmt werden können.

Für das Produkt der beiden Unschärfen Δp und Δq gilt:

$\Delta p \cdot \Delta q \geqq h/4\pi$ (h plancksches Wirkungsquantum).

Entsprechendes gilt für alle komplementären Größen (Variablen) im Bereich der Mikrophysik, z. B. für Zeit und Energie. Die U. ist eng mit dem →Dualismus von Wellen und Teilchen verknüpft. Die prinzipiell unvermeidbare Unbestimmtheit des Anfangszustandes macht eine exakte Vorausberechnung künftiger Bewegung eines Teilchens unmöglich. Die U. gilt auch im Bereich der klass. Physik; dort kann man sie jedoch außer Betracht lassen, da $h/4\pi$ vernachlässigbar klein ist. – An der Interpretation der U. entzündete sich der Streit um die angemessene Deutung der →Quantenmechanik.

Unschlitt, der →Talg.

Unseld, Siegfried, Verleger, *Ulm 28. 9. 1924; seit 1952 im Suhrkamp-Verlag tätig, den er seit 1959 leitet und an dem er mit 50 % beteiligt ist; außerdem persönlich haftender Gesellschafter des Insel Verlags und des Nomos Verlags.

Unsere Liebe Frau (frz. Notre Dame, engl. Our Lady), im Sprachgebrauch der kath. Kirche Ehrentitel für →Maria, die Mutter Jesu.

Unsinnsliteratur (Unsinnsdichtung, Unsinnspoesie, Nonsensliteratur), literar. Gestaltungen, meist Verse (→Nonsensverse), die durch absurde Vorstellungen, unlogische Gedankenverbindungen oder bloße Klangspiele verblüffen; sie sind v. a. Kinderliedern und Abzählreimen nachgebildet und haben sich bes. seit dem 19. Jh. durch die Werke E. Lears und L. Carrolls etabliert. In neuerer Zeit bestanden Anknüpfungspunkte zur abstrakten Dichtung und zur konkreten Poesie. Im dt. Sprachraum sind v. a. C. Morgenstern, J. Ringelnatz, P. Scheerbart und A. Okopenko als Vertreter der U. zu nennen.

Unsöld, Albrecht Otto Johannes, Astrophysiker, *Bolheim (heute zu Herbrechtingen) 20. 4. 1905, †Kiel 23. 9. 1995; seit 1932 Prof. in Kiel; grundlegende Arbeiten zur Theorie der Sternatmosphären sowie zur kosm. Radio- und zur Höhenstrahlung.

Unsterblichkeit, im eigentl. Sinn das Freibleiben vom biolog. Tod; im philosoph. und religiösen Denken die Gewissheit, dass die individuelle menschl. Existenz in ihrem Wesenskern (→Person, →Seele) unvergänglich ist und mit dem biolog. Tod nicht »ausgelöscht« wird, sondern in eine neue Existenzform »übergeht«. Die Religionen verbinden dabei den Gedanken der U. in unterschiedl. Weise mit den Vorstellungen eines ewigen Lebens als des endgültigen »Seins bei Gott« (Judentum, Christentum, Islam) oder der →Seelenwanderung (v. a. Hinduismus und Buddhismus).

Unstrut *die,* linker Nebenfluss der Saale, 192 km lang, entspringt im Oberen Eichsfeld bei Dingelstädt, durchfließt das Thüringer Becken und mündet bei Naumburg (Saale); ihr fließen von rechts Gera, von links Helbe, Wipper und Helme zu.

Unstrut-Hainich-Kreis, Landkreis in Thür., 975 km², (1997) 122 100 Ew.; Krst. ist Mühlhausen/Thüringen.

Unter (Wenzel), Figur der dt. Spielkarte, entspricht dem Buben der frz. Karte.

Unter|allgäu, Landkreis im RegBez. Schwaben, Bayern, 1230 km², (1997) 131 000 Ew.; Krst. ist Mindelheim.

Unter|art (Subspecies), Einheit der biolog. Systematik (→Nomenklatur).

Unterbau, *Bautechnik:* unterste Lage einer Straßenbefestigung, die die Kräfte aus der Fahrbahndecke aufnimmt und sie auf das Planum verteilt; die Ausführung ist unabhängig vom Untergrund und der Beanspruchung; im →Eisenbahnbau Teil des Bahnkörpers, im →Brückenbau die Fundamente.

Unterbeschäftigung, →Beschäftigung.

Unterbewusstsein, die seel. Vorgänge unterhalb der Bewusstseinsschwelle, die der rationalen Kontrolle entzogen sind (dazu gehören die Träume); z. T. als →Unbewusstes bezeichnet.

Unterbilanz, *Wirtschaft:* Differenzbetrag zw. den Passivposten der Bilanz und den ausgewiesenen, zu ihrer Deckung jedoch nicht ausreichenden Vermögenswerten.

Unterbrecher, Vorrichtung zum period. Öffnen und Schließen eines Stromkreises und damit zur Erzeugung period. Stromimpulse. **Selbsterregte U.** entnehmen die Schaltenergie dem zu unterbrechenden Stromkreis, **fremderregte U.** beziehen sie aus einer fremden Energiequelle, z. B. einem Motor (Motor-, Zündunterbrecher).

Unterbrechung, *Recht:* Stillstand des Verfahrens, der kraft Gesetzes u. a. bei Tod einer Partei oder Verlust ihrer Prozessfähigkeit eintritt; gilt grundsätzlich in allen Verfahrensordnungen (z. B. §§ 239 ff. ZPO). Parteihandlungen während der U. sind dem Gegner gegenüber ohne Wirkung. Im Strafprozess darf nur die Hauptverhandlung bis zu 10 Tagen, ausnahmsweise bis zu 30 Tagen unterbrochen werden (§ 229 StPO). – Zur U. der Verjährung, Hemmung der Verjährung →Verjährung.

Unterbringung, der (zeitweilige oder dauernde) Zwangsaufenthalt von schuldunfähigen Straftätern, Geisteskranken, Seuchenverdächtigen, Kindern und Jugendlichen, unter Betreuung Ste-

Fritz von Unruh

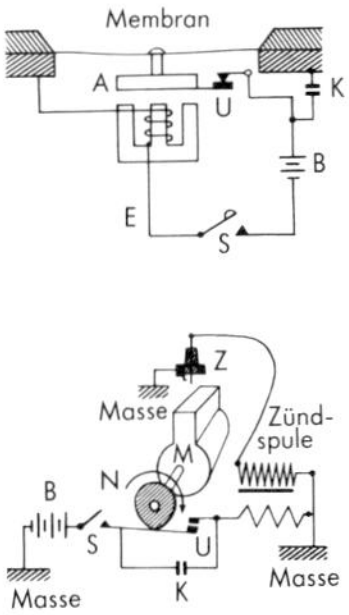

Unterbrecher: schematische Darstellung des Selbstunterbrechers bei einer elektrischen Hupe (oben) und eines mechanisch betätigten Zündunterbrechers bei einem Verbrennungsmotor; A Anker, B Batterie, E Elektromagnet, K Funkenlöschkondensator, M Motor, N Nocken, S Schalter, U Unterbrecherkontakt, Z Zündkerze

henden u.a. in einer Anstalt. Die Anstalts-U. bedarf als grundrechtsbeschränkende Maßnahme einer gesetzl. Grundlage und erfolgt durch das Straf- oder Vormundschaftsgericht (aufgrund §§ 1631b, 1800 BGB, 63 ff. StGB), das Bundesseuchen-Ges., das Geschlechtskrankheiten-Ges. u.a. Vorschriften (→Maßregeln der Besserung und Sicherung). Im Strafverfahren erfolgt die einstweilige U. durch richterl. **U.-Befehl** (§ 126 a StPO).

Unterelsass, der nördl. Teil des Elsass, entspricht dem frz. Dép. Bas-Rhin.

Unterernährung, Folge einer mengenmäßig oder in ihrer Zusammensetzung unzureichenden Nährstoffaufnahme; führt bei längerer Dauer zu Abmagerung, Mangelkrankheiten und erhöhter Infektionsgefährdung.

Unterfahrschutz, Anordnung am Lkw, die verhindert, dass ein anderes Fahrzeug beim Auffahren unter den Lkw gedrückt wird.

Unterflurmotor, ein im Fahrzeugrahmen, bes. bei Omnibussen unter dem Fußboden oder beim Lkw unter der Ladepritsche, eingebauter Motor mit liegenden Zylindern.

Unterfranken, RegBez. im nordwestl. Bayern, 8532 km², (1997) 1,67 Mio. Ew.; umfasst die kreisfreien Städte Aschaffenburg, Schweinfurt, Würzburg und die Landkr. Aschaffenburg, Bad Kissingen, Haßberge, Kitzingen, Main-Spessart, Miltenberg, Rhön-Grabfeld, Schweinfurt, Würzburg; Verw.sitz ist Würzburg.

Untergang, *Astronomie:* das Verschwinden eines Gestirns unter dem Horizont infolge der Erddrehung.

Unterglasurmalerei, das Auftragen von Farben (Scharffeuerfarben) auf die geglühte Keramik vor der Glasur (→Porzellan).

Untergrund, 1) *Geologie:* (C-Horizont) das unveränderte Ausgangsgestein bei der Bodenbildung (→Boden).

2) *Politik:* →Untergrundbewegungen.

Untergrundbahn (U-Bahn), der Personenbeförderung dienende, elektrisch betriebene Schnellbahn in Großstädten, deren Gleisnetz weitgehend unterirdisch in Tunnelbauten verläuft. Man unterscheidet **Unterpflasterbahnen** (bis etwa 15 m unter der Erdoberfläche) und **Tiefbahnen** (bis 50 m unter der Erdoberfläche), streckenweise erfolgt auch eine Führung über dem Erdboden als Hochbahn. Die elektr. Energie (meist Gleichstrom von 600 bis 800 V) wird dem Triebwagen über eine neben den Fahrschienen befindl. Stromschiene zugeführt. In Paris, Moskau und Budapest wird die U. als **Metro** bezeichnet. – Die erste U. wurde 1890 in London in Betrieb genommen.

Untergrundbewegungen, polit. Bewegungen, die im Geheimen (illegal) auf die Veränderung oder den Umsturz bestehender Verhältnisse (etablierte Staatsmacht oder Besatzungsregime) hinarbeiten. Sie entstehen v.a., wenn keine Opposition zugelassen ist, wenn Minderheiten in ihren Rechten beschränkt oder unterdrückt werden, aber auch, wenn polit. Kräfte anstelle eines mögl. legalen Wirkens bewusst auf konspirative Tätigkeit setzen. Antifaschist. →Widerstandsbewegungen während des 2. Weltkrieges in Europa (z.B. Résistance in Frankreich, Resistenza in Italien, Rote Kapelle), antikoloniale Bewegungen (z.B. Mau-Mau in Kenia, FLN in Algerien; →Guerilla) und Geheimbünde arbeiteten im Untergrund. Nationalist. (ETA, IRA), extremist. U. (z.B. RAF, Rote Brigaden) bedienen sich terrorist. Mittel.

Untergrundfilm, →Undergroundfilm.

Untergrundliteratur, →Undergroundliteratur.

Unterhalt, regelmäßige Geldleistung zur Deckung des Lebensbedarfs, zur Erziehung und Ausbildung eines Menschen. Eine →Unterhaltspflicht kann sich aus Vertrag, erbrechtl. (§§ 1963, 1969 BGB) und familienrechtl. Bestimmungen sowie als Schadensersatz (z.B. für eine unerlaubte Handlung) ergeben. (→Regelunterhalt)

Unterhaltsgeld, finanzielle Unterstützung der Bundesanstalt für Arbeit an Personen in der berufl. Fortbildung oder Umschulung mit ganztägigem Unterricht (§ 44 Arbeitsförderungsgesetz).

Unterhaltspflicht, Rechtspflicht zur Gewährung von Unterhalt; sie besteht v.a. zw. Verwandten in gerader sowohl ab- als auch aufsteigender Linie (also Großeltern, Eltern, Kindern usw., nicht aber zw. Geschwistern) und zw. Ehegatten (§§ 1601, 1360 BGB) und ist regelmäßig durch Zahlung einer Geldrente monatlich im Voraus zu erfüllen. Zum Unterhalt berechtigt ist, wer außerstande ist, sich selbst zu unterhalten, verpflichtet, wer durch Leistung nicht den eigenen angemessenen Unterhalt **(Selbstbehalt)** gefährden würde (§ 1603). Eltern sind verpflichtet, alle verfügbaren Mittel für ihren und der Kinder Unterhalt einzusetzen und gleichmäßig zu verwenden. Eltern, die einem unverheirateten (minderjährigen oder volljährigen) Kind Unterhalt zu gewähren haben, können ihrer U. auch durch Gewährung von Naturalunterhalt (Verpflegung, Kleidung usw.) nachkommen. Die U. umschließt auch die Kosten einer angemessenen Berufsausbildung, die der Begabung und dem Leistungswillen des Kindes entspricht. Im Rahmen ihrer Leistungsfähigkeit sind Eltern unter Umständen auch zur Finanzierung einer Zweitausbildung (z.B. Studium nach Lehre) verpflichtet. Nach erhebl. Überschreitung der Regelstudienzeit erlischt der Anspruch auf Unterhalt.

Zur U. von Ehegatten: →Eherecht (Abschnitt: Wirkungen der Ehe), →Ehescheidung.

Durch Gesetz vom 23. 7. 1979 i.d.F.v. 19. 1. 1994 wurde für Kinder allein stehender Mütter oder

Väter der Anspruch auf **Unterhaltsvorschuss** gegen den Staat eingeführt. Er kann bei Kindern unter 12 Jahren monatlich bis zur Höhe des Regelbedarfs (→Regelunterhalt), für nichtehel. Kinder für die Dauer von längstens 72 Monaten gezahlt werden, wenn der andere Elternteil trotz Vollstreckungstitels seiner U. nicht nachkommt. (→nichteheliche Kinder)

Wer sich der gesetzl. U. vorsätzlich entzieht, wird mit Freiheitsstrafe bis zu drei Jahren oder mit Geldstrafe bestraft (§170b StGB). – In *Österreich* und der *Schweiz* entspricht die gesetzl. Regelung im Wesentlichen dem dt. Recht, in der Schweiz sind jedoch auch Geschwister unterstützungspflichtig, wenn sie sich in günstigen wirtsch. Verhältnissen befinden.

📖 DUDERSTADT, J.: *Das neue Unterhaltsrecht. Ehegatten-, Kindes- u. Verwandtenunterhalt. Neuausg. Düsseldorf* [5]*1996.* – OELKERS, H.: *Aktuelles Unterhaltsrecht. Kissing 1996.*

Unterhaltung, entspannender Zeitvertreib, entweder als direkte Kommunikation (Spiel, Gespräch) oder durch Medien vermittelt (z.B. Fernsehen, Lesen, Computerspiele), der zugleich bildend und informierend sein kann. Die mediale U. dient dabei manchmal auch als Ersatz für die quantitativ zurückgehende direkte Kommunikation. Das Bedürfnis nach U. als einer Art der spieler. Auseinandersetzung mit der Umwelt wird von der neueren Kommunikationsforschung als eine Grundkonstante menschl. Kultur angesehen.

Unterhaltungsliteratur, Literatur, die in erster Linie dem Bedürfnis des Lesers nach zeitweiser Entspannung nachkommt, sich von der →Trivialliteratur aber durch eine größere themat., formale und sprachl. Vielfalt unterscheidet.

Unterhaltungsmusik (U-Musik), i.w.S. die in jeder Zeit und Kultur vorkommende Musik, die nicht zu religiös-kult., festlich-repräsentativen, militär., didakt. Zwecken erfolgt oder im Zusammenhang mit Arbeit steht, sondern der Entspannung und geselligen Erholung dient; i.e.S. eine im Lauf des 19. Jh. mit der Industrialisierung v.a. in Europa und den USA entstandene, sich zu einem eigenständigen musikkulturellen System im Ggs. zur »ernsten« Musik entfaltende Musikart. Zur U. zählen volkstüml. Lieder wie Chanson, Song, Schlager, Tanzmusik, Musical, während Folklore und Volksmusik, Jazz, Pop- und Rockmusik zuweilen als eigene Sparten ausgeklammert werden.

📖 MÜHE, H.: *U. Ein geschichtl. Überblick. Hamburg 1996.*

Unterhaus, in Ländern mit Zweikammerparlament die Kammer, die im Unterschied zum Oberhaus aus allg. Wahlen hervorgeht (in Großbritannien das House of Commons).

Unterholz, unterständige Baum- und Strauchschicht im Hoch- und Mittelwald.

Unterkonsumtionstheorien, Theorien, die Wirtschaftskrisen aus einem Missverhältnis zw. Gesamtkonsum und Nettoinvestition erklären. Wichtige Vertreter sind T. R. Malthus, J. C. L. Sismondi und F. A. Hayek. Unterkonsumtion findet versch. Deutungen: a) Krisen entstehen nicht durch Sinken der Nachfrage, sondern durch rasches Steigen des Angebots an Konsumgütern aufgrund hoher Investitionen; b) der Angebotsüberschuss ist auf eine raschere Entwicklung der Preise und damit der Gewinne gegenüber den Löhnen in der Aufschwungphase zurückzuführen. Durch erhöhte Selbstfinanzierung und übersteigerte Gewinnerwartungen werden zusätzl. Investitionen getätigt, die zu einer Kreditinflation führen. Zur Behebung werden eine spezif. Geldpolitik und Erhöhung der Massenkaufkraft vorgeschlagen.

unterkritisch, →Kernreaktor.

Unterkühlung, 1) *Medizin:* die →Hypothermie.

2) *Physik:* das Erreichen eines metastabilen Zustandes eines Stoffes durch Abkühlung bis unter die Temperatur eines Umwandlungspunktes, ohne dass sich dabei der Aggregatzustand (die Phase bzw. Modifikation) ändert; insbesondere die Abkühlung einer Flüssigkeit unter die dem jeweiligen Druck zugeordnete Erstarrungstemperatur ohne Erstarrung der Flüssigkeit (z.B. bei chemisch reinem Wasser bis unterhalb von −70°C).

Unterlage, bei veredelten Pflanzen die Wurzel und zuweilen der Stamm.

unterlassene Hilfeleistung, →Hilfeleistung.

Unterlassung, zum einen die Nichterfüllung einer Pflicht, bes. einer Rechtspflicht gegenüber einem anderen, die diesen berechtigen kann, Schadensersatz zu verlangen oder von einem Vertrag zurückzutreten. Zum anderen der Anspruch auf U., der bei rechtswidrigen Eingriffen in das Eigentum u.a. Rechte (z.B. das Namensrecht) besteht; in diesen Fällen kann der Berechtigte auf U. klagen **(U.-Klage),** sofern weitere Störungen zu befürchten sind.

Unterlassungsdelikt, Straftat, bei der im Unterschied zum Begehungsdelikt an das Unterlassen einer von der Rechtsordnung geforderten Handlung strafrechtl. Sanktionen geknüpft werden. **Echte U.** sind Straftaten, bei denen der Täter ein gesetzlich ausdrücklich gefordertes Tätigwerden unterlässt (unterlassene Hilfeleistung, §323c StGB). Beim **unechten U.** wird ein normalerweise durch aktives Tun herbeigeführter strafrechtlich missbilligter Erfolg (z.B. Körperverletzung, Tötung) dadurch verwirklicht, dass der Täter in einen Geschehensablauf nicht eingegriffen hat, obwohl durch sein Eingreifen der strafrechtliche Erfolg verhindert worden wäre und er aufgrund einer

Garantenstellung eine Erfolgsabwendungspflicht hatte (§ 13 StGB).

Unterleib, der untere Bereich des menschl. Bauches, bes. die (inneren) weibl. Geschlechtsorgane.

Untermalung, *Maltechnik:* die Farbschichten zw. Grundierung und oberster Farblage.

Untermiete, → Miete.

Unternehmen (Unternehmung), dauerhafte organisator. Einheit, in der wirtsch. Aufgaben (Produktion von Sachgütern, Bereitstellung von Dienstleistungen) zum Zweck der Erfolgserzielung (v. a. Gewinnmaximierung) erfüllt werden. Die Begriffe U. und Betrieb werden in der Umgangssprache meist synonym gebraucht, zur betriebswirtsch. Abgrenzung → Betrieb. Nach dem Träger des Eigentums werden private U., öffentl. sowie gemischtwirtschaftl. U. unterschieden, nach der Rechtsform Einzel-U. (bei denen eine einzelne Person Kapitaleigentümer ist) und Gesellschafts-U. (mehrere Personen sind Kapitaleigner), die entweder Personal- oder Kapitalges. sein können, nach der Größe Klein-, mittelständ. und Groß-U., nach dem überwiegenden Betriebszweck Handels- sowie Industrie-U. (die ggf. nach Wirtschaftszweig weiter untergliedert werden).

Unternehmenskonzentration*)

Jahr	Anzahl	Jahr	Anzahl	Jahr	Anzahl
1960	19	1983	506	1990	1 548
1965	38	1984	575	1991	2 007
1970	305	1985	709	1992	1 743
1975	445	1986	802	1993	1 514
1980	635	1987	887	1994	1 564
1981	618	1988	1 159	1995	1 430
1982	603	1989	1 414	1996	1 434

*) Anzahl der in Deutschland nach § 23 des Gesetzes gegen Wettbewerbsbeschränkungen angezeigten Unternehmenszusammenschlüsse

Unternehmensberatung (Betriebsberatung, Consulting, Wirtschaftsberatung), Beratung von Unternehmen in betriebswirtschaftl. Fragen. Sie besteht in der Identifizierung von Problemen sowie der Unterstützung der Problemlösung durch Erarbeitung und Umsetzung von Lösungskonzepten und wird von unabhängigen Unternehmen oder Einzelpersonen (Unternehmensberatern, Betriebsberatern, Consultants) durchgeführt.

Unternehmensbesteuerung, Besteuerung des finanziellen Ergebnisses von Unternehmen (Einkommensteuer bei Personengesellschaften und Einzelunternehmen, Körperschaftsteuer bei Kapitalgesellschaften, Gewerbeertragsteuer) sowie des Unternehmensvermögens (Gewerbekapital-, Grund- und Vermögensteuer; in Dtl. z. T. aufgehoben) und der Unternehmensleistungen (allg. Umsatzsteuer und spezielle Verbrauchsteuern). Meist werden die allg. Umsatzsteuer und die speziellen Verbrauchsteuern jedoch nicht zu den **Unternehmensteuern** gezählt, da sie vollständig an die Abnehmer weitergegeben werden. – Die Kritik der Wirtschaft an der U. konzentriert sich u. a. auf die Kompliziertheit der steuerl. Regelungen zur Gewinnermittlung, die Scheingewinnbesteuerung bei Geldentwertung und auf die Höhe der Steuerbelastung im internat. Vergleich.

Unternehmensforschung, das → Operations-research.

Unternehmensführung, → Management.

Unternehmenskonzentration, i. w. S. die Ballung von Marktanteilen und Verfügungsmacht über Produktionsmittel bei Unternehmen durch überproportionales Wachstum eines Unternehmens (U. durch internes Wachstum) oder durch Unternehmenszusammenschlüsse (U. durch externes Wachstum). U. durch internes Wachstum beruht i. d. R. auf einer überdurchschnittl. Unternehmensleistung. Bei funktionierendem Wettbewerb führt U. kaum zu einer dauerhaften Monopolstellung oder zu einem engen Oligopol. Die U. wird von den Kartellbehörden beobachtet (insbesondere von der Monopolkommission), um eine Beeinträchtigung des Wettbewerbes durch → Fusionskontrolle ggf. zu verhindern.

Bei Unternehmenszusammenschlüssen unterscheidet man die **horizontale U.** (die beteiligten Unternehmen produzieren für denselben Markt), die **vertikale U.** (die Unternehmen kommen aus vor- oder nachgelagerten Produktionsstufen, z. B. Stahlwerk und ein Maschinenbauunternehmen) und die **konglomerate U. (diagonale U.;** die Unternehmen gehören unterschiedlichen Branchen an, z. B. Reederei, Nahrungsmittelgewerbe, Einzelhandel und Versicherung). Bestehen Tochtergesellschaften eines Konzerns in versch. Ländern, spricht man von internat. U. (→ multinationale Unternehmen) im Unterschied zur U. auf nationalen, regionalen oder lokalen Märkten.

Unternehmensspiel, → Planspiel.

Unternehmensübernahme (englisch Takeover), Erwerb eines Unternehmens und Übernahme der Unternehmensleitung durch andere Unternehmen oder Personen. Meist geht die Ini-

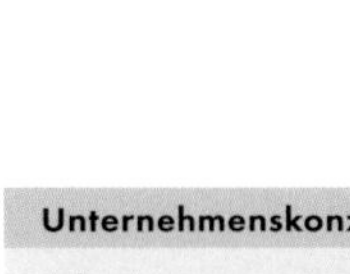

Unternehmen

Das älteste noch aktive Handelsunternehmen ist die Hudson's Bay Company. Sie wurde 1670 gegründet und erhielt von König Karl II. von England das Pelzhandelsmonopol und das Eigentum an riesigen Landflächen und ihren Bodenschätzen in der Gegend der kanadischen Hudsonbai. In ihrer Glanzzeit erstreckte sich der Grundbesitz der Hudson's Bay Company über ein Gebiet von etwa 7,7 Millionen Quadratkilometern. Noch heute ist das Unternehmen im Pelzhandel tätig und zudem im Besitz der größten Einzelhandelskette Kanadas.

Die nach Umsatz größten Unternehmen in Deutschland (Stand 1997)

Rang	Unternehmen, Sitz	Branche	Umsatz in Mio. DM	Beschäftigte in 1 000
	Industrieunternehmen			
1	Daimler-Benz AG, Stuttgart	Automobil, Luftfahrt	124 050	300,1
2	Volkswagen AG, Wolfsburg	Automobil	113 245	279,9
3	Siemens AG, Berlin und München	Elektronik, Elektro	106 930	386,0
4	Veba AG, Düsseldorf	Energie, Chemie	76 067	130,0
5	RWE AG, Essen	Energie, Bergbau	72 136	136,1
6	Deutsche Telekom AG, Bonn	Telekommunikaton	67 552	191,0
7	Bayerische Motoren Werke AG, München	Automobil	60 137	117,6
8	BASF AG, Ludwigshafen	Chemie	55 780	105,0
9	Bayer AG, Leverkusen	Chemie	55 005	144,6
10	Hoechst AG, Frankfurt a. M.	Chemie	52 100	118,2
11	Viag AG, München	Energie, Aluminium	49 545	95,6
12	Robert Bosch GmbH, Stuttgart	Elektronik, Elektro	46 851	180,6
13	Thyssen AG, Düsseldorf	Maschinenbau, Stahlind.	40 753	120,3
14	Mannesmann AG, Düsseldorf	Maschinen-, Anlagenbau, Telekommunikation	39 096	120,9
15	Deutsche Bahn AG, Berlin	Verkehr	30 466	268,3
16	Adam Opel AG, Rüsselsheim	Automobil	30 001	44,5
17	Ford-Werke AG, Köln	Automobil	28 106	44,4
18	Deutsche Post AG, Bonn	Nachrichtenverkehr	27 136	266,8
19	Preussag AG, Hannover	Metall, Energie	26 658	62,6
20	Fried. Krupp AG Hoesch-Krupp, Essen	Stahlind., Maschinenbau	25 097	57,9
21	RAG AG, Essen	Bergbau	24 967	96,2
22	Deutsche Lufthansa AG, Köln	Verkehr	23 149	58,3
23	Bertelsmann AG, Gütersloh	Medien	22 414	57,2
24	MAN AG, München	Maschinen-, Fahrzeugbau	21 354	62,6
25	Henkel, KGaA, Düsseldorf	Chemie	20 065	54,2
26	Metallgesellschaft AG, Frankfurt a. M.	Anlagenbau, Chemie	18 167	25,0
27	Walter Holding AG, Augsburg	Bau	15 500*)	34,5
28	Degussa AG, Frankfurt a. M.	Edelmetalle, Chemie	15 343	25,7
29	Philipp Holzmann AG, Frankfurt a. M.	Bau	14 415	38,6
30	Deutsche Shell AG, Hamburg	Mineralöl	13 757	2,5
31	IBM Deutschland GmbH, Stuttgart	EDV-Technik	11 400	20,6
32	Continental AG, Hannover	Reifenind.	11 186	44,8
33	Esso AG, Hamburg	Mineralöl	10 718	1,4
34	Schenker AG, Mülheim	Logistik	10 100	27,0
35	Deutsche BP Holding AG, Hamburg	Mineralöl	10 009	1,4
36	Alcatel Deutschland GmbH, Stuttgart	Elektro, Elektronik	9 918	24,1
37	Bilfinger + Berger Bau AG, Mannheim	Bau	9 620	57,7
38	BSH Bosch und Siemens Hausgeräte GmbH, München	Elektro, Haushaltsgeräte	9 595	32,3
39	Linde AG, Wiesbaden	Anlagenbau	9 546	32,1
40	Röchling Gruppe, Mannheim	Industrieholding	9 168	38,9
	Handelsunternehmen			
1	Rewe-Gruppe, Köln	Einzelhandel	61 280	155,0
2	Edeka-Gruppe, Hamburg	Einzelhandel	59 400	-
3	Metro AG, Köln	Einzelhandel, Warenhäuser	56 840	177,5
4	Tengelmann, Mülheim	Einzelhandel	52 360	203,2
5	Aldi Einkauf GmbH & Co. KG, Mülheim	Einzelhandel	34 500*)	-
6	Otto-Versand GmbH & Co., Hamburg	Versandhandel	29 700*)	59,2
7	Franz Haniel & Cie. GmbH, Duisburg	Handel	29 308	30,5
8	Karstadt AG, Essen	Warenhäuser	23 784	94,5
9	Lidl & Schwarz Stiftung GmbH & Co. KG, Neckarsulm	Einzelhandel	24 500	-
10	Spar Handels AG, Schenefeld	Einzelhandel	23 500	40,0

*) Schätzung

tiative vom Kaufinteressenten aus, der ein Übernahmeangebot (Take-over-Bid, Tender Offer) macht und i. d. R. mindestens die Unternehmensmehrheit erwerben will, um es z. B. als juristisch selbstständige Tochtergesellschaft weiterzuführen oder mit einem anderen zu fusionieren (Merger). Eine U. kann mit Zustimmung (freundl. U., Friendly Take-over) oder gegen den Willen der übernommenen Gesellschaft übernommen werden (feindl. U., Unfriendly Take-over, Hostile Take-over). Motive für U. können betriebl. oder spekulativer Natur sein. Letzteres zielt meist auf den Wiederverkauf einzelner Unternehmensteile bzw. die Gewinn bringende Zerschlagung des Unternehmens (»Asset-Stripping«).

Unternehmensverträge, Begriff des Aktienrechts für Verträge, die die Beherrschung eines Unternehmens durch das andere, die Gewinnabführung, Teilgewinnabführung, Gewinngemeinschaft, Betriebspacht oder Betriebsüberlassung regeln. U. bedürfen der Schriftform, einer Dreiviertelmehrheit der Hauptversammlung und der Eintragung in das Handelsregister.

Unternehmenswert, bei Kauf und Verkauf, Umwandlung, Fusion, Ein- und Austritt von Gesellschaftern u.Ä. zu ermittelnder Gesamtwert eines Unternehmens. Für börsennotierte Gesellschaften ist der U. aus den Börsenkursen ableitbar. Nicht notierte Unternehmen werden meist nach dem Ertragswert bewertet.

Unternehmenszusammenschluss, freiwillige Vereinigung von Unternehmen auf vertragl. Basis zur Marktbeherrschung oder zur gegenseitigen wirtsch. Unterstützung (z.B. Kartell, Konzern, Trust) oder zu besonderen Zwecken (z.B. Arbeitsgemeinschaft, Konsortium).

Unternehmer, Persönlichkeit, die ein Unternehmen selbstständig und eigenverantwortlich leitet und über umfassende Entscheidungsbefugnis verfügt. Der selbstständige U. ist i.d.R. auch Eigenkapitalgeber (im Unterschied zum angestellten →Manager) und trägt das Risiko. Die beiden Aufgaben (Unternehmungsleitung und Übernahme des Kapitalrisikos) sind in der Einzelunternehmung in einer Hand vereinigt, in Gesellschaftsunternehmungen, bes. der AG, fallen sie versch., personell meist nicht ident. Rechtsträgern zu.

Unternehmereinkommen, →Gewinn.

Unternehmung, →Unternehmen.

Unteroffizier, in der Bundeswehr Laufbahngruppe mit den Dienstgradgruppen der **U. mit Portepee** (Feldwebel, Ober-, Haupt-, Stabs-, Oberstabsfeldwebel; in der Marine Bootsmann, Ober-, Haupt-, Stabs-, Oberstabsbootsmann) und der **U. ohne Portepee** (U., Stabs-U.; in der Marine Maat, Obermaat).

Unter-pari-Emission, Ausgabe von Wertpapieren zu einem unter dem Nennwert liegenden Kurs.

Unterprogramm (Subroutine), eigenständiges Computerprogramm, das von versch. Stellen des Hauptprogramms aus (auch mehrmals) aufgerufen werden kann und über eine Sprunganweisung an der Stelle des Aufrufs fortgesetzt wird.

Unterricht, planmäßiger Lehr- bzw. Lernprozess, in dem Wissen, Fähigkeiten, Fertigkeiten, Handlungsweisen und Einstellungen vermittelt werden. Die Vermittlung von Fähigkeiten und Kenntnissen erfolgte in der Frühgeschichte der Menschheit vermutlich ausschließl. durch Nachahmung, Erfahrung, Beobachtung und Umgang sowie durch Überlieferung und Belehrung in alltägl. Arbeitszusammenhängen. Mit zunehmender Spezialisierung und Differenzierung der Arbeit in den alten Kulturen erfolgte wahrscheinlich schon eine systemat. Berufsvorbereitung in zeitl. und räuml. Trennung von der eigentl. Berufsausübung, und mit zunehmender Schriftlichkeit wurden für den U. eigenständige Institutionen, v.a. die Schule, geschaffen. – U. wird durch mehrere voneinander abhängige Faktoren bestimmt: a) die fachl. und überfachl. U.-Ziele; b) die U.-Planung, die Didaktik und die Auswahl der U.-Methoden; c) die U.-Mittel (Lehrmittel); d) die soziale Situation der Lehrenden und Lernenden; e) die Art der jeweiligen Bildungsinstitution und deren Träger. (→Lernen)

Unterriese, Stern der Leuchtkraftklasse IV (→Leuchtkraft).

Untersatz, in der Orgel eine (meist gedackte) Stimme zu 32 oder 16 Fuß, oft im Pedal.

Untersberg, höhlenreicher Gebirgsstock der Berchtesgadener Alpen, an der bayerisch-österr. Grenze; im Berchtesgadener Hochthron 1972 m und im Salzburger Hochthron 1856 m ü.M.

Unterschenkel, →Bein.

Unterschlagung, das vorsätzl. rechtswidrige Sichaneignen einer fremden bewegl. Sache, die der Täter bereits in seinem Besitz oder Gewahrsam hatte (z.B. als Entleiher). Im Unterschied zum Diebstahl erfolgt bei der U. also kein Gewahrsamsbruch (keine »Wegnahme«), da der Täter die Sachherrschaft über die Sache bereits besaß (und sei es auch nur durch Fund). Die einfache U. ist mit Freiheitsstrafe bis zu drei Jahren oder Geldstrafe bewehrt. War die Sache dem Täter anvertraut, handelt es sich um **Veruntreuung,** die mit Freiheitsstrafe bis zu fünf Jahren oder mit Geldstrafe geahndet wird (§246 StGB). Die U. gegen nahe Verwandte oder Mitbewohner wird nur auf Antrag verfolgt. – Das *österr.* (§§133, 134) und das *schweizer.* StGB (Art. 140, 141) bestrafen die Aneignung von Sachen, die schon im eigenen Gewahrsam sind, z.T. als U., z.T. als Veruntreuung.

Unterschrift, der Namenszug; im *Recht* der zum Zeichen des Einverständnisses mit dem Inhalt unter eine Urkunde gesetzte, eigenhändig geschriebene Name einer Person. Vornamen oder Pseudonyme sind U., wenn sie die Identifizierung der Person erlauben. Lesbarkeit einer U. ist nicht erforderlich, sie muss jedoch individuelle Züge tragen. Soweit vom Gesetz nicht als Ausnahme zugelassen, sind nicht eigenhändig vollzogene U., z.B. Stempel- oder Faksimile-U., keine U.; Blanko-U. (Unterzeichnungen unvollständig ausgefüllter Dokumente) sind zwar zulässig; die abredewidrige Ausfüllung des Blanketts berechtigt aber zur Anfechtung. (→Beglaubigung)

Untersee, der südwestl. Teil des →Bodensees.

Unterseeboot (U-Boot), Schiff zum Einsatz unter der Wasseroberfläche, als Forschungs- bzw. Arbeitsfahrzeug für Unterwasserarbeiten oder für militär. Zwecke. Im Rumpf, der als Druckkörper ausgelegt ist, befinden sich die Aufenthalts- und Versorgungsräume für die Besatzung, die Operationsräume mit Ortungs-, Navigations- und Kommunikationseinrichtungen und der Kommandozentrale, die Antriebsanlagen, die Trimm- und Regelzellen mit ihren Leitungen zum Manövrieren des U., Treibstofftanks sowie bei militär. U. die Bewaffnung, die i. Allg. aus zielsuchenden oder drahtgesteuerten Torpedos oder Marschflugkörpern und/oder Kurz-, Mittelstrecken- oder Interkontinentalraketen besteht. Das Tauchen bzw. Auftauchen des U. erfolgt durch Fluten bzw. Leerpumpen der Tauch- und Ballastzellen. Neben Küsten-U. (Unterwasserverdrängungen bis etwa 1000 ts) und Hochsee-U. (bis etwa 3500 ts) mit konventionellem Antrieb (Geschwindigkeit bis 20 kn) werden v. a. Jagd-U. (bis etwa 4000 ts) und strateg. U. (bis etwa 27000 ts) mit Nuklearantrieb verwendet.

Geschichte: Nachdem schon früh Versuche zur Herstellung von Unterwasserfahrzeugen unternommen worden waren, so 1801 von dem Amerikaner R. Fulton und 1851 von dem Deutschen W. S. Bauer, entwickelte 1898 der Ire J. P. Holland das erste brauchbare U. Seit 1900 nahmen allmählich alle größeren Seemächte den U.-Bau auf. Das erste nuklear angetriebene U. war die »SSN 571 Nautilus« der US-Marine (4040 ts; 1954–80 im Einsatz).

📖 *Die U.e, hg. v.* D. BOTTING *u. a. Eltville am Rhein 1992.*

Unterseeboot: Rekonstruktion von Wilhelm Bauers »Brandtaucher« aus dem Jahr 1851 (München; Deutsches Museum)

Untersetzung, *Technik:* → Übersetzungsverhältnis.

Untersteuern, *Kraftfahrzeug:* → Übersteuern.

Unterströmungstheorie, *Geologie:* Hypothese, nach der die tekton. Erscheinungen der Erdkruste durch geothermisch (z. B. als Folge der Radioaktivität) ausgelöste und durch Reibung auf die Erdkruste übertragene Massenverlagerungen (Konvektionsströmungen) im subkrustalen, zähplast. Magma erklärt werden.

Unterstützungskasse, betriebl. Einrichtung **(Betriebs-, Gruppen-, Konzern-U.)** zur Unterstützung von Betriebsangehörigen in Fällen der Not, der Erwerbsunfähigkeit oder im Alter. Im Ggs. zu den Pensionskassen gewähren die U. i. d. R. keinen Rechtsanspruch.

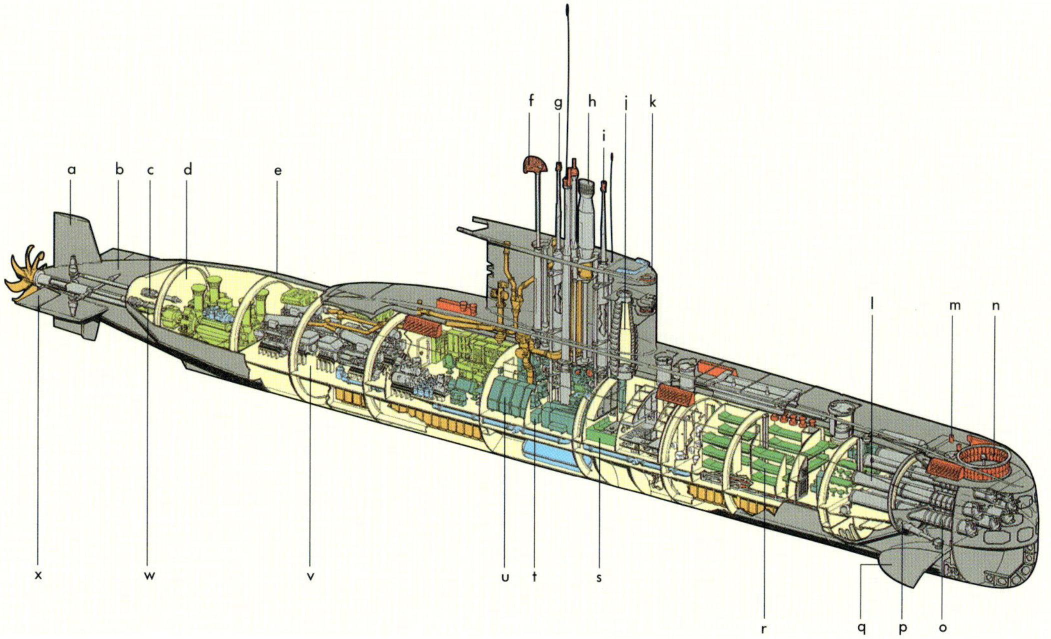

Unterseeboot: Schemazeichnung; a Ruderflossen, b hintere Tauchzelle, c hydraulischer Ruderantrieb, d Trimmzellen, e Druckkörper, f Radarantenne, g Sehrohre, h Schnorchelmast, i Sehrohre, j Einstiegsschacht, k Turm, l Torpedorohre, m Sonar, n Passivsonarbasis, o vordere Tauchzelle, p Trimmzellen, q Bugtiefenruder, r Wohnräume, s Messe, t Operationszentrale, u Funkraum, v Getriebe- und Maschinenraum, w Propellerwelle, x Hecktiefenruder

Untersuchung, **1)** *Handelsrecht:* beim →Handelskauf die pflichtgemäße unverzügl. Prüfung der gelieferten Ware durch den Käufer (§ 377 HGB).

2) *Medizin:* alle zum Zweck der Krankheitserkennung an einem Patienten vorgenommenen Maßnahmen.

3) *Strafprozess:* a) das →Ermittlungsverfahren; b) die körperl. U. des Beschuldigten und ausnahmsweise anderer Personen (z.B. Zeugen) zur Feststellung von Tatsachen, die für das Verfahren erheblich sind (z.B. Entnahmen von Blutproben). Die von einem Arzt vorgenommene U. ist ohne Einwilligung der Personen zulässig, wenn kein Nachteil für die Gesundheit zu befürchten ist bzw. sie zumutbar und unerlässlich ist (§ 81a StPO).

Untersuchungsausschuss, ein Ausschuss des Dt. Bundestages (Art. 44 GG), der Ermittlungen anstellt und darüber dem Bundestag berichtet. Er dient neben der Beschaffung von Materialien zur Vorbereitung eines Gesetzes (Enquête) insbesondere der Aufklärung von Sachverhalten, die auf Missstände, bes. in der Exekutive, hinweisen. Der Bundestag muss auf Antrag eines Viertels seiner Mitgl. einen U. einsetzen. Der U. kann Beweise nach den Vorschriften der StPO erheben und Rechts- und Amtshilfe in Anspruch nehmen. Die Rechte eines U. hat auch der Ausschuss für Verteidigung (Art. 45a Abs. 2 GG). Entsprechendes gilt für die U. der Länder nach deren Verfassungen.

In *Österreich* kann ein U. vom Nationalrat (Art. 53 Bundes-Verf.-Ges.) sowie einigen Landtagen eingesetzt werden. In der *Schweiz* können parlamentar. Untersuchungskommissionen im Bund und in den Kantonen installiert werden.

Untersuchungsgrundsatz (Inquisitionsmaxime), *Prozessrecht:* verfahrensrechtl. Grundsatz, wonach die Gerichte den entscheidungserhebl. Sachverhalt von Amts wegen zu erforschen haben. Der U. gilt in vielen Verfahrensarten, im Zivilprozess nur ausnahmsweise (→Verhandlungsmaxime).

Untersuchungshaft, →Haft.

Untersuchungsrichter, der vor der Erhebung der öffentl. Anklage mit der Untersuchung einer Straftat betraute Richter. Das dt. Strafverfahrensrecht kennt die Institution des U. nicht (→Ermittlungsverfahren), im Ggs. zu anderen Rechtssystemen, z.B. in Frankreich, der Schweiz oder Österreich (dort **Verhörrichter** genannt).

Untertagespeicherung (Untergrundspeicherung), Speicherung von festen Stoffen (z.B. Sondermüll, radioaktiver Abfall), Flüssigkeiten (z.B. Wasser, Rohöl, Mineralölprodukte) und Gasen (z.B. Erdgas) in unterird. Hohlräumen. Verwendet werden stillgelegte Salz- und Steinkohlebergwerke (**Untertagedeponie,** z.B. zur →Endlagerung), Felskavernen und Porenspeicher.

Untertagevergasung (In-situ-Vergasung), Vergasung von fossilen Brennstoffen durch Injektion von Dampf-Luft-Gemischen in die Lagerstätte. Die U. wird für die Erschließung von Kohle-, Ölschiefer- und Ölsandlagerstätten erwogen, die wegen zu großer Teufen mit konventionellen Abbaumethoden nicht erschließbar sind.

Untertemperatur, →Hypothermie.

Untertöne, die in einem Ton mitschwingende, nicht hörbare Reihe von tieferen Tönen, deren Schwingungszahlen der durch eine ganze Zahl geteilten Schwingungszahl des Grundtons entsprechen. U. sind wie Obertöne eine Folge der Überlagerung von Schwingungen bei fast allen Tonquellen.

Unteruhldingen, Ortsteil der Gem. Uhldingen-Mühlhofen, Bodenseekreis, Bad.-Württ., am Überlinger See; Freilichtmuseum mit 1922 errichteten, 1977 restaurierten Rekonstruktionen von jung- und bronzezeitl. Pfahlbauten. Nach heutiger Erkenntnis standen die Pfahlbauten nicht im Wasser, sondern wassernah am Land.

Unterversicherung, Versicherung, bei der die Versicherungssumme kleiner ist als der Versicherungswert. Im Schadensfall wird die Leistung i.d.R. nur im Verhältnis beider zueinander erbracht.

Unterwalden, Urkanton der Schweiz, umfasst →Nidwalden und →Obwalden. – 1291 trat zuerst Nidwalden, später Obwalden dem Bund mit Uri und Schwyz bei. 1309 wurde U. reichsunmittelbar. Beide (Halb-)Kantone (1803 gebildet) gehörten, da katholisch, 1845–47 zum →Sonderbund.

Unterwasser, bei Binnengewässern das Wasser unmittelbar unterhalb einer Staustufe.

Unterwasserbehandlung, Verfahren der Hydrotherapie mit Bewegungsübungen (**Unterwassergymnastik**) und Massagen mit den Händen (**Unterwassermassage**) oder mit einem Wasserdruckstrahl (100–200 kPa; **Unterwasserdruckstrahlbehandlung**) im warmen Vollbad. Durch die Auftriebskraft des Wassers wird die Überwindung auch erhebl. Einschränkungen der Beweglichkeit, z.B. infolge Gelenkversteifung oder Muskelverspannung, erleichtert.

Unterwasserfotografie, von Sporttauchern und Meeresforschern angewandte Form der Fotografie. Verwendet werden wasserdichte, druckfeste Unterwasserkameras und Beleuchtungseinrichtungen, wobei die begrenzte Unterwassersicht, das nach unten abnehmende Tageslicht, der höhere Brechungsindex des Wassers u.a. berücksichtigt werden. Günstig sind lichtstarke Weitwinkelobjektive, in über 3 m Tiefe künstl. Lichtquellen.

Unterwasserlabor (engl. Sealab), Tauch- und Arbeitsstation auf dem Meeresboden für meereskundliche Aufgaben. Eine schwimmende Versorgungsstation dient der Nachrichtenverbindung und der Versorgung des U. mit Energie und Druckluft. Im U. herrscht der Druck der umgebenden Wassertiefe, d.h., die Besatzung **(Aquanauten)** benötigt am Ende eines Aufenthaltes eine Dekompressionszeit.

Unterwassermassage [-ʒə], eine Form der →Unterwasserbehandlung.

Unterwelt, in den Vorstellungen vieler Religionen das Reich der Verstorbenen, oft auch Ort eines Totengerichts, z.B. in der ägypt., der grch. (dort Hades gen.) und der röm. (Orkus) Religion.

Unterzug, *Bautechnik:* Träger zur Aufnahme darüber liegender Einzel- oder Streckenlasten.

Unterzwerge, Sterne, deren absolute Helligkeiten um 1 bis 2 Größenklassen geringer sind als die normaler Zwergsterne (Hauptreihensterne) und die daher im →Hertzsprung-Russell-Diagramm unterhalb der Hauptreihe liegen.

Untreue, die Schädigung fremden Vermögens durch Missbrauch der dem Täter durch Gesetz, behördl. Auftrag oder Rechtsgeschäft eingeräumten Befugnis, über fremdes Vermögen zu verfügen **(Missbrauchstatbestand),** oder durch sonstige Verletzung einer ihm aufgrund eines Treueverhältnisses obliegenden Pflicht, fremde Vermögensinteressen wahrzunehmen **(Treubruchstatbestand,** § 266 StGB). U. wird mit Freiheitsstrafe bis zu fünf Jahren oder mit Geldstrafe, in bes. schweren Fällen mit Freiheitsstrafe bis zu zehn Jahren belegt. – Ähnl. Bestimmungen enthält § 153 des *österr.* StGB. Das *schweizer.* StGB kennt den Begriff der U. als solchen nicht, bestraft aber als Veruntreuung die unrechtmäßige Verwendung anvertrauten Gutes zum eigenen oder eines anderen Nutzen (Art. 140).

U Nu, birman. Politiker, →Nu.

Unverletzlichkeit der Wohnung, →Wohnung.

Unvermögen, →Unmöglichkeit der Leistung.

unverzinsliche Schatzanweisungen, eine Form der →Schatzanweisungen.

unvollkommener Markt, →Marktformen.

Unwirksamkeit, die Ungültigkeit eines Rechtsakts. U. tritt bei Rechtsgeschäften und Hoheitsakten als Folge bestimmter Mängel auf. Schwerere Mängel bewirken die U. ohne weiteres (→Nichtigkeit), leichtere erfordern eine →Anfechtung. **Relative U.** liegt vor, wenn ein Rechtsgeschäft bestimmten Personen gegenüber unwirksam, im Übrigen aber voll wirksam ist. **Schwebende U.** liegt vor, wenn ein Rechtsgeschäft zu seiner Wirksamkeit der Zustimmung eines Dritten bedarf (bes. bei Rechtsgeschäften Jugendlicher).

Unwucht, unsymmetr. Massenverteilung eines rotierenden Körpers, bei der der Massenschwerpunkt außerhalb der Drehachse liegt. Zur Beseitigung der U. dienen stat. und dynam. Auswuchtverfahren.

Unterwasserlabor: Die »Helgoland« – hier bei der Vorbereitung zum Einsatz – wurde 1969–73 von der Bundesrepublik Deutschland in der Nordsee betrieben

Unze [lat.], alte, früher weit verbreitete Maß- und Gewichtseinheit (urspr. $^1/_{12}$ Pfund, in Dtl. nach Einführung des Zollpfundes 1 U. = $^1/_{16}$ Zollpfund = 31,250 g) und Geldgröße; Apothekergewicht; heute noch Gewichtseinheit für Edelmetalle (1 U = 31,103481 g) und Handelsgewicht in Großbritannien und den USA (→Ounce).

Unzertrennliche (Agapornis), Gattung bis 17 cm langer, kurzschwänziger, meist grüner, oft an Kopf, Bürzel und Schwanz bunt gezeichneter Papageien; in Afrika (einschl. Madagaskar); leben in sehr enger Paarbindung, z.T. beliebte Käfigvögel; z.B. **Fischers U.** (Agapornis fischeri).

Unzertrennliche: Fischers Unzertrennliche (Größe etwa 15 cm)

Unziale [lat.] *die,* Schriftart, die durch Abrundung der Buchstaben der röm. Capitalis und der Quadrata entstanden ist; als Buchschrift die Hauptschrift vom 4. bis zum 8. Jahrhundert.

Unzucht, Verletzung der geschlechtl. Sittlichkeit; das Sexualstrafrecht verwendet in den entsprechenden Tatbeständen die Bez. sexuelle Handlung (→Sexualstraftaten).

Unzurechnungsfähigkeit, *Strafrecht:* →Schuldunfähigkeit.

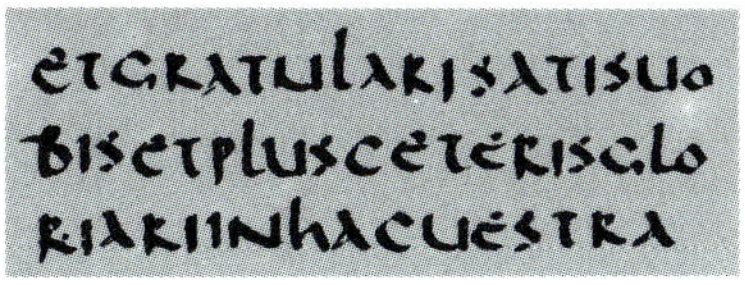

Unziale in einer Handschrift aus dem 4./5. Jahrhundert

Upanishaden [-ʃ-; Sanskrit »Danebensitzen (des Schülers neben dem Lehrer)«], eine Gruppe philosophisch-theolog. Texte des Brahmanismus. In den **älteren U.** (zw. 800 und 600 v. Chr.), im Anschluss an die Veden (→Veda) entstanden, wurden erstmals die wesentl. Grundaussagen der →indischen Philosophie und Religion formuliert (z.B. die Lehren vom Geburtenkreislauf, der Tatenvergeltung und der Erlösung). Sie bilden die Grundlage der ved. Philosophie (Vedanta). Inhaltlich deutlich von ihnen unterschieden sind die **jüngeren U.** (entstanden bis 1500 n.Chr.).

Upanishaden

Gedanken über die Entstehung der Schöpfung aus dem Brihad-Aranyaka-Upanishad:

»... Nur das Brahman war hier am Anfang. Dies kannte nur sich selbst: ›Ich bin Brahman.‹ Darum wurde es zu der ganzen Welt. Wer immer von den Göttern das erkannte, der wurde dazu (zu der ganzen Welt). Ebenso ist es bei den Rishis (= Sehern), ebenso bei den Menschen.«

Upasbaum (Antiaris toxicaria), Maulbeergewächs des Malaiischen Archipels; der aus der Rinde gewonnene Milchsaft liefert den Ureinwohnern das Ipopfeilgift.

John H. Updike

Updike ['ʌpdaɪk], John Hoyer, amerikan. Schriftsteller, *Shillington (Pa.) 18. 3. 1932; gibt in seinen im traditionellen realist. Stil geschriebenen, z.T. ironisch-satir. Romanen und Erzählungen (»Glücklicher war ich nie«, dt. Auswahl 1966) eindringl. Schilderungen vom Verfall der amerikan. Gesellschaft, bes. der bürgerl. Mittelschicht; Indizien dafür sind Bindungslosigkeit, Kommunikationsverflachung, Verlust von Idealen und konsumorientierte Sexualität. Bes. erfolgreich wurden die vier »Rabbit«-Romane über den amerikan. »Jedermann«: »Hasenherz« (1960), »Unter dem Astronautenmond« (1971), »Bessere Verhältnisse« (1981), »Rabbit in Ruhe« (1990); schrieb außerdem »Heirate mich!« (R., 1976), »Die Hexen von Eastwick« (R., 1984), »Der Mann, der ins Sopranfach wechselte« (Erz., 1997) sowie auch Lyrik, Essays.

Uppsala 2)
Stadtwappen

Uperisation [Kw. für **Ultrapasteurisation**] *die* (Ultrahocherhitzung), Verfahren zur Konservierung von Milch durch kurzzeitiges Einleiten von überhitztem Wasserdampf. Durch die sofort folgende kontrollierte Entspannung wird die überschüssige Wassermenge entfernt und die Milch rasch wieder abgekühlt. Uperisierte Milch ist keimfrei und kommt als **H-Milch** (haltbare Milch) in den Handel.

UPI [ju:pi:'aɪ], Abk. für **U**nited **P**ress **I**nternational, amerikan. Nachrichtenagentur, New York, gegr. 1958.

Upīts, Andrejs, lett. Schriftsteller, *Vidzeme (Kreis Skrīveri) 4. 12. 1877, †Riga 17. 11. 1970; bed. Vertreter des literar. Realismus in Lettland; Dramen, Romane und Novellen über das Schicksal der Bauern und Arbeiter im Konflikt mit dem deutschbalt. Adel und Bürgertum, u.a. »In seidenen Netzen« (5 Tle., R., 1909–33).

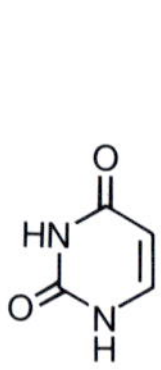

Uracil

Upolu [u:'pəʊlu:, engl.], eine der Hauptinseln von Westsamoa, 1118 km², mit der Hptst. Apia; Anbau von Kokospalmen und Kakao.

Uppercut ['ʌpəkʌt, engl.] *der, Boxen:* der Aufwärtshaken.

Uppsala, 1) VerwBez. (Län) in Mittelschweden, 6989 km², (1995) 286600 Einwohner.

2) Hauptstadt von 1), 174600 Ew.; Sitz des evang. Erzbischofs von Schweden, älteste Univ. N-Europas (gegr. 1477) mit der größten Bibliothek Schwedens, Münzkabinett und Kunstsammlung, Landwirtschaftsuniv., Forschungsinstitute, Linné-Museum und -Garten, Museum für Nord. Altertümer, Upplandmuseum; Druck-, pharmazeut. und Nahrungsmittelindustrie. – Dom (um 1287–1435, 1885–93 restauriert) mit Grabchor König Gustavs I. Eriksson Wasa, um 1576; Gustavianum (ehem. Hauptgebäude der Univ., 1623), dahinter das neue Univ.gebäude (19.Jh.); Schloss (1549 ff., nach Stadtbrand von 1702 wieder aufgebaut). – Mit der Verlegung (1273) des Erzbischofssitzes von →Altuppsala nach dem im 12.Jh. entstandenen, südlicher gelegenen Handelsplatz **Östra Aros** übernahm diese Ortschaft den Namen U. Sie erhielt 1314 Stadtrecht und war von der Mitte des 16.Jh. bis ins 17.Jh. die Residenzstadt der schwed. Könige.

up to date ['ʌp tə 'deɪt, engl.], zeitgemäß, auf dem neuesten Stand.

Ur (Auerochse, Bos primigenius), im 17.Jh. ausgestorbenes Wildrind, das in lichten Wäldern und Parklandschaften bis nach China verbreitet war. In Mitteleuropa wurden die Bullen bis zu 2 m hoch; bis zu 80 cm lange, geschwungene Hörner.

Ur, sumer. Stadt in S-Mesopotamien, heute der Ruinenhügel **Tell Mukajir,** Irak; im 3.Jt. v.Chr. mehrfach Hptst. Babyloniens; kulturelle Blütezeit unter der 1. Dynastie (um 2400 v.Chr.) und während der 3. Dynastie von Ur (um 2000 v.Chr.). Nach bibl. Überlieferung war Ur die Heimat Abrahams. Ausgrabungen 1853 (J. G. Taylor) und 1919–34 (C. L. Woolley) legten Tempelanlagen, darunter die Zikkurat Etemenniguru (Ende 3.Jt. v.Chr., im 6.Jh. v.Chr. erneuert), und den »Königsfriedhof« (Schachtgräber der Könige mit kostbaren Beigaben an Metall- und Edelsteinarbeiten) frei. Weiteres BILD Rad

Ur|abstimmung, geheime Abstimmung gewerkschaftsangehöriger Arbeitnehmer über einen geplanten →Streik.

Urach, Bad, →Bad Urach.

Uracil [Kw.] *das,* als Nucleinsäurebase ausschl. in der RNS enthaltene Pyrimidinverbindung; Ausgangspunkt für den Pyrimidinabbau.

Ural *der,* **1)** Mittelgebirge in Russland, S-Ausläufer in Kasachstan, gilt als Teil der Grenze zw. Europa und Asien, erstreckt sich von der Karasee über 2000 km weit nach S, 40–150 km breit, in der

Narodnaja bis 1895 m ü. M. Von N nach S wird der U. in fünf Abschnitte gegliedert: Polarer, Subpolarer, Nördl., Mittlerer, Südl. U. Gebirgswälder herrschen vor, der Polare und der Subpolare U. sind von Tundra und Waldtundra, der Südl. U. von Steppe, die Hochlagen von Gebirgstundra bedeckt. – Der U. ist reich an Erzen, Salzen, Asbest, in der westl. Vortiefe an Erdöl und -gas. Der Mittlere U. und Teile des Südl. U. sind wichtige russ. Ind.gebiete mit Schwer- und Rüstungsindustrie.

2) Fluss in Russland, 2428 km lang, entspringt im Südl. U., mündet ins Kasp. Meer; von Orsk an gilt er als Grenze zw. Europa und Asien; ab Uralsk schiffbar.

ural|altaische Sprachen, zusammenfassende Bez. für die ural. und die altaischen Sprachen. Die ural. Sprachfamilie umfasst die →finnougrischen und die samojed. Sprachen. Zu den altaischen Sprachen gehören die →Turksprachen (darunter das Türkische), die mongol. und die tungus. Sprachen.

uralische Sprachen, zusammenfassende Bez. für die miteinander verwandten finnougr. und samojed. Sprachen.

Uralsk (kasach. Oral), Hptst. des Gebiets U., Kasachstan, am Ural, 220000 Ew.; Landwirtschaftshochschule, Museum, Theater; Maschinen-, Armaturenbau, Nahrungsmittelind.; Hafen, Flughafen.

Urämie [grch.] *die,* die →Harnvergiftung.

Uran [nach dem Planeten Uranus] *das,* chem. Symbol **U,** Element aus der Reihe der →Actinoide im →Periodensystem der chemischen Elemente; Ordnungszahl 92, relative Atommasse 238,0298, Dichte 18,97 g/cm^3, Schmelzpunkt 1132 °C, Siedepunkt rd. 3900 °C. U. ist ein radioaktives, an frischen Oberflächen silberglänzendes, mäßig hartes Schwermetall; in fein verteiltem Zustand ist es selbstentzündlich. U. und seine Verbindungen sind sowohl vom chem. wie auch vom radiolog. Standpunkt sehr giftig. Natürlich vorkommendes U. besteht aus den Isotopen ^{238}U (Häufigkeit: 99,28 %, Halbwertszeit 4,47 · 10^9 Jahre), ^{235}U (0,71 %, 7,04 · 10^8 Jahre) und ^{234}U (0,005 %, 2,46 · 10^5 Jahre), von denen ^{238}U und ^{235}U Ausgangsglieder zweier natürl. Zerfallsreihen, der U.-Radium-Reihe und der U.-Actinium-Reihe, sind (→Radioaktivität). – In der Natur ist U. in zahlr. Gesteinen, z. B. im Granit, in kleinen Mengen enthalten. Zu den seltenen, aber wirtsch. bedeutsamen U.-Mineralen gehören das →Uranpecherz, die →Uranglimmer und der →Carnotit. – Die stets sehr armen Erze müssen auf vielfältige Weise angereichert werden. Die Gewinnung des U. aus den Konzentraten erfolgt nassmetallurgisch durch sauren oder alkal. Aufschluss mit anschließender Abtrennung mittels Ionenaustauschern oder organ. Lösungsmitteln.

Spaltbar sind nur das im Natur-U. seltene Isotop ^{235}U und das in Brutreaktoren künstlich aus Thorium 232 darstellbare Isotop ^{233}U. Verwendung findet daher v. a. ^{235}U-angereichertes U., meist in Form von U.-Dioxid, in erster Linie als →Kernbrennstoff sowie zur Herstellung von Kernwaffen. Zur Anreicherung des Isotops ^{235}U im Kernbrennstoff auf die von den heute überwiegend gebauten Leichtwasserreaktoren benötigten 3 % dienen z. B. die Gasdiffusion, das Trennwand-Diffusions- und das Gaszentrifugenverfahren. ^{238}U kann als Brennmaterial für Brutreaktoren Verwendung finden, die es in spaltbares Plutonium 239 umwandeln. Darüber hinaus ist U. ein wichtiges Ausgangsmaterial zur Darstellung der →Transurane oder von Radionukliden und dient (als U.-Salz) z. B. in Porzellanglasuren zur Schwärzung.

Verbindungen: U. kommt meist in stark gefärbten Verbindungen vor. **Uran(IV)-oxid (U.-Dioxid),** UO_2, eine braunschwarze, pulvrige Substanz, wird zu Presskörpern verarbeitet und als Kernbrennstoff verwendet. Auch das graue **U.-Monocarbid,** UC, und das dunkelbraune **U.-Dicarbid,** UC_2, wurden früher z. T. als Kernbrennstoffe verwendet. Große techn. Bedeutung kommt dem **Uran(VI)-fluorid (U.-Hexafluorid),** UF_6, zur Trennung der U.-Isotope ^{235}U und ^{238}U sowie zur Herstellung nuklearreinen U. zu. Das gelbe, wasserlösl. **Uranylacetat,** $UO_2(CH_3COO)_2$, dient als Reagenz bei der Phosphorsäurebestimmung, zum mikrochem. Natriumnachweis und als Kontrastmittel. Das zitronengelbe **Uranylnitrat,** $UO_2(NO_3)_2$, wird in der Fotografie, in Tonungsbädern und in der Atomabsorptionsspektroskopie eingesetzt.

Uran-Blei-Methode, Methode der Altersbestimmung von Gesteinen aus dem Verhältnis der Anteile an Blei- und Uranisotopen.

Uranglimmer, Mineralgruppe, wasserhaltige Uranylphosphate, -arsenate und -vanadate, meist

Uranglimmer: Autunit mit gelben Kristallen

Ur: Die dreistufige Zikkurat Etemenniguru wurde Ende des 3. Jt. v. Chr. für den Mondgott Nanna, den Stadtgott von Ur, erbaut und im 6. Jh. v. Chr. erneuert

tetragonal und in blättrigen Kristallen. Varietäten sind z.B. der gras- bis smaragdgrüne **Torbernit** und der gelbe bis zeisiggrüne **Autunit.**

Urania [grch. »die Himmlische«], *grch. Mythos:* die Muse der Astronomie (→Musen), dargestellt mit Himmelskugel und Zeigestock.

Uranismus [nach dem grch. Gott Uranos] *der,* männl. →Homosexualität.

Uranium City [jʊəˈreɪnjəm ˈsɪtɪ], Bergbausiedlung in der Prov. Saskatchewan, Kanada, am N-Ufer des Athabascasees. – Gegr. 1952; nach Einstellung des Uranerzabbaus 1982 langsame Aufgabe der Siedlung.

Uranpecherz: Pechblende

Uranos [grch. »Himmel«] (lat. Uranus), *grch. Mythos:* Sohn und Gemahl der →Gaia.

Uranpech|erz, stark radioaktives, kub. Mineral, das v.a. aus Urandioxid, UO_2, besteht; meist in Form niedrigtraubiger, schwarzer oder dunkelbrauner bis pechglänzender Massen **(Pechblende),** seltener in würfeligen oder oktaedr., schwarz glänzenden Kristallen **(Uraninit)** oder in pulverigen, schwarzen Massen **(Uranschwärze).** U. kommt v.a. in hydrothermalen, pegmatit. und sedimentären Lagerstätten vor.

Uranus [nach Uranos] *der,* von der Sonne aus gezählt der siebte →Planet, astronom. Zeichen ♅, erscheint als grünblauer Stern 6. Größe. U. wurde erst 1781 von W. Herschel mit einem Fernrohr entdeckt, obwohl er unter günstigen Bedingungen noch mit bloßem Auge erkennbar ist. Seine Entfernung von der Erde schwankt zw. etwa 2600 und 3150 Mio. km. Nach Größe und Aufbau gehört U. zu den jupiterähnl. Planeten, hat aber eine höhere Dichte. U. ist von einer ausgedehnten, undurchsichtigen Atmosphäre umgeben (mittlere Temperatur −215 °C), die v.a. aus Wasserstoff (über 80 %) und Helium sowie kleineren Mengen von Methan und Ammoniak besteht. Die blaugrüne Farbe des U. kommt durch die bevorzugte Absorption von Methan im roten Spektralbereich zustande. Unterhalb der ausgedehnten Wolkenschichten wird ein Meer aus überhitztem Wasser vermutet, das wahrscheinlich einen Kern aus Stein und Metallen von der Größe der Erde umgibt. U. rotiert um eine

Astronomische und physikalische Daten des Uranus

Äquatordurchmesser	52 400 km
Bahnexzentrizität	0,047
Masse	$8{,}68 \cdot 10^{25}$ kg
mittlere Dichte	1,27 g/cm³
Rotationsdauer	17,24 h
Dauer eines Umlaufes um die Sonne	84,665 Jahre
mittlere Entfernung zur Sonne	2,884 Mrd. km

Achse, die nahezu in der Bahnebene liegt; Äquatorebene und Bahnebene sind um 98° gegeneinander geneigt, was eine rückläufige Rotationsbewegung bedeutet. U. hat ein schwach ausgebildetes

Uranus: Monde und Hauptmonde

Monde	Durchmesser in km	Abstand von Uranus in 10^3 km	
Cordelia	ca. 50	49,8	
Ophelia	ca. 50	53,8	
Bianca	ca. 50	59,2	
Cressida	ca. 60	61,8	
Desdemona	ca. 60	62,7	
Juliet	ca. 80	64,4	
Portia	ca. 80	66,1	
Rosalind	ca. 60	69,9	
Belinda	ca. 60	75,3	
Puck	ca. 150	86,0	
S/1997 U1*			
S/1997 U2*			
Hauptmonde (Entdeckungsjahr)			Umlaufzeit in Tagen
Miranda (1948)	490	130	1,413
Ariel (1851)	1 160	192	2,520
Umbriel (1851)	1 190	267	4,144
Titania (1787)	1 610	438	8,706
Oberon (1787)	1 550	586	13,463

* vorläufige Namen der 1997 entdeckten Uranusmonde

Ringsystem mit mindestens elf Ringen. Seit der Voyager-2-Mission (1986) ist bekannt, dass der Planet 15 Monde besitzt, wobei sich die fünf Hauptmonde innerhalb seiner Äquatorebene bewegen. Im Okt. 1997 wurden zwei weitere Uranusmonde (S/1997 U1 und S/1997 U2) entdeckt.

Ur|artäer (fälschlich Chalder), die Bewohner des um 860 v. Chr. gegr. Reiches von **Urartu,** dessen Zentrum sich im armen. Hochland (zw. Vansee, Urmiasee, Sewansee) befand. Gegner Assyriens, dehnten die U. ihr Reich über O-Anatolien, W-Iran und Transkaukasien aus. Das Wiedererstarken Assyriens nach 745 v. Chr. und der Ansturm der Kimmerier um 714 v. Chr. schwächten ihr Reich, das jedoch bis mindestens 640 v. Chr. fortbestand.

📖 Wartke, R.-B.: *Urartu, das Reich am Ararat. Mainz 1993.* – Salvini, M.: *Geschichte u. Kultur der U. Darmstadt 1995.*

Urate [zu Urin], die Salze der →Harnsäure.

Ur|atmosphäre, Gashülle der Erde, die entstand, als ihre Oberflächentemperatur auf etwa 300 K abgenommen hatte. Aus der starken Sauerstoffuntersättigung der vor über 2 Mrd. Jahren gebildeten Sedimentgesteine kann man schließen, dass die U. praktisch keinen freien Sauerstoff O_2 enthielt. Erst nach Beginn der Photosynthese durch Cyanobakterien und grüne Pflanzen wurde freier Sauerstoff gebildet, aber zunächst in Form von Eisenoxid gebunden; spätestens seit dem Auftreten von Eukaryonten (vor 1,5 Mrd. Jahren) muss er in die Atmosphäre gelangt sein. Die Ausbildung der kontinentalen Pflanzendecke im Silur brachte die Wende zum heutigen Sauerstoffgehalt der Atmosphäre.

Uraufführung, erste öffentl. Aufführung eines musikal. oder dramat. Bühnenwerks oder eines

Films, im Unterschied zur → Erstaufführung eines bereits uraufgeführten Werks.

Uräusschlange (Naja haje), etwa 2 m lange Kobra in N- bis SO-Afrika sowie auf der Arab. Halbinsel; einfarbig hellbraun bis fast schwarz; wird oft von Schlangenbeschwörern zur Schau gestellt; ihr Gift ist für den Menschen sehr gefährlich. – Im alten Ägypten ein als → Diadem (BILD) getragenes Herrschersymbol.

Urawa, Hptst. der Präfektur Saitama, Japan, auf Honshū, 442 000 Ew.; Satellitenstadt von Tokio; Universität.

urban [lat.], 1) städtisch, für das städt. (bes. das kulturelle) Leben charakteristisch; 2) weltläufig, weltgewandt und gebildet.

Urban, Päpste: **1) U. II.** (1088–99), urspr. Odo von Châtillon (oder Lagery), *Châtillon-sur-Marne um 1035, †Rom 29. 7. 1099; förderte konsequent die mittelalterl. Kirchenreform (gregorian. Reform); rief die abendländ. Christenheit auf der Synode von Clermont (1095) zum ersten Kreuzzug auf; Seliger, Tag: 29. 7.

2) U. VI. (1378–89), urspr. Bartolomeo Prignano, *Neapel um 1318, †Rom 15. 10. 1389; versuchte den Einfluss Frankreichs in der Kurie zurückzudrängen, worauf 13 frz. Kardinäle Rom verließen, seine Wahl für ungültig erklärten und Kardinal Robert von Genf als Klemens (VII.) zum Gegenpapst wählten (20. 9. 1378); damit begann das Abendländ. → Schisma.

3) U. VIII. (1623–44), urspr. Maffeo Barberini, *Florenz 5. 4. 1568, †Rom 29. 7. 1644; unterstützte im Dreißigjährigen Krieg das mit Schweden verbündete Frankreich gegen (das kath.) Habsburg und damit indirekt die prot. Partei. Sein Pontifikat war geprägt von einem bis dahin beispiellosen Nepotismus, aber auch von einer grandiosen Bautätigkeit (1626 Weihe der Peterskirche). Folgenschwer war auch der Prozess gegen G. Galilei (1632/33).

Uräusschlange (Länge etwa 2 m)

Urbanisierung, → Verstädterung.

Urbanistik [lat.] *die,* zusammenfassende Bez. für alle sich mit der Stadt befassenden Sachgebiete und Wissenschaften, z. B. Stadtgeographie, Stadtsoziologie und Städtebau.

Urbar [lat.] *das,* im MA. die Einkünfte aus Grund und Boden, häufig auch das Grundstück selbst; auch das in Listen oder Büchern angelegte Verzeichnis dieser Einkünfte und Güter **(Urbarium).** Letztere zählen zu den wichtigsten Geschichtsquellen.

Urbarmachung, das Umwandeln bisher ungenutzten Naturbodens in land- und forstwirtsch. nutzbares Kulturland (z. B. → Moorkultur).

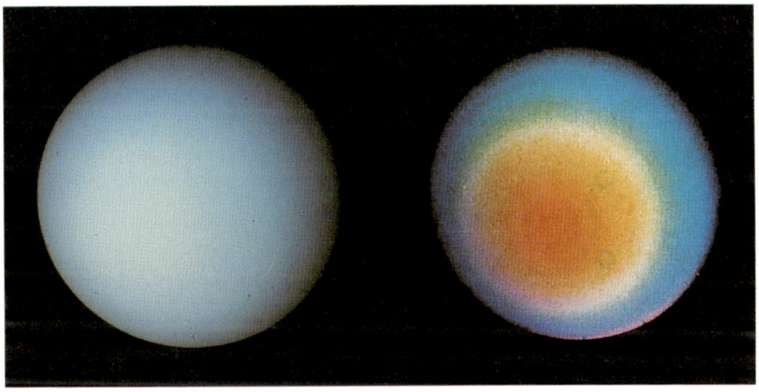

Uranus aus einer Entfernung von 9,1 Millionen Kilometer; das linke Bild zeigt den Planeten so, wie er dem menschlichen Auge erscheinen würde; das rechte ist eine Falschfarbendarstellung zur Hervorhebung atmosphärischer Besonderheiten; beide Bilder sind Montagen von Aufnahmen in verschiedenen Spektralbereichen durch die Raumsonde Voyager 2 am 17. 1. 1986

urbi et orbi [lat.], der »Stadt« (d. h. Rom) und dem »Erdkreis« (d. h. der ganzen Welt) an Festtagen (v. a. zu Weihnachten und Ostern) vom Balkon der Peterskirche gespendeter päpstl. Segen.

Papst Urban VIII. (Ausschnitt eines zeitgenössischen Kupferstichs)

Urbino, Stadt in den Marken, Prov. Pesaro e U., Italien, am Rand des Apennins, 15 100 Ew.; Erzbischofssitz; Univ. (gegr. 1506), Kunstinstitut, Fachschulen, Gemäldegalerie. – Palazzo Ducale (um 1444 begonnen, 1468–72 unter Leitung von L. Laurana ergänzt und erweitert, heute Galleria Nazionale delle Marche); Teatro Sanzio (1845–53); Dom (1474–1534, nach 1789 erneuert), Campanile (18. Jh.); Santo Domenico (14./17. Jh.); Oratorio di Giovanni Battista (14. Jh.); Geburtshaus Raffaels. – U., das röm. **Urbinum Metaurense,** kam 756 durch die Pippinsche Schenkung in päpstl. Besitz; blieb auch als Herzogtum (seit 1474) unter päpstl. Lehnshoheit, Blüte im 15./16. Jh., 1631 wieder dem Kirchenstaat angegliedert. Weiteres BILD Laurana

Urchristentum (Urkirche), Bez. für den Zeitabschnitt der Konstituierung des zunächst als jüdische Sonderrichtung geltenden Christentums zur eigenständigen Religionsgemeinschaft: etwa 50 n. Chr. bis zum Anfang des 2. Jh., d. h. vom Beginn der heidenchristl. Mission (→ Heidenchristen, → Paulus) bis zur Generation der Apostelschüler. (→ Urgemeinde)

Urd, *altnord. Mythologie:* eine der → Nornen.

Urdu, eine indoarische Sprache mit etwa 9 Mio. Sprechern in Pakistan und etwa 28 Mio. in Indien;

Harold C. Urey

Honoré d'Urfé (Kupferstich nach einem Gemälde von Anthonis van Dyck)

in Pakistan ist U. Amtssprache. Das U. ist in der Grammatik mit dem Hindi identisch, dagegen wird sein Wortschatz von arabisch-pers. Lehnwörtern beherrscht; es wird in einer Variante der arab. Schrift geschrieben; seine Abgrenzung vom Hindustani ist fließend. (→indische Sprachen)

Urease [zu grch. oũron »Harn«] *die,* Enzym, das Harnstoff in Kohlendioxid und Ammoniak spaltet; kommt bes. in Pflanzensamen, Bakterien, Krebsen und marinen Muscheln vor.

Urengoi, Erdgaslagerstätte im autonomen Kreis der Jamal-Nenzen im Gebiet Tjumen, Russland, nahe dem Ort U., in W-Sibirien; Gasleitungen in den Ural, in die Ukraine sowie nach Mittel- und Westeuropa.

Ureter [grch.] *der,* der →Harnleiter.

Urethane (Carbamate), die Ester der (in freier Form nichtbeständigen) Carbamidsäure; durch die Gruppierung –NH–CO–O– (»Urethangruppe«) charakterisiert. U.-Derivate werden als Herbizide, Insektizide sowie als milde Schlaf- und Beruhigungsmittel verwendet. (→Polyurethane)

Urethra [grch.] *die,* →Harnröhre.

Urethritis [grch.] *die,* die →Harnröhrenentzündung.

Urey ['jʊərɪ], Harold Clayton, amerikan. Chemiker, *Walkerton (Ind.) 29. 4. 1893, †San Diego (Calif.) 6. 1. 1981; arbeitete v. a. über Molekülspektren und Molekülstruktur, über das Frühstadium der Planeten und die Uratmosphäre. 1931 entdeckte er den schweren Wasserstoff (→Deuterium) und erhielt hierfür 1934 den Nobelpreis für Chemie.

Urfa, Stadt in der Türkei, →Şanlıurfa.

Urfarnpflanzen (Psilophytopsida, Psilophytatae), im Devon verbreitete Klasse der Farnpflanzen mit der einzigen Ordnung Nacktfarne. Die gabelig verzweigten, blatt- und wurzellosen U. sind die ältesten Landpflanzen.

Urfé [yr'fe], Honoré d', frz. Schriftsteller, *Marseille 11. 2. 1568 (1567?), †Villefranche-sur-Mer (Dép. Alpes-Maritimes) 1. 6. 1625; wurde berühmt mit dem Schäferroman »Von der Lieb Astreae und Celadonis« (6 Tle., 1607–27), dessen letzte Teile von d'U.s Sekretär B. Baro vollendet wurden und der nachhaltig auf die frz. Literatur wirkte.

Urfehde, das beim Abschluss des Sühnevertrags zur Beilegung einer Fehde geleistete Friedensversprechen; im späteren MA. und der Neuzeit der vom Angeklagten zu leistende Eid, sich jeder Rachehandlung gegenüber Kläger und Richter zu enthalten. Die U. wurde in **U.-Briefen** und **U.-Büchern** beurkundet.

Urformen, eine Hauptgruppe der Fertigungsverfahren: Fertigen eines festen Körpers aus formlosem Stoff (Gase, Flüssigkeiten, Pulver, Fasern, Späne, Granulat) durch Schaffen des Zusammenhaltes, z. B. durch Gießen von Metallen, durch Pressen und Sintern von Metallpulvern.

Urft *die,* rechter Nebenfluss der Rur in der Eifel, 41 km lang, mit Talsperre (1905 gebaut; 45,5 Mio. m³ Fassungsvermögen), Kraftwerk.

Urga, bis 1924 Name der Stadt →Ulan-Bator.

Urgebirge, veraltete Bez. für →Grundgebirge.

Urgel, Seo de [-ur'xɛl], Stadt in Spanien, →Seu d'Urgell, La.

Urgemeinde, die erste christl. Gemeinde, entstanden in Jerusalem im Anschluss an die von den Jüngern erfahrene →Auferstehung Jesu Christi (Osterereignis); ihr erster Leiter war Petrus; seit etwa 50 wurde sie von Jakobus, dem Bruder Jesu, geleitet. Die U. bestand ausschl. aus Christen jüd. Herkunft. Charakteristisch im Verhältnis zur parallel entstandenen Mission unter Nichtjuden (→Heidenchristen) war ihre Bindung an das jüd. Zeremonialgesetz.

📖 Clévenot, M.: *Von Jerusalem nach Rom. Geschichte des Christentums im 1. Jh. Aus dem Frz. Fribourg 1987.* – Kraft, H.: *Die Entstehung des Christentums. Darmstadt ³1990.*

Urgentsch (usbek. Urgantsch; bis 1929 Nowourgentsch), Hptst. des Gebiets Choresm, Usbekistan, am unteren Amudarja, 129 000 Ew.; PH; Baumwoll-, Naturseideverarbeitung, Nahrungsmittelindustrie; orientalisch geprägte Altstadt.

Urgeschichte, die →Vorgeschichte.

Urgesellschaft (Urkommunismus), nach marxist. Auffassung die erste Gesellschaftsformation in der Geschichte der Menschheit: eine klassenlose Gesellschaft mit Kollektiveigentum an den Produktionsmitteln und den erzeugten Produkten.

Urheber|recht, das eigentumsähnl. Recht des Schöpfers eines Werks der Literatur, Musik, Kunst, Fotografie oder von Computerprogrammen an seinem Werk **(geistiges Eigentum).** Das U. ist in Dtl. geregelt im Urheberrechts-Ges. vom 9. 9. 1965 (laut Einigungsvertrag in den neuen Bundesländern auch auf vor dem Beitritt geschaffene Werke anzuwenden). Träger des U. an einem Werk ist der **Urheber** (Autor, Verfasser, Bearbeiter, Übersetzer), mehrere Schöpfer sind i. d. R. Miturheber. Amtl. Werke genießen keinen urheberrechtl. Schutz. Bei Sammelwerken besteht neben dem U. an den Einzelbeiträgen ein U. des Herausgebers am Gesamtwerk. Der Gegenstand des U. muss eine eigenständige Schöpfung sein. Inhalt des U. sind die **Urheberpersönlichkeitsrechte** (Veröffentlichungsrecht, Recht auf Anerkennung der Urheberschaft und auf Verbot der Entstellung), die **Verwertungsrechte** (z. B. Vervielfältigungs-, Verarbeitungs-, Ausstellungsrecht, ferner Vortrags-, Aufführungs-, Sende- und Wiedergaberecht) sowie die sonstigen Rechte (z. B. Folgerecht, Anspruch auf angemessene Vergütung, wenn Bücher, Tonträger usw. gewerbsmäßig gegen Entgelt oder durch eine öffentl. Bibliothek verliehen werden, sog. Bibliothekstantieme). Die einzelnen Verwertungsrechte können einem anderen zur Nutzung eingeräumt werden. Übersetzungen dürfen nur mit Einwilligung des Urhebers vorgenommen werden; die Übersetzung selbst wiederum kann ein eigenes U. begründen. Das U. erlischt nach dem Ablauf einer **Schutzfrist** von 70 Jahren (ab Tod des Urhebers), eine verkürzte Schutzfrist von 50 Jahren (ab Erscheinen) gilt für Lichtbilder u. Ä., von 25 Jahren für wiss. Ausgaben und nachgelassene Werke. Das U. als solches ist nicht übertragbar, seine Vererbung ist jedoch unbeschränkt möglich. – Das Ausschließlichkeitsrecht des Urhebers ist im Interesse der allg. Informationsfreiheit eingeschränkt, z. B. sind Presse, Film und Funk bei der Bild- und Tonberichterstattung über Tagesereignisse von einer Rücksichtnahme auf etwaige U. befreit. Vortrag und Aufführung von Sprach- und Musikwerken sind frei, wenn die Darbietung keinem Erwerbszweck dient. In bestimmtem Umfang ist auch die Vervielfältigung zum eigenen Gebrauch zulässig, dies gilt auch für Schul- und Prüfungszwecke. Dem Interesse der Wiss. trägt das Prinzip der Zitierfreiheit Rechnung; allerdings ist eine ohne Quellenangabe erfolgte Wiedergabe von Auszügen eines fremden Werkes als Plagiat verfolgbar. Die Rechte des Urhebers sind durch einen zivil- (gemäß § 823 BGB Ansprüche auf Unterlassung, Beseitigung und Schadenersatz) und strafrechtl. (§§ 106–111 U.-Gesetz) Schutz gesichert. – Das *österr.* U. (Ges. vom 9. 4. 1936) ist ähnlich dem dt. Recht geregelt. In der *Schweiz* trat am 1. 7. 1993 ein neues Urheberrechts-Ges. in Kraft, das zahlr. dem dt. und österr. Recht entsprechende Vorschriften enthält.

Die nat. Vorschriften des U. werden vielfach durch internat. Abkommen überlagert oder ergänzt, sodass auf diesem Gebiet eine starke Gleichförmigkeit der Rechtsstellung des Urhebers erreicht wurde. Internat. Regelungen enthalten die → Berner Übereinkunft und das → Welturheberrechtsabkommen. Lücken im U.-Schutz bestehen aber durch Staaten, die durch diese Regelungen nicht gebunden sind oder ihre Anwendung nicht überwachen sowie durch die fortschreitende mediale Vernetzung.

📖 HUBMANN, H.: *Urheber- u. Verlagsrecht. München* [7]*1991.* – KATZENBERGER, P.: *Elektron. Printmedien u. U. Urheberrechtl. u. urhebervertragl. Fragen der elektron. Nutzung v. Zeitungen u. Zeitschriften. Stuttgart 1996.* – ELLINS, J.: *Copyright Law, U. u. ihre Harmonisierung in der Europ. Gemeinschaft. Von den Anfängen bis ins Informationszeitalter. Berlin 1997.* – *U. auf dem Weg zur Informationsgesellschaft, hg. v.* G. SCHRICKER. *Baden-Baden 1997.*

Urheberrolle, ein vom Dt. Patentamt geführtes Verzeichnis, in das Urheber anonym oder unter einem Pseudonym erschienener Werke auf ihren Antrag mit ihrem wahren Namen eingetragen werden (VO vom 18. 12. 1965).

Uri, Kanton der Schweiz, zw. Sankt Gotthard und Vierwaldstätter See, 1077 km², (1995) 35 900 überwiegend deutschsprachige, kath. Ew.; Hauptort ist Altdorf (UR). U. ist überwiegend Hochgebirgsland (Urner Alpen) und erstreckt sich vom oberen Reußtal (Urseren) bis zum Urner See. Erwerbszweige: Viehzucht (Almwirtschaft), Obst- und Gartenbau; Metallind., Maschinenbau, Wasserkraftwerke; bed. Fremdenverkehr (v. a. Andermatt, Flüelen, Seelisberg am Vierwaldstätter See); wichtiges Durchgangsland (Gotthardroute).

Uri
Kantonswappen

Geschichte: U. kam 853 an das Kloster Fraumünster in Zürich; vor 1230 Erschließung des Passes über den St. Gotthard; 1231 reichsfrei. 1291 schlossen sich U., Schwyz und Unterwalden im Bund der Urkantone zusammen. Die Reformation fasste in U. nicht Fuß. 1798 wurde U. dem Kt. Waldstätten zugeteilt, entstand aber 1803 wieder neu. U. nahm am kath. Sonderbund (1845–47) teil.

Uria [hebr.], Gestalt des A. T.; Heerführer König Davids; Gatte der von David verführten Bathseba, den David mit der schriftl. Anweisung an den Feldherrn Joab schickte, den Überbringer des Briefes im Gefecht so einzusetzen, dass er umkomme (2. Sam. 11); danach **Uriasbrief,** für den Überbringer eines unheilvollen Schreibens.

Uridin [Kw.] *das,* Nucleosid, Bestandteil der Ribonucleinsäuren.

Uridinphosphate, Phosphorsäureester des Uridins. Das Monophosphat, **UMP** (Abk. für **Uridinmonophosphat**), entsteht bei der Pyrimidinbiosynthese und dem Abbau von Nucleinsäuren. Zykl. UMP (cUMP) ist an Regulationsprozessen beteiligt. **Uridindiphosphat** (Abk. **UDP**) ist als Coenzym an der Glykosidierung beteiligt. **Uridintriphosphat** (Abk. **UTP**) ist eine dem Adenosintriphosphat analoge, energiereiche Verbindung. Sie entsteht im zellulären Stoffwechsel und wird zu Syntheseprozessen benötigt.

Uri|el [hebr. »mein Licht ist Gott«], einer der Erzengel.

Urin [lat.] *der,* der → Harn.

Ur|insekten (Apterygota), zusammenfassende Bez. für die ursprünglichsten und ältesten Ordnungen primär flügelloser Insekten: Doppelschwänze, Beintastler, Springschwänze und Borstenschwänze.

Uris [ˈjʊərɪs], Leon Marcel, amerikan. Schriftsteller und Drehbuchautor, * Baltimore (Md.) 3. 8. 1924; zeitgeschichtliche Romane mit Elementen der polit. Reportage (»Exodus«, 1958; »QB VII«, 1970; »Trinity«, 1976; »Mitla Pass«, 1988).

Leon M. Uris

Urkantone, die drei Waldstätte Schwyz, Uri, Unterwalden, die 1291 den Ewigen Bund schlossen (→Schweiz, Geschichte).

Urkilogramm, →Kilogramm.

Urkirche, →Urchristentum.

Urknall (Big Bang), nach der U.-Theorie die explosionsartige Expansion, mit der das Weltall vor etwa 10–20 Mrd. Jahren entstanden ist. Verfolgt man die Expansion des Weltalls (→Hubble-Effekt) zurück, so gelangt man unter gewissen Voraussetzungen zu dem Ergebnis, dass das Weltall anfangs auf einen sehr kleinen Raum mit sehr hoher Dichte und Temperatur beschränkt war. Die heute als Standardmodell akzeptierte U.-Theorie geht von einem Anfangszustand unendlich hoher Temperatur und Dichte des Universums aus **(kosmolog. Singularität),** das beim U. explosionsartig auseinander getrieben wurde, wobei die Temperatur rasch abnahm.

Man geht heute davon aus, dass sich das Universum unmittelbar nach dem U. im Zustand höchster Symmetrie befand und gleich große Mengen von Materie und Antimaterie existiert haben. In den ersten 10^{-35} s dürfte die Energie jene Schwelle überschritten haben, bei der im Rahmen der →Großen Vereinheitlichten Theorie elektromagnet., schwache und starke Wechselwirkung vereinigt und die Unterschiede zw. den versch. Materieteilchen aufgehoben sind. Vermutlich sind Quarks, Elektronen und deren Antiteilchen aus dem Zerfall der in dieser Anfangsphase angenommenen überschweren sog. X-Bosonen entstanden. Durch Symmetriebruch bildete sich ein geringfügiges Übergewicht von Quarks gegenüber Antiquarks. Später führte jeder Zusammenstoß von Antiquarks mit Quarks zur Vernichtung beider Teilchen unter Emission von Strahlung. Die heute beobachtbare Materie entspricht nach diesem Modell der Zahl der überschüssigen Quarks. Etwa 10^{-4} s nach dem U. entstanden die ersten Strukturen im Kosmos: die bei Temperaturen um 10^{13} K aus den Quarks sowie durch Paarbildung aufgebauten Protonen und Neutronen. Diese konnten sich teilweise noch zu Deuterium- und Heliumkernen verbinden, ehe die rasche Expansion die Temperatur des Weltalls unter die für die Elementsynthese erforderl. Grenze absinken ließ. Da außerdem auch Elektronen entstanden waren, die sich aufgrund der noch zu hohen Temperatur nicht mit den Atomkernen zu neutralen Atomen verbinden konnten, blieb das Weltall anfangs für elektromagnet. Strahlung undurchdringlich: Photonen, die etwa milliardenfach häufiger als Protonen und Neutronen waren, wurden an den Elektronen immer wieder gestreut. Erst einige 10 000 Jahre nach dem U. bei einer Temperatur von etwa 3 000 K bildeten sich die ersten Atome im Universum. Da diese elektrisch neutral sind und nicht direkt mit den Photonen wechselwirken, »entkoppelten« sich Strahlung und Materie, konnte sich die Photonenstrahlung frei durch das All bewegen; die Relikte jener Strahlung beobachtet man heute als →kosmische Hintergrundstrahlung. Sie gilt neben dem Hubble-Effekt und der beobachteten Heliumhäufigkeit im All als Hauptstütze der U.-Theorie (→Kosmologie). Etwa 1 Mio. Jahre nach dem U. entstanden die ersten größeren Materiezusammenballungen, die Vorläufer der heutigen Galaxien.

Die ursprüngl. Form dieses kosmolog. Modells geht auf G. Lemaître einerseits und H. A. Bethe und G. Gamow andererseits zurück. Jüngere Theorien beziehen z. B. das Konzept einer **inflationären Phase** ein, bei der das Universum aus einer einzigen Quantenfluktuation heraus explodierte. Das Modell geht von einer heißen Materieblase als Anfangszustand aus, der durch Abkühlung von einer höher symmetr. in eine weniger symmetr. Phase übergeht und kurzzeitig exponentiell (inflationär) expandiert. Die Inflationsphase (etwa zw. 10^{-35} s und 10^{-33} s nach dem U.) ist mit einer Volumenausdehnung auf das etwa 10^{90}fache verbunden. Um Aussagen unterhalb von 10^{-43} s (Planck-Zeit) nach Einsetzen des U. treffen zu können, müssen Quanteneffekte der Gravitation berücksichtigt werden, für die es bislang noch keine Theorie gibt.

📖 LUTZ, J. *u. a.: Ratlos vor der großen Mauer. Das Scheitern der U.-Theorie. Essen ³1994.* – PAILER, N.: *Geheimnisvolles Weltall. Stuttgart 1994.* – WEINBERG, S.: *Die ersten drei Minuten. Der Ursprung des Universums. A. d. Amerikan. Neuausg. München ¹¹1994.* – HAWKING, S. W.: *Eine kurze Geschichte der Zeit. A. d. Engl. Reinbek 391.–420. Tsd. 1996.*

Urkommunismus, →Urgesellschaft.

Urkunde, jeder Gegenstand, der einen menschl. Gedanken verkörpert (z. B. Grenzstein), i. e. S. die schriftl. Festlegung eines Gedankens (Dokument). Von einer öffentl. Behörde oder einer Person mit öffentl. Glauben (z. B. Notar, Gerichtsvollzieher) ausgestellte U. sind **öffentl. U.,** alle übrigen **Privat-U.** Öffentl. U. begründen den vollen Beweis des darin beurkundeten Vorgangs (§ 415 ZPO; →vollstreckbare Urkunde).

Für die *Geschichtswiss.,* bes. für die Mediävistik, ist die U. eine grundlegende Quellengattung, da z. B. die Rechtsverhältnisse im MA. nur in Ausnahmefällen durch allg. verbindl. Gesetze, meist aber durch individuelles Privilegienrecht gesichert waren. Den U. ist eine mehr oder weniger strenge Formelhaftigkeit eigen; seit dem 13. Jh. diente vorwiegend das Siegel zur Beglaubigung. Die daneben übl. Beglaubigung durch Zeugen verschwand nie ganz, sie fand in der neuzeitl. U. eine Fortsetzung in der →Gegenzeichnung.

Urkundenfälschung, die Herstellung einer unechten Urkunde, die Verfälschung einer echten sowie der Gebrauch einer unechten oder verfälschten Urkunde, wenn diese Handlungen zur Täuschung im Rechtsverkehr begangen werden (§ 267 StGB); ferner das unbefugte Ausfüllen eines mit der Unterschrift eines anderen versehenen Papiers, z. B. eines Wechselformulars **(Blankettfälschung),** und – i. w. S. – die mittelbare → Falschbeurkundung. Keine U. ist die »schriftl. Lüge«, durch die ein richtig angegebener Aussteller inhaltlich falsche Angaben macht. U. wird mit Freiheitsstrafe bis zu fünf Jahren oder Geldstrafe bestraft. Auch die Fälschung techn. Aufzeichnungen (§ 268 StGB), der Gebrauch falscher Beurkundungen, die Urkundenvernichtung oder -unterdrückung, die → Geld- und Wertzeichenfälschung, die Fälschung von Gesundheitszeugnissen, das Ausstellen unrichtiger Gesundheitszeugnisse durch Ärzte, der Gebrauch solcher Zeugnisse und der Missbrauch von Ausweispapieren sind strafbar (§§ 273–281 StGB). – Ähnl. Bestimmungen enthalten die StGB *Österreichs* (§§ 223–231) und der *Schweiz* (Art. 251–255).

Urkundenlehre (Diplomatik), histor. Hilfswiss. zur krit. Bestimmung von Urkunden als histor. Zeugnisse (Quellen); erforscht Arten, Überlieferung, Entstehung, Datierung, Siegel, Echtheit der Königs-, Kaiser-, Papst- und Privaturkunden.

📖 SANTIFALLER, L.: *Urkundenforschung. Methoden, Ziele, Ergebnisse. Köln u. a. [4]1986.*

Urkundenprozess, beschleunigte Form des Zivilprozesses, bei der die den Klageanspruch begründenden Behauptungen durch Urkunden bewiesen werden müssen; nur zulässig bei Klagen auf Zahlung einer bestimmten Geldsumme oder auf Leistung bestimmter Mengen anderer vertretbarer Sachen oder Wertpapiere (§§ 592–605 a ZPO). Eine Unterart des U. ist der → Wechselprozess.

Urkundsbeamter, Beamter der Geschäftsstelle eines Gerichts, der z. B. prozessuale Erklärungen beurkundet.

Urlaub, *arbeitsrechtlich* die zeitlich befristete Dienstbefreiung des Arbeitnehmers zum Zwecke der Erholung unter Fortzahlung des regelmäßigen Arbeitsentgelts. Rechtsgrundlage für den U.-Anspruch bilden das Bundesurlaubs-Ges. (BUrlG) vom 8. 1. 1963, Tarif- und Einzelverträge. Für einige Personengruppen (Beamte, Soldaten, Richter, Schwerbehinderte, Jugendliche, Seeleute) gelten besondere, z. T. ergänzende Regelungen.

Die gesetzl. Mindesturlaubsdauer beträgt in Dtl. unabhängig vom Lebensalter 24 Werktage im Kalenderjahr; gesetzl. Werktag ist auch der Samstag, Tarif- oder einzelvertragl. Bestimmungen behandeln den Samstag aber nicht als Werktag. In der Bundesrep. Dtl. stieg der durchschnittl. Jahres-U. aller abhängig Beschäftigten von (1960) 15,5 auf (1992) 30,8 (alte Bundesländer) und 26,8 Arbeitstage (neue Bundesländer). Zum Vergleich: Niederlande 32,2, Italien 31,5, Großbritannien und Schweden 27,0, Dänemark 26,0, Belgien 20,0, USA 12,0 sowie Japan 11,0.

Der volle U.-Anspruch wird erstmalig nach einer **Wartezeit** von sechs Monaten seit Bestehen des Arbeitsverhältnisses erworben; vorher besteht unter bestimmten Voraussetzungen ein Anspruch auf **Teil-U.** in Form eines Zwölftels des Jahres-U. für jeden vollen Monat seit Bestehen des Arbeitsverhältnisses.

Bei der zeitl. Festlegung des U. durch den Arbeitgeber sind die U.-Wünsche des Arbeitnehmers zu berücksichtigen. Dringende betriebl. Belange und sozial bevorrechtigte Belange anderer Arbeitnehmer gehen vor. Es gibt kein Recht des Arbeitnehmers, seinen U. eigenmächtig anzutreten oder zu verlängern. Eigenmächtigkeit in diesem Bereich berechtigt den Arbeitgeber zur Kündigung des Arbeitsverhältnisses.

Ein Anspruch auf U. besteht nicht, soweit dem Arbeitnehmer für das laufende Kalenderjahr bereits von einem früheren Arbeitgeber U. gewährt wurde (Ausschluss von **Doppelansprüchen**). U. ist im laufenden Kalenderjahr zu nehmen und zu gewähren. Ein Übertragen auf das nächste Kalenderjahr ist nur zulässig, wenn dringende betriebl. oder persönl. Gründe dies rechtfertigen, längstens jedoch bis zum 31. 3. des Folgejahres. Danach verfällt er, sofern nicht Tarifverträge ein Hinausschieben dieser Grenze vorsehen. Erkrankt der Arbeitnehmer im U., so werden die Tage der Arbeitsunfähigkeit auf den Jahres-U. nicht angerechnet.

Während das BUrlG lediglich die Weiterzahlung der Bezüge für die Zeit des U. vorschreibt **(U.-Entgelt),** begründen einzel- und kollektivvertragl. Regelungen den Anspruch des Arbeitnehmers auf ein zusätzl. **U.-Geld,** entweder in Form einer Pauschale, eines prozentualen Anteils am U.-Entgelt oder in Form eines Betrages je Urlaubstag.

Im *österr.* Recht ist der U.-Anspruch im Bundes-Ges. vom 7. 7. 1976 geregelt, bei einer Dienstzeit von weniger als 25 Jahren 30 Werktage, danach 36 Werktage. In der *Schweiz* besteht ein gesetzl. Anspruch auf U. (Ferien) gemäß Art. 329 a OR (mindestens vier Wochen pro Jahr).

Urlaubsgeld, → Urlaub.

Urmensch, *Religionsgeschichte:* in vielen Religionen verbreitete Vorstellung von einem ersten Menschen; er wird als Ahnherr der gesamten Menschheit angesehen (z. B. → Adam, → Manu, → Yama), auch als vollkommener Mensch der »paradies. Urzeit« (im Parsismus «Gayomart«).

Urmenschen, afrikanische Hominidengruppe (→Australopithecinen).

Urmeter, der bis 1960 gültige, in Sèvres aufbewahrte Meterprototyp (→Meter).

Ursula (Märtyrerin): Meister der Ursulalegende, »Begräbnis der heiligen Ursula und ihrer Gefährtinnen« (um 1495–1500; Köln, Wallraf-Richartz-Museum)

Urmia (Orumijeh, 1930–79 Resaieh), Hptst. der iran. Provinz West-Aserbaidschan, 1340 m ü.M., westlich des Urmiasees, 357400 Ew.; Zentrum eines agrar. Umlands; petrochem. Industrie.

Urmiasee (früher Resaiehsee), abflussloser See in NW-Iran, rd. 1300 m ü.M., in einer von hohen Bergen umgebenen Senke, mit einer Fläche von 4700 bis 6000 km² der größte See des Landes; bis 16 m tief; Salzgehalt 15–23%; fischlos.

Urmollusken (Aculifera, Amphineura), Unterstamm der →Weichtiere, der die Wurmmollusken und Käferschnecken umfasst. Im Ggs. zu den übrigen Mollusken fehlen den U. Statozysten und eine einheitl. Schale.

Urmonotheismus, *Religionswiss.:* v.a. von W. Schmidt vertretene These, wonach der Glaube an einen Gott die Urform der Religion sei und alle späteren von einem konsequenten Monotheismus abweichenden Glaubensformen, v.a. die polytheist. Religionen, Entstellungen dieses ursprüngl. »reinen Gottesglaubens« darstellten.

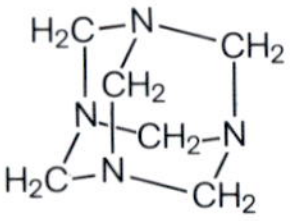

Urotropin

Urne [lat.], Gefäß zur Aufnahme des Leichenbrandes nach der Kremation des Toten.

Urnenfelderkultur, spätbronzezeitl. Kulturgruppe, ben. nach der charakterist. Bestattung des Leichenbrandes in Urnen auf großen **Urnenfeldern** (häufig mit vielen Beigefäßen); verbreitet von England bis zur Balkanhalbinsel, gliedert sie sich in einen östl. und einen westl. Zweig. Die U. brachte eine Uniformierung des kulturellen Erscheinungsbildes weiter Gebiete mit sich, u.a. die allgemeine Einführung des Pfluges.

📖 MÜLLER-KARPE, H.: *Beiträge zur Chronologie der Urnenfelderzeit nördl. u. südl. der Alpen, 2 Bde. Berlin 1959, Nachdr. ebd. 1970.*

Urner See, der südöstl. Teil des →Vierwaldstätter Sees.

Urogenitalsystem [grch.-lat.], Gesamtheit der Harn- und Geschlechtsorgane.

Urographie [grch.] *die,* Röntgenuntersuchung der Nieren, der Harnleiter und der Harnblase nach intravenöser Injektion von Kontrastmittel und dessen Ausscheidung über die Nieren **(Ausscheidungs-U.)** oder direkter Einbringung von Kontrastmittel über Harnleiterkatheter (**retrograde U.** bzw. **Pyelographie**).

Urolitholyse [grch.] *die,* medikamentöse Auflösung bestimmter Harnsteinarten. Die U. wird bei Patienten mit hohem Operationsrisiko angewendet; sie ist v.a. bei reinen Harnsäuresteinen (25% aller Harnsteine) und Cystinsteinen (0,5%) möglich.

Urologie [grch.] *die,* Fachgebiet der Medizin, das sich mit Erforschung, Erkennung und Behandlung der Krankheiten der Niere, der Harnwege sowie der männl. Geschlechtsorgane befasst.

Uronsäuren, organ. Säuren, die durch Oxidation der endständigen primären Alkoholgruppe zur Carboxylgruppe bei einfachen Zuckern entstehen. In der Natur treten z.B. die Glucuronsäure und die Galakturonsäure auf.

Urotropin *das* (Hexamethylentetramin), zykl. Amin, das durch Reaktion von Ammoniak mit Formaldehyd hergestellt wird. U. bildet farblose Kristalle oder ein hygroskop. Pulver, das u.a. als Puffersubstanz, Vulkanisationsbeschleuniger und Härtungsmittel Verwendung findet.

Urproduktion, im Ggs. zur Be- und Verarbeitung von Rohstoffen und Zwischenprodukten die Gewinnung materieller Güter unmittelbar aus der Natur (z.B. Land- und Forstwirtschaft, Bergbau).

Ursache, allg. das, was einen Gegenstand oder ein Ereignis (die Wirkung) hervorbringt und von dem aus diese Wirkung erklärt werden kann. (→Causa, →Kausalität, →Satz vom zureichenden Grund)

Ursa Maior [lat.], das Sternbild Großer →Bär.

Ursa Minor [lat.], das Sternbild Kleiner →Bär.

Urserental, das obere Längstal der Reuß im Kt. Uri, Schweiz, zw. Furkapass und Schöllenenschlucht; Fremdenverkehr; Hauptorte: Andermatt und Hospental (1453 m ü.M.).

Urson [frz.] *der* (Erethizon dorsatus), nordamerikan. Baumstachelschwein, 80 cm lang, Körperoberseite mit kräftigen spitzen Stacheln; ernährt sich von Blättern und Baumrinde.

Ursprungskunst, →primitive Kunst.

Ursprungszeugnis, öffentl. Urkunde, die dem Nachweis des Herkunftslandes einer Ware dient.

Urstromtäler, breite Talniederungen, die während der Eiszeiten am Rand des Inlandeises entstanden, als die Schmelzwässer parallel zum Eisrand abfließen mussten, wenn (wie in Mittel- und Nord-Dtl.) die periglaziale Landoberfläche gegen das Eis hin geneigt war. Die in den U. durch die eiszeitl. Schmelzwasserfluten abgelagerten Sande bilden häufig das Material für die Entstehung von Binnendünen. U. sind von großer Bedeutung für den Verkehr (Anlage von Kanälen) und – infolge ihrer reichen Grundwasservorräte – für die Wasserversorgung. Im Umkreis der Alpen werden entsprechende, am ehem. Gletschersaum verlaufende Schmelzwasserrinnen oder Talzüge als »Eisrandtäler« bezeichnet.

Ursula, Märtyrerin, nach der Legende (10. Jh.) eine brit. Königstochter, die auf der Rückkehr von einer Wallfahrt nach Rom bei Köln von den Hunnen mit ihren (zehn) Gefährtinnen (aus diesen elf wurden später durch einen Lesefehler [?] 11000) umgebracht worden sein soll; Heilige; Tag: 21. 10. – In der *bildenden Kunst* wurde diese Legende oft dargestellt, bes. in Köln (Meister der Ursulalegende): An der Spitze des Zuges der Jungfrauen trägt die hl. Ursula häufig eine Kreuzfahne; Attribute sind außerdem Palme und Pfeil; auch als Schutzmantelfigur ausgeführt.

Ursula, eigtl. U. Schultze-Bluhm, Malerin, Zeichnerin und Objektkünstlerin, *Mittenwalde (Kreis Dahme-Spreewald) 17. 12. 1921; ⚭ mit dem Maler Bernard Schultze; gestaltet ihre traumhaft-fantast. Motive häufig unter Verwendung von Pelz und Objets trouvés.

Ursulinen (Ursulinerinnen, lat. Ordo Sanctae Ursulae, Abk. OSU), nach der hl. Ursula benannter, 1535 von Angela Merici in Brescia gegründeter Schwesternorden, unter der Augustinusregel (seit 1614) mit der Verpflichtung zur Erziehung der weibl. Jugend; heute in zahlr. selbstständigen Einzelklöstern und Klosterverbänden weltweit verbreitet.

Urteil, 1) *Logik:* in der traditionellen Logik ein Satz, der das Bestehen (oder Nichtbestehen) eines Sachverhaltes behauptet. U. werden nach der Qualität ihrer Aussage in **affirmative** (bejahende), **negative** (verneinende) **U.,** nach der Verbindung (Relation) zw. Subjekt und Prädikat in **kategorische** (unbedingte), **hypothetische** (bedingt richtige), **disjunktive** (ausschließende) **U.,** nach ihrem Gewissheitsgrad (Modalität) in **problematische** (mögliche), **apodiktische** (notwendige), **assertorische** (tatsächliche) **U.** und nach ihrer Leistung in **synthetische** (erkenntniserweiternde) und **analytische U.** (Erläuterungs-U., Tautologie) eingeteilt. Die moderne →Logik betrachtet anstelle der U. Aussagen. Das Urteilen wird zu den Sprechakten gerechnet.

2) *Recht:* schriftl. Entscheidung eines Gerichts, für die bestimmte Formvorschriften gelten. Das U. besteht i. d. R. aus dem U.-Eingang (Rubrum), der U.-Formel (Tenor), dem Tatbestand und den Entscheidungsgründen, in einigen Verfahren auch aus der Rechtsmittelbelehrung. Gegen ein U. sind meist →Rechtsmittel zulässig. Mit Ablauf der Rechtsmittelfristen wird es rechtskräftig. Im Zivilprozess (§§ 300 ff. ZPO) unterscheidet man **Sach-** und **Prozess-U.,** je nachdem, ob sie über den Anspruch selbst oder über prozessuale Fragen, Zulässigkeit der Klage entscheiden, **End-** und **Zwischen-U.,** je nachdem, ob sie über die Sache endgültig oder nur über einen Zwischenstreit (z. B. über den Grund des Anspruchs, während die Höhe weiter im Streit bleibt) entscheiden; **Teil-U.** ergehen nur über einen entscheidungsreifen Teil des Streitgegenstandes, **Vorbehalts-U.** werden nur unter Vorbehalt der Entscheidung über bestimmte Einwendungen des Beklagten (z. B. Aufrechnung) erlassen. Bei Ausbleiben einer Partei kann gegen sie ein **Versäumnis-U.** ergehen; erkennt eine Partei den gegen sie geltend gemachten Anspruch an, wird auf Antrag des Gegners ein **Anerkenntnis-U.** gegen sie erlassen. Verzichtet der Kläger auf den geltend gemachten Anspruch, kann ein Verzichts-U. ergehen. – Im Strafprozess (§§ 260 ff. StPO) wird das Hauptverfahren (→Strafprozess)

Ursula (U. Schultze-Bluhm): »C'est moi (Das bin ich)« (1966; Köln, Museum Ludwig)

Uruguay

Fläche: 177 414 km^2
Einwohner: (1995) 3,186 Mio.
Hauptstadt: Montevideo
Verwaltungsgliederung: 19 Departamentos
Amtssprache: Spanisch
Nationalfeiertag: 25. 8.
Währung: 1 Uruguayischer Peso (urug$) = 100 Centésimos (cts)
Zeitzone: MEZ –4 Std. (Sommerzeit: –3 Std.)

Staatswappen

ROU

Internationales Kfz-Kennzeichen

Bevölkerung (in Mio.)
Bruttosozialprodukt je Ew. (in US-$)

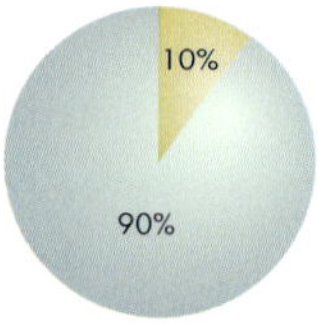

Stadt
Land

Bevölkerungsverteilung 1995

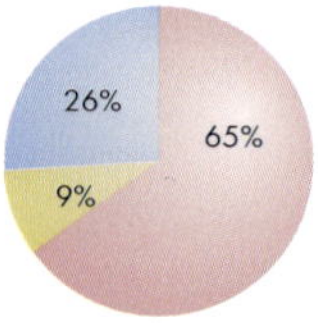

Industrie
Landwirtschaft
Dienstleistung

Bruttoinlandsprodukt 1995

durch das U. abgeschlossen. Es besteht aus der U.-Formel, die verlesen werden muss, und den Gründen, deren wesentl. Inhalt zu verlesen oder mündlich mitzuteilen ist.

Urticaria [lat.] *die,* → Nesselsucht.

Urtierchen, die → Protozoen.

Urtitersubstanz, chemisch reinste, unbegrenzt haltbare, nicht hygroskop., in Wasser und/oder Alkohol leicht lösl. Chemikalie, die sich zur Herstellung von Lösungen mit genau bekanntem Gehalt **(Urtiterlösungen)** eignet. Diese Lösungen dienen dazu, den Gehalt der bei der → Maßanalyse verwendeten Normallösung zu bestimmen.

Uru, südamerikan. Indianerstamm auf schwimmenden künstl. Inseln aus Binsen auf dem und am Titicacasee, in Bolivien und Peru; rd. 17 000 Personen, die hauptsächlich vom Fischfang und von der Jagd auf Wasservögel leben.

Uruguay (amtlich span. República Oriental del U.), Staat im SO Südamerikas zw. Atlantik im SO, Río de la Plata im S, dem Río Uruguay (Grenze zu Argentinien) im W und Brasilien im N und NW.

Staat und Recht: Nach der Verf. von 1966 (letzte Revision 1997) ist U. eine präsidiale Rep. Staatsoberhaupt und oberster Inhaber der Exekutive (Reg.chef) ist der auf fünf Jahre direkt gewählte Präs. Die Legislative liegt beim Zweikammerparlament (Legislaturperiode fünf Jahre), bestehend aus Senat (31 Mitgl.) und Abg.haus (99 Abg.). Einflussreichste Parteien: Partido Nacional (Blancos), Partido Colorado (Colorados) sowie die beiden Parteienbündnisse Frente Amplio und Nuevo Espacio.

Landesnatur: U. erstreckt sich nördlich des Río de la Plata als flachwelliges, weites Hügelland (100–150 m ü. M.) mit N–S oder O–W verlaufenden, einzelnen Höhenrücken (sog. Cuchillas), das durch die zum Río Uruguay fließenden Flüsse (Río Negro als Hauptstrom) gegliedert wird. Nur 10 % des Landes übersteigen 200 m ü. M. Die höchste Erhebung findet sich mit 501 m ü. M. in der Sierra de las Ánimas im SO. Die Atlantikküste im SO ist flach, z. T. sumpfig, mit Strandseen (v. a. Laguna Merín). Das Klima ist warmgemäßigt, subtropisch, vollhumid, aber mit starken Schwankungen von Temperatur und Niederschlägen (im S etwa 950 mm, im N 1100–1200 mm), gelegentlich beeinflusst von Kaltlufteinbrüchen (Pamperos) aus dem S. Vorherrschend sind die weiten, heute baumarmen oder -losen Grasflächen der Campos, die als natürl. Weide genutzt werden.

Bevölkerung: Um 1830 starben die letzten Indianer aus. Rd. 90 % der Bev. sind europ. (bes. span. und italien.) Abstammung (im Wesentlichen im 19./20 Jh. eingewandert); den Rest bilden Mestizen und Mulatten. Rd. 700 000 Uruguayer leben im Ausland. Über 40 % der Gesamtbev. konzentrieren sich im Bereich der Hptst. Montevideo. – Allg. Schulpflicht vom 7. bis 14. Lebensjahr; staatl. Univ. in Montevideo (gegr. 1849), kath. Univ., drei weitere Hochschulen. – Staat und Kirche sind getrennt. Rd. 80 % der Bev. sind kath., Protestanten und Juden bilden Minderheiten.

Wirtschaft, Verkehr: U. ist ein Agrarstaat mit bed. Viehhaltung bei vorherrschendem Großgrundbesitz (Estancias). Gemessen an der Höhe des Bruttosozialproduktes gehört es zu den reichsten Ländern Südamerikas. Die Landwirtschaft erbringt den größten Teil des Exportwertes. Die traditionell auf Fleisch- und Wollerzeugnisse orientierte Viehzucht (Rinder, Schafe, Pferde) wird in extensiver Weidewirtschaft (77 % der landwirtsch. Nutzfläche) betrieben. Wichtige Anbauprodukte sind Reis, Weizen, Gerste, Zuckerrohr, Zuckerrüben, Mais und Sorghumhirse. Nach staatl. Förderung zeigt die Fischerei wachsende Erträge, sodass Fisch jetzt ein wichtiges Ausfuhrprodukt darstellt. Schwerpunkt der Ind. ist die Verarbeitung landwirtsch. Rohstoffe (v. a. von Fleisch). Daneben gibt es Textil-, Zement-, chem. Ind., Montage von Elektrogeräten, Kfz u. a. Bedeutendster Ind.standort ist Montevideo. Mit der Fertigstellung der Kraftwerke von Salto Grande und El Palmar (→ Uruguay, Río) ist die Umstellung der nun zu zwei Dritteln auf Wasserkraft basierenden Energieerzeugung fast abgeschlossen. U. ist arm an Bodenschätzen. Es wird v.a. Kalk (Zementherstellung) abgebaut. Wirtschaftsfaktor mit steigender Tendenz ist der Fremdenverkehr (Badestrände). Handelspartner sind v.a. Brasilien, Argentinien, die USA und Dtl. – Das gut entwickelte Verkehrsnetz ist auf die Hptst. ausgerichtet. Das Eisenbahnnetz umfasst 3000 km, das Straßennetz 52000 km. Hauptbinnenschifffahrtswege sind der Río de la Plata und der Río Uruguay. Wichtigster Seehafen ist Montevideo; internat. Flughafen Carrasco bei Montevideo. Nat. Fluggesellschaft ist die PLUNA.

Geschichte: Das Gebiet von U. wurde 1516 durch den Spanier J. Díaz de Solís entdeckt. Die dort lebenden Indianer, die krieger. Charrúa, verhinderten lange Zeit die endgültige Kolonisierung des Landes, das als »Banda Oriental de U.« zum span. Machtbereich gehörte, jedoch auch von Portugiesen besiedelt wurde. Als Gegengewicht zu deren Expansion gründeten die Spanier 1724 Montevideo. Nach wechselvollen Kämpfen kam es erst 1777 zum Frieden von San Ildefonso, durch den das Gebiet endgültig spanisch und Teil des Vizekönigreichs Río de la Plata wurde. Die Ausrufung der argentin. Unabhängigkeit 1810 führte auch in U. zur Erhebung gegen die span. Kolonialherrschaft, doch wurde das Land 1817 von Brasilien besetzt und diesem angegliedert. Erst 1828 erreichte es Eigenstaatlichkeit. Die folgenden Jahrzehnte waren von Bürgerkrieg und Parteienstreit (zw. den liberalen Colorados und den konservativen Blancos) bestimmt. Mit Brasilien und Argentinien nahm U. am Krieg gegen Paraguay (1865–70) teil. Unter J. Batlle y Ordóñez (Colorados, Präs. 1903–07 und 1911–15) wurde U. ein moderner Staat mit Arbeitsgesetzgebung, staatl. Sozialfürsorge und verbesserter Infrastruktur.

1919 trat durch Verf.änderung an die Seite des Präs. ein Staatsrat. In der Wirtschaftsdepression löste Präs. G. Terra (Colorados, 1931–38) diesen und das Parlament auf und regierte autoritär. Präs. A. Baldomir (1938–40) stellte die demokrat. Verhältnisse wieder her. Nach versch. Verf.änderungen, durch die u.a. 1952–66 das Amt des Präs. zugunsten eines kollegial besetzten Nationalrats abgeschafft wurde, und nach der Präsidentschaft von J. Pacheco Areco (Colorados, 1967–72), die durch wirtsch. Schwierigkeiten, wachsenden Terror der →Tupamaros und staatl. Gegengewalt gekennzeichnet war, regierte Präs. J. M. Bordaberry Avocena (Colorados) das Land wieder diktatorisch (1973 Auflösung des Parlaments, unbegrenzter Ausnahmezustand). 1976 wurde er durch das Militär gestürzt, eine Militärreg. bereitete in den folgenden Jahren den Übergang zur Demokratie vor. Im Nov. 1984 ging J. M. Sanguinetti (Colorados) aus den allg. Wahlen als Sieger hervor. Sein Nachfolger, der im Nov. 1989 gewählte L. A. Lacalle (Blancos), versucht von neoliberalen Positionen aus, Wirtschaft und Staat zu sanieren (u.a. Privatisierung der unter Batlle y Ordóñez geschaffenen Staatsbetriebe, Währungsreform). Sanguinetti wurde im Nov. 1994 erneut zum Präs. gewählt (Amtsantritt März 1995).

Julio María Sanguinetti

📖 KROCH, E.: *U. zw. Diktatur u. Demokratie. Ein lateinamerikan. Modell? Frankfurt am Main 1991.* – LIPP, U.: *U. Hattorf am Harz 1992.* – GABRIEL, A.: *»Wir sind die Protagonistinnen des heutigen U.«. Frauenleben u. Frauenwiderstand. Gießen 1993.* – *Transformation im südl. Lateinamerika. Chancen u. Risiken einer aktiven Weltmarktintegration in Argentinien, Chile u. U., hg. v.* B. TÖPPER *u.* U. MÜLLER-PLANTENBERG. *Frankfurt am Main 1994.* – THIBAUT, B.: *Präsidentialismus u. Demokratie in Lateinamerika. Argentinien, Brasilien, Chile u. U. im histor. Vergleich. Opladen 1996.*

Uruguay, Río [span.] (brasilian. Rio Uruguai), Strom in Südamerika, 1650 km lang, entspringt im Küstengebirge von S-Brasilien, bildet nach seinem Lauf durch das Brasilian. Bergland die Grenze Argentiniens zu Brasilien, dann zu Uruguay, mündet nördlich von Buenos Aires in den Río de la Plata; Wasserkraftwerke Salto Grande (1890 MW; seit 1980) als argentinisch-uruguayischer und El Palmar (330 MW; seit 1982) als brasilianisch-uruguayischer Gemeinschaftskomplex.

Uruguay

Uruk (hebr. Erech), altoriental. Stadt in S-Mesopotamien, heute die Ruinenstätte **Warka** (Irak); Hauptkultort der Inanna (sumer. Himmelsgöttin); in frühdynast. Zeit Sitz des sagenhaften Herrschers Gilgamesch. U. war im 3. Jt. v. Chr. bedeutendster Stadtstaat Sumers. Ausgrabungen seit 1912 legten Reste des Inannaheiligtums Eanna und des Anuheiligtums frei (4./3. Jt. v. Chr.), ferner Tonstiftmosaike, Keilschrifttafeln und Rollsiegel.

Uruk: Reste einer mit Tonstiftmosaiken verzierten Tempelhofmauer aus dem der Himmelsgöttin Inanna geweihten Tempelkomplex Eanna (4./3. Jt. v. Chr.)

Ürümqi [-tʃi] (Urumchi, Urumtschi, bis 1953 chines. Dihua oder Tihwa), Hptst. der Uigur. Autonomen Region Sinkiang, China, am N-Fuß des Tienschan, 1,1 Mio. Ew.; Univ., TH, medizin. und landwirtsch. Hochschule, Sinkiang-Museum; vielseitige Ind. (Landmaschinenbau, Stahl-, Textil-, Zement- u. a. Ind., Erdölraffinerie); internat. Flughafen; Endpunkt der Eisenbahnlinie von Lanzhou, die seit 1990 mit der Turestan-Sibir. Eisenbahn in Kasachstan verbunden ist; in der Nähe Kohle- und Eisenerzlager; Erdölfelder.

Johannes Urzidil (Tuschfederzeichnung, 1970)

Urundi, bis 1962 Teil von → Ruanda-Urundi.

Urvogel, Bez. für den → Archäopteryx.

Urwald, im Gegensatz zum Wirtschaftswald der von Menschen nicht oder wenig beeinflusste Wald der versch. Vegetationszonen der Erde. U. ist heute nur noch in begrenzter, in den einzelnen Vegetationszonen unterschiedl. Ausdehnung vorhanden. Durch Rodung (zur Gewinnung landwirtsch. Nutzflächen) und Raubbau an Nutzhölzern sind bes. in dicht besiedelten Gebieten (S-, SO- und O-Asien, Mittel- und S-Europa, später auch Nordamerika) die ursprüngl. Wälder schon früh zerstört und durch eine artenärmere Sekundärvegetation (z. B. Macchie, Garrigue, Kultursteppe) ersetzt worden, in vielen Gebieten verbunden mit Verarmung und Erosion des Bodens. Seit 200 Jahren werden auch der schwer zugängl. → Regenwald der inneren Tropen (mit bes. tief greifenden negativen ökolog. Folgen) und der boreale Nadelwald des nordamerikan. Kontinents und Eurasiens großflächig ausgebeutet. In neuerer Zeit versucht man, durch Schaffung von Reservaten noch vorhandene U.-Bestände zu schützen.

📖 Meuthen, D. *u.* Wolf, G.: *Naturwaldreservate. Köln 1991.* – Leibundgut, H.: *Europ. Urwälder. Wegweiser zur naturnahen Waldwirtschaft. Bern u. a. 1993.*

Ury ['u:ri], **1)** Else, Schriftstellerin, * Berlin 1. 11. 1877, † (Deportation in das KZ Auschwitz) 12. 1. 1943; bekannt durch ihre die Ideale bürgerl. Mädchenerziehung widerspiegelnden Erzählungen, bes. durch die Reihe um das »Nesthäkchen« Annemarie (10 Bde., 1918–32); 1935 als Jüdin aus dem Reichsverband dt. Schriftsteller ausgeschlossen.

2) Lesser, Maler, * Birnbaum (heute Międzychód, Wwschaft Gorzów) 7. 11. 1861, † Berlin 18. 10. 1931; malte v. a. Landschaften, später Berliner Straßenbilder und Interieurs, deren Farb- und Lichtbehandlung ihn als einen der frühesten Vertreter des dt. Impressionismus ausweisen.

Urzeugung (Abiogenese, Archigonie), die spontane, elternlose Entstehung von Lebewesen aus anorgan. **(Autogonie)** oder organ. Substanzen **(Plasmogonie),** im Ggs. zur Erschaffung von Lebewesen durch einen göttl. Schöpfungsakt. Es darf heute als gesichert angesehen werden, dass sich (ausgenommen die erste Entstehung von Leben überhaupt) ein lebender Organismus nur aus Lebendigem entwickeln kann.

Urzidil, Johannes, österr. Schriftsteller, * Prag 3. 2. 1896, † Rom 2. 11. 1970; befreundet mit F. Kafka und F. Werfel; emigrierte 1939 nach Großbritannien, lebte ab 1941 in New York; schrieb Erzählungen und Romane mit starker Bindung an die böhm. Heimat (»Die verlorene Geliebte«, 1956; »Prager Triptychon«, 1960), auch Essays (»Das Glück der Gegenwart. Goethes Amerikabild«, 1958; »Da geht Kafka«, 1965) und Lyrik.

USA (U. S. A.), Abk. für **U**nited **S**tates of **A**merica, → Vereinigte Staaten von Amerika.

Uşak ['uʃak], Hptst. der türk. Provinz U., in W-Anatolien, 105 000 Ew.; Herstellung von Teppichen, Zuckerfabrik.

Usambara, Bergland in NO-Tansania, eine durch Brüche begrenzte, steile, im W bis 2230 m ü. M. ansteigende Gebirgsscholle; im niederschlagsreichen O (jährl. bis 2000 mm) dichter Wald, auf Rodungsinseln bes. Kaffee- und Teeplantagen, im W Hochweiden.

Usambaraveilchen

Usambaraveilchen (Saintpaulia ionantha), in Usambara heim. Pflanzenart der Gesneriengewächse, mit fleischigen, grundständigen Blättern und veilchenähnl. Blüten; Zierpflanze.

Usbekistan

Fläche: 447 400 km²
Einwohner: (1995) 22,843 Mio.
Hauptstadt: Taschkent
Verwaltungsgliederung: 10 Gebiete, Taschkent und die Teilrep. Karakalpakien
Amtssprache: Usbekisch
Nationalfeiertag: 31. 8.
Währung: 1 U.-Sum (U.S.) = 100 Tijin
Zeitzone: MEZ +4 Std.

Usance [y'zãs, frz.] *die,* Brauch, Gepflogenheit im Geschäftsverkehr. An den dt. Wertpapierbörsen sind U. in den Bedingungen für den amtl. Handel, den geregelten Markt und den Freiverkehr schriftlich festgehalten.

Usbeken (Ösbeken), Turkvolk in Zentralasien, rd. 19 Mio. Angehörige, bes. in Usbekistan, ferner in Tadschikistan (1989: 1,2 Mio.), Kirgistan (550 000), Kasachstan (330 000), Turkmenistan (328 000), Russland (90 000), N-Afghanistan (1,45 Mio.), China (14 000) und der Mongolei (18 000); sprechen Usbekisch, eine Turksprache. Die U. sind Anhänger des sunnit. Islam. – Die U. wurden nach Khan Usbek (Özbeg) der Goldenen Horde benannt, der sie unter seiner Herrschaft (1313–41) einte; sie drangen um 1500 in Transoxanien ein, vermischten sich mit der dortigen türk. und z.T. iran. Bev. und gründeten drei Khanate; kamen im 19./20. Jh. unter russ. Herrschaft.

📖 *Leonid Pavlovic Potapovs Materialien zur Kulturgeschichte der U. aus den Jahren 1928–30, hg. v.* J. TRAUBE. *Wiesbaden 1995.*

Usbekistan (amtlich usbek. Özbekiston Jumhuriyati; dt. Rep. U.), Staat im nördl. und mittleren Teil Mittelasiens, grenzt im W und N an Kasachstan, im NO und O an Kirgistan, im SO an Tadschikistan und Afghanistan und im S und SW an Turkmenistan. Das nordwestl. Landesgebiet um den S-Teil des Aralsees nimmt die Teilrep. →Karakalpakien ein.

Staat und Recht: Nach der Verf. vom 8. 12. 1992 ist U. eine souveräne Rep. mit Präsidialsystem. Staatsoberhaupt ist der auf fünf Jahre direkt gewählte, mit weitgehenden Vollmachten ausgestattete Präs. Die Legislative liegt beim Einkammerparlament (250 Abg.), die Exekutive bei der Reg. unter Vorsitz des vom Parlament gewählten Min.-Präs. Neben der dominierenden Demokrat. Volkspartei (PPD, Nachfolgeorganisation der KP) ist nur die Partei Erk (Freiheit), eine Abspaltung der Volksfront Birlik (Einheit), offiziell zugelassen. Birlik, die Islam. Demokrat. Partei und die überregional strukturierte Islam. Partei der Wiedergeburt sind verboten.

Landesnatur: U. liegt zum größten Teil im Zwischenstromland von Amudarja und Syrdarja in der Mitte des Tieflands von →Turan. Es wird überwiegend vom Plateau der Sandwüste Kysylkum eingenommen. Den NW westlich des austrocknenden Aralsees durchzieht das wüstenhafte →Ust-Urt-Plateau, südlich des Aralsees liegen Delta und Alluvialebene des unteren Amudarja und die einst fruchtbare Oase Choresm. Die beiden Hauptzuflüsse des Aralsees, Amudarja und Syrdarja, erreichen ihren Endsee infolge der Wasserentnahme für die Bewässerung nur noch als dünnes Rinnsal oder überhaupt nicht mehr. Im O geht das Tiefland von Turan allmählich in ein flaches Vorgebirgsland mit der bewässerten Oase von Taschkent und der bewässerten Südl. Hungersteppe über. Die Hochgebirge, die U. im O und SO begrenzen, sind Ausläufer des Hissar-Alai-Systems (bis 4299 m ü. M.) im S und des westl. Tienschan (bis 4643 m ü. M.) im N. Sie umschließen mehrere Gebirgssenken und -täler, darunter das Ferganabecken am oberen Syrdarja, das größtenteils zu U. gehört. Das Klima ist geprägt durch trockenheiße, lange Sommer und milde, kurze und schneearme Winter, die im S bis zu 2, im N bis zu 5 Monate andauern. Der mittlere Jahresniederschlag liegt im Tiefland von Turan zw. 60 und 150 mm, an den Luvseiten der Hochgebirgszone zw. 400 mm und stellenweise 1 000 mm; 70 % der Niederschläge fallen im Winter und im sehr kurzen Frühjahr. In der Kysylkum wachsen vereinzelt Saxaul-, Akazienbüsche und Sträucher, v. a. Wermut. Die Gebirge sind von Krautsteppen bedeckt, ein zusammenhängender dichter Waldgürtel fehlt. Weitere BILDER Buchara, Medrese

Bevölkerung: Sie setzte sich (1993) aus 73,3 % Usbeken, 5,5 % Russen, 5,1 % Tadschiken, 4,2 % Kasachen, 2,0 % Tataren sowie Karakalpaken, Krimtataren und Angehörigen anderer Nationalitäten zusammen (Kirgisen, Ukrainer, Turkmenen, Turken, Deutsche u. a.). Mit einer durchschnittlichen

Staatswappen

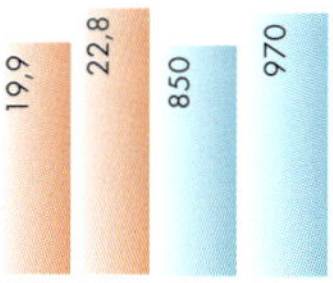

1989 1995 Bevölkerung (in Mio.)
1992 1995 Bruttosozialprodukt je Ew. (in US-$)

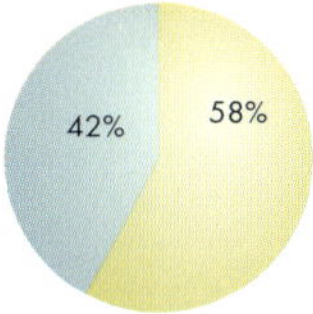

Stadt
Land
Bevölkerungsverteilung 1995

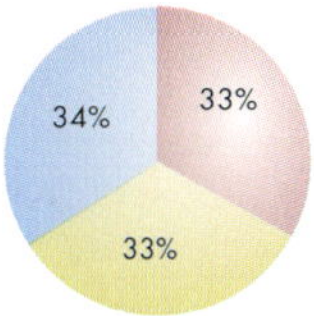

Industrie
Landwirtschaft
Dienstleistung
Bruttoinlandsprodukt 1994

Usbekistan: Ruinen einer Medrese in der Sandwüste Kysylkum nahe der Oasenstadt Buchara im Süden des Landes

Bev.dichte von 47 Ew./km² ist U. die am stärksten besiedelte mittelasiat. Republik der GUS. Die Bev. konzentriert sich in den Oasen der Vorgebirgszone, in den Flusstälern und in den Bewässerungsgebieten (stellenweise bis 2000 Ew./km²). Es besteht eine zehnjährige Schulpflicht. Neben der Akademie der Wiss. gibt es drei Univ. und 41 weitere Hochschulen. Vorherrschende Religion ist der Islam (sunnit. Muslime, 80 %), wobei in weiten Landesteilen der → Sufismus dominiert.

Wirtschaft, Verkehr: U. ist neben Kasachstan das wirtsch. bedeutendste Land der mittelasiat. Region der GUS und im Kern ein Agrarland, obwohl nur knapp 10 % der Landesfläche landwirtsch. nutzbar sind. Die Wirtschaft basiert auf dem Baumwollanbau sowie auf der Erdgas-, Erdöl- und Goldgewinnung. Die Privatisierung wurde bisher nur zögernd durchgeführt, trotz eines seit 1990 bestehenden Bodenreformgesetzes auch in der Landwirtschaft. Seit 1990 ist das Bruttoinlandsprodukt stark zurückgegangen; etwa 80 % der Bev. leben unter der Armutsgrenze. Rund 90 % der Anbauflächen müssen bewässert werden. Der monokulturartig betriebene Anbau von Baumwolle führte zu großen ökolog. Schäden (Wassermangel, Versalzung der Böden, Überdüngung). Die für den Anbau von Getreide (Weizen, Gerste, Reis, Mais), Melonen und Hülsenfrüchten sowie Weintrauben und Obst verbleibende Anbaufläche garantiert meistens nicht die Eigenversorgung. Die Viehzucht konzentriert sich auf die Haltung von Schafen (bes. Karakulschafe), Rindern und Ziegen sowie Geflügel. Erdgas (Hauptbrennstoff für die Elektroenergieerzeugung) und Erdöl werden um Buchara (bei Gasli), Karschi sowie im Ferganabecken und nördlich von Termes gefördert, Gold in der Kysylkum (v. a. bei Muruntau) im Gebiet Nawoi. Bedeutung hat auch der Abbau von Braunkohle bei Angren (Wärmekraftwerk) und im SO sowie von Buntmetallerzen (Almalyk). Hauptzweige der verarbeitenden Ind. sind Textil- und Bekleidungsind., Maschinen- und Fahrzeugbau, elektrotechn., Nahrungsmittel- und chem. Ind. Ausgeführt werden Erdgas, Karakule, Naturseide, Mineraldünger, Zement, Kohle, Landmaschinen. Wichtigste Handelspartner sind Russland, Kasachstan, Tadschikistan, Turkmenistan u. a. Rep. der GUS, aber auch Großbritannien, Belgien, Dtl., die Türkei, die Schweiz und China. – Größte Bedeutung hat der Eisenbahnverkehr; das Eisenbahnnetz umfasst 3460 km, das befestigte Straßennetz 73000 km; wichtigster internat. Flughafen in Taschkent. Die Städte Samarkand, Buchara und Chiwa sind Hauptanziehungspunkte des internat. Fremdenverkehrs.

Usbekistan

Geschichte: Das Gebiet des heutigen U. entspricht weitgehend der histor. Region → Transoxanien und gehört zum histor. Großraum → Turkestan. Im 2./1. Jt. v. Chr. von iran. Völkern (Baktrer, Choresmier und Sogdier) besiedelt, wurde das Gebiet im 4. Jh. v. Chr. von Alexander d. Gr. erobert und gehörte nach dessen Tod zum Seleukidenreich. Seit der 2. Hälfte des 7. Jh. wurde es von den Arabern beherrscht, im 9. Jh. setzte sich der Islam durch. Die Usbeken, die im frühen 13. Jh. unter mongol. Herrschaft gekommen waren, drangen seit dem 15. Jh. aus der nördl. Steppe in das Gebiet vor und vermischten sich mit der dort lebenden türk. und iran. Bevölkerung. Unter der sunnit. Dynastie der Schaibaniden entstand um 1500 das erste usbek. Reich. Ende des 16. Jh. bildeten sich die selbstständigen Khanate Buchara, Chiwa und Kokand heraus. In den 1860er- und 1870er-Jahren wurde das usbek. Territorium von Russland unterworfen: 1865 Eroberung Taschkents, 1867 Bildung des Generalgouv. Turkestan, 1868 Errichtung eines Protektorats über Buchara und 1873 über Chiwa, 1876 Annexion von Kokand.

Nach der Oktoberrevolution wurde aus Teilen der 1918 entstandenen Turkestan. ASSR sowie den 1920 gegründeten Volksrep. Buchara und Choresmien (ehem. Khanat Chiwa) 1924 die Usbek. SSR gebildet, die seit 1925 zur UdSSR gehörte. 1929 wurde aus ihr die Tadschik. SSR ausgegliedert; 1936 ging die Karakalpak. ASSR in ihren Bestand ein. Im Rahmen der stalinschen »Revolution von oben« wurde die islam. Tradition unterdrückt; mit der Zwangskollektivierung ging die forcierte Steigerung der Gewinnung von Baumwolle und deren industrielle Verarbeitung einher (monokulturelle Ausrichtung der Wirtschaft). Der »Großen Tschistka« fielen in den 1930er-Jahren zahlr. einheim. Partei- und Staatsfunktionäre zum Opfer (u. a. MinPräs. F. Chodschajew). In der Nachstalinära beherrschte S. Raschidow (Parteichef 1959–83) die Unionsrepublik. Am 20. 6. 1990 erklärte U. seine Souveränität, am 31. 8. 1991 seine Unabhängigkeit. Unter der Führung von I. Karimow (Staatspräs. seit 1990, im Dez. 1991 im Amt bestätigt) blieb die kommunist. Nomenklatura weitgehend an der Macht. Außenpolitisch v. a. um enge Zusammenarbeit mit der Türkei bemüht, vereinbarte U. mit den anderen mittelasiat. Rep. der GUS im Jan. 1993 eine Wirtschaftsgemeinschaft und schloss sich 1994 dem NATO-Programm »Partnerschaft für den Frieden« an. Die international als undemokratisch eingestuften Parlamentswahlen 1994 waren von der PPD dominiert. Durch Volksabstimmung ließ Präs. Karimow sich 1995 für weitere fünf Jahre im Amt bestätigen.

📖 KRAFT, M. *u.* KAMPE, A.: *U. Stuttgart 1994.* – *Erben der Seidenstraße – U., hg. v.* J. KALTER *u.* M. PAVALOI. *Stuttgart u. a. 1995.* – ECKERT, J. M.: *Das unabhängige U.: auf dem Weg von Marx zu Timur. Münster 1996.* – GÖTZ, R. *u.* HALBACH, U.: *Polit. Lexikon GUS. München ³1996.*

Uschakow, Simon (Pimen) Fjodorowitsch, russ. Maler und Kupferstecher, *Moskau 1626, †ebd. 25. 6. 1686; ab 1664 »Maler des Zaren«; löste sich vom Stroganowstil (→Stroganow) und wurde Haupt einer Künstlergruppe, die mehr Individualität, Realismus und Plastizität in die Ikonenmalerei einführte (Wandmalereien in der Dreifaltigkeitskirche in Moskau/Nikitniki, 1659).

U-Schätze, →Schatzanweisungen.

Uschebti [ägypt.] *das,* kleine mumiengestaltige Figuren, die die Ägypter seit dem Mittleren Reich ihren Toten mitgaben. Die aus Fayence, Ton, Holz oder Stein gearbeiteten U. sind als Abbild des Verstorbenen gestaltet und sollen ihn im Jenseits vertreten, wenn er dort zu einer Arbeit aufgerufen wird.

Uschgorod (ukrain. Uschhorod, ungar. Ungvár), Hptst. des Gebiets Transkarpatien, Ukraine, 126 000 Ew.; Univ., Museen; Möbel-, Maschinen-, Elektrogerätebau, Schuhfabrik. – Seit Ende des 11. Jh. ungar., kam U. 1919 zur Tschechoslowakei, 1945 an die Sowjetunion.

Usedom (poln. Uznam), Insel zw. Stettiner Haff und Ostsee, 445 km², durch die Peene vom Festland, durch die Swine von der Insel Wollin getrennt; gehört überwiegend zu Dtl. (Landkr. Ostvorpommern), der Ostteil (91 km²), auf dem sich ein Teil von Swinemünde befindet, zu Polen. U. besteht aus pleistozänen, durch Haken und Nehrungen miteinander verwachsenen Inselkernen. Seebäder: Zinnowitz, Bansin, Heringsdorf, Ahlbeck u. a.; Hauptorte: U. (2 000 Ew.; Anklamer Torturm, um 1450; Marienkirche, im Wesentlichen 19. Jh.; Rathaus, 18. Jh.), Swinemünde. Im NW von U. liegt →Peenemünde.

Ushuaia [uˈsu̯aja], Hptst. des Nationalterritoriums Tierra del Fuego, Argentinien, am Beaglekanal, an der S-Küste von Feuerland, 29 500 Ew.; Hafen; Militärgarnison; Fremdenverkehr.

Usbekistan (Geschichte): Islam Karimow

Uschebti aus einem Grab in Abydos, 18./19. Dynastie, Fayence, Höhe etwa 25 und 23 cm (16.–12. Jh. v. Chr.; Kairo, Ägyptisches Museum)

Usingen, Stadt im Hochtaunuskr., Hessen, im Usinger Becken des Hintertaunus, 13 300 Ew.; Textil-, Metall-, elektrotechn. Ind. – Pfarrkirche (1651–58) mit spätgot. W-Turm (1490 ff.), Rathaus (1687), Prinzenpalais (1768). – Im 8. Jh. bezeugt, 1377 Stadt; 1659–1744 und 1813/14 Residenz der Grafschaft (seit 1688 Fürstentum) Nassau-Usingen.

Usinger, Fritz, Schriftsteller, *Friedberg 5. 3. 1895, †ebd. 9. 12. 1982; traditionsverbundener Lyriker, Übersetzer frz. Lyrik; erhielt 1946 den Georg-Büchner-Preis.

Fritz Usinger

Usinor Sacilor S. A. [yziˈnɔr sasiˈlɔr sɔsjeˈte anɔˈnim], frz. Stahlkonzern; entstanden 1948 durch Fusion; Sitz: Paris; Großaktionär (rd. 49 %) der DHS-Dillinger Hütte Saarstahl AG, Dillingen. Der Konzern wurde 1995 privatisiert.

Peter Ustinov

Usipeter, german. Volk am Niederrhein. Mit den Tenkterern überschritten die U. 55 v. Chr. den Rhein, wurden aber von Cäsar zurückgedrängt; später in den Franken aufgegangen.

Üsküdar (Skutari), Stadtteil von Istanbul auf dem kleinasiat. Ufer des Bosporus.

Uslar, Stadt im Landkr. Northeim, Ndsachs., am Solling, 17 000 Ew.; Museum; Holz- und Möbelind. – Johanniskirche (urspr. 13. Jh., verändert, Langhaus aus dem 19. Jh.), Rathaus (17. Jh.), Fachwerkhäuser (17./18. Jh.), Ruine Schloss Freudental (16. Jh.). – 1269 erstmals als Stadt erwähnt.

Uslar Pietri, Arturo, venezolan. Schriftsteller, *Caracas 16. 5. 1906; Diplomat und Politiker; bekleidete hohe Staatsämter; 1945–50 im Exil, 1963 Präsidentschaftskandidat; war mit seinem Werk wesentlich an der Entwicklung moderner Erzähltechniken in der Literatur Lateinamerikas beteiligt (»Barrabás y otros relatos«, Erz., 1928; »Die roten Lanzen«, R., 1931; »Rauch über El Dorado«, R., 1947; »La visita en el tiempo«, R., 1990); schrieb auch Lyrik und Essays.

USPD, Abk. für → **U**nabhängige **S**ozialdemokratische **P**artei **D**eutschlands.

Uspenski, Gleb Iwanowitsch, russ. Schriftsteller, *Tula 25. 10. 1843, †Strelna (bei Sankt Petersburg) 6. 4. 1902; Vertreter der Narodniki; schilderte in Erzählungen und Skizzen die hoffnungslosen gesellschaftl. und polit. Verhältnisse seiner Zeit; auch ökonom. und soziale Arbeiten.

Ussuri *der* (chines. Wusuli Jiang), rechter Nebenfluss des Amur, 897 km, Grenzfluss zw. dem russ. Fernen Osten und China; 1969 heftige Kämpfe zw. sowjet. und chines. Grenztruppen.

Ussurisk (bis 1926 Nikolsk, 1926–35 Nikolsk-U., 1935–57 Woroschilow), Stadt in der fernöstl. Region Primorje, Russland, nördlich von Wladiwostok, 162 000 Ew.; Landwirtschaftshochschule, PH; Maschinenbau-, Nahrungsmittelind.; an der Transsibir. Eisenbahn.

Ustascha [kroat. »Aufständischer«] *die* (Ustaša), 1929 gegründete radikale Organisation kroat. Nationalisten, die bes. von Italien und Ungarn aus für ein unabhängiges Kroatien kämpfte; herrschte 1941–45 unter A. Pavelić in Kroatien (grausame Verfolgung von Juden, Muslimen und Serben).

Uster, Bezirkshauptort im Kt. Zürich, Schweiz, zw. Pfäffiker See und Greifensee, 25 100 Ew.; Apparate- und Maschinenbau, Elektronik-, Textil-, Nahrungsmittelind. – Klassizist. Kirche (1823/24), Schloss (urspr. Anlage 11. Jh., später verändert).

Ústí nad Labem
Stadtwappen

Ústí nad Labem ['u:stji: 'nadlabɛm] (dt. Aussig), Hptst. des Nordböhm. Gebiets, Tschech. Rep., an der Elbe, 97 000 Ew.; chem., Glas-, Porzellan-, Maschinenfabriken, Werften u. a.; Bahnknotenpunkt, Hafen. – Am rechten Elbufer Burg Schreckenstein. – Im 13. Jh. Einwanderung dt. Siedler, Bestätigung der Stadtprivilegien; Zerstörung durch die Hussiten 1426.

Ustinov, Sir (seit 1990) Peter Alexander, eigtl. Petrus Alexandrus von U., engl. Schauspieler, Schriftsteller, Theater- (auch Opern-) und Filmregisseur russisch-frz. Abstammung, *London 16. 4. 1921; verfasste Theaterstücke mit farcenhaften Überzeichnungen und märchenhaften Elementen (u. a. »Endspurt«, 1962), wiederholt thematisierte er den Ost-West-Konflikt (»Romanoff und Julia«, 1957; »Abgehört«, 1981; »Mein Russland«, 1983); auch Romane (u. a. »Der alte Mann und Mr. Smith«, 1990), Kurzgeschichten und eine Autobiographie (»Ach du meine Güte«, 1977); Darsteller dramat. und kom. Rollen auf der Bühne und im Film.

Ustinow, 1984–87 Name der Stadt → Ischewsk.

Ustinow, Dmitri Fjodorowitsch, sowjet. Politiker und Marschall (seit 1976), *Samara 30. 10. 1908, †Moskau 20. 12. 1984; Ingenieur, 1941–46 Volkskommissar, 1946–57 Min. für Rüstungsindustrie, 1963–65 Erster stellv. MinPräs. und Vors. des Volkswirtschaftsrats; 1976–84 Verteidigungsmin. und Mitgl. des Politbüros der KPdSU.

Ustka (dt. Stolpmünde), Stadt in der Wwschaft Słupsk (Stolp), Polen, in Pommern, an der Mündung der Stolpe in die Ostsee, 17 000 Ew.; Seebad; Fischereihafen und Fischverarbeitung, Bootswerft.

Ust-Kamenogorsk (kasach. Öskemen), Gebietshauptstadt im O Kasachstans, am Irtysch, 334 000 Ew.; mehrere Hochschulen, Forschungsinstitute für Bergbau und Metallurgie; Buntmetallerzverhüttung, Maschinenbau, Leichtindustrie; Hafen, Flughafen.

Ust-Orda, Burjatischer Autonomer Kreis (bis 1993 Burjat. Autonomer Kreis Ust-Ordynski), autonomer Kreis innerhalb des Gebietes Irkutsk, Russland, in S-Sibirien, 22 400 km², (1990) 137 000 Ew. (57 % Russen, 36 % Burjaten); Hptst. ist Ust-Ordynskij, auf dem Lena-Angara-Plateau; Getreideanbau, Viehzucht, Forstwirtschaft, Pelztierjagd, Bergbau (Kohle, Gips).

Ust-Urt-Plateau [-pla'to:], wüstenhafte Hochfläche (im Mittel 200 m, maximal 370 m ü. M.) zw. Kasp. Meer und Aralsenke, Usbekistan und Kasachstan; Erdöl- und Erdgasgewinnung.

Usumbura, früherer Name von → Bujumbura.

Usurpation [lat.] *die,* widerrechtl. Aneignung (staatl. Macht, des Throns).

Usus [lat.] *der,* Brauch, Sitte, Gewohnheit.

ut, die erste Tonstufe in der → Solmisation.

UT, Abk. für engl. **U**niversal **T**ime, die → Weltzeit.

Ut., Abk. für den Bundesstaat **Ut**ah, USA.

Utagawaschule, japanische Schule von Holzschnittzeichnern für das Ukiyo-e, im späten 18. Jh. von Utagawa Toyoharu I. (*1733, †1814) gegr.; führte die zentralperspektiv. Raumdarstellung für den Holzschnitt ein, bestand bis Ende des 19. Jh.; bedeutendster Meister war Toyokuni Utagawa (* 1769, † 1825).

Utah [ˈjuːtɑː; nach dem Indianerstamm Ute] Abk. **Ut., UT,** Bundesstaat im W der USA, 219 889 km^2, (1995) 1,95 Mio. Ew. (73 % Mormonen); Hptst. ist Salt Lake City. Der W gehört zum Großen Becken, nach O abgeschlossen von den westl. Ketten (Wasatch Range, Uinta Mountains) der südl. Rocky Mountains; der größte Teil des O wird vom Coloradoplateau eingenommen, in das sich der Colorado River tief eingeschnitten hat. Im N des Großen Beckens liegen der Große Salzsee und der U.-See, die miteinander durch den Jordan River verbunden sind. In dem weithin wüstenhaften Land ist der Ackerbau nur in Gebirgsnähe mit Bewässerung möglich (Weizen, Zuckerrüben, Kartoffeln, Obst); Viehhaltung (Rinder, Schafe). Bergbau v. a. auf Kupfer-, Silber-, Blei-, Eisen-, Uranerz, Kohle, Erdöl, Erdgas. Erzverhüttung, Metallverarbeitung, Flugzeugbau, Erdölraffinerien. Bed. Fremdenverkehr; besondere Anziehungspunkte sind Arches National Park, Bryce Canyon National Park, Canyonlands National Park, Zion National Park und das Schluchtensystem des Colorado River oberhalb des Glen Canyon Dam. – Das schon vor Jahrtausenden von Indianern bewohnte und 1776 erstmals von Spaniern durchquerte U. wurde seit 1847 (Gründung von Salt Lake City) durch Mormonen besiedelt; kam 1848 von Mexiko an die USA; 1850 als Territorium eingerichtet (von den Mormonen **Deseret** gen.). Nach Aufgabe der Polygamie durch die Mormonengemeinde (1890) und Ausarbeitung einer neuen Verf. (1895) wurde U. (zugunsten von Colorado, Wyoming und Nevada beträchtlich verkleinert) am 4. 1. 1896 als 45. Staat in die Union aufgenommen.

Utah: Arches National Park; in den rötlichen Sandsteinschichten entstanden durch Verwitterung und Erosion über 90 Naturbrücken und -türme

Utahsee [ˈjuːtaː-] (engl. Utah Lake), Süßwassersee im Bundesstaat Utah, USA, südlich des Großen Salzsees, 1341 m ü. M., 370 km^2.

Utamaro: »Erwiderte Liebe«, Holzschnitt (um 1794)

Utamaro, eigtl. Kitagawa U., japan. Zeichner für den Farbholzschnitt und Maler, * Kawagoe (auf Honshū) 1753, † Edo (heute Tokio) 31. 10. 1806; veröffentlichte 1788–90 zeichnerisch und drucktechnisch hervorragende Bücher mit Bildern aus dem Naturleben (Insekten-, Muschel-, Vogelwelt), aber auch Landschaften (Schneelandschaften). Nach 1790 entstanden Holzschnitte mit Halbfigur-, Porträt- und Gruppenbildern schöner Frauen (Bijin-ga), Kurtisanen, Mütter und Mädchen in realist. Alltagsszenen, mit Anmut, psycholog. Tiefblick und kultivierter Erotik dargestellt.

UTC [Abk. für engl. **U**niversal **T**ime **C**oordinated »koordinierte Weltzeit«], die auf der Atomsekunde als Zeiteinheit beruhende Zeitskala, die durch bedarfsweise Einfügung von Schaltsekunden in Übereinstimmung mit der aus der Erdumdrehung abgeleiteten astronom. Weltzeit gehalten wird. (→ Zeit)

Uterus [lat.] *der,* die → Gebärmutter.

Utgard [altnord. »äußeres Gehöft«], in der nordgerman. Mythologie das Reich der Riesen und Dämonen. (→ Midgard)

Sithu U Thant

U Thant (Thant), Sithu, birman. Politiker, * Pantanaw 22. 1. 1909, † New York 25. 11. 1974; ab 1949 Informationsminister; 1957–61 ständiger Vertreter seines Landes bei den UN, deren Gen.-Sekr. er 1961–71 war.

Utopie: Holzschnitt von Ambrosius Holbein in einer 1524 erschienenen Ausgabe des Romans »Utopia« von Thomas More

Utica ['ju:tɪkə], Stadt im Staat New York, USA, am Oberlauf des Mohawk River, 69 000 Ew.; Metall- und Elektronikindustrie.

Utika (Utica), die älteste von den Phönikern an der Nordküste Afrikas gegründete Stadt, nordwestlich von Karthago (Tunesien), wurde nach dessen Fall (146 v. Chr.) Hptst. der röm. Prov. Africa; als Bischofssitz erstmals 256 erwähnt; im 3. Jh. Versandung des Hafens. – Erhalten sind u. a. röm. Mosaiken, Thermenanlagen sowie Reste einer punischen Nekropole.

Utilitarismus [zu lat. utilis »nützlich«] *der,* die Erhebung der Nützlichkeit zum Bewertungskriterium der sittl. Qualität einer Handlung (Nützlichkeitsprinzip). Entscheidend ist dabei ihr Beitrag zum größtmögl. Glück für die größtmögl. Zahl von Menschen (Sozialeudämonismus; F. Hutcheson). Als Richtung der Ethik wurde der U. von J. Bentham und J. S. Mill begründet.

Utopie

»Eine Weltkarte, die das Land Utopia nicht enthielte, wäre nicht wert, dass man einen Blick darauf wirft, denn auf ihr fehlte das einzige Land, in dem die Menschheit immer landet. Und wenn die Menschheit dort gelandet ist, hält sie wieder Ausschau, und sieht sie ein schöneres Land vor sich, setzt sie die Segel. Fortschritt ist die Verwirklichung von Utopien.«
Oscar Wilde »Die Seele des Menschen unter dem Sozialismus«

UTM, Abk. für →**U**niversale **T**ransversale **M**ercatorprojektion.

utoaztekische Sprachen, Sprachfamilie Nord- und Mittelamerikas. Hauptvertreter sind im nordamerikan. Raum das Shoshone, Ute, Comanche und Hopi, im mittelamerikan. Raum u. a. das Huichol, Pipil und das Nahuatl; die beiden letztgenannten bilden mit dem ausgestorbenen Pochutec den aztek. Zweig.

Utopie [grch. »Nirgendort«] *die,* ein dem Staatsroman »Utopia« (1516) von T. More nachgebildeter Begriff zur Erfassung a) einer die Realitätsbezüge ihrer Entwürfe bewusst oder unbewusst vernachlässigenden Denkweise sowie b) einer literar. Denkform, in der Aufbau und Funktionieren idealer Gesellschaften und Staatsverfassungen in einem räumlich und/oder zeitlich entrückten Ort, oft in Form fiktiver Reiseberichte, konstruiert werden (utop. Literatur). I. w. S. als Beschreibung eines Zustands des Friedens, Wohlstands und Glücks reichen U. bis in die Mythologie zurück (z. B. Mythos vom goldenen Zeitalter. In religiös-polit. Mischformen (Hussiten-, Täuferbewegung) wurde im christl. Abendland der theolog. Chiliasmus endgültig in die **Sozial-U.** überführt. Seit der Aufklärung (18. Jh.) wird die U. eines von allg. Wohlstand und Glück bestimmten Gemeinwesens zunehmend als real erreichbares Ziel in die Zukunft projiziert. Utop. Denken findet sich auch in den normativen und revolutionären Schriften der Vertreter des Anarchismus sowie bei A. Comte und K. Marx, die ihre Prognosen aus histor. Gesetzmäßigkeiten abzuleiten beanspruchten und den wiss. Charakter ihrer U. betonten. Im Denken der Gegenwart tritt die U. v. a. als negative oder Gegen-U. auf, die den Verlust der Freiheit durch Perfektion von Technik und Wiss. mit den Mitteln der klass. U. beschreibt, sowie als positive Sozial-U., z. B. bei E. Bloch und A. Huxley (»Eiland«, 1962).

Bevorzugte Gattung der *literar. U.* ist der **utop. Roman (Zukunftsroman),** in dem i. d. R. ein in den Augen des Verfassers ideales Gegenbild zu den sozialen, polit. und wirtsch. Verhältnissen der jeweiligen Gegenwart entworfen wird. Als Vorbild einer literar. U. gilt Platons Idealstaatsentwurf in seiner »Politeia« (etwa 374 v. Chr.). Eine erste Blüte utop. Staatsromane setzt im Gefolge von T. Mores »Utopia« (1516) ein; am bedeutendsten T. Campanellas »Sonnenstaat« (entstanden 1602, lat. Buchausg. 1623) und F. Bacons »Nova Atlantis« (1627). Im 18. Jh. verschmolzen U. mit populären zeitgenöss. Romanformen: Von den Robinsonaden beeinflusst ist J. G. Schnabels »Wunderl. Fata einiger Seefahrer, …«, auch u. d. T. »Die Insel Felsenburg« (4 Bde., 1731–43); J. Swifts Roman »Des Capitains Lemuel Gulliver Reisen …« (2 Bde., 1726) verbindet utop. Züge mit schärfster Satire. Die industrielle Revolution und die technisch-naturwiss. Entwicklung waren Nährboden für die v.a. mit J. Verne beginnende →Sciencefiction. Als Gegenreaktion auf den ungetrübten Fortschrittsglauben sind die sog. **Antiutopien** (negative U., Gegen-U.) zu sehen, in denen die Gefahren einer Überbetonung von Technik und Naturwiss. in Schreckensvisionen von einer total industrialisierten Welt, von einer totalitär beherrschten Massengesellschaft sowie der Situation nach einem Atomkrieg beschworen werden, so etwa bei J. I. Samjatin, A. Huxley, K. Čapek, G. Orwell, Arno Schmidt, C. Améry. Seit den 1970er-Jahren entstehen auch U. mit betont ökolog. und feminist. Gesellschaftsentwurf.

📖 BIESTERFELD, W.: *Die literar. U.* Stuttgart [2]*1982. – Die U. in der angloamerikan. Literatur. Interpretationen, hg. v.* H. HEUERMANN *u.a. Düsseldorf 1984.* – JENKIS, H. W.: *Sozialutopien – barbar. Glücksverheißungen? Zur Geistesgeschichte der Idee von der vollkommenen Gesellschaft. Berlin 1992.* – BÜCHELE, H.: *SehnSucht nach der schönen neuen Welt. Thaur u.a.* [2]*1993. – U. heute? Ende eines menschheitsgeschichtl. Topos?, hg. v.* K. WILHELM. *Wien 1993.* – SAAGE, R.: *Utopieforschung. Eine Bilanz. Neuausg. Darmstadt 1997.*

utopischer Sozialismus, →Sozialismus.

Utraquisten [lat.], gemäßigte Richtung der →Hussiten.

Utrecht [niederländ. ˈyːtrɛxt], **1)** Provinz der →Niederlande.

2) Hptst. von 1), 234200 Ew.; kath. und altkath. Erzbischofssitz; Univ. (1636 gegr.), Univ. für Philosophie, Institut für Weltraumforschung; Konservatorium; Museen; Handelszentrum mit Fachmessen und Kongressen; bed. Ind.standort im N der →Randstad Holland mit Eisen- und Stahlind., Maschinenbau, Metall-, Elektro-, Papier-, chem., Nahrungsmittel-, Textil- u.a. Ind.; Verkehrszentrum. – Der Dom im Mittelpunkt der Altstadt, urspr. eine fünfschiffige got. Basilika (1254 begonnen), besteht seit der Zerstörung des Langhauses durch einen Orkan (1674) aus dem 112 m hohen Westturm (1321–82) sowie dem Chor (1317–21) mit Kapellenkranz und Querschiff. Erhalten sind zahlr. Kirchen der Romanik (Sint-Pieterskerk, Janskerk, Sint-Nicolaaskerk) und Gotik (Jacobikerk, Buurkerk, Catharijnekerk); Profanbauten, u.a. Huis Oudaen (um 1300), Paushiuze (1517), Fleischhalle (1637); Rathaus (aus drei mittelalterl. Häusern, mit klassizist. Fassade); ein Beispiel der De-Stijl-Architektur (→Stijl) ist das Haus Schröder von G. Rietveld (1924). – U. geht auf das röm. **Traiectum ad Rhenum** zurück; unter fränk. Herrschaft um 695 Bischofssitz, löste sich die Stadt im 13. Jh. aus der bischöfl. Herrschaft und wurde bed. Wirtschaftszentrum. 1806–10 Residenz König Ludwigs von Holland. – In der **Union von U.** vom 23. 1. 1579 schlossen sich die sieben nördl. Provinzen der Niederlande im Kampf gegen die span. Herrschaft enger zusammen. – Der **Utrechter Friede** (Verträge vom 11. 4. 1713, 26. 6. 1714 und 6. 2. 1715) beendete den →Spanischen Erbfolgekrieg.

Utrecht 2): Herausragendes Bauwerk der Stadt ist der Dom (Baubeginn 1254) mit seinem frei stehenden, 112 m hohen Westturm und dem Chor aus dem frühen 14. Jh.; das Langhaus wurde 1674 durch einen Orkan zerstört

Utrechter Kirche (eigtl. Römisch-katholische Kirche der alten bischöflichen Klerisei), seit dem 18. Jh. von Rom getrennte niederländ. Kirche jansenist. Prägung, die jedoch die apostol. Sukzession bewahrte; schloss sich 1889 der Utrechter Union an; gilt heute als altkath. Kirche der Niederlande.

Utrechter Union, die Internat. Altkath. Bischofskonferenz, →Altkatholiken.

Utrecht 2)
Stadtwappen

Utrechtpsalter, Handschrift des 9. Jh. aus der Schule von Reims mit zahlr. Federzeichnungen.

Utrera, Stadt in Andalusien, Provinz Sevilla, Spanien, 38000 Ew.; Mittelpunkt eines Getreideanbaugebietes mit bed. Kampfstierzucht; Textil-, Nahrungsmittelind. – Ruinen der arab. Festung und der arab. Stadtmauern, Kirchen Santa María de la Asunción (14. Jh.) und Santiago (15. Jahrhundert).

Utriculus [lat.] *der* (Utrikulus), das größere Vorhofsäckchen, aus dem die drei häutigen Bogengänge des Innenohrs entspringen.

Utrillo [uˈtriʎo], Maurice, bis 1891 M. Valadon, frz. Maler, *Paris 25. oder 26. 12. 1883, †Dax 5. 11. 1955; Sohn der Malerin Suzanne Valadon, unter deren Anleitung er zu malen begann. Sein Hauptthema fand er in Pariser Stadtansichten, bes. des Montmartre, die anfangs, beeinflusst von C. Pissarro, durch pastosen Farbauftrag gekennzeichnet sind; in der folgenden Periode überwiegen gedämpfte Weiß- und Grautöne; sein Spätwerk zeigt ein festes zeichner. Gefuge und hell leuchtende Lokalfarben. BILD S. 346

Maurice Utrillo: »Le Lapin Agile« (1910; Paris, Musée National d'Art Moderne)

Utsunomiya, Hauptstadt der Präfektur Tochigi, Japan, auf Honshū, 434000 Ew.; Elektronik-, Nahrungsmittel-, opt. Ind., Landmaschinenbau.

Johann Peter Uz

Uttar Pradesh ['ʊtə prə'deɪʃ], Staat im N Indiens, an der Grenze gegen Nepal und Tibet; Hptst.: Lucknow. – Schon früh kulturell-religiöses Zentrum des Hinduismus, blieb U. P. bis Ende des 18. Jh. unter der Herrschaft der Großmoguln. Danach eigneten sich die Briten das Gebiet an (zuletzt Besetzung von Oudh, 1856); 1857 Hauptschauplatz eines großen antibrit. Aufstandes; 1877 Zusammenschluss der NW-Provinzen (Agra) mit Oudh, seit 1902 United Provinces of Agra and Oudh (kurz »United Provinces«) gen.; wurde 1947 Bundesstaat Indiens (seit 1950 heutiger Name).

Uxmal: Das eindrucksvollste Gebäude der Mayakultstätte ist der auf einer riesigen Plattform gelegene, zwischen 600 und 900 n. Chr. entstandene »Palast des Gouverneurs«

Uttmann, Barbara, Frau eines Bergwerkbesitzers, *Elterlein um 1514, †Annaberg 14. 1. 1575; führte 1561 das Spitzenklöppeln im Erzgebirge ein, um soziale Not zu mildern.

Utzon, Jörn, dän. Architekt, *Kopenhagen 9. 4. 1918; Mitarbeiter von G. Asplund in Stockholm und von A. Aalto in Helsinki. U. wurde internat. bekannt durch seinen Entwurf für das Opernhaus in Sydney (1957 begonnen, 1973 durch andere fertig gestellt). In Dänemark entwarf er zw. 1957 und 1963 mehrere Wohnsiedlungen; das Parlamentsgebäude (1972–83) in Kuwait entstand nach seinen Plänen.

Uusimaa ['u:sima:] (schwed. Nyland), Prov. in Finnland, 10404 km², 1,29 Mio. Ew.; umfasst die durch Schären und Halbinseln stark gegliederte Küste am Finn. Meerbusen beiderseits von Helsinki, das Verw.sitz ist.

UV, Abk. für →**U**ltra**v**iolett.

Uvala [serbokroat.] *die, Geomorphologie:* schüsselförmige geschlossene Hohlform in einem Karstgebiet.

UV-Ceti-Sterne, die →Flare-Sterne.

UvD, Abk. für **U**nteroffizier **v**om **D**ienst; in einer militär. Einheit 24 Stunden für den allg. Ordnungsdienst verantwortlich.

Uvea [lat.] *die,* Gesamtheit von Aderhaut, Ziliarkörper und Regenbogenhaut des Auges.

UVP, Abk. für →**U**mwelt**v**erträglichkeits**p**rüfung.

Uwarowit [nach dem russ. Gelehrten Sergei Semjonowitsch Graf Uwarow, *1786, †1855] *der,* →Granat.

Uxmal [uʃ'mal], Kultstätte der Maya in Yucatán, Mexiko, mit bed. Bauwerken (Pyramiden, Paläste mit Steinmosaikfriesen); Blütezeit in der spätklass. Periode (600–900 n. Chr.); nach 1000 verlassen; Hieroglypheninschriften finden sich u. a. auf den Ringen des Ballspielplatzes und auf den 14 Stelen, die auf einer Plattform aufgestellt sind; Ausgrabungen und z. T. Rekonstruktion seit 1928.

Uyl [œjl], Johannes M. den, gen. Joop den U., niederländ. Politiker (Sozialist), *Hilversum 9. 8. 1919, †Amsterdam 24. 12. 1987; war 1973–77 Ministerpräsident.

Uz, Johann Peter, Dichter, *Ansbach 3. 10. 1720, †ebd. 12. 5. 1796; Anakreontiker, dessen gesellig-graziöse Lyrik einen heiteren Lebensgenuss preist; bekannt auch durch sein kom. Epos »Der Sieg des Liebesgottes« (1753).

u. Z., Abk. für **u**nsere(r) **Z**eitrechnung (entspricht n. Chr.).

Uznach, Bezirkshauptort im Kanton St. Gallen, Schweiz, in der Linthebene, 5000 Ew.; Maschinenbau, Textil-, chem. u. a. Ind. – Kath. Kreuzkirche (urspr. 9. Jh.), kath. Pfarrkirche St. Maria (19. Jh.).

V

Altsemitisch Altgriechisch Römische Kapitalschrift Unziale und karoling. Minuskel

v, V [fau] *das,* **1)** Konsonant (→Laut); der 22. Buchstabe des dt. Alphabets, geht über das lat. V auf das grch. Y zurück. Die lat. Inschriften und Handschriften gebrauchten das V ohne Unterschied für die Laute w und u; erst im MA. wurde zw. V und U unterschieden.

Druckschriftvarianten des Buchstabens **V**

2) Abk. **v.** für lat.: **v**ide, siehe; **v**idi, ich habe gesehen; **v**erte!, wende!

3) *Chemie:* **V,** chem. Symbol für →Vanadium.

4) *Einheitenzeichen:* **V** für →Volt.

5) *Formelzeichen:* v für →Geschwindigkeit, V für →Volumen.

VA, Einheitenzeichen für →Voltampere.

Va., Abk. für den Bundesstaat →**V**irgini**a**, USA.

Vaal [engl. vaːl, afrikaans faːl] *der,* rechter, größter Nebenfluss des Oranje, Rep. Südafrika, 1251 km lang, entspringt in den Drakensbergen, mündet bei Douglas; Stauseen dienen der Bewässerung.

Vaasa [v-] (schwed. Vasa), Hptst. der Provinz V., Finnland, 54700 Ew.; Hafenstadt am Bottn. Meerbusen; Univ., Museen; Holz verarbeitende, Textilind., Motorenbau, Zucker-, Schokoladenfabriken; Fährverkehr nach Sundsvall, Schweden. – V. wurde 1606 vom schwed. König Karl IX. gegründet; nach verheerendem Stadtbrand von 1852 entstand die Stadt, z. T. in neugot. Stil, an der heutigen Stelle 7 km nordwestlich der alten Stadt.

Vabanquespiel [vaˈbãk-, frz.], hohes Risiko, Wagnis.

Vác [vaːts] (dt. Waitzen), Stadt in Ungarn, nördlich von Budapest, an der Donau, 36000 Ew.; Schiffswerft, Bildröhrenfabrik u. a. Industrie. – Spätbarocker Dom (18. Jh.), Piaristenkirche (18. Jh.), bischöfl. Palast (1771), spätbarocker Triumphbogen (1764).

Vacheleder [vaʃ-; frz. vache »Kuh«], pflanzlich oder pflanzlich-synthetisch gegerbtes Rindleder; für Schuhsohlen.

Vachetteleder [vaʃɛt-, frz.] großflächiges, pflanzlich gegerbtes, oft gespaltenes Rindleder für Polstermöbel, Sattler- und Täschnerwaren.

Vācietis [ˈvaːtsɪɛtɪs], Ojārs, lett. Lyriker, *Trapane (Kr. Valka) 13. 11. 1933, †Riga 28. 11. 1983; trug durch die Hinwendung zu allgemein menschl. Problemen wesentlich zur Überwindung des sozialist. Realismus in der lett. Literatur bei.

Vaculík [ˈvatsuliːk], Ludvík, tschech. Schriftsteller, *Brumov (Südmähr. Gebiet) 23. 7. 1926; führender Vertreter des »Prager Frühlings«, den er in seinem »Manifest der 2000 Worte« (1968) programmatisch verteidigte; erhielt 1968 Publikationsverbot. – *Weitere Werke:* Das Beil (R., 1966); Die Meerschweinchen (R., 1970); Tagträume (1983).

Ludvík Vaculík (1968)

Roger Vadim

Vademekum [lat. »geh mit mir!«] *das,* Ratgeber in Form eines kleinen Buches; Leitfaden.

Vadim [v-], Roger, frz. Filmregisseur, *Paris 26. 1. 1928; war ⚭ mit B. Bardot und J. Fonda; Filme mit erot. Thematik, u. a. »Und immer lockt das Weib« (1956), »Gefährl. Liebschaften« (1959),

»Und vor Lust zu sterben« (1960), »Barbarella« (1968), »Adams kesse Rippe« (1988).

Vadodara (früher Baroda), Stadt in Gujarat, W-Indien, 1,02 Mio. Ew.; Univ., Textil-, petrochem. Ind., Erdölraffinerie.

vadoses Wasser [lat. vadosus »seicht«], in der Erdkruste zirkulierendes, dem Wasserkreislauf angehörendes Wasser (Sicker- oder Niederschlagswasser).

Vaduz
Stadtwappen

Vadsø ['vatsø], Hauptort des Verw.gebiets Finnmark, N-Norwegen, auf der S-Seite der Varangerhalbinsel, 6400 Ew.; wichtiger Fischereihafen, Heringsöl- und Fischkonservenfabrik.

Vaduz [f-], Hauptstadt des Fürstentums Liechtenstein, 455–576 m ü. M., am Rand der Alpenrheinebene, 5100 Ew.; kath. Bischofssitz (seit Dez. 1997); staatl. und kurfürstl. Kunstsammlung, Landes-, Postmuseum. Mit dem nördlich angrenzenden **Schaan** größter Ind.standort Liechtensteins; Textilind., Maschinenteilfabrikation, Apparatebau; Vermarktung von Wein und Obst; Fremdenverkehr. – Schloss V. (1322 erstmals urkundlich erwähnt, 1499 zerstört, Bergfried und Schlosskapelle aus dem 12. Jh. erhalten; 1905–12 erneuert) ist die Residenz des Landesfürsten; Reg.viertel mit neugot. Pfarrkirche (1873). – V., 1150 erstmals erwähnt, wurde 1342 Hauptort der später nach ihm benannten Grafschaft, die 1396 Reichsunmittelbarkeit erlangte und 1712 an das Haus Liechtenstein kam. BILD Lichtenstein

Hans Vaihinger

VAE, Abk. für → **V**ereinigte **A**rabische **E**mirate.

vae victis! [lat. »wehe den Besiegten!«], angebl. Ausspruch des Senonenführers Brennus bei der Belagerung Roms (4. Jh. v. Chr.).

Vagabund [lat.] *der,* Landstreicher.

Vaganten [lat. »Umherschweifende«], im MA. Bez. für Studenten (Scholaren) und Studierte (stellenlose Geistliche), die von einem Lehrer zum anderen oder auf der Suche nach kirchl. und weltl. Ämtern umherzogen. Sie lebten vorwiegend von Gelegenheitsaufträgen (wie Dichtung, Musik), von Unterhaltungskünsten (wie Spielleute und Gaukler) oder vom Betteln. Das **Vagantentum** blühte mit den Univ. auf, v. a. in Frankreich, wo die V. als »Goliarden« beschimpft wurden, und fand seinen literar. Niederschlag in der **V.-Dichtung** mit Trink-, Spiel-, Bitt- und Scholarenliedern, Liedern auf sinnl. Liebe, Parodien und moralisch-satir. Gedichten. Bekannteste Dichter sind Hugo von Orléans, der → Archipoeta, Walther von Châtillon. Die meisten V.-Lieder sind anonym in späteren Sammlungen, z. B. Carmina Burana, überliefert.

Roger Vailland

Vagina [lat.] *die, Anatomie:* die → Scheide.

Vaginismus [lat.] *der,* der → Scheidenkrampf.

Vaginitis [lat.] *die,* die → Scheidenentzündung.

Vagotomie [lat.-grch.] *die,* Durchtrennung des Vagus oder einzelner Äste; bewirkt Hemmung der Magensekretion und damit eine Verminderung der Salzsäureproduktion.

Vagotonie [lat.-grch.] *die,* erhöhte Erregbarkeit des Parasympathikus (Übergewicht über den Sympathikus).

Vagus [lat.] *der* (Nervus vagus), der X. Hirn- oder Kopfnerv der Wirbeltiere und des Menschen; versorgt mit seinen parasympath. Bestandteilen einen großen Teil der inneren Organe.

Váh [va:x], slowak. Name der → Waag.

Vaičiulaitis [vaitʃʊ'la:itis], Antanas, litauischer Schriftsteller und Literaturhistoriker, * Didieji Šelviai (bei Vilkaviškis) 20. 6. 1906; emigrierte 1940 in die USA; Vertreter des literar. Impressionismus. Seine Erzählungen zeichnen sich durch treffende Schilderungen von Stimmungen sowie durch meisterhafte klare sprachl. Gestaltung aus.

Vaihingen an der Enz [f-], Stadt (Große Kreisstadt) im Landkreis Ludwigsburg, Bad.-Württ., am W-Rand des Neckarbeckens, 26400 Ew.; Weinmuseum; Stanz- und Gießwerke, chem., elektrotechn. u. a. Ind.; Weinbau. – Stadtkirche (urspr. 13. Jh., umgebaut), Rathaus (1720), Schloss Kaltenstein (vor 1113 begonnen, v. a. 16. Jh.). – 779 erstmals erwähnt; seit dem 13. Jh. Stadt.

Vaihinger [f-], Hans, Philosoph, * Nehren (Kr. Tübingen) 25. 9. 1852, † Halle (Saale) 18. 12. 1933; Kantforscher. V. entwickelte eine eigenständige (pragmatist.) Form des Positivismus, die Philosophie des »Als-ob« (Fiktionalismus): Erkenntnis komme mit Begriffen, die so betrachtet werden, als ob sie wahr wären, als hypothet. Fiktion zustande, deren Wahrheitsgehalt sich nur an ihrem prakt. Lebenswert misst. Er begründete die Kant-Gesellschaft (1904). – *Werke:* Nietzsche als Philosoph (1902); Die Philosophie des Als-Ob (1911).

Vailland [va'jã], Roger François, frz. Schriftsteller, * Acy-en-Multien (Dép. Oise) 16. 10. 1907, † Meillomas (Dép. Ain) 12. 5. 1965; gehörte zum Kreis der Surrealisten, kämpfte in der Résistance (Verarbeitung in dem Roman »Seltsames Spiel«, 1945); schrieb sozialkrit. Romane mit oft erot. Thematik vor dem Hintergrund marxist. Weltanschauung (u. a. »Die junge Frau Amable«, 1954; »Hart auf hart«, 1957) sowie Essays, Dramen und Filmdrehbücher.

vakant [lat.], unbesetzt, leer, offen.

Vakuole [lat.] *die,* im Zellplasma liegender, größerer Hohlraum, der von einer Elementarmembran umgeben und mit flüssigen oder festen Stoffen gefüllt ist. Besondere Formen sind pulsierende V. (kontraktile V.) und Nahrungs-V. der Einzeller.

Vakuum [lat.] *das,* im Idealfall der materiefreie Raum, in der Praxis ein (abgeschlossener) Raum mit stark verdünntem Gas, dessen Druck weit unter Atmosphärendruck liegt; auch Bez. für den Zustand in diesem Raum. In der V.-Technik unterscheidet man nach Druckbereichen **Grob-V.** (10^5–10^2 Pa), **Fein-V.** (10^2–10^{-1} Pa), **Hoch-V.** (10^{-1}–10^{-7} Pa) und **Ultrahoch-** oder **Höchst-V.** ($<10^{-7}$ Pa), die physikalisch durch die mittlere freie Weglänge der Gasmoleküle und die Art der Gasströmung charakterisiert werden. Zur Erzeugung eines V. dienen V.-Pumpen, der Druck wird mit V.-Metern gemessen.

Vaku|umdestillation, → Destillation.

Vaku|umextraktion (Saugglockenentbindung), *Medizin:* geburtshilfl. Operationsverfahren zur Geburtsbeendigung, z. B. bei Wehenschwäche, mütterl. Erkrankungen, bedrohl. Zuständen des Kindes; mit einer auf den kindl. Schädel aufgesetzten **Saugglocke,** die durch Erzeugung eines Unterdrucks fest haftet, zieht der Geburtshelfer im Wehenrhythmus das Kind aus dem Geburtskanal.

Vaku|ummeter, Manometer zur Messung von Gasdrücken unterhalb des Normaldrucks. Nur im Bereich des Grobvakuums ist der Druck des Restgases groß genug, um einen Messmechanismus auszulösen, z. B. beim U-Rohr- oder Membran-V. Bei geringeren Drücken wird dem Gas eine mechan. Hilfsenergie zugeführt (Kompressions-V.), oder es werden statt des Drucks druckabhängige Eigenschaften des Restgases gemessen, z. B. beim **Reibungs-V.** die Viskosität des Gases, beim **Widerstands-** oder **Wärmeleitungs-V.** die Wärmeleitfähigkeit, beim **Ionisations-V.** die elektr. Leitfähigkeit, die durch eine Gasentladung erzeugt wird. Das **Molekulardruck-** oder **Radiometer-V.** beruht auf der unterschiedl. therm. Geschwindigkeit der Restgasmoleküle in der Nähe versch. temperierter Platten.

Vaku|umpumpe, Gerät, das in einem abgeschlossenen Raum die Gasdichte und damit den Druck erniedrigt und so der Erzeugung, Verbesserung und/oder Aufrechterhaltung von Vakuum dient. Man unterscheidet Transport- und Speicherpumpen. Während niedrige Drücke in Transportpumpen dadurch erzeugt werden, dass die Gasmoleküle auf der Niederdruckseite angesaugt und zur Hochdruckseite befördert werden, wird das Gas in Speicherpumpen durch Kondensations- (→ Kryopumpen) oder Sorptionsprozesse (→ Sorptionspumpe, Getterpumpen, → Ionenpumpe) gebunden. Zu den Transportpumpen gehören: a) **Verdrängerpumpen,** die im Grob- bzw. Feinvakuum arbeiten, b) **Treibmittelpumpen,** die die Saugwirkung eines aus einer Düse austretenden Flüssigkeits- (→ Wasserstrahlpumpe) oder Gasstrahls (→ Diffusionspumpe) ausnutzen und c) **Molekularpumpen,** die mit sehr schnell bewegten Flächen Impulse auf Gasmoleküle übertragen und diese dadurch in einen Raum höheren Drucks fördern sowie d) **Turbomolekularpumpen,** die mit Schaufelsystemen ähnlich einer Turbine arbeiten. Als Hoch- und Ultrahoch-V. dienen v. a. Ionengetter-, Diffusions-, Molekular- und Kryopumpen.

Vaku|umtechnik, Teilgebiet der Technik, das sich mit den Verfahren und Anlagen zum Erzeugen, Aufrechterhalten, Messen und Anwenden von Vakuum befasst. Die Einsatzgebiete der V. sind vielseitig. Sie reichen von der chem. Verfahrenstechnik (z. B. Destillation, Filtrierung), der pharmazeut. und Lebensmittelind. (Vakuumtrocknung) und der Metallurgie bis zur Raumfahrttechnik, in der Vakuumanlagen zum Test von Satelliten, Werkstoffen u. a. unter Weltraumbedingungen eingesetzt werden. Von großer Bedeutung sind die Hoch- und Ultrahoch-V. v. a. zur Herstellung elektr. und elektron. Geräte (z. B. Elektronen- und Fernsehbildröhren) sowie integrierter Schaltungen in der Mikroelektronik, zum Aufdampfen dünner Schichten auf hochwertige opt. Spiegel, Projektoren, Reflektoren u. a. sowie beim Betrieb unterschiedl. Geräte und Anlagen (z. B. Elektronenmikroskop, Teilchenbeschleuniger).

Handbuch der V. Theorie u. Praxis, Beiträge v. M. Wutz *u. a. Braunschweig u. a.* [6]*1997.*

Vaku|umtrocknung, Verdampfungstrocknung im Vakuum, sehr schonendes Trocknungsverfahren bei niedrigen Temperaturen, bes. für Lebensmittel.

Vakzine [lat.] *die,* → Impfung.

Val, früher gebräuchl. Stoffmengenangabe, die dem Grammäqui**val**ent entspricht (Zeichen val); heute durch → Mol ersetzt.

Suzanne Valadon: »Maurice Utrillo« (1921; Privatbesitz)

Valadon [vala'dɔ̃], Suzanne, eigtl. Marie-Clémentine V., frz. Malerin, *Bessines-sur-Gartempe

Valdiviakultur: Figurine aus Ton (Quito, Museos Arqueologicos, Arte y Etnografia del Banco Central del Ecuador)

Valencia 3) Stadtwappen

(Dép. Haute-Vienne) 23. 9. 1865, † Paris 19. 4. 1938; Mutter von M. Utrillo; Autodidaktin, schuf, angeregt von E. Degas und P. Gauguin, v. a. Landschaften, Stillleben und figürl. Darstellungen von strenger, hart konturierender Linienführung und kräftigen, kontrastierenden Farben.

Valais, Le [lə va'lɛ], frz. Name des schweizer. Kantons → Wallis.

Val Camonica, Talschaft des Oglio in den italien. Alpen, westlich der Adamellogruppe und der Brescianer Alpen; bei Capo di Ponte vorgeschichtl. Felsbilder (Gravierungen) der Bronze- und Eisenzeit (UNESCO-Weltkulturerbe).

Val-de-Marne [valdə'marn], Dép. in Frankreich, in der Region Île-de-France, 245 km², (1995) 1,214 Mio. Ew.; Hptst. ist Créteil.

Valdepeñas [valðe'peɲas], Stadt in Kastilien-La Mancha, Prov. Ciudad Real, Spanien, 25 000 Ew.; am SW-Rand der Mancha, inmitten eines der größten span. Weinbaugebiete; Weinkellereien.

Valdés [bal'dɛs], **1)** Alfonso de, span. Schriftsteller und Humanist, * Cuenca um 1490, † Wien 3. 10. 1532; seit 1520 im Dienst Karls V., dessen Politik er in seinen Dialogen verteidigte (»Discours über Kayser Carolen des Fünfften ... Schlacht von Pavien«, 1528); Briefwechsel mit Erasmus von Rotterdam.

2) Armando Palacio, span. Schriftsteller, → Palacio Valdés.

Valdez [væl'di:z], Luis Miguel, amerikan. Dramatiker, * Delano (Calif.) 26. 6. 1940; Begründer (1965) des »Teatro Campesino«, einer Straßentheatergruppe. Sein polit., meist in span. Sprache aufgeführtes (bisher kaum gedrucktes) dramat. Werk verbindet Elemente des Straßentheaters, der mexikan. Tradition, der Farce und eines kulturnationalist. Mythos bei der Darstellung sozialer Gerechtigkeit und des Überlebens der Chicanos.

Val Camonica: Die Felsbilder bei Capo di Ponte stammen aus der Bronze- und Eisenzeit

Val d'Hérens [valde'rã] (dt. Eringertal), südl. Seitental der Rhone, → Hérens.

Val-d'Isère [valdi'zɛ:r], Wintersportplatz im Dép. Savoie, Frankreich, 1 700 Ew.; 1 850 m ü. M., am Col de l'Iseran in den Savoyer Alpen; Höhenflugplatz.

Valdivia [bal'diβia], Stadt im Kleinen Süden Chiles, am schiffbaren Río V., 120 700 Ew. (darunter viele Deutschstämmige); Univ.; Werften, Nahrungsmittel-, Papier-, Lederind., Waggonbau, Sägewerke; 1960 durch Erdbeben schwer zerstört. – V. wurde 1552 von dem Spanier Pedro de V. gegründet.

Valdiviakultur [bal'diβia-], prähistor. Indianerkultur, benannt nach dem Ort Valdivia an der SW-Küste Ecuadors (vor 3000–1600 v. Chr.); eine der ältesten amerikan. Kulturen mit Keramik; neben Gefäßen wurden auch Figurinen gefunden, nackte weibl. Gestalten, die einen ausgeprägten Fruchtbarkeitskult belegen.

Val-d'Oise [val'dwa:z], Dép. in Frankreich, in der Region Île-de-France, 1 246 km², (1995) 1,131 Mio. Ew.; Hptst. ist Pontoise.

Válek ['va:ljɛk], Miroslav, slowak. Lyriker, * Trnava 17. 7. 1927, † Preßburg 27. 1. 1991; als Min. für Kultur der Slowakei (1969–88) verantwortlich für Aktionen gegen Anhänger A. Dubčeks. Seine Lyrik knüpft an Poetismus und Surrealismus an und ist von sozialist. Ideologie geprägt (»Verbotene Liebe«, 1977; »Lied vom Wald«, 1978); Nachdichtungen russ., frz. und poln. Poesie.

Valence [va'lãs], Hptst. des Dép. Drôme, Frankreich, an der Rhône, 65 000 Ew.; Maschinen- und Apparatebau, Schmuckherstellung, Elektro-, Textil-, Möbel- u. a. Industrie. – Roman. Kathedrale (11./12. Jh., im 17. Jh. erneuert), ehem. Bischofspalast (16./18. Jh., Museum).

Valencia [va'lɛntsia, span. ba'lɛnθia], **1)** (Comunidad Valenciana) autonome Region in O-Spanien, umfasst die Prov. Castellón, V. und Alicante, 23 255 km², (1991) 3,86 Mio. Einwohner.

2) Provinz in Spanien, 10 776 km², (1991) 2,12 Mio. Ew.; in der gleichnamigen autonomen Region.

3) Stadt in Spanien, Hptst. von 1) und 2), 3 km von der Mittelmeerküste entfernt auf dem Schuttkegel des Turia, 777 400 Ew.; Erzbischofssitz; Univ. (gegr. 1498), Museen, internat. Mustermesse; Sitz des unabhängigen Wassergerichts »Tribunal de las aguas de la vega« (ältester ständiger Gerichtshof der Erde, 960 von den Arabern installiert). Von der Huerta de V., einem ausgedehnten Gartenland umgeben, hat V. bed. Agrarhandel; Technologiepark mit Forschungs- und Prüfungsinstituten; Ind.zentrum mit Maschinenbau, Metall-, chem., elektrotechn., Leder-, Nahrungsmittel-,

Tabakind., Schiffbau; Handels- und Fährhafen El Grao, internat. Flughafen. – Got. Kathedrale La Seo (1262–1482, barocke Hauptfassade, 1703) mit Glockenturm »Miguelete« (vollendet 1429), zahlr. weitere Kirchen und Klöster der Gotik und v. a. des Barock; aus der Renaissance das Real Colegio del Patriarca und die Kirche Corpus Christi; Seidenbörse (vollendet 1498; UNESCO-Weltkulturerbe), Stadttore aus dem 14. und 15. Jh. – Von den Römern **(Colonia Valentia)** an der Stelle einer phönik. oder grch. Siedlung gegr., 413 von den Westgoten, 714 von den Arabern besetzt; 1010–94 Hptst. eines maur. Königreiches, 1094 durch den →Cid erobert, 1238 endgültig zurückgewonnen durch Jakob I. von Aragonien. Mit Aragonien in Personalunion vereinigt (1319), wurde es Hptst. des Königreiches Valencia, das erst 1707 seine Sonderrechte verlor.

4) [baˈlɛnsja], Hptst. des Staates Carabobo, Venezuela, in der Küstenkordillere, 903 600 Ew.; Erzbischofssitz; Univ.; Metallverarbeitung, Kraftfahrzeugbau, Düngemittelfabrik, Baumwollspinnereien, Reifenindustrie.

Valenciennes [valɑ̃ˈsjɛn], Stadt im Dép. Nord, Frankreich, 39 300 (Agglomeration: 336 000) Ew.; an der Schelde (Hafen); Univ.; Zentrum des nordostfrz. Kohlenreviers; Eisen- und Stahlind., Metall verarbeitende, Autoind., Erdölraffinerie, Düngemittel-, Textilind. (früher weltbekannte Spitzenherstellung). – V. gehörte seit 1070 zur Grafschaft Hennegau, fiel 1678 an Frankreich.

Valens, Flavius, röm. Kaiser (364–378), *Cibalae (heute Vinkovci, Kroatien) um 328, ⚔ bei Adrianopel (heute Edirne) 9. 8. 378; wurde von seinem Bruder Valentinian I. zum Mitregenten und Augustus des Ostens erhoben. Er bekämpfte die ins Reich einfallenden Westgoten und fiel gegen sie.

Valente, Caterina, Schauspielerin und Sängerin italienisch-span. Abkunft, *Paris 14. 1. 1931; seit 1953 als Schlager- und Jazzsängerin sowie durch zahlr. Musikfilme und Fernsehshows bekannt.

Valentin, Bischof von Terni, Märtyrer; wird seit dem 4. Jh. in Rom verehrt. Nach späteren Legenden war er Priester in Rom und wurde unter Kaiser Claudius II. Goticus hingerichtet; Heiliger, Tag: 14. 2. (**Valentinstag;** Tag der Liebenden, an dem man kleine Geschenke austauscht.

Valentin [f-], Karl, eigtl. Valentin Ludwig Fey, Komiker und Schriftsteller, *München 4. 6. 1882, †ebd. 9. 2. 1948; verfasste Couplets, Monologe und kurze kom. Szenen von abstrakter, absurder Logik, z. T. von beißender Ironie, die er zus. mit Liesl Karlstadt aufführte (u. a. »Orchesterprobe«, »Der Theaterbesuch«); zahlr. Verfilmungen.

Valentinian, Name röm. Kaiser:

1) V. I., Flavius Valentinianus, Kaiser (364–375), *Cibalae (heute Vinkovci, Kroatien) 321, †Brigetio (heute als Szőny zu Komárom, Ungarn) 17. 11. 375; sicherte als Herr des westl. Reichsteiles die Grenzen an Rhein und Donau. Er residierte v. a. in Trier.

2) V. III., Flavius Placidus Valentinianus, weström. Kaiser (425–455), *Ravenna 2. 7. 419, †Rom 16. 3. 455; stand zunächst unter dem Einfluss seiner Mutter Galla Placidia, durch die er Urenkel von 1) war und die bis 437 für ihn die Reg. führte, und des Feldherrn Flavius →Aetius, der das Reich gegen Germanen und Hunnen verteidigte. 454 ließ V. Aetius ermorden und wurde von dessen Gefolgsleuten umgebracht.

Valentinit *der,* das Mineral →Antimonblüte.

Rudolph Valentino in dem Film »Der Sohn des Scheichs« aus dem Jahr 1926

Valentino, Rudolph, eigtl. Rodolfo V., amerikan. Schauspieler italien. Herkunft, *Castellaneta (bei Tarent) 6. 5. 1895, †New York 23. 8. 1926; kam 1913 in die USA; Star in Hollywood und Frauenidol (»Die vier apokalypt. Reiter«, 1921; »Der Scheich«, 1921; »Der Sohn des Scheichs«, 1926).

Caterina Valente

Valenz [lat.] *die,* **1)** *Chemie:* die →Wertigkeit.

2) *Sprachwissenschaft:* Eigenschaft bes. des Verbs, eine oder mehrere Ergänzungsbestimmungen zu fordern. Man unterscheidet zw. nullwertigen Verben, die keine Ergänzung zulassen *(es regnet),* einwertigen Verben *(das Kind schläft),* zweiwertigen Verben *(das Buch liegt auf dem Tisch)* und dreiwertigen Verben *(er legt das Buch auf den Tisch).* Auch Adjektive erfordern innerhalb eines Satzes oft eine Ergänzung *(sich einer Sache gewiss sein).*

Valenzband, *Festkörperphysik:* →Energiebändermodell, →Halbleiter.

Valenz|elektronen, Elektronen, die im äußeren Bereich der Elektronenhülle eines Elements angeordnet sind und dessen chem. Verhalten bestimmen.

Valenz|elektronenkonzentrationsregel (Hume-Rothery-Regel), 1926 von dem brit. Metallurgen William Hume-Rothery (*1899, †1968) aufgestellte Phasenregel, nach der drei definierte Phasen intermetall. Verbindungen von unterschiedl. Kristallstruktur entstehen, wenn der Quotient aus der Zahl der Valenzelektronen und der

Karl Valentin

Eamon de Valera

Max Valier

Paul Valéry

Zahl der Atome einen für den jeweiligen Gittertyp charakterist. Zahlenwert annimmt.

Valenz|isomerie, bei organ. Verbindungen auftretender Spezialfall der →Isomerie, bei dem sich die chem. Bindungen innerhalb der Moleküle (durch Umordnung der σ- und π-Elektronen) lösen und neu bilden, sodass – ohne Platzwechsel von Atomen oder Atomgruppen – mehrere Isomere **(Valenzisomere)** entstehen, die sich nur durch die Lage ihrer Bindungen unterscheiden.

Vale of Glamorgan ['veɪl əv glə'mɔ:gən] (walis. Bro Morgannwg), County Borough ganz im S von Wales, 335 km², 118 800 Ew.; Verw.sitz ist Barry.

Valera [və'leərə], Eamon de, ir. Politiker, *New York 14. 10. 1882, †Dublin 29. 8. 1975; Prof. der Mathematik in Dublin; ab 1913 in der ir. Unabhängigkeitsbewegung aktiv; als einer der Führer des →Osteraufstandes 1916 von einem brit. Gericht zum Tode verurteilt, aber aufgrund seiner amerikan. Staatsbürgerschaft begnadigt; übernahm 1917 den Vorsitz der Sinn Féin (radikaler Flügel), 1919–21 Exil in den USA; führte als Gegner des Anglo-Ir. Vertrags von 1921 (→Irland, Geschichte) die Republikaner im ir. Bürgerkrieg, deshalb 1923/24 inhaftiert. 1926–59 Führer der von ihm gegr. Fianna Fáil, 1932–48, 1951–54 und 1957–59 MinPräs.; löste den Ir. Freistaat schrittweise von Großbritannien (1937 Ausrufung des souveränen Staates Éire, 1949 Austritt aus dem Commonwealth) und vertrat im 2. Weltkrieg eine strikte Neutralitätspolitik; 1959–73 Staatspräsident.

Valera y Alcalá Galiano [ba'lera-], Juan, span. Schriftsteller, *Cabra (Prov. Córdoba) 18. 10. 1824, †Madrid 18. 4. 1905; unternahm als Diplomat ausgedehnte Reisen, schrieb Abhandlungen, psycholog. Romane (»Pepita Jiménez«, 1874; »Die Illusionen des Doctor Faustino«, 1874); bed. Literaturkritiker; übersetzte u. a. Goethes »Faust«.

Valerian, Publius Licinius Valerianus, röm. Kaiser (253 bis 260), *um 200, †nach 262 (?); von den Truppen in Rätien zum Kaiser ausgerufen, suchte im O die Einfälle der Goten und Perser abzuwehren. 260 von Sapor I. bei Edessa geschlagen, starb er in pers. Gefangenschaft.

Valéry [vale'ri], Ambroise Paul Toussaint Jules, frz. Schriftsteller, *Sète 30. 10. 1871, †Paris 20. 7. 1945; gehörte zum Kreis um S. Mallarmé, war ab 1897 Beamter im Kriegsministerium, arbeitete ab 1900 in einer Presseagentur, nach 1922 freischaffender Schriftsteller, seit 1937 Prof. für Poetik am Collège de France. V. schrieb zunächst symbolist. Lyrik, setzte aber bald seine Bemühungen, den reinen, von allen Gefühlen gelösten Geist zu ergründen, in strenger Prosaform fort, u. a. in dem romanartigen, mehrfach ergänzten Text »Herr Teste« (1896, erweitert 1926). Berühmt wurde er mit seiner philosoph. Lyrik: »Die junge Parze« (1917), »Der Friedhof am Meer« (1920, dt. von R. M. Rilke). Seine theoret. Schriften (Dialoge, Essays) und Aphorismen (u. a. »Tel quel«, 2 Bde., 1941–45) beschäftigen sich mit Kunst- und Kulturkritik, dem dichter. Schaffensprozess und dem künstler. Bewusstsein. Noch einmal feierte V. den reinen Intellekt, verkörpert durch die Titelgestalt, in seinem Spätwerk »Mein Faust« (dramat. Skizzen, hg. 1945); er hinterließ auch umfangreiche tagebuchähnl. Aufzeichnungen (»Cahiers«, 29 Bde., veröffentlicht 1957–61).

📖 Harth, H. *u.* Pollmann, L.: *P. V. Frankfurt am Main 1972.* – *P. V., hg. v.* J. Schmidt-Radefeldt. *Darmstadt 1978.*

Paul Valéry: Selbstporträt in Kreide (Paris, Bibliothèque Nationale)

Valeurs [va'lørs, frz.], *bildende Kunst:* Tonwerte, nuancierte Farbabstufungen, durch die Licht, Schatten und farbige Reflexe deutlich werden.

Val Gardena, Tal in Südtirol, →Grödner Tal.

Valhöll, →Walhall.

Validität [lat.] *die,* Gültigkeit eines wiss. Versuchs oder eines Messverfahrens. Die V. gibt den Grad der Genauigkeit an, mit dem ein Verfahren das misst, was es messen soll.

Valier [f-], Max, österr. Techniker, *Bozen 9. 2. 1895, †(Unfall bei Raketenversuchen) Berlin 17. 5. 1930; befasste sich in den 1920er-Jahren mit publizist., theoret. und prakt. Arbeiten auf dem Gebiet der Raketentechnik. V. unternahm Versuche mit Feststoff- und Flüssigkeitstriebwerken, mit raketengetriebenen Straßen-, Schienen- und Wasserfahrzeugen sowie Flugzeugmodellen.

Valin [Kw.] *das,* Abk. **Val,** essenzielle Aminosäure; kommt in fast allen Proteinen vor.

Valla, Laurentius (Lorenzo), Humanist, *Rom 1407, †ebd. 1. 8. 1457; war seit 1448 Sekretär am päpstl. Hof, trat für die Erneuerung des klass. Lateins ein. Durch seinen Nachweis der Unechtheit der →Konstantinischen Schenkung wurde er Wegbereiter der modernen philologisch-histor. Quellenkritik.

Valladolid [baʎaðɔ'lið], **1)** Provinz Spaniens in Altkastilien, 8 110 km², (1991) 494 200 Einwohner.

2) Hauptstadt von 1) und der Region Kastilien und León, am Pisuerga nahe dessen Mündung in den Duero, 333 700 Ew.; Erzbischofssitz; Univ. (gegr. 1346), Priesterseminar; Aluminiumverhüttung, Eisenind., Maschinen- und Automobilbau, chem. u. a. Ind.; Flugplatz; internat. Theater- und Filmfestspiele. – Kirche San Pablo (13. Jh. ff.), Kirche des ehem. Colegio de San Gregorio (1487–96), beide mit reichen spätgot. Fassaden, Kathedrale (um 1585 von J. de Herrera begonnen), zahlr. Paläste. – V., eine arab. Gründung des 8. Jh. **(Balad Walid),** war im 15. und 16. Jh. Residenz der kastil. Könige; Zentrum der span. Renaissance.

Valle [span. 'baʎe, 'baje], italien. und span. Bez. für Tal.

Vallée [va'le], frz. Bez. für Tal.

Vallée [va'le], Jean de la, frz.-schwed. Architekt, *1620, †Stockholm 9. 3. 1696; vollendete 1674 den Bau des von seinem Vater Simon V. (†1642) begonnenen Ritterhauses in Stockholm, wo er auch ab 1656 die Katharinenkirche als erste nord. Zentralkuppelkirche errichtete.

Valle-Inclán ['baʎe iŋ'klan], Ramón María del, span. Schriftsteller, *Villanueva de Arosa (Prov. Pontevedra) 28. 10. 1866, †Santiago de Compostela 5. 1. 1936; sein Werk (mit einer frühen modernistisch-symbolist. und einer späten expressionist. Phase) kennzeichnet eine zutiefst antibürgerl. Haltung und eine ironisch-sarkast. Opposition gegen jede realist. Kunst. Eine ins Grotesk-Parodistische verzerrte Darstellung der Wirklichkeit wandte er im Roman (»Tyrann Banderas«, 1926) und in den Theaterstücken an (»Barbar. Komödien«, drei Dramen, 1907–22; »Karneval der Krieger. Drei Schauerpossen«, 1930); trat auch als Lyriker hervor.

Laurentius Valla: Ausschnitt eines Kupferstichs von Johann Theodor de Bry (Wien, Österreichische Nationalbibliothek)

Valletta: Die Stadt am Meer wurde mit mächtigen Bastionen befestigt

📖 *R. del V.-I. (1866–1936), hg. v.* H. WENTZLAFF-EGGEBERT. *Tübingen 1988.* – BERNHOFER, M.: *V.-I. u. die span. Kultur im silbernen Zeitalter. Darmstadt 1992.*

Vallendar [f-], Stadt im Kr. Mayen-Koblenz, Rheinl.-Pf., am rechten Rheinufer, 9 400 Ew.; Philosophisch-Theolog. Hochschule der Pallottiner, private Wiss. Hochschule für Unternehmensführung (WHU). – Neuroman. Pfarrkirche (1837–41) mit roman. Turm (vor 1501).

Vallentin, Maxim, Schauspieler, Regisseur, Theaterleiter, *Berlin 9. 10. 1904, †ebd. 2. 9. 1987; Vertreter des Agitproptheaters; 1933–45 Emigration (Sowjetunion); gründete 1947 das Dt. Theaterinst. in Weimar (seit 1952 Theaterhochschule Leipzig); 1952–68 Intendant und Regisseur am Maxim-Gorki-Theater in Berlin; orientierte sein Schaffen an Methoden K. Stanislawskis.

Vallès [va'les], Jules, frz. Journalist und Schriftsteller, *Le Puy 11. 6. 1832, †14. 2. 1885; war 1871 aktives Mitgl. der Pariser Kommune (Hg. der Zeitung »Le cri du peuple«), entging der Todesstrafe durch Flucht nach England, kehrte erst nach der Amnestie 1880 nach Frankreich zurück. Sein Hauptwerk ist die autobiographisch beeinflusste sozialkritische Romantrilogie »Jacques Vingtras« (1879–86).

Valletta (maltes. il-Belt Valletta, früher La Valetta), Hptst. der Rep. Malta, 9 100 Ew.; zw. zwei natürl. Hafenbuchten an der NO-Küste der Insel Malta; Erzbischofssitz; Univ. (gegr. 1769), Nationalmuseum und -bibliothek, Observatorium, Theater, botan. Garten; große Reparaturwerft u. a. Ind.; internat. Flughafen in Luqa. – Kathedrale (1573–77) und ehem. Großmeisterpalast (1574, heute Sitz des Parlaments), Häuser der Ordensritter; mächtige Bastionen. V. wurde von der UNESCO zum Weltkulturerbe erklärt. – V.

Valladolid 2) Stadtwappen

Ramón María del Valle-Inclán

wurde 1566 von dem Großmeister des Johanniterordens, Jean de la V., gegründet; seit 1964 Hptst. der Rep. Malta.

Vallin de la Mothe [valɛ̃dəla'mɔt], Jean-Baptiste Michel, frz. Architekt, *Angoulême 1729, †ebd. 7. 5. 1800; 1759–75 in Russland tätig; errichtete in Sankt Petersburg zahlr. Bauten in frühklassizist. Formensprache, die die Entwicklung der russ. Architektur prägten (u.a. Kleine Eremitage, 1764–67, und Akademie der Künste, 1764–88).

Valparaíso Stadtwappen

Vallorbe [va'lɔrb], Gemeinde im Kt. Waadt, Schweiz, an der Orbe, 3300 Ew.; Fischzucht, Eisenwaren-, Uhren- u.a. Industrie; Grenzbahnhof vor dem Tunnel durch den Mont d'Or.

Benjamin Vallotton

Vallotton [valɔ'tɔ̃], **1)** Benjamin, schweizer. Schriftsteller frz. Sprache, *Gryon (bei Aigle, Kt. Waadt) 10. 1. 1877, †Sanary-sur-Mer (Dép. Var) 19. 5. 1962; schrieb realist., humorvolle Romane über volkstüml. Typen (»Polizeikommissär Potterat«, 1915).

2) Félix, frz. Maler und Grafiker schweizer. Herkunft, auch Schriftsteller frz. Sprache, *Lausanne 28. 12. 1865, †Paris 29. 12. 1925; ebd. seit 1882, trat zuerst mit Zeitschriftenillustrationen und Holzschnitten hervor, deren flächenhaft dekorative Formgebung und Motive den Jugendstil wie den Symbolismus stark beeinflussten. Als Maler schloss sich V. zunächst den →Nabis an; gelangte jedoch, bes. in weibl. Akten, zu starker Plastizität.

Félix Vallotton: »Der Besuch« (1899; Zürich, Kunsthaus)

Valmy [val'mi], Gemeinde im Dép. Marne, Frankreich. – Die **Kanonade von V.** (20. 9. 1792) zw. der frz. Revolutionsarmee und den preußisch-österr. Verbündeten veranlasste den Rückzug des Heeres der ersten Koalition (→Französische Revolutionskriege); von Goethe beschrieben in »Die Campagne in Frankreich« (1822).

Valois [val'wa], ehem. frz. Grafschaft nordöstlich von Paris, Hauptort Crépy-en-Valois; kam 1284 an eine Nebenlinie der Kapetinger, die 1328 auf den frz. Thron gelangte und bis 1498, in Nebenlinien bis 1589, regierte.

Valona [v-], italien. Name der alban. Stadt →Vlorë.

Valorisation [lat.] *die,* staatl. Beeinflussung des Preises einer Ware zugunsten der Produzenten, z.B. Aufkauf und Einlagerung größerer Mengen dieser Ware mit dem Ziel, den Preis durch Verknappung des Angebots stabil zu halten.

Valparaíso [βal-], Hptst. der Region V., Chile, an einer 4 km breiten Bucht und an den Hängen der Küstenkordillere (zahlreiche Seilbahnen); 276 700 Ew.; zwei Univ., TU, Goethe-Inst.; bedeutendstes Handelszentrum und Haupteinfuhrhafen Chiles, Standort vieler Ind.betriebe; Eisenbahnendpunkt. – Die Bauten der Kolonialzeit wurden durch Erdbeben (v.a. 1906) fast völlig zerstört. – Die Stadt wurde 1544 als Hafen von Santiago de Chile gegründet.

Valpolicella [-'tʃɛlla], trockener bis leicht liebl. Rotwein aus dem gleichnamigen Gebiet nördlich von Verona, Italien.

Valtellina, Tal in N-Italien, →Veltlin.

Valuta [italien.] *die,* gesetzl. Zahlungsmittel eines Landes (Währungsgeld), meist auf ausländ. Währungen angewandt; im staatl. Geldhandel spricht man von Inlandsvaluta.

Valutageschäft (Geldwechselgeschäft), Umtausch von inländ. Geld in ausländisches und umgekehrt.

Valutakredit, in ausländ. Währung gegebener Kredit, v.a. in der Außenhandelsfinanzierung üblich. I.d.R. erhält der Kreditnehmer dabei durch Vermittlung eines inländ. Kreditinstituts einen Akzeptkredit bei einer ausländ. Bank.

Valutapapiere, ausländ. bzw. auf ausländ. Währung lautende Wertpapiere, deren Zins- und Tilgungsdienst oder deren Dividendenzahlung in ausländ. Währung erfolgt. Die Zinsscheine der V. werden als **Valuten** bezeichnet.

Valutierung, *Bankwesen:* die →Wertstellung.

Valvation [lat.] *die,* Schätzung, Wertbestimmung, bes. des Kurswertes fremder Münzen.

Val Venosta, Talschaft in Südtirol, →Vintschgau.

Vámos ['va:mɔʃ], Youri (György), ungar. Tänzer und Choreograph, *Budapest 21. 11. 1946; war Solotänzer in Budapest und München; wurde 1985 Ballettdirektor in Dortmund, 1988–92 an der Oper in Bonn, seit 1991 in Basel. – *Choreographien:* »Carmina burana« (1985), »Vathek« (1991), »Dornröschen ... die letzte Zarentochter« (1993).

Vamp [væmp; engl., gekürzt aus vampire »Vampir«] *der,* Typ der Femme fatale.

Vampir [aus slaw.] *der,* im *Volksglauben* Verstorbener, der nachts dem Grab entsteigt, um Lebenden das Blut auszusaugen; seit B. Stokers »Dracula« (1897) zur literar. und Filmgestalt geworden (Horrorliteratur, -filme, u. a. F. W. Murnaus »Nosferatu – Eine Symphonie des Grauens«, 1921 und W. Herzogs »Nosferatu – Phantom der Nacht«, 1979).

Vampire: Gemeiner Vampir (Körperlänge 7,5–9 cm)

Vampire (Echte V., Desmodontidae), Familie der Fledermäuse, in den Tropen und Subtropen Amerikas; Körperlänge 6,5–9 cm, ohne äußerlich sichtbaren Schwanz; ernähren sich vom Blut von Säugetieren oder Vögeln; können Tollwut übertragen. Der **Gemeine V.** mit einer Körperlänge von 7,5–9 cm ist am weitesten verbreitet.

Van, Provinz-Hptst. in Ostanatolien, Türkei, 1750 m ü. M., am Vansee, 153 500 Ew.; Univ., Museum (urartäische Kultur); Zementfabrik. – Nahebei die Ruinen von →Toprakkale.

Vanadium [nach dem Beinamen Vanadis der altnord. Göttin Freyja] *das,* chem. Symbol **V,** Element aus der fünften Nebengruppe des →Periodensystems der chemischen Elemente; Ordnungszahl 23, relative Atommasse 50,9415, Dichte 6,092 g/cm^3, Schmelzpunkt 1919 °C, Siedepunkt 3400 °C. V. ist ein stahlgraues Metall, von großer Härte, widerstandsfähig gegenüber starken Säuren und wässrigen Alkalilaugen. An der Luft ist V. beständig, es wird jedoch oberhalb 300 °C merklich oxidiert; beim Erhitzen im Sauerstoffstrom verbrennt es unter Bildung von V.-Pentoxid, V_2O_5. – Wichtige V.-Minerale sind v. a. →Carnotit, →Descloizit und Vanadinit. V. tritt nur selten angereichert auf, meist ist es in geringen Mengen ein Begleiter von Eisenerzen (bes. Titanomagnetiterzen); geringe Gehalte von V. finden sich ferner in Erdölen und Kohlen sowie in Bauxiten und Phosphatlagerstätten. Wichtigster Rohstoff für die V.-Gewinnung sind Titanomagnetiterze, daneben auch Rückstände der Erdölverarbeitung (bes. Kesselrückstände und Flugaschen aus Kraftwerken). V. wird aus V.-Pentoxid aluminothermisch und in Form von Ferro-V. (Ferrovanadin) dargestellt, das v. a. als Legierungszusatz für Stahl verwendet wird. Es zählt zu den für Säugetieren und den Menschen lebensnotwendigen Spurenelementen; in geringen Mengen ist V. auch in Pflanzen enthalten. Toxikolog. Bedeutung haben v. a. vanadiumhaltige Stäube, die zu Reizung der Atemwege führen können. – Von den Verbindungen findet **V.-Pentoxid,** V_2O_5, ein orangefarbenes Pulver, Anwendung als Oxidationskatalysator (u. a. bei der Schwefelsäuredarstellung); mit Basen bildet es Salze, die **Vanadate,** die sich von der (in freiem Zustand nicht bekannten) **Orthovanadiumsäure,** H_3VO_4, ableiten. Vanadiumoxide und Vanadiumsalze werden als Pigmente u. a. für Druckfarben und keram. Farben verwendet.

Van-Allen-Gürtel [vænˈælən-], zwei von dem amerikan. Physiker J. A. van Allen (*1914) durch die Analyse von Explorer-1-Messungen 1958 entdeckte →Strahlungsgürtel der Erde; wulstringförmige Zonen, die die Erde im Abstand zw. 1 000 und 5 000 km sowie 15 000 und 25 000 km über dem Äquator umgeben. In ihnen sind energiereiche geladene Teilchen (v. a. Elektronen und Protonen) aus dem Sonnenwind und der kosm. Strahlung durch das erdmagnet. Feld eingefangen. Die V.-A.-G. liegen rotationssymmetrisch zur magnet. Erdachse und nahezu spiegelsymmetrisch zur magnet. Äquatorialebene. Für die Raumfahrt können diese Bereiche aufgrund der hohen Strahlendosis und mögl. Störungen von Instrumenten u. a. zu Gefährdungen führen.

Martin Van Buren

Van Buren [væn ˈbjʊrən], Martin, 8. Präs. der USA (1837–41), *Kinderhook (N. Y.) 5. 12. 1782, †ebd. 24. 7. 1862; Rechtsanwalt; 1821–28 Bundes-

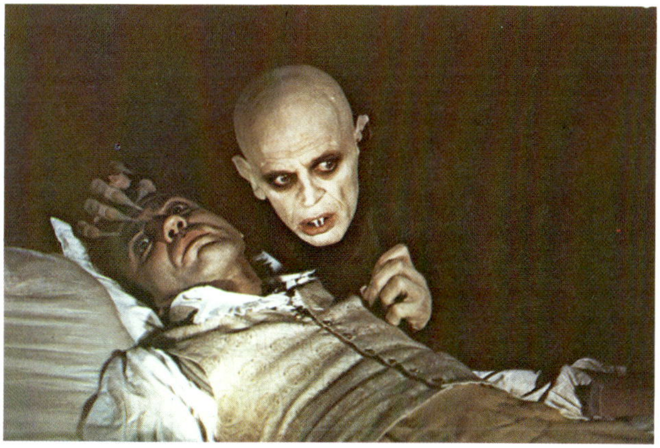

Vampir: Szene aus Werner Herzogs Film »Nosferatu – Phantom der Nacht« (1979) mit Bruno Ganz (links) und Klaus Kinski als Vampir

senator; baute den Parteiapparat der Demokraten in New York auf; 1829–31 Außenmin. und 1833–37 Vizepräs. unter A. Jackson, mit dessen Unterstützung zum Präs. gewählt. Unbewältigte wirtsch. Probleme (Bankenkrise 1837) und der Konflikt um →Texas prägten seine Amtszeit; galt als einer der Hauptverfechter des →Spoils-System. Er unterlag bei den Präsidentschaftswahlen 1840 und 1848.

Vancouver [væn'ku:və; nach G. Vancouver], größte Stadt der Prov. British Columbia, Kanada, in reizvoller Lage an der Pazifikküste, umgeben von den Coast Mountains, 471800 (Agglomeration: 1,6 Mio.) Ew.; Erzbischofssitz; zwei Univ., Museen, Theater; Handels-, Finanz- und Verkehrsmittelpunkt (Endpunkt transkontinentaler Eisenbahnlinien und des Trans-Canada-Highway, internat. Flughafen), einer der bedeutendsten Häfen an der Pazifikküste Nordamerikas; Sägewerke, Zucker- und Ölraffinerien, Fischkonserven-, Maschinen- und Metallind.; Weltausstellung 1986. – V. erhielt 1886 Stadtrecht.

Vladislav Vančura

Vancouver [væn'ku:və], George, brit. Seefahrer, *King's Lynn (Cty. Norfolk) 22. 6. 1757, †Petersham (heute zu London) 10. 5. 1798; begleitete J. Cook auf dessen 2. und 3. Reise; erforschte 1792–94 die nordamerikan. Pazifikküste von Kalifornien bis nach Alaska (»Entdeckungsreise in den nördl. Gewässern der Südsee«, 3 Bde. mit Atlas, 1798).

Vancouver Island [væn'ku:və 'aɪlənd], größte Insel vor der W-Küste Nordamerikas, Prov. British Columbia, Kanada, 31284 km²; größte Stadt und zugleich Hptst. von British Columbia ist Victoria. Das Innere ist dicht bewaldetes Bergland (Golden Hinde 2200 m ü. M.); an der Außenküste tiefe Fjorde. – Bergbau auf Kohle, Eisenerz, Kupfer; Holzind.; Fischerei; Fremdenverkehr.

Cornelius Vanderbilt

Vančura ['vantʃura], Vladislav, tschech. Schriftsteller, *Háj ve Slezsku (bei Troppau) 23. 6. 1891, †(von der Gestapo standrechtlich erschossen) Prag 1. 6. 1942; Arzt, nach 1939 als Kommunist illegal tätig; war Mitgl. der avantgardist. Künstlergruppe »Devětsil«. Sein experimentierfreudiger, an nat. Traditionen geschulter Stil wurde Vorbild für die moderne tschech. Prosa (»Der Bäcker Jan Marhoul«, R., 1924) und Erzählungen.

Vandalen, german. Stamm, →Wandalen.

Van-de-Graaff-Generator ['vændəgræf-], der →Bandgenerator.

John Robert Vane

Vanderbilt ['vændəbɪlt], Cornelius, amerikan. Unternehmer, *Port Richmond (heute zu New York) 27. 5. 1794, †New York 4. 1. 1877; erwarb mehrere Eisenbahnlinien im O der USA; seine Unternehmen und Spekulationen machten ihn zum reichsten Mann seiner Zeit.

Van der Meersch [vãdɛr'mɛrʃ], Maxence, frz. Schriftsteller, *Roubaix 4. 5. 1907, †Le Touquet-Paris-Plage (Dép. Pas-de-Calais) 14. 1. 1951; schrieb naturalist., psychologisch motivierte, meist im nordfrz. Industriegebiet spielende Romane: »Das Haus in den Dünen« (1932), »Sein Vermächtnis« (1936), »Leib und Seele« (2 Bde., 1943), »Die kleine Heilige« (1947).

Vandervelde [vandər 'vɛldə], Émile, belg. Politiker, *Ixelles 25. 1. 1866, †Brüssel 27. 12. 1938; einer der Führer der belg. Sozialdemokratie, 1900–14 Vors. der Zweiten Internationale; ab 1914 mehrfach Min.; reformierte als Justizmin. (1918–21) Strafrecht und -vollzug, unterzeichnete als Außenmin. (1925–27) die Locarnoverträge; 1929–36 Präs. der Sozialist. Arbeiter-Internationale.

Van-der-Waals-Gleichung [nach J. D. van der Waals], Zustandsgleichung, mit der in guter Näherung Druck p, Volumen V und Temperatur T realer Gase beschrieben werden können, wobei die gegenseitige Anziehung und das Eigenvolumen der Moleküle, ausgedrückt durch die Konstanten a bzw. b, berücksichtigt werden:

$$(p + a/V_m^2)(V_m - b) = RT$$

(R universelle Gaskonstante, V_m molares Volumen).

Van-der-Waals-Kräfte [nach J. D. van der Waals], Bindungskräfte zw. Molekülen in Gasen, Flüssigkeiten und Kristallen (→zwischenmolekulare Kräfte), die nicht auf einem teilweisen oder vollständigen Elektronenaustausch beruhen. Sie werden durch Wechselwirkungen zw. permanenten elektr. Dipolen **(Dipolkräfte),** induzierten elektr. Dipolen **(Dispersionskräfte)** oder Induktionseffekten (Induktionskräften) hervorgerufen.

Van Doren [væn 'dɔ:rən], **1)** Carl Clinton, amerikan. Literaturkritiker, *Hope (Ill.) 10. 9. 1885, †Torringten (Conn.) 18. 7. 1950, Bruder von 2); Herausgeber bed. Zeitschriften und Mitherausgeber der »Cambridge history of American literature« (4 Bde., 1917–21); erfolgreiche Biographien.

2) Mark Albert, amerikan. Schriftsteller und Kritiker, *Hope (Ill.) 13. 6. 1894, †Torringten (Conn.) 10. 12. 1972, Bruder von 1); schrieb intellektuell betonte Lyrik (»Collected and new poems, 1924–1963«, 1963), Romane, Kurzgeschichten und Biographien; Herausgeber bed. Anthologien.

Van Druten [væn 'dru:tn], John William, amerikan. Schriftsteller brit.-niederländ. Herkunft, *London 1. 6. 1901, †New York 19. 12. 1957; Jurist, seit 1925 in den USA; schrieb Romane und Komödien, auch Drehbücher. Sein bedeutendstes Werk »Ich bin eine Kamera« (1952) basiert auf dem Roman »Goodbye to Berlin« (1939) von C. Isherwood und war Vorlage für das Musical »Cabaret«.

Vane [veɪn], John Robert, brit. Pharmakologe, *Tardebigg (Cty. Hereford and Worcester) 29. 3.

1927; erhielt für grundlegende Forschungen auf dem Gebiet der Prostaglandine 1982 zus. mit S. Bergström und B. Samuelsson den Nobelpreis für Physiologie oder Medizin.

Vanen [altnord.] (Wanen), german. Göttergeschlecht. Der Krieg der V. mit den →Asen bleibt unentschieden, doch endet damit das erste goldene Zeitalter. Zu den V. gehören u. a. Njörd, Freyr und Freyja. Die V. sind die milderen Götter, Götter der Fruchtbarkeit, der Schifffahrt, des Handels und der Wohlfahrt.

Vänersborg [-ˈbɔrj], Hptst. des VerwBez. (Län) Älvsborg, Schweden, am Ausfluss des Götaälv aus dem Vänersee, 36 500 Ew.; Bekleidungsind.; Binnenhafen.

Vänersee (schwedisch Vänern), größter See Schwedens, in der Mittelschwed. Senke, 5 585 km², bis 100 m tief, erhält als größten Zufluss den Klarälv, wird vom Götaälv zum Kattegat entwässert.

Vangi [ˈvandʒi], Giuliano, italien. Bildhauer, *Barberino di Mugello (Prov. Florenz) 13. 3. 1931; formt naturalist. Gestalten mit expressiver Bewegungsintensität, deren farbige Fassung und unterschiedl. Materialien die aggressive Unmittelbarkeit ihres Ausdrucks unterstützen.

Vanille [vaˈnilje; frz., aus span. vainilla »kleine Schote«] *die* (Vanilla), Gattung der trop. Orchideen, Lianen mit Luftwurzeln, fleischigen Blättern und schotenartigen Früchten. Die Früchte der **Echten V.** (Vanilla planifolia) werden vor der Reife geerntet und getrocknet. Der darin enthaltene Milchsaft verwandelt sich beim Reifen durch Fermentation in eine schwarzbraune Masse von intensivem Duft; Verwendung in der Lebensmittelind., Likörfabrikation und Parfümerie.

Vanillin *das,* Geruchs- und Geschmacksstoff der →Vanille, 4-Hydroxy-3-methoxy-benzaldehyd; bes. reich an V. sind die Vanilleschoten (etwa 2 %). V. wird synthetisch aus dem Lignin der Sulfitablaugen gewonnen und für die Genussmittelind. als Vanilleersatz hergestellt.

Vanitas [lat. »Eitelkeit«, »Nichtigkeit«] *die,* Darstellung der ird. Vergänglichkeit. Im MA. findet die V. Ausdruck v. a. in figürl. Darstellungen wie »Frau Welt«, Totentanz und Lebensalter. Mit dem Totenkopf als wichtigstem Attribut tritt sie seit dem 15. Jh. in Zusammenhang mit Bildnissen auf und bildet mit Motiven wie erloschener Kerze, Sanduhr, Briefen, welkenden Blumen, Insekten u. a. seit dem 17. Jh. v. a. in der niederländ. Kunst einen eigenen Typus des Stilllebens aus. Weiteres BILD Tod

Vannes [van], Hauptstadt des Dép. Morbihan, Frankreich, 48 600 Ew.; Hafen an der S-Küste der Bretagne; metallurg., Reifen-, Textil- u. a. Ind.; Museen. – Kathedrale (13.–16., Chor 18. Jh.), gut erhaltene Befestigung (13.–17. Jh.), zahlreiche Häuser des 16.–18. Jh. – V., das antike **Darioritum,** war Hauptort der kelt. Veneter; seit dem 5. Jh. Bischofssitz; im späten MA. Sitz der breton. Herzöge.

Vanitas: David Bailly, »Selbstbildnis mit Vanitassymbolen« (1651; Leiden, Stedelijk Museum De Lakenhal)

Vansee (türk. Van Gölü), abflussloser, rd. 3 700 km² großer Salzsee (Sodasee) im türk. Ararathochland, 1 646 m ü. M.; größte bekannte Tiefe 451 m; schwankender Wasserstand; im S die Insel →Ahtamar.

Vantaa (schwed. Vanda), Stadt in S-Finnland, 161 100 Ew., nördlich an Helsinki anschließend; Luftfahrtmuseum; Schokoladenfabrik, chem., Maschinenbau-, Textilind.; internat. Flughafen.

Van't-Hoff-Gesetz [nach dem niederländ. Chemiker Jacobus Henricus van't Hoff, *1852, †1911], →Osmose.

Vantongerloo, Georges, belg. Bildhauer, Maler und Architekt, *Antwerpen 24. 11. 1886, †Paris 5. 10. 1965; wandte die Prinzipien der niederländ. Künstlergruppe De Stijl, der er angehörte, auf abstrakte dreidimensionale Formgebilde aus geradlinig-rechtwinkligen Flächen und Körpern an.

Vanille: Echte Vanille

Vanille

Schon die Azteken erfreuten sich an der Vanilleschote, die sie zum Verfeinern ihrer Kakaogetränke verwendeten. Auch die Europäer lernten sie schätzen, nachdem sie Amerika und damit eine Reihe neuer Gewürze entdeckt hatten. Lange Zeit hindurch versuchten sie freilich vergeblich, die Vanille außerhalb ihres Herkunftslandes Mexiko zu kultivieren. Man wusste damals nämlich nicht, dass die Ausbildung der Schoten von der Befruchtung durch eine ganz bestimmte Bienenart abhängt. Ohne die ging es nicht.
Erst als man die manuelle Befruchtung entwickelt hatte, konnte man den Vanilleanbau auch auf andere tropische Länder ausweiten. Besonders verbreitet hat sich diese Kultur zum Beispiel auf Madagaskar.

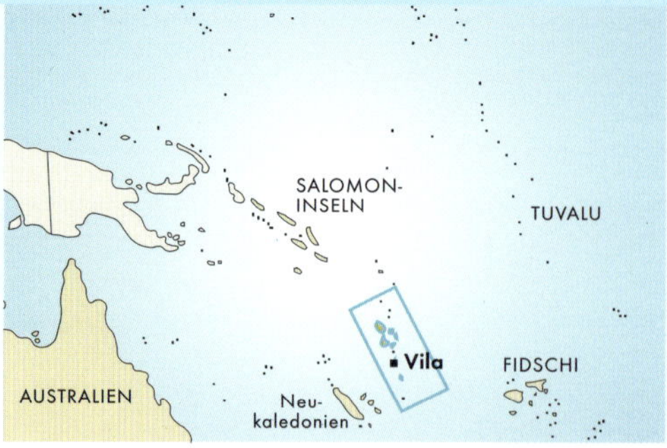

Vanuatu

Fläche: 12 189 km²
Einwohner: (1995) 169 000
Hauptstadt: Vila (auf Efate)
Amtssprachen: Bislama, Englisch und Französisch
Nationalfeiertag: 30. 7.
Währung: Vatu (VT)
Zeitzone: MEZ +10 Std.

Staatswappen

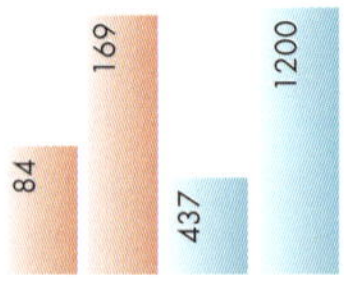

Bevölkerung (in Tausend) · Bruttosozialprodukt je Ew. (in US-$)

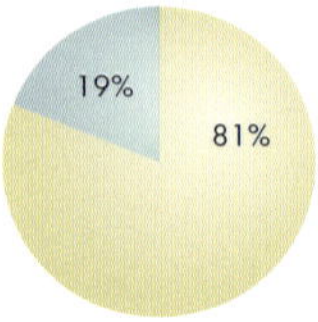

Bevölkerungsverteilung 1993

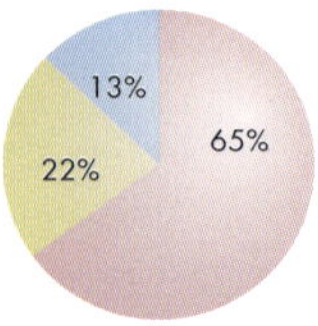

Bruttoinlandsprodukt 1995

Vanuatu (amtlich Bislama: Ripablik blong V., engl. Republic of V., République de V.), Staat im südwestl. Pazifik, westlich von Fidschi, umfasst die Inseln der Neuen Hebriden.

Staat und Recht: Nach der Verf. von 1980 ist V. eine parlamentar. Republik. Staatsoberhaupt ist der Präs. (auf fünf Jahre indirekt gewählt, v.a. repräsentative Funktionen). Die Legislative liegt beim Einkammerparlament (46 Abg., auf vier Jahre gewählt), die Exekutive bei der Reg. unter Vorsitz des MinPräs. Der Nationalrat der Häuptlinge hat beratende Funktion. Parteien: Union der gemäßigten Parteien (UMP), Vanuaaku Partei (VAP), Nat. Vereinigte Partei (NUP), Melanes. Fortschrittspartei (PPM).

Landesnatur: Die Neuen Hebriden erstrecken sich als zwei Inselketten von 12 Haupt- und 70 Nebeninseln über rd. 800 km in nordwest-südöstl. Richtung. Dazu gehören die Banks- und Torresinseln im NW. Größte Inseln sind Espiritu Santo mit der höchsten Erhebung von V. (1879 m ü.M.), Malekula, Erromanga, Efate. Die meisten Inseln sind vulkan. Ursprungs; Ambrym, Tanna und Lopevi haben aktive Vulkane. Es herrscht trop. Klima mit höheren Niederschlägen im N als im S; auf den nördl. Inseln trop. Regenwald, auf den südl. Trockenwälder und Savannen.

Bevölkerung: Die Inseln sind seit über 3000 Jahren besiedelt. Über 90% der Bev. sind Melanesier (mit mehr als 100 Sprachen und Dialekten), daneben Polynesier, Mikronesier, Europäer, Chinesen u.a. Größte Städte sind Vila und Laganville auf Espiritu Santo. Es besteht keine allg. Schulpflicht, das Bildungswesen ist aber gut organisiert (Primarschulen vom 7. bis 12. Lebensjahr) und kostenlos; in Vila gibt es seit 1989 ein Univ.zentrum. – Die meisten Bewohner sind Christen.

Wirtschaft, Verkehr: Hauptwirtschaftszweig ist die Landwirtschaft, die rd. 60% der Erwerbstätigen beschäftigt. Kokosnüsse, Kakao und Kaffee werden v.a. für den Export in Plantagen erzeugt. Für den Eigenbedarf werden v.a. Süßkartoffeln, Taro, Maniok, Gemüse und Bananen angebaut; daneben Rinder-, Schweine- und Schafhaltung. Von Bedeutung sind auch Fischfang, Holznutzung und der Fremdenverkehr. In Kleinbetrieben Verarbeitung landwirtsch. Produkte. Haupthandelspartner sind Australien, Japan und die Niederlande. – Auf den Inseln gibt es 1062 km Straßen. Seehäfen sind (Port) Vila und Luganville; internat. Flughäfen auf den Inseln Efate und Espiritu Santo.

Geschichte: Die vor mehr als 3000 Jahren von Melanesiern teilweise besiedelten Inseln wurden 1606 von dem span. Seefahrer P. F. de Quirós entdeckt (1768 Wiederentdeckung durch den Franzosen L. A. de Bougainville) und erhielten 1774 von J. Cook den Namen Neue Hebriden. Seit der 1. Hälfte des 19. Jh. wanderten Europäer ein (christl. Missionierung, beginnender Sandelholzeinschlag). Nach kolonialpolit. Rivalitäten schlossen Großbritannien und Frankreich 1887 einen Vertrag über die gemeinsame Verw. der Inseln (seit 1906 Kondominium). Träger der Unabhängigkeitsbewegung wurde die 1972 gegr. VAP. 1977 erlangten die Neuen Hebriden ihre innere Autonomie. Nach dem Wahlsieg der VAP (1979) kam es 1980 zu einem erfolglosen (v.a. von Siedlern frz. Herkunft ausgegangenen) Sezessionsversuch der Insel Espiritu Santo. Am 30. 7. 1980 wurden die Neuen Hebriden als V. (»das Land, das sich aus dem Meer erhebt«) eine unabhängige Rep. innerhalb des Commonwealth. Erster Staatspräs. war A. G. Kalkoa, der sich nach seiner Wahl, einer melanes. Sitte folgend, Sokomanu (»Führer von Tausenden«) nannte. Der langjährige MinPräs. (1979–91) und Vors. der VAP (1972–91) W. H. Lini, ein anglikan. Pfarrer, vertrat das Programm eines »melanes. Sozialismus«. 1983 erklärte sich V. per Gesetz zur atomwaffenfreien Zone. Mit Papua-Neuguinea und den Salomoninseln schloss V. 1988 ein Abkommen über Grundsätze einer engeren Zusammenarbeit (Bildung der »Melanes. Speerspitzen-Gruppe« mit einer panmelanes. Zielsetzung). Machtkämpfe innerhalb der VAP führten 1989 zur Amtsenthebung von Präs. Sokomanu, dessen Nachfolger F. Timakata wurde. 1991 wurde

MinPräs. Lini durch D. Kalpokas (Vors. der VAP) als Regierungschef abgelöst. Die Parlamentswahlen 1991 und 1996 gewann die (bis 1991 oppositionelle) UMP, die mit M. Carlot Korman den Min.-Präs. stellte.

GUNDERT, S.: *Der histor. Rahmen der wirtschaftl. u. polit. Entwicklungen von V. München 1984.*

Vanvitelli, Luigi, italien. Baumeister, *Neapel 12. 5. 1700, †Caserta 1. 3. 1773; tätig in Rom und Ancona, in Neapel und Mailand; führender italien. Baumeister des Übergangs vom Spätbarock zum Frühklassizismus. Sein Meisterwerk ist das Königsschloss in Caserta (1752–54).

Van Vleck [væn 'vlek], John Hasbrouck, amerikan. Physiker, *Middletown (Conn.) 13. 3. 1899, †Cambridge (Mass.) 27. 10. 1980; Arbeiten zum Para-, Ferro- und Ferrimagnetismus; erhielt 1977 mit P. W. Anderson und N. Mott den Nobelpreis für Physik für grundlegende theoretische Untersuchungen der elektron. Struktur magnet. und ungeordneter Systeme.

Var, Einheitenzeichen **var,** Abk. für frz. **v**olt**a**mpère-**r**éactif, Produkt von Spannung und reaktiver (= Blind-)Komponente des Stromes, gesetzl. Einheit der elektr. Blindleistung: 1 var = 1 W (Watt).

Var, 1) *der,* Fluss in S-Frankreich, 120 km lang, entspringt am Mont Pelat (Seealpen), mündet westlich von Nizza ins Mittelmeer.

2) Dép. in SO-Frankreich, in der Provence, 5973 km², (1995) 890000 Ew.; Hptst. ist Toulon.

VAR, Abk. für →**V**ereinigte **A**rabische **R**epublik.

var., Abk. für lat. **var**ietas, die →Varietät.

Varady ['varadi], Julia, Sängerin (Sopran) rumän. Herkunft, *Oradea (Siebenbürgen) 1. 9. 1941; wurde 1973 Mitgl. der Bayer. Staatsoper in München; trat v. a. mit Partien in Mozart-Opern sowie des italien. Fachs hervor; auch Konzertsängerin.

Varaktor [Kw. für engl. **var**iable re**actor** »variable Drossel«] *der* (Varaktordiode), in Sperrrichtung betriebene Halbleiterdiode, bei der der Kapazitätswert von der angelegten Gleichspannung abhängt.

Varanasi (früher Benares, Banaras), Stadt in Uttar Pradesh, Indien, am Ganges, 926000 Ew.; zwei Univ., darunter eine Hindu-Univ.; chem. Ind., Maschinenbau, Seiden- und Brokatwebereien. – V. ist der bedeutendste hinduist. Wallfahrtsort; über 1500 Hindutempel, Paläste (16.–18. Jh.); 6 km des Gangesufers sind heiliges Land, 47 hundertstufige Steintreppen (»Ghats«) führen zum Fluss hinab. – V. entwickelte sich früh zu einem religiösen Zentrum (vom 6. Jh. v. Chr. bis 3. Jh. n. Chr. Mittelpunkt des Buddhismus, dann des Hinduismus); geriet 1194 unter muslim. Herrschaft (Zerstörung zahlr. alter Tempel), gehörte später zum Mogulreich; 1775 von den Briten erobert und dem Nawab von Oudh übergeben; stand bis zur Unabhängigkeit Indiens unter brit. Verwaltung. BILD Ganges

Varangerfjord, Fjord in N-Norwegen, 95 km lang, an der N-Seite auf der **Varangerhalbinsel** liegt Vadsø, an einem südl. Seitenarm Kirkenes.

Varaždin [va'raʒdi:n] (dt. Warasdin), Stadt in Kroatien, an der Drau, 41800 Ew.; kath. Bischofssitz; Textil-, Holz-, Leder- u. a. Industrie. – Festung (13. Jh.), Paläste, Barockkirchen. In der Nähe liegt das Thermalbad **Varaždinske Toplice**.

Varberg [-bærj], Hafenstadt und Seebad im VerwBez. Halland, Schweden, am Kattegat, 50500 Ew.; Herstellung von Fahr- und Motorrädern, Stahltauen und Zement. – Histor. Museum in der mittelalterl. Festung.

Varda, Agnès, frz. Filmregisseurin und -autorin, *Ixelles 30. 5. 1928; urspr. Fotografin; Wegbereiterin der »Nouvelle Vague«; dreht v. a. künstlerisch ambitionierte Kurz- und Spielfilme, u. a. »Mittwoch zw. 5 und 7« (1961), »Vogelfrei« (1985), »Die Zeit mit Julien« (1987), »Jane B. ... wie Birkin« (1987), »Jacquot« (1991), »Hundertundeine Nacht« (1995).

Vardar *der* (grch. Axios), Hauptfluss Makedoniens, 420 km lang, entspringt im O der Šar planina, mündet bei Saloniki in den Thermaischen Golf (Griechenland).

Vardø, Stadt im Verw.gebiet Finnmark, N-Norwegen, auf der Insel Vardøy (3,7 km²) vor der Varangerhalbinsel, 3000 Ew.; Fischereihafen an der Barentssee, Fischverarbeitung. – Ehem. Festung Vardøhus (14. Jahrhundert).

Varel [f-], Stadt im Landkreis Friesland, Ndsachs., 24600 Ew.; Hafen am Jadebusen; Luft-

John H. Van Vleck

Agnès Varda

Julia Varady

Luigi Vanvitelli: Das 1752–54 erbaute Königsschloss in der süditalienischen Stadt Caserta gilt als das Meisterwerk des Baumeisters

und Raumfahrtind., Maschinenbau, Papierverarbeitung, Baustoff- u.a. Industrie. Nordseebad **Dangast** mit Heilquellen.

Varenius, Bernhardus, eigtl. Bernhard Varen, Geograph, *Hitzacker 1622, †Leiden 1650 oder 1651; begründete mit seiner »Geographia generalis« (1650) die allgemeine Geographie.

Varese, 1) Provinz in der Lombardei, Italien, 1199 km², (1995) 805800 Einwohner.

2) Hauptstadt von 1), am Alpenrand zw. Lago Maggiore und Comer See, 84800 Ew.; Leder-, Metallverarbeitung, Auto-, chem. Ind., Webereien, Druckereien. – Basilika San Vittore (1580–1615), roman. Taufkirche (um 1230).

Edgard Varèse

Varèse [vaˈrɛːz], Edgard (Edgar), amerikan. Komponist frz.-italien. Herkunft, *Paris 22. 12. 1883, †New York 6. 11. 1965; lebte ab 1915 in New York; Vertreter avantgardist. Musik. Seine nach strengen Prinzipien wiss. Beherrschung des musikal. Materials, aber nie zwölftönig komponierten Werke, die mit neuen Tönen und instrumentalen Mitteln experimentieren, sind keiner traditionellen Form verpflichtet: »Ionisation« für Schlagzeugensemble mit zwei Sirenen und Klavier (1931), »Poème électronique« (1958).

Varga [ˈvɔrgɔ], **1)** Jenő (Eugen), ungar. Nationalökonom, *Nagytétény (heute zu Budapest) 6. 11. 1879, †Moskau 7. 10. 1964; wurde 1918 Prof. in Budapest, 1919 Vors. des Obersten Rates der Volkswirtschaft der Ungar. Räterep.; emigrierte 1920 in die Sowjetunion; 1927–47 Leiter des Inst. für Weltwirtschaft und Weltpolitik der Moskauer Akademie der Wiss. (Berater Stalins). V. beschäftigte sich u.a. mit Fragen des Übergangs vom Kapitalismus zum Sozialismus (»Die wirtschaftspolit. Probleme der proletar. Diktatur«, 1920), entwickelte Methoden der marxist. Konjunkturanalyse und trat mit Arbeiten über Wirtschaftszyklen und -krisen hervor (»Der Kapitalismus des 20. Jh.«, 1961).

2) Tibor, brit. Violinist ungar. Herkunft, *Győr 4. 7. 1921; Interpret v.a. zeitgenöss. Musik (B. Bartók, A. Schönberg u.a.); gründete 1954 das Kammerorchester T. V. (bis 1988 dessen Leiter) und 1964 das Festival T. V. in Sitten in der Schweiz.

Mario Vargas Llosa

Vargas [ˈvarɣas], Getúlio Dornelles, brasilian. Politiker, *São Borja (Rio Grande do Sul) 19. 4. 1883, †(Selbstmord) Rio de Janeiro 24. 8. 1954; ab 1930 provisor., ab 1934 gewählter Präs.; 1937–45 durch Staatsstreich Diktator; 1950 erneut gewählt; 1954 von der Armee zum Rücktritt gezwungen. V. trug durch wirtsch. und soziale Maßnahmen wesentlich zur Formung des modernen Brasilien bei.

Vargas Llosa [ˈbarɣas ˈjosa], Mario, peruan. Schriftsteller, *Arequipa 28. 3. 1936; Journalist, ging 1959 nach Europa; 1976–79 Präs. des internat. P. E. N., 1990 Kandidat für die peruan. Präsidentschaft, seit 1993 span. Staatsbürger; vielseitiger Publizist, dessen polit. Haltung vom Kommunismus zur bürgerlich-konservativen Demokratie führte. Sein vielschichtiges Romanwerk entwickelte sich vom kritisch-experimentellen Realismus (»Das grüne Haus«, 1965) zu einfacheren Formen unter Einschluss von Humor, Erotik und polit. Reportage (»Der Hauptmann und sein Frauenbataillon«, 1973).

Weitere Werke: Die Stadt und die Hunde (R., 1962); Tante Julia und der Lohnschreiber (R., 1977); Wer hat Palomino Molero umgebracht? (R., 1986); Der Geschichtenerzähler (R., 1987); Der Fisch im Wasser (Memoiren, 1993); Die geheimen Aufzeichnungen des Don Rigoberto (R., 1997).

📖 Scheerer, T. M.: *M. V. L. Leben u. Werk. Eine Einführung. Frankfurt am Main 1991.*

Variabilität [lat.] *die, Biologie:* Fähigkeit der Lebewesen zur →Variation.

Variable [lat.] *die,* **1)** *Informatik:* in Programmiersprachen allg. Bez. für jede Größe, der während eines Programmlaufs versch. Werte oder Informationsinhalte zugewiesen werden können.

2) *Mathematik:* Zeichen oder Bez. für die Elemente einer Menge (Variabilitätsbereich).

3) *Physik:* Größe, deren Wert im Ggs. zu dem einer Konstanten nicht festgelegt ist.

variable Notierung, *Börsenwesen:* →Kurs.

Variante [lat.] *die,* **1)** *allg.:* Abwandlung, Spielart.

2) *Sprachwiss.:* Abweichung im Text zweier oder mehrerer Fassungen eines literar. Textes.

Varianz [lat.] *die, Statistik:* →Streuung.

Variation [lat.] *die,* **1)** *allg.:* Abwechslung, Abänderung, Abwandlung.

2) *Astronomie:* Störung der Mondbewegung durch die Sonne; bewirkt mit halbmonatiger Periode eine Beschleunigung bzw. Verzögerung des Mondes in seiner Bahn (um maximal 39,5').

3) *Biologie:* erscheinungsbildl. Abweichung der Nachkommen von ihren Eltern und der Geschwister voneinander. Die Entstehung abweichender Merkmalsprägungen **(Varianten)** kann auf Umwelteinflüssen (→Modifikation) oder Erbänderung (→Mutation) beruhen.

4) *Mathematik:* Begriff der →Kombinatorik; →Variationsrechnung.

5) *Musik:* Abwandlung eines Themas, Liedes u.a. Verändert werden Melodie, Harmonie, Rhythmus oder mehrere dieser Bestandteile. Die **Ostinato-V.** des 16./17. Jh. entsteht über einer als Gerüst konstant bleibenden Bassmelodie; bei der **Melodie-V.** wird eine Melodie u.a. durch Verzierungen sowie Änderung von Rhythmus, Takt und Tonart bearbeitet; bei der **freien V. (Charakter-V.)** wird das Thema nicht als zu variierendes Modell aufgefasst, sondern als Charakter, dessen Ausdrucksgehalt es zu entwickeln gilt. Früheste V.-Formen sind im 16. Jh. anzutreffen: Vorder-

und Nachtanz werden aus einem Tanz gewonnen. Hieraus entwickelte sich im 17. Jh. die V.-Suite. Meister der V. waren v.a. J. S. Bach (»Die Kunst der Fuge«), J. Haydn, W. A. Mozart, L. van Beethoven, F. Schubert, R. Schumann, J. Brahms, M. Reger. – Die Musik des 20. Jh. pflegt die V. als zykl. Reihungsform weiter; als Kompositionsprinzip bildet sie ferner die Grundlage der Reihenkomposition (→Zwölftontechnik).

Variationsbewegung, *Botanik:* pflanzliche Krümmungsbewegung durch Turgoränderung, die rückgängig gemacht werden kann.

Variationsrechnung, Zweig der höheren Analysis, der sich mit der Ermittlung von Extremalwerten (Maxima, Minima) von Funktionalen befasst, indem die als existent vorausgesetzte Lösung durch kleine Variationen verändert wird.

Varietät [lat.] *die,* Abkürzung **var,** *biolog. Systematik:* Bez. für abweichende Formen **(Varianten)** einer Pflanzen- oder Tierart aus genet. oder umweltbedingten Gründen; Haushunderassen gelten z. T. als Varietäten.

Varietee [frz.] *das,* Theater für artist. Darbietungen, Musicals und Revuen, im letzten Drittel des 19. Jh. entstanden. (→Show)

Variola [lat.] *die,* die →Pocken.

Variometer *das,* **1)** *allg.:* Gerät zur Messung bzw. Registrierung **(Variograph)** der örtl. und zeitl. Veränderungen einer Messgröße (Barometer, Thermometer, Elektrometer, Magnetometer).

2) *Elektrotechnik:* Spule mit veränderbarer Induktivität zur Abstimmung von Schwingkreisen.

3) *Luftfahrt:* als **Steig- und Sinkgeschwindigkeitsmesser** verwendetes Instrument; durch Änderung des Luftdrucks mit der Höhe entsteht bei einer Vertikalbewegung zw. der umgebenden Luft und einem druckdichten Behälter im Luftfahrzeug eine Ausgleichsströmung, deren Richtung und Stärke mit unterschiedl. Messfühlern (Druckdose, Stauscheibe, elektr. Fühler) gemessen und auf einer in Vertikalgeschwindigkeiten geeichten Skala angezeigt wird.

Variskisches Gebirge, im jüngeren Paläozoikum gebildetes Faltengebirge Mitteleuropas, besteht aus dem vom frz. Zentralmassiv nach S-England verlaufenden **Armorikan. Gebirge** und aus dem V. G. i. e. S. vom frz. Zentralmassiv zum poln. Mittelgebirge nach Böhmen. Von N nach S lässt es sich in folgende Zonen gliedern: die **subvarisk. Vortiefe** mit mächtigen Steinkohlenvorkommen von England bis Oberschlesien, die **rhenoherzyn. Zone** (Ardennen, Rhein. Schiefergebirge, Oberharz, O-Sudeten), die **saxothuring. Zone** (N-Vogesen, N-Schwarzwald, Odenwald, Vorspessart, Thüringer Wald, Vogtland, Fichtel- und Erzgebirge), die **moldanub. Zone** (frz. Zentralmassiv, S-Vogesen, S-Schwarzwald, Böhm. Massiv) und die **südl. Außenzone** (Montagne Noire, Karn. Alpen).

Varistor [Abk. für engl. **var**iable res**istor** »veränderl. Widerstand«] *der,* spannungsabhängiges Bauelement, dessen elektr. Widerstandswert mit steigender Spannung abnimmt.

Varizellen [lat.], die →Windpocken.

Varizen [lat.], die →Krampfadern. (→Ösophagusvarizen)

Värmland, VerwBez. (Län) in Mittelschweden, 17586 km², (1995) 285500 Ew.; Hptst. ist Karlstad; wald- und seenreiches Gebiet nördlich vom Vänersee; Landwirtschaft, Holzindustrie.

Harold E. Varmus

Varmus ['vɑːməs], Harold Eliot, amerikan. Mediziner, *Oceanside (N. Y.) 18. 12. 1939; seit 1979 Prof. für Mikrobiologie und Immunologie in San Francisco; erhielt 1989 mit M. J. Bishop für die Entdeckung des zellulären Ursprungs der retroviralen Onkogene den Nobelpreis für Physiologie oder Medizin.

Varna [v-], Stadt in Bulgarien, →Warna.

Varnhagen von Ense, 1) Karl August, Diplomat und Schriftsteller, *Düsseldorf 21. 2. 1785, †Berlin 10. 10. 1858; ∞ mit 2); Offizier in österr., später in russ. Diensten, nahm an den Freiheitskriegen teil, begleitete K. A. von Hardenberg zum Wiener Kongress und nach Paris, wurde preuß. Vertreter in Karlsruhe; 1819 demokrat. Neigungen verdächtigt und abberufen. V. von E. zählte, v. a. als Publizist, zu den bed. Schriftstellern des dt. Vormärz; schrieb historisch-biograph. Schriften, Tagebücher, Erinnerungen.

Karl August (Holzschnitt des Illustrators Hugo Bürkner, 1854) und **Rahel Varnhagen von Ense** (Bleistiftzeichnung des Malers Wilhelm Hensel, 1822)

2) Rahel, geb. Levin, *Berlin 19. 5. 1771, †ebd. 7. 3. 1833; trat vor ihrer Heirat zum Christentum über, seit 1814 ∞ mit 1). Ihr Salon war Treffpunkt der Romantiker und der Anhänger des »Jungen Deutschland«. Ihr Briefwechsel und ihre Aufzeichnungen gehoren zu den wichtigen Dokumenten der ausgehenden Romantik.

📖 STERN, C.: *Der Text meines Herzens. Das Leben der Rahel Varnhagen. Reinbek 1994.*

Varro, Marcus Terentius, röm. Gelehrter und Schriftsteller, *116 v. Chr., †27 v. Chr.; im Bürgerkrieg Anhänger des Pompeius; nach der Schlacht bei Pharsalus (48 v. Chr.) von Cäsar begnadigt. Von V.s umfangreicher Arbeit ist nur wenig vollständig erhalten: sein Alterswerk über den Landbau »Rerum rusticarum libri III« und, mit Lücken, die Bücher 5–10 seines grammat. Hauptwerkes »De lingua Latina« in 25 Büchern (verfasst 47–43), das die Grundlage für die Erforschung der hellenistisch-röm. Sprachwissenschaft ist. Für die Geistesgeschichte des MA. wichtig wurden seine Enzyklopädien der röm. Staats- und Kulturaltertümer und der sieben freien Künste; verfasste zahlr. Werke über die altröm. Kultur und Literatur. Weitgehend verloren sind die Satiren (»Saturae Menippeae«).

Varuna (Waruna), Gott der →vedischen Religion; Schöpfer und Erhalter des Universums, Hüter des Rechts und der Wahrheit.

Varus, Publius Quinctilius, röm. Statthalter und Oberbefehlshaber in Germanien, *um 46 v. Chr., †9 n. Chr.; wurde von Arminius im Teutoburger Wald geschlagen und tötete sich selbst.

Victor de Vasarély: »Harlekin« (1935; Privatbesitz)

Varus|schlacht, Schlacht zw. Germanen und Römern 9 n. Chr., in der →Arminius (verdeutscht Hermann, danach auch **Hermannsschlacht**) an der Spitze eines Bundes von Cheruskern und Nachbarstämmen drei röm. Legionen (nebst Hilfstruppen) unter P. Quinctilius Varus vernichtete. Die auf einem Marsch von der Weser zum Rhein in ihr Winterlager befindl. röm. Truppen wurden in einen Hinterhalt (schwer zugängl. Wald- und Sumpfgebiet) gelockt und in dreitägigen Kämpfen völlig aufgerieben; daraufhin gaben die Römer ihre rechtsrhein. Offensive auf. Zum (in Bezug auf seine genaue Lage seit langem umstrittenen) Schauplatz der V., die v. a. als Schlacht im **Teutoburger Wald** bekannt wurde, haben archäolog. Untersuchungen seit 1987 neue Erkenntnisse erbracht (→Teutoburger Wald).

Varviso, Silvio, schweizer. Dirigent, *Zürich 26. 2. 1924; wirkte ab 1962 als ständiger Dirigent an der Metropolitan Opera in New York, war 1965–72 Chefdirigent der Königlichen Oper in Stockholm, 1972–79 Generalmusikdirektor an der Stuttgarter Staatsoper, 1980–81 Direktor der Pariser Opéra; seitdem Gastdirigent an versch. Opernhäusern.

Vasa, schwed. Adelsgeschlecht, →Wasa.

Vasa, schwed. Name der finn. Stadt →Vaasa.

Vasall [lat.] *der,* Lehnsmann (Gefolgsmann) im mittelalterl. →Lehnswesen.

Vasallenstaat, ein Staat, der von einem anderen Staat (»Oberstaat«, zumeist eine Großmacht) abhängig ist und von diesem völkerrechtlich vertreten sowie militärisch geschützt wird. – Ein Staat, der rechtlich zwar souverän ist, aber im Hinblick auf seine außenpolit. Ausrichtung und seine gesellschaftl. Struktur unter dem beherrschenden Einfluss einer Großmacht steht, wird als **Satellitenstaat** bezeichnet.

Vasallität, das persönl., auf gegenseitige Treue gegründete Verhältnis zw. dem Vasallen und seinem Herrn im →Lehnswesen.

Vasarély [vazare'li], Victor de, frz. Maler und Grafiker ungar. Herkunft, *Pécs 9. 4. 1908, †Paris 15. 3. 1997; seit 1930 in Paris, führender Vertreter der auf reine Geometrisierung des Bildraums gerichteten Gruppe Espace. In seinen Bildtafeln und Grafiken, die auf mathemat. Berechnungen basieren, erzielt er mit Schwarz und Weiß oder mit reinen Farben und geometr. Formen kinet. Effekte. V. trug entscheidend zur Entwicklung der →Op-Art bei.

Vasari, Giorgio, italien. Baumeister, Maler und Kunstschriftsteller, *Arezzo 30. 7. 1511, †Florenz 27. 6. 1574; viel beschäftigt als Architekt (→Uffizien, Florenz, seit 1560) und Maler manierist. Altarbilder und Fresken (im Palazzo Vecchio, Florenz; in der Sala Regia des Vatikans, u. a.) sowie von Porträts. Seine Lebensbeschreibungen italien. Künstler vom Duecento bis in seine Zeit (1550, erweitert 1568) zählen zu den wichtigsten Quellen der Kunstgeschichte.

Vásáry ['va:ʃa:rj], Tamás, ungar. Pianist und Dirigent, *Debrecen 11. 8. 1933; studierte u. a. bei

Z. Kodály; bes. geschätzt als Liszt-, Chopin- und Debussy-Interpret; seit 1989 Chefdirigent der Bournemouth Sinfonietta.

Vasco da Gama, portugiesischer Seefahrer, →Gama, Vasco da.

Vase [lat.], Gefäß unterschiedl. Materials (Ton, Metall, Glas, Stein, Porzellan) zu kult. oder alltägl. Gebrauch; in der Kunst v.a. Bez. für das antike, bes. das grch. Tongefäß. Voraussetzung für die sich in der kretisch-myken. Kultur des 2. Jt. v. Chr. zu ihrer ersten Blütezeit entwickelnde Töpferkunst und **Vasenmalerei** war die Erfindung der Töpferscheibe und einer wasser-, säure- und feuerbeständigen Malfarbe, die, aus eisenoxidhaltigem Ton bestehend, beim Brand tiefschwarze Färbung und starken Glanz annahm (fälschlich »Firnis« gen.). Die geometr. Kunst (→griechische Kunst) des 10.–8. Jh. v. Chr. übernahm die Technik der myken. Zeit und bildete die Formen der von den Griechen verwendeten Gefäße aus: →Amphora für Wein und Öl, Hydria für Wasser, →Kantharos, →Krater, →Lekythos, →Skyphos u.a. Im 7. Jh. wurde die Dekoration durch neue, z.T. aus dem Orient stammende Pflanzenornamente, Tiere und Fabelwesen bereichert. Zu hoher Vollendung entwickelte sich im 6. Jh., v.a. in Attika, der **schwarzfigurige Stil,** dessen figürl. und ornamentale Malereien als Silhouetten mit eingeritzter Binnenzeichnung auf dem rötl. Tongrund erscheinen. Dargestellt wurden Szenen aus dem Mythos und Alltagsleben. Die Namen der Künstler sind z.T. durch Signaturen bekannt (z.B. Exekias). Um 530 kam der **rotfigurige Stil** auf, dessen Darstellungen aus der schwarz bemalten Oberfläche der V. ausgespart sind und in der Farbe des Tons mit schwarz eingezeichneten Linien erscheinen. Die Vasenbilder des rotfigurigen Stils sind wie die zu dessen Blütezeit im 5. Jh. auf **weißem Grund** gemalten der Lekythen Meisterwerke grch. Zeichenkunst, die eine Vorstellung von der nicht erhalten gebliebenen Malerei, aber auch vom Alltagsleben der Griechen geben. Die spätere Vasenmalerei bevorzugt ornamentale, auch farbige Mittel, mit denen sie sich vom strengen graf. Stil entfernte. – Griechische V. wurden schon früh nach fast allen Ländern der Alten Welt ausgeführt und regten zur Nachahmung an. Bed. wurde bes. die Entwicklung des Töpferhandwerks in Mittelitalien (→etruskische Kunst). Weitere BILDER Euphronios, Exekias, griechische Kultur, griechische Musik, Herakles, Hetäre, Ölbaum

📖 ARIAS, P. E. *u.* HIRMER, M.: *Tausend Jahre grch. Vasenkunst. München 1960.* – SCHIERING, W.: *Grch. Tongefäße. Gestalt, Bestimmung u. Formwandel. Berlin 1967.* – BOARDMAN, J.: *Rotfigurige V. aus Athen. Die archaische Zeit. A. d. Engl. Mainz 1981.* – WEHGARTNER, I.: *Attisch weißgrundige Keramik. Maltechniken, Werkstätten, Formen, Verwendung. Mainz 1983.* – BOARDMAN, J.: *Rotfigurige V. aus Athen. Die klass. Zeit. A. d. Engl. Mainz 1991.* – BOARDMAN, J.: *Schwarzfigurige V. aus Athen. A. d. Engl. Mainz [4]1994.*

Vase: Amphora mit Pflanzenmotiven aus Knossos (2. Hälfte des 15. Jh. v. Chr.; Heraklion, Archäologisches Museum)

Vaseline [Kw.] *die,* weißes bis dunkelbraunes, salbenartiges Kohlenwasserstoffgemisch, das durch Raffination aus entasphaltierten Rückständen der Erdöldestillation (Petrolatum) gewonnen oder auch durch Mischung von Polyolefinwachsen mit Weißölen hergestellt wird; zur Herstellung von pharmazeut. und kosmet. Salben verwendet.

vaskulär [lat.], *Medizin:* zu den Körpergefäßen gehörend, Gefäße enthaltend.

Vasmer [f-], Max, Slawist, *Sankt Petersburg 28. 2. 1886, †Berlin (West) 30. 11. 1962; Untersuchungen zur slaw. Sprach- und frühesten Siedlungsgeschichte; Gründer und Hg. der »Zeitschrift für Slav. Philologie« (seit 1924); »Russ. etymolog. Wb.« (3 Bde., 1953–58).

Vasographie [lat.-grch.], die →Angiographie.

Vasomotoren (vasomotorische Nerven), Gefäßnerven, die die Blutverteilung einzelner Körperteile regeln. Man unterscheidet V., deren Reizung eine Zusammenziehung der in der Gefäßwand verlaufenden Ringmuskulatur bewirkt **(Vasokonstriktoren),** und solche, deren Erregung diese Muskulatur erschlaffen lässt **(Vasodilatatoren).**

Vasopressin [lat.] *das* (Adiuretin, antidiuretisches Hormon, Abk. ADH), im Hypothalamus gebildetes und im Hypophysenhinterlappen gespeichertes Neurohormon, das v.a. die Wasserausscheidung reguliert und gleichzeitig auch eine blutdrucksteigernde Wirkung ausübt.

Vassilikos, Vassilis, neugrch. Schriftsteller, *Kavala 18. 11. 1933; lebte während der Militärjunta 1967–74 im Exil; verfasste engagierte zeitkrit. dokumentar. Romane, u. a. »Z« (1966, verfilmt).

Västerås [vɛstəˈroːs], Hptst. des VerwBez. (Län) Västmanland, Schweden, am N-Ufer des Mälarsees, 120 900 Ew.; evang. Bischofssitz; Museen; elektrotechn. und elektron. Ind.; Binnenhafen. – Dom (1271 geweiht), Schloss (13. Jh.; Museum). – Auf Reichstagen in V. wurden 1527 die Reformation und 1544 die Erbmonarchie eingeführt.

Västerbotten [ˈvɛstər-], Landschaft und Verw.-Bez. (Län) in N-Schweden, 55 401 km², (1995) 259 800 Ew.; Hptst. ist Umeå.

Västergötland [ˈvɛstərjøt-], histor. Landschaft in Schweden, zw. Väner- und Vättersee, teils eben und sehr fruchtbar, teils bergig und waldreich.

Västernorrland [ˈvɛstər-], Landschaft und VerwBez. (Län) in N-Schweden, 21 678 km², (1995) 260 300 Ew.; Hptst. ist Härnösand.

Västervik [ˈvɛstərviːk], Hafenstadt im Verw.-Bez. (Län) Kalmar, S-Schweden, an der Ostsee, 39 700 Ew.; Maschinenbau, Holz-, Kunststoffind.; Fremdenverkehr. – Altstadt mit Holzhäusern des 18. Jh., St. Gertrudskirche (15. Jahrhundert).

Västmanland [ˈvɛst-], Landschaft und Verw.-Bez. (Län) in Mittelschweden, 6 302 km², (1995) 261 800 Ew.; Hptst. ist Västerås.

Vater, 1) *allg.:* der Mann im Verhältnis zu seinem Kind; im rechtl. Sinn der Mann, dessen Vaterschaft anerkannt bzw. festgestellt ist oder der die elterl. Sorge über ein Kind ausübt (als V. oder Adoptivvater).

2) *Religionsgeschichte:* in den Naturreligionen vielfach Bez. des als Urheber der Welt verehrten höchsten Wesens, in Hochreligionen des väterl. Macht und Fürsorge repräsentierenden obersten Gottes (z. B. Zeus; der Gott des Christentums). (→ Gotteskindschaft)

Vaterländische Front, 1933 von E. Dollfuß gegründete polit. Sammlungsbewegung, die die Selbstständigkeit Österreichs, einen autoritär-ständestaatl. Gesellschaftsaufbau und die Überwindung des Parteienstaates verfocht; sie war nach dem Führerprinzip organisiert und nach der Verf. von 1934 die allein zugelassene Trägerin der polit. Willensbildung; 1938 aufgelöst.

Vaterländischer Krieg, in der russ. (bzw. sowjet.) Geschichtsschreibung gebräuchl. Bez. für den Krieg Russlands gegen die Große Armee Napoleons I. 1812 (→ Napoleonische Kriege, → Russland, Geschichte).

Vater|recht, nach J. J. Bachofen und L. M. Morgan frühgeschichtl. Sozialordnung mit hervorgehobener Stellung des Mannes in der Familie und der Gesellschaft, die sich in Ablösung des → Mutterrechts herausgebildet haben soll (in der Wiss. umstritten). – In der *Völkerkunde* Bez. einer Erbfolge- und Rechtsform (i. w. S. Patriarchat) mit Abstammung **(patrilineare Deszendenz)** und Erbrecht in der väterl. Linie sowie Eingliederung der angeheirateten Frauen und Kinder in die Großfamilie des Mannes **(Patrilokalität).**

Vaterschaft, Rechtsverhältnis zw. Vater und Kind. Vater ist nach der Umschreibung in § 1592 BGB der Mann, der entweder mit der Mutter verheiratet ist oder der das Kind anerkannt hat oder dessen V. gerichtlich festgestellt worden ist. Die V. kann durch Anfechtungsklage angefochten werden. Die V. → nichtehelicher Kinder wird durch Anerkennung oder gerichtl. Entscheidung festgestellt. Die Anerkennung muss öffentlich beurkundet werden (Jugendamt befugt). Wird die V. nicht anerkannt, ist sie auf Klage des Kindes der Mutter oder des Mannes, der als Vater gilt, vom Amtsgericht festzustellen (§§ 1600 a–1600 e BGB). Zur Feststellung bzw. zum Ausschluss der V. bei einer V.-Klage dienen v. a. die Bestimmung der Antigene der Blutgruppen und des HLA-Systems sowie die erbbiolog. V.-Untersuchungen.

Vater|unser (Unser Vater, lat. Paternoster), *christliche Kirchen:* das mit diesen Worten beginnende, im N. T. in zwei Fassungen (Matt. 6, 9–13; Lk. 11, 2–4) überlieferte Gebet; wird auf Jesus zurückgeführt **(Herrengebet);** Hauptgebet aller christl. Konfessionen; seit dem 5. Jh. Bestandteil des christl. Gottesdienstes.

Vatikan [lat.] *der* (lat. Vaticanus), die Residenz des Papstes bei der Peterskirche auf dem **Monte Vaticano** in Rom. Der V. ist nicht Teil der Stadt, sondern eine Enklave. Um die Mitte des 9. Jh. gegen Sarazeneneinfälle ummauert (Leostadt), dauernder Wohnsitz der Päpste nach ihrer Rückkehr aus Avignon (1377). Nikolaus V. plante eine eigene V.-Stadt mit Neubau der → Peterskirche. Unter Sixtus IV. wurde die → Sixtinische Kapelle erbaut, unter Julius II. das auf der nördl. Anhöhe gelegene → Belvedere mit dem Palast am Petersplatz verbunden. Raffael und seine Schule schufen unter Leo X. die Fresken in den → Stanzen und Loggien. Sixtus V. ließ den heutigen Wohnpalast und die Bibliothek, Alexander VII. die Prunktreppe zw. Peterskirche und dem Damasushof (Scala Regia) von Bernini erbauen. P. L. Nervi schuf 1971 die Audienzhalle. Der größte Teil der Gebäude des V. wird von den **Vatikanischen Museen** (v. a. Antikensammlungen), der → Vatikanischen Bibliothek und dem → Vatikanischen Archiv eingenommen. Für die Gemälde wurde unter Pius XI. die **Vatikanische Pinakothek** erbaut (1932). (→ Vatikanstadt)

Vatikanische Bibliothek (lat. Biblioteca Apostolica Vaticana, Kurzform Vaticana), eine der bedeutendsten Bibliotheken der Erde, deren Ur-

Vatikanstadt

Fläche: 0,44 km²
Einwohner: (1995) knapp 1 000 Einwohner, davon sind rd. 450 Personen mit erstem Wohnsitz in der V. gemeldet
Amtssprache: Latein, Italienisch
Nationalfeiertag: 22. 10.
Währung: Italien. Lira und eigene Geldzeichen
Zeitzone: MEZ

Wappen

(V)
Internationales Kfz-Kennzeichen

Bevölkerung (in Tausend)

sprünge bis ins 6. Jh. zurück reichen; als eigentl. Gründer gilt Papst Nikolaus V., 1475 offiziell eröffnet. Das heutige Gebäude entstand unter Sixtus V. um 1587, Erweiterungen unter Pius XI. und Johannes Paul II. Bestand: →Bibliotheken (ÜBERSICHT).

Vatikanische Konzile, die nach ihrem Tagungsort (Vatikan) ben. Konzile der kath. Kirche; gelten nach kath. Kirchenverständnis als ökumen. Konzile: Das **1. Vatikan. Konzil** (8. 12. 1869 bis 18. 7. 1870; danach auf unbestimmte Zeit vertagt) wurde von Papst Pius IX. einberufen. Sein Ziel war v. a. eine Stellungnahme gegen die »Irrtümer« der Zeit (Rationalismus, Pantheismus, Liberalismus) und die Festigung der Stellung des Papstes (Primat) in der Gesamtkirche. Die Entscheidung des Konzils, nach der der Primat des Papstes dessen →Unfehlbarkeit in Lehrfragen einschließt, führte zur Abspaltung der →Altkatholiken. Das **2. Vatikan. Konzil** wurde am 11. 10. 1962 von Papst Johannes XXIII. eröffnet und am 8. 12. 1965 durch Papst Paul VI. feierlich beschlossen. Sein Ziel war die grundlegende Reform des kirchlichen Lebens (Liturgie, Rolle der Bischöfe, Stellung der Laien) im Geist des →Aggiornamento, verbunden mit der »Öffnung« der Kirche zur modernen Welt und der Neubestimmung ihres Verhältnisses zu den anderen christl. Kirchen (→Ökumenismus) und den nichtchristl. Religionen.

📖 KASPER, W.: *Kirche – wohin gehst du? Die bleibende Bedeutung des II. V. K. Paderborn 1987.* – SCHATZ, K.: *Vaticanum I, auf 3 Bde. ber. Paderborn u. a. 1992 ff.* – *Aufbruch des Zweiten V. K. heute, hg. v.* J. KREMER. *Innsbruck u. a. 1993.*

Vatikanisches Archiv (lat. Archivum Vaticanum), zentrales Archiv der Päpste; enthält neben mittelalterl. Beständen das Schriftgut des Staatssekretariats mit den Nuntiaturberichten, der Rota Romana u. a. Kurienbehörden.

Vatikanstadt (amtlich italien. Stato della Città del Vaticano; dt. Staat der V.), selbstständiges päpstl. Staatsgebiet im Bereich von Rom, am rechten Ufer des Tibers.

Die Grenze dieses kleinsten Staates der Erde wird an drei Seiten durch die Befestigungsmauern des 16./17. Jh. gebildet. Die V. umfasst den →Vatikan, die →Peterskirche, die päpstl. Gärten und den Petersplatz, ferner mehrere auf italien. Staatsgebiet in Rom gelegene, aber exterritoriale Kirchen und Gebäude, u. a. San Giovanni in Laterano, Santa Maria Maggiore, San Paolo fuori le mura, →Lateran, Palazzo della Cancelleria sowie den päpstl. Sommerpalast und die Villa Barberini in →Castel Gandolfo in den Albaner Bergen. Die V. wurde von der UNESCO zum Weltkulturerbe erklärt. – V. verfügt über angesehene Hochschulen zur Ausbildung von Priestern und hohen Geistlichen (z. B. →Gregoriana).

Staat und Recht: Nach dem Staatsgrundges. von 1929 ist die V. eine Wahlmonarchie. Staatsoberhaupt sowie Inhaber der höchsten legislativen, exekutiven und judikativen Gewalt ist der Papst. Er übt seine Vollmachten über die Röm. Kurie aus, die als Hauptverwaltung der Gesamtkirche fungiert. Die meisten weltl. Funktionen delegiert der Papst an den Kardinalstaatssekretär. Bei Sedisvakanz liegen seine Kompetenzen beim Kardinalskollegium, das Gesetze jedoch nur für deren Dauer erlassen kann.

Wirtschaft, Verkehr: Die V. unterhält wiss. Einrichtungen, eine Rundfunkanstalt (Radio Vatikan, Sendungen in 37 Sprachen), ein Post- und Telegrafenamt und eine Druckerei (Herausgabe eigener Briefmarken); außerdem ist sie an mehreren Ind.unternehmen beteiligt und verfügt über beträchtl. Immobilienbesitz; bed. Fremdenverkehr. Ein eigener Bahnhof verbindet die V. mit dem Schienennetz der italien. Staatsbahn.

Geschichte: →Kirchenstaat, →Lateranverträge, →Papsttum. Diplomatische Beziehungen bestehen zu 165 Staaten, seit 1993 auch zu Israel. KARTE S. 366

📖 SONNE, K. *u. a.: Der Vatikan als Staatsorganisation. München ²1996.*

Vatnajökull ['vatnajœ:kydl], größter Gletscher Islands, im SO der Insel, mit 8 300 km² und einer Eisdicke von z. T. über 1 000 m größter Gletscher

Vatikanstadt – Lageplan

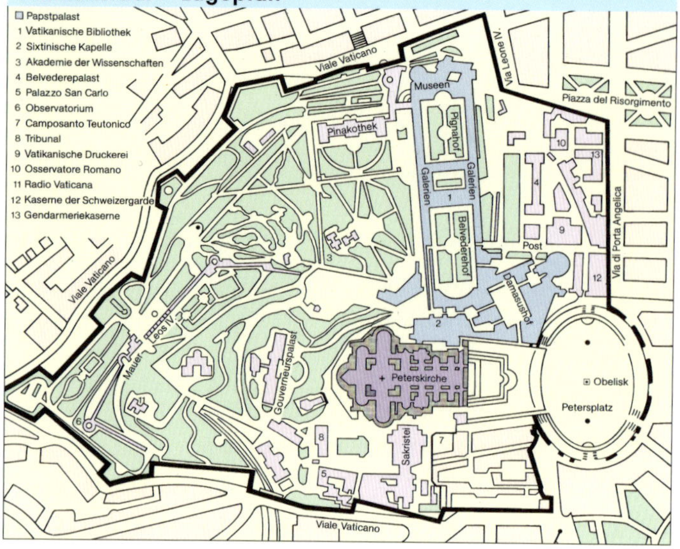

Europas, bis über 2000 m hoch; überzieht mehrere tätige Vulkane, deren Ausbrüche Schmelzwasserfluten hervorrufen (zuletzt im Sept. 1996).

Vatra Dornei [-nej] (dt. Dorna Watra), Kurort im Kreis Suceava, Rumänien, in den Karpaten, 801 m ü. M., 18900 Ew.; Schwefel- und Eisenquellen; Holz- und Metallverarbeitung.

Vatsyayana (Mallanaga V.), altind. Schriftsteller des 4. Jh. n. Chr.; verfasste das → Kamasutra.

Sébastien le Prestre de Vauban (Ausschnitt einer zeitgenössischen Darstellung)

Vättersee (schwed. Vättern), zweitgrößter See in Schweden, in der Mittelschwed. Senke, 1912 km²; über den → Götakanal mit Ost- und Nordsee verbunden.

Vauban [vo'bã], Sébastien le Prestre de, frz. Marschall (seit 1703) und Festungsbaumeister, *Saint-Léger-de-Fougeret (heute Saint-Léger-Vauban, Dép. Yonne) 1. 5. 1633, †Paris 30. 3. 1707; wurde 1678 Generalinspekteur des Festungswesens. Er legte planmäßig im gesamten N und O Frankreichs Sperrfestungen an (u. a. Metz, Straßburg, Landau, Neubreisach, Belfort). Seine Gedanken über Festungsbau und -krieg, dargelegt in seiner Denkschrift »De l'attaque des places« (1703), blieben bis Mitte des 19. Jh. maßgebend. Als Nationalökonom trat er gegen staatl. Eingriffe in die Wirtschaft und für Steuerreformen ein und wandte als einer der Ersten sozialstatist. Methoden zur Untersuchung von Bev.bewegungen und Einkommensentwicklung an. BILDER Landau, Neubreisach

Sarah Vaughan

Vaucluse [vo'kly:z], **1)** Dép. in der Provence, SO-Frankreich, 3567 km², (1995) 495000 Ew.; Hptst. ist Avignon.

2) Fontaine-de-Vaucluse, mächtige Karstquelle der Sorgue in SO-Frankreich mit stark schwankender Schüttung (8 m³ bis 150 m³/sec).

Vaud [vo], amtlicher frz. Name des schweizer. Kantons → Waadt.

Vaudeville [vod'vi:l] *das,* im 15.–19. Jh. Bez. für ein leichtes frz., teils satir. Strophenlied ungeklärten Ursprungs. Daneben heißen seit dem späten 17. Jh. V. die in Possen eingeschobenen Couplets, auch die halbmusikal. Possen selbst, die zu den Vorläufern der frz. komischen Opern gehören. V. dichteten u. a. E. Scribe, E. Labiche.

Vaughan [vɔ:n], Sarah, amerikan. Jazzsängerin, *Newark (N. J.) 27. 3. 1924, †Hidden Hills (Calif.) 3. 4. 1990; gehörte zu den profiliertesten Vokalistinnen des modernen Jazz.

Vaughan Williams [vɔ:n 'wɪljəmz], Ralph, brit. Komponist, *Down Ampney (Gloucestershire) 12. 10. 1872, †London 26. 8. 1958; Vertreter eines musikal. engl. Nationalismus; verband Anregungen älterer Musik und der engl. Volksmusik mit impressionist. und neoklass. Zügen; Opern, Sinfonien, Chorwerke, Lieder sowie Filmmusik.

Vauthier [vo'tje], Jean, frz. Schriftsteller, *Bordeaux 20. 9. 1910, †Paris 7. 5. 1992. Seine Stücke stehen dem »absurden Theater« nahe (»Kapitän Bada«, 1952; »Der Träumer«, 1960, u. a.).

Vautier [vo'tje], Ben, schweizer. Künstler, *Neapel 18. 7. 1935; schließt an M. Duchamp an und erklärt das eigene Leben zur Kunst. In den 1960er-Jahren brachte er diese Haltung in Fluxus-Veranstaltungen ein.

Vauvenargues [vov'narg], Luc de Clapiers, Marquis de, frz. Schriftsteller, *Aix-en-Provence 6. 8. 1715, †Paris 28. 5. 1747; einer der bedeutendsten frz. Moralisten, suchte (v. a. in aphorist. Form: »Betrachtungen und Maximen«, 1746) den Wahrheitswert des Gefühls und die sittl. Kraft der Leidenschaft zu bestimmen.

Vaux-le-Vicomte [voləvi'kɔ̃t], Schloss im NO der Stadt Melun, Dép. Seine-et-Marne, Frankreich; 1656–61 von L. Le Vau für den frz. Finanzmin. N. Fouquet erbaut, ein Hauptwerk des Classicisme (der frz. Barockstil).

Växjö ['vɛkʃø:], Hptst. des schwed. VerwBez. (Län) Kronoberg, 70700 Ew.; Hochschule, Glasforschungsinst.; Småland-Museum; Maschinenbau, Holz-, Textilind., in der Nähe Glashütten.

Vázquez Montalbán ['baθkeθ -], Manuel, span. Schriftsteller, *Barcelona 14. 6. 1939; schreibt Romane (»Der Pianist«, 1985), Essays sowie avantgardist. Lyrik; bes. erfolgreich sind seine sozialkrit. Kriminalromane um den Detektiv Pepe Carvalho.

v. Chr., Abk. für **v**or **Chr**istus.

VCO [Abk. für engl. **v**oltage **c**ontrolled **o**scillator], ein durch die Veränderung einer Spannung gesteuerter Oszillator zur Digitalisierung analoger Signale **(Spannungs-Frequenz-Wandler).**

VDA, Abk. für → **V**erein für das **D**eutschtum im **A**usland.

VDE, Abk. für →**V**erband **D**eutscher **E**lektrotechniker e.V.

VDI, Abk. für →**V**erein **D**eutscher **I**ngenieure e.V.

VEB, Abk. für →**v**olks**e**igener **B**etrieb.

VEBA AG, Mischkonzern, gegr. 1929 vom preuß. Staat als Vereinigte Elektrizitäts- und Bergwerks-AG; Sitz: Düsseldorf. Nach Teilprivatisierung (1965 und 1980) verkaufte der Bund 1987 seine Kapitalanteile vollständig. Unternehmensbereiche sind v.a. Strom (PreussenElektra AG), Chemie (Hüls-AG), Mineralöl (VEBA Oel AG), Handel, Verkehr, Dienstleistungen (Stinnes AG, Raab Karcher AG), Telekommunikation (Otelo, E-Plus). Weitere Beteiligungsgesellschaften sind Aral AG und Deminex. – Von den insgesamt 450000 Aktionären halten versch. ausländische Investoren 40% des Kapitals.

Veblen [ˈveblən], Thorstein Bunde, amerikan. Nationalökonom und Soziologe, *Valders (Wis.) 30.7.1857, †Palo Alto (Calif.) 3.8.1929; Begründer des Institutionalismus; bekannt auch durch seine Analyse externer Konsumeffekte, wonach bei gegebenem tatsächl. Preis eines Gutes die Nachfrage umso größer ist, je höher der vermeintl. Preis in den Augen der anderen ist **(Veblen-Effekt).**

Emilio Vedova: »Herausragend '82-2« (1982; Privatbesitz)

Vechta [f-], **1)** Landkreis im RegBez. Weser-Ems, Ndsachs., 812 km², (1996) 120300 Einwohner.

2) Kreisstadt von 1) in Ndsachs., im Münsterland, 25900 Ew.; Hochschule V., Fachbereiche der kath. FH Norddeutschland; Maschinenbau-, Elektro-, Textil-, Torf- und Ziegelindustrie; in der Nähe Erdöl- und Erdgasvorkommen. – Spätgot. Kirche St. Georg (15./16. Jh.), ehem. Franziskanerkirche (1727–31).

Vechte [f-] *die* (niederländ. Vecht), Fluss in NRW, Ndsachs. und den Niederlanden, 174 km, entspringt im Münsterland, mündet bei Zwolle ins Zwarte Water (Zufluss des IJsselmeeres).

Veda [Sanskrit »Wissen«] *der* (Weda), älteste religiöse Literatursammlung der Inder, deren früheste Schriften aus der Zeit vor dem 1. Jt. v.Chr. stammen; begründete die →vedische Religion und zählt zu den hl. Schriften des Hinduismus. Nach der Verwendung im Gottesdienst wurde das ved. Schrifttum in vier Veden gegliedert: den **Rigveda** (Hymnen an die Götter; ältestes Denkmal der ind. Literatur, viele Jahrhunderte mündlich überliefert), den **Samaveda** (Veda der Lieder), den **Yajurveda** (Opfersprüche) und den **Atharvaveda** (Zauberlieder). An jedes der vier Grundwerke schließen sich die →Brahmanas und die →Upanishaden an. Die V. gelten als Offenbarung.

📖 *Älteste ind. Dichtung u. Prosa, hg. v.* K. Mylius. *Wiesbaden 1981.*

Ralph Vaughan Williams

Vedanta [Sanskrit »Vollendung des Veda«] *der* (Wedanta), System der ind. Philosophie (→indische Philosophie und Religion).

vedische Religion (wedische Religion), älteste, von den indogerman. Einwanderern (1800–1600 v.Chr.) mitgebrachte, im →Veda überlieferte Religion Indiens. Charakteristisch für die v. R. ist die Verehrung einer Vielzahl von Göttern, unterschieden in die Naturgottheiten (z.B. Agni) und die einzelne Aspekte der sittl. Weltordnung verkörpernden eth. Götter (z.B. Varuna). Mittelpunkt der v. R. ist das vielfältig ausgestaltete Götteropfer. Es wird auf Opferplätzen in freier Natur durchgeführt und verpflichtet die Götter nach ved. Verständnis zur Erbringung der gewünschten Gegenleistung. Besondere Bedeutung kommt dabei dem Trankopfer (→Soma) an Indra, den Hauptgott der v. R., zu. Die Opferhandlung obliegt den der Opferformeln kundigen Personen, den Priestern, die als Brahmanen die höchste Kaste des durch die v. R. begründeten Kastensystems bilden.

📖 Oldenberg, H.: *Die Religion des Veda. Stuttgart* [4]*1927, Nachdr. Essen u.a. 1983.*

Luc de Clapiers, Marquis de Vauvenargues (zeitgenössischer Kupferstich)

Vedova, Emilio, italien. Maler und Grafiker, *Venedig 9.8.1919; kam nach kubist. und expressionist. Anfängen zur informellen Kunst. Seine Bilder und Objekte versteht er als Manifestation existenzieller Erfahrungen in Bezug zu den sozialen und polit. Auseinandersetzungen seiner Zeit.

Vedute [italien.] *die,* topographisch getreue Wiedergabe einer Stadt oder Landschaft, v.a. in der Malerei und Grafik des 17. bis 19. Jahrhunderts. Bilder Canaletto, Guardi, Piranesi

Herman van Veen

Veen, Herman van, niederländ. Entertainer, *Utrecht 14.3.1945; Komponist und Texter, Sänger sozial engagierter, nachdenklicher Lieder und Chansons; schrieb die Märchenoper »Die seltsamen Abenteuer des Alfred Jodokus Kwak« (1985).

Veendam [ve:n-], Stadt in der Prov. Groningen, Niederlande, 28 200 Ew.; Mittelpunkt der Moorkolonien; Gemüseanbau, Blumenzucht, Kartonagen-, Textilind., Maschinen- und Fahrzeugbau.

Vega [span. »Flussaue«], brauner Bodentyp in Auenlandschaften.

Vega ['beɣa], Garcilaso de la, span. Lyriker, →Garcilaso de la Vega.

Lope Félix de Vega Carpio (Ausschnitt eines zeitgenössischen Kupferstichs)

Vega Carpio ['beɣa -], Lope Félix de, span. Schriftsteller, *Madrid 25. 11. 1562, †ebd. 27. 8. 1635; nahm 1583 am Zug gegen die Azoren, 1588 an der Expedition der Armada teil, wegen seiner Liebesaffären 1588–96 aus Madrid verbannt; wurde nach dem Tod seiner zweiten Frau 1614 Priester, 1616 apostol. Protonotar, 1627 Johanniterritter. Von den 1500 Comedias, Autos und Entremeses, die er verfasst haben soll, ist etwa ein Drittel erhalten. Dem span. Kunstdrama, der Comedia, gab er mit der Mischung ernster, oft trag. Bestandteile und kom. Szenen, der Einteilung in drei (statt fünf oder vier) Akte, den Figuren der ihre Herrschaft parodierenden Diener und Dienerinnen das endgültige Gepräge. Zu den heute noch gespielten Stücken gehören: »Die kluge Närrin« (1617), »Fuente Ovejuna« (auch u. d. T. »Loderndes Dorf«, 1619), »Der Ritter vom Mirakel« (1621) und »Der beste Richter ist der König« (1635). V. C. schrieb auch nach sprachl. Schlichtheit strebende Lyrik (Romanzen, italien. Formen) sowie Epen und Schäferromane (»Arkadien«, 1598) nach italien. Vorbild. Weiteres BILD spanische Literatur

📖 FRIES, F. R.: *L. de V. Frankfurt am Main 1979.* – KÜPPER, J.: *Diskurs-Renovatio bei L. de V. u. Calderón. Untersuchungen zum span. Barockdrama. Tübingen 1990.*

Vegetationspunkt: rasterelektronenmikroskopische Aufnahme eines Sprossvegetationspunktes der Waldkiefer (200fache Vergrößerung)

Vega-Expedition, die erstmalige Befahrung (1878/79) der Nordostpassage mit dem Dampfer »Vega« durch A. E. Nordenskiöld.

Vegas ['veɪgəs], Stadt in Nevada, USA, →Las Vegas.

Vegetabilien [lat.], Pflanzen, Pflanzenstoffe; auch pflanzl. Nahrungsmittel.

Vegetarier [lat.] *der,* Person, die sich ausschl. oder vorwiegend von pflanzl. Nahrung ernährt.

Vegetarismus [lat.] *der,* Ernährungsweise, die nur rein pflanzl. Kost gelten lässt und alle tier. Produkte ablehnt **(strenger V.)**; eine gemäßigtere Form ist der **Lakto-V.,** der neben pflanzl. Kost auch tier. Produkte wie Milch und Milcherzeugnisse erlaubt.

Vegetation [lat.] *die,* Pflanzendecke in ihrer Gesamtheit; auch die Pflanzenwelt eines bestimmten Gebiets.

Vegetationsgeographie, Teilgebiet der Geographie; erforscht die räumliche Verbreitung der Pflanzen und Pflanzengesellschaften unter geograph. Gesichtspunkten (Landschaften, Länder).

Vegetationsgeschichte, →Pflanzengeographie.

Vegetationskunde, →Pflanzengeographie.

Vegetationsperiode (Vegetationszeit), derjenige Zeitraum des Jahres, in dem Pflanzen photosynthetisch aktiv sind, d. h. wachsen, blühen und fruchten; im Ggs. zu der durch Trockenheit oder Kälte verursachten **Vegetationsruhe.**

Vegetationspunkt (Vegetationskegel), kegelförmige Spitzenregion von Spross und Wurzel bei Farn- und Samenpflanzen; besteht aus primärem Bildungsgewebe, das durch fortlaufende Zellteilungen das Ausgangsmaterial für die Organbildung und Gewebsdifferenzierung liefert. Der V. gewährleistet das lebenslang anhaltende Wachstum der Pflanze.

Vegetationsstufen, durch Temperatur und Niederschlag bedingte Höhengürtel, die an einem Gebirgshang (vertikal) aufeinander folgen. Die **kolline Stufe** (Hügellandstufe) umfasst das Hügelland und die Hanglagen der Mittelgebirge bis maximal 800 m ü. M. (Wärme liebender Eichenmisch- und Kiefernwald). Die **montane Stufe** (Bergwaldstufe) wird i. Allg. von einer charakteristischen Waldformation gebildet; bis etwa 1400–1600 m ü. M. Die **alpine Stufe** verläuft von der Baumgrenze bis zur klimat. Schneegrenze; bis etwa 2500 m ü. M. Nach den Wuchsformen der vorherrschenden Pflanzen werden unterschieden (von unten nach oben aufeinander folgend): Krummholz-, Zwergstrauch-, Matten- **(subalpine Stufe)** und Polsterpflanzengürtel. Die in der **nivalen Stufe** (Schneestufe) noch wachsenden Moose und Flechten treten in Gruppen oder einzeln an schneearmen Standorten (Grate, Felswände) auf; in den Alpen von 2700 bis 3100 m ü. M.

Vegetationszonen (Vegetationsgürtel, Vegetationsgebiete), den Klimazonen der Erde zuge-

Vegetationszonen

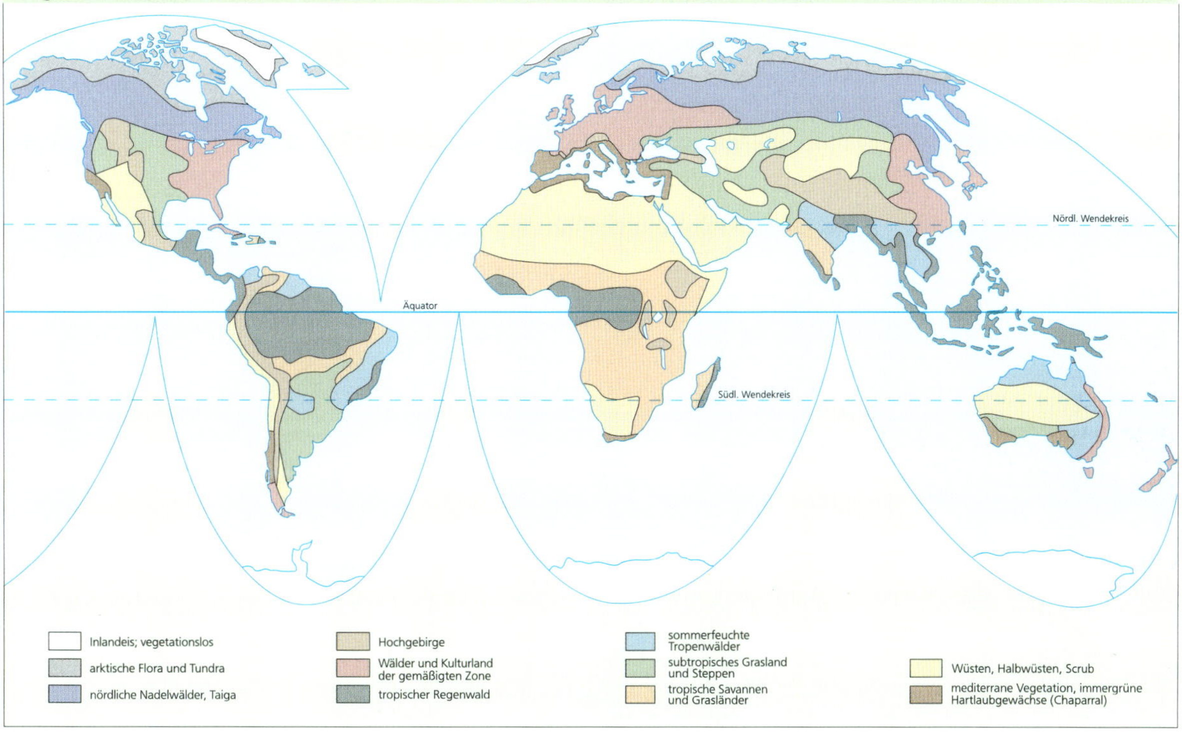

ordnete, mehr oder weniger breitenkreisparallel verlaufende Gebiete, die von bestimmten, für die jeweiligen klimat. Bedingungen charakteristischen Pflanzengesellschaften besiedelt werden, z.B. Regenwald und Savanne der Tropen, Laubwald der gemäßigten Zonen, Tundra der subpolaren Gebiete.

vegetativ [lat.], **1)** *Biologie:* ungeschlechtlich; nicht mit der geschlechtl. Fortpflanzung in Zusammenhang stehend.

2) *Medizin:* die Funktion des vegetativen Nervensystems betreffend.

vegetative Dystonie (psychovegetatives Syndrom, vegetative Labilität), funktionelle Störungen in der Tätigkeit des vegetativen Nervensystems. Die v. D. kann u.a. durch körperl. oder psych. Überbeanspruchung, v.a. Konfliktsituationen und Stress, entstehen. Neben häufigen Kopfschmerzen, rascher Ermüdbarkeit, Stimmungsschwankungen und Schlafstörungen treten funktionelle Beschwerden an inneren Organen (»Organneurosen«) auf.

vegetatives Nervensystem (autonomes Nervensystem, Eingeweidenervensystem), bei den Wirbeltieren (einschl. des Menschen) Teil des Nervensystems, dessen Leistungen nicht dem Willen unterliegen. Es regelt grundlegende Lebensfunktionen (Stoffwechsel, Blutkreislauf, Atmung u.a.) und besteht aus →Parasympathikus und →Sympathikus.

Végh [ve:g], Sándor, frz. Violinist und Dirigent ungar. Herkunft, *Klausenburg 17. 5. 1912, † Salzburg 6. 1. 1997; wirkte als Solist sowie in versch. Kammermusikensembles und leitete Meisterklassen für Violine in Basel, Freiburg im Breisgau, Düsseldorf und Salzburg; übernahm 1978 die Leitung der Salzburger Camerata Academica.

Veglia ['veʎa], italien. Name der Insel →Krk.

vehement [lat.], heftig, ungestüm.

Veidt [f-], Conrad, Filmschauspieler, *Berlin 22. 1. 1893, †Los Angeles (Calif.) 3. 4. 1943; emigrierte 1932 nach Großbritannien; Charakterdarsteller: »Das Kabinett des Dr. Caligari« (1919), »Der Kongress tanzt« (1931), »Der Dieb von Bagdad« (1940), »Casablanca« (1943) u.a.

Conrad Veidt

Veil [vɛj], Simone, frz. Politikerin, *Nizza 13. 7. 1927; war 1974–79 Gesundheits-, dann auch Sozial- und Familienmin., 1979–82 Präs. des Europ. Parlaments und 1984–89 Fraktionsvors. der Liberalen im Europaparlament; 1993–95 Min. für Soziales, Gesundheit und Stadtpolitik. 1981 erhielt sie den Karlspreis der Stadt Aachen.

Simone Veil

Veilchen [Verkleinerungsform zu mhd. vīel, von lat. viola] (Viola), Gattung der V.-Gewächse in der nördl. gemäßigten Zone und den Gebirgen der Tropen und Subtropen; meist Stauden; Blüten mit

Veilchen: Hundsveilchen (Höhe 3–30 cm)

Sporn, oft blau bis violett oder gelb. Die häufigsten einheim. Arten sind **März-V.** (**Wohlriechendes V.,** Viola odorata), Blüten dunkelviolett, duftend, an Bachufern und in lichten Laubgehölzen; **Hunds-V.** (Viola canina), 3–30 cm hoch, Durchmesser der Blüten 15–25 mm, auf Heiden und in Wäldern mit sauren Böden; **Wald-V.** (Viola reichenbachiana), 5–20 cm hohe Staude, Blüten violett, geruchlos, in Laubwäldern; **Sporn-V.** (Viola calcarata) 4–10 cm hoch, Blüten meist dunkelviolett, mit meist 8–15 mm langem Sporn, in den Alpen ab etwa 1600 m ü. M.

Veilsdorf [f-], Gemeinde im Landkreis Hildburghausen, Thür., an der Werra, 3400 Ew. – Im ehem. **Kloster V.** (1198 gegr., nach 1524/25 aufgegeben) wurde 1760 die bedeutendste Thüringer Porzellanmanufaktur des 18. Jh. mit qualitätvollem Geschirr und hervorragender Plastik gegründet.

Veilsdorf: Kaffeekanne aus der Porzellanmanufaktur Kloster Veilsdorf (um 1780; Privatbesitz)

Veit [f-], Heiliger, →Vitus.

Veitshöchheim [f-], Gemeinde im Landkreis Würzburg, Bayern, am Main, 9800 Ew.; Bayer. Landesanstalt für Wein- und Gartenbau; Jüd. Kulturmuseum und Synagoge. – Barockes Lustschloss der Würzburger Fürstbischöfe (1680–82; Treppenhaus und Seitenflügel von J. B. Neumann, 1749–53), Rokokopark (1763–68) mit Figuren von F. →Dietz.

Veitstanz [f-; nach dem hl. Veit] (Chorea), Gehirnerkrankung mit unwillkürl., raschen Bewegungen der Muskulatur, v. a. an Armen und Beinen, die im Schlaf meist unterbleiben. Die **Chorea minor (Sydenham-Chorea),** die fast ausschl. im Kindesalter (v. a. zw. dem 6. und 13. Lebensjahr; im Anschluss an Streptokokkeninfektionen) auftritt und vorwiegend Mädchen befällt, heilt meist nach Wochen vollständig aus; sie neigt jedoch zu Rückfällen. Die **Chorea major (Chorea Huntington)** ist eine dominant vererbbare unheilbare Erkrankung des Zentralnervensystems mit Zelluntergang im Streifenhügel des Großhirns und in der Stirnhirnrinde. Als Ursache wird auch eine Störung des Neurotransmitterstoffwechsels diskutiert. Symptome des zw. dem 30. und 50. Lebensjahr beginnenden Leidens sind neben den Bewegungsstörungen zunehmender körperl. Verfall und Intelligenzminderung bis zur Demenz.

Veji [v-], antike Stadt, die südlichste der zwölf etrusk. Bundesstädte, in der Nachbarschaft Roms; nach langen Kämpfen 396 v. Chr. von den Römern (→Camillus) erobert; röm. Munizipium. – Die großen Nekropolen enthalten die ältesten ausgemalten etrusk. Gräber (Tomba Campana, um 650 und 600 v. Chr.). Die auf einem Plateau liegende große Ruinenstätte mit einigen Resten des 6. Jh. v. Chr. ist von einer z. T. gut erhaltenen Tuffsteinmauer des 5. Jh. v. Chr. umgeben. Im SO liegt ein befestigter Hügel, im NO, außerhalb von V. das der Minerva geweihte Heiligtum von Portonaccio. Innerhalb einer Umfriedung lag der Tempel, von dessen Dach die berühmten etrusk. Terrakottaplastiken der Villa Giulia (Rom) stammen. Hauptleistung der Kunst V.s war die Terrakottagroßplastik (um 500 v. Chr.), darunter der »Apoll von V.« und der Kopf eines Hermes. Weitere BILDER etruskische Kunst

Vektor [lat. »Träger«, »Fahrer«] *der, Mathematik:* Element eines →Vektorraumes. Im Unterschied zum Skalar gehören zur Beschreibung von V. (z. B. Kraft, Druck) neben dem →Betrag die Angabe von Richtung und Richtungssinn, geometrisch veranschaulicht als gerichtete Strecke entsprechender Länge (Schreibweise: »$\boldsymbol{a}$«, »$\vec{a}$«, früher »a«); der zum V. $\boldsymbol{a} = \overrightarrow{PQ}$ mit P und Q als dessen Anfangs- bzw. Endpunkt entgegengesetzte V. ist $-\boldsymbol{a} = \overrightarrow{QP}$. Der V. $\overrightarrow{OP}$ von einem Festpunkt (Ursprung) O zu einem beliebigen Punkt P heißt **Orts-V.** von P bezüglich O; V. mit dem Betrag 1 nennt man **Einheitsvektor** Einheitsvektor. Speziell im dreidimensionalen Raum wird ein V. $\boldsymbol{a}$ durch die Komponenten $\boldsymbol{a}_x, \boldsymbol{a}_y, \boldsymbol{a}_z$ bezüglich eines kartes. Koordinatensystems festgelegt; geometrisch kann er als Translation des Raumes aufgefasst werden. Sind $\boldsymbol{e}_x, \boldsymbol{e}_y, \boldsymbol{e}_z$ (häufig auch $\boldsymbol{i}, \boldsymbol{j}, \boldsymbol{k}$) die in Richtung der Koordinatenachsen weisenden Einheits-V., so gilt: $\boldsymbol{a} = a_x\boldsymbol{e}_x + a_y\boldsymbol{e}_y + a_z\boldsymbol{e}_z = \boldsymbol{a}_x + \boldsymbol{a}_y + \boldsymbol{a}_z$, wobei die reellen Zahlen a_x, a_y, a_z die Koordinaten des V. $\boldsymbol{a}$ sind. Für den Betrag gilt $|\boldsymbol{a}| = a = \sqrt{a_x^2 + a_y^2 + a_z^2}$.

Vektorbosonen, →intermediäre Bosonen.

Vektorkardiographie [v-], spezielles Verfahren der Elektrokardiographie, mit dem der räuml. Verlauf der Erregungsausbreitung im Herzen dargestellt wird **(Vektorkardiogramm).**

Vektorprodukt (äußeres Produkt), im dreidimensionalen Raum eine Verknüpfung von zwei Vektoren $\boldsymbol{a} = (a_x, a_y, a_z)$ und $\boldsymbol{b} = (b_x, b_y, b_z)$ zu einem

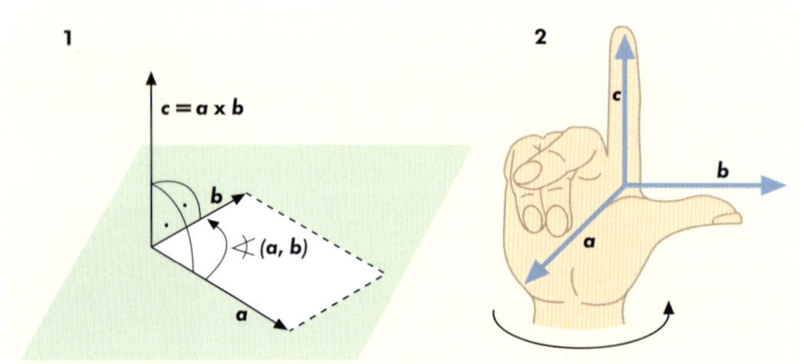

Vektorprodukt: 1 geometrische Interpretation des Vektorprodukts; **c** steht senkrecht auf der von **a** und **b** aufgespannten Ebene, der Betrag von **c** entspricht zahlenmäßig dem Flächeninhalt des von **a** und **b** gebildeten Parallelogramms; 2 **a**, **b** und **c** bilden ein Rechtssystem, d. h., führt man eine Drehung im angezeigten Sinn durch, erhält man eine Rechtsschraube

dritten Vektor $c = a \times b$ (»*a* kreuz *b*«). Mit ***i, j, k*** als Einheitsvektoren gilt (in Determinantenform):

$$a \times b = \begin{vmatrix} i & j & k \\ a_x & a_y & a_z \\ b_x & b_y & b_z \end{vmatrix} = (a_y b_z - a_z b_y)\boldsymbol{i} + \\ + (a_z b_x - a_x b_z)\boldsymbol{j} + (a_x b_y - a_y b_x)\boldsymbol{k}.$$

Der Vektor *c* steht senkrecht auf *a* und auf *b*. Der Betrag von *c* ist gleich dem Flächeninhalt des von *a* und *b* aufgespannten Parallelogramms: $|c| = |a| \cdot |b| \cdot \sin \gamma$ (γ Winkel zw. *a* und *b*).

Vektor|raum (linearer Raum), eine Menge *V*, für deren als Vektoren bezeichnete Elemente neben der Addition, bei der $(V, +)$ eine kommutative →Gruppe bildet, eine Multiplikation mit den als Skalare bezeichneten Elementen eines Körpers *K* (der reellen oder komplexen Zahlen) definiert ist. Für jedes $\alpha, \beta \in K$ und $a, b \in V$ gilt dabei: (1) $\alpha(\beta a) = (\alpha\beta)a$, (2) $(\alpha + \beta)a = \alpha a + \beta a$, (3) $\alpha(a + b) = \alpha a + \alpha b$ und (4) $1 \cdot a = a$.

Vektoren eines V. heißen **linear unabhängig,** wenn es keine →Linearkombination dieser Vektoren gibt, die den Nullvektor erzeugt. Ein V. hat die Dimension *n*, wenn es *n* linear unabhängige Vektoren $e_1, \ldots e_n$ in *V* gibt. Jeder Vektor lässt sich in ihm eindeutig in der Form $\alpha_1 e_1 + \ldots + \alpha_n e_n$ $(\alpha_n \in K)$ darstellen, diese *n* erzeugenden Vektoren bilden eine **Basis** des V. – Die Abbildung *f* eines reellen V. *V* in einen reellen V. *W* heißt **lineare Abbildung,** wenn $f(a + b) = f(a) + f(b)$ und $f(\alpha a) = \alpha f(a)$ gilt.

Vela [lat.], das Sternbild →Segel des Schiffes.

Velar [lat.] *der, Phonetik:* Hintergaumenlaut, →Laut.

Velázquez [beˈlaθkεθ] (Velásquez), Diego Rodríguez de Silva y V., span. Maler, getauft Sevilla 6. 6. 1599, †Madrid 6. 8. 1660; malte in seiner Sevillaner Frühzeit Genrebilder des einfachen Volkes (»Die alte Köchin«, 1618; Edinburgh National Gallery), Stillleben und religiöse Bilder (»Anbetung der Könige«, 1619; Madrid, Prado) in den kräftigen Licht- und Schattengegensätzen Caravaggios, wurde 1623 nach Madrid berufen, wo er König Philipp IV. malte, Hofmaler und später Kammerherr wurde. In der 1. Madrider Epoche (bis 1629) fand er den Stil seiner ersten höf. Porträts, die von gemessen vornehmer Haltung und durch Schwarzweißtöne bestimmt sind; Hauptwerk ist das Bild »Triumph des Bacchus« (1628/29, Prado); es zeigt eine Realitätsnähe, die für das Schaffen von V. bestimmend wurde. In Italien, wo er sich 1629–31 aufhielt und die stärksten Eindrücke von der venezian. Malerei empfing, entstanden »Apollo in der Schmiede des Vulkan« (1630; Prado) und »Der blutige Rock Josephs« (1630; Escorial). In seiner 2. Madrider Periode (1631–38) malte er in leuchtenden Farben Porträts der königl. Familie (Philipp IV., Prinz Baltasar Carlos u. a., bes. zu Pferde oder als Jäger) und die »Übergabe von Breda« (1634/35; alle Prado). In seiner 3. Madrider Periode (1639–49) begann er die Farben auf oft kühle Töne zu beschränken. Es entstanden zahlr. psychisch eindringlich erfasste Bildnisse der am Hof lebenden Narren und Zwerge (u. a. »Der Hofzwerg Diego de Acedo, gen. El Primo«, 1644; Prado). 1649–51 war er mit dem Auftrag, Kunstwerke zu erwerben, zum zweiten Mal in Italien. Die Hauptwerke seiner Madrider Spätzeit (1651–60), die Licht und Farbe der flüchtigen Erscheinung mit impressionist. Mitteln erfassen, sind »Las Meninas« (die Infantin Margarita mit ihrem Gefolge, 1656; Prado) und »Las Hilanderas« (Spinnerinnen in einer Teppichmanufaktur, um 1659; Prado). In den letzten Porträts, bes. der Infantinnen (Wien, Kunsthistor. Museum, u. a.), sind Lichtwirkungen durch fließende Farben und Skizzenhaftigkeit der Form festgehalten.

Diego Rodríguez de Silva y Velázquez: »Las Meninas« (1656; Madrid, Prado)

📖 *D. V., bearb. v.* F. Zelger. *Reinbek 1994.* – Castor, M. A.: *D. V. – Farbe u. Raum. Von der Objektwelt zum Farbraum. Weimar 1995.*

Velbert [f-], Stadt im Kr. Mettmann, NRW, im Niederberg. Land, 90100 Ew.; Fachschulen; Schloss- und Beschlägemuseum; Textil-, Schlösser-, Beschläge- und Schlüsselherstellung. – Wallfahrtskirche in Neviges. – 875 erstmals erwähnt; 1860 Stadt.

Velde [v-], van de, niederländ. Malerfamilie. Ihre bedeutendsten Mitgl. sind der Marinemaler Willem d. J. (getauft Leiden 18. 12. 1633, †London 6. 4. 1707), seit 1672 in London tätig, der meist Kriegsschiffe, auch Seeschlachten darstellte und meisterhaft die Meeresstimmungen erfasste, und sein Bruder Adriaen (getauft Amsterdam 30. 11. 1636, begraben ebd. 21. 1. 1672), der v.a. weite Flachlandschaften mit tiefem Horizont malte.

Vẹlde [v-], **1)** Henry van de, belg. Architekt, *Antwerpen 3. 4. 1863, †Zürich 25. 10. 1957; wurde 1902 nach Weimar berufen, wo er 1907–14 die Kunstgewerbeschule leitete; 1907 Mitbegründer des Dt. Werkbundes; seit 1926 in Brüssel tätig, ab 1947 lebte er in der Schweiz. Mit seiner Forderung nach Funktions- und Materialgerechtigkeit und der Verbindung von Kunst und Handwerk wurde V. zum führenden Künstler und Theoretiker des Jugendstils. Zu seinen Hauptwerken zählen sein eigenes Haus und dessen gesamte Einrichtung in Uccle bei Brüssel (1892–95), die Innenausstattung des Folkwang-Museums in Hagen (1900–02, nach Essen versetzt), das Werkbundtheater in Köln (1914; abgebrochen). Die Bauten seiner Spätzeit sind von klarer Sachlichkeit geprägt (Universitätsbibliothek in Gent, 1935–40; Museum Kröller-Müller in Otterloo, 1935–38, Anbau 1953 eröffnet). BILD Möbel

2) Theodo(o)r Hendrik van de, niederländ. Frauenarzt und Sexualforscher, *Leeuwarden 12. 2. 1873, †(Flugzeugabsturz) 27. 4. 1937; versuchte, phys. und psych. Störungen in Ehebeziehungen zu behandeln. Von seinen Werken wurde bes. »Die vollkommene Ehe« (1926) zu einem Welterfolg.

Vẹldeke [f-], Heinrich von, mhd. Epiker, →Heinrich von Veldeke.

Vẹlden am Wọ̈rther See [f-], Marktgemeinde im Bezirk Villach-Land, Kärnten, Österreich, am Westufer des Wörther Sees, 470 m ü. M., 8 000 Ew.; Herstellung von Leuchten; Fremdenverkehr; Spielcasino.

Vẹldes [f-], Ort in Slowenien, →Bled.

Velebit [vɛ'lɛbit], Gebirgszug in Kroatien, an der Adriaküste, rd. 150 km lang, im Vaganjski vrh 1758 m ü. M.

Veles ['vɛlɛs] (1946–91 Titov Veles), Stadt in Makedonien, am Vardar, 45 000 Ew.; Blei- und Zinkhütte, chem. u. a. Ind.; Verkehrsknotenpunkt.

VELKD, Abk. für die →**V**ereinigte **E**vangelisch-**L**utherische **K**irche **D**eutschlands.

Vellẹtri [v-], Stadt in Latium, Prov. Rom, Italien, 332 m ü. M., am S-Hang der Albaner Berge; 47 800 Ew.; Weinbau; Fremdenverkehr. – Im 2. Weltkrieg schwer zerstört, Dom (13. und 14. Jh., 1659–62 erneuert), Palazzo Ginnetti und Palazzo Comunale (16. und 18. Jh.) u. a. wieder aufgebaut.

veloce [ve'lo:tʃe, italien.], musikal. Vortragsbezeichnung: schnell.

Velodrọm [v-] *das,* meist überdachte Radrennbahn.

Velours [və'lu:r, ve'lu:r, frz.] *das,* Gewebe mit einer samtartigen, gewalkten, gerauten, weichen Oberfläche; auch Bez. für Teppiche oder textilen Fußbodenbelag mit aufgeschnittenen Polnoppen.

Veloursleder [və'lu:r-, ve'lu:r, frz.] (Antilop), auf der Fleischseite geschliffenes, chromgegerbtes Rauleder beliebiger tier. Herkunft für Schuhe, Kleidung und Galanteriewaren.

Velsen ['vɛlsə], Gemeinde in der Prov. Nordholland, Niederlande, 62 800 Ew.; Hafen am Nordseekanal; Hüttenwerke, chem., Holz-, elektrotechn., Papierind., Metallverarbeitung.

Veltli̲n [f-] *das* (italien. Valtellina), Tal des oberen Adda, Italien, zw. der Berninagruppe und den Bergamasker Alpen; Weinbau, Rinderzucht, Fremdenverkehr (u. a. nach →Bormio); Hauptort ist Sondrio. – Im MA. lombardisch, 11.–13. Jh. zw. Como und Mailand umstritten, kam das V. schließlich unter Mailänder Herrschaft, 1500 an Frankreich, 1512 an Graubünden. 1797 der Zisalpin. Rep. einverleibt, fiel es 1814/15 mit der Lombardei an Österreich, 1859/61 an Sardinien bzw. Italien.

Vẹlum [lat.] *das,* **1)** *Anatomie, Morphologie:* Bez. für segelartige Strukturen am oder im Körper versch. Lebewesen.

2) *christl. Liturgien:* Tuch, mit dem die liturg. Gefäße, aber auch Ikonen und Reliquien bedeckt bzw. verhüllt werden.

Veluwe ['ve:ly:wə] *die,* hügelige Moränenlandschaft im N der Prov. Gelderland, Niederlande (Nationalparks **Hoge V.** und **V.-Zoom,** mit Dünen, Heideflächen, Laub- und Nadelwäldern).

Velvet ['velvɪt, engl.] *der* oder *das,* ein Schusssamt, →Samt.

Vence [vãs], Gemeinde im Dép. Alpes-Maritimes, Frankreich, nordöstlich von Nizza, 15 400 Einwohner. – Romanische Kathedrale (11. Jh., im 17./18. Jh. verändert); im NW die 1948–50 von H. Matisse ausgestaltete Klosterkapelle Notre-Dame du Rosaire.

Vẹnda [v-] (Bavenda), Bantuvolk in SO-Afrika, beiderseits des Limpopo, in der Rep. Südafrika rd. 470 000, in S-Simbabwe etwa 70 000 Personen; betreiben Ackerbau und Viehhaltung.

Vẹnda [v-], ehem. Homeland der Venda in der Rep. Südafrika, 7 410 km², gehört heute zur Nordprovinz. – 1898 wurde das von den Venda bewohnte Gebiet von der Burenrep. Transvaal annektiert. Seit 1962 Homeland, wurde V. 1973 ein sich selbst regierendes Territorium und 1979 von der südafrikan. Reg. formell für unabhängig erklärt; 1994 der Nordprovinz eingegliedert.

Vendée [vã'de] *die,* **1)** Dép. in W-Frankreich, 6 720 km², (1995) 524 000 Ew.; Hptst. ist La Roche-sur-Yon.

2) histor. Landschaft in W-Frankreich, südlich der Loiremündung; 1793–96 Schauplatz blutiger royalist. Erhebung gegen die frz. Revolutionsreg. (Niederwerfung durch General L. Hoche, 1796).

Vendée 2) historisches Wappen

Venedig 2): Mittelpunkt der Stadt sind der Markusplatz mit dem bis auf das 12. Jh. zurückgehenden Campanile und der 1309-1442 erbaute Dogenpalast (Bildmitte; hinter ihm sind die Kuppeln der Markuskirche zu sehen) am Canale di San Marco

Auch 1815 und 1830 erhob sich die V. für das Thronrecht der Bourbonen.

Vẹndel [v-], Ort nördlich von Uppsala, Schweden, bei dem sich zahlr. german. Bootsgräber der Zeit zw. 600 und 1000 mit reicher Ausstattung (Waffen, Zaumzeug, Hausgerät) fanden.

Vendémiaire [vãdemiˈɛːr; frz. »Weinmonat«], erster Monat des Kalenders der Frz. Revolution (22., 23. bzw. 24. Sept. bis 21., 22. bzw. 23. Okt.).

Vendẹtta [v-] *die,* italien. Bez. für Blutrache.

Vendôme [vãˈdoːm], Stadt im Dép. Loir-et-Cher, Frankreich, am Loir, 18 400 Ew.; Getreide- und Viehhandel; Leder- u.a. Industrie. – Got. Abteikirche (11.–16. Jh.) mit frei stehendem Glockenturm (12. Jh.), Kirche La Madeleine (1474), Ruinen des Schlosses (12.–15. Jh.). – Seit dem 6. Jh. belegt; im 11. Jh. Gründung einer Benediktinerabtei. Das Gebiet um V. **(Vendômois)** wurde 1214 der frz. Krondomäne einverleibt; 1514–1712 bourbon. Herzogtum.

Venẹdig [v-] (italien. Venezia), **1)** Prov. in Venetien, Italien, 2 460 km², (1995) 818 300 Einwohner.

2) Hauptstadt von 1) und der Region Venetien, 300 400 Ew. (einschl. der auf dem Festland gelegenen Vorstädte Mestre und Porto Marghera); bed. Kulturmittelpunkt Europas; Univ., Hochschulen für Architektur, Musik und Fremdsprachen, Akademie der Wiss., Kunstakademie, naut. und ozeanograph. Inst., Markusbibliothek (gegr. 1468), Staatsarchiv, Museen (v.a. Galleria dell'Accademia, Museum Correr, Galleria d'Arte Moderna, Sammlung Guggenheim); alle zwei Jahre internat. Kunstausstellungen, Musik- und Filmfestspiele (Biennale). Die Wirtschaft V.s beruht auf der Ind. von Mestre und Porto Marghera (Erdölraffinerie, Stahlwerke, Aluminium und Zinkhütten, Werften, Stickstoffdüngemittel-, Kunstharz-, Glas- und Malzfabriken), auf seinem Hafen (Porto Marghera), dem Fremdenverkehr und kunstgewerbl. Erzeugnissen (Glas, Schmuck, Seide, Spitzen).

Venedig 2) Stadtwappen

V. ist inmitten der nördlich des Podeltas gelegenen Lagune auf mehr als 100 kleinen Inseln erbaut, 2 km vom → Lido und 4 km vom Festland entfernt, mit dem es durch eine Bahn- und Straßenbrücke verbunden ist. Den Brückenkopf bildet das dicht besiedelte Mestre. Der Flughafen Marco Polo liegt ebenfalls auf dem Festland. In der Umgebung liegen das Seebad Lido, die Friedhofsinsel mit der Kirche San Michele, die Inselstädte → Murano, → Burano und → Torcello.

V. ist (wie die gesamte obere Adriaküste) von der Landsenkung betroffen. 1876–1955 stieg der mittlere Wasserspiegel um 39 cm (8 cm als Folge des allg. Meeresspiegelanstiegs, 31 cm durch Sackung der Sedimente), heute jährlich 4–6 mm. Wasserentnahme für Städte und Industrie (heute Fernwasserversorgung) sowie Erdgasgewinnung (seit 1961 eingestellt) beschleunigten die Absenkung. Bei Sturmfluten wird der 59 cm über Mittelwasser gelegene Markusplatz immer öfter überschwemmt. Die zunehmenden Überschwemmungen werden auch auf die Trockenlegung von Lagunenflächen und die Verbreiterung und Vertiefung der Wasserfahrrinne auf 14 m zum Erdölhafen Marghera zurückgeführt. Flexible Schleusen sollen in Zukunft die Hochwässer abhalten. Durch die Senkung sind über 600 historisch wertvolle Bauten gefährdet und konnten nur z.T. mit internat. Hilfe (v.a. durch die UNESCO) restauriert werden. Industrieabgase schädigen die Marmorbildwerke. Das Sondergesetz der italien. Regierung zur Rettung V.s von 1973 hat bislang wenig konkrete Ergebnisse gebracht.

Stadtbild: Die Stadt bietet durch ihre Lage, mit ihren über 150 Kanälen, etwa 400 Brücken, Palästen und Kirchen einen einzigartigen Anblick. Die Gebäude sind auf tiefe Pfahlroste gegründet. Mittelpunkt ist der Markusplatz. An seiner Ostseite erhebt sich die fünfkuppelige Markuskirche (San Marco; urspr. Palastkapelle des Dogen; nach Vorgängerbauten im 9. Jh. und 10. Jh. seit 1063 als byzantin. Zentralbau über grch. Kreuz), an den Haupt- und Nebenfassaden reicher Skulpturen- und v. a. in den Portalnischenwölbungen Mosaikschmuck, im Inneren polychromer Mosaikfußboden (12. und 13. Jh.), in den unteren Zonen Verkleidung mit Marmorplatten, Oberwände und Kuppeln sind vollständig mit goldgrundigen Mosaiken des 12.–14. Jh. ausgeschmückt. Zu den bedeutendsten Ausstattungsstücken gehört die Altartafel Pala d'Oro (byzantin.; zuletzt 1345 umgearbeitet). Viele Kunstwerke wurden während der Kreuzzüge im Orient erbeutet, so u. a. in Konstantinopel vier Bronzepferde aus hellenist. Zeit, 1204 über dem Mittelportal aufgestellt (durch Kopien ersetzt). An der nördl. Seite des Markusplatzes befinden sich die Alten Prokuratien (um 1500 begonnen, 1538 von J. Sansovino vollendet), an der Südseite die Neuen Prokuratien (1584–1640, von V. Scamozzi und B. Longhena). Den Platz überragt der mächtige Campanile (12. Jh., Anfang des 16. Jh. erneuert, nach Einsturz 1902–12 rekonstruiert). An der Piazzetta mit den beiden Säulen des hl. Theodor und des Markuslöwen liegen der Dogenpalast (zw. 1309 und 1442) mit reich gestalteter Fassade, Prachtsälen (Gemälde von Tizian, Paolo Veronese, Tintoretto u. a.), dessen Südfront mit dem ehem. Staatsgefängnis durch die »Seufzerbrücke« (um 1600) verbunden ist, und die alte Markusbibliothek, das Hauptwerk von Sansovino (begonnen 1536, von Scamozzi 1583–88 vollendet). Von hier führt die Hauptverkehrsader, der 3,8 km lange Canal Grande, in s-förmiger Windung zum Bahnhof. Am Kanal liegen zahlr. Paläste: u. a. got. Ca' d'Oro (um 1421–40, urspr. mit vergoldeter Marmorfassade), jetzt Galleria Franchetti, die Palazzi Vendramin-Calergi (1509; Sterbeort R. Wagners), Corner (1537 ff.), Grimani (1556/57 von M. Sanmicheli), Pesaro (1676–1710), Rezzonico (begonnen 1660). Der Fondaco dei Tedeschi (erstmals gen. 1228, Neubau 1505–08) war die Niederlassung der dt. Kaufleute. Über den Canal Grande führen drei Brücken, darunter die →Rialtobrücke (1588–92). Bed. Kirchen: die großen got. Backsteinbauten Santi Giovanni e Paolo (begonnen 1246, Grabmäler von Dogen und Feldherren; vor der Kirche Reiterdenkmal des →Colleoni von A. del Verrocchio) und Santa Maria Gloriosa dei Frari (um 1340; mit Werken und Grabmal Tizians), weiterhin Santa Maria dei Miracoli (1481–89; von P. →Lombardo), San Salvatore (1507–34, Fassade 1663 ff.), Il Redentore (1577–92) auf der Insel La Giudecca und San Giorgio Maggiore (1565–1610) auf der gleichnamigen Insel, beide von A. Palladio, die Kuppelkirche Santa Maria della Salute (1631–82, von B. Longhena). Bed. Zeugnisse der jüd. Gemeinde von V. (Synagogen, jüd. Friedhof, 14.–17. Jh.). V. wurde von der UNESCO zum Weltkulturerbe erklärt.

Geschichte: Die Abwanderung der Veneter, die das venet. Festland bewohnten, auf die Laguneninseln setzte im 5. Jh. infolge der Invasionen der Ost- und Westgoten sowie der Hunnen ein. Zu einer dauerhaften Besiedlung kam es aber erst nach dem Einfall der Langobarden in Venetien (568). Die Inseln standen zunächst unter der Oberhoheit des byzantin. Exarchen von Ravenna. Mit der Zurückdrängung des byzantin. Einflusses gewann das Amt des auf Lebenszeit gewählten Dogen an Bedeutung. Seit dem 10. Jh. breitete V., die »Republik von San Marco« (nach den Reliquien des hl. Markus, die 828 in Alexandria geraubt und nach V. gebracht wurden), seine Macht an der Ostküste der Adria (Dalmatien und Istrien) aus. Neben Genua errang es die wirtsch. Vormachtstellung in der Levante und die Seeherrschaft im östl. Mittelmeer. Im 4. Kreuzzug, den der Doge Enrico Dandolo gegen das Byzantin. Reich lenkte (1202–04), wurde Konstantinopel erobert (Errichtung des Latein. Kaiserreichs). Im Innern bildete sich eine oligarch. Verfassung heraus; um die Macht des Dogen einzuschränken, wurde 1172 der »Große Rat« ernannt, dessen Mitgliedschaft nur den alten Adelsfamilien zustand, als der eigtl. regierende Ausschuss wurde 1310 der »Rat der Zehn« eingesetzt. Seit Ende des 14. Jh. unterwarf sich V. das nordostitalien. Festland, die »Terra ferma« (Verona, Vicenza, Padua, Brescia, Bergamo, Friaul, Ravenna, Cremona). Gegen Genua blieb V. im »Chioggiakrieg« (1378–81) siegreich. 1489 gewann es die Insel Zypern. Auch kulturell erlebte V. im 15. und 16. Jh. seine Blütezeit (Humanisten; →venezianische Schule). Inzwischen leitete die Verlagerung des Welthandels in den atlant. Raum den Niedergang der venezian. Macht ein. Parallel dazu verlor die Adelsrepublik ihren levantin. Besitz nach und nach an das Osman. Reich. 1797 besetzte Napoléon Bonaparte V. und beendete die Adelsherrschaft; er teilte das Gebiet westlich der Etsch und die Ion. Inseln dem frz. Machtbereich zu, den Hauptteil Venetiens mit Istrien und Dalmatien gab er an Österreich. Dieses verlor seinen Besitz zwar 1805 an das napoleon. Königreich Italien, erhielt ihn aber 1814/15 zurück. Im März 1848 bis Aug. 1849 erhob sich V. vergeblich gegen Österreich. 1866 kam Venetien an das neue Königreich Italien; Istrien und Dalmatien blieben noch bis 1918 österreichisch.

🕮 LANGEWIESCHE, M.: *V., Geschichte u. Kunst.* *Köln* [5]*1981.* – ZORZI, A.: *V. Eine Stadt, eine Republik, ein Weltreich 697–1797. A. d. Italien. München*

1981. – CRIVELLARI, D.: *V. Geschichte, Kunst u. Kultur der Lagunenstadt. A. d. Italien. München 1982.*

Venedigergruppe [v-], westlichster und am stärksten vergletscherter Teil der Hohen Tauern, Österreich, im Großvenediger 3 666 m ü. M.

Venen [lat.] (Blutadern), Blutgefäße, die das Blut aus dem Kapillargebiet sammeln und dem Herzen zuführen. Sie unterscheiden sich von den Arterien durch eine dünnere, ebenfalls dreischichtige Wand mit weniger elast. Fasern und Muskelzellen (der Blutdruck ist in den V. sehr viel niedriger); außerdem besitzen sie V.-Klappen, die den Rückfluss des Blutes verhindern.

Venen|entzündung (Phlebitis), meist bakterielle Entzündung der Venenwand, die durch das Übergreifen entzündl. Vorgänge aus der Umgebung oder auf dem Blut- oder Lymphweg zustande kommt. Begünstigend wirkt eine Verlangsamung des Blutstromes (z. B. bei Krampfadern, durch längere Bettruhe nach Operationen). Häufig kommt es zur Bildung einer →Thrombose und damit zur **Thrombophlebitis.** Bei der **oberflächl. V.** bilden die Venen harte und schmerzhafte Stränge; die Umgebung ist gerötet und geschwollen. Bei der **tiefen V.** schwillt das Versorgungsgebiet der Vene und die Umgebung an, es treten z. T. starke Schmerzen auf. – Die *Behandlung* umfasst v. a. elast. Kompressionsverbände, schmerzlindernde und entzündungshemmende Mittel, häufiges Laufen (Betätigung der »Wadenmuskelpumpe«), nachts Hochlagern der Beine.

Venenver|ödung (Varizenverödung, Gefäßverödung), Unwegsammachen von Venen oder Krampfadern durch die Injektion von Verödungsmitteln, die über eine Entzündung der Gefäßinnenhaut zur dauernden narbigen Verlegung der Gefäßlichtung führen.

Venera (Venus), Name mehrerer sowjet. Raumsonden zur Erforschung des Planeten Venus.

venerisch [nach der Liebesgöttin Venus], eine Geschlechtskrankheit betreffend, durch Geschlechtsverkehr übertragen; **venerische Krankheiten,** die →Geschlechtskrankheiten.

Venerologie *die,* Lehre von den Geschlechtskrankheiten; Teilbereich der Dermatologie.

Venesis [v-], Elias, neugrch. Schriftsteller, * Ayvalık (Prov. Balıkesir, Türkei) 4. 3. 1904, † Athen 3. 8. 1973; wurde durch sein Antikriegsbuch »Nummer 31328« (1931) zu einem der bekanntesten grch. Autoren seiner Zeit.

Veneter [v-] (lat. Veneti), **1)** Volk an der N-Küste der Adria und in der östl. Poebene; verbündete sich im 3. Jh. v. Chr. mit Rom und erhielt 49 v. Chr. das röm. Bürgerrecht.

2) kelt. Volksstamm an der W-Küste Galliens (südl. Bretagne), 56 v. Chr. von Cäsar unterworfen; Hauptort war Darioritum (das heutige Vannes).

3) (Veneder) ab dem 1./2. Jh. in röm. Quellen vorkommender und mindestens ab dem 6. Jh. allg. verwendeter Name für die Slawen (bei den Germanen: **Wenden**).

Veneti|en [v-] (italien. Veneto), **1)** histor. Landschaft im NO Italiens, das ehem. Gebiet der Rep. Venedig, umfasst die Poebene nordöstlich von Mincio und Po und die Venezianer Alpen.

2) norditalien. Region, 18 364 km^2, (1995) 4,427 Mio. Ew.; umfasst die Prov. Belluno, Padua, Rovigo, Treviso, Venedig, Verona und Vicenza.

Venezia [v-], italien. Name für →Venedig.

venezianische Schule [v-], **1)** *Malerei:* (Malerschule von Venedig) die in eigenständiger Entwicklung entstandene venezian. Malerei ab dem Trecento, die sich v. a. durch ihre Farbkultur und schimmerndes Licht, weniger durch Zeichnung und plast. Formgebung auszeichnet; größte Blütezeit im 16. Jh. (Giorgione, Tizian, Paolo Veronese, Tintoretto, J. Bassano). Einen neuen Höhepunkt erreichte die v. S. im 17./18. Jh. u. a. mit den Gemälden von G. B. Piazzetta und G. B. Tiepolo. Mit den Canalettos und F. Guardi erreichte die Vedutenmalerei Venedigs im 18. Jh. ihre Vollendung.

2) *Musik:* Gruppe von Musikern, die zw. 1530 und 1620 in Venedig wirkten und in ihren Kompositionen die Hauptformen des Barock ausprägten; u. a. A. Willaert, C. de Rore, G. Zarlino, A. und G. Gabrieli, C. Merulo, C. Monteverdi. Die v. S. entwickelte in der Kirchenmusik die mehrchörige Kompositionsweise, die durch die teils kontrastierende Gegenüberstellung und das Alternieren verschiedener Klangkörper charakterisiert ist. Auch zur Entwicklung selbstständiger Instrumentalmusik wie Ricercar, Toccata oder Canzon da sonar (Sonate) trug die v. S. entscheidend bei.

Veneziano [v-], italien. Maler, →Domenico Veneziano.

venezolanische Literatur [v-], →lateinamerikanische Literaturen.

Venezuela [v-] (amtlich span. República de Venezuela), Staat im N Südamerikas, grenzt im N an das Karib. Meer und den offenen Atlantik, im W an Kolumbien, im S an Brasilien und im O an Guyana.

Staat und Recht: Nach der Verf. von 1961 ist V. eine präsidiale Bundesrepublik. Staatsoberhaupt und oberster Inhaber der Exekutive (Reg.chef) ist der Präs. (auf fünf Jahre direkt gewählt; Wiederwahl erst zehn Jahre nach Ablauf der 1. Amtsperiode möglich). Er ernennt und entlässt die Mitgl. der Reg., ist Oberbefehlshaber der Streitkräfte und ist zu Verfassungsänderungen berechtigt. Die Legislative liegt beim Zweikammerparlament, dem Kongress (Legislaturperiode fünf Jahre), bestehend aus Abg.kammer (201 Abg.) und

Venezuela

Fläche: 912 050 km²
Einwohner: (1995) 21,844 Mio.
Hauptstadt: Caracas
Amtssprache: Spanisch
Nationalfeiertag: 5. 7.
Währung: 1 Bolívar (Bs., B.) = 100 Céntimos (c, cts)
Zeitzone: MEZ –5 Std.

Staatswappen

YV

Internationales Kfz-Kennzeichen

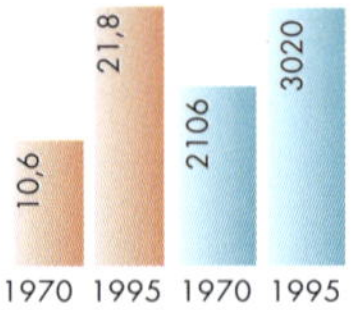

Bevölkerung (in Mio.)

Bruttosozialprodukt je Ew. (in US-$)

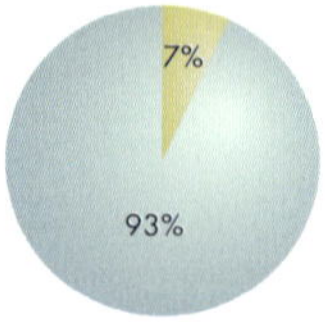

Bevölkerungsverteilung 1995

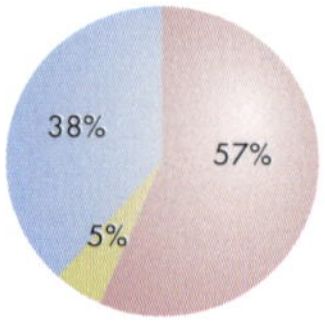

Bruttoinlandsprodukt 1995

Senat (49 Mitgl., davon je zwei Repräsentanten der Bundesstaaten, fünf Minderheitsvertreter sowie die ehem. Präsidenten). Verwaltungsmäßig gliedert sich V. in 20 Bundesstaaten (Estados), einen Bundesdistrikt, zwei Bundesterritorien (Amazonas, Delta Amacuro) und die aus 72 Inseln im Karib. Meer bestehenden Dependencias Federales. Einflussreichste Parteien: Nationale Übereinstimmung (aus 17 Parteien bestehend), Demokrat. Aktion IAD, Christlich-Soziale Partei/COPEI.

Landesnatur: V. erstreckt sich vom Tiefland des Maracaibobeckens (mit dem Maracaibosee) im NW über die Kordillere von Mérida (im Pico Bolívar 5 002 m ü. M.), die sich als Doppelstrang in der karib. Küstenkordillere (bis 2 765 m ü. M.) fortsetzt, über das Tiefland des Orinoco mit seinen Überschwemmungssavannen (Llanos) bis zum Bergland von Guayana im SO. Im äußersten S hat V. Anteil am Amazonastiefland. Das trop. Klima bringt hohe Temperaturen (in den Höhenlagen gemildert) und, bes. an den Hängen der Kordilleren (mit Ausnahme der N-Küste) und im Bergland von Guayana, hohe Niederschläge im Sommer. BILDER S. 378

Bevölkerung: Die meisten Bewohner V.s sind Mischlinge, v. a. Mestizen. Die etwa 10 % Schwarzen leben v. a. im karib. Küstengebiet. Der Anteil der Weißen (21 %) hat seit 1945 durch starke Einwanderung, bes. von Spaniern und Italienern, zugenommen. Nur wenige Indianer (2 %) leben noch im äußersten NW, im Orinocodelta und im Bergland von Guayana. Hauptsiedlungsgebiete sind die Gebirge im NW und ihre Randzonen. Der jährl. Bev.zuwachs (1985–93: 2,5 %) liegt über dem Durchschnitt Lateinamerikas. – Allg. Schulpflicht besteht vom 8. bis 13. Lebensjahr; einschließlich einer Fernuniv. hat V. 33 staatl. und private Universitäten. – 92 % der Bev. sind katholisch.

Wirtschaft, Verkehr: Die Wirtschaft des ehemals agrarisch ausgerichteten Staates hat unter dem Einfluss des Erdöls (seit 1920, verstärkt seit 1945) bed. Wandlungen erfahren. Wichtigster Zweig ist die 1976 verstaatlichte Erdölind.; Erdöl und seine Produkte erbringen über 60 % der Mittel des Staatshaushaltes und 80 % der Exporteinnahmen. V. ist das Land mit den viertgrößten nachgewiesenen Erdölreserven der Erde. 75 % der gesamten venezolan. Erdölförderung (Staatsunternehmen PETROVEN) stammen aus dem Maracaibobecken. Einen weiteren Schwerpunkt bilden die Lagerstätten des Orinocogebietes, in dem sich auch bed. Ölsandvorkommen befinden. Rasch wachsende wirtsch. Bedeutung erlangt die Erdgasförderung. Zweitwichtigstes Bergbauprodukt ist Eisenerz (über 60 % Fe-Gehalt; Förderzentrum Cerro Bolívar), das zu 65 % exportiert wird (v. a. in die USA). Eisenerzbergbau und Eisen schaffende Ind. wurden 1975 verstaatlicht. Weiterhin werden Manganerz, Gold, Diamanten und Bauxit gewonnen. V. verfügt außerdem über Vorkommen an Nickel, Kupfer-, Blei- und Zinkerzen. Wichtige Ind.zweige sind die Nahrungsmittel- und Genussmittel-, petrochem. Ind., Eisen-, Stahl- und Aluminiumerzeugung sowie die Textilindustrie. Die Elektroenergieerzeugung erfolgt zu über 50 % durch das Wasserkraftwerk Guri (8 800 MW; 1985 fertig gestellt) am Río Caroni. Die Landwirtschaft beschäftigt zwar etwa 14 % der Erwerbstätigen, erbringt jedoch nur einen Anteil von rd. 5 % des Bruttoinlandprodukts; die landwirtsch. Produktion konnte aber in den letzten Jahren durch Vergrößerung der Anbauflächen wesentlich erhöht werden. Bei vorherrschendem Großgrundbesitz werden Mais (auf 25 % der Anbaufläche), Reis, Baumwolle, Zuckerrohr, Bohnen, Maniok und Sesam sowie Gemüse angebaut. Trop. Früchte (Bananen, Ananas, Orangen) werden in großen Mengen geerntet. Der Kaffee, an den Kordillerenhängen angebaut, bildete bis 1925 das wichtigste Exportprodukt. Haupthandelspartner sind die USA, Dtl., die Niederländ. Antillen und Italien. – Das Land wird von einem weitmaschigen Straßennetz durchzogen (etwa 93 300 km, davon sind rd. 30 000 km asphaltiert). Autobahnen verbinden die Großstädte Caracas und Valencia miteinander und mit ihren Häfen La Guaira und Puerto Cabello. Eine

Eisenbahnverbindung besteht zw. Barquisimeto, Puerto Cabello und Acarigua (336 km). Der untere Orinoco ist für Seeschiffe bis Ciudad Bolívar schiffbar; der Hafen Puerto Ordaz wurde für den Abtransport von Eisenerz ausgebaut. Wichtigste Seehäfen sind La Guaira, Puerto Cabello und Maracaibo (Erdölexport). Der binnenländ. Flugverkehr ist gut ausgebaut. Wichtigster internat. Flughafen ist »Simón Bolívar« nahe Caracas.

Venezuela (Geschichte): Símon Bolívar, Porträtrelief von Pierre-Jean David d'Angers (1832)

Geschichte: Das Gebiet von V., obwohl schon sehr lange besiedelt (älteste Keramik um 2500 v. Chr.), gehörte keiner der großen altamerikan. Kulturen an; die engsten Beziehungen hatte es zum karib. Raum. Kolumbus entdeckte die Küste auf seiner dritten Reise (1498), A. de Hojeda gelangte 1499 zum Golf von Maracaibo und gab – nach den indian. Pfahlbauten – dem Land den Namen V. (»Klein-Venedig«). Die →Welser erhielten 1528 von Kaiser Karl V. das Recht zur Kolonisation. Gegensätze zw. ihnen und den Spaniern brachten V. wieder an die span. Krone. 1577 wurde Caracas (gegr. 1567) Sitz eines Gouverneurs, 1777 wurde das Generalkapitanat V. geschaffen. Die Loslösung von der span. Herrschaft begann, nach vergebl. Versuchen 1797 und 1806, mit der Revolution in Caracas 1810 unter der Führung S. Bolívars. 1811 wurde die Unabhängigkeit erklärt, die erst nach wechselvollen Kämpfen 1821 erreicht wurde. Seit 1819 gehörte V. zu der von Bolívar gegr. Rep. Groß-Kolumbien, nach deren Zerfall 1829/30 wurde es selbstständig. Bis weit ins 20. Jh. hinein prägten aber Bürgerkrieg und Diktaturen das Land. Seit den 1920er-Jahren profitierte V. von seinen Erdölvorkommen und entwickelte sich auf dieser Grundlage zu einem der modernsten lateinamerikan. Staaten. Im 2. Weltkrieg entstanden neue polit. Parteien, die sich den drängenden sozialen Fragen zuwandten und polit. Rückhalt bei der Masse des Volkes suchten (z. B. 1941 die Demokrat. Aktion, AD). Die AD, 1945–48 erstmals an der Macht, wurde nach dem Putsch des Militärs gegen Präs. R. Gallegos (gewählt 1947) verboten, nach dem Sturz des Diktators M. Pérez Jiménez (1958) war sie erneut stärkste polit. Kraft. 1964 erlebte V. den ersten verfassungsmäßigen Präs.wechsel. Soziale Unruhen konnten beigelegt werden, auch gelang die Eindämmung der Guerillabewegung, deren Aktivitäten 1962–65 ihren Höhepunkt erreicht hatten. 1968–83 wechselten AD und die christlich-soziale COPEI in der Reg.verantwortung einander ab; die Wahlen 1983 (J. Lusinchi) und 1988 gewann die AD. Im Febr. 1989 wurde C. A. Pérez zum zweiten Mal (erstmals 1973–78) zum Präs. gewählt. Sein Sanierungsprogramm zeigte zwar 1990 erste Erfolge, doch kam es immer wieder zu Massenprotesten gegen die rigorose Wirtschaftspolitik, im Febr. 1992 scheiterte ein Militärputsch von H. Chávez. Im Aug. 1993 wurde Pérez wegen des Vorwurfs der Unterschlagung öffentl. Gelder vom Parlament abgesetzt. Die Wahlen im Dez. 1993 gewann der parteilose R. Caldera Rodríguez für ein linksgerichtetes Parteienbündnis. Seine Reg. suchte der sich verschärfenden Wirtschaftskrise mit Spar- und Sanierungsprogrammen zu begegnen. Die Präsidentschaftswahlen im Dez. 1998 gewann Chávez mit einem populist. Programm.

Rafael Caldera Rodríguez

📖 *Geograph. Untersuchungen in V.,* hg. v. C. Borcherdt, 2 *Bde. Stuttgart 1973–85. – V., Kolumbien, Ekuador. Wirtschaft, Gesellschaft u. Geschichte,* hg. v. H.-A. Steger. *München 1980.*

Venia Legendi [lat.] *die,* →Habilitation.

veni, vidi, vici [lat. »ich kam, ich sah, ich siegte«], nach Plutarch Ausspruch Cäsars, mit dem

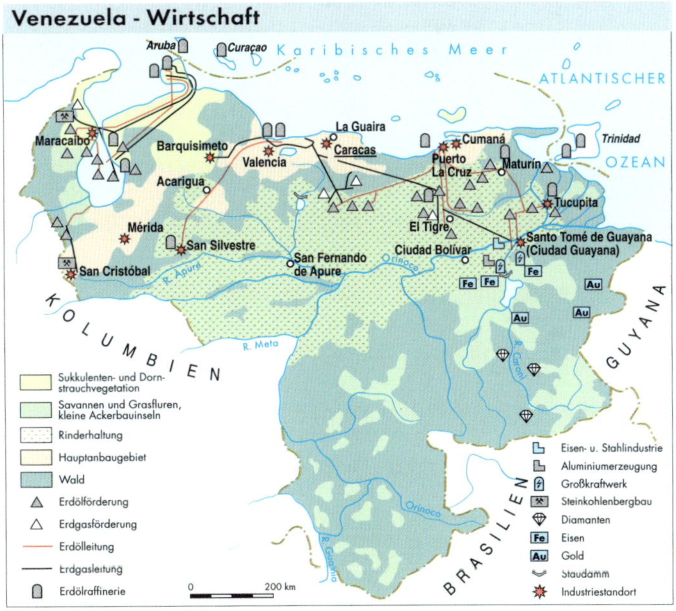

Venezuela: Strandabschnitt an der karibischen Küste im Osten des Landes (links); Stromschnellen eines Nebenflusses des Orinocos im Bergland von Guayana

er 47 v. Chr. im Triumphzug auf die Mühelosigkeit seines Sieges bei →Zela hinwies.

Eleftherios Venizelos

Venizelos [vɛniz-] (Weniselos), Eleftherios, grch. Politiker, *Murnia (auf Kreta) 23. 8. 1864, †Paris 18. 3. 1936; Gründer (1910) und Führer der Liberalen Partei, 1910–15, 1917–20 sowie 1924, 1928–32 und 1933 MinPräs.; reformierte u. a. Heer und Verw., erreichte in den →Balkankriegen große Gebietserweiterungen (u. a. Kreta), setzte 1917 den Eintritt in den 1. Weltkrieg an der Seite der Entente durch; später um innere Stabilität und gute Beziehungen seines Landes mit den Nachbarstaaten bemüht. Er ging 1935 ins Exil.

Venlo [v-], Stadt in der Prov. Limburg, Niederlande, an der Maas, an der Grenze zu Deutschland, 65 200 Ew.; Museen; Zentrum eines Erwerbsgartenbaugebiets; Metall verarbeitende, opt., elektrotechn., Papier- u. a. Industrie. – 1343 Stadtrecht, gehörte der Hanse an; geriet 1543 mit dem Herzogtum Geldern unter habsburg. Herrschaft und kam 1715 an die Vereinigten Niederlande; 1794–1814 frz., seitdem (mit Ausnahme der Zugehörigkeit zu Belgien 1830–39) niederländisch.

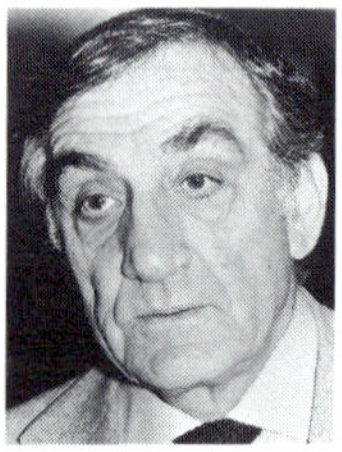

Lino Ventura

Venographie [zu Vene] *die,* →Angiographie.

venös, eine Vene betreffend, in einer Vene.

Venosa [v-], Stadt in der Basilicata, Prov. Potenza, Italien, am O-Fuß des Monte Vulture, 11 900 Ew.; Museum; Marktzentrum. – Kastell (Ende 15. Jh.); Dom (1470–1502); Benediktinerabtei (gegr. 1046) mit Normannenkirche sowie unvollendeter Stauferkirche (1135 ff.); Reste u. a. einer frühchristl. Kirche (Mosaikboden 5. oder 6. Jh.) sowie eines röm. Amphitheaters. – In der Antike als **Venusia** röm. Stützpunkt in den Kriegen gegen Pyrrhos und Hannibal; Geburtsort des Dichters Horaz.

Ventil [zu lat. ventus »Wind«] *das,* **1)** *Elektrotechnik:* →elektrische Ventile.

2) *Maschinenbau:* ein Absperr- und Drosselorgan, dessen Verschlusselement vorwiegend in Durchflussrichtung bewegt wird, i. Ggs. zu Schiebern und Hähnen. Der abschließende Teil, z. B. V.-Teller oder V.-Kegel, wird beim Öffnen vom V.-Sitz abgehoben, beim Schließen auf den Sitz gedrückt (Hub-V.). Selbsttätige V. werden durch den Druck der Flüssigkeit oder des Gases geöffnet und bei absinkendem Druck durch die Kraft einer Feder oder durch das Eigengewicht geschlossen. Gesteuerte V. werden von außen betätigt. Nach der Form des Verschlussteils unterscheidet man u. a. Teller-, Kegel-, Kugel- und Ringventile. Durchströmverluste bei senkrechter Spindel werden durch schräg angeordneten Sitz (Schrägsitz-V.) vermindert. **Rückschlag-V.** in Rohrleitungen schließen bei Umkehr der Strömungsrichtung sofort selbsttätig; zur Druckminderung werden Reduzier-V. eingesetzt; →Sicherheitsventil.

3) *Musik:* Vorrichtung an Orgeln und Blechblasinstrumenten zur Steuerung des Luftstroms. Bei der Orgel regeln V. die Windzufuhr zu den Pfeifen; bei Blechblasinstrumenten bewirkt das Schalten der V. eine Verlängerung oder Verkürzung der Schallröhre und ermöglicht somit chromat. Spiel.

Ventilator [lat.] *der* (Lüfter), ein Verdichter zur Erzeugung eines Luftstromes (zur Kühlung) oder zur Be- oder Entlüftung von Räumen (Tunnel, Schächte).

Ventimiglia [venti'miʎa], Stadt und Kurort in Ligurien, Prov. Imperia, Italien, an der Riviera di Ponente, nahe der italien.-frz. Grenze, 25 300 Ew.; Museum; Blumengroßmarkt. – Dom (12. und

13. Jh.); Baptisterium (11. Jh.); San Michele (11. Jh., im 13. Jh. erweitert).

Ventoux, Mont [mɔ̃vã'tu], Bergstock der südl. frz. Kalkvoralpen, nordöstlich von Carpentras, 1912 m ü. M.; meteorolog. Station; Wintersport.

ventral [lat.], bauchseitig, zum Bauch gehörend; Ggs.: dorsal.

Ventriculus [lat.] *der, Anatomie:* 1) der →Magen; 2) →Ventrikel.

Ventrikel [lat.] *der* (Ventriculus), *Anatomie:* Kammer, Hohlraum, bes. von Organen (z. B. Gehirnventrikel).

Ventspils [v-] (dt. Windau), Stadt im W von Lettland, 50 400 Ew.; Fisch- und Holzverarbeitung, chem. Ind.; eisfreier Hafen an der Mündung der Windau in die Ostsee. – Schloss des Dt. Ordens (1242–90).

Ventura [v-], Lino, eigtl. Angelo Borrini, frz. Filmschauspieler italien. Herkunft, *Parma 14. 7. 1919, †Saint-Cloud (bei Paris) 22. 10. 1987; urspr. Boxer; seit 1953 Held in Gangster- und Kriminalfilmen, u. a. »Fahrstuhl zum Schafott« (1958), »Der Clan der Sizilianer« (1969), »Das Verhör« (1981), »Der Maulwurf« (1983).

Venture-Capital ['ventʃə 'kæpɪtl, engl.] *das,* →Risikokapital.

Venus 1): Die aus 65 000 km Entfernung entstandene Aufnahme der Raumsonde Pioneer-Venus 1 vom 19. 2. 1979 zeigt den Planeten mit seiner turbulenten Atmosphäre

Venturi [ven'tʊərɪ], Robert Charles, amerikan. Architekt, *Philadelphia (Pa.) 25. 6. 1925; gehört zu den prominentesten Vertretern der postmodernen Architektur, schuf u. a. den Sainsbury-Flügel der National Gallery in London (1988–91).

Venturi-Rohr [v-; nach dem italien. Physiker Giovanni Battista Venturi, *1746, †1822] (Venturi Düse), ein Rohr mit düsenförmiger Verengung, mit dem aus dem Druckunterschied zw. Eintrittsöffnung und engster Stelle Durchflussmenge und Geschwindigkeit der durchströmenden Flüssigkeiten oder Gase bestimmt werden kann; u. a. zur Messung der Fluggeschwindigkeit.

Astronomische und physikalische Daten der Venus

Äquatordurchmesser	12 104 km
Masse	$4{,}866 \cdot 10^{24}$ kg
mittlere Dichte	$5{,}24\ g/cm^3$
Rotationsdauer	243,0 Tage
Dauer eines Umlaufes um die Sonne	224,7 Tage
mittlere Entfernung zur Sonne	108,2 Mio. km

Venus, 1) *die, Astronomie:* von der Sonne aus der zweite Planet des Sonnensystems, der Erde ähnlich; astronom. Zeichen ♀. Die V. bewegt sich auf einer nahezu kreisförmigen Bahn (Exzentrizität 0,0068) um die Sonne, auf der sie der Erde von allen Planeten am nächsten kommt (bis auf 38 Mio. km). Je nach ihrem Abstand von der Erde schwankt ihr scheinbarer Winkeldurchmesser zw. 65'' und 9,5''. Da ihre Bahn innerhalb der Erdbahn liegt, geht sie durch eine untere →Konjunktion anstatt durch eine Opposition. Steht die V. westlich der Sonne, geht sie vor ihr auf und erscheint als Morgenstern im Osten; bei östl. Elongation ist sie als Abendstern nach Sonnenuntergang zu sehen. Die V. ist nach Sonne und Mond der hellste Himmelskörper und zeigt wie der Mond Phasen.

Die undurchsichtige, stark reflektierende **V.-Atmosphäre** (rd. 250 km Höhe) besteht v. a. aus Kohlendioxid (rd. 96 %); daneben wurden Stickstoff sowie u. a. Spuren von Wasserdampf, Kohlenmonoxid, Schwefeldioxid, Schwefelsäure und Edelgasen gefunden. An der Planetenoberfläche herrscht ein Druck von rd. 9 Mio. Pa bei einer mittleren Temperatur von etwa 460 °C. Die aus mehreren Schichten bestehende, dichte, schwefelhaltige Wolkendecke erstreckt sich von etwa 45 bis 70 km Höhe. Hauptkennzeichen der **V.-Oberfläche** sind riesige Ebenen (rd. 70 %); daneben Tiefebenen, vulkanartige Erhebungen und Hochländer (über 80 % der Oberfläche sind mit erstarrter Lava und Vulkanbauten bedeckt), die auf zwei Hauptgebiete, etwa der Größe Afrikas bzw. Australiens, mit Höhendifferenzen bis über 11 km konzentriert sind. Trotz eines großen Nickel-Eisen-Kerns hat die V. aufgrund der langsamen Eigenrotation kein inneres Magnetfeld. – Die meisten Kenntnisse über die V. wurden von der sowjet. Venera- und den amerikan. Mariner- und Pioneer-Sonden sowie der amerikan. V.-Sonde Magellan übermittelt, durch deren zweijährige Radarkartierung rd. 98 % der V.-Oberfläche erfasst wurden.

2) *röm. Mythos:* die röm. Göttin der Liebe, wahrscheinlich schon vor dem 5. Jh. v. Chr. der grch. →Aphrodite gleichgesetzt.

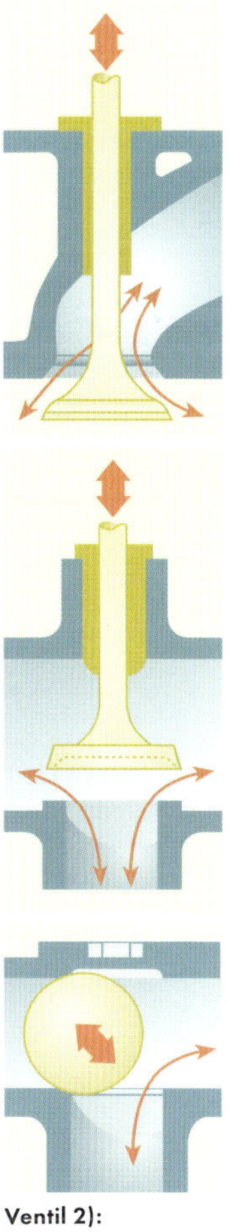

Ventil 2): Kegel-, Teller- und Kugelventil (von oben)

Venusberg, *Anatomie:* der →Schamhügel.

Venusberg, Berg und Höhle der sagenhaften Königin Sibylle bei Spoleto, Italien. In Dtl. wurden mehrere Berge, v.a. in Thüringen und Schwaben, um 1300 mit »Frau Venus« in Verbindung gebracht; auch mit der Sage vom Tannhäuser in Beziehung gesetzt.

Venusfliegenfalle: Auf der Innenseite jeder Blattspreitenhälfte stehen Fühlhaare, bei deren Reizung die Spreitenhälften sehr schnell zusammenklappen

Venusfliegenfalle (Dionaea muscipula), zu den Sonnentaugewächsen gehörende tierfangende, krautige Pflanze auf Mooren des wärmeren Nordamerika. Die Spreite der auf blattbreiten Stielen sitzenden Blätter klappt längs der Mittelrippe ein, wenn ein Insekt die Fühlborsten berührt; das Tier wird festgeklemmt, mit den Randborsten gehalten und durch Enzyme zersetzt.

Venusgürtel, Gattung der →Rippenquallen.

Venus|statuetten, weibl. Kleinplastiken der jüngeren Altsteinzeit aus Stein, Elfenbein, Knochen oder Ton mit stark betonten Geschlechtsmerkmalen; wohl dem Ahnen-, Fruchtbarkeits-, Herdkult zuzuordnen. BILD Altsteinzeit

Venusstatuetten

Als die Ausgrabungen prähistorischer Siedlungsplätze eine immer größere Anzahl von Frauenstatuetten aus Ton, Kalkstein und Elfenbein ans Tageslicht brachten, standen die Wissenschaftler zunächst vor einem Rätsel, denn diese »Venusstatuetten« aus der Altsteinzeit hatten alle als gemeinsames Merkmal die Überbetonung von Gesäß und Brüsten. Es gab Forscher, die aufgrund der auch bei Buschmännerfrauen vorhandenen Fettsteißigkeit die europäischen altsteinzeitlichen Menschen in die Reihe der Negroiden einordnen wollten. Tatsächlich sind diese Frauenstatuetten jedoch nicht als naturgetreue Abbilder unserer Vorfahren aufzufassen. Eher werden sie kultischen Zwecken gedient haben. Gerade die deutlich betonten weiblichen Formen sind Hinweis auf einen von Frankreich nach Sibirien reichenden Fruchtbarkeitskult.

Veracini [vera'tʃi:ni], Francesco Maria, italien. Geiger und Komponist, *Florenz 1. 2. 1690, †ebd. 31. 10. 1768; schrieb 24 Violinsonaten, ferner Violinkonzerte, Sinfonien und fünf Opern.

Veracruz [bera'kru:s], **1)** Staat im O von →Mexiko, umfasst im Wesentlichen das warmtrop. Tiefland hinter der flachen Golfküste, in der Mitte reicht die Cordillera Neovolcánica in die Küstenniederung; wichtigster Wirtschaftszweig ist die Erdölförderung.

2) (amtlich V. Llave), wichtigste Hafenstadt der Golfküste Mexikos, im Staat V., 473 300 Ew.; Nahrungsmittel-, Textil-, Metall- u.a. Ind.; Fischerei; Fremdenverkehr; Flughafen. – 1519 von H. Cortez gegründet.

Ver|änderliche (veränderliche Sterne), urspr. Sterne mit starken Helligkeitsschwankungen, heute allgemeiner alle Sterne, bei denen sich irgendeine Zustandsgröße zeitlich verändert. Sie werden durch große lat. Buchstaben in Verbindung mit dem Sternbild benannt (von R bis Z fortlaufend, dann von RR bis RZ, SS bis SZ usw. bis ZZ, dann AA bis AZ, ..., QQ bis QZ, dann V 335, V 336 usw.), z.B. VV Cephei. Eine große Gruppe umfasst die →Bedeckungsveränderlichen, die zu den **opt. V.** gehören. Bei den **eigentl.** oder **phys. (»echten«) V.** wird der Lichtwechsel durch physikal. Vorgänge im Sterninnern als Folge der →Sternentwicklung verursacht. Zu ihnen zählen die **pulsierenden V. (Pulsations-V.),** etwa ²⁄₃ aller V., deren Veränderungen durch im Allg. period. (→Cepheiden, →RR-Lyrae-Sterne) oder fastperiod. (→Mira-Sterne), aber auch völlig irreguläre Schwankungen des Radius, der Temperatur und der Dichte charakterisiert sind, sowie die durch plötzl., mitunter sich wiederholende Ausbrüche von Strahlung und oft auch von Materie gekennzeichneten **eruptiven Veränderlichen.** Zu ihnen gehören neben →Novae und →Supernovae u.a. die T-Tauri-Sterne, die zu den Überriesen gehörenden R-Coronae-Borealis-Sterne sowie die Flare-Sterne. Eine besondere Gruppe eruptiver V. verdankt ihre Veränderlichkeit der Wechselwirkung umgebender interstellarer Materie mit ihren Atmosphären (z.B. Orion-Veränderliche). Die Gesamtzahl der V. beläuft sich auf rd. 50 000.

Veränderungs|sperre (Bausperre), im Baurecht das durch gemeindl. Satzung ausgesprochene Verbot, in einem bestimmten Gebiet genehmigungsbedürftige oder wertsteigernde baul. Anlagen zu errichten oder zu ändern. V. dienen der Sicherung der Bebauungsplanung und sind für eine gewisse Zeit entschädigungsfrei hinzunehmen.

Veranlagung, →Steuerveranlagung.

Verantwortlichkeit, das Einstehenmüssen für eine Rechtsverletzung. (→Deliktsfähigkeit, →Schuldunfähigkeit, →Ministerverantwortlichkeit)

verarbeitendes Gewerbe, →Industrie.

Verarbeitung, **1)** *Informatik:* in der Rechnerorganisation Art der →Datenverarbeitung, z.B. parallel oder seriell.

2) *Wirtschaft:* (Spezifikation) die Herstellung einer neuen bewegl. Sache durch Verarbeiten oder Umbilden eines oder mehrerer Stoffe. Der Hersteller wird, auch wenn ihm die Stoffe nicht gehörten, Eigentümer der Sache, sofern nicht der Wert der V. erheblich geringer ist als der Wert des Stoffes (§ 950 BGB).

Veraschen, *chem. Analyse:* oxidative Zerstörung von organ. Stoffen (z.B. Eiweiß, Kohle, Kunststoffe) durch Erhitzen unter Luftzufuhr **(trockenes V.),** bis nur noch unbrennbare mineral. Asche übrig bleibt, die durch quantitative und qualitative Analyse weiteruntersucht werden kann. Bei niedrigen Temperaturen erfolgt schonende Zersetzung durch oxidierende Gemische (konzentrierte Schwefel- und konzentrierte Salpetersäure; **nasses Veraschen**).

Verati [v-], Laura Maria Caterina Bassi, italien. Naturphilosophin, *Bologna 1711, †1778; wurde 21-jährig Professorin in Bologna. V. gründete 1755 eine Schule für Experimentalphysik (unter ihren Schülern der Biologe Lazzaro Spallanzani, *1729, †1799, sowie A. Volta); zahlreiche Studien zur Physik; naturphilosophisch von Aristoteles, R. Descartes, dessen Leib-Seele-Dualismus sie ablehnte, und I. Newton bestimmt.

Werke: Philosophica studia (48 Thesen; 1732); De problemate quodam hydrometico (1757); De problemate quodam mechanico (1757).

Verätzung, mit einem Substanzverlust durch Nekrose verbundene flächenhafte Schädigung der Haut oder Schleimhaut durch starke Säuren oder Laugen. (→erste Hilfe)

Veräußerung, die rechtsgeschäftl. Übertragung von Sachen (Übereignung), Forderungen (Abtretung) oder dingl. Rechten auf eine andere Person. Durch Gesetz, Gerichte o.a. Behörden kann die V. untersagt werden **(V.-Verbot),** z.B. im Rahmen des Konkurses.

Veräußerungsgewinn, der bei der Veräußerung eines land- und forstwirtsch., gewerbl. oder freiberufl. Betriebes, Teilbetriebes, Mitunternehmeranteils bzw. bei Betriebsaufgabe oder bei Veräußerung einer wesentl. Beteiligung an einer Kapitalgesellschaft erzielte Gewinn. V. unterliegen der Einkommensteuer, soweit sie bestimmte Freibeträge überschreiten (§§ 14, 14a, 16, 17, 18 EStG). V. können auf Antrag als außerordentl. Einkünfte mit einem ermäßigten Steuersatz versteuert werden (§ 34 EStG).

Verb [lat. »Wort«] *das* (Verbum, Zeitwort, Tätigkeitswort), konjugierbares Wort, das einen Zustand oder Vorgang, eine Tätigkeit oder Handlung bezeichnet und mit dem das Prädikat eines Satzes gebildet wird. ÜBERSICHT S. 382

verbal [lat.], **1)** *allg.:* mündlich, durch Worte.

2) *Sprachwiss.:* das Verb betreffend.

verballhornen, →Balhorn, Johann.

Verbalnote, *Völkerrecht:* →Note.

Verbalphrase, *Sprachwiss.:* eine unmittelbare Konstituente (Wort oder syntaktisch zusammengehörige Wortgruppe) des Satzes, die aus einem Verb besteht, zu dem Objekte treten können.

Verbalstil, Sprachstil, bei dem Verben relevante Aussageelemente bilden, nominale Wendungen möglichst vermieden und Abstrakta oft verbal umschrieben werden (z.B. »weil er arm war« statt »aus Armut«). Heute wird der V. durch den →Nominalstil zurückgedrängt.

Verband, **1)** *Bautechnik:* bei Holzbauten die Verbindung sich kreuzender Hölzer, bei Mauern die Arten des Ineinandergreifens der Mauersteine.

2) *Mathematik:* eine algebraische Struktur V mit zwei binären Verknüpfungen, dem **V.-Durchschnitt** ($\sqcap$) und der **V.-Vereinigung** ($\sqcup$), für die zusätzlich zum Assoziativ- und zum Kommutativgesetz auch die **Absorptionsgesetze** $a \sqcap (a \sqcup b) = a$ und $a \sqcup (a \sqcap b) = a$ (mit $a, b \in V$) gelten. Für die Verknüpfungen + und · gelten die Gesetze im Allg. nicht. Ein V. ist z.B. die Menge der natürl. Zahlen mit den Verknüpfungen kleinstes gemeinsames Vielfaches und größter gemeinsamer Teiler.

3) *Medizin:* Hilfsmittel zur Abdeckung von offenen Wunden **(Schutz-V.)** oder zur Fixierung und Ruhigstellung von Körperteilen bei geschlossenen Verletzungen bzw. zur Stützung und Stellungskorrektur von Gliedmaßen und Rumpf. Zur Blutstillung dient der **Druck-V. (Kompressions-V.),** bei dem ein keimfreies V.-Polster auf die Wunde gepresst wird. Bei geschlossenen Körperverletzungen wie Prellungen, Zerrungen oder nach Verrenkungen sind **Stütz-V.** aus Zinkleim- oder elast. Pflasterbinden gebräuchlich. Bei Knochenbrüchen dient der aus Gipsbinden hergestellte **Gips-V.** als umhüllender V. zur Fixierung der Bruchenden, bei Brüchen im Becken- und Wirbelsäulenbereich als Lagerungsschale. Bei Brüchen, deren Bruchenden zur Verlagerung neigen, werden **Streck-V.** in Form von einfachen Zugmanschetten oder als →Extensionsverbände angelegt.

4) *Militärwesen:* ein meist aus einer Waffengattung bestehender Truppenkörper in Stärke eines Bataillons oder Regiments. Divisionen und Brigaden sind **Großverbände.**

5) *Recht:* Vereinigung von (natürl. oder jurist.) Personen zur Verfolgung gemeinsamer Interessen. Die V. arbeiten aufgrund einer Satzung. Sie sind

Verb

Einteilung

Vollverben haben eine lexikal. Bedeutung und können allein das Prädikat bilden: *Sie liest. Er wandert gern.*

Hilfsverben (haben, sein, werden) dienen der Umschreibung von Verbformen (zusammengesetzte Tempora, Passiv): *Das Kind hat gut geschlafen. Wir werden alles versuchen. Hier wird nicht geraucht.*

Modalverben (z. B. dürfen, können, wollen) modifizieren den Inhalt eines anderen Verbs: *Er kann das nicht wissen. Alle wollten den Redner hören.*

Nach der Verbindung der Verben im Satz kann man ferner einteilen:

absolute Verben, sie können ergänzungslos gebraucht werden: *Es regnet.*

relative Verben, sie brauchen immer eine oder mehrere Ergänzungen: *Die Zeitungen liegen dort. Ich kümmere mich um die Angelegenheit.*

Dazu gehören auch die **transitiven Verben,** die ein Akkusativobjekt erfordern, das bei der Umwandlung ins Passiv zum Subjekt wird; alle anderen Verben nennt man **intransitiv.**

Die Verbformen

Ein vollständiger dt. Satz enthält in der Regel ein nach Person, Numerus, Tempus, Modus und Genus Verbi bestimmtes Verb **(finites Verb).**

	sie liest	ihr seid gesehen worden
Person:	3. Person	2. Person
Numerus:	Singular	Plural
Tempus:	Präsens	Perfekt
Modus:	Indikativ	Indikativ
Genus Verbi:	Aktiv	Passiv

Die Abwandlung (Flexion, Beugung) des Verbs nach verschiedenen Kategorien heißt **Konjugation.** Nach deren Gesetzmäßigkeiten lassen sich die Verben in regelmäßige (»schwache«) und unregelmäßige (»starke«, mit Ablaut) einteilen.

Die verbalen Kategorien

Person: unterscheidet die an einem Vorgang beteiligten Personen bzw. Sachen
1. Person (ich, wir): Sprecher bzw. Schreiber
2. Person (du, ihr): Angesprochene(r)
3. Person (er, sie, es, sie [Pl.]): besprochene Person oder Sache

Numerus (Zahl): gibt an, ob etwas einmal (Singular) oder mehrmals (Plural) vorhanden ist.

Tempus (Zeit): bestimmt das Geschehen oder den Zustand als vergangen, gegenwärtig oder zukünftig.

Modus (Aussageweise): kennzeichnet eine Aussage als wirklich, gegeben (Indikativ) oder als Wunsch, Aufforderung (Konjunktiv). Direkte Aufforderungen werden durch den Imperativ (Befehlsform) ausgedrückt. Hauptmodus aller Texte ist der Indikativ.

Genus Verbi: kennzeichnet ein Geschehen als »täterzugewandt« (Aktiv) oder »täterabgewandt« (Passiv).

Die nach den oben gen. Kategorien nicht bestimmten Verbformen heißen **infinit.** Im Deutschen gehören dazu **Infinitiv (Nennform)** und **Partizip (Mittelwort).**

Die Partizipien werden unterschieden in Präsenspartizip (1. Partizip): *laufend, lächelnd*

und Perfektpartizip (2. Partizip): *geredet, gelesen, gesungen, vergangen;* bei Verben mit trennbarer Vorsilbe: *eingesehen, stattgefunden.*

Tempora (Zeitformen)

Präsens (Gegenwart): bezieht sich auf ein Geschehen, das gerade abläuft *(es regnet),* zielt auf Allgemeingültiges *(Wasser gefriert bei 0 °C),* drückt als stilist. Mittel Vergangenes (sog. historisches Präsens: *1797 beginnt Napoleons selbstständige Politik*) oder Zukünftiges aus *(Morgen hole ich alles nach).*

Futur I (Zukunft): bezieht sich auf ein Geschehen, das zum Sprechzeitpunkt noch nicht eingesetzt hat, kann auch Absicht oder Aufforderung ausdrücken *(Ich werde morgen bestimmt pünktlich sein. Du wirst schweigen!),*
bezieht sich auf gegenwärtiges Geschehen und drückt die Hoffnung des Sprechers aus, dass sich die Aussage nicht bewahrheitet *(Du wirst doch so etwas nicht glauben).*

Präteritum (auch Imperfekt, Vergangenheit): drückt aus, dass ein Geschehen zum Sprechzeitpunkt der Vergangenheit angehört, Haupttempus aller Erzählungen und Berichte *(Niemand bemerkte, wie müde sie war).*

Perfekt (vollendete Gegenwart, zweite Vergangenheit): stellt den Vollzug eines Geschehens als Tatsache fest *(Es hat in der Nacht geschneit).*

Plusquamperfekt (vollendete Vergangenheit, dritte Vergangenheit): stellt den Abschluss eines Geschehens für einen Zeitpunkt in der Vergangenheit fest *(Schon am Tag danach hatte sie alles vergessen).*

Futur II (vollendete Zukunft, zweite Zukunft): stellt den Abschluss eines Geschehens als (vermutete) Tatsache für einen zukünftigen Zeitpunkt dar *(Morgen werde ich die Angelegenheit erledigt haben),*
stellt den Abschluss eines Geschehens als Vermutung für den Sprechzeitpunkt dar *(Darüber werden sie sich geärgert haben).*

z. T. privatrechtl. Vereinigungen (z. B. rechtsfähiger Verein) und z. T. öffentlich-rechtl. Körperschaften (z. B. Sozialversicherungsträger).

Verband der Ärzte Deutschlands e. V., → Hartmannbund.

Verband der Europäischen Landwirtschaft (frz. Confédération Européenne de l'Agriculture), Abk. **CEA,** Spitzenorganisation der europ. Bauernverbände, gegr. 1889, Sitz: Brugg/Schweiz.

Verband der Unabhängigen, Abk. **VdU,** 1949–55 polit. Partei in Österreich, → Freiheitliche Partei Österreichs.

Verband Deutscher Elektrotechniker e. V., Abk. **VDE,** gemeinnütziger technisch-wiss. Verband, gegr. 1893; Sitz: Frankfurt am Main. Aufgaben: Pflege der Wiss., Fortbildung der Mitgl., Aufstellung gesetzlich anerkannter elektrotechn. Sicherheitsvorschriften, Prüfung von Elektroerzeugnissen durch die **VDE-Prüfstelle** und Zertifizierung mit den VDE-Prüfzeichen, Vertretung der dt. Elektrotechnik gegenüber dem Ausland.

Verband deutscher Schriftsteller e. V., Abk. **VS,** 1969 aus der »Bundesvereinigung Dt. Schriftsteller e. V.« (BDS) hervorgegangener Schriftstellerverband; Sitz: Stuttgart; seit 1974 in der IG Medien – Druck und Papier; 1991 (Lübeck/Travemünde) Vereinigung mit den Mitgl. des 1990 aufgelösten Schriftstellerverbandes der DDR.

Verband deutscher Soldaten, →Soldatenverbände.

Verband Deutscher Studentenschaften, Abk. **VDS,** →Studentenschaft.

Verbänderung (Fasziation), *Botanik:* bandförmig verbreiterte Abflachung von Sprossachsen durch Wachstumsstörungen am Vegetationspunkt.

Verbandsgemeinde, →Gemeindeverbände.

Verbandsklage, *Verwaltungsprozess:* von Verbänden gegen eine behördl. Maßnahme erhobene Klage, mit der diese keine eigenen Rechte, sondern die ihrer Mitgl. oder der Allgemeinheit geltend machen. In Dtl. ist nach der Verwaltungsgerichtsordnung nur derjenige klageberechtigt, der eine Verletzung in eigenen Rechten nachweisen kann. Deshalb ist die V. nur zulässig, wenn ein Gesetz sie ausdrücklich vorsieht (u. a. einige Landesnaturschutzgesetze, z. B. in Hessen). Die gesetzl. Zulassung der V. auf Bundesebene wird gefordert, um Belange der Allgemeinheit wie den Umweltschutz oder Denkmalschutz nachdrücklich durchzusetzen, bes. wenn mit Klagen individuell in ihren Rechten Betroffener nicht zu rechnen ist.

Verbania [v-], Hptst. der Prov. Verbano-Cusio-Ossola in Piemont, Italien, am W-Ufer des Lago Maggiore, 32 500 Ew.; besteht aus den Orten Intra und Pallanza (Kurort); Fremdenverkehr.

Verbannung, in der Antike, auch noch im 20. Jh. (z. B. Russland/Sowjetunion, Südafrika) praktizierte, dauernde oder zeitlich beschränkte Verweisung einer Person aus bzw. in ein bestimmtes Gebiet aus rechtl. oder polit. Gründen.

Verbano-Cusio-Ossola [v-], Prov. in Piemont, Italien, 2 255 km², (1995) 161 300 Ew.; Hptst. ist Verbania.

Verbena [v-, lat.], die Pflanzengattung →Eisenkraut.

Verbier [vɛrˈbje], Fremdenverkehrsort im Kt. Wallis, Schweiz, 1 400 m ü. M., im Val de Bagnes, 400 Ew.; größtes schweizer. Chaletdorf; bed. Wintersportgebiet, zahlr. Lifte und Seilbahnen, u. a. auf den Mont Gelé (3 023 m ü. M.) und Mont Fort (3 232 m ü. M.).

Verbindlichkeiten, Verpflichtungen von Unternehmen oder Einzelpersonen, die auf Gesetz, Rechtsgeschäft oder letztwilliger Verfügung beruhen können. In der Bilanz eines Unternehmens die am Bilanzstichtag dem Grunde, der Höhe und der Fälligkeit nach feststehenden Schulden, z. B. Anleihen, V. gegenüber Kreditinst., aus Warenlieferungen oder Leistungen resultierende Zahlungsverpflichtungen gegenüber Geschäftspartnern, Schuldwechsel, V. gegenüber verbundenen Unternehmen bzw. gegenüber Unternehmen, mit denen ein Beteiligungsverhältnis besteht, V. aus Steuern usw. V. sind auf der Passivseite der Bilanz auszuweisen; § 266 HGB enthält ein Gliederungsschema für Kapitalgesellschaften.

Verbindung, 1) *Chemie:* →chemische Verbindungen.

2) *Elektrotechnik:* mechanisch fester Übergang zw. zwei Leitungsstücken mit gutem elektr. Kontakt. Man unterscheidet zw. lösbaren V. (→Steckverbinder), bedingt lösbaren und unlösbaren V. Die beiden Letztgenannten zeichnen sich durch hohe Zuverlässigkeit aus und erlauben kostengünstige Massenproduktion. Bedingt lösbare V. lassen sich zwar öffnen, aber nicht oder nur mit besonderen Hilfsmaßnahmen wieder schließen. Unlösbare V. sind nur unter Zerstörung mindestens eines Partners zu öffnen und unter Austausch zumindest eines der beiden Partner wieder zu schließen (Quetsch-V., →Schneid-Klemm-Technik).

3) *Privatrecht:* die Vereinigung mehrerer Sachen zu einer einheitl. Sache. Werden bewegl. Sachen miteinander oder mit einem Grundstück dergestalt verbunden, dass sie wesentl. Bestandteile einer einheitl. Sache werden, z. B. beim Zusammenbau einer Maschine aus Einzelteilen, die versch. Eigentümern gehören, so werden die bisherigen Eigentümer Miteigentümer dieser Sache. Ist die eine Sache als Hauptsache anzusehen, so erwirbt ihr Eigentümer das Alleineigentum (§§ 946, 947 BGB). Wer durch V. einen Rechtsverlust erleidet, kann Entschädigung über die ungerechtfertigte Bereicherung verlangen.

4) *Prozessrecht:* Vereinigung mehrerer bei einem Gericht anhängiger Prozesse, die in rechtl. Zusammenhang stehen, zu gleichzeitiger Verhandlung und Entscheidung (§§ 147 ZPO, 237 StPO).

5) *Studentenwesen:* →studentische Verbindungen.

6) *Technik:* Zusammenschluss von Werkstücken oder Werkstückteilen, sodass diese in einer bestimmten, ggf. veränderbaren Lage zueinander gehalten werden. Es gibt lösbare V. (z. B. Schraub-, Steck-V.), unlösbare V. (z. B. Niet-, Schweiß-V.), formschlüssige V. (→Formschluss), kraftschlüssige V. (→Kraftschluss) und stoffschlüssige V. (→Stoffschluss), starre V. (z. B. Schraub-, Schweiß-V.), elast. V. (z. B. Feder-, Kupplungs-V.) und gelen-

Verband Deutscher Elektrotechniker e. V.: 1 VDE-Prüfzeichen für die Sicherheit elektrotechnischer und elektronischer Produkte hinsichtlich ihrer elektrischen, mechanischen, thermischen, toxischen, radiologischen und sonstigen Gefährdung, 2 VDE-GS-Zeichen für Geräte, bei denen es sich um verwendungsfertige Arbeitsmittel im Sinne des Gerätesicherheitsgesetzes handelt, 3 VDE-EMV-Zeichen für elektromagnetische Verträglichkeit von Geräten und Systemen, 4 VDE-Komponentenzeichen für Bauelemente der Elektronik, 5 VDE-ENEC-Zeichen für Leuchten und Leuchtenkomponenten, die den europäischen Normen entsprechen

kige V. (z. B. Kugelgelenk-, Kardangelenkverbindungen).

Verblutung, Tod durch Blutverlust (von 1,5 bis zu 2,5 l) bei starker äußerer oder innerer Blutung. (→ Blutstillung)

verbotene Zonen, *Physik:* → Energiebändermodell.

Verbrauch, → Konsum.

Verbraucher, i. w. S. Person, die Waren erwirbt, auch zur gewerbl. Produktion oder für den Handel, i. e. S. Käufer von Erzeugnissen zur eigenen Bedürfnisbefriedigung **(Letzt-V., End-V.).** Als Träger der Nachfrage hat der V. in der Marktwirtschaft Einfluss auf die Art und den Umfang der Produktion sowie die Preisbildung.

Verbraucherkreditgesetz, Gesetz vom 17. 12. 1990 zur Regelung des Rechts des Verbraucherkredits, das das Abzahlungs-Ges. von 1894 ablöste; in Kraft seit 1. 1. 1991. Das V. erfasst Kreditverträge (auch Zahlungsaufschub, Finanzierungshilfen) zw. berufl. oder gewerbl. Kreditgebern und privaten Verbrauchern. Gilt nicht bei Bagatellkrediten (bis 400 DM) und Existenzgründungsdarlehen über 100 000 DM. Das Gesetz ordnet an:

Kreditverträge bedürfen der Schriftform, sie müssen i. Allg. mindestens enthalten: den Nettokreditbetrag, die Art und Weise der Rückzahlung, den Zinssatz und alle Kosten des Kredits (auch die für eine Restschuldversicherung), den effektiven Jahreszins, die Sicherheiten. Bei Abzahlungs-/Teilzahlungsgeschäften müssen Bar- und Teilzahlungspreis, Betrag, Zahl und Fälligkeit der Raten, der effektive Jahreszins, die Kosten, Eigentumsvorbehalte und Sicherheiten genannt werden. Nach Abschluss des Vertrages kann der Verbraucher den Vertrag binnen einer Woche in schriftl. Form frei widerrufen; zur Fristwahrung genügt rechtzeitige Absendung. Über das Widerrufsrecht ist er eindeutig zu informieren, andernfalls bleibt das Widerrufsrecht bis zur beiderseitigen Erfüllung des Vertrages bestehen, längstens aber ein Jahr. Der Schutz des V. erfasst auch Kaufverträge, die mittels Kreditverträgen finanziert werden, wenn beide Elemente als Einheit zu werten sind. Für Verzugszinsen sind Obergrenzen (i. d. R. höchstens 5 % über dem Diskontsatz der Dt. Bundesbank) festgesetzt worden. Rückzahlungen mindern vornehmlich die Hauptschuld, das Recht des Gläubigers zur Kündigung ist erschwert.

Verbraucherpolitik, wirtschaftspolit. Maßnahmen zur Sicherung der Konsumfreiheit und zur Beeinflussung der Bedarfsdeckung der Konsumenten; sie können ordnungspolit. Natur sein (gestaltende Eingriffe in das Marktgeschehen, Verbraucherschutz) und im Bereich des Angebots und der Nachfrage (z. B. Verbraucheraufklärung) ansetzen. (→ Verbraucherverbände)

Verbraucherschutz, Gesamtheit der rechtl. Vorschriften, die den Verbraucher (Käufer, Kreditnehmer u. a.) vor Benachteiligungen im Wirtschaftsleben schützen sollen. Wichtige Vorschriften zum V. sind z. B. Preisauszeichnungspflicht, Verbraucherkredit-Ges., Produkthaftungs-Ges., lebensmittelrechtl. Bestimmungen.

Verbraucherverbände, Organisationen, deren satzungsgemäße Aufgabe die Vertretung der Interessen der Verbraucher ist. Die Tätigkeit der V. bzw. der **Verbraucherzentralen** besteht in der Information und Beratung **(Verbraucheraufklärung),** wobei die V. auch zur Rechtsberatung befugt sind. Außerdem sind sie berechtigt, mit Unterlassungsklagen bei Verstößen gegen das Gesetz gegen den unlauteren Wettbewerb vorzugehen. Wichtige V. sind die Arbeitsgemeinschaft der V. e. V., Berlin, und die Stiftung Warentest.

Verbrauchsgüter, Konsumgüter, die nach einmaliger Verwendung aufgebraucht sind (z. B. Nahrungsmittel); Ggs.: → Gebrauchsgüter.

Verbrauchsteuern, indirekte Steuern, die durch die Besteuerung der Einkommensverwendung für bestimmte Güter die persönl. Leistungsfähigkeit nur mittelbar erfassen. Besteuert wird der Wert des Produkts und/oder eine bestimmte Menge bzw. Gewichtseinheit. V. werden beim Hersteller bzw. Lieferanten erhoben und auf den Konsumenten überwälzt. Man unterscheidet **allg. V.** (→ Umsatzsteuer) und **spezielle V.** (z. B. Kaffee-, Mineralöl-, Tabaksteuer). Zu den V. i. w. S. gehören auch die Aufwandsteuern (z. B. Hunde- und Kraftfahrzeugsteuer). Im Zusammenhang mit dem In-Kraft-Treten des Europ. Binnenmarktes und dem Wegfall der Warenkontrollen an den Grenzen kam es zu einer Harmonisierung der V., die derzeit zw. privater Einfuhr und gewerbl. Handel unterscheidet. Laut V.-Binnenmarkt-Ges. vom 21. 12. 1992 dürfen u. a. Alkohol, Kraftstoff und Tabak aus EU-Staaten für den privaten Verbrauch eingeführt werden, ohne dass dafür dt. V. entrichtet werden müssen. Im gewerbl. Handel wird zunächst weiter nach dem Bestimmungslandprinzip besteuert. Es soll eine Angleichung der Steuersätze erreicht werden, derzeit gelten lediglich einheitl. Mindestsätze. V. auf Leuchtmittel, Salz, Zucker und Tee (wegen des geringen Aufkommens auch Bagatellsteuern gen.) werden in Dtl. seit 1. 1. 1993 nicht mehr erhoben.

📖 HANKE, B.: *Aspekte einer effizienzorientierten Verbrauchsbesteuerung. Frankfurt am Main u. a. 1994.* – MÜLLER, DIRK: *Struktur, Entwicklung u. Begriff der V. Berlin 1997.*

Verbrechen, eine Straftat, die im Ggs. zum Vergehen im Mindestmaß mit einer Freiheitsstrafe von einem Jahr bedroht ist (§ 12 StGB). – In *Österreich* sind V. Straftaten, die mit lebenslanger oder mit mehr als dreijähriger Freiheitsstrafe bedroht sind (§17 StGB). Nach *schweizer.* Recht ist ein V. jede mit Zuchthaus bedrohte Straftat (Art. 9 Abs. 1 StGB).

Verbrechen gegen den Frieden, nach dem Statut des Internat. Militärgerichtshofs (→Nürnberger Prozesse) insbesondere das Planen, Vorbereiten, Einleiten und Durchführen von Aggressionskriegen. (→Friedensverrat)

Verbrechen gegen die Menschlichkeit (Humanitätsverbrechen), nach dem Statut des Internat. Militärgerichtshofs (→Nürnberger Prozesse) Mord, Ausrottung, Versklavung, Deportation und andere unmenschl. Handlungen, begangen an einer Zivilbevölkerung (auch der eigenen) vor und während des Krieges, sowie Verfolgung aus polit., rass. oder religiösen Gründen. Zum dt. Recht →Verschleppung, →Völkermord. Zu den Verbrechen im Jugoslawienkonflikt und in Ruanda →Kriegsverbrechertribunal.

Verbrennung, **1)** *Chemie:* unter Licht- und Wärmeentwicklung schnell ablaufende chem. Reaktion eines Stoffes mit Sauerstoff oder einem anderen Oxidationsmittel. Der Beginn der V. heißt **Entzündung,** bei Dämpfen und Gasen **Entflammung.** Die äußere Erscheinung ist das Feuer. Die bei der V. erzeugte Temperatur wird als **V.-Temperatur,** die bei der vollständigen V. eines Stoffes frei werdende Wärmemenge als **V.-Wärme,** exakt **V.-Enthalpie** (bei konstantem Druck) bzw. **V.-Energie** (bei konstantem Volumen) bezeichnet.

2) *Medizin:* (Combustio) Gewebeschaden durch kurz oder länger einwirkende Hitze über 50 °C, wie Flammeneinwirkung, heiße Gase, Flüssigkeiten **(Verbrühung),** Strahlung (z.B. Sonnenlicht) oder durch Stromeinwirkung bei Elektrounfällen. Nach der Intensität der Gewebeschädigung werden drei Grade unterschieden: **V. 1. Grades** mit Hautrötung und leichter Schwellung; **V. 2. Grades** mit Blasenbildung (Brandblase) und Gewebezerstörung der oberen Hautschicht (Brandwunde); eine volle, narbenfreie Regeneration ist möglich; **V. 3. Grades** mit schwerer Schädigung (Nekrose bis zur Verkohlung) der Haut, wobei auch die Lederhaut mit ihren Gefäßen und Nerven (verbrannte Partien zeigen stellenweise Gefühllosigkeit und ein verkohltes oder weißlich lederartiges Aussehen) betroffen ist. Die nekrot. Hautpartien werden abgestoßen und hinterlassen tiefe Narben. V. größerer Ausdehnung (ab 15 % der Körperoberfläche) sind lebensgefährlich. Der Eiweiß- und Flüssigkeitsverlust bei Störung der Wärmeregulation der Haut und die Giftwirkung der durch die V. veränderten Eiweißstoffe führen u.a. zum Kreislaufversagen. (→erste Hilfe)

Verbrennungskraftmaschine (Brennkraftmaschine), Wärmekraftmaschine, bei der durch Verbrennung eines Brennstoff-Luft-Gemischs unmittelbar in der Maschinenanlage Wärme erzeugt und in mechan. Arbeit umgewandelt wird. V. sind →Strahltriebwerke, →Gasturbinen, →Verbrennungsmotoren.

Verbrennungsmotor, als Kolbenmaschine ausgeführte Wärmekraftmaschine, in der durch period. Verbrennung eines Kraftstoff-Luft-Gemischs im Innern eines Zylinders (innere Verbrennung) Wärme erzeugt und über Kolbenbewegung in mechan. Arbeit umgewandelt wird. Man unterscheidet Hubkolben- und Kreiskolbenmotoren sowie nach der Zündung und Gemischbildung Diesel- und Ottomotoren. Nach dem Ablauf des Arbeitsverfahrens unterscheidet man Viertakt- und Zweitaktmotoren, wobei unter Takt ein Kolbenhub verstanden wird, d.h., auf eine Kurbelwellenumdrehung kommen zwei Takte.

Beim **Kreiskolbenmotor** (Wankelmotor) laufen während einer Kolbenumdrehung je Triebwerksscheibe gleichzeitig drei Takte ab, da Kreiskolben und Gehäuse in jeder Drehlage drei sichelförmige Kammern bilden. **Hubkolbenmotoren** arbeiten im Vier- oder Zweitaktverfahren. Die einzelnen Takte des **Viertaktverfahrens** sind: 1) Ansaugen des Kraftstoff-Luft-Gemischs, beim Dieselmotor der Verbrennungsluft. 2) Verdichten des Zylinderinhaltes, gegen Ende des Hubes Zündung. 3) Verbrennung unter Temperatur- und Drucksteigerung. Durch die Ausdehnung der Gase wird der Kolben zum unteren Totpunkt bewegt. 4) Ausschieben der verbrannten Gase. Beim **Zweitaktverfahren** stellen nur Verdichten der Frischladung und Ausdehnung der Verbrennungsgase eigene Arbeitstakte dar. Der Wechsel des Zylinderinhaltes (Ladungswechsel) findet im Bereich des unteren Totpunktes (UT) statt, indem frisches Gas, das in den Zylinder gedrückt wird, das verbrannte Gas hinausschiebt. Zur Steuerung der Gaswechselvorgänge werden beim Viertakt-Hubkolbenmotor Ventile und beim Viertakt-Kreiskolbenmotor Schlitze verwendet. Zweitaktmotoren arbeiten meist mit Schlitzen, seltener mit Schiebern oder Ventilen. Die Motorleistung wird bei Vergasermotoren durch Regelung der dem Motor zugeführten Kraftstoff-Luft-Gemischmenge (Füllungsregelung), bei Dieselmotoren durch die in den Zylinder eingespritzte Kraftstoffmenge (Gemischregelung) an den jeweiligen Betriebszustand angepasst. Ottomotoren mit Benzineinspritzung benutzen eine Kombination beider Regelmechanismen.

Die Bauformen der V. werden nach Zahl, Lage und Anordnung der Zylinder unterschieden.

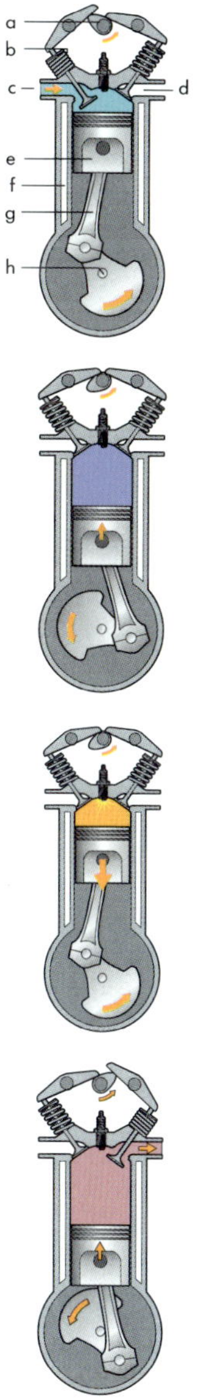

Verbrennungsmotor: schematische Darstellung der einzelnen Takte eines Viertakt-Ottomotors; Ansaugen des Kraftstoff-Luft-Gemischs, Verdichten, Verbrennung und Ausschieben der Gase (von oben); a Nockenwelle, b Zündkerze, c Einlassventil, d Auslassventil, e Kolben, f Wasserkühler, g Pleuelstange, h Kurbelwelle

Mehrzylinderanordnungen haben einen gleichmäßigeren Lauf. Es werden vorwiegend **Reihenmotoren** gebaut, häufig auch Motoren mit der Zylin-

Verbrennungsmotor: Schnittzeichnung eines Sechszylinder-V-Motors

deranordnung in **V-Form (V-Motoren), Sternmotoren** und **Boxermotoren.** Letztere haben eine bes. niedrige Bauform, bei der die Zylinder einander gegenüberliegen und auf die gleiche Welle wirken. Eine Sonderform ist der **Gegenkolbenmotor** mit zwei Kolben in einem gemeinsamen Verbrennungsraum.

Geschichte: Die V. in ihrer heutigen Form gehen auf N. Otto zurück (1876). G. Daimler (1883), W. Maybach (1883/85) und C. Benz (1885) schufen den leichten, schnell laufenden Benzinmotor, R. Diesel (1892) den Dieselmotor, F. Wankel (1957) den Kreiskolbenmotor. Die derzeitige Weiterentwicklung konzentriert sich auf den Bau wirtschaftlicherer (Brennstoffverbrauch), geräuschärmerer und wartungsfreundlicherer Motoren sowie auf die Reduzierung der Schadstoffemission in den Abgasen.

Vercingetorix (Porträt auf einer keltischen Münze, um 50 v. Chr.)

🕮 Urlaub, A.: *V. Grundlagen, Verfahrenstheorie, Konstruktion. Berlin u. a. 1995.*

Verbrennungswärme, *Chemie:* →Verbrennung.

Verbrühung, *Medizin:* →Verbrennung.

verbundene Waffen, →Gefecht.

Verbundglas, ein →Sicherheitsglas.

Verbundkern, der →Compoundkern.

Verbundwerkstoffe, aus verschiedenartigen, untereinander fest verbundenen Materialien aufgebaute Werkstoffe, deren chem. und physikal. Eigenschaften die der Einzelkomponenten übertreffen. Bei den **Teilchen-V.** führt die Einlagerung von fein verteilten Carbiden, Oxiden, Nitriden und Siliciden in den Grundwerkstoff (Matrix) zu verbesserten Festigkeitseigenschaften. Typ. Beispiel für **Faser-V.** sind die glasfaserverstärkten Kunststoffe, deren Zugfestigkeit in Faserrichtung der des Stahls entspricht, deren Gewicht jedoch nur etwa ¼ beträgt, ferner Faser-V. mit Bor- oder Kohlenstofffasern, die in Kunststoffe, Aluminium oder Titan eingebettet sind (v. a. Flugzeugbau) sowie Faser-V. mit Kristallfäden (Whisker), die wegen ihrer Festigkeitswerte an der Spitze aller Faser-V. liegen. Zu den **Tränklegierungen** gehören V., die aus einem porösen keram. oder metall. Grundwerkstoff bestehen, der mit einem Metall getränkt wird. **Schicht-V.** werden z. B. durch Aufdampfen, Spritzen, Plattieren u. a. von dünnen Schichten auf einen Grundwerkstoff hergestellt.

Vercors

Verbundwirtschaft, Zusammenschluss mehrerer Unternehmen zur Steigerung der Produktivität und der Rentabilität; kann die rechtl. bzw. wirtsch. Selbstständigkeit der Unternehmen aufheben oder nur organisator. Art sein. – Eine bed. Rolle spielt die V. in der Energiewirtschaft, insbesondere in der Elektrizitätsversorgung.

Vercelli [vɛrˈtʃɛlli], **1)** Provinz in Piemont, Italien, 2 088 km^2, (1995) 182 500 Einwohner.

2) Hauptstadt von 1), an der Sesia, 48 700 Ew.; Erzbischofssitz; Kernforschungszentrum, Museen; Reisbau und -handel, Textil-, Lederindustrie. – Backsteinbasilika Sant' Andrea mit Campanile (15. Jh.), Dom (Chor 1572–78, Haupthaus 18. Jh.) mit roman. Campanile des Vorgängerbaus (12. Jh., 1620 z. T. erneuert). – Nach Plutarch vernichtete Marius 101 v. Chr. die Kimbern auf den **Raud. Feldern** nahe einer Vercellae gen. Siedlung (Lokalisierung des Schlachtenorts beim heutigen V. ist fraglich).

Vercingetorix, Keltenfürst aus dem Stamm der Arverner, * um 82 v. Chr., † (hingerichtet) Rom 46 v. Chr.; leitete 52 v. Chr. die letzte große Erhebung der Gallier gegen Cäsar; wurde nach anfängl. Erfolgen bei Alesia durch Cäsar besiegt.

Vercors, Le [lə vɛrˈkɔ:r] *das,* verkarstetes Kalkgebirge in S-Frankreich, in den frz. Voralpen; im Grand Veymont 2341 m ü. M.; Forstwirtschaft, Milchviehhaltung; Fremdenverkehr.

Vercors [vɛrˈkɔ:r], eigtl. Jean Bruller, frz. Schriftsteller, * Paris 26. 2. 1902, † ebd. 9. 6. 1991; Mitgründer des frz. Résistance-Verlags »Les Éditions de Minuit«, wurde v. a. mit der Novelle über die Zeit der dt. Besetzung »Das Schweigen des Meeres« (1942) bekannt, die das dt.-frz. Verhältnis behandelt; übte in seinen späteren Werken Zivilisationskritik, meist in satir. oder utop. Verfremdung: »Zoo oder Der menschenfreundl. Mörder« (Kom., 1964), »Das Floß der Medusa« (R., 1969), »Les chevaux du temps« (R., 1977); auch Essays.

Verdächtigung, *Strafrecht:* die Behauptung oder Vermutung, dass jemand eine Straftat begangen habe. Eine **falsche V.** (bis 1974 »falsche Anschuldigung«) begeht, wer einen anderen bei einer Behörde oder öffentlich wider besseres Wissen einer Straftat verdächtigt, in der Absicht, ein behördl. Verfahren gegen ihn herbeizuführen (§ 164 StGB). Die Form der V. ist dabei ohne Belang. Wegen **polit. V.** wird mit Freiheitsstrafe bis zu fünf Jahren oder Geldstrafe bestraft, wer einen anderen durch eine Anzeige u. a. der Gefahr aussetzt, aus polit. Gründen in Widerspruch zu rechtsstaatl. Grundsätzen an Leib oder Leben, in seiner Freiheit oder seinem Vermögen empfindlich beeinträchtigt zu werden (§ 241 a StGB).

Verdampfen (Verdampfung), Übergang eines Stoffes vom flüssigen (oder festen) in den gasförmigen Zustand durch →Sieden oder →Verdunstung. Die von einem Stoff beim V. (bei konstanter Temperatur) aufgenommene Wärmeenergie wird als **Verdampfungsenthalpie (-wärme)** bezeichnet (→Umwandlungswärme). Wird einer Flüssigkeit während des V. keine Wärmeenergie zugeführt, so wird die benötigte Wärmemenge der Umgebung entzogen. Die dadurch verursachte Temperaturerniedrigung wird technisch bei Kältemaschinen im **Verdampfer** ausgenutzt.

Verdandi, *altnord. Mythologie:* eine der drei →Nornen.

Verdauung (Digestion), der Abbau der organ. Grundnahrungsstoffe (Kohlenhydrate, Eiweiße und Fette) in einfache und für den Organismus bzw. eine einzelne Zelle resorbierbare Bausteine des Stoffwechsels durch das Einwirken von →Verdauungsenzymen und die Aufnahme in Blut bzw. Lymphe. Dazu gehören motor. Vorgänge wie Kauen, Schlucken, Transport und Mischbewegungen (Peristaltik; Pendelbewegungen des Darms u. a.), Entleerung des Magens sowie sekretor. Vorgänge, durch die die V.-Säfte (Speichel, Magen-, Bauchspeicheldrüsen-, Darmsaft, Galle) bereitgestellt werden. Motorik wie Sekretorik werden nerval (reflektorisch) sowie durch ein örtl. Nervensystem in der Wand des V.-Kanals und humoral gesteuert. Bei Einzellern, Schwämmen, Hohltieren, Strudelwürmern, einigen Muscheln und Schnecken erfolgt die V. innerhalb der Zellen (intrazelluläre V.), bei höheren Tieren im Darm (extrazelluläre Verdauung).

Verdauungsenzyme, bei der Verdauung wirksame Enzyme, die Nahrungsbestandteile hydrolytisch spalten und in resorptionsfähige niedermolekulare Verbindungen überführen. Man unterscheidet Carbohydrasen, Proteasen und Lipasen. **Carbohydrasen** sind die die Stärke und das Glykogen bis zu den Oligo- bzw. Disacchariden abbauenden Amylasen, die die Cellulose bis zur Glucose abbauenden Cellulasen und die Chitinasen, die Chitin zu einfachen Zuckern spalten; Maltase und Lactase spalten Glykoside und Oligosaccharide zu Monosacchariden. Bei den **Proteasen** unterscheidet man Proteinasen (Endopeptidasen; Pepsin, Trypsin, Chymotrypsin), die Proteine und höhere Polypeptide in niedermolekulare Eiweißstoffe spalten, und die Peptidasen i. e. S. (Exopeptidasen), die v. a. niedermolekulare Eiweißstoffe in die einzelnen Aminosäuren zerlegen. Die **Lipasen** spalten Fette in Glycerin und Fettsäuren. Sie können aber erst nach Einwirken der Gallensäuren wirksam werden.

Verdauungsorgane (Verdauungssystem), Gesamtheit der Organe, die der Aufnahme, dem Weitertransport, der mechan. und chem. Aufbereitung und der Resorption der Nahrung sowie der Ausscheidung unverdaul. Stoffe dienen. Dazu gehören Mundhöhle mit Zähnen, Zunge und Speicheldrüsen, Schlund, Speiseröhre, Magen und Darmkanal mit Anhangdrüsen (Leber, Bauchspeicheldrüse) und After.

Verdampfen

In einem modernen Eierkocher werden die Eier nicht in heißem Wasser, sondern in Dampf gegart. Das Gerät braucht bei gleicher Garzeit umso weniger Wasser, je mehr Eier gegart werden sollen. Das hängt nicht damit zusammen, dass mehr Eier mehr Platz im Kocher, also weniger Dampf und damit auch weniger Wasser benötigen. Die richtige Erklärung ist, dass die Eier immer kälter sind als der Dampf. Je mehr Eier, desto größer ist die kühle Oberfläche, wo der Dampf kondensieren kann. Das Wasser wird also öfter verdampft als mit weniger Eiern – und dadurch bleibt die Garzeit gleich.

Verdauungsstörung (Indigestion), Störung der Verdauungstätigkeit, gekennzeichnet durch Blähungen, Ekel vor Speisen, Sodbrennen, Aufstoßen, Erbrechen, Durchfall. Ursachen können Überfüllung des Magens, Aufnahme nicht bekömml. oder verdorbener Speisen und Krankheiten des Magen-Darm-Kanals (z. B. Reizmagen, Darmkatarrh) sein. **Dyspepsie** ist die ungenaue und z. T. veraltete Bezeichnung für die nicht organisch bedingten Störungen der Verdauung, die z. B. dadurch zustande kommen, dass nicht resorbierte Nahrungsbestandteile in tiefere Darmabschnitte (z. B. Dickdarm) gelangen, wo sie bakteriell zersetzt werden, in Form der →Fäulnisdyspepsie oder der Gärungsdyspepsie (ungenügende Kohlenhydratverdauung).

verdeckter Ermittler, Beamter des Polizeidienstes, der unter einer auf Dauer angelegten veränderten Identität (»Legende«) ermittelt. V. E. dürfen mit staatsanwaltl., unter Umständen richterl. Zustimmung nach § 110 a f. StPO zur Aufklärung von erhebl. Straftaten auf dem Gebiet des Drogen- und Waffenhandels, des Staatsschutzes, der gewerbs- und gewohnheitsmäßigen oder sonst organisierten Kriminalität sowie bei Verbrechen mit Wiederholungsgefahr eingesetzt werden. Der

Giuseppe Verdi: Gemälde von Giovanni Boldini (1886; Rom, Galleria Nazionale d'Arte Moderna) und Autograph des Gefangenenchors »Flieg, Gedanke, auf goldenen Flügeln« (Ausschnitt) aus dem 3. Akt der Oper »Nabucco«

Einsatz ist nur zulässig, wenn die Aufklärung auf andere Weise aussichtslos oder wesentlich erschwert ist. Die Identität des v. E. kann auch nach Beendigung des Einsatzes sowie im Strafprozess, in dem seine Erkenntnisse als Beweis dienen können, geheim gehalten werden, allerdings nicht gegenüber den zur Entscheidung über seinen Einsatz berufenen Staatsanwälten bzw. Richtern. Während ihres Einsatzes als v. E. dürfen die Beamten selbst keine Straftaten begehen.

Verden 2)
Stadtwappen

Verden [f-], **1)** Landkreis im RegBez. Lüneburg, Ndsachs., 788 km², (1996) 129 400 Einwohner.

2) Kreisstadt von 1), an der Mündung der Aller in die Weser, 26 900 Ew.; histor. Museum; Reiterstadt mit Dt. Pferdemuseum, Hippolog. Institut, Pferderennbahn, Pferdeausbildungs- und Pferdeabsatzzentrale; Herstellung von Heimtiernahrung, Keksfabrik, elektron. Ind., Maschinenbau. – Dom St. Maria und Cäcilia (1290 ff., mit roman. Turm), roman. Andreaskirche (12./13. Jh.), Johanniskirche (12.–15. Jh.), Bürgerhäuser des 16.–19. Jh. – Als **Ferdi** (Furt) 810 erstmals erwähnt, (spätestens) ab 849 Bischofssitz; 985 Marktrecht; 1192 als Stadt genannt; fiel mit dem 1566 reformierten und 1648 säkularisierten (Herzogtum) Hochstift 1648 an Schweden, 1712/19 an Hannover, 1866 an Preußen. – Im **Verdener Blutgericht** 782 sollen 4 500 Geiseln der aufständ. Sachsen durch Karl d. Gr. hingerichtet worden sein (Sachsenhain).

Giuseppe Verdi
Das Mailänder Konservatorium lehnte 1832 seine Aufnahme »wegen erwiesener Unfähigkeit« ab. Der Maestro vergaß das nie. Als sich die Institution 1898 nach ihm benennen wollte, verbat sich das der 85-Jährige energisch.

Verdi, Giuseppe, italien. Komponist, *Le Roncole (heute zu Busseto, Prov. Parma) 10. 10. 1813, †Mailand 27. 1. 1901; einer der bedeutendsten Musikdramatiker des 19. Jh.; studierte in Mailand bei V. Lavigna und war 1836–39 städt. Musikdirektor in Busseto, danach übersiedelte er nach Mailand; seit 1849 lebte er überwiegend auf seinem Landgut Sant' Agata bei Busseto oder in Genua. V. knüpfte in seinen Frühwerken an G. Rossini, V. Bellini und G. Donizetti an. Seine 3. Oper, »Nabucco« (1842; darin der »Freiheitschor«), brachte den ersten großen Erfolg. In histor. Stoffen formulierte patriot. Thematik machte V. zum Repräsentanten der nat. italien. Oper und des Risorgimento, so u. a. in »Ernani« (1844, nach V. Hugo) und bes. »Die Schlacht von Legnano« (1849), in Rom unmittelbar vor Garibaldis Einmarsch uraufgeführt. Bes. in den drei berühmten Opern der mittleren Schaffenszeit »Rigoletto« (1851, nach V. Hugo), »Der Troubadour« (1853, nach einem Drama von A. García Gutiérrez) und »La Traviata« (1853, nach einem Drama von A. Dumas d. J.) gelangen V. prägnante Personencharakterisierung und Ensemblegestaltung. Die ausdrucksstarke Gesangsmelodie herrscht vor in Arien, Duetten und Ensembles. In den Hauptwerken der mittleren Zeit, »Don Carlos« (1867, Neufassung 1884, nach Schiller) und »Aida« (1871), überbrückt die reicher ausgestaltete Orchesteruntermalung des dramat. Rezitativs die Grenzen der geschlossenen Nummern; der musikal. Aufbau der Szene fasst die Vorgänge zur musikdramat. Einheit zusammen. Diese neuartige Dramatisierung der alten Nummernanlage hatte sich bereits in den kurzen, psychologisch vertieften Szenen des »Simon Boccanegra« (1857; Neufassung 1881) angekündigt. Ihre Vollendung fand sie in den Spätwerken »Othello« (1887) und »Falstaff« (1893, beide nach Shakespeare). Das Orchester ordnet sich nach wie vor dem dramatisch gestrafften Gesang unter; die Harmonik erscheint zugleich verfeinert und vereinfacht.

Weitere Werke: Opern: »Die Lombarden« (1843); »Macbeth« (1847, nach Shakespeare; Neufassung 1865); »I masnadieri« (1847, nach Schillers »Räuber«); »Luisa Miller« (1849, nach Schiller); »Die sizilian. Vesper« (1855); »Ein Maskenball« (1859); »Die Macht des Schicksals« (1862; Neufassung 1869). – Streichquartett e-Moll (1873); Requiem (1874); Te Deum (1898), Stabat mater (1898) u. a.

📖 MARGGRAF, W.: *G. V. Leben u. Werk. Leipzig ^{2}1986.* – KÜHNER, H.: *G. V. Reinbek 76.–78. Tsd. 1995.*

Verdichter, Arbeitsmaschine zum Verdichten von Gasen und Dämpfen. Beim Verhältnis von Enddruck zu Ansaugedruck von über 3,0 spricht man von eigentl. V. oder **Kompressoren,** bis etwa 3,0 von Gebläsen, bei unter 1,1 von Ventilatoren. V. verwendet man für Druckluftwerkzeuge, -förderanlagen, zur Bewetterung von Schachtanlagen, zum Blasen der Hochöfen, zur Kohlehydrierung, Ammoniaksynthese u. a. Bei den **Verdränger-V.** beruht die Wirkung auf der abwechselnden Vergrößerung und Verkleinerung von Arbeitsräumen. Zu ihnen gehören die weit verbreiteten Hubkolben-V. und Drehkolben-V. **Kreisel-** oder **Turbo-V.** sind Strömungsmaschinen, die nach der Richtung des aus dem Laufrad austretenden Fördermediums als Radial- oder Axial-V. bezeichnet werden. Beim **Strahl-V.** reißt ein mit hoher Geschwindigkeit aus einer Düse austretender Treibmittelstrahl (Gas, Dampf, Flüssigkeit) das ihn umgebende Gas mit und erteilt ihm so kinet. Energie.

Verdichtung (Kompression), die Verringerung des Volumens eines festen, flüssigen oder gasförmigen Körpers durch allseitige Druckerhöhung (→Kompressibilität).

Verdichtungsverhältnis, bei Verbrennungsmotoren das Verhältnis von größtem zu kleinstem Zylindervolumen; bei Verdichtern das Verhältnis des absoluten Enddrucks zum absoluten Ansaugedruck.

Verdienstorden der Bundesrepublik Deutschland (Kurzbez. Bundesverdienstkreuz), am 7. 9. 1951 vom Bundespräs. gestifteter Orden für Leistungen auf polit., wirtsch. oder geistigem Gebiet. Er umfasst acht Stufen und eine Medaille, nach den internat. Normen in drei Klassen unterteilt: Großkreuz, Großes Verdienstkreuz, Verdienstkreuz. Das Großkreuz wird nur an Staatsoberhäupter verliehen. (→Orden)

Verdịkt [engl., zu lat. vere dictum »wahrhaft gesprochen«] *das,* veraltet für Entscheidung, Urteilsspruch der Geschworenen, allg. Verdammungsurteil.

Verdingung (Submission), die Vergabe von Arbeiten oder Lieferungen durch Ausschreibung. Unternehmungen werden darin aufgefordert, ihre Angebote einzureichen. Das Verfahren der V. ist bes. bei Aufträgen durch die öffentl. Hand üblich. Maßgebl. Verwaltungsvorschriften sind die V.-Ordnung für Bauleistungen (VOB) und die V.-Ordnung für Leistungen (VOL), ausgenommen Bauleistungen.

Verdrängerpumpe, eine Art von →Pumpen.

Verdrängung, *Psychoanalyse:* Bez. für einen Abwehrmechanismus, bei dem nicht akzeptierbare oder unerträgl. Triebregungen, Erlebnisse und Erinnerungen vom Zugriff des Bewusstseins ausgeschlossen werden, aber im Unbewussten weiterwirken und sich in Träumen, Fehlhandlungen und Krankheitssymptomen äußern.

Verdrehung (Drillung), *Physik:* die →Torsion.

Verdunkelungsgefahr, der dringende Verdacht, dass der einer Straftat Beschuldigte zur Erschwerung der Wahrheitsfindung Beweismittel vernichten, verändern, beiseite schaffen, unterdrücken oder fälschen bzw. auf Mitschuldige, Zeugen oder Sachverständige in unlauterer Weise einwirken oder andere zu solchem Verhalten veranlassen wird. V. ist ein Haftgrund (§ 112 StPO).

Verdünnungsgesetz, →Ostwald, Wilhelm.

Verdunstung, bei Temperaturen unterhalb des Siedepunktes stattfindender Übergang aus dem flüssigen in den gasförmigen Aggregatzustand (v. a. von Wasser in Wasserdampf), der sich im Ggs. zum →Sieden nur an der Oberfläche der Flüssigkeit abspielt. Die zur V. benötigte Energie wird der Umgebung entzogen, sodass sich diese abkühlt **(V.-Kälte).** Pflanzen ermöglicht der durch V. **(Transpiration)** bedingte Wasserstrom, Nährstoffe in ihrem Inneren zu transportieren; durch die V.-Kälte können Tiere ihre Körpertemperatur regulieren. Als **Evaporation** wird die V. von freien Wasserflächen, unbewachsenem Boden und von Pflanzen aufgefangenem Wasser bezeichnet. INFOKASTEN S. 390

Verdun-sur-Meuse [vɛr'dœ̃ syr 'mø:z], Stadt im Dép. Meuse, Lothringen, Frankreich, an der Maas und am Canal de l'Est; 21 500 Ew.; Kriegs-

Verdienstorden der Bundesrepublik Deutschland: Ordenszeichen und Ordensband

Verdun-sur-Meuse Stadtwappen

Giuseppe Verdi

Zur Zeit des Risorgimento, der Freiheits- und Einheitskämpfe der Italiener gegen die österreichische Besatzungsmacht, kam es ab 1842 nach der Aufführung von Verdi-Opern immer wieder zu lang anhaltenden »Viva-Verdi«-Rufen. Wie die Österreicher sehr schnell argwöhnten, war dies nicht nur der Ausdruck von Hochachtung gegenüber dem Maestro, sondern auch eine revolutionär provozierende Manifestation.

*Es handelte sich nämlich bei »Verdi« um ein Akronym für **V**ittorio **E**mmanuele, **R**e **d'I**talia (Viktor Emmanuel, König von Italien). Daher waren bis 1857 Begeisterungsrufe für den Komponisten verboten. Und am 17. März 1861 war Viktor Emmanuel II. endlich »Verdi«, König von Italien.*

und Städt. Museum; Textil-, Druckind., Herstellung von Süßwaren und Likör. – Kathedrale Notre-Dame (über Vorgängerbau von 1047, 1147 geweiht, im 14. und 18. Jh. verändert) mit got. Kreuzgang, Bischofspalais (18. Jh.), Princerie (1525, heute Städt. Museum), Hôtel de Ville (1623, heute Kriegsmuseum), altes Stadttor (14. Jh.), Zitadelle, Tore und Bastionen der Festung von Vauban. Im N der Stadt vor der Porte Saint-Paul eine Plastik von Rodin. – Die kelt. Gründung **Verodunum** (»starke Festung«), seit dem 4. Jh. Bischofssitz, wurde in fränk. Zeit überregionaler Handelsplatz. Im **Vertrag von V.** (843) teilte Kaiser Lothar I. das Karolingerreich mit seinen beiden Brüdern. V. kam zunächst zum Mittelreich, 880 zum Ostfränk. und damit später zum Hl. Röm. Reich, im 13. Jh. Reichsstadt. 1552 übertrugen die dt. prot. Fürsten dem frz. König das Reichsvikariat über V.; Vauban baute die Stadt zur Festung aus (erneuert nach 1871).

Die **Schlacht um V.** (Febr. bis Dez. 1916) war die blutigste und verlustreichste Materialschlacht des 1. Weltkrieges (rd. 700 000 Tote, Verwundete, Vermisste und Gefangene); sie wurde zum Symbol der verfehlten »Ausblutungsstrategie« des Chefs des dt. Generalstabs, General E. von Falkenhayn, und der frz. Widerstandskraft (Rückeroberung der Forts Douaumont und Vaux).

📖 Werth, G.: *1916, Schlachtfeld Verdun. Europas Trauma. Berlin 1994.* – Denizot, A.: *Verdun 1914–18. Paris 1996.*

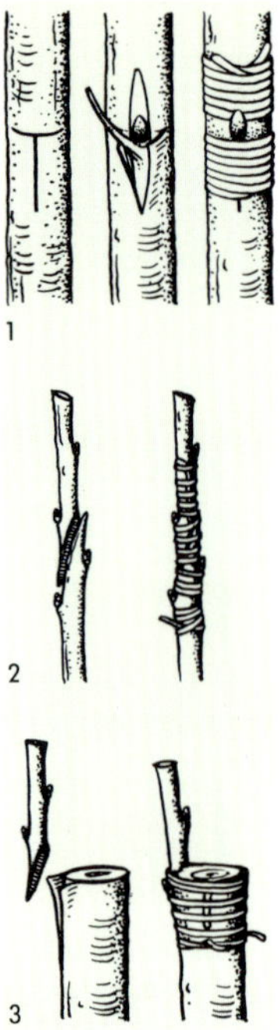

Veredelung 1): schematische Darstellung verschiedener Veredelungsverfahren; 1 Okulation, 2 Kopulation, 3 Propfung

Veredelung, 1) *Pflanzenbau:* das der Qualitätssteigerung, der vegetativen Vermehrung, der Resistenz gegen Krankheitserreger u.a. dienende Überpflanzen eines Teils (**Edelreis,** Edelauge) einer gewünschten Pflanze (v.a. Obst- und Rosensorten) auf eine geeignete (weniger edle) Unterlage, mit der der überpflanzte Teil zu einer künstl. Lebensgemeinschaft verwächst. – Man unterscheidet **Okulation** (Augen-V., ein Stück Rinde mit einer darauf sitzenden Knospe wird unter die mit einem T-Schnitt gelöste Rinde der Unterlage geschoben) und **Reis-V.** (Vereinigung eines Edelreises mit einer geeigneten Unterlage). Reisveredelungsverfahren: Bei der **Pfropfung** wird ein Kronen bildendes Edelreis mit einer geeigneten Wurzeln bildenden Unterlage an der Wundstelle zum Anwachsen vereinigt (bei der **Triangulation** wird in den Rand des Pfropfkopfes eine dreieckige Kerbe geschnitten, in die das ebenfalls dreieckige Edelreis genau passen muss). Beim **Ablaktieren** wird das Edelreis erst nach Verwachsung mit der Unterlage von der Mutterpflanze abgetrennt. Dann wird auch die Unterlage dicht oberhalb der V.-Stelle abgeschnitten. Bei der **Kopulation** wird das Edelreis über schräge, gleich lange Schnittflächen mit der Unterlage vereinigt.

2) *Technik:* die Wertmehrung eines Gegenstands a) durch Überführung von einem Roh- oder Zwischenzustand in einen Fertigzustand durch eine relativ geringfügige techn. Veränderung; b) durch Verbesserung von Oberflächen, besonders durch Färben oder Beschichten; c) bei Gussmetallen durch Verbesserung des Gussgefüges durch Schmelzzusätze.

3) *Textiltechnik:* → Textilveredlung.

Verdunstung

Flüssigkeiten können in Gase übergehen. Passiert dies bei Temperaturen unterhalb des Siedepunktes, so sprechen wir von Verdunstung; darüber heißt der gleiche Vorgang Verdampfen.
Nach Regen verschwinden die Wasserpfützen durch Verdunsten sehr schnell, wenn die Sonne schön warm scheint. Sie führt den Wassermolekülen an der Oberfläche Energie zu, wodurch sie genügend schnell werden und die Pfütze verlassen können. Dadurch steigt allerdings auch der Dampfdruck in der Luft, und weniger Flüssigkeit kann in den gasförmigen Zustand übergehen. Deshalb verdunsten Pfützen bei schwülem Wetter viel langsamer.
Weil Moleküle beim Verdunsten der Umgebung Wärme entziehen, ist es nur scheinbar paradox, wenn uns beim Schwitzen fröstelt. Während nämlich der Schweiß auf der Haut verdunstet, kühlt er uns gleichzeitig ab. Nach dem gleichen Prinzip der Verdunstungskälte funktioniert übrigens auch der Kühlschrank.

Vereeniging [fər'e:nəxəŋ], Bergbau- und Industriestadt in der Prov. Gauteng, Rep. Südafrika, städt. Agglomeration mit **Vanderbijlpark** und **Sasolburg,** 773 600 Ew.; Steinkohlenbergbau, Eisen- und Stahlindustrie; Großkraftwerk. – 1902 beendete das **Abkommen von V.** zw. Briten und Buren den → Burenkrieg.

Vereidigung, Abnahme eines → Eides durch ein dazu befugtes Organ, z.B. Gericht. (→ Amtseid)

Verein, eine vom Wechsel ihrer Mitgl. unabhängige, dauernde Verbindung von Personen unter einem Gesamtnamen zur Verfolgung eines gemeinsamen, nicht nur vorübergehenden Zwecks, mit einer Satzung, die Zweck und Willensbildung der Gemeinschaft regelt. Das **V.-Recht** unterscheidet zw. der öffentl. (→ Vereinigungsfreiheit) und der privaten Seite des V. Das private V.-Recht ist grundsätzlich durch das BGB geregelt, für größere Wirtschafts-V. (AG, GmbH, Genossenschaft u.a.), die urspr. aus dem V.-Gedanken entwickelt wurden, gelten Sondergesetze. In Bezug auf die Rechtsstellung unterscheidet man rechtsfähige und nichtrechtsfähige Vereine.

Rechtsfähiger V.: Ist der Zweck eines V. auf einen wirtsch. Geschäftsbetrieb gerichtet, ohne dass er unter die oben genannten Sondergesetze fällt, oder hat der V. seinen Sitz im Ausland, erlangt er die Rechtsfähigkeit durch staatl. Verleihung. Liegen die Bestrebungen des inländ. V. auf anderem, bes. geistigem, sozialem, polit., religiösem Gebiet

Vereinigte Arabische Emirate

Fläche: 83 600 km²
Einwohner: (1995) 1,904 Mio. (nach anderen Angaben 2,44 Mio.)
Hauptstadt: Abu Dhabi
Verwaltungsgliederung: 7 Emirate
Amtssprache: Arabisch
Währung: 1 Dirham (Dh.) = 100 Fils
Zeitzone: MEZ +3 Std.

(Ideal-V.), muss er zur Erlangung der Rechtsfähigkeit in das beim Amtsgericht geführte, für jedermann zur Einsicht offen stehende **V.-Register** eingetragen werden (§§21, 55ff. BGB). Mit der Eintragung wird der V. zur jurist. Person und darf die Bez. »eingetragener V.« oder den Zusatz »e.V.« führen. Die Verfassung des V. bestimmt sich nach seiner Satzung, hilfsweise nach §§25ff. BGB. Voraussetzung der Eintragung sind das Vorhandensein von mindestens sieben Gründungsmitgl. und Anmeldung durch alle Vorstandsmitgl. in öffentlich beglaubigter Form. Notwendige Organe des V. sind der Vorstand und die Mitgl.versammlung; der Vorstand ist der gesetzl. Vertreter.

Nichtrechtsfähiger V. (z.B. ein nicht eingetragener Turnverein, Gewerkschaften, Parteien): Er ist als solcher nach der Absicht des BGB rechtlich nicht Träger von Rechten und Pflichten. Auf ihn finden nach §54 BGB die Vorschriften über die Gesellschaft des bürgerl. Rechts Anwendung. Diese Verweisung wird allg. als verfehlt angesehen und weitestgehend das Recht des rechtsfähigen V. (§§55ff. BGB) auch auf den nichtrechtsfähigen V. angewandt.

Das *österr.* Recht kennt **Wirtschafts- und Ideal-V.;** Unterscheidungsmerkmal ist die Erwerbsabsicht. Für Wirtschafts-V. gelten Sondergesetze (Aktien-Ges., GmbH-Ges., Genossenschafts-Ges.). Die Vorschriften für Ideal-V. sind im V.-Gesetz vom 28.8.1951 und im ABGB (§26) enthalten. In der *Schweiz* kann ein V. i.e.S. zu allen nichtwirtsch. Zwecken gegründet werden. Der V. erlangt Rechtspersönlichkeit, sobald Statuten vorhanden sind, die über Zweck, Mittel und Organisation Aufschluss geben (Art. 60ff. ZGB).

📖 AGRICOLA, S. *u.* WEHR, P.: *Vereinswesen in Dtl. Eine Expertise im Auftrag des Bundesministeriums für Familie u. Senioren. Stuttgart u. a. 1993.*

Verein Deutscher Ingenieure e.V. [- ɪnʒenˈjøːrə -], Abk. **VDI,** Zusammenschluss der dt. Ingenieure zu fachl. Austausch, Fortbildung, Vertretung ihrer berufl. Interessen und Erarbeitung technisch-wiss. Richtlinien; gegr. 1856, neu gegr. 1946; Sitz: Düsseldorf. Es bestehen innerhalb des VDI 18 Fachgliederungen, in denen u.a. die **VDI-Richtlinien** als »anerkannte Regeln der Technik und Maßstäbe für einwandfreies techn. Verhalten« erarbeitet werden. Für Ingeneurinnen gibt es spezielle Arbeitsgruppen und Seminare, die sich v.a. mit den Schwierigkeiten und Chancen von Frauen im Ingenieursberuf befassen.

Verein für das Deutschtum im Ausland, Abk. **VDA,** Gesellschaft für dt. Kulturbeziehungen im Ausland, bes. für die Errichtung dt. Schulen in Orten mit nicht ausreichenden öffentl. Mitteln; gegr. 1881 als **Allgemeiner Dt. Schulverein zur Erhaltung des Deutschtums im Ausland** (nach dem Vorbild des 1880 in Wien gegr. **Dt. Schulvereins**); 1938 den Zielen des Nationalsozialismus unterworfen; 1955 neu gegr.; Sitz: München.

Verein für Socialpolitik, →Gesellschaft für Wirtschafts- und Sozialwissenschaften – Verein für Socialpolitik.

Vereinigte Arabische Emirate, Abk. **VAE** (amtlich arab. Al-Imarat al-Arabijja al-Muttahida, engl. United Arab Emirates, Abk. UAE), Föderation von sieben Scheichtümern (Emiraten) auf der Arab. Halbinsel. Die VAE grenzen im N an den Pers. Golf, im NO an den Golf von Oman, im O an Oman, im S und W an Saudi-Arabien und im NW an Katar. Die Landesgrenzen (außer im NO) sind nicht genau festgelegt. Die einzelnen Emirate sind (1995): Abu Dhabi (73548 km², 928400 Ew.), Dubai (3750 km², 674100 Ew.), Sharja (2500 km², 400300 Ew.), Ras al-Khaima (1625 km², 144400 Ew.), Fujaira (Fudjaira; 1150 km², 76300 Ew.), Umm al-Kaiwain (777 km², 35200 Ew.) und Ajman (Adschman; 250 km², 118800 Einwohner).

Staat und Recht: Die VAE bilden eine bundesstaatl. Föderation von sieben autonomen Emiraten. Staatsoberhaupt ist der Präs. (Amtszeit fünf Jahre); er leitet zus. mit dem Vizepräs. das höchste Föderationsorgan, den Obersten Rat, dem die Herrscher der sieben Emirate angehören und der die Legislative und Exekutive ausübt. Eine vom

Staatswappen

UAE

Internationales Kfz-Kennzeichen

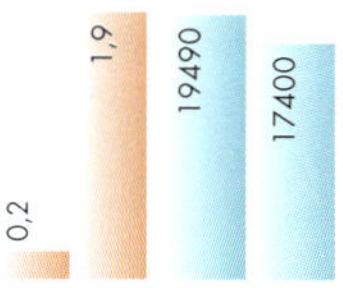

Bevölkerung (in Mio.) Bruttosozialprodukt je Ew. (in US-$)

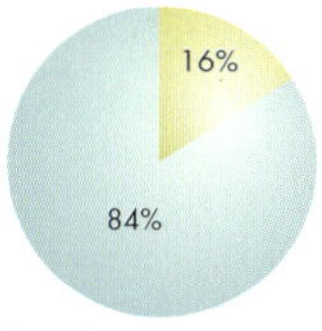

Bevölkerungsverteilung 1995

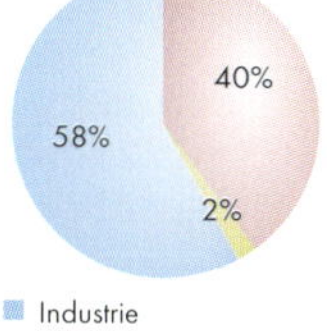

Bruttoinlandsprodukt 1993

Vereinigte Arabische Emirate: Die landestypischen Türme sind Teil einer alten Festung; im Hintergrund das Omangebirge

Obersten Rat ernannte Föderationsreg. nimmt Verw.aufgaben wahr. Die Föderative Nationalversammlung (40 Mitglieder, auf zwei Jahre von den Staatsoberhäuptern der Emirate ernannt), eine Art Parlament, hat nur beratende Funktion. Parteien existieren nicht.

Landesnatur: Das Territorium umfasst den früher Piratenküste genannten Küstenabschnitt im S des Pers. Golfs, der über weite Strecken von Sandbänken, Korallenriffen und Wattengebieten gesäumt wird. Der Küste sind Inseln und Perlausterbänke vorgelagert. An den Küstenabschnitt schließen sich meist flache Sandwüsten mit zahlr., tief ins Landesinnere reichenden Salztonebenen an. Im O reicht das Land über die Ausläufer des Omangebirges bis an den Golf von Oman. Das subtrop. Klima ist trocken und heiß, im Sommer schwül; die äußerst geringen Niederschläge fallen im Winter. An den Küsten finden sich Mangrovebestände.

Bevölkerung: Nur knapp ein Viertel der Bev. sind einheim. Araber (95% Muslime, meist Sunniten); rd. 10% Nomaden. Der Großteil der Bewohner sind Gastarbeiter, meist ungelernte Arbeiter (v.a. aus Pakistan, Indien und den Philippinen), daneben hoch qualifizierte Fachkräfte aus den arab. Nachbarstaaten, den USA, Europa und Japan. – Allg. Schulpflicht besteht vom 7. bis 12. Lebensjahr, der Unterricht ist gebührenfrei; es gibt eine Univ. in Al-Ain (1974 gegr., 1977 eröffnet).

Wirtschaft, Verkehr: Erdöl- und Erdgasförderung bilden die hauptsächl. Einnahmequelle der Emirate und bestimmen die wirtsch. Entwicklung. Die VAE weisen eines der höchsten Pro-Kopf-Einkommen der Erde auf und verfügen über sehr hohe Währungsreserven. Abu Dhabi (Erdölförderung seit 1962) liefert mehr als 80% des in den VAE geförderten Erdöls, Dubai (seit 1970) über 10%, Sharja (seit 1974) 4% und Ras al-Khaima (seit 1984) weniger als 1%. Abu Dhabi und Dubai bilden die Hauptzentren der industriellen Entwicklung. Schwerpunkte sind die Erdöl und Erdgas verarbeitende Ind., Raffinerien (Großraffinerie in Ruwais, Abu Dhabi), Gasverflüssigungsanlagen, eine Aluminiumhütte, ein Flüssiggaswerk in Jebel Ali (Ind.- und Freihandelszone in Dubai) und Meerwasserentsalzungsanlagen. Dubai besitzt den einzigen natürl. Hafen an diesem Küstenabschnitt und entwickelte sich daher zu einem bed. Handelszentrum am östl. Pers. Golf mit hohen Import- und Reexportwerten und zum größten Goldumschlagplatz im Nahen Osten. Die VAE sind heute ein regionales Finanzzentrum mit rd. 50 Banken. – Ein leistungsfähiges Straßennetz (rd. 4500 km, davon 3300 km asphaltiert) verbindet die Hauptorte. Dem Rohöltransport dienen Unterwasserpipelines im Umkreis der Insel Das. Hochseehäfen besitzen Dubai, Abu Dhabi und Sharja. Internat. Flughäfen besitzen Abu Dhabi, Al-Ain, Dubai, Sharja, Ras al-Khaima und Fujaira.

Geschichte: Im Bereich der VAE bestanden seit dem 3. Jahrtsd. v.Chr. wichtige Handelszentren. Bereits zu Mohammeds Lebzeiten setzte in diesem Gebiet die Islamisierung ein. Seit 1760 stand es vorwiegend unter brit. Einfluss (Ostind. Kompanie). Die Seeräuberei einheim. und europ. Piraten wurde 1820 durch einen Vertrag zw. sieben arab. Fürstentümern an der Südküste des Pers. Golfs **(Piratenküste)** und Großbritannien beendet. Weitere Verträge (daher die Bez. »Vertragsstaaten«) brachten das Gebiet 1853 als »Befriedetes

Vereinigte Arabische Emirate – Erdöl

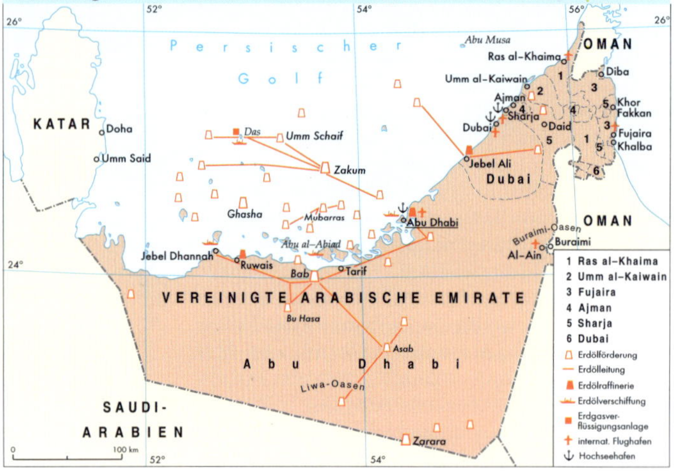

Vereinigte Staaten von Amerika

Fläche: 9 372 614 km²
Einwohner: (1995) 263,25 Mio.
Hauptstadt: Washington (D.C.)
Verwaltungsgliederung: 50 Staaten und der District of Columbia mit der Bundeshauptstadt
Amtssprache: Englisch
Nationalfeiertag: 4. 7.
Währung: 1 US-Dollar (US-$) = 100 Cents (c, ¢)
Zeitzone: MEZ (von O nach W) −6 bis −10 Std.

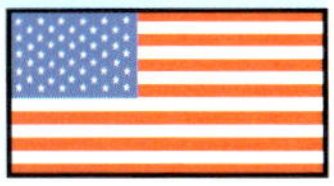

Oman« unter brit. Oberhoheit. 1892 verpflichteten sich die sieben Fürstentümer, nur Großbritannien als Schutzmacht anzuerkennen.

Am 2. 12. 1971 Proklamation der Unabhängigkeit; gleichzeitig schlossen sich sechs der Scheichtümer zu den VAE zusammen, erließen eine provisor. Verf. und wählten den Herrscher von Abu Dhabi, Scheich Said Ibn Sultan an-Nahajan (* 1923), zum Präs. (wieder gewählt 1976, 1981, 1986, 1991 und 1996); MinPräs. und Vizepräs. wurde der Scheich von Dubai, Raschid Ibn Sajjid al-Maktum (* 1914, † 1990); seit Okt. 1990 ist es Scheich Maktum Ibn Raschid al-Maktum, Dubai. Im Febr. 1972 schloss sich auch Ras al-Khaima der Föderation an. 1981 Gründungsmitgl. des Golfrates. Im 2. Golfkrieg (1991) wesentl. Beteiligung an der antiirak. Allianz unter Führung der USA.

📖 *Die kleinen Golfstaaten. Reichtum u. Unterentwicklung – ein Widerspruch?, hg. v.* F. Scholz. *Stuttgart 1985.* – Al-Makhawi, R. A.: *Bewertung der Entwicklung in den V. A. E. Insbes. die infrastrukturellen u. wirtschaftl. Veränderungen sowie Projektbeispiele. Diss. Zittau 1995.* – Röhl, A.: *V. A. E. Kiel ⁴1995. – V. A. E., Beiträge v.* K. Baron *u. a. Frankfurt am Main u. a. 1995.* – Kabasci, K. *u. a.: V. A. E. Ölimperium zw. Glaspalästen u. Beduinenzelten. Hohenthann 1996. – V. A. E. und Oman, bearb. v.* W. M. Weiss *u.* K.-M. Westermann. *Wien 1996.*

Vereinigte Arabische Republik, Abk. **VAR,** 1958–61 Staatenbund (lockere Föderation) zw. Syrien und Ägypten; nach der Auflösung 1961–71 Staatsname von Ägypten.

Vereinigte Evangelisch-Lutherische Kirche Deutschlands, Abk. **VELKD,** 1948 erfolgter Zusammenschluss von neun luth. Landeskirchen: Bayern, Braunschweig, Hamburg, Hannover, Mecklenburg, Sachsen, Schaumburg-Lippe, Schleswig-Holstein, Thüringen; 1949 trat Lübeck, 1967 Eutin bei; seit 1977 sind Eutin, Hamburg, Lübeck und Schleswig-Holstein als Nordelbische Evang.-Luth. Kirche Gliedkirche der VELKD. 1969 bildeten die Kirchen Mecklenburgs, Sachsens und Thüringens die rechtlich eigenständige »VELK in der DDR«; seit 1991 sind sie wieder der VELKD angeschlossen. Sitz der VELKD ist Hannover; oberstes Organ ist die Generalsynode, leitender Bischof seit 1993 Horst Hirschler (* 1933), Hannover.

Vereinigte Große Senate, → Großer Senat.

Vereinigtes Königreich von Großbritannilen und Nordirland, → Großbritannien und Nordirland.

Vereinigte Staaten von Amerika (amtlich engl. United States of America, Abk. USA), Staat in Nordamerika und im Pazifik; umfasst den südl. Teil des nordamerikan. Festlands (grenzt im N an Kanada, im S an Mexiko) und außerhalb dieses zusammenhängenden Staatsgebietes → Alaska und → Hawaii. Die O-W-Erstreckung (67°–124° westl. Länge) zw. Atlant. und Pazif. Ozean beträgt rd. 4 500 km, die N-S-Erstreckung (49°–24° nördl. Breite) rd. 2 700 km. Territorien der USA sind auch Puerto Rico, die Nördl. Marianen (»Commonwealth of the Northern Mariana Islands«), die Virgin Islands of the United States, Amerikanisch-Samoa, Guam, die Midwayinseln, Wake sowie weitere kleine Inseln im Pazifik. Die Modalitäten der Übergabe des → Panamakanals und der Kanalzone an Panama wurden 1977 vertraglich geregelt.

Staat und Recht: Die USA sind eine präsidiale Rep. mit bundesstaatl. Verf. Die Verf. von 1787, ergänzt durch 26 Verf.zusätze (»amendments«), enthält einen Grundrechtskatalog (Bill of Rights) und sieht Gewaltenteilung (»separation of powers«) und Gewaltenbalance (»checks and balances«) vor.

Die exekutive Gewalt des Bundes liegt beim Präs., der zugleich Staatsoberhaupt, Reg.chef und Oberbefehlshaber der Streitkräfte ist. Er wird mit dem Vizepräs. durch Wahlmänner auf vier Jahre gewählt (einmalige Wiederwahl zulässig). Der Wahlvorgang ist mehrstufig: Zunächst werden die Wahlmänner in den Einzelstaaten in allg. und direkter Vorwahl ermittelt, wobei jedem Staat so viele Wahlmänner zustehen, wie er Abg. in den Kongress entsendet. Die Präsidentschaftskandidaten werden im Sommer des Wahljahres von den

Staatswappen

USA
Internationales Kfz-Kennzeichen

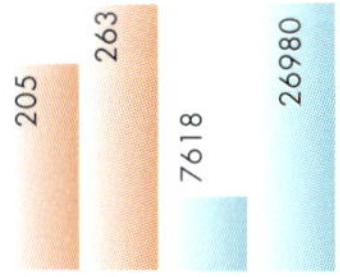

1970 1995 Bevölkerung (in Mio.)
1970 1995 Bruttosozialprodukt je Ew. (in US-$)

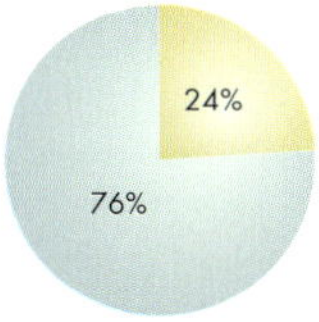

Stadt
Land
Bevölkerungsverteilung 1995

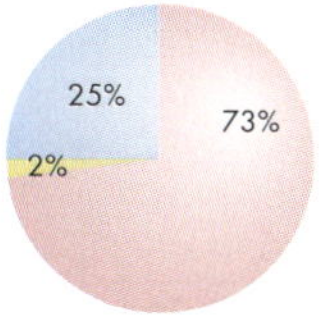

Industrie
Landwirtschaft
Dienstleistung
Bruttoinlandsprodukt 1993

Vereinigte Staaten von Amerika (USA)

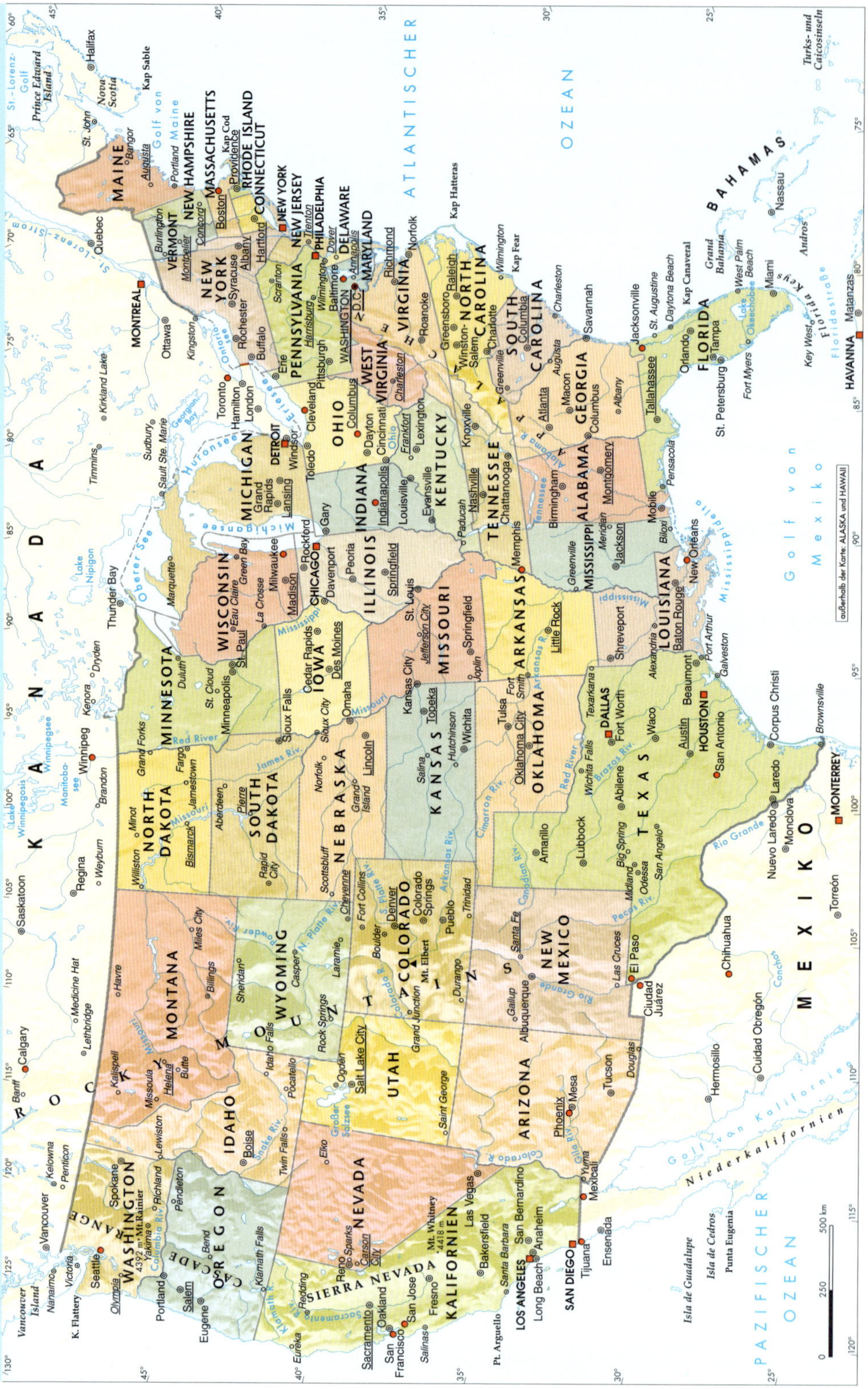

nat. Parteikonventen nominiert. Die Wahlmänner sind in den nat. Präsidentschaftswahlen auf den Kandidaten ihrer Partei verpflichtet.

Der Präs. ernennt mit Zustimmung des Senats die Mitgl. der Reg. sowie der obersten Bundesbehörden; er vertritt die USA nach außen, hat das Recht, mit Zustimmung des Senats Verträge zu schließen, und hat gegenüber Beschlüssen des Kongresses ein suspensives Vetorecht. Formal steht ihm kein Recht auf Gesetzesinitiative zu, er kann dem Kongress jedoch Maßnahmen zur Beratung empfehlen. Der Präs. ist dem Kongress nicht verantwortlich und kann ebenso wie der Vizepräs. nur auf dem Wege der Anklage wegen Verf.- und Rechtsverletzungen (Impeachment) abgesetzt werden. Wichtigste Funktion des Vizepräs. (neben dem Vorsitz im Senat und der Vertretung des Präs. bei Missionen im Ausland) ist die Amtsnachfolge im Falle des Todes, Rücktritts oder der Amtsenthebung des Präs. Dem Kabinett, einem beratenden Gremium, gehören der Präs. und der Vizepräs., die Leiter der Ministerien (Departements) sowie andere vom Präs. ausgewählte hohe Beamte und persönl. Berater an. Dem Präs. unmittelbar unterstellt ist das Executive Office of the President, das aus versch. selbstständigen Einheiten besteht: Das White House Office umfasst u.a. die persönl. Assistenten und Berater des Präs. und den Personalchef (Chief of Staff); das Office of Management and Budget ist v.a. für den Bundeshaushalt verantwortlich; der Nat. Sicherheitsrat (National Security Council) fungiert als zentrale Instanz außenpolit. Entscheidungsprozesse. Ihm gehören neben Präs. und Vizepräs. der Außen- und Verteidigungsmin., der Vors. der Vereinigten Stabschefs der Streitkräfte, die Direktoren des Amtes für Notstandsplanung und des CIA an.

Die Legislative liegt beim Kongress, bestehend aus Senat (100 Mitgl., auf sechs Jahre gewählt) und Repräsentantenhaus (435 Abg., auf zwei Jahre gewählt). Senat und Repräsentantenhaus sind im Wesentlichen gleichberechtigt; jede Gesetzesvorlage bedarf der Zustimmung beider Kammern. Während das Repräsentantenhaus das Budgetinitiativrecht genießt, hat der Senat Vorrechte in der Exekutive. Jede Gesetzesvorlage und Entschließung des Kongresses wird dem Präs. zugeleitet und erhält Rechtskraft, wenn dieser sie unterzeichnet. Legt der Präs. sein Veto ein, müssen beide Häuser des Kongresses die Vorlage nochmals – nunmehr mit Zweidrittelmehrheit – beschließen, damit sie rechtskräftig wird.

Die USA haben ein Zweiparteiensystem, das bestimmt wird von der Demokrat. Partei (Democratic Party) und der Republikan. Partei (Republican Party). Im Unterschied zu den europ. sind die amerikan. Parteien keine Mitglieds- und Programmparteien, sondern Wählerparteien, die hauptsächlich durch Spenden finanziert werden. Sie sind gleichsam lockere Wählerkoalitionen ohne feste Mitgliedschaft und hauptamtl. Apparat. Obgleich sich in beiden großen Parteien progressive, gemäßigte und konservative Politiker finden und zw. den Parteien keine ideolog. Konflikte vorherrschen, lassen sich doch unterschiedl. polit. Tendenzen feststellen. Mit allen Vorbehalten können die Demokraten als eher staatsinterventionis-

Vereinigte Staaten von Amerika, Verwaltungsgliederung (1995)

Bundesstaat bzw. -distrikt	Fläche in km²	Ew. in 1 000	Ew. je km²	Hauptstadt
Alabama	133 915	4 253	31,8	Montgomery
Alaska	1 530 700	604	0,4	Juneau
Arizona	295 260	4 218	14,3	Phoenix
Arkansas	137 755	2 484	18,0	Little Rock
Colorado	269 596	3 747	13,9	Denver
Connecticut	12 997	3 275	252,0	Hartford
Delaware	5 295	717	135,4	Dover
District of Columbia	178	554	3 113,8	Washington
Florida	151 939	14 166	93,2	Tallahassee
Georgia	152 576	7 201	47,5	Atlanta
Hawaii	16 759	1 187	70,8	Honolulu
Idaho	216 432	1 163	5,4	Boise
Illinois	145 934	11 830	81,0	Springfield
Indiana	93 719	5 803	61,9	Indianapolis
Iowa	145 753	2 842	19,5	Des Moines
Kalifornien	411 049	31 589	76,9	Sacramento
Kansas	213 098	2 565	12,0	Topeka
Kentucky	104 661	3 860	36,9	Frankfort
Louisiana	123 677	4 342	35,1	Baton Rouge
Maine	86 156	1 241	14,4	Augusta
Maryland	27 092	5 042	186,1	Annapolis
Massachusetts	21 456	6 074	283,1	Boston
Michigan	151 586	9 549	63,0	Lansing
Minnesota	218 600	4 610	21,1	Saint Paul
Mississippi	123 514	2 697	21,8	Jackson
Missouri	180 516	5 324	29,5	Jefferson City
Montana	380 848	870	2,3	Helena
Nebraska	200 350	1 637	8,2	Lincoln
Nevada	286 352	1 530	5,3	Carson City
New Hampshire	24 032	1 148	47,8	Concord
New Jersey	20 169	7 730	383,3	Trenton
New Mexico	314 925	1 685	5,4	Santa Fe
New York	127 190	18 136	142,6	Albany
North Carolina	136 413	7 195	52,7	Raleigh
North Dakota	183 119	641	3,5	Bismarck
Ohio	107 044	11 151	104,2	Columbus
Oklahoma	181 186	3 278	18,1	Oklahoma City
Oregon	251 419	3 141	12,5	Salem
Pennsylvania	117 348	12 072	102,9	Harrisburg
Rhode Island	3 140	990	315,2	Providence
South Carolina	80 582	3 673	45,6	Columbia
South Dakota	199 730	729	3,7	Pierre
Tennessee	109 152	5 256	48,2	Nashville
Texas	691 027	18 724	27,1	Austin
Utah	219 889	1 951	8,9	Salt Lake City
Vermont	24 900	585	23,5	Montpelier
Virginia	105 586	6 618	62,7	Richmond
Washington	176 479	5 431	30,8	Olympia
West Virginia	62 759	1 828	29,1	Charleston
Wisconsin	145 436	5 123	35,2	Madison
Wyoming	253 326	480	1,9	Cheyenne
Vereinigte Staaten von Amerika	9 372 614	262 755	28,0	Washington (D.C.)

Vereinigte Staaten von Amerika

1

2

3

4

1 Zum Dairy Belt, dem Milchwirtschaftsgürtel, zählt die Landschaft in Vermont, einem der Neuenglandstaaten im Nordosten der USA | **2** Das Trockengebiet der Mojavewüste mit Wüstensteppenvegetation befindet sich in Südostkalifornien | **3** Die Farm im Corn Belt der Vereinigten Staaten liegt im zum Mittleren Westen gehörenden Bundesstaat Illinois | **4** Im Süden des Landes befinden sich die Baumwollfelder des inzwischen durch Umstrukturierung weitgehend aufgelösten Baumwollanbaugürtels (Cotton Belt)

tisch und wohlfahrtsstaatlich orientiert und die Republikaner eher als konservativ bezeichnet werden. Angesichts dieses Parteiensystems ist ein direkterer Einfluss von Interessengruppen auf die Politiker als in anderen Staaten zu verzeichnen.

Die amerikan. Verfassung enthält nur wenige Bundeskompetenzen, v.a. auf den Gebieten der Steuer-, Wirtschafts-, Zoll- und Verteidigungspolitik. Doch wuchs mit der Ausbildung des modernen Ind.staates auch die Zentralgewalt gegenüber den Einzelstaaten. Die polit. Struktur der Einzelstaaten stimmt mit der des Bundes weitgehend überein. Die Legislative liegt in allen Staaten, mit Ausnahme von Nebraska, bei einem Zweikammerparlament. Die Exekutive ruht in der Hand eines Gouv., der in allg. und direkten Wahlen vom Volk gewählt wird.

Landesnatur: Der größte Teil des Landes erstreckt sich zw. Kanada im N und Mexiko im S und vom Pazif. Ozean im W zum Atlant. Ozean im O. Die USA sind geprägt von landschaftl. Vielfalt durch die meridionale Anordnung der Großräume. Geomorphologisch lassen sich vier Großeinheiten untergliedern: Kordilleren, Innere Ebenen (Interior Plains), Appalachen und Küstenebenen (am Atlantik und am Golf von Mexiko). Der W wird von den Kordilleren durchzogen, die sich von W nach O in Coast Range, Cascade Range und, südlich anschließend, die Sierra Nevada, weiter nach O in die Rocky Mountains gliedern. Zw. Coast Range und Sierra Nevada liegt das Kaliforn. Längstal, zw. Sierra Nevada und den Rocky Mountains das Große Becken. Östlich der Rocky Mountains senken sich die zu den Inneren Ebenen gehö-

5

6

7

8

5 Mammoth Hot Springs im Yellowstone-Nationalpark, dem ältesten unter Naturschutz gestellten Gebiet der USA | **6** Chicago, drittgrößte Stadt der Vereinigten Staaten, liegt am Südwestufer des Michigansees | **7** Das Monument Valley, ein Naturschutzgebiet im Nordosten Arizonas und Südwesten Uthas in der Navajoreservation, ist durch pfeiler- und turmförmige Felsen aus Sandstein charakterisiert | **8** Blick über die San Francisco Bay; im Vordergrund die Golden-Gate-Brücke, im Hintergrund links die Oakland-Brücke

renden Great Plains hinab zur zentralen Ebene, die vom Gebiet der Großen Seen, an denen die USA im NO Anteil haben, bis zum Golf von Mexiko reicht. Seinen Ostrand bilden die Appalachen, die über das Piedmontplateau in der Fall Line steil zur buchtenreichen, im S versumpften atlant. Küstenebene abfallen. Die Ebene verbreitert sich südwärts zur Halbinsel Florida und geht über in die Golfküstenebene mit dem Mississippidelta. Hauptflüsse sind Hudson und Mississippi mit Missouri und Ohio im O; Columbia, Snake River und Colorado im W.

Das *Klima* ist infolge der großen N-S- und O-W-Ausdehnung und des Wandels der Oberflächenformen unterschiedlich. Im Allg. herrscht Kontinentalklima vor (heiße Sommer, kalte Winter). Kalifornien und Florida gehören zum subtrop., der äußerste S Floridas zum trop. Bereich. Auffallend sind plötzl. Temperaturänderungen im Landesinneren: Wegen des Fehlens von W-O-Gebirgsbarrieren kann Polarluft aus dem N oder Warmluft aus dem S ungehindert tief eindringen. Die höchsten Niederschläge fallen im äußersten NW, die niedrigsten in den wüstenhaften Becken der Rocky Mountains. Hawaii hat ausgeglichenes trop. Seeklima, Alaska Boreal- oder Tundrenklima.

Vegetation: Im N (Alaska) reichen die USA in die Tundren- und Nadelwaldzone. Südlich der Grenze zu Kanada setzt eine O-W-Gliederung der ursprüngl. Vegetation ein: im O Laub-, im S immergrüne Wälder, nach W übergehend in offenes, baumarmes Grasland, die Prärien; im W finden sich v.a. immergrüne Hartlaubgewächse und Nadelhölzer, daneben Wüsten.

Bevölkerung: Durch den Zustrom von europ. Siedlern seit dem frühen 17. Jh., die Einfuhr von über 650000 Sklaven aus Schwarzafrika in die Plantagen des S sowie durch die Einwanderung aus ostasiat. Ländern, v.a. in den pazif. Bereich, und aus Mexiko in die angrenzenden Staaten der USA, wurde der zuvor von wenigen Millionen Indianern bewohnte Kontinent bevölkert. Die Indianer leben heute zumeist in den ihnen seit Ende des 19. Jh. zugewiesenen Reservationen, die überwiegend westlich des Mississippi liegen. Während zweier großer Einwanderungswellen (bis 1890 und 1890–1910) kamen v.a. Engländer, Iren, Deutsche und Skandinavier (1. Welle) sowie süd- und osteurop. Einwanderer (2. Welle). Insgesamt wanderten 1820–1991 rd. 58,8 Mio. Menschen in die USA ein, u.a. 7,09 Mio. aus Deutschland und 5,4 Mio. aus Italien. Für 1994 wurde die Zahl der Einwanderer mit 814416 angegeben, davon 13,2% aus Mexiko, 6,6% von den Philippinen, 6,3% aus der Dominikan. Rep., 4,3% aus Indien und 3,4% aus Polen. Der Anteil der Schwarzen an der Gesamtbev. der USA wuchs von 1,3% (1630) auf 19% (1790) und fiel dann infolge der europ. Einwanderung trotz absoluter Zunahme auf 16% (1850), 12% (1900) und 12,1% (1990). Gegenwärtig ist die Wachstumsrate der Schwarzen höher als die der Weißen (1980–90: 16% zu 8%). Die nicht zu den Weißen (80,3% der Gesamtbev.), Indianern (mit Eskimo und Aleuten 0,8% = fast 2 Mio.) und Schwarzen gerechnete Bev. besteht hauptsächlich aus Lateinamerikanern (Hispanos, mit 22,4 Mio. = 9% zweitgrößte Minderheit), Chinesen, Filipinos und Japanern. Die Bev.gruppe asiat. Abstammung wuchs zw. 1980 und 1990 auf das Zweifache an (7,3 Mio. = 2,9%). Die Bev.verteilung ist sehr unterschiedlich. Alaska, die ausgedehnten Trockengebiete im W und die Gebirgsgegenden sind äußerst dünn besiedelt (unter 10 Ew./km²). Ausgesprochene Ballungsräume sind der S Neuenglands, Teile der mittelatlant. Staaten, das Gebiet der Großen Seen sowie Teile von Texas und Kalifornien. Zw. 1980 und 1990 stieg die Bev. v.a. im S und W zulasten der Regionen des Nordostens und Mittelwestens an. Starke Zuwanderungsraten haben Florida und Arizona; die stärkste Bev.konzentration aller Bundesstaaten mit knapp 12% der Gesamtbev. weist Kalifornien auf.

Bildung: Das Schulwesen ist Angelegenheit der Einzelstaaten. Die Schulpflicht beginnt i.d.R. mit sieben Jahren und dauert meist bis zum 16. Lebensjahr. Neben den öffentl. Schulen gibt es die vorwiegend konfessionellen Privatschulen. Auf die vier-, sechs- oder achtjährigen Elementary Schools (Primarstufe) folgen die vier-, sechs- oder achtjährigen Highschools (Gesamtschulen im Sekundarbereich). Der vierjährigen Highschool geht dabei häufig ein Mittelschulabschnitt voraus (Intermediate School, Middle School). Das anschließende zweijährige Junior College qualifiziert zum Bachelor, die vierjährigen Colleges sind oft einer Univ. angeschlossen (→College). Berufsausbildung bietet auch die zweijährige Fachschule (Technical School oder College) und die darauf aufbauende oder von vornherein vierjährige höhere Fachschule (Professional School oder College). Die Hauptmenge der Studenten verteilt sich auf die großen Staatsuniversitäten und die wichtigsten Privatuniversitäten und ihre Colleges, wie die Harvard University (Cambridge, Mass.), die University of California (Berkeley; Los Angeles), die Stanford University (Stanford, Calif.), die Yale University (New Haven, Conn.), die Princeton University (Princeton, N. J.) und die Columbia University (New York).

Religion: In den USA besteht die grundsätzl. Trennung von Kirche und Staat. Es gibt über 2000 christl. Kirchen und Sondergemeinschaften. Offizielle Zählungen der Religionszugehörigkeit finden nicht statt. 89% der Gesamtbevölkerung bekennen sich nach eigenen Angaben (Umfragen) zur christl. Religion: rd. 51% Protestanten (v.a. Pfingstkirchler, Baptisten und Methodisten), 26% Katholiken, 2% Orthodoxe, 2% Mormonen; daneben gibt es rd. 5,7 Mio. Juden (2,4%), rd. 4,7 Mio. Muslime (geschätzt, 1,8%), 300000 Hindus, 100000 Buddhisten. Die Zahl der Anhänger von Naturreligionen unter den nordamerikan. Ureinwohnern (Indianer und Eskimo) ist nicht bekannt und wegen ihrer oft nominellen Mitgliedschaft in einer christl. Kirche schwer zu ermitteln.

Wirtschaft, Verkehr: Die USA sind der bedeutendste Industriestaat der Erde, dessen Entwicklung durch die reiche Ausstattung mit natürl. Ressourcen wesentlich begünstigt wurde. Mit einem Anteil von 5% an der Weltbev. und 6% an der Landfläche der Erde erbringt das Land fast ein Viertel des Weltsozialprodukts. Ihre absolute Überlegenheit in der Weltproduktion und im Welthandel haben die USA aber gegenüber Westeuropa und Japan in einigen Bereichen (z.B. Fahrzeugbau, Halbleiterproduktion) eingebüßt. Die Herausbildung von Großbetrieben und der Zusammenschluss zu umfangreichen Konzernen ist charakteristisch für die Wirtschaft. – Die USA gehören zu den wichtigsten Bergbauländern der Erde. In der Förderung von Erdgas, Erdöl, Steinkohle, Kupfer-, Bleierz und Silber, bei Gold und bei Eisenerz nehmen die USA führende Stellen in der Weltproduktion ein. Die USA verfügen über die größten Kohlevorkommen der Erde; die nutzbaren Kohlevorräte wurden für 1995 mit 450 Mrd. t angegeben. Wegen des hohen Eigenbedarfs sind bei vielen mineral. Rohstoffen große Importe not-

Vereinigte Staaten von Amerika – Landnutzung und Bergbau

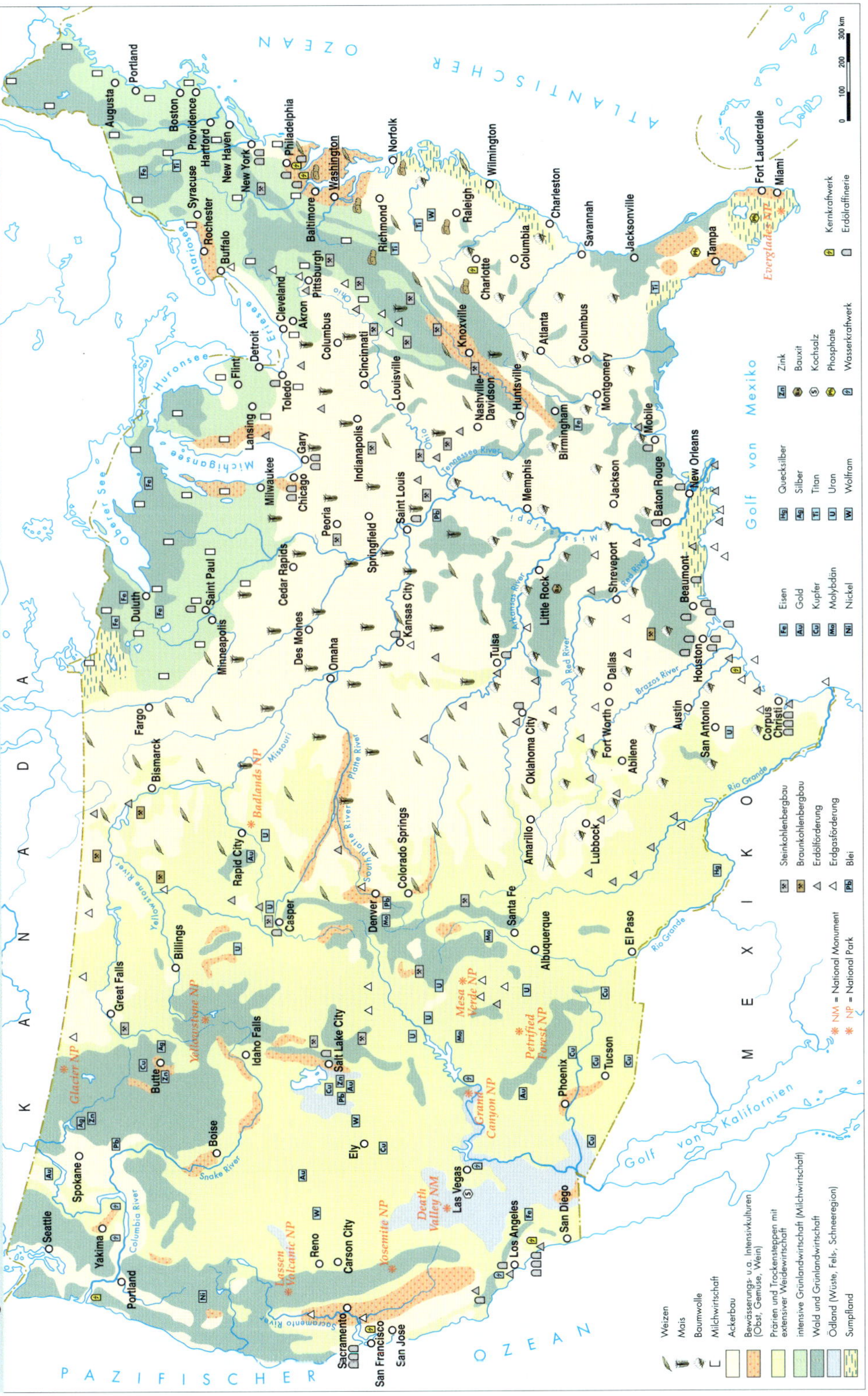

wendig. Die USA sind weltweit der größte Energieerzeuger und -verbraucher. An der Elektrizitätserzeugung hatten 1995 Kernkraftwerke (109 Reaktoren) einen Anteil von 22,5%, Der wirtsch. Aufschwung während der 1980er-Jahre brachte eine deutl. Strukturänderung zugunsten des Dienstleistungsbereichs und zulasten der verarbeitenden Industrie. So waren 1996 2,8% aller zivilen Erwerbstätigen im Agrarsektor, 22,9% im produzierenden Gewerbe und 74,3% im Dienstleistungssektor tätig.

Die *Industrie* der USA steht vor erhebl. Strukturveränderungen, die u.a. die Rüstungsind. (Umstellung auf zivile Produktionsgüter), die Computer-, Automobil- und Flugzeugindustrie betreffen. Die Ind.schwerpunkte konzentrieren sich bes. im N, NO und O (Manufacturing Belt), doch findet eine deutl. Verlagerung in den S und an die W-Küste statt. Die umfangreichen Steinkohlevorkommen (Abbau in den Appalachen, im O von Pennsylvania, im Mittleren Westen [Ohio, Illinois]) sowie die einheim. Lagerstätten an Eisenerzen (Förderung am Oberen See [Mesabikette], im N der Appalachen, in den Kordilleren) trugen zur Entwicklung der Eisen- und Stahlind. mit ihren Schwerpunkten um Pittsburgh und am S-Ufer der Großen Seen (v.a. Chicago, Gary) bei. Neuere Standorte, die auf der Basis importierter Eisenerze arbeiten, entwickelten sich an der Atlantikküste und in Texas (Houston). Die Aluminiumherstellung erfolgt im Gebiet des Columbia River und Tennessee River und in der Golfküstenebene. Die Zentren der Luft-, Raumfahrt- und Elektronikind. liegen v.a. im Bereich der Golfküste, in Kalifornien und Washington. Im Silicon Valley sind die Hightechunternehmen auf Halbleiter- und Computertechnik spezialisiert, im Research Triangle Park (North Carolina) auf Halbleiter- und Biotechnologie. Dem bed. Aufschwung der chem. Ind. nach dem 2. Weltkrieg folgte der Ausbau der Raffineriekapazität. Außerdem sind von Bedeutung die Gummi- und Reifenind., die Chemiefaserproduktion, die Textil-, Bekleidungs- und Lederind. sowie Papier- und Celluloseherstellung. Der Hochtechnologiebereich zeigt weiterhin starke Wachstumsraten. In der Nahrungsmittel- und Genussmittelindustrie (v.a. Mittlerer Westen, Prärie- und Plainsstaaten) herrschen Klein- und Mittelbetriebe vor.

Landwirtschaft: Die USA besitzen außerordentlich günstige landwirtsch. Möglichkeiten. Dennoch stellen die Land- und Forstwirtschaft einschließlich Fischerei nur noch 2% des Bruttoinlandsprodukts. Die landwirtsch. Nutzfläche umfasst rd. 190 Mio. ha Ackerland, 2 Mio. ha Dauerkulturen und 241 Mio. ha Wiesen und Weiden (mehr als ¼ der Staatsfläche); insgesamt werden fast 20 Mio. ha Land künstlich bewässert. Die Zahl der Farmen hat sich von 6,4 Mio. (1940) auf 2,1 Mio. (1991) verringert. Ausgesprochene Landwirtschaftszonen (»belts«) finden sich im feuchten O mit Regenfeldbau und intensiver Viehwirtschaft, weniger deutlich ausgeprägt sind sie im trockenen W mit Dryfarming, Bewässerungswirtschaft und extensiver Weidewirtschaft. Der gesamte NO und der nördl. Mittlere Westen (Michigan, Minnesota, Wisconsin) gehören zur Milchwirtschaftsregion (Dairy Belt). Der zentrale Teil der Inneren Ebenen ist eine Region intensiven Ackerbaus (Mais, Sojabohnen, Weizen, Hafer; Corn Belt) als Grundlage für eine ebenso intensive Viehzucht. Eine Zone gemischter Landwirtschaft schließt sich nach S und SO an (Missouri, Illinois, Kentucky, Ohio, Virginia, Tennessee) und trennt den Corn Belt von dem inzwischen weitgehend aufgelösten Cotton Belt (Baumwollanbaugebiet). Im Bereich der Prärie- und Plainsstaaten liegt eine

Vereinigte Staaten von Amerika: Präsidenten

1. George Washington, Föderalist	1789-1797
2. John Adams, Föderalist	1797-1801
3. Thomas Jefferson, DR	1801-1809
4. James Madison, DR	1809-1817
5. James Monroe, DR	1817-1825
6. John Qu. Adams, Unabhängiger	1825-1829
7. Andrew Jackson, Dem.	1829-1837
8. Martin Van Buren, Dem.	1837-1841
9. William H. Harrison, Whig	1841
10. John Tyler, Whig (später Dem.)	1841-1845
11. James K. Polk, Dem.	1845-1849
12. Zachary Thaylor, Whig	1849-1850
13. Millard Fillmore, Whig	1850-1853
14. Franklin Pierce, Dem.	1853-1857
15. James Buchanan, Dem.	1857-1861
16. Abraham Lincoln, Rep.	1861-1865
17. Andrew Johnson, Dem.	1865-1869
18. Ulysses S. Grant, Rep.	1869-1877
19. Rutherford B. Hayes, Rep.	1877-1881
20. James A. Garfield, Rep.	1881
21. Chester A. Arthur, Rep.	1881-1885
22. S. Grover Cleveland, Dem.	1885-1889
23. Benjamin Harrison, Rep.	1889-1893
24. S. Grover Cleveland, Dem.	1893-1897
25. William McKinley, Rep.	1897-1901
26. Theodore Roosevelt, Rep.	1901-1909
27. William H. Taft, Rep.	1909-1913
28. T. Woodrow Wilson, Dem.	1913-1921
29. Warren G. Harding, Rep.	1921-1923
30. Calvin Coolidge, Rep.	1923-1929
31. Herbert C. Hoover, Rep.	1929-1933
32. Franklin D. Roosevelt, Dem.	1933-1945
33. Harry S. Truman, Dem.	1945-1953
34. Dwight D. Eisenhower, Rep.	1953-1961
35. John F. Kennedy, Dem.	1961-1963
36. Lyndon B. Johnson, Dem.	1963-1969
37. Richard M. Nixon, Rep.	1969-1974
38. Gerald R. Ford, Rep.	1974-1977
39. James E. Carter, Dem.	1977-1981
40. Ronald W. Reagan, Rep.	1981-1989
41. George Bush, Rep.	1989-1993
42. William J. Clinton, Dem.	seit 1993

Dem.: Demokrat; DR: Demokrat. Republikaner; Rep.: Republikaner

Region extensiven Weizenanbaus (Wheat Belt). Obst-, Gemüse- u.a. Sonderkulturen zeigen eine gewisse Konzentration in klimatisch bzw. für den Absatz günstigen Teilen der USA, so in Kalifornien (Kaliforn. Längstal), im Golfküstenbereich, in Florida sowie um die Stadtregionen an der Küste der mittelatlant. Staaten und im Bereich der Großen Seen. Etwa 90% der Weinproduktion stammen aus Kalifornien. Der gesamte Kordillerenbereich schließlich ist ein Gebiet extensiver Rinder- und Schafhaltung. Die USA sind der bedeutendste Exporteur für Weizen und Tabak sowie zweitwichtigstes Lieferland für Reis. Tropenfrüchte wie Ananas und Bananen stammen ausschl. von den Hawaii-Inseln. – ²⁄₃ des heutigen Waldbestandes sind wirtsch. nutzbar. Die forst- und holzwirtsch. bed. Regionen sind die Nadelwälder des pazif. NW (Washington, Oregon) und die Kiefern- und Mischwälder im SO, außerdem das Gebiet der Rocky Mountains. Im NW ist die größte Sägeind. der Erde entstanden, die v.a. Bauholz liefert, während die Holzeinschläge im SO von der Papier- und Celluloseindustrie verwertet werden. In Alaska, das zu 35% waldbedeckt ist, nimmt die Holzwirtschaft die 2. Stelle hinter der Fischindustrie ein. Sie ist hier stark exportorientiert, wobei bes. Japan als Abnehmer auftritt. Obwohl die USA die 4. Stelle unter den Fischereiländern der Erde einnehmen, muss Fisch (v.a. aus Kanada) importiert werden.

Außenhandel: Seit 1988 wurde durch eine starke Exporterhöhung das Handelsbilanzdefizit erheblich abgebaut. Die wichtigsten Handelspartner sind Kanada, Japan, Mexiko, die EU-Staaten (v.a. Dtl., Großbritannien). Exportgüter sind Maschinen, elektrotechn. Geräte und Nutzfahrzeuge (47%), chem. Erzeugnisse (10%), Nahrungs- und Genussmittel, Rohholz, Erze. Importiert werden Maschinen, elektrotechn. Erzeugnisse und Fahrzeuge, Erdöl, Textilien, Agrar- und Fischereiprodukte u.a. Das Nordamerikan. Freihandelsabkommen (NAFTA) zw. den USA, Kanada und Mexiko trat 1994 in Kraft. Die Eisenbahnen (deren Netz 1916 mit 428607 km die größte Ausdehnung erreichte) hatten 1992 nur noch eine Streckenlänge von 219000 km. Das gut ausgebaute und dicht vernetzte Straßenverkehrssystem umfasst etwa 6,23 Mio. km, davon sind 654050 km Staatsstraßen. Ein Netz von Fernbuslinien überzieht das ganze Land. Der Binnenschiffsverkehr hat seit dem 1959 beendeten Ausbau des Sankt-Lorenz-Seeweges für Ozeanschiffe einen weiteren Aufschwung genommen und verfügt mit dem Mississippiflusssystem (rd. 60% der Gesamtleistungen) und den Großen Seen (rd. 20%) über rd. 40000 km gut ausgebaute Wasserwege. Hauptseehäfen sind: New York, New Orleans, Baltimore, Newport, Houston, San Francisco und Los Angeles. Die meistfrequentierten Flughäfen sind O'Hare (Chicago), Atlanta, Dallas, Los Angeles, Denver, Boston, San Francisco, Saint Louis, Phoenix, John F. Kennedy International Airport (New York), La Guardia (New York), Miami, National Airport (Washington).

Geschichte

Zur Vor- und Kolonialgeschichte und zur Entdeckungsgeschichte →Nordamerika (Geschichte) sowie Entdeckung und Erforschung (ÜBERSICHT).

Erringung der Unabhängigkeit, territoriale Ausdehnung und Sezessionskrieg (1763–1865): Den Anlass für die Loslösung der 13 brit. Kolonien an der O-Küste Nordamerikas vom Mutterland bildete der Versuch Großbritanniens, einen Teil seiner im siegreichen Krieg gegen Frankreich (→Siebenjähriger Krieg, 1756–63) entstandenen beträchtl. Schulden durch die Kolonien abtragen zu lassen. Der rasch zunehmende, offene Widerstand der Kolonien richtete sich insbesondere gegen die Erhebung neuer Steuern (z.B. Stempelakte 1765), strengere Handels- und Zollgesetze sowie brit. Bestrebungen zur Zentralisierung der Verwaltung (de facto Ausschaltung der verbrieften Autonomie der Kolonien). Die 1765 entstandene Geheimorganisation »Sons of Liberty« (Söhne der Freiheit) verübte u.a. gezielte Anschläge gegen die brit. Steuerverwaltung; die →Boston Tea Party 1773 verschärfte die Auseinandersetzung. Der 1. Kontinentalkongress (1774), auf dem außer Georgia und den kanad. Provinzen alle brit. Kolonien vertreten waren, bekräftigte die Opposition gegen die restriktiven brit. Parlamentsgesetze und beschloss einen strikten Boykott brit. Waren. Zu den ersten Gefechten zwischen brit. Truppen und amerikan. Miliz kam es am 19. 4. 1775 bei Lexington und

George Washington (Ausschnitt aus einem Gemälde, 1796)

Vereinigte Staaten von Amerika (Geschichte): Als Indianer verkleidete Kolonisten werfen bei der Boston Tea Party am 16. 12. 1773 die Ladung britischer Teeschiffe ins Hafenbecken, Lithographie (Anfang des 19. Jh.)

Thomas Jefferson (Ausschnitt einer zeitgenössischen Lithographie)

James Madison (Ausschnitt eines zeitgenössischen Stahlstichs)

James Monroe (Ausschnitt eines zeitgenössischen Punktierstichs)

Abraham Lincoln

Concord (Mass.). Der im Mai 1775 eröffnete 2. Kontinentalkongress veranlasste die Bildung einer gemeinsamen Kontinentalarmee aller Kolonien unter dem Oberbefehl von G. Washington; am 4. 7. 1776 nahm er die von T. Jefferson entworfene Unabhängigkeitserklärung an. Der Nordamerikan. Unabhängigkeitskrieg (1775–83), in dem die amerikan. Kolonien durch Frankreich unterstützt wurden (Bündnis vom Febr. 1778), führte nach wechselvollem Verlauf 1781 zu einer brit. Niederlage (Kapitulation von General C. Cornwallis bei Yorktown, Va.); er endete mit dem Frieden von Paris (1783), in dem Großbritannien die Unabhängigkeit seiner ehem. Kolonien anerkannte und auf deren westl. Hinterland bis zum Mississippi verzichtete; Kanada blieb brit. Besitz. Die neuen Verf., die sich elf Staaten zw. 1776 und 1780 gaben, garantierten Grundrechte und sahen Gewaltenteilung vor. Mit den 1781 in Kraft getretenen Konföderationsartikeln schlossen sich die souveränen Einzelstaaten zunächst zu einem lockeren Staatenbund zusammen, dessen Kompetenzen jedoch stark begrenzt waren. Seine Umwandlung in einen Bundesstaat mit gestärkter Zentralgewalt (Präsidialsystem) erfolgte durch die 1787 ausgearbeitete und 1788 ratifizierte Verfassung. Erster Präs. der USA wurde G. Washington (1789–97). Er und seine Nachfolger wahrten strikte Neutralität und Frieden gegenüber den europ. Mächten.

Mit dem Kauf des westl. → Louisiana von Frankreich (1803) begann die territoriale Ausdehnung der USA. In der Folgezeit schob sich die Siedlungsgrenze (»Frontier«) weiter nach W; damit verbunden war die Vertreibung der Indianer aus ihren angestammten Wohngebieten. Der von → Tecumseh organisierte Widerstand der Indianer wurde 1811 in der Schlacht am Tippecanoe River unterdrückt. Unter Präs. J. Madison (1809–17) wurde 1812–14 ein ergebnisloser und unpopulärer Krieg mit Großbritannien um den Besitz Kanadas geführt. 1819 kauften die USA von Spanien Florida. Zur Verhinderung einer Einmischung der Hl. Allianz in den aufständ. span. Kolonien in Süd- und Mittelamerika sowie zur Abwehr der Ansprüche Russlands auf die NW-Küste Nordamerikas stellte Präs. J. Monroe (1817–25) 1823 die → Monroedoktrin auf. 1845 wurde das durch nordamerikan. Siedler von Mexiko losgetrennte Texas Bundesstaat der USA, die 1846 auch den langen Grenzstreit mit Großbritannien um Oregon durch einen Vertrag beenden konnten. Im Mexikan. Krieg 1846–48 eigneten sich die USA das Gebiet von New Mexico bis Kalifornien an. – Die innenpolit. Entwicklung war um die Mitte des 19. Jh. entscheidend geprägt durch den Gegensatz zw. dem industrialisierten NO, der eine wirtsch. Expansion auf der Grundlage von Schutzzöllen und einer liberalist. Arbeitsmarktpolitik betrieb, und dem auf Sklaverei beruhenden Plantagensystem im S, das auf statische gesellschaftl. Verhältnisse setzte.

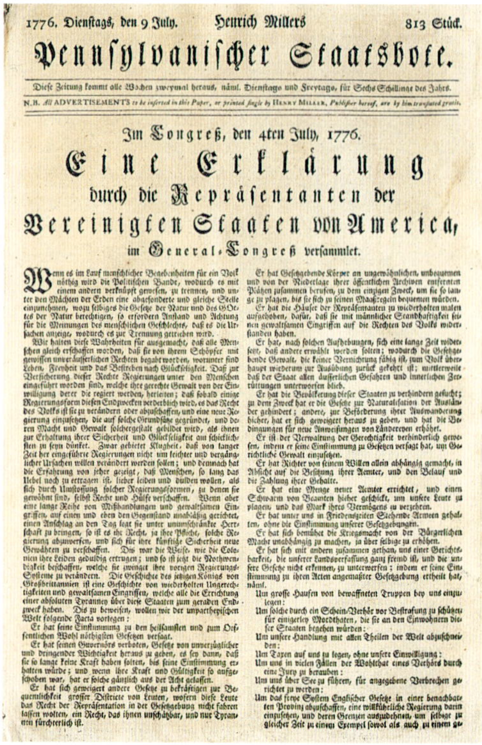

1776. Dienstags, den 9 July. Henrich Millers 813 Stück.

Pennsylvanischer Staatsbote.

Diese Zeitung kommt alle Wochen zweymal heraus, näml. Dienstags und Freytags, für Sechs Schillinge des Jahrs.

N.B. All ADVERTISEMENTS to be inserted in this Paper, or printed single by HENRY MILLER, Publisher hereof, are by him transated gratis.

Im Congreß, den 4ten July, 1776.

Eine Erklärung

durch die Repräsentanten der

Vereinigten Staaten von America,

im General-Congreß versammlet.

Wenn es im Lauf menschlicher Begebenheiten für ein Volk nöthig wird die Politischen Bande, wodurch es mit einem andern verknüpft gewesen, zu trennen, und unter den Mächten der Erden eine abgesonderte und gleiche Stelle einzunehmen, wozu selbiges die Gesetze der Natur und des GOttes der Natur berechtigen, so erfordern Anstand und Achtung für die Meinungen des menschlichen Geschlechts, daß es die Ursachen anzeige, wodurch es zur Trennung getrieben wird.

Wir halten diese Wahrheiten für ausgemacht, daß alle Menschen gleich erschaffen worden, daß sie von ihrem Schöpfer mit gewissen unveräusserlichen Rechten begabt worden, worunter sind Leben, Freyheit und das Bestreben nach Glückseligkeit. Daß zur Versicherung dieser Rechte Regierungen unter den Menschen eingeführt worden sind, welche ihre gerechte Gewalt von der Einwilligung derer die regiert werden, herleiten; daß sobald einige Regierungsform diesen Endzwecken verderblich wird, es das Recht des Volks ist sie zu verändern oder abzuschaffen, und eine neue Regierung einzusetzen, die auf solche Grundsätze gegründet, und deren Macht und Gewalt solchergestalt gebildet wird, als ihnen zur Erhaltung ihrer Sicherheit und Glückseligkeit am schicklichsten zu seyn dünket. Zwar gebietet Klugheit, daß von langer Zeit her eingeführte Regierungen nicht um leichter und vergänglicher Ursachen willen verändert werden sollen; und demnach hat die Erfahrung von jeher gezeigt, daß Menschen, so lang das Uebel noch zu ertragen ist, lieber leiden und dulden wollen, als sich durch Umstossung solcher Regierungsformen, zu denen sie gewöhnt sind, selbst Recht und Hülfe verschaffen. Wenn aber eine lange Reihe von Mißhandlungen und gewaltsamen Eingriffen, auf einen und eben den Gegenstand unabläßig gerichtet, einen Anschlag an den Tag legt sie unter uneingeschränkte Herrschaft zu bringen, so ist es ihr Recht, ja ihre Pflicht, solche Regierung abzuwerfen, und sich für ihre künftige Sicherheit neue Gewähren zu verschaffen. Dis war die Weise, wie die Colonien ihre Leiden geduldig ertrugen; und so ist jetzt die Nothwendigkeit beschaffen, welche sie zwinget ihre vorigen Regierungs-Systeme zu verändern. Die Geschichte des jetzigen Königs von Großbrittannien ist eine Geschichte von wiederholten Ungerechtigkeiten und gewaltsamen Eingriffen, welche alle die Errichtung einer absoluten Tyranney über diese Staaten zum geraden Endzweck haben. Dis zu beweisen, wollen wir der unpartheyischen Welt folgende Facta vorlegen:

Er hat seine Einstimmung zu den heilsamsten und zum Oeffentlichen Wohl nöthigsten Gesetzen versagt.

Er hat seinen Guvernörs verboten, Gesetze von unverzüglicher und dringender Wichtigkeit heraus zu geben, es sey dann, daß sie so lange keine Kraft haben solten, bis seine Einstimmung erhalten würde; und wenn ihre Kraft und Gültigkeit so aufgeschoben war, hat er solche gänzlich aus der Acht gelassen.

Er hat sich geweigert andere Gesetze zu bekräftigen zur Bequemlichkeit grosser Districte von Leuten, wofern diese Leute das Recht der Repräsentation in der Gesetzgebung nicht fahren lassen wolten, ein Recht, das ihnen unschätzbar, und nur Tyrannen fürchterlich ist.

Er hat Gesetzgebende Körper an ungewöhnlichen, unbequemen und von der Niederlage ihrer öffentlichen Archiven entfernten Plätzen zusammen berufen, zu dem einzigen Zweck, um sie so lange zu plagen, bis sie sich zu seinen Maaßregeln bequemen würden.

Er hat die Häuser der Repräsentanten zu wiederholten malen aufgehoben, dafür, daß sie mit männlicher Standhaftigkeit seinen gewaltsamen Eingriffen auf die Rechten des Volks widerstanden haben.

Er hat, nach solchen Aufhebungen, sich eine lange Zeit widersetzt, daß andere erwählt werden solten; wodurch die Gesetzgebende Gewalt, die keiner Vernichtung fähig ist, zum Volk überhaupt wiederum zur Ausübung zurück gekehrt ist; mittlerweile daß der Staat allen äusserlichen Gefahren und innerlichen Zerrüttungen unterworfen blieb.

Er hat die Bevölkerung dieser Staaten zu verhindern gesucht; zu dem Zweck hat er die Gesetze zur Naturalisation der Ausländer gehindert; andere, zur Beförderung ihrer Auswanderung hieher, hat er sich geweigert heraus zu geben, und hat die Bedingungen für neue Anweisungen von Ländereyen erhöhet.

Er ist der Verwaltung der Gerechtigkeit verhinderlich gewesen, indem er seine Einstimmung zu Gesetzen versagt hat, um Gerichtliche Gewalt einzusetzen.

Er hat Richter von seinem Willen allein abhängig gemacht, in Absicht auf die Besitzung ihrer Aemter, und den Belauf und die Zahlung ihrer Gehalte.

Er hat eine Menge neuer Aemter errichtet, und einen Schwarm von Beamten hieher geschickt, um unsere Leute zu plagen, und das Mark ihres Vermögens zu verzehren.

Er hat unter uns in Friedenszeiten Stehende Armeen gehalten, ohne die Einstimmung unserer Gesetzgebungen.

Er hat sich bemühet die Kriegsmacht von der Bürgerlichen Macht unabhängig zu machen, ja über selbige zu erhöhen.

Er hat sich mit andern zusammen gethan, uns einer Gerichtsbarkeit, die unserer Landsverfassung ganz fremd ist, und die unsere Gesetze nicht erkennen, zu unterwerfen; indem er seine Einstimmung zu ihren Acten angemaßter Gesetzgebung ertheilt hat, näml.

Um grosse Hausen von bewaffneten Truppen bey uns einzulegen:

Um solche durch ein Schein-Verhör vor Bestrafung zu schützen für einigerley Mordthaten, die sie an den Einwohnern dieser Staaten begehen würden:

Um unsere Handlung mit allen Theilen der Welt abzuschneiden:

Um Taxen auf uns zu legen, ohne unsere Einwilligung:

Um uns in vielen Fällen der Wohlthat eines Verhörs durch eine Jury zu berauben:

Um uns über See zu führen, für angegebene Verbrechen gerichtet zu werden:

Um das freye System Englischer Gesetze in einer benachbarten Provinz abzuschaffen, eine willkührliche Regierung darin einzusetzen, und deren Grenzen auszudehnen, um selbige zu gleicher Zeit zu einem Exempel sowol als auch zu einem ge-

Vereinigte Staaten von Amerika (Geschichte): Erklärung der Menschenrechte im »Pennsylvanischen Staatsboten« vom 9. Juli 1776

Vermehrte Baumwollnachfrage, bes. aus Großbritannien, bedingte eine starke Zunahme der Plantagensklaverei, wogegen sich die Bewegung der Abolitionisten richtete, die die Sklaverei v. a. aus humanitären Gründen abschaffen wollten. Der Kansas-Nebraska-Act (1854) überließ die Lösung der Sklavenfrage den Einzelstaaten und hob damit das Verbot der Sklaverei nördlich von 36° 30′ n. Br. auf (1820 im Missourikompromiss festgelegt). Die Sklavereigegner gründeten 1854 die Republikan. Partei, die mit der bereits 1828 entstandenen Demokrat. Partei seitdem das polit. System der USA weitgehend bestimmt.

Den Wahlsieg des republikan. Kandidaten A. Lincoln 1860 nahmen die elf Südstaaten zum Anlass, um aus der Union auszutreten und 1861 die Konföderierten Staaten von Amerika (Präs. J. Davis) zu bilden. In dem daraufhin ausbrechenden Bürgerkrieg (→ Sezessionskrieg 1861–65), der mit äußerster Erbitterung geführt wurde (rd. 600 000 Gefallene, Verwüstung weiter Landstriche), zerbrach das Plantagensystem in den Südstaaten; zugleich kam es zu einem kriegsbedingten konjunkturellen Aufstieg der Nordstaaten, deren Sieg (9. 4. 1865 Kapitulation der Konföderationsarmee bei Appomatox) die Einheit der Union wieder herstellte.

Von der Reconstruction bis zum Eintritt in den 1. Weltkrieg (1865–1917): Die Periode der Reconstruction (Wiedereingliederung der Südstaaten in die Union nach dem Sezessionskrieg, 1865–77), in der sich zwar die regionalen wirtsch. Unterschiede verringerten, die Situation der Schwarzen sich hingegen trotz Abschaffung der Sklaverei (1863) auf lange Sicht kaum änderte (eine Integration wurde v.a. im S durch rassentrennende Gesetze und Verweigerung des Stimmrechts sowie durch oft gewalttätige rassist. Auswüchse wie den →Ku-Klux-Klan verhindert), leitete eine Zeit explosionsartiger Industrialisierung ein. Diese Entwicklung ging einher mit der seit Mitte des 19. Jh. verstärkt einsetzenden Erschließung des W (1869 Vollendung der 1. transkontinentalen Eisenbahnlinie), die im Zeichen einer bereits 1820 begonnenen freien Landnahme (große Siedlungstrecks von zumeist europ. Einwanderern, Vordringen von Squatters, Trappern, Händlern, Viehzüchtern) und des Kampfes der Indianer um ihre angestammten Gebiete stand. Goldfunde beschleunigten die Westwanderung (insbesondere der »Gold Rush« nach Kalifornien 1848/49, später Funde in den Black Hills). Die Siedlung an der »Frontier« war für viele der nach einer neuen Existenz suchenden Einwanderer (rd. 15 Mio. zw. 1865 und 1900; v.a. Briten, Iren, Deutsche, später Ost- und Südosteuropäer) erstrebenswert und rief einen beständigen Landhunger hervor. Die sich gegen ihre Vertreibung zur Wehr setzenden Prärieindianer (1876 letzter großer Sieg der Indianer unter Führung von Sitting Bull und Crazy Horse in der Schlacht am Little Bighorn River gegen US-Truppen unter General G. A. Custer) wurden in jahrzehntelangen Kriegen dezimiert, ihrer Existenzgrundlage beraubt (Vernichtung der Büffelherden) und in teilweise unwirtl. Reservationen deportiert (erst 1924 formale Zuerkennung der Bürgerrechte). Die verlustreichen Auseinandersetzungen mit den Indianern, der Pioniergeist bei der Erschließung des W (Abschluss um 1890), der harte Einwanderer- und Siedleralltag, v.a. aber die sich nur allmählich etablierende Gesetzlichkeit in den neuen Gebieten finden sich wieder im Mythos vom »Wilden Westen«.

Die rasche und zunächst unreglementierte Industrialisierung des Landes (Entstehung mächtiger Konzerne), die damit verbundene Urbanisierung und Herausbildung einer sich aus unterschiedl. Nationen rekrutierenden Arbeiterschaft sowie die anhaltende Einwanderung waren von einer Zuspitzung der sozialen Probleme begleitet und bewirkten u.a. die Gründung proletar. Organisationen (z.B. 1886 American Federation of Labor), die harte soziale und Lohnkämpfe austrugen.

Außenpolitisch war für die USA in der 2. Hälfte des 19. Jh. die Absicherung wirtsch. Interessen bestimmend (z.B. gewaltsame Öffnung Japans für den amerikan. Handel, 1854). Erst die gegen Ende des Jh. rasch anwachsenden Auslandsinvestitionen (Dollarimperialismus), v.a. im politisch unruhigen Lateinamerika, führten in wachsendem Maße zu Interventionen in diesem Gebiet und zum Erwerb von Außenterritorien. Bereits 1867 sicherten sich die USA Alaska durch Kauf von Russland. Durch den →Spanisch-Amerikanischen Krieg (1898) gewannen sie Puerto Rico, Kuba (1902 formal unabhängig), die Philippinen und Guam; ebenfalls 1898 wurde Hawaii annektiert. Die USA veranlassten die Abspaltung Panamas von Kolumbien (1903) und sicherten sich die Rechte zu Bau und Nutzung des Panamakanals. Einen ersten Höhepunkt ihrer Weltgeltung erreichten die USA unter Präs. T. Roosevelt (1901–09). Nach anfängl. Neutralität im 1. Weltkrieg erklärten die USA am 6. 4. 1917 Dtl. den Krieg, nachdem dieses den uneingeschränkten U-Boot-Krieg proklamiert hatte (1918 Entsendung eines amerikan. Expeditionsheeres unter General J. J. Pershing auf den frz. Kriegsschauplatz).

Zwischenkriegszeit und 2. Weltkrieg (1918–45): 1918 verkündete Präs. T. W. Wilson (1913–21) seine →Vierzehn Punkte als Grundlage für Friedensverhandlungen, konnte sein Programm aber auf der Pariser Friedenskonferenz von 1919 nur teilweise gegenüber den europ. Westmächten durchsetzen. Nachdem der Senat 1920 die Ratifizierung des Versailler Vertrages abgelehnt hatte und die USA somit außerhalb des Völkerbundes blieben, trat die Politik des Isolationismus wieder

Theodore Roosevelt

Woodrow Wilson

Vereinigte Staaten von Amerika (Geschichte): Häuptling Sitting Bull und General George A. Custer (rechts), militärische Kontrahenten in der Schlacht am Little Bighorn River im Jahr 1876

Vereinigte Staaten von Amerika – Entwicklung der Union

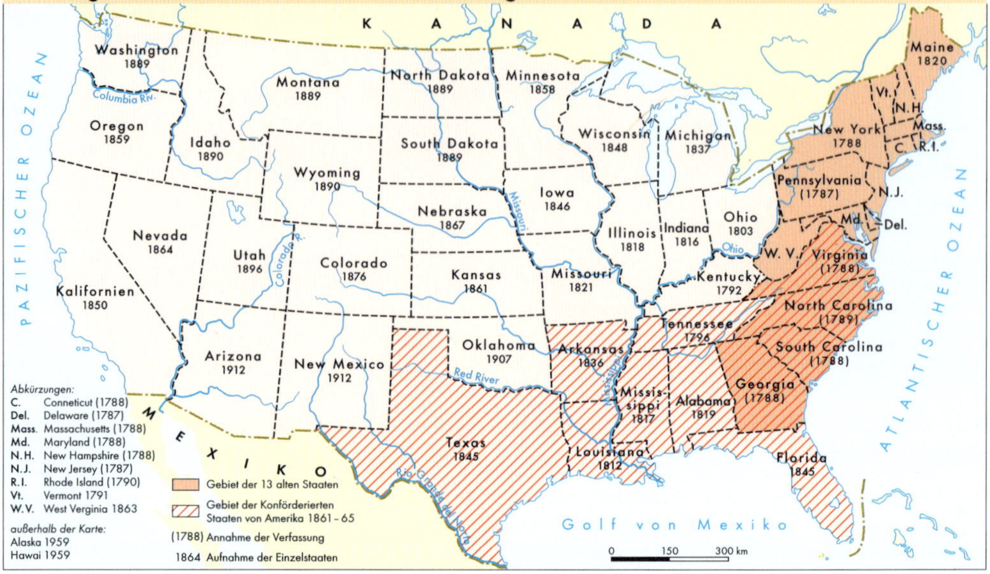

in den Vordergrund. Durch den 1. Weltkrieg waren die USA zum Gläubiger der meisten europ. Länder geworden; 1921 schlossen sie einen Separatfrieden mit Dtl. und wirkten maßgebend an der Regelung der Reparationsfrage durch den Dawesplan (1924) und Youngplan (1929) mit.

Franklin D. Roosevelt

Unter den republikan. Präs. W. G. Harding (1921–23) und C. Coolidge (1923–29) begann erneut eine Zeit des Bigbusiness (1919–29), die jedoch von Korruptionsskandalen erschüttert wurde. Die 1920–33 gültige →Prohibition war von einem Aufschwung des organisierten Gangstertums begleitet (u. a. Al Capone in Chicago). Die Weltwirtschaftskrise (1929–33) bereitete auch der »Prosperität« in den USA ein Ende (25. 10. 1929 »Schwarzer Freitag« an der New Yorker Börse, zeitweise 15 Mio. Arbeitslose, Absinken der Ind.produktion um rd. 50 %). Nach einer schweren Wahlniederlage der Republikaner (1932) wurde der Demokrat F. D. Roosevelt Präs. (1933–45), der zur Überwindung der Krise die Politik des →New Deal einleitete, die Fortschritte in der Sozialgesetzgebung enthielt und erstmals staatl. Eingriffe in das Wirtschaftsleben vorsah. 1933 nahmen die USA diplomat. Beziehungen zur Sowjetunion auf; angesichts der Expansionspolitik der Achsenmächte wurde die »isolationist.« Außenpolitik aufgegeben. Nach Beginn des 2. Weltkrieges in Europa lieferten die USA Kriegsmaterial an die westl. Alliierten (Lend-Lease Act 1941), später auch an die Sowjetunion; mit dem japan. Überfall auf →Pearl Harbor und der dt. sowie italien. Kriegserklärung traten die USA 1941 selbst in den Krieg ein. Ihr Eingreifen auf dem europ. Kriegsschauplatz (insbesondere seit der angloamerikan. Invasion in der Normandie im Juni 1944) trug maßgeblich zur bedingungslosen Kapitulation Dtl.s im Mai 1945 bei. Der Einsatz von Atombomben (Abwurf auf Hiroshima und Nagasaki im Aug. 1945) beendete den Krieg gegen Japan (Sept. 1945) und wies die USA als erste Nuklearmacht der Welt aus.

Dwight D. Eisenhower

Die Weltmacht USA (seit 1945): Aus dem 2. Weltkrieg gingen die USA als Vormacht der westl. Staaten hervor. Bald nach Kriegsende begann die Allianz mit der UdSSR wegen der völligen Divergenz bei der Gestaltung der Nachkriegsordnung zu zerbröckeln (Entstehung des Ost-West-Gegensatzes nach Errichtung kommunist. Regime in Mittel- und Osteuropa). Der demokrat. Präs. H. S. Truman (1945–53) versuchte, mit einer Politik des →Containment die sowjet. Expansion in Europa und Asien einzudämmen. Die Spannungen zw. den Alliierten entwickelten sich zum →Kalten Krieg, der zuerst außenpolitisch (1947/48 Berliner Blockade, 1949 Gründung der NATO, 1950–53 Koreakrieg), unter dem republikan. Präs. D. D. Eisenhower (1953–61) aber auch innenpolitisch geführt wurde (Kommunistengesetze 1954 und »rote Psychose« durch J. R. McCarthy). Außenmin. J. F. Dulles (1953–59) verfolgte eine Politik der Zurückdrängung des Ostblocks (Roll-back). 1954 intervenierten die USA in Guatemala, mit der →Eisenhower-Doktrin (1957) meldeten sie ihre strateg. Ansprüche im Nahen Osten an.

Seit den 50er-Jahren verstärkte sich die Bürgerrechtsbewegung der Schwarzen unter Führung M. L. Kings und erreichte u. a. 1954 die Aufhebung der Rassentrennung an den Schulen sowie erste Bürgerrechtsgesetze (1957 und 1960).

Nachdem sich der Ost-West-Konflikt mit dem Bau der Berliner Mauer (1961) und der Kubakrise (1962) erneut gefährlich zugespitzt hatte, war die Außenpolitik des demokrat. Präs. J. F. Kennedy (1961–63) auf einen Abbau der Spannungen zur Sowjetunion (u.a. »heißer Draht« Washington–Moskau 1963, Einschränkung der Kernwaffenversuche durch den Moskauer Vertrag 1963) und auf eine verbesserte Zusammenarbeit mit den europ. Verbündeten gerichtet. Innenpolitisch zielte Kennedy mit seiner Forderung nach einem Aufbruch zu »neuen Grenzen« (New Frontiers) auf die Durchsetzung eines weit reichenden sozial- und wirtschaftspolit. Programms. Nach der Ermordung Kennedys in Dallas (22. 11. 1963) setzte sein Nachfolger L. B. Johnson (1963–69) diesen innenpolit. Kurs fort (u.a. Programm der »Great Society« 1965). Die Rassenfrage war während der 60er-Jahre der brisanteste innere Konflikt. Das Bürgerrechtsgesetz von 1964 gewährte den Schwarzen zwar Schutz bei der Ausübung des Wahlrechts, förderte die Schulintegration und verbot die Rassendiskriminierung; die anhaltende wirtsch. Benachteiligung der Schwarzen zog aber Radikalisierung (→Blackpower) und Gettoaufstände (1966/67) nach sich. Ende der 60er-Jahre brachte überdies die tiefste Rezession seit der Weltwirtschaftskrise schwere soziale und wirtsch. Probleme.

1965 intervenierten die USA in der Dominikan. Rep. Die bereits in der Reg.zeit Kennedys verstärkte Militärpräsenz in Süd-Vietnam steigerte Johnson 1964 (Tongking-Zwischenfall) zum direkten militär. Einsatz im →Vietnamkrieg, der bis Anfang der 70er-Jahre stetig eskalierte. Die Misserfolge seiner Vietnampolitik und die ab 1965 von den Univ. ausgehende Protestbewegung gegen die amerikan. Kriegsbeteiligung veranlassten Johnson zur Einstellung der Bombardierung Nord-Vietnams und zur Aufnahme von Verhandlungen (1968) sowie zum Verzicht auf eine zweite Präsidentschaftskandidatur. Der republikan. Präs. R. M. Nixon (1969–74) leitete 1972 eine Normalisierung der Beziehungen zur VR China ein und suchte mit der Sowjetunion zu Abrüstungsvereinbarungen zu kommen (SALT-Verhandlungen). Über eine »Vietnamisierung« (d.h. Rücknahme aller nichtvietnames. Streitkräfte aus dem militär. Geschehen) erreichte er durch seinen Sonderberater H. A. Kissinger 1973 einen Waffenstillstand mit Nord-Vietnam. Darüber hinaus nahmen die USA seit 1973 an der →KSZE teil. Innenpolitisch bewirkte der Vietnamkrieg einen Verlust an nat. Stärkebewusstsein (Vietnam-Syndrom) und eine massive Vertrauenskrise gegenüber der Reg., die durch die →Watergate-Affäre und den dadurch erzwungenen Rücktritt Nixons (1974) noch erheblich vertieft wurde. Dem republikan. Präs. G. R. Ford (1974–77) folgte der Demokrat J. E. Carter im Amt (1977–81), der in seiner Politik anfangs nachdrücklich die Menschenrechte betonte, in Verträgen mit Panama (1978 ratifiziert) die schrittweise Übergabe des Panamakanals vereinbarte und im Nahostkonflikt 1979 einen Separatfriedensvertrag zw. Ägypten und Israel vermittelte. Die zunächst fortgesetzte Entspannungspolitik (1979 Unterzeichnung des SALT-II-Abkommens mit der UdSSR, dessen Ratifizierung jedoch ausblieb) geriet durch den sowjet. Einmarsch in Afghanistan im Dez. 1979 in eine schwere Krise. Die islam. Revolution in Iran 1979 brachte die USA, die das Schah-Regime gestützt hatten, in außenpolit. Verwicklungen, die im Nov. 1979 in der Besetzung der Teheraner US-Botschaft und der bis Jan. 1981 währenden Festsetzung von über 50 US-Bürgern als Geiseln gipfelten.

Der republikan. Präs. R. W. Reagan (1981–89), der bei seinem Amtsantritt ein Programm der »nat. Erneuerung Amerikas« verkündete, verfolgte zunächst eine strikt antikommunist. Politik der äußeren Stärke und Aufrüstung (u.a. →SDI, Aufstellung amerikan. Mittelstreckenraketen in Westeuropa), gegen die sich eine anwachsende Friedensbewegung richtete, und betonte die Rolle der USA als Ordnungsmacht in Mittelamerika (u.a. Invasion in Grenada 1983, Unterstützung der Contras gegen das sandinist. Nicaragua). Die von ihm eingeleitete Hochzinspolitik führte auch zu wirtsch. Differenzen mit den westeurop. Verbündeten. Reagans wirtschaftspolit. Konzept (»Reaganomics«), das auf den Abbau staatl. Regulierungen und eine Anregung des privaten Sektors zielte, wurde durch die beträchtl. Erhöhung der Militärausgaben und damit verbundene drastische Sparmaßnahmen im Gesamthaushalt (bes. im Bereich der Sozialausgaben) überlagert. In seiner 2. Amtszeit suchte Reagan einen Ausgleich mit der Sowjetunion zu erreichen, der durch die 1985 begonnene sowjet. Reformpolitik unter M. S. Gorbatschow und den Abzug der sowjet. Truppen aus Afghanistan (1988/89) möglich wurde. Nach mehreren amerikan.-sowjet. Gipfeltreffen seit 1985, in deren Mittelpunkt v.a. Fragen der Abrüstung standen, wurde mit der Unterzeichnung des INF-Vertrages zur Beseitigung der Mittelstreckenraketen beider Länder (8. 12. 1987 in Washington, durch den Senat im Mai 1988 ratifiziert) erstmals ein Erfolg bei Abrüstungsinitiativen im Bereich der atomaren Waffen erzielt. Für eine nachhaltige Schwächung der Position Präs. Reagans sorgte 1987 die Iran-Contra-Affäre (»Irangate«) um den von Reg.beamten organisierten geheimen Waffenhandel mit Iran zur Finanzierung der nicaraguan.

Martin Luther King

John F. Kennedy

Richard M. Nixon

Jimmy Carter

Ronald W. Reagan

Bill Clinton

Contras. Die durch den irak.-iran. Golfkrieg verursachte Gefährdung der Transportwege für das in der Golfregion geförderte Erdöl veranlasste die USA 1987 zur Entsendung von Flotteneinheiten in den Pers. Golf (Verwicklung amerikan. Kriegsschiffe in Kampfhandlungen mit iranischen).

Bei den Präsidentschaftswahlen im Nov. 1988 konnte sich der republikan. Vizepräs. G. Bush gegen den Demokraten M. Dukakis durchsetzen, er trat im Jan. 1989 sein Amt als 41. Präs. der USA an. Durch eine militär. Intervention in Panama im Dez. 1989 wurde der Machthaber General Noriega gestürzt, gefangen genommen und wegen Rauschgifthandels (im April) 1992 verurteilt.

Im 2. →Golfkrieg (17. 1.–28. 2. 1991) stellten sich die USA an die Spitze einer multinat. Militärkoalition, die die Räumung Kuwaits durch Irak durchsetzte. Ihren danach gewachsenen Einfluss im Nahen Osten nutzten die USA (zahlr. diplomat. Missionen von Außenmin. J. Baker und seinem Nachfolger W. Christopher), um die Abhaltung einer Nahostfriedenskonferenz (unter Einschluss der Palästinenser) durchzusetzen (→Nahostkonflikt). Präs. Bush führte die Annäherung an die Sowjetunion fort (im Juli 1991 Unterzeichnung des START-Vertrages in Moskau). Nach deren Auflösung zielte die Politik der USA gegenüber den in der GUS zusammengeschlossenen Nachfolgestaaten, insbesondere gegenüber Russland, auf die Verwirklichung bereits vereinbarter Abrüstungsschritte und ihre Weiterführung. Im Jan. 1993 unterzeichneten die USA und Russland den Vertrag über die Verringerung der strateg. Atomwaffen (START II). Ihre militär. Präsenz in Asien begannen die USA 1991 zu verringern (Räumung von Stützpunkten auf den Philippinen, einsetzender Abzug der Atomwaffen aus Süd-Korea). Innenpolitisch sah sich Präs. Bush mit z. T. aus der Amtszeit Reagans überkommenen wirtsch. Problemen konfrontiert, die sich unter seiner Administration zu einer Rezession entwickelten. Die dadurch verschärften sozialen Missstände, von denen bes. Schwarze und Minderheiten betroffen waren, entluden sich im Sommer 1992 in schweren Rassenunruhen in Los Angeles. Vor diesem Hintergrund siegte bei den Präsidentschaftswahlen im Nov. 1992 der demokrat. Kandidat B. Clinton (Amtsantritt im Jan. 1993), der sich in seinem Reg.programm der Überwindung sozialer Missstände mittels staatl. Reformprogramme verschrieb. Er sah sich jedoch nach den erhebl. Verlusten der Demokrat. Partei bei den Kongresswahlen 1994 starken inneren Widerständen (u. a. Scheitern der Neugestaltung des Gesundheitswesens 1994; Streit um den Bundeshaushalt 1996) ausgesetzt. Trotz der schwierigen Situation wurde Clinton 1996 wieder gewählt, seine Stellung wurde jedoch durch die »Sex- und Meineidaffäre« (1998, »Lewinsky-Affäre«) stark beeinträchtigt. In der Außenpolitik konnten die USA ihre Stellung als einzig verbliebene Weltmacht nach dem Zerfall der Sowjetunion ausbauen. Im Jan. 1994 trat das Nordamerikan. Freihandelsabkommen (→NAFTA) in Kraft. Mit der Wiederaufnahme der diplomat. Beziehungen zu Vietnam normalisierte sich 1995 das Verhältnis zu dem ehem. Kriegsgegner. Nach der gescheiterten UN-Intervention in Somalia (1993/94) machten die USA ihre Beteiligung an weiteren UN-Friedensmissionen u. a. von einer klaren Zieldefinition, realist. Erfolgsaussichten sowie einer zeitl. Begrenzung des Einsatzes abhängig. Durch ihre Verhandlungsdiplomatie trugen die USA 1995 zur Beilegung des Bosnien-Konflikts (21. 11. 1995 Paraphierung eines Friedensvertrags in Dayton, Unterzeichnung 14. 12. in Paris) bei. Den ins Stocken geratenen Friedensprozess im Nahen Osten suchte die Reg. Clinton durch diplomat. Missionen wieder in Gang zu bringen (Okt. 1998 Wye-Abkommen). Im Kosovo-Konflikt übernahmen die USA im März 1999 die Führung eines NATO-Militärschlages gegen die Bundesrep. Jugoslawien, die im Juni 1999 einem internat. Fridensplan zustimmen musste.

📖 BLUME, H.: *USA. Eine geograph. Landeskunde, 2 Bde. Darmstadt $^{2-3}$1987–88.* – HAHN, R.: *USA. Neuausg. Stuttgart 1990.* – ANNAHEIM, J.: *Die Gliedstaaten im amerikan. Bundesstaat. Institutionen u. Prozesse gliedstaatl. Interessenwahrung in den V. S. von A. Berlin 1992.* – PETERS, W.: *The existential runner. Über die Demokratie in Amerika. Eggingen 1992.* – GUGGISBERG, H. R.: *Geschichte der USA. Stuttgart u. a. ^{3}1993.* – LOJEWSKI, W. VON: *Amerika. Der Traum vom neuen Leben. Tb.-Ausg. München 1993.* – SIDRAN, B.: *Black talk. Schwarze Kultur – die andere Kultur im weißen Amerika. A. d. Amerikan. Hofheim ^{2}1993.* – *Japan, Europa, USA. Weltpolit. Konstellationen der 90er Jahre, hg. v.* W. VON BREDOW *u.* T. JÄGER. *Opladen 1994.* – KAHL, M.: *Abschreckung u. Kriegführung. Amerikan. Nuklearstrategie, Waffenentwicklung u. nukleare Rüstungskontrolle von Kennedy bis Bush. Bochum 1994.* – *Polit. System u. Außenpolitik der USA, Beiträge v.* J. SCHWARZ *u. a. Neubiberg 1994.* – SAUTTER, U.: *Geschichte der V. S. von A. Stuttgart ^{5}1994.* – TOCQUEVILLE, A. DE: *Über die Demokratie in Amerika, hg. v.* J. P. MAYER. *Neuausg. Stuttgart 1994.* – ESPENHORST, J.: *Arbeitsgesellschaft USA. Eine Einführung aus dt. Sicht. Schwerte 1995.* – ZISCHKA, A.: *Der Dollar. Glanz u. Elend der Weltwährung. München ^{3}1995.* – DESCHNER, K.: *Der Moloch. Eine krit. Geschichte der USA. Tb.-Ausg. München ^{3}1996.* – DIPPEL, H.: *Geschichte der USA. München 1996.* – FREESE, P.: *Vom »Schmelztiegel« zum »Mosaik«. Die USA als Modell einer multikul-*

turellen Gesellschaft? Paderborn 1996. – Heideking, J.: *Geschichte der USA. Tübingen u. a. 1996.* – Herrmann, D.: *»Be an American!« Amerikanisierungsbewegung u. Theorien zur Einwandererintegration. Frankfurt am Main u. a. 1996.* – *USA. Grundwissen – Länderkunde. Politik, Geschichte, Gesellschaft, Wirtschaft, hg. v.* H. Wasser *u. a. Opladen* [3]*1996.* – *Die amerikan. Präsidenten. 41 histor. Portraits von George Washington bis Bill Clinton, hg. v.* J. Heideking. *München* [2]*1997.* – Dahms, H. G.: *Grundzüge der Geschichte der Vereinigten Staaten. Darmstadt* [4]*1997.*

Vereinigte Staaten von Amerika, Kunst. Sieht man von der anfangs weitgehend zerstörten und erst in der jüngsten Vergangenheit schrittweise wieder entdeckten Kunst der nordamerikan. Indianer ab, so hat die amerikan. Kunst erst relativ spät zu ihrer Identität gefunden. In den ersten Jahrhunderten der Besiedlung des nordamerikan. Kontinents spielte die Kunst eine sekundäre Rolle; später wurde vorwiegend an frz., engl., holländ. und im Westen v. a. span. Kulturtraditionen angeknüpft. Gemäß der polit. Struktur der versch. Landesteile handelte es sich um Kolonialkunst, wie dies auch in der Benennung der Stilperiode vor 1776 (»Colonial Period«) zum Ausdruck kommt.

Nach der Unabhängigkeitserklärung von 1776 und bes. in der »Federal Period« genannten Stilphase (etwa 1780–1825) entwickelte sich ein an Vorbildern der Antike orientierter Repräsentationsstil (»Greek Revival«), der v. a. öffentl. Bauten bestimmte. 1791 wurde der frz. Architekt P. C. L'Enfant mit der Ausarbeitung eines Plans für die neue Hauptstadt Washington beauftragt. T. Jefferson entwarf den exemplar. Campus der Univ. von Virginia in Charlottesville (1817–26). Weitere hervorragende Architekten dieser Zeit waren C. Bulfinch, J. Hoban, B. H. Latrobe, W. Thornton und T. U. Walter. Gegen Mitte des 19. Jh. entstanden auch Bauten im Stil des »Gothic Revival« (J. Renwick, R. Upjohn).

Die Malerei der Zeit wurde durch die in England arbeitenden Künstler B. West und J. S. Copley bestimmt. Spezifisch lokale Züge treten erstmals in den Werken von J. J. Audubon, G. Catlin und E. Hicks auf. Die Landschaftsbilder von W. Allston sowie der »Hudson River school« (T. Cole, F. E. Church, A. B. Durand, J. F. Kensett) und der an sie anknüpfenden Maler G. Inness, G. C. Bingham und A. Bierstadt vergegenwärtigen die einheim. Topographie in einem Stil zw. Romantik und Realismus. In der Porträtmalerei traten bes. T. Sully sowie E. Johnson hervor, der sich auch als Genremaler einen Namen machte. Meister des Stilllebens waren R. Peal und W. M. Harnett. Die Skulptur der Zeit steht mit den Marmorbildnissen und Statuen von H. Powers (»The Greek Slave«, 1843) und H. Greenough (»George Washington«, 1841) in der Tradition des Klassizismus.

Seit der Mitte des 19. Jh. fand die amerikan. Kunst ihre Eigenständigkeit, u. a. in den auf industrielle Konstruktionsmethoden und das Material Gusseisen gerichteten Bauten von J. Bogardus und D. D. Badger, in den Hängebrücken von J. A. Röbling, in den öffentl. Parkanlagen von F. L. Olmsted (Central Park, New York, 1858 ff.) sowie in den Geschäftshäusern von H. H. Richardson, die die Hochhausarchitektur einleiteten. Durch L. H. Sullivan und die Architekten der Schule von Chicago und v. a. durch F. L. →Wright nahm die amerikan. Kunst im Bereich der Architektur an der Wende zum 20. Jh. bereits eine internat. Vorrangstellung ein. In der Malerei (W. Homer, J. McNeill Whistler, J. S. Sargent, Mary Cassatt, T. Eakins, M. Prendergast) und der Skulptur (A. Saint-Gaudens, D. C. French) dominierten noch europ. Einflüsse (v. a. Realismus, Impressionismus, Neoimpressionismus). F. Remington wurde als Maler des amerikan. Westens berühmt.

Die amerikan. Kunst im 20. Jh. zeichnet sich durch eine umfassende Universalität aus, indem sie Anregungen aus allen Teilen der Welt aufnimmt und nach einer schöpfer. Transformation wieder zurückgibt. Vor allem im Werk von F. L. Wright findet dies den überzeugendsten Ausdruck, doch auch in den Bauten vieler Emigranten wie Eliel und Eero Saarinen, W. Gropius, L. Mies van der Rohe, E. Mendelsohn, J. L. Sert, M. Breuer, R. M. Schindler und R. Neutra. Sonderleistungen stellen die Gestaltung des Hochhauses sowie die auf neue Struktursysteme gerichteten Bauformen von R. B. Fuller dar.

Malerei und Skulptur der 1. Hälfte des 20. Jh. verbleiben stärker im Zusammenhang mit der europ. Entwicklung, und auch hier sind die Einwirkungen von Emigranten beträchtlich (A. Archipenko, J. Albers, N. Gabo, Louise Nevelson, J. Lipchitz, M. Ernst, H. Hofmann, L. Moholy-Nagy). In den Bildern von C. Demuth, Georgia O'Keefe, C. Sheeler sowie von T. Benton und G. Wood fand eine z. T. krit. Auseinandersetzung mit der städt. und ländl. Zivilisation Amerikas statt. Ihnen thematisch verbunden, jedoch von unterschiedl. Bildsprache sind die Werke J. Marins, M. Webers und E. Hoppers. Spezif. Merkmale amerikan. Kunst dokumentieren auch die Fotografen A. Stieglitz, E. Steichen und M. Ray, die »Mobiles« A. Calders sowie die monumentalen Porträts von vier amerikan. Präsidenten des →Mount Rushmore National Memorial von G. Borglum. Populärste Vertreterin der naiven Malerei war Grandma Moses. Durch C. Still, M. Rothko, A. Reinhardt und J. Pollock wurde in der Malerei die Phase des →abstrakten Expressionismus eingeleitet.

Vereinigte Staaten von Amerika, Kunst

1

2

3

4

| **1** Das Wohnhaus von Thomas Jefferson in Monticello bei Charlottesville (Virginia) wurde nach seinen Plänen 1768–82 errichtet und 1796–1809 umgebaut | **2** John Singer Sargent, »Edward Darley Boits Töchter« (1882; Boston, Mass., Museum of Fine Arts) | **3** Claes Oldenburg, »Herrenjacke mit Oberhemd und Krawatte« (1961; Köln, Museum Ludwig) | **4** John Singleton Copley, »Die Familie Copley« (um 1785; Washington, D. C., National Gallery of Art)

Seit etwa 1950 wurde die amerikan. Kunst in allen Bereichen internat. stilbestimmend. Die Architekturtheorie wurde am nachhaltigsten von L. I. Kahn geprägt. In dieser Tradition stehen R. Venturi und C. Moore. Breitenwirkung erzielte das Architektenbüro Skidmore, Owings und Merrill unter führender Beteiligung von G. Bunshaft. Zu den namhaften Architekten gehören auch P. C. Johnson, M. Yamasaki, I. M. Pei, P. M. Rudolph und K. Roche. Aus der Gruppe »New York Five« (P. Eisenman, C. Gwathmey, R. A. Meier, J. Hejduk, M. Graves) ragen die Arbeiten von Meier heraus.

Die Malerei hat seit den 50er-Jahren eine große Zahl von Stilmöglichkeiten erschlossen, die die Vielfalt der amerikan. Kunst dokumentieren: u. a. → Op-Art (R. Anuszkiewicz), → Pop-Art (R. Lichtenstein, R. Rauschenberg, J. Johns, A. Warhol), → Farbfeldmalerei (B. Newman, M. Louis, Helen Frankenthaler, K. Noland, E. Kelly, F. Stella), → Fotorealismus (P. Pearlstein, H. Kamowitz, R. Estes), → Patternpainting (Miriam Shapiro, R. Kushner) und → Graffiti (K. Haring). In den 80er-Jahren gelangten J. Borofsky, Susan Rothenberg, J. Schnabel und D. Salle zu internat. Anerkennung. Im Bereich der Skulptur entwickelte sich die → Minimalart (D. Judd, R. Morris, C. Andre, D. Smith). In verschiedenen zeitgenöss. Stilströmungen arbeiten die Bildhauer G. Segal, D. Hanson, C. Oldenburg, R. Morris und R. Serra. Daneben gibt es Experimente in der → Land-Art (R. Smithson, W. de Maria, M. Heizer), → Body-Art (V. Acconci, D. Oppenheim), → Videokunst (N. J. Paik, B. Nauman), Con-

5

6

7

8

5 Thomas Hart Benton, »Boom Town« (1928; Rochester, N. Y., Memorial Art Gallery of the University of Rochester) | **6** Clyfford Still, »Painting« (1949; Privatbesitz) | **7** Das Greater Columbus Convention Center in Columbus (Oh.) wurde 1989–93 nach Plänen von Peter David Eisenman im dekonstruktivistischen Stil erbaut | **8** Winslow Homer, »Der Golfstrom« (1899; New York, Metropolitan Museum of Art)

ceptart (J. Kosuth) sowie in Mixedmedia-Veranstaltungen wie →Happening (A. Kaprow), →Fluxus (N. J. Paik, G. Brecht), →Performance (Laurie Anderson) und →Environment (E. Kienholz). Auf dem Gebiet der künstler. Fotografie sind v. a. die Arbeiten von E. Weston, P. Strand, A. Adams (Landschaftsfotografie) sowie Diane Arbus und R. Mapplethorpe (Porträtfotografie) von besonderer Bedeutung.

📖 JENCKS, C.: *Die Postmoderne. Der neue Klassizismus in Kunst u. Architektur. A. d. Amerikan. Stuttgart ²1988. – Amerikan. Kunst im 20. Jh. Malerei u. Plastik 1913–1993, hg. v.* C. M. JOACHIMIDES *u.* N. ROSENTHAL. *A. d. Amerikan. München 1993. – Die Kunst der USA, Beiträge v.* J. MARTIN *u. a. Aus dem Frz. Freiburg im Breisgau u. a. 1993.* – LUCIE-SMITH, E.: *Amerikan. Realismus. A. d. Amerikan. Leipzig 1994. – Architektur in Nordamerika seit 1960, Beiträge v.* A. TZONIS *u. a. Aus dem Engl. Basel u. a. 1995.*

Vereinigte Staaten von Amerika, Literatur. Die frühesten literar. Zeugnisse stehen in der Tradition europ. Literaturen und Visionen einer »Neuen Welt«. Schneller als andere Nationalliteraturen führte ihre Entwicklung zu internat. Rang.

Frühe Kolonialzeit, Aufklärung und Unabhängigkeitsbewegung: An der Atlantikküste setzten die Siedler zunächst englische Literaturtraditionen fort; Reiseberichte und Chroniken schrieben Captain J. Smith, L. Hammond, D. Denton und W. Penn. Die Puritaner Neuenglands entwickelten ein umfangreiches religiöses Schrifttum, das

James F. Cooper

Walt Whitman

Mark Twain

v.a. Geschichtsschreibung, Predigten, Tagebücher und theolog. Streitschriften umfasste. Bes. wichtig sind hier die Werke von J. Winthrop, W. Bradford, C. Mather, J. Edwards und G. Woolman sowie die Schriften von J. Cotton, E. Johnson, R. Williams und I. Mather; eindrucksvolle Lyrik schrieben M. Wigglesworth, Anne Bradstreet und E. Taylor. Repräsentativ für die Epoche der Aufklärung ist B. Franklin, der prakt. Tätigkeiten als Drucker und Erfinder sowie als Geschäftsmann und Politiker mit literar. Arbeit verband. Geistiger Wegbereiter der Unabhängigkeit war v.a. T. Paine mit seinen patriotisch-radikalen Werken. Während der Unabhängigkeitsbewegung verfassten v.a. T. Jefferson, der die Unabhängigkeitserklärung redigierte, J. Adams und A. Hamilton polit. Prosaschriften. M. G. J. de Crèvecœurs Darstellungen der Revolutionszeit begründeten in Europa das romant. Amerikabild.

19. Jahrhundert. Romantik: Frühe Erscheinungsformen romant. Tendenzen entwickelten sich bei P. Freneau, der sowohl Gedichte zur polit. Unabhängigkeit als auch Naturlyrik verfasste. Auch in den ersten Romanen prägten sich in verschiedener Weise solche Tendenzen aus, so bei W. H. Brown, C. B. Brown und H. H. Brackenridge. Noch überwiegend in der europ. Vergangenheit suchte W. Irving, der bekannteste Autor der Gruppe der »Knickerbocker« in New York, seine Themen. Der Einfluss der Schauerromantik wurde von E. A. Poe aufgegriffen und eigenständig verarbeitet. Sein starker Stilwille prägte die modernen Formen der Kurzgeschichte, der Detektiverzählung, der Literaturkritik und Literaturtheorie; sein Werk war von erhebl. Einfluss auf die Literatur der Moderne. Vergleichbar bedeutend waren die Romane von J. F. Cooper. Seine »Lederstrumpf«-Serie stellte zum ersten Mal das Erlebnis der »Frontier« und des amerikan. Westens in den Mittelpunkt.

Vereinigte Staaten von Amerika, Literatur: Edgar Allan Poe, anonymer Holzschnitt (um 1840)

New England Renaissance: Seit dem 2. Viertel des 19. Jh. entfaltete sich auf der Grundlage früherer romant. Strömungen eine häufig als »New England Renaissance« bezeichnete literar. Bewegung. R. W. Emerson entfernte sich von seiner theolog. Ausbildung und suchte das Göttliche im Menschen selbst und in der Natur. Die Wirkung seiner Essays, Reden und Gedichte ist kaum zu überschätzen. Seine Ideen wurden von H. D. Thoreau aufgegriffen und im prakt. Gebrauch weiterentwickelt. Die Bürde der puritan. Vergangenheit und das Leiden an der gesellschaftl. Situation seiner Zeit verbinden sich in den histor. Romanen und Erzählungen von N. Hawthorne, in denen seine Auseinandersetzung mit histor. Schuld und Sünde zum Ausdruck kommen. H. Melville schrieb nach frühen Abenteuerromanen den Roman »Moby Dick« (1851), in dessen Zentrum das Ringen um Überleben und Lebenssinn in einer Welt der Entfremdung steht.

Vereinigte Staaten von Amerika, Literatur: Herman Melville (um 1890)

Vom Bürgerkrieg bis zur Jahrhundertwende (Realismus, Naturalismus): Einen tiefen Konflikt der amerikan. Gesellschaft, der bei der Auslösung des amerikan. Bürgerkrieges eine entscheidende Rolle spielen sollte, die Versklavung der Afroamerikaner, griff der Roman »Onkel Toms Hütte« (1852) von Harriet Beecher-Stowe auf. In der Lyrik waren die »Cambridge poets« bei zeitgenöss. Lesern populär; H. W. Longfellow, O. W. Holmes und J. R. Lowell vermittelten in ihren Gedichten Bildungsgut und europ. Traditionen. Die präzisen Gedichte Emily Dickinsons, Ausdruck intensiver Introspektion, wurden erst in den letzten Jahrzehnten analysiert. Von besonderer Bedeutung ist die Lyrik von W. Whitman, deren befreiende Kraft und sinnl. Bildlichkeit bis heute ihre Wirkung ausüben. Eine neue Form der Prosa, in der realist. und gesellschaftskrit. Elemente überwiegen, entwickelte Mark Twain. Von seinen zahlr. Erzählungen und Romanen wurde v.a. »Die Abenteuer Huckleberry Finns« (1884) weltweit bekannt. Auch die Gattung Kurzgeschichte (Shortstory) entwickelte sich durch das Aufgreifen von Themen des amerikan. Westens weiter. Hauptvertreter dieser Tendenz waren B. Harte und A. Bierce. So wie Mark Twain und Harte Erfahrun-

Vereinigte Staaten von Amerika, Literatur: Gertrude Stein, Aufnahme von Man Ray (1930)

gen des amerikan. Westens verarbeiteten, betonten auch andere Schriftsteller, oft als »local color writers« bezeichnet, das Spezifische bestimmter Regionen, u.a. Sarah O. Jewett, Mary Eleanor Wilkins Freeman, G. W. Cable und Kate Chopin. Zur beherrschenden Gestalt der neuen realist. Erzählweise wurde zunächst W. D. Howells. H. James entwickelte in zahlreichen, z.T. sehr komplexen Romanen die psycholog. Analyse als Feld realist. Erzählens. Die wachsende Zahl weibl. Autoren, unter ihnen Chopin, erweiterte das Spektrum der amerikan. Literatur dieser Epoche. Am Ende des 19. Jh. griffen die naturalist. Prosaschriftsteller sozialdarwinist. Gedanken auf und bezogen sich kritisch auf die Folgen der Industrialisierung (H. Garland, S. Crane, F. Norris und J. London).

20. Jahrhundert bis zum 1. Weltkrieg: Die Epoche begann mit der Verschärfung der krit. Auseinandersetzung mit gesellschaftl. Missständen, am direktesten in den (überwiegend journalist.) Werken der »Muckrakers« (u.a. Ida M. Tarbell, L. Steffens, U. Sinclair); auch T. Dreiser führte die Tradition des Realismus in diesem Sinn weiter (»Eine amerikan. Tragödie«, R., 1925). Weibl. Autoren waren an dieser Entwicklung in spezif. Weise beteiligt, u.a. Ellen Glasgow, Edith Wharton und Willa Cather. In der Kurzgeschichte setzten sich psychologisierende Erzählhaltungen durch. Neue Kommunikations- und Sprachformen entwickelten sich zunächst in der Lyrik. E. L. Masters griff in freien Rhythmen die Realität des Kleinstadtalltags auf, C. Sandburg das Lebensgefühl in der Großstadt; E. A. Robinson und R. L. Frost nahmen an der Hinwendung zur Alltagssprache teil. W. C. Williams vertrat diese Poetisierung des Alltäglichen bes. deutlich. Die Tendenz zu präziser Bildlichkeit prägte die Gedichte von Marianne Moore. Herausragend war auch die Lyrik von W. Stevens, C. Aiken und E. E. Cummings. Der eigentl. Durchbruch der modernen Lyrik ist v.a. mit dem Werk von E. Pound und T. S. Eliot eng verknüpft. Ihre formale Brillanz und subtile Verarbeitung modernen Lebensgefühls begründeten ihren großen Einfluss auf die zeitgenöss. Lyrik. Die Zeitschrift »Poetry« machte ab 1912 die von den Imagisten vertretenen Grundsätze in den USA bekannt.

Zwischen den beiden Weltkriegen: J. Dos Passos entwickelte seine innovative, auch vom Film angeregte Montagetechnik, die der Auflösung des bürgerl. Individuums und der Übermacht gesellschaftl. Gegensätze Rechnung tragen sollte (»Manhattan Transfer«, 1925; »USA«, Trilogie, 1930–36). F. S. Fitzgerald verband die histor. Hoffnungen des »American Dream« mit der Kritik an ihrem Scheitern (»Der große Gatsby«, 1925). S. Lewis stellte die Provinz des Mittleren Westens mit satir. Mitteln dar (»Babbitt«, 1922), während S. Anderson die Kritik an provinziellen Deformationen mit einem spezif. Vitalitätsglauben verband. Die Sprachexperimente von Gertrude Stein wirkten als Anregungen auf andere Autoren. Die Reinigung der Sprache von Emotionen, die ihm als überholt galten, und die Suche nach tragfähigen Handlungsprinzipien bestimmten die Erzählungen und Romane von E. Hemingway. Die mythisierte Geschichte des amerikan. Südens wurde in den komplexen Romanen von W. Faulkner zum Raum extremer Verfallserscheinungen. Weltgeltung erlangte das amerikan. Drama mit Werken von E. O'Neill, die Gesellschaftskritik und psycholog. Analyse mit kraftvollen Formexperimenten verbanden. Die Literatur und Kultur der Afroamerikaner gewann an Dynamik mit der »Harlem Renaissance« der 20er-Jahre, die u.a. Autoren wie C. McKay, L. Hughes und C. Cullen zeitweise an sich zog. Im Verlauf der Krise von Wirtschaft und Gesellschaft nach 1929 verschärfte sich die Kritik zahlreicher Autoren. Diese Tendenz zeigte sich u.a. in Theaterstücken von C. Odets, in Romanen von J. Steinbeck (»Früchte des Zorns«, 1939) und in Reportagen und Analysen von E. Wilson. T. C. Wolfe griff in epischer Breite die Form des Entwicklungsromans auf. Eine neue Phase afroamerikan. Literatur setzte sich im Werk von R. Wright durch. Humanistisch-konservative Gedanken prägten die Werke von T. Wilder. Angesichts der ökonom. und intellektuellen Krise wurden mit dem »Federal Writers'

John R. Dos Passos

Upton Sinclair

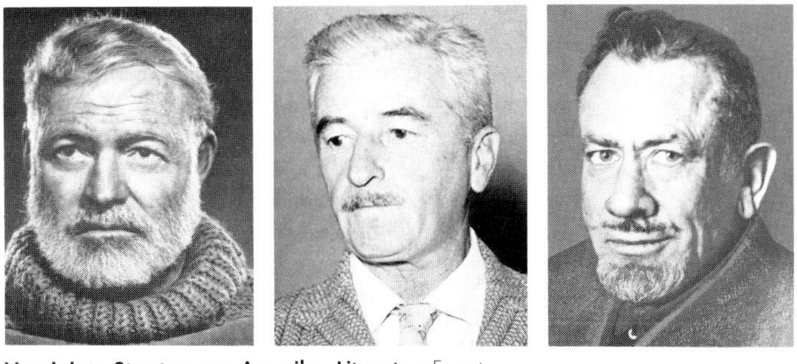

Vereinigte Staaten von Amerika, Literatur: Ernest Hemingway, William Faulkner und John Steinbeck (von links)

Jack Kerouac

J. D. Salinger

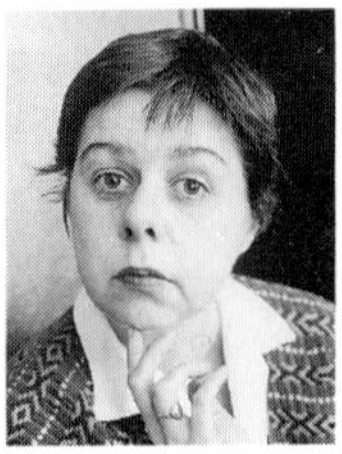

Carson McCullers

Toni Morrison

Project« und dem »Federal Theater Project« erstmals staatliche Förderungsmaßnahmen auch für Schriftsteller ergriffen. Erst mit dem Ende des 2. Weltkrieges erzielten die Dramatiker T. Williams und A. Miller öffentl. Wirkung.

Seit dem 2. Weltkrieg: In der folgenden Generation von Dramatikern wurde u.a. E. Albee bekannt. Neuere Entwicklungen in diesem Genre zeigen sich u.a. bei J.-C. Van Itallie, A. Kopit, S. Shepard, L. Wilson und R. Wilson. In der nach dem 2. Weltkrieg wirksamen Lyrik zeichnen sich neue bekenntnishafte Züge ab, etwa in den Gedichten von R. Lowell und T. Roethke. Anregungen für andere Lyriker kamen auch von den Werken J. Olsons und seinem Konzept des projektiven Gedichts. Der differenzierte Ausdruck subjektiver Erfahrungen prägt die Lyrik von Elizabeth Bishop, J. Dickey, Denise Levertov, J. Berryman und R. Creeley. Teilweise eine Rückkehr zu traditionellen Formen findet sich in der Lyrik von F. Morgan, A. Hecht, D. Wagoner und J. Hollander. Bekannt wurde die Gruppe der New-York-Dichter um F. O'Hara, K. Koch, J. Ashbery u.a. In den Nachkriegsjahren fand sich eine Gruppe von Schriftstellern zusammen, die an Boheme-Traditionen, wie vorher H. Miller, anknüpfte, Protestliteratur schrieb und als »Beatgeneration« bekannt wurde. Als einflussreichste Vertreter dieser Gegenkultur gelten der Lyriker A. Ginsberg, der Romanautor J. Kerouac und der Verfasser experimenteller Prosatexte W. S. Burroughs. Das Lebensgefühl einer auf die Nachkriegsjahre nicht mit Protest, sondern mit Leiden reagierenden Jugend findet sich in der Prosa von J. D. Salinger. Carson McCullers schildert in ihrer Prosa einsame und haltlose Menschen, während Mary McCarthy satir. Gesellschaftsanalysen gibt. Die Aufbruchstimmung der 60er-Jahre äußerte sich nicht überwiegend in literar. Form, findet sich jedoch z.B. in Romanen von K. Kesey und in einigen Beispielen des »New Journalism« bei T. K. Wolfe und H. S. Thompson. Verstärkt wahrgenommen wurde in den letzten Jahrzehnten die ethn. Vielfalt der amerikan. Kultur. Hauptvertreter der jüdisch-amerikan. Literatur sind B. Malamud, S. Bellow, P. Roth und Cynthia Ozick. Unter der großen Zahl afroamerikan. Autoren sind bes. einflussreich R. W. Ellison, J. Baldwin, LeRoi Jones (Imamu Amiri Baraka), I. Reed und E. Cleaver sowie Malcolm X mit seiner Autobiographie (1964). Größeres Interesse findet mittlerweile auch die Literatur der Amerikaner mexikan. Abstammung (»Chicano«-Literatur) und der indian. Ureinwohner. Immer deutlicher entwickelt sich in der amerikan. Literatur eine spezif. Perspektive weibl. Autoren, auch im Bereich afroamerikan. Kultur. Wichtig sind hier die Werke von u.a. Marilyn French, Adrienne Rich, Toni Morrison (Nobelpreis 1993), Sylvia Plath, Joan Didion, Susan Sontag, Joyce C. Oates, Nikki Giovanni und Alice Walker.

Vereinigte Staaten von Amerika, Literatur: Bernard Malamud, Saul Bellow und Philip Roth (von links)

Seit den 60er-Jahren tritt die Problematik der Zusammenhänge zw. literarischem Werk und gesellschaftl. Realität in den Vordergrund. Dabei werden Elemente des schwarzen Humors, der Sciencefiction, der Massenliteratur, des Journalismus und Formen der Satire, Montage und Collage oft gleichzeitig benutzt, um Modelle der Diskontinuität zu entwerfen. Diese Entwicklung zeichnet sich bereits ab im hoch entwickelten Formbewusstsein der Romane von V. Nabokov und J. Kosinski sowie in den »Cut-up«-Texten von W. Burroughs. Teil dieser Problematik ist der Versuch von T. Capote und N. Mailer, in einzelnen Werken Tatsachenbeschreibung und Romanerzählung zu verbinden (»Nonfiction«-Roman). Auch in der Erzählstruktur der Romane von J. Purdy, J. Heller, H. Selby und R. Brautigan finden sich z.T. weit entwickelte Ansätze dieser Problematik. Ausgeprägt ist diese Tendenz bei einer Reihe von Autoren, für die Schriftsteller (wie J. Barth) und Kritiker den Begriff »Postmodernismus« prägten: K. Vonnegut, W. H. Gass, J. Hawkes, S. Elkin, J. Barth, D. Barthelme, W. Abish, R. Coover, P. Auster, J. McInerney, R. Carver, S. Katz, D. Delillo, Amy Tan und T. Pynchon. Entwicklungstradition der Südstaaten greifen u.a. Cormac McCarthy sowie die Autorinnen Eudora Welty und Anne Tyler auf. Neben der Unterhaltungsliteratur, die u.a. auch über ihre Verfilmung ein Massenpublikum erreicht (u.a. Stephen King, M. Crichton, J. Grisham), galten Postmodernismus, Frauenliteratur und die Literatur ethnischer Minderheiten (u.a. → Indianerliteratur) in den letzten Jahrzehnten als bes. produktive Tendenzen der amerikan. Literatur.

📖 *Der amerikan. Roman. Von den Anfängen bis zur Gegenwart, hg. v.* H.-J. LANG. *Düsseldorf 1972. – Die amerikan. Lyrik. Von der Kolonialzeit bis zur Gegenwart, hg. v.* K. LUBBERS. *Düsseldorf 1974. – Die amerikan. Literatur der Gegenwart. Aspekte u. Tendenzen, hg. v.* H. BUNGERT. *Stuttgart 1977. –* SCHIRMER, W. F.: *Geschichte der engl. u. amerikan. Literatur, 2 Bde. in 4 Teilen. Tübingen* [6]*1983. – Das amerikan. Drama, hg. v.* G. HOFFMANN. *Bern u. a. 1984.* – *Die amerikan. Literatur bis zum Ende des 19. Jh., hg. v.* H. BREINIG. *Tübingen 1985.* – *Der zeitgenöss. amerikan. Roman, hg. v.* G. HOFFMANN, *3 Bde. München 1988.* – GALINSKY, H.: *Geschichte amerikan. Kolonialliteratur, auf 5 Bde. ber. Darmstadt 1991 ff.* – HORNUNG, A.: *Lexikon amerikan. Literatur. Mannheim u. a. 1992.* – *Poststrukturalismus – Dekonstruktion – Postmoderne, hg. v.* K. W. HEMPFER. *Stuttgart 1992.* – LINK, F.: *Amerikan. Erzähler seit 1950. Paderborn u. a. 1993.* – *Amerikan. Literaturgeschichte, hg. v.* H. ZAPF. *Stuttgart u. a. 1997.*

Vereinigte Staaten von Amerika, Musik. Die Musik der puritan. Siedler in Neuengland beschränkte sich auf metr. Psalmengesänge (»Bay Psalm Book«, 1640). Während der 1. Hälfte des 19. Jh. wurden in den Städten der USA Musikgesellschaften, Chöre und Orchester gegründet (1842 die New Yorker Philharmon. Gesellschaft). – Seit 1800 bildete sich das Negrospiritual und die Minstrelshow (→Minstrel) als spezif. Formen heraus. – An klassisch-romant. Traditionen orientierten sich die »Bostoner Klassizisten« (A. Foote, G. Chadwick, E. MacDowell u. a.). Dagegen bezogen die »Amerikanisten« folklorist. Elemente ein, so A. Copland und A. Farwell. Spätromant. Traditionen verpflichtet sind u. a. W. Piston und S. Barber. Zur gemäßigten Moderne zählen u. a. C. T. Griffes, R. Sessions, V. Thomson, W. Schuman und L. Bernstein. Als bedeutendster amerikan. Komponist gilt der universale C. Ives; G. Gershwin ist mit »Porgy and Bess« (1935) Schöpfer der US-amerikan. »Volksoper«. – Als spezif. Form des populären Musiktheaters entwickelte sich in den 1920er-Jahren das →Musical. – Nach 1933 wirkten europ. Komponisten wie A. Schönberg, H. Eisler, P. Hindemith, I. Strawinsky und B. Bartók in den USA und bestärkten bereits bestehende avantgardist. Bestrebungen: u. a. H. D. Cowell, G. Antheil und E. Varèse. Den stärksten Einfluss hatten der Neoklassizismus und Schönbergs Zwölftontechnik, u. a. bei M. Babbitt. Eine Verschmelzung von Jazz und sinfon. Musik strebte u. a. G. Schuller an. Seit Mitte der 1950er-Jahre wirkte J. Cage mit seinen anarchistisch-dadaist. Konzeptionen entscheidend auf die europ. Avantgarde. Von ihm beeinflusst sind u. a. L. Hiller (Computerkompositionen), E. Brown, M. Feldman, C. Wolff und F. Rzewski. Zu den Vertretern der Minimalmusic gehören T. Riley, La Monte Young, S. Reich und P. Glass. – Abgesehen vom Jazz mit seiner relativ eigenständigen Entwicklung wurde der afroamerikan. Blues bes. fruchtbar; städt. Weiterbildungen (Rhythm and Blues) setzten sich seit den 1940er-Jahren zunehmend als Teil der populären Musik durch. Wie in den Rock 'n' Roll seit Mitte der 1950er-Jahre gehen auch in die neuere Rockmusik neben der Countrymusic v. a. des Mittelwestens und Südens immer wieder Elemente afroamerikan. städtischer Folklore (Gospel, Soul) ein; auch die Musik anderer farbiger Minderheiten (Salsa der Puertorikaner) oder exot. Folklore wird einbezogen.

📖 FRIEDWALD, W.: *Swinging voices of America. Ein Kompendium großer Stimmen. A. d. Amerikan. St. Andrä-Wördern 1992.* – *Amerikan. Musik seit Charles Ives. Interpretationen, Quellentexte, Komponistenmonographien, hg. v.* H. DANUSER *u. a. Laaber* [2]*1993.* – *Die neue Musik in Amerika. Über Traditionslosigkeit u. Traditionslastigkeit, hg. v.* O. KOLLERITSCH. *Wien u. a. 1994.*

Vereinigte Staaten von Amerika, Philosophie. Im 18. Jh. fanden zunächst kalvinistisch-puritan. Gedanken Eingang durch die deterministisch-idealist. Religionsphilosophie von J. Edwards. Der Übergang zur Aufklärung wurde von S. Johnson unter dem Einfluss von G. Berkeley und von B. Franklin vollzogen. Die entscheidenden Tendenzen dieser Epoche waren die materialist. Metaphysik von J. Priestley, die deistische Religionsphilosophie von T. Paine und der optimist. Humanismus von T. Jefferson. In der Mitte des 19. Jh. entwickelte sich unter dem Einfluss des dt. Idealismus der Neuengland-Transzendentalismus (F. H. Hedge, R. W. Emerson, H. D. Thoreau).

In der Übergangszeit vom 19. zum 20. Jh. wurde als eigentl. eigenständige Leistung der →Pragmatismus von C. S. Peirce begründet, von W. James zu einer Wahrheitslehre, die theoret. Verifikation und psycholog. Begründung vereint, und von J. Dewey zum →Instrumentalismus weiterentwickelt. Der an W. James anknüpfende Neorealismus (R. B. Perry, W. P. Montague, E. B. Holt u. a.) richtete sich gegen den erkenntnistheoret. Subjektivismus und behauptete den unabhängigen Realbestand des Erkenntnisobjekts. Als krit. Realisten verstanden sich G. Santayana, Roy Wood Sellars

Vereinigte Staaten von Amerika, Philosophie (von links): Ralph Waldo Emerson (Stahlstich des amerikanischen Künstlers John Wilcox, um 1870) und Henry David Thoreau (Kreidezeichnung des amerikanischen Malers Samuel Worcester Rowse, 1854)

Vereinigte Staaten von Amerika, Musik: Charles E. Ives (Zeichnung)

Vereinigte Staaten von Amerika, Musik: George Gershwin

Vereinigte Staaten von Amerika, Musik: John Cage

Vereinigte Staaten von Amerika, Philosophie: Charles S. Peirce

und A. O. Lovejoy. A. N. Whitehead arbeitete ein spekulatives naturphilosoph. System auf der Grundlage der Mathematik aus. Am Übergang zur analyt. Philosophie steht C. I. Lewis.

Beherrschend für die amerikan. Philosophie der Neuzeit sind (neben phänomenolog. Forschungen) die analyt. Philosophie und der log. Positivismus, der durch eingewanderte Repräsentanten des Wiener Kreises (R. Carnap, H. Feigl u.a.) sowie den Polen A. Tarski zur herrschenden Strömung wurde. Diese Richtung sieht ihre Aufgabe v.a. in der wiss. Grundlagenforschung (W. V. O. Quine, N. Goodman, A. Church, A. Pap, Roderick M. Chisholm). – Der log. Empirismus wurde von der sprachwiss. Analyse abgelöst, die bes. von M. Black, N. Malcolm, A. N. Chomsky und Saul A. Kripke vertreten wird. – Neben der analyt. Philosophie zeigen sich Tendenzen der Hinwendung zu den philosoph. Grundlagen und zur europ. Philosophie (W. Sellars, R. Rorty u.a.), zu Problemen der Ethik und Normenbegründung (Seyla Benhabib, A. Heller, J. Rawls) und zur Wissenschaftstheorie und -kritik (Evelyn F. Keller, Carolyn Merchant).

Vereinigte Staaten von Amerika, Philosophie:
A. Noam Chomsky

📖 *American philosophy, hg. v.* M. G. SINGER. *Cambridge 1985.* – STEGMÜLLER, W.: *Hauptströmungen der Gegenwartsphilosophie, Bd. 2–4. Stuttgart* $^{1-8}$*1987–89.*

Vereinigte Stahlwerke AG, bis 1945 größter europ. Montankonzern; gegr. 1926 durch Zusammenschluss von sieben Gesellschaften (u.a. Thyssen), Sitz: Düsseldorf. Im Zuge der Entflechtung der dt. Montanindustrie wurde die V. S. AG in selbstständige Nachfolgegesellschaften aufgeteilt.

Vereinigtes Wirtschaftsgebiet, die 1946–49 in Dtl. von der amerikan. und brit. Militärregierung verfügte Vereinigung ihrer Besatzungszonen **(Bizone, Doppelzone):** am 5./11. 9. 1946 Einsetzung eines »Wirtschaftsrats« in Minden (später in »Verwaltungsrat für Wirtschaft« umbenannt), am 10. 6. 1947 Bildung der »Verwaltung des V. W.« (Sitz: Frankfurt am Main) mit einem **Wirtschaftsrat** und einem **Exekutivausschuss,** am 9. 2. 1948 durch den **Zweiten Wirtschaftsrat** mit 104 Mitgl. abgelöst; daneben bestanden **Länderrat** und **Verwaltungsrat.** Die Tätigkeit der Organe des V. W. war der Aufsicht der Besatzungsbehörden unterworfen. Am 8. 4. 1949 Zusammenschluss mit der frz. Besatzungszone **(Trizone);** Mai/Sept. 1949 trat die Bundesrep. Dtl. (als Rechtsnachfolger) in die Rechte und Pflichten der Verwaltung des V. W. ein (Art. 133 GG).

Vereinigung, *Mathematik:* → Mengenlehre.

Vereinigungsfreiheit, die verfassungsmäßig gewährleistete Freiheit der Staatsbürger, Vereine, Gesellschaften oder sonstige Zusammenschlüsse zu bilden und sich in ihnen zu betätigen. In Dtl. ist die V. ein Grundrecht aller Deutschen (Art. 9 Abs. 1 GG). Sie umfasst neben dem Recht, bestehenden Vereinigungen beizutreten, neue zu gründen und diese zu entfalten (positive V.) auch das Recht, privatrechtl. Vereinigungen fernzubleiben (negative V.). Das Recht, zur Wahrung und Förderung der Arbeits- und Wirtschaftsbedingungen Vereinigungen (Arbeitgeberverbände, Gewerkschaften) zu bilden (→ Koalitionsfreiheit), ist durch Art. 9 Abs. 3 GG bes. geschützt.

Vereinigungen, deren Zwecke oder Tätigkeit den Strafgesetzen zuwiderlaufen, die sich gegen die verfassungsmäßige Ordnung oder den Gedanken der Völkerverständigung richten, sind gemäß Art. 9 Abs. 2 GG verboten; das **Vereinsgesetz** vom 5. 8. 1964 sieht vor, dass eine Vereinigung erst nach Erlass des behördl. Vereinsverbots (i.d.R. durch den Landes- oder Bundesinnenminister) als verboten zu behandeln ist. Über die Verf.widrigkeit einer polit. Partei entscheidet allein das Bundesverfassungsgericht (→ Parteienprivileg).

In *Österreich* ist die V. durch Art. 12 Staatsgrund-Ges. 1867, einen Beschluss der Provisor. Nationalversammlung 1918 und Art. 11 der Europ. Menschenrechtskonvention verfassungsrechtlich gewährleistet. Zu seiner Ausführung erging das Vereins-Ges. 1951. – In der *Schweiz* ist die V. als Individualrecht in Art. 56 der Bundes-Verf. unter dem Titel der Vereinsfreiheit gewährleistet. Vereine mit rechtswidrigen oder staatsgefährdenden Zielen können verboten werden.

Vereinigungskirche (Unification Church, auch Mun-Kirche, bis 1975 Gesellschaft zur Vereinigung des Weltchristentums), 1954 in Seoul von dem Koreaner San Myung Mun (*1920) gegr. neureligiöse Bewegung. Ziel der V. ist die Wiederherstellung der ursprünglich als vollkommen angenommenen, jedoch durch die Sünde zerstörten Welt in einem neuen, durch die endgültige Herrschaft Gottes geprägten Zeitalter, das mit der Sendung Muns als des 2. Messias (nach Jesus Christus) beginnt. Hauptfeind der »großen Mission« ist Satan, dessen Wirken Mun v.a. im Kommunismus sieht. Muns Familie ist für die V. das sündlos-vollkommene »Elternpaar« und Ausgangspunkt der neuen Schöpfung, die sich in ihren Gemeinden (»Familien«) fortsetzt.

Vereinigungskriminalität, Bez. für die Straftaten, die im Zusammenhang mit der dt. Vereinigung begangen wurden. Hierunter fallen v.a. Betrugshandlungen aus Anlass der Währungsumstellung, der Transferrubelbetrug und Betrugsdelikte zum Nachteil der Treuhandanstalt sowie Untreuedelikte. Das urspr. angenommene Schadensvolumen zulasten der öffentl. Hand, von der Zentralen Ermittlungsstelle Regierungs- und V. (ZERV) zeitweise mit bis zu 50 Mrd. DM angegeben, ist nach neueren Ermittlungen geringer. Dies gilt schon deshalb, weil im Zuge der Währungsumstellung z.T. komplizierte und unübersichtl. Vorschriften erlassen worden waren, gegen die zwar objektiv verstoßen wurde, oftmals aber ohne strafbare Absicht. Aufgrund von Kontenüberprüfungen wird geschätzt, dass nicht mehr als 1 Mrd. Mark der DDR rechtswidrig umgestellt wurden.

Erhebl. Gewinne konnten auch beim Eintausch von Transferrubeln, einer künstlich geschaffenen Währungseinheit für den Güteraustausch der Mitgliedstaaten des Rates für gegenseitige Wirtschaftshilfe (RGW) erzielt werden. Der urspr. festgelegte Kurs für einen Transferrubel von 4,67 Mark der DDR war auf zuletzt 0,08 DM zusammengebrochen. Dieser große Unterschiedsbetrag reizte u.a. zu Scheinlieferungen und anderen Machenschaften, sodass das urspr. angenommene uneinbringl. Defizit von 18 Mrd. DM auf 24 Mrd. DM stieg. – Außerdem geht es bei der V. um die Verschleuderung von Vermögenswerten sowie um Vorgänge bei der Versorgung der GUS-Truppen, die Schiebereien mit Versorgungsgütern der früheren Nat. Volksarmee sowie Fälle von Untreue im ehem. Ministerium für Staatssicherheit (MfS).

Vereinödung, landschaftlich begrenzte, frühe Art der Flurbereinigung, bei der der Hof nach Verkoppelung der Felder in die Feldmark verlegt wurde.

Vereinsgesetz, → Vereinigungsfreiheit.

Vereinsregister, → Verein.

Vereinsvormundschaft, Vormundschaft, die von einem rechtsfähigen Verein geführt wird; möglich, wenn das Landesjugendamt den Verein für geeignet erklärt hat und eine als Einzelvormund geeignete Person nicht vorhanden ist (§ 1791 a BGB).

Vereinte Nationen, → UN.

Vereisung, 1) *Luftfahrt:* am Flugzeug die Eisbildung v.a. an Tragflügel- und Leitwerksvorderkanten sowie an Luftschrauben durch unterkühlte Wassertröpfchen, die beim Auftreffen anfrieren; hat z.T. fluggefährdende Auswirkungen; Abhilfe u.a. durch Beheizung und Eis lösende Flüssigkeiten.

2) *Medizin:* a) oberflächl. Anästhesie durch Einfrieren des Gewebes mit Chloräthylspray, Kohlensäureschnee oder flüssigem Stickstoff; b) Einfrieren von Gewebe zum Zweck der Zerstörung und/oder operativen Entfernung (→ Kryochirurgie).

Verelendungstheorie, die u.a. von K. Marx aufgestellte These, dass die Arbeiterklasse im Kapitalismus gesetzmäßig absolut wie relativ zunehmend verelenden werde.

Vererbung, Übertragung von Merkmalsanlagen (d.h. von genet. Information) von den Elternindividuen auf deren Nachkommen bei Pflanzen, Tieren und beim Menschen. Die Entstehung eines neuen Organismus aus Strukturen seiner Eltern kann vegetativ oder sexuell (über Geschlechtszellen) erfolgen (→ Fortpflanzung). Immer ist der materielle Träger der im Erbgut enthaltenen, als Gene bezeichneten »Anweisungen« zur Ausbildung bestimmter Eigenschaften die DNS bzw. (bei einigen Viren) die virale RNS. Bei Organismen mit echtem Zellkern, den Eukaryonten, ist die genet. Information v.a. in den einzelnen Chromosomen bzw. deren Genen lokalisiert, die dann beim V.-Vorgang von Generation zu Generation weitergegeben werden (**chromosomale V., karyont. V.;** im Unterschied zur **akaryont. V.** bei den Prokaryonten [Bakterien, Cyanobakterien]). Je nachdem, ob entsprechende (allele) Erbanlagen (allele Gene), die die Nachkommen von ihren Eltern mitbekommen haben, gleich oder ungleich sind, spricht man von rein- oder von mischerbigen Merkmalen bzw. Individuen; bei Mischerbigkeit kann das eine allele Gen dominant (→ Dominanz) und damit das andere → rezessiv sein, oder beider Einfluss auf die Merkmalsbildung ist etwa gleich stark **(intermediäre V.).** Auf diesen Verhältnissen beruhen die klass. → mendelschen Gesetze, die in reiner Ausprägung jedoch durch → Crossing-over und → Rekombination der Gene sowie durch Mutation kaum verwirklicht sind. Von einer **geschlechtsgebundenen V.** wird dann gesprochen, wenn im V.-Gang geschlechtsgebundene Merkmale eine besondere Rolle spielen. Die Ausbildung des jeweiligen Geschlechts erfolgt v.a. durch die Geschlechtschromosomen. Ein einzelnes Merkmal kann durch ein einzelnes Gen, durch mehrere oder durch viele Gene bedingt sein. Neben der chromosomalen V. gibt es noch die (nicht den mendelschen Gesetzen folgende) **extrachromosomale V. (zytoplasmat. V.)** über besondere, in Mitochondrien und Chloroplasten lokalisierte Gene. Bei einer extrachromosomalen V. in höheren Organismen werden diese Gene von der weiblichen Eizelle weitergegeben. Die den → Genotyp ergebenden V.-Faktoren führen zusammen mit (modifizierenden) Umweltfaktoren zur Ausbildung des jeweiligen → Phänotyps. – Die Wiss. und Lehre von der V. ist die → Genetik.

📖 GOTTSCHALK, W.: *Allgemeine Genetik. Stuttgart u. a.* [4]*1994.*

Vererzung, Vorgang der nachträgl. Bildung von Erzmineralen in einem Gestein durch Imprägnation oder Verdrängung, auch die Ersetzung von Fossilien durch Erze.

Veress ['vɛrɛʃ], Sándor, ungar. Komponist und Musikforscher, * Klausenburg 1. 2. 1907, † Bern 5. 3. 1992; Schüler von Z. Kodály und B. Bartók. Seine frühen Werke sind durch die ungar. Volksmusik geprägt, seit Anfang der 50er-Jahre wandte er sich der Zwölftontechnik zu; komponierte u.a. Ballette, zwei Sinfonien, »Orbis tonorum« für Kammerorchester (1986), Konzert für zwei Posaunen und Orchester (1990).

Veresterung, wichtige Reaktion der organ. Chemie, bei der sich eine Säure mit einem Alkohol zu einem Ester und Wasser umsetzt. Die Umkehrung der V. ist die → Verseifung.

Verfahrenshilfe, → Prozesskostenhilfe.

Verfahrenshindernis, das Fehlen einer → Prozessvoraussetzung.

Verfahrensrecht, → Prozess.

Verfahrenstechnik, Ingenieurwissenschaft, die sich mit der Technik von Stoffumwandlungsverfahren beschäftigt. Die V. ist mit Fertigungstechnik (Formänderung) und Energietechnik (Energieumwandlung) ein Teil der Produktionstechnik. Als interdisziplinäres Fachgebiet hat sie u.a. große Bedeutung für die chem. Technik, Mineralölverarbeitung, Nahrungs- und Genussmittelindustrie, Umwelttechnik und Hüttenindustrie. In der chem. Technik wird zw. **mechan. V.** (z.B. Filtration, Sedimentation) und **therm. V.** (z.B. Rektifikation, Destillation) unterschieden. Die **Bio-V.** befasst sich mit den Verfahren zur Stoffumwandlung, die auf biolog. Vorgängen beruhen.

Verfall, 1) *Bautechnik:* Verbindung zweier Dachfirste von ungleicher Höhe.

2) *Recht:* im Zivilrecht das Fälligwerden von Forderungen; im Strafrecht die Abschöpfung der durch eine Straftat erlangten Vermögensvorteile; diese verfallen an den Staat (§§ 73 ff. StGB).

Verfallsklausel, → Verwirkungsklausel.

Verfassung (Konstitution, Grundgesetz), die Grundordnung einer jurist. Person, bes. die eines Staates. Im Rechtssinne ist die V. eines Staates der Inbegriff der geschriebenen oder ungeschriebenen grundlegenden Rechtssätze über Organisation und Funktionsweise der Staatsgewalt und die Rechtsstellung des Einzelnen. Geschriebene V. entstanden seit dem 18. Jh. aus polit. Kämpfen als Instrument zur Begrenzung der Staatsgewalt und zur Sicherung der Grundrechte (V. von Virginia 1776, Bundes-V. der USA 1787, frz. V. 1791, bayer. V. 1808).

Die V. westl. Demokratien regeln i. Allg. die Bildung und die Befugnisse der Staatsorgane, v.a. die Aufteilung der Staatsgewalt auf Organe der Legislative, Exekutive und Judikative, ggf. die Gliederung des Staates in kleinere Einheiten, die Aufstellung gewisser Staatsziele und die Grundrechte des Einzelnen. Teilweise wird zw. V. im formellen und V. im materiellen Sinn unterschieden; die **V. im formellen Sinn** ist die mit erhöhter Geltungskraft ausgestattete V.-Urkunde; zur **V. im materiellen Sinn** gehören auch grundlegende Gesetze, die nicht in die V.-Urkunde aufgenommen sind (z.B. Gerichtsverfassungsgesetz). Die V. verliert ihre Legitimität, wenn sie auf Dauer oder in wesentl. Teilen den Grundüberzeugungen des Staatsvolkes widerspricht. Gegen die monarch. Souveränität und Legitimation zur V.-Gebung setzte sich im 18./19. Jh. der Gedanke der Volkssouveränität und damit der verfassunggebenden Gewalt des Volkes und der demokrat. Legitimation der V. durch. – Kodifizierte V. entstehen i. Allg. in Zeiten des Umbruchs und sind Ausdruck einer bestimmten polit. Kräftekonstellation. Die Verabschiedung der V. legt damit die gemeinsame, meist durch Kompromiss erreichte Basis für das zukünftige staatl. und gesellschaftl. Leben fest. In einem soziologisch-polit. Sinn ist die V. das System der tatsächl. Machtverhältnisse, Kräftegruppierungen und Wirkungszusammenhänge in einem Staat.

📖 GRIMM, D.: *Die Zukunft der V. Frankfurt am Main 1994.* – *V. Zur Geschichte des Begriffs von der Antike bis zur Gegenwart, Beiträge v.* H. MOHNHAUPT *u.* D. GRIMM. *Berlin 1995.* – FRANKENBERG, G.: *Die V. der Republik. Autorität u. Solidarität in der Zivilgesellschaft. Baden-Baden 1996.*

Verfassungsänderung, die Änderung des geltenden Verfassungsrechts in dem verfassungsmäßig dafür vorgeschriebenen Verfahren. I.d.R. geschieht die V. durch einen Akt der Gesetzgebung, für den jedoch erschwerte Bedingungen (z.B. Zweidrittelmehrheit) im Vergleich zur einfachen Gesetzgebung gelten **(verfassungsänderndes Gesetz).** Über Änderungen des GG → Grundgesetz.

Verfassungsbeschwerde, die in Art. 93 Abs. 1 Nr. 4a GG vorgesehene Beschwerde, die jeder, der sich durch die öffentl. Gewalt (Gesetze, Verwaltung, Gerichte) in seinen Grundrechten verletzt fühlt, beim Bundesverfassungsgericht (BVerfG) einlegen kann. Vor Erhebung der V. muss der Betroffene den Rechtsweg erschöpft haben. Angesichts der sehr hohen Zahl von V. sind beim BVerfG Kammern aus je drei Bundesverfassungsrichtern gebildet worden (früher: Vorprüfungsausschüsse), die vor einer Plenarentscheidung einstimmig die Annahme der V. mangels hinreichender Erfolgsaussicht ablehnen oder, wenn die verfassungsrechtl. Frage bereits geklärt ist, ihr einstimmig stattgeben können. Von den eingelegten V. haben nur etwas über 1% Erfolg.

Verfassungsgerichtsbarkeit, das einem höchsten Gericht (zumeist einem besonderen Staats- oder Verfassungsgerichtshof) übertragene Verfahren zur Entscheidung bestimmter verfassungsrechtl. Streitfragen. Der V. unterliegen z.B. die Anklage gegen das Staatsoberhaupt oder ein Regierungsmitgl. wegen Verfassungsverletzung (→ Ministeranklage); im Bundesstaat die Entscheidung von öffentlich-rechtlichen Streitigkeiten zw. Bund und Ländern oder zw. mehreren Ländern;

die Entscheidung über die Vereinbarkeit von Gesetzen und Verordnungen mit der Verfassung (abstrakte →Normenkontrolle); die Entscheidung von Verfassungsstreitigkeiten zw. Verfassungsorganen (Organstreit); die Entscheidung über →Verfassungsbeschwerden. In Dtl. ist die V. durch Art. 93 ff GG und das Bundesverfassungsgerichts-Ges. i. d. F. v. 11. 8. 1993, in den Ländern durch die Landesverfassungen geregelt (→Bundesverfassungsgericht). – In *Österreich* ist einziges Organ der V. der Verfassungsgerichtshof (Wien). In der *Schweiz* übt das Bundesgericht (Lausanne) die V. aus.

📖 BRÜNNECK, A. VON: *V. in den westl. Demokratien. Ein systemat. Verfassungsvergleich. Baden-Baden 1992.* – FRICKE, C.: *Zur Kritik an der Staats- u. V. im verfassungsstaatl. Deutschland. Geschichte u. Gegenwart. Frankfurt am Main u. a. 1995.*

Verfassungsorgane, Staatsorgane, die unmittelbar durch die Verfassung eingesetzt werden und ihre Kompetenzen erhalten (in Dtl. Bundes-Präs., Bundestag, Bundesrat, Bundesversammlung, Gemeinsamer Ausschuß, Bundesregierung, Bundesverfassungsgericht).

Verfassungsschutz, alle Maßnahmen zum Schutz der verfassungsmäßigen Grundordnung. In Dtl. bestehen **V.-Ämter** des Bundes und der Länder. Nach dem Bundesverfassungsschutz-Ges. vom 20. 12. 1990 ist Aufgabe der V.-Ämter: Sammlung und Auswertung von Material a) über Bestrebungen, die gegen die freiheitliche demokrat. Grundordnung, den Bestand oder die Sicherheit des Bundes oder eines Landes gerichtet sind; b) über sicherheitsgefährdende oder geheimdienstl. Tätigkeiten für eine fremde Macht; c) über Bestrebungen, die durch Anwendung von Gewalt auswärtige Belange Dtl.s gefährden. Polizeil. Exekutiv- und Aufsichtsbefugnisse stehen den V.-Ämtern nicht zu. (→Parlamentarische Kontrollkommission)

Verfassungsstaat, ein Staat mit einer Verfassung, die die Staatsgewalt an die Verfassung bindet, die Zuständigkeit der Staatsorgane bestimmt und den Staatsbürgern ein bestimmtes Maß an Rechten sichert. Hauptarten sind die konstitutionelle Monarchie und der parlamentarisch-demokrat. Staat.

Verfassungswidrigkeit, 1) V. von Gesetzen, die Unvereinbarkeit von Gesetzen oder einzelnen gesetzl. Normen mit dem GG, die zur Nichtigkeit führt. **Formelle V.** liegt vor, wenn das verfassungsmäßige Gesetzgebungsverfahren nicht eingehalten wurde, **materielle V.,** wenn der Inhalt des Gesetzes gegen Verfassungsrecht verstößt. Die V. einer Norm wird v. a. durch →Normenkontrolle überprüft.

2) V. von Parteien, nach Art. 21 Abs. 2 GG sind Parteien verfassungswidrig, die nach ihren Zielen oder dem Verhalten ihrer Mitgl. darauf ausgehen, die freiheitliche demokrat. Grundordnung zu beeinträchtigen oder zu beseitigen oder den Bestand der Bundesrep. Dtl. zu gefährden. Über die V. entscheidet das Bundesverfassungsgericht.

Verfestung, *german. Recht:* →Acht.

Verflechtung, Vereinigung von Unternehmen (→Unternehmenszusammenschluss).

Verflüssigung, Überführung eines Stoffes in den flüssigen →Aggregatzustand. Feststoffe lassen sich durch Wärmezufuhr oder Druckerhöhung verflüssigen. V. von Gasen und Dämpfen, →Gasverflüssigung, →Luftverflüssigung, →Kondensation. – I. w. S. spricht man auch bei bestimmten chem. Umsetzungen von V., z. B. bei der Kohle-V. (→Kohlehydrierung).

Verfolgungsfahren, *Bahnradsport:* Rennen für Einzelfahrer und Vierermannschaften über 3000 m (Frauen), 4000 m (Männer). Alle Fahrer starten in gleichem Abstand voneinander. Da eingeholte Fahrer ausscheiden, ist der (letzte) Überholende Sieger oder derjenige, der die Strecke in der kürzesten Zeit fährt. Bei Vierermannschaften wird der 3. Fahrer jeder Mannschaft gewertet.

Verfolgungswahn, Vorstellung und Überzeugung, von anderen beobachtet, überwacht, bedroht und verfolgt zu werden; tritt z. B. bei Schizophrenie oder Vergiftungen auf.

Verformung, plast. Formänderung von Werkstoffen durch Walzen, Schmieden, Pressen, Ziehen u. a.; beruht darauf, dass Kristalle zu Gleitungen und Zwillingsbildung fähig sind. Bei der **Warm-V.** können sich im verformten Gefüge neue Kristalle bilden (→Rekristallisation). Daher kann man Gussblöcke bis zu feinsten Blechen und Drähten verformen. Bei der **Kalt-V.** nehmen Festigkeit, Streckgrenze und Härte zu, während kurz vor dem Bruch die Dehnung abfällt.

Verfremdung, das Verändern gewohnter Erscheinungen oder Zusammenhänge ins Ungewöhnliche; bes. in Literatur und Kunst die Differenz zw. Alltagsrealität und künstler. Darstellungsweise (→episches Theater).

Verfügbarkeit, die Wahrscheinlichkeit, dass sich ein Gerät oder System (z. B. Rechenanlage) zu einem bestimmten Zeitpunkt in funktionstüchtigem Zustand befindet und für die vorgesehene Aufgabe zur Verfügung steht.

Verfügung, 1) *Privatrecht:* ein Rechtsgeschäft, das darauf gerichtet ist, ein bestehendes Recht zu übertragen, zu belasten, zu ändern oder aufzuheben (V.-Geschäft, z. B. Übereignung einer Sache).

2) *Prozessrecht:* im Unterschied zu Urteil und Beschluss die vom Gericht erlassene Anordnung, die sich auf die Leitung des Verfahrens bezieht **(richterl. V.);** ferner →einstweilige Verfügung.

3) *Verwaltungsrecht:* ein →Verwaltungsakt, der ein Gebot oder Verbot ausdrückt. In *Österreich* zählen V. zu den Bescheiden. »Straf-V.« sind Bescheide, die nach einem abgekürzten Verfahren auf der Grundlage des Verwaltungsstraf-Ges. 1991 ergehen. In der *Schweiz* gilt als V. ein individueller, an den Einzelnen gerichteter Hoheitsakt, durch den eine konkrete öffentlich-rechtl. Rechtsbeziehung erzwingbarer Weise geregelt wird.

Verfügungsbereitschaft, Bestandteil des Wehrdienstes in Dtl.; Wehrpflichtige müssen sich nach Beendigung des Grundwehrdienstes bis zu 12 Monate für eine kurzfristige Heranziehung zum Wehrdienst bereithalten (§ 5 a Wehrpflichtgesetz).

Verfügungsgrundsatz, *Recht:* →Dispositionsmaxime.

Verfügung von Todes wegen, →Testament.

Verführung, →Sexualstraftaten, →sexueller Missbrauch.

Giovanni Verga

Verga [v-], Giovanni, italien. Schriftsteller, * Aci Castello (bei Catania) 31. 8. 1840, † Catania 27. 1. 1922; schrieb zuerst historisch-polit., dann psychologisch-realist. Romane und Novellen aus dem Milieu der armen Bauern und Fischer Siziliens (»Die Malavoglia«, R., 1881; »Mastro-Don Gesualdo«, R., 1889; »Sizilian. Novellen«, 1883). Damit prägte er den frz. Naturalismus zum italien. →Verismus um. Einige seiner Novellen hat V. für die Bühne bearbeitet (u. a. »Cavalleria rusticana«, 1884; Vorlage für die Oper von P. Mascagni, 1890).

Vergangenheit (Präteritum), *Sprachwiss.:* Zeitform des Verbs. (ÜBERSICHT Verb)

Vergasen, das Umsetzen fester Brennstoffe in gasförmige (→Gasgenerator).

Vergaser, Vorrichtung an Ottomotoren, die das für die Verbrennung notwendige Kraftstoff-Luft-Gemisch herstellt. Der Kraftstoff fließt vom Tank zum Schwimmergehäuse, in dem ein Schwimmer die Zufuhr regelt; durch die Kraftstoffdüse (Hauptdüse) gelangt der Kraftstoff zur Zerstäuberdüse, wo er von der in den Zylinder gesaugten Luft erfasst und fein zerstäubt wird, sodass er anschließend teilweise verdampfen kann. Die Anpassung des Mischungsverhältnisses an die unterschiedl. Betriebszustände des Motors wird durch Verschieben einer kon. Nadel in der Hauptdüse oder durch Ausgleichsdüsen erreicht. In der Verteilerleitung zu den Zylindern sitzt eine Drosselklappe, mit der die Motorleistung bei Bedarf bis zum Leerlauf herabgesetzt wird. – Hinsichtlich der Richtung, in der die Luft durch den Vergaser strömt, unterscheidet man Fallstrom-, Horizontal- (Flach-) und Steigstrom-V. Letztere werden heute nicht mehr verwendet.

📖 KASEDORF, J.: *V.- u. Katalysatortechnik. Würzburg 1993.*

Vergatterung, *Militärwesen:* formelle Belehrung der Wache vor Antritt des Dienstes und Unterstellung unter das Kommando des Wachvorgesetzten, mit dem Kommando »V« abgeschlossen.

Vergehen, eine rechtswidrige Tat, die mit Freiheitsstrafe im Mindestmaß von weniger als einem Jahr oder mit Geldstrafe bedroht ist (§ 12 Abs. 2 StGB). – Das *österr.* Recht versteht unter V. alle strafbaren Handlungen, die nicht →Verbrechen sind. Im *schweizer.* Recht (Art. 9 Abs. 2 StGB) ist V. die mit Gefängnis als Höchststrafe bedrohte Tat.

Vergeilen (Vergeilung, Étiolement), durch Lichtmangel bedingte Missbildung bei Pflanzen, bes. bleiche Färbung sonst grüner Teile, Überlänge und Schlaffheit der Stängel.

Vergeltungstheorie, →Strafe.

Vergenz [v-, lat.] *die, Geologie:* die Neigungsrichtung der Gesteinsfalten in einem Faltengebirge.

Vergesellschaftung, 1) *Ökologie:* das Zusammenleben versch. Arten (Pflanzen, Tiere) unter standortspezif. Gesichtspunkten.

2) *Wirtschaft:* die Überführung von Privateigentum (Grund und Boden, Naturschätze und Produktionsmittel) i. w. S. in Gemeineigentum (mit Genossenschaften und gesellschaftl. Organisationen oder dem Staat als Eigentümer), i. e. S. in Staatseigentum. V. i. e. S. ist gleichbedeutend mit **Verstaatlichung,** die im jurist. Sprachgebrauch mit gleichgesetzt wird. Von der häufig punktuell ansetzenden V. in marktwirtschaftl. Ländern ist die »flächendeckende« V. der Produktionsmittel zum Aufbau einer sozialist. Planwirtschaft in den ehemals kommunist. Staaten zu unterscheiden.

Gründe für eine V. sind besondere histor. Situationen (V. der Schwerindustrie und Elektrizitätswirtschaft in Österreich 1946/47), ökonom. Krisen (Rettung vor Konkurs), Verhinderung einer monopolist. Stellung eines Unternehmens, die Absicht der Wirtschaftslenkung (V. von Banken und Schlüsselindustrien wie Bergbau, Eisen- und Stahlindustrie), Angst vor Aufkauf durch Ausländer (hier wird V. auch als Nationalisierung bezeichnet). Die Bedeutung der V. hat in den letzten Jahren stark abgenommen, da vergesellschaftete Unternehmen im Vergleich mit privaten Unternehmen als weniger produktiv gelten bzw. Entscheidungen nicht nach ökonom., sondern nach (partei)-polit. Gesichtspunkten getroffen wurden, und weil seit dem Niedergang der kommunist. Staaten das Interesse an Privatisierung und marktwirtschaftl. (Selbst)-Steuerung stark gewachsen ist. Wenn vergesellschaftetes Eigentum wieder in private Hände zurückgegeben wird, spricht man von Reprivatisierung.

Vergessen, das Schwinden von Bewusstseinsinhalten, das ein absichtl., vollständiges oder teilweises Erinnern derselben verhindert. Das V. ist eine normale Begleiterscheinung des →Gedächtnisses und hängt bes. von der seit dem Erlernen verstrichenen Zeit, dem Nichtgebrauch oder der fehlenden Wiederholung der Lerninhalte ab.

Vergewaltigung (früher Notzucht), Verbrechen, das in gravierender Weise die sexuelle Selbstbestimmung verletzt. Durch das 33. Strafrechtsänderungs-Ges. vom 1. 7. 1997 wurden die bisherigen §§ 177 (V.) und 178 StGB (sexuelle Nötigung) zu einem Straftatbestand zusammengefasst (§ 177 StGB neuer Fassung: »sexuelle Nötigung; V.«) mit der Folge, dass der Tatbestand der V. als besonders schwerer Fall sexueller Nötigung erscheint. Darüber hinaus schützt § 177 in seiner geschlechtsneutralen Formulierung nunmehr das weibl. wie das männl. sexuelle Selbstbestimmungsrecht gleichermaßen. Während zudem bisher die Strafbarkeit lediglich die außerehel. V. bzw. die außerehel. sexuelle Nötigung erfasste, sind nunmehr entsprechende Tathandlungen auch dann strafbar, wenn sie sich gegen den Ehepartner richten. Gleichzeitig wurde der Strafttatbestand des § 237 StGB (→Entführung) aufgehoben. Nach dem Grundtatbestand der **sexuellen Nötigung** wird derjenige mit Freiheitsstrafe nicht unter einem Jahr bestraft, der eine andere Person mit Gewalt, durch Leibes- oder Lebensbedrohung oder durch Ausnutzen ihrer schutzlosen Lage zu aktiven oder passiven sexuellen Handlungen mit dem Täter oder dritten Personen nötigt (§ 177 Abs. 1). Minder schwere Fälle werden mit Freiheitsstrafe zw. sechs Monaten und fünf Jahren bestraft. Bei besonders schweren Fällen ist die Mindestfreiheitsstrafe zwei Jahre. Ein besonders schwerer Fall (§ 177 Abs. 3) ist i. d. R. die V., d. h., wenn der Täter im Rahmen der sexuellen Nötigung mit dem Opfer den Beischlaf vollzieht oder ähnl. Handlungen vornimmt, die dieses besonders erniedrigen und mit einem Eindringen in den Körper verbunden sind. Eine weitere Strafverschärfung (Freiheitsstrafe nicht unter fünf Jahren) kommt hinzu, wenn der Täter den Tod des Opfers leichtfertig verursacht. – Das StGB *Österreichs* (§§ 201 ff.) ist ähnlich weit gefasst; sind Täter und Opfer Eheleute oder in einer außerehel. Lebensgemeinschaft verbunden, ist die Tat Antragsdelikt, es sei denn, die Tat hat eine schwere Körperverletzung o. Ä. zu Folge. Das *schweizer.* StGB (Art. 190) versteht unter V. die Nötigung einer Frau zur Duldung des Beischlafs. V. innerhalb der ehel. Lebensgemeinschaft ist Antragsdelikt (Frist: sechs Monate), es sei denn, der Täter handelt grausam oder mittels einer Waffe.

Vergiftung, 1) *Medizin:* (Intoxikation) schädigende Einwirkung von chem., tier., pflanzl., bakteriellen oder sonstigen Giftstoffen auf den Organismus; die Aufnahme kann über den Verdauungskanal, die Atmungsorgane, die unverletzte Haut, durch Wunden oder durch Injektion erfolgen. Der Schweregrad der V. wird von der aufgenommenen Dosis bestimmt, die Art der Schädigung von der Spezifität des Giftes, wobei Blut, Knochenmark, Leber, Nervensystem und Nieren bes. gefährdet sind. Zur Soforthilfe →erste Hilfe.

2) *Strafrecht:* das Beibringen von Gift oder anderen Stoffen an einen anderen mit der Absicht der Gesundheitsschädigung; eine Form der gefährl. Körperverletzung. V. ohne Tötungsvorsatz wird mit Freiheitsstrafe von sechs Monaten bis zu zehn Jahren, in minder schweren Fällen von drei Monaten bis zu fünf Jahren bestraft (§ 224 StGB). Die V. mit Tötungsvorsatz ist als Mord, Totschlag oder Tötung auf Verlangen strafbar.

Vergil [v-], eigtl. Publius Vergilius Maro, röm. Dichter, * Andes (heute Pietole, bei Mantua) 15. 10. 70 v. Chr., † Brundisium (heute Brindisi) 21. 9. 19 v. Chr.; wurde in Rom, wo er Rhetorik studierte, durch die Neoteriker (röm. Dichtergruppe der klass. Zeit, Hauptvertreter G. V. Catull) zu ersten dichter. Versuchen angeregt. Etwa im Jahre 39 bildete sich der Dichterkreis um Maecenas, dem V. bis zum Ende seines Lebens angehörte. Die reichen Schaffensjahre verbrachte er meist zurückgezogen in Neapel oder auf Sizilien. Sein in Auseinandersetzung mit den Epen Homers entstandenes Heldenepos »Aeneis« (zwölf Bücher, 29–19 v. Chr.), das die Herrschaft des Augustus darstellt, wurde zum Nationalepos der Römer; das Epos gliedert sich in zwei Teile (Buch 1–6: Irrfahrten des →Äneas, Buch 7–12: Ansiedlung in Italien). Als Klassiker der Antike gelten auch die 42–39 v. Chr.

Vergil

Das Schicksal der »Aeneis«

Nach antiken Angaben entwarf Vergil erst eine Prosafassung in zwölf Büchern und wandelte diese dann in die Versform um. Erst als die Bücher zwei, vier und sechs ganz fertig waren, las Vergil sie dem Kaiser vor. Bei seinem Tode hatte er elf Jahre an der »Aeneis« gearbeitet, ohne sie ganz vollendet zu haben. So soll er todkrank gewünscht haben, sie zu verbrennen. Doch auf Anordnung des Augustus gaben Varius und Tucca das Werk unter Bewahrung auch unvollendeter Verse heraus.
Die »Aeneis« errang bald die literarische Geltung und eine ähnliche Funktion, wie sie die Werke Homers bei den Griechen hatten: Sie wurde Schulbuch und Maßstab für alle folgenden römischen Epiker, darüber hinaus Grundlage für die religiöse und politische Orientierung der Römer. Im Mittelalter galt Vergil als Weiser, ja sogar als Zauberer. Von diesem Bild machte sich Dante frei, für den Vergil das große dichterische Vorbild war. Renaissance und Barock schätzten ihn höher ein als Homer, erst im 18./19. Jahrhundert erfolgte ein Wandel.
Für den – auch indirekten – Einfluss der »Aeneis« auf die europäische Literatur seien unter vielen anderen noch die Dichter Heinrich von Veldeke, Geoffrey Chaucer, Torquato Tasso, John Milton und Jean Racine genannt.

Vergil: Das Mosaik aus einer Villa in Sousse zeigt Vergil mit einer Schriftenrolle der »Aeneis«, umgeben von den Musen Klio (links) und Melpomene (3. Jh. n. Chr.; Le Bardo, Musée National)

entstandenen zehn Idyllen »Bucolica« (Hirtengedichte), auch »Eclogae« (Ausgewählte Gedichte) gen., sowie die Lehrdichtung über die Arbeit der italien. Bauern »Georgica« (Gedichte vom Landbau, 4 Bücher, 39–29 v. Chr.). Vorbildhaft für die lat. Dichtung wirkte sein Werk in karoling. Zeit, im Hoch- und Spät-MA. (Dante) und während der italien. Renaissance (T. Tasso).

🕮 GIEBEL, M.: *V. Reinbek 13.–15. Tsd., [3]1994.*

Vergina [v-] (Verjina), Ort in N-Griechenland, wahrscheinlich das antike **Aigai,** Hptst. der makedon. Könige. Freigelegt wurden bisher ein Königspalast (3. oder 4. Jh. v. Chr.), das Theater und makedon. Grabanlagen, darunter zwei »Königsgräber« mit kostbaren Beigaben (Goldschreine, Schmuck, verzierte Waffen). Die Nekropole umfasst Hunderte von Grabtumuli; die Zuordnung des einen Grabes an Philipp II. und dessen Gemahlin Kleopatra ist umstritten.

Vergissmeinnicht (Myosotis), Pflanzengattung der Borretschgewächse; Kräuter, meist mit blauen Blüten in trauben- oder ährenähnl. Wickeln, mit trichter- oder radförmiger, kurzröhriger Blumenkrone. Das **Sumpf-V.** (Myosotis palustris) wächst auf nassen Wiesen der nördl. Halbkugel, das **Alpen-V.** (Myosotis alpestris) auf Gebirgsmatten Europas, Asiens, Nordamerikas, das **Acker-V.** (Myosotis arvensis) auf Brachland der nördl. gemäßigten Zone; vom **Wald-V.** (Myosotis silvatica), in feuchten Laubwäldern und Wiesen, mit blauen oder weißen Blüten, leiten sich zahlr. Gartenformen ab.

Vergissmeinnicht

Den germanischen Völkern Europas galt das Vergissmeinnicht als Symbol der Liebe, Freundschaft und Erinnerung. Blüte und Wurzel wurden im Liebeszauber verwendet. Um 1390 von Heinrich IV. von England zu einem seiner Embleme gewählt und oft nur abgekürzt als »S« (souveigne de moy – denk an mich) dargestellt, galt es als Zeichen der Anhänger des Hauses Lancaster zur Zeit der »Rosenkriege«.

Vergleich, 1) *Recht:* ein Vertrag, der den Streit oder die Ungewissheit der Parteien über ein Rechtsverhältnis durch gegenseitiges Nachgeben beseitigt (§ 779 BGB). Der Abschluss eines V. ist i. d. R. an keine Form gebunden. Der Prozess-V. wird vor Gericht zur Erledigung eines Rechtsstreits abgeschlossen. Er ist nach § 794 ZPO ein Vollstreckungstitel. Über den V. zur Abwendung des Konkurses → Vergleichsverfahren. – Nach *österr.* Recht gilt materiell-rechtlich und prozessrechtlich Ähnliches (§ 1380 ABGB, § 204 ZPO; § 1 Ziff. 5 Exekutionsordnung). Das *schweizer.* OR kennt keine besonderen Bestimmungen über den V. Für den Prozess-V. gelten ähnl. Grundsätze wie im dt. Recht.

2) *Sprachwiss.:* eine Redefigur, die durch verdeutlichende Bezüge die Anschaulichkeit erhöhen will; der breiter ausgeführte V. wird zum → Gleichnis.

vergleichende Literaturwissenschaft (Komparatistik), Arbeitsgebiet der Literaturwissenschaft, das sich mit den wechselseitigen Beziehungen, Gemeinsamkeiten und Unterschieden zw. den Nationalliteraturen befasst.

vergleichende Sprachwissenschaft (Komparatistik), Richtung der Sprachwissenschaft, die durch Vergleichen verwandter Sprachen die ihnen zugrunde liegende Grundsprache zu rekonstruieren versucht.

Vergleichsverfahren, das gerichtl. Verfahren zur Abwendung des Konkurses, geregelt durch die **Vergleichsordnung** vom 26. 2. 1935 (gilt nicht in den neuen Bundesländern; anzuwenden ist dort die Gesamtvollstreckungsordnung i. d. F. v. 23. 5. 1991). Den Antrag auf Eröffnung des V. kann nur der Schuldner beim Amtsgericht seiner gewerbl. Niederlassung oder seines allg. Gerichtsstandes (Vergleichsgericht) stellen. Man unterscheidet **Stundungsvergleich** und **Erlassvergleich,** je nachdem, ob der Schuldner nur Stundung oder Teilerlass seiner Schulden erstrebt. Beim **Liquidationsvergleich** überlässt der Schuldner sein Vermögen ganz oder teilweise den Gläubigern zur Verwertung (meist durch einen Treuhänder), während die Gläubiger den bei der Verwertung nicht gedeckten Rest ihrer Forderungen zu erlassen haben. Mit dem Antrag des Schuldners muss ein Vergleichsvorschlag verbunden sein, der die Forderungen aller Gläubiger zu mindestens 35 % befriedigt und allen beteiligten Gläubigern gleiche Rechte gewährt. Im Ggs. zum Konkurs behält der

Schuldner im V. die Verfügungsbefugnis über sein Vermögen, doch kann ihm das Gericht jederzeit Beschränkungen auferlegen. Die Geschäfts- und Lebensführung des Schuldners wird durch einen **Vergleichsverwalter** überwacht, der durch einen Gläubigerbeirat begleitet werden kann; beide werden gerichtlich bestellt. Bis zur Beendigung des V. können die beteiligten Gläubiger keine Zwangsvollstreckungen gegen den Schuldner vornehmen, dagegen ist Klageerhebung zulässig. Über den Vergleichsvorschlag wird in einem gerichtl. Vergleichstermin abgestimmt; zur Annahme des Vorschlags ist die Zustimmung der Mehrheit der Gläubiger erforderlich, die zudem ¾ der Forderungssumme repräsentieren müssen. Wird die Bestätigung des Vergleichs versagt, so entscheidet das Vergleichsgericht über die Konkurseröffnung (Anschlusskonkurs). Der bestätigte Vergleich wirkt für und gegen alle Vergleichsgläubiger; aus ihm kann die Zwangsvollstreckung betrieben werden. Stundung und Erlass werden für den Gläubiger hinfällig, dem gegenüber der Schuldner mit der Erfüllung des Vergleichs in Verzug gerät (Wiederauflebungsklausel). Zur Reform des Vergleichsrechts →Konkurs. – Über das V. im *österr.* Recht →Ausgleich. In der *Schweiz* wird das V. **Nachlassverfahren** genannt. Es ist nach ähnl. Grundsätzen im Schuldbetreibungs- und Konkursgesetz (soll revidiert werden) geregelt.

📖 *Handbuch der Insolvenzverwaltung, hg. v.* H. Mohrbutter. *Köln u. a. 1997.*

Vergnügungsteuer, von den Gemeinden in einigen Bundesländern auf der Grundlage von Landesgesetzen erhobene Verbrauchsteuer. Die V. wird als Kartensteuer oder als Pauschalsteuer (bemessen nach der Roheinnahme oder nach der Raumgröße) erhoben (z.B. für Tanz-, Theater-, Kino-, Sportveranstaltungen).

Vergolden, das Überziehen von Metall- oder Nichtmetallgegenständen für dekorative oder techn. Zwecke mit einer dünnen Goldschicht, meist elektrolytisch aus cyanidhaltigen u.a. Lösungen (→Galvanotechnik), ferner durch chemische Reduktion, durch Aufwalzen dünner Goldfolien (Dublee) oder durch Aufdampfen im Hochvakuum. (→Blattgold)

Vergrößerung, 1) *Musik:* im kontrapunkt. Satz die Verbreiterung des Themas durch Verdopplung, Verdreifachung usw. der einzelnen Notenwerte.

2) *Optik:* bei Mikroskopen, Projektoren, und Lupen das Verhältnis der linearen Abmessungen von Bild und Gegenstand; bei Fernrohren das Verhältnis der Sehwinkel, unter denen ein Gegenstand mit und ohne Fernrohr gesehen wird.

Vergrößerungsapparat, einem Projektor ähnl. Gerät hauptsächlich zum Herstellen vergrößerter fotograf. Kopien auf opt. Wege. Moderne V. ermöglichen auch Verkleinerungen.

Vergrößerungsglas, die →Lupe.

Vergüten, das Erhöhen der Zähigkeit des Stahls durch →Härten.

Vergütung, 1) *Optik:* (Vergüten) Verfahren zur Entspiegelung, d.h. zur Verringerung der Reflexion von Glasoberflächen, durch Aufbringen einer dünnen reflexvermindernden Oberflächenschicht von Magnesiumfluorid, Lithiumchlorid u.Ä., deren Brechungsindex kleiner sein muss als der des Glases. Für die V. über einen größeren Spektralbereich werden Mehrfachschichten aus versch. brechenden Substanzen verwendet.

2) *Wirtschaft:* a) Entgelt für eine Arbeitsleistung in Form von Lohn, Gehalt oder Honorar; b) Rückzahlung einer bereits gezahlten Steuer aus steuersystem. Gründen (z.B. der →Vorsteuerabzug bei der Umsatzsteuer).

Émile Verhaeren

Verhaeren [frz. vɛra'rɛn, niederländ. vɔr'hɑ:rə], Émile, belg. Lyriker und Kunstkritiker frz. Sprache, *Sint-Amands (bei Antwerpen) 21. 5. 1855, †Rouen 27. 11. 1916; gilt als bedeutendster französischsprachiger belg. Lyriker der Moderne; Mitgründer der literar. Bewegung »La jeune Belgique«; veröffentlichte zunächst derb-realist. Gedichte, die in seiner fläm. Heimat verwurzelt sind. Später beschrieb er in freien Versen die dynam. Schönheit der modernen Großstadt (»Les villes tentaculaires«, 1895, dt. Ausw. 1911 u.d.T. »Die Großstadt lauert«; »Die hohen Rhythmen«, 1910). Als Kunstkritiker trat er mit Monographien u.a. über J. Ensor, Rembrandt und P. P. Rubens hervor.

Verhaftung, die →Festnahme eines Beschuldigten aufgrund eines Haftbefehls (→Haft).

Verhalten, i.w.S. die Gesamtheit aller beobachtbaren (feststellbaren oder messbaren) Reaktionsweisen oder Zustandsänderungen von Materie, insbesondere das Reagieren lebender Strukturen auf Reize; i.e.S. die Gesamtheit aller Körperbewegungen, Körperhaltungen und des Ausdrucks-V. eines lebenden tier. Organismus in seiner Umwelt. Dieses letztere V. ist der Untersuchungsgegenstand der vergleichenden V.-Forschung. Unter **autochthonem V.** versteht man die Gesamtheit der Reaktionen, die auf einem spezif. Antrieb beruhen und durch einen passenden Schlüsselreiz ausgelöst werden. Im Unterschied dazu wird V., dem auch individuelle Lernvorgänge zugrunde liegen, als **allochthones V.** bezeichnet. Des Weiteren wird zw. **spontanem V., agonist. V.** (V. im Zusammenhang mit [kämpfer.] Auseinandersetzungen) und **appetitivem V.** (→Appetenzverhalten) unterschieden. Besonderes Interesse wird dem insgesamt **artspezif. V.** in seiner Angepasstheit (Funktion) und stammesgeschichtl. Entwicklung (Evolution) entgegengebracht, das bei der Mehrzahl der

Vergissmeinnicht (von oben): Sumpfvergissmeinnicht (Höhe bis zu 50 cm) und Waldvergissmeinnicht (Höhe 15–50 cm)

einer bestimmten Tierart zugehörigen Individuen in ähnl. Situationen regelmäßig auftritt.

Verhaltensforschung (vergleichende V., Ethologie), Teilgebiet der Biologie, das sich mit der objektiven Erforschung des Verhaltens der Tiere (Tierethologie, früher als Tierpsychologie bezeichnet) und des Menschen (Humanethologie) befasst. Die **deskriptive V.** beobachtet und registriert Verhaltensabläufe in möglichst natürl. Umgebung. Demgegenüber arbeitet die **analytische (experimentelle) V.** mit veränderten Untersuchungsbedingungen, um Einblick in die Kausalzusammenhänge zu gewinnen. Von der **allg. V.** werden v.a. die neuro- und sinnesphysiolog. Grundlagen des Verhaltens untersucht. Die **spezielle V.** befasst sich u.a. mit den Formen der Orientierung, des stoffwechselbedingten Verhaltens, des Fortpflanzungsverhaltens und des sozialen Verhaltens. Die **vergleichende V.** unterscheidet sich von anderen Verhaltenswissenschaften dadurch, dass sie die Funktion eines Verhaltens für die ontogenet. oder phylogenet. Anpassung eines Lebewesens in den Mittelpunkt ihrer Forschungen stellt. – Als Begründer der modernen V. gilt K. Lorenz.

📖 TEMBROCK, G.: *Verhaltensbiologie. Jena [2]1992.* – ZIPPELIUS, H.-M.: *Die vermessene Theorie. Eine krit. Auseinandersetzung mit der Instinkttheorie von Konrad Lorenz u. verhaltenskundl. Forschungspraxis. Braunschweig u.a. 1992.* – IMMELMANN, K. *u.a.: Einführung in die V. Berlin u.a. [4]1996.*

Verhaltenstherapie, die Gruppe der auf der Lerntheorie aufbauenden Formen der Psychotherapie. Im Ggs. zur Tiefenpsychologie geht die V. davon aus, dass neurot. Störungen auf erlernte Fehleinstellungen zurückzuführen sind, die durch ein Gegentraining (Dekonditionierung) aufgehoben werden können; Anwendung bei Depressionen, Stottern, Suchterscheinungen u.a.

📖 REINECKER, H.: *Grundlagen der V. Weinheim [2]1993.*

Verhältnisdetektor, → Diskriminator.

Verhältnisgleichung, die → Proportion.

Verhältnismäßigkeitsgrundsatz (Übermaßverbot), aus dem Rechtsstaatsprinzip abgeleiteter Grundsatz, dem alle staatl. Eingriffe in Rechte des Einzelnen genügen müssen. Der V. setzt sich aus den Geboten der Eignung, Erforderlichkeit und Verhältnismäßigkeit i.e.S. zusammen. Staatl. Eingriffe müssen geeignet sein, das angestrebte Ziel zu erreichen oder zu fördern; der Eingriff ist nur erforderlich, wenn hierfür kein milderes Mittel zur Verfügung steht; ein geeigneter und erforderl. Eingriff darf dennoch nicht vorgenommen werden, wenn der damit verbundene Schaden in grobem Missverhältnis zu dem angestrebten Zweck steht.

Michael Verhoeven

Verhältniswahl, → Wahlrecht.

Verhältniswort, → Präposition.

Verhältniszahlen, *beschreibende Statistik:* Zahlen, die zwei Kennzahlen (Massenangaben) in ihrem Verhältnis zueinander darstellen. Man unterscheidet **Beziehungszahlen,** sofern ungleichartige statist. Massen aufeinander bezogen werden (z.B. Pkw je 1000 Ew.), **Gliederungszahlen** und **Messzahlen** (Messziffern).

Verhandlungen über konventionelle Streitkräfte in Europa, Abk. **VKSE,** am 9. 3. 1989 in Wien begonnene Gespräche zw. NATO und Warschauer Pakt über eine Verringerung der konventionellen Land- und Luftstreitkräfte in Europa, die 1990 mit der Unterzeichnung des → KSE-Vertrages abgeschlossen wurden.

Verhandlungsfähigkeit, im Strafprozess die Fähigkeit eines Beteiligten, seine Interessen wirksam wahrzunehmen, Prozesserklärungen abzugeben und entgegenzunehmen. Endgültige Verhandlungsunfähigkeit bewirkt die Einstellung des Verfahrens. Im Zivilprozess entspricht der V. die Prozessfähigkeit.

Verhandlungsmaxime, der den heutigen Zivilprozess beherrschende Grundsatz, dass bei der Entscheidung des Rechtsstreits nur das von den Parteien Vorgetragene berücksichtigt wird; die V. ist teilweise zugunsten des → Amtsgrundsatzes eingeschränkt, z.B. in Ehesachen.

Verharzung, meist unerwünschte Bildung dunkler, harziger Massen aus organ. Stoffen bei höherer Temperatur, Lichteinwirkung und/oder in Gegenwart von Sauerstoff. V. sind auf unkontrollierte Polymerisationen und Kondensationen zurückzuführen.

Verhelst [vərˈhɛlst], Ägid (Egid) d.Ä., fläm. Bildhauer und Stuckateur, *Antwerpen 13. 12. 1696, †Augsburg 19. 4. 1749; wurde 1724 Hofbildhauer des Herzogs Theodor Johann von Bayern, Fürstbischof von Freising, ließ sich 1738 in Augsburg nieder. V. schuf u.a. Apostelfiguren für die 1710–26 errichtete Fassade der Klosterkirche Ettal, vier allegor. Figuren (1740–42) für die fürstäbtl. Residenz in Kempten und sechs Standfiguren für den Hochaltar der Wies.

Verheugen, Günter, Politiker, *Bad Kreuznach 28. 4. 1944; Politologe, 1978–82 Gen.-Sekr. der FDP; trat im Nov. 1982 zur SPD über; seit 1983 MdB; 1993–95 Bundesgeschäftsführer der SPD.

Verhoeven [fɛrˈhøːfən], **1)** Michael, Filmregisseur und Schauspieler, *Berlin 13. 7. 1938, Sohn von 2); mit seiner Frau, der Schauspielerin Senta Berger (*1941), seit 1965 Besitzer der Sentana-Filmproduktion; drehte u.a. die Filme »Mitgift« (1975), »Sonntagskinder« (1979), »Die weiße Rose« (1982), »Killing Cars« (1985), »Das schreckl. Mädchen«

Rombout Verhulst: Porträtbüste der Maria van Reygersbergh, Terrakotta (1663–70; Amsterdam, Rijksmuseum)

(1990), »Eine unheilige Liebe« (1993), »Mutter Courage« (1996).

2) Paul, Schauspieler, Regisseur, Theaterleiter, *Unna 23. 6. 1901, †München 22. 3. 1975, Vater von 1); Schauspieler und Regisseur in München, Dresden, Wien und Frankfurt am Main, kam 1933 an das Dt. Theater in Berlin, 1943/44 Intendant des Theaters unter den Linden; 1945–49 Intendant des Bayer. Staatstheaters. Drehbuchautor und Filmregisseur (u. a. »Das kalte Herz«, 1950).

Paul Verhoeven

3) Paul, niederländ. Regisseur, *Den Haag 18. 7. 1938; seit 1985 in den USA, dreht v. a. Actionfilme (»Der vierte Mann«, 1984; »Die totale Erinnerung«, 1990); Kontroversen löste der Erotikthriller »Basic Instinct« (1991) aus.

Paul Verhoeven (niederländischer Regisseur)

Verholen, das Entlangführen eines Schiffes am Kai zu einem anderen Liegeplatz durch Verholspills und Trossen.

Verhör, *Prozessrecht:* → Vernehmung.

Verhulst [vərˈhylst], Rombout, niederländ. Bildhauer, *Mecheln 15. 1. 1624, begraben Den Haag 27. 11. 1698; Mitarbeiter von A. Quellinus d. Ä. beim Skulpturenschmuck des Rathauses (heute königl. Palast) in Amsterdam. Seine Werke zählen zu den Höhepunkten der niederländ. Bildhauerkunst des Barock.

Verhütten, das Verarbeiten von Erzen, Schrott und metallhaltigen Zwischenprodukten zu Primärmetallen und zu Roheisen in der Metallurgie.

Verifikatịon [v-, lat.] *die,* allg. der Nachweis der Wahrheit von Aussagen. Die Wissenschaftstheorie untersucht bes. die Kriterien für die Wahrheit von Aussagen: Für die Wahrheit allgemeiner Aussagen (Gesetzesaussagen) gibt es keine allgemein gültigen Kriterien; einzelne empir. Aussagen hingegen können durch Beobachtung und Experiment verifiziert werden. Nach K. R. Popper ist bei allgemeinen empir. Aussagen keine endgültige V., wohl aber eine endgültige **Falsifikation,** d. h. die Widerlegung durch empir. Beobachtungen, möglich.

Verịsmus [v-] *der* (italien. Verismo), in Italien Mitte des 19. Jh. eine vom frz. Naturalismus angeregte literar. Strömung, die sich v. a. um die Darstellung sozialer Zeitprobleme bemühte. Hauptvertreter war G. Verga. Auch die italien. Oper schloss sich mit G. Puccini, P. Mascagni und R. Leoncavallo dem V. an; in Dtl. nahm u. a. E. d'Albert verist. Elemente auf. Nach dem 2. Weltkrieg knüpfte der italien. → Neorealismus an den V. an. – Ausgehend von der Literatur und dem Musiktheater, wurde der Begriff V. in den 1920er-Jahren auf eine krass realist., schonungslose und grelle Darstellungsweise in der bildenden Kunst übertragen und seitdem auf Werke und Künstler aus dem Umkreis der Neuen Sachlichkeit, zuerst auf G. Grosz, angewendet, bald erweitert auf weitere von der Dada-Bewegung kommende Maler wie O. Dix, O. Griebel und R. Schlichter. Im V. dieser Künstler gewinnt die sozial- und gesellschaftskrit. Komponente eine zentrale Funktion, und das Bloßstellen von sozialen, gesellschaftl. und polit. Missständen wird oft zu ihrem eigentl. Anliegen. Der dt. V. hatte Parallelen in den realist. Tendenzen der italien. Kunst (R. Guttuso u. a.) und wirkte v. a. in der Dresdner Schule um H. Grundig u. a., auch im Berliner »krit. Realismus« um P. Sorge u. a. nach. – Verist. Komponenten zeigen auch andere realistisch orientierte Künstler und ganze

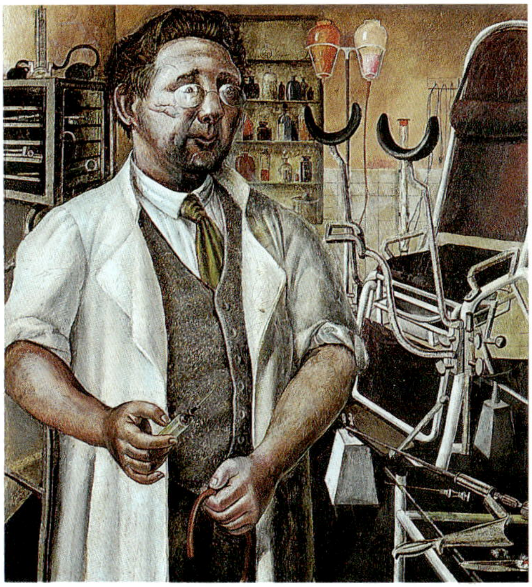

Verismus: Otto Dix, »Bildnis Dr. Hans Koch« (1921; Köln, Museum Ludwig)

Phasen der Kunstgeschichte (begriffliche Anwendung auf eine Stilrichtung der spätrepublikan. Porträtkunst Roms). Weitere BILDER Dix, Grosz, Schlichter

Verissimo [veˈrisimu], Érico Lopes, brasilian. Romanschriftsteller, *Cruz Alta (Rio Grande do

Sul) 17. 12. 1905, † Pôrto Alegre 28. 11. 1975; schilderte, u. a. von A. Huxley und S. Maugham beeinflusst, die gesellschaftl. Entwicklung seines Heimatstaates (Romanzyklus »Die Zeit und der Wind«, 1949–62).

Veritatis splendor [v-; lat. »Glanz der Wahrheit«], Enzyklika Papst Johannes Pauls II. vom 6. 8. 1993; behandelt vor dem Hintergrund der menschl. Beziehungen in der modernen (säkularisierten) Gesellschaft grundlegende Fragen der kirchl. Morallehre.

Verjährung, 1) *Privatrecht:* der Verlust der Durchsetzbarkeit eines Anspruchs, der innerhalb einer gesetzl. Frist **(V.-Frist)** nicht geltend gemacht worden ist (§§ 194 ff. BGB). Ansprüche verjähren regelmäßig in 30 Jahren. In vielen Fällen gelten kürzere V.-Fristen, wobei die zwei- und vierjährige V.-Frist erst mit Ablauf des Jahres zu laufen beginnt, in dem der Anspruch entstand. Kürzere V.-Fristen gelten u. a. in folgenden Fällen: für Ansprüche des tägl. Lebens (z. B. Kauf, Lohn) zwei Jahre; für Zinsen, Renten, Besoldung, Unterhalt u. a. vier Jahre; für Ansprüche aus unerlaubter Handlung drei Jahre (§ 852 BGB), für Minderungs- und Schadensersatzansprüche bei Kauf bewegl. Sachen sechs Monate (§ 477 BGB). **Unterbrechung** der V. tritt ein im Fall des Anerkenntnisses und der gerichtl. Geltendmachung (bereits durch Beantragung eines Mahnbescheids). Die Frist beginnt danach erneut zu laufen. Die **Hemmung** (Ruhen der V., d. h. der Ablauf der V.-Frist ist gehemmt) ist bei Stundung der Leistung gegeben. Die V.-Frist kann durch Rechtsgeschäft i. d. R. nicht verlängert, aber abgekürzt werden. – In *Österreich* verjähren Rechte i. Allg. nach 30 Jahren. Kürzere V.-Fristen bestehen weitgehend für Geschäftsforderungen u. Ä. In der *Schweiz* beträgt die ordentl. V.-Frist zehn Jahre. In fünf Jahren verjähren Forderungen für Miet-, Pacht- und Kapitalzinsen u. a. wiederkehrende Leistungen.

2) *Steuerrecht:* → Steuerverjährung.

3) *Strafrecht:* Man unterscheidet Strafverfolgungs- und Strafvollstreckungs-V. Die Strafverfolgung verjährt bei Vergehen und Verbrechen je nach Höchstmaß der angedrohten Freiheitsstrafe in 3, 5, 10, 20 oder 30 Jahren (§ 78 StGB). Die V. beginnt mit Beendigung der Straftat oder Eintritt eines strafbaren Erfolgs. Die Strafvollstreckung verjährt, je nach Höhe der verhängten Strafe, in 3, 5, 10, 20 oder 25 Jahren (§ 79 StGB). Die V. von Ordnungswidrigkeiten ist nach Höhe der angedrohten oder verhängten Geldbuße gestaffelt (§§ 31–34 Ordnungswidrigkeitengesetz). Jede richterliche Untersuchungshandlung unterbricht die Verfolgungs-V., die V.-Frist beginnt dann von neuem (§ 78 c StGB). Die V. ruht, solange die Vollstreckung nicht begonnen werden kann. Völkermord (§ 220 a StGB) sowie Mord (§ 211 StGB) verjähren nicht. In den neuen Bundesländern verjähren nach dem fortgeltenden § 84 StGB-DDR Verbrechen gegen den Frieden, die Menschlichkeit und die Menschenrechte sowie Kriegsverbrechen nicht. Bei der Berechnung der V.-Frist für SED-Unrechtstaten, die aus polit. oder anderen Gründen nicht geahndet wurden, wird die Zeit vom 11. 10. 1949 bis 2. 10. 1990 nicht berücksichtigt (Ges. vom 26. 3. 1993). Die Verfolgung von Taten, die vor Ablauf des 31. 12. 1992 im Gebiet der DDR begangen worden sind und die im Höchstmaß mit Freiheitsstrafe von einem bis zu fünf Jahren bedroht sind, verjähren mit dem 2. 10. 2000; die Verfolgung von Taten, die vor Ablauf des 2. 10. 1990 begangen wurden und im Höchstmaß mit Freiheitsstrafe bis zu einem Jahr oder Geldstrafe bedroht sind, verjährte am 31. 12. 1995. Mord, für den die Strafe nach dem Recht der DDR bestimmt werden muss, verjährt nicht (Art. 315 a Abs. 2, 3 Einführungs-Ges. zum StGB).

Nach dem *österr.* StGB verjährt die Strafbarkeit je nach angedrohter Strafe in 1, 3, 5, 10, 20 Jahren (§ 57); Straftaten, die mit lebenslanger Freiheitsstrafe belegt sind, unterliegen nicht der V. Die Frist für die Vollstreckungs-V. beträgt 5, 10, 15 Jahre; die Vollstreckung von Freiheitsstrafen über 10 Jahre und von lebenslangen Strafen verjährt nicht. Im *schweizer.* Strafrecht verjährt die Strafverfolgung, je nach der Schwere der Strafe, nach 5, 10 oder 20 Jahren, die Strafvollstreckung, je nach der Schwere der Strafe, in 5 bis 30 Jahren (Art. 70 ff. StGB).

Verjina [v-], Ort in N-Griechenland, → Vergina.

Verjüngung, 1) *Forstwirtschaft:* natürl. (Natur-V.) oder künstl. Walderneuerung durch Saat oder Pflanzung.

2) *Gartenbau:* bei Holzgewächsen starker Rückschnitt (Verjüngungsschnitt).

Verkalkung, Kalkablagerung in Körpergeweben, normal beim Knochenaufbau (Ossifikation), krankhaft bei Nekrosen (z. B. Tb), alten Thromben (Venensteine), Exsudaten (Panzerherz) und Geweben mit herabgesetzter Funktion und Ernährung (z. B. Arteriosklerose).

Verkauf, alle in direktem Kontakt mit dem Kunden durchgeführten Maßnahmen und Vorgänge bei der Veräußerung von Gütern und Dienstleistungen.

Verkäufermarkt, Marktsituation, in der die Verkäufer aufgrund eines Nachfrageüberhangs (Angebotsdefizit) das Marktgeschehen entscheidend beeinflussen (v. a. durch Preissteigerungen); Ggs.: → Käufermarkt.

Verkaufsförderung (Salespromotion), alle Maßnahmen der Verkaufsförderung mit dem Ziel, Konsumenten zum Kauf von Produkten (z. B.

Verjährungsfristen in wichtigen Beispielen (Privatrecht)

Bundesrepublik Deutschland

30 Jahre	*5 Jahre*	*4 Jahre*	*3 Jahre*	*2 Jahre*	*1 Jahr*	*6 Monate*
Regelfrist; Forderung aus Eigentum; ungerechtfertigte Bereicherung; Geschäftsführung ohne Auftrag; Schlechterfüllung des Vertrages (positive Forderungsverletzung)*); Verschulden bei Vertragsschluss (Culpa in contrahendo)*); V. des Erbschaftsanspruchs	Forderung gegen Unternehmer bei Bauwerken; gegen ausgeschiedenen Gesellschafter; gegen früheren Firmeninhaber	Forderungen der Kaufleute, Handwerker bei Lieferung in Geschäft des Schuldners; auf Zinsen; auf Kapitaltilgung; Rentenrückstände; Miet- und Pachtzinsen; Mietnebenkosten; öffentl. Unterhaltsbeträge; Besoldung, Ruhegelder; Rückzahlungsansprüche wegen überzahlter Heizkosten	Forderung gegen Anwälte; aus unerlaubter Handlung; auf Pflichtteil; Ansprüche aus Produkthaftung	Forderungen der Kaufleute; Handwerker; Fabrikanten; Frachtführer; Spediteure; Gastwirte; Vermieter bewegl. Sachen; Architekten; Wäscherei; private Gehaltsforderungen; Ärzte; Anwälte; Notare; Steuerberater; Honorarempfänger; aus Verlöbnis	Forderung gegen Spediteur; Lagerhalter; Frachtführer; Unternehmer bei Grundstücksarbeiten; Verkäufer von Grundstücken	Forderung auf Wandlung, Minderung; Schadensersatz aus Kauf- und Werkvertrag; Nachbesserung aus Werkvertrag; des Verpfänders gegen Pfandgläubiger; des Pfandgläubigers auf Verwendungsersatz; Ansprüche aus Reisevertrag (die binnen Monatsfrist geltend gemacht wurden); Verkehrsordnungswidrigkeiten nach Erlass eines Bußgeldbescheides (sonst: drei Monate)

Österreich

30 Jahre	*5 Jahre*	*3 Jahre*	*1 Jahr*	*6 Monate*
Regelfrist (grundsätzl. Frist); Schadensersatzansprüche bei Unkenntnis von Schaden oder Schädiger bei vorsätzl. strafbarer Handlung und Strafdrohung von mehr als 1 Jahr; Bereicherung; Geschäftsführung ohne Auftrag	Ansprüche gegen früheren Firmeninhaber; gegen ausgeschiedenen Personengesellschafter	Forderungen aus Geschäften des tägl. Lebens (z. B. Lieferung von Sachen, Ausführung von Arbeiten im gewerbl., geschäftl. Bereich); aus Pflichtteil oder seiner Ergänzung; aus Schadensersatz; Gewährleistung bei Immobilien; aus rückständigen Zinsen, Renten	Forderungen gegen Spediteur, Lagerhalter, Frachtführer	Gewährleistung bei Viehmängeln

Schweiz

30 Jahre	*10 Jahre*	*5 Jahre*	*3 Jahre*	*2 Jahre*	*1 Jahr*	*6 Monate*
Erbschaftsklage gegen einen bösgläubigen Besitzer; außerordentl. Ersitzung (bei eingetragenen Grundstücken)	Regelfrist für alle Fristen, für die das Bundesrecht nichts anderes bestimmt; Forderungen aus Delikt, ungerechtfertigter Bereicherung; Geschäftsführung ohne Auftrag; Vermächtnisklage; ordentl. Ersitzung	Forderungen aus Miet-, Pacht- und Kapitalzinsen; aus Handwerksarbeit; ärztl. Behandlung; Berufsarbeit von Anwälten; Prokuratoren; Notaren; Arbeitsverhältnis; Kaufgewährleistung; Herstellung von Gebäuden; gegen ausgeschiedene Gesellschafter; Ersitzung bewegl. Sachen	Forderungen gegen den Abnehmer eines Wechsels; aus Schäden, die ein Luftfahrzeug am Boden anrichtet	Forderungen aus Versicherungsvertrag	Vertragsanfechtung wegen Willensmängeln; Gewährleistungsklage bei Kauf, Tausch und Herstellung von Fahrnis; Ersatzklage gegen Frachtführer; Vaterschaftsklage; Besitzschutzklage	Rückgriffsforderungen beim Scheck, Adoptionsanfechtungsklage; Klage aus missbräuchl. Kündigung eines Arbeitsverhältnisses (180 Tage)

*) im Einzelfall entsprechend dem Kaufvertragsrecht kürzere Fristen möglich

durch Rundschreiben, Sonderverkaufsstände, Proben, Preisausschreiben) und Händler zum verstärkten Engagement für ein bestimmtes Produkt (durch Seminare, Verkaufswettbewerbe, Preisnachlass) anzuregen.

Verkaufsrennen, ein Galopprennen, bei dem die Pferde anschließend auf einer Auktion verkauft werden.

Verkehr, die Raumüberwindung von Personen (Personen-V.) und Gütern (Güter-V.) sowie von Nachrichten (Nachrichtenübertragung) und von Energie, ggf. unter Benutzung techn. und organisator. Einrichtungen (Verkehrsmittel, -wege, -anlagen). Neben der Unterscheidung nach dem beförderten Gegenstand wird der V. differenziert nach dem V.-Träger, d.h. dem in Anspruch genommenen V.-Weg, in Straßen-V., Schienen-V., Schiffs-V., Luft-V., V. über spezielle Leitungen (Leitungsgebundener V.) sowie immaterielle Übertragung (z. B. über elektromagnet. Wellen); nach der Art der V.-Teilnehmer in nichtmotorisierten V. (v. a. Fußgänger und Radfahrer) und motorisierten V. (u. a. motorisierter Individual- und Straßengüter-V., öffentl. Straßenpersonen-V.); hinsichtlich der Einheitlichkeit des V.-Vorgangs und des V.-Mitteleinsatzes in direkten, gebrochenen und kombinierten V.; nach dem jeweiligen V.-Gebiet in Binnen-, Ziel-, Quell- und Durchgangs-V. (Transit-V.) sowie beim Personen-V. nach dem V.-Zweck in Berufs-V. (Wege zur und von der Arbeitsstelle), Ausbildungs-V., Geschäfts(reise)-V., Einkaufs-V., Begleit-V., Freizeit- und Urlaubs-V.; darüber hinaus wird im Straßen-V. zw. ruhendem V. (parkende Fahrzeuge) und fließendem V. (die V.-Teilnehmer nehmen aktiv am V. teil) unterschieden. Der V. ist eine grundlegende Voraussetzung für arbeitsteiliges Wirtschaften und wirtsch. Spezialisierung. Die durch den Personen-V. gewonnene Mobilität begünstigte die Auflösung der engen räuml. Beziehung zw. Wohn- und Arbeitsort und beeinflusste infolgedessen grundlegend die Siedlungsstrukturen. Die Funktionsfähigkeit des Güter-V. ist Voraussetzung für die Intensität des Welthandels und veränderte die Verbrauchergewohnheiten und -zwänge nachhaltig.

Die ursprüngl. Bedeutung des Staats als Betreiber v. a. des Eisenbahn- sowie des Luftverkehrs ist aufgrund der Privatisierungspolitik (z. B. Bahnreform) in den letzten Jahren zurückgegangen und beschränkt sich nunmehr auf die Entwicklung der entsprechenden Infrastruktur (v. a. Schaffung von **V.-Verbünden** zur Stärkung des öffentl. Personennahverkehrs, Ausbau und Erneuerung des Straßenverkehrsnetzes in Ost-Dtl., »Transeurop. Netze«) und eine marktverträgliche Rahmensetzung durch die Verkehrspolitik.

📖 HESSE, M.: *Verkehrswende. Ökologisch-ökonom. Perspektiven für Stadt u. Region. Marburg 1993. – Thema heute: »V. in Europa«, hg. vom Kuratorium der Polizei-Führungsakademie. Lübeck 1993. – Busse+Bahnen. Mobilität für Menschen u. Güter, 1895–1995, hg. vom Verband Deutscher Verkehrsunternehmen, bearb. v.* G. GIRNAU *u.* F. BIHN. *Düsseldorf 1995.* – CLEMENS, C.: *V. u. die externen Kosten. Köln 1996. – Stadt u. V. im Industriezeitalter, hg. v.* H. MATZERATH. *Köln u. a. 1996.*

Verkehrsamt, 1) örtl. städt. oder private Organisation zur Förderung des Fremdenverkehrs.

2) unterste, den Stadt- und Landkreisen angegliederte Verkehrsbehörde, meist als **Straßen-V.** (Zulassung von Kfz, Zuteilung der Kennzeichen).

verkehrsberuhigter Bereich, durch Richtzeichen (§ 42 StVO) gekennzeichneter Bereich einer Straße, in dem Fußgänger die ganze Breite der Straße benutzen dürfen und für Fahrzeuge nur Schrittgeschwindigkeit erlaubt ist. Das Parken ist nur auf gekennzeichneten Flächen zulässig.

Verkehrsfunk, in regelmäßigen Abständen von bestimmten UKW-Sendern ausgestrahlte Verkehrsmitteilungen, die Autofahrer über die aktuelle Verkehrssituation informieren. Das in der Bundesrep. Dtl. seit Juni 1974 offiziell eingeführte Autofahrer-Rundfunk-Informationssystem (Abk. **ARI**) arbeitet mit doppelter Kennung: Den Sendern wird eine nichthörbare Kennung von 57 kHz (sog. Pilot[ton]frequenz) aufmoduliert, die mithilfe eines V.-Decoders zur opt. und/oder akust. Anzeige am Autoradio führt. Zusätzlich wird eine Modulationsfrequenz ausgestrahlt, die jeweils einem bestimmten regionalen Bereich Dtl.s zugeordnet ist. Entsprechende Decoder im Autoradio sprechen auf Sender- und Bereichskennung an, sodass der Empfänger bei entsprechender Einstellung nur V.-Sender aufnimmt, wenn eine mit der in Betracht kommenden Bereichskennung versehene Durchsage erfolgt. Seit Ende der 1980er-Jahre wird das europ. Radio-Daten-System (→ RDS) angeboten.

Verkehrsgefährdung, Bez. für die Delikte → Straßenverkehrsgefährdung und → Transportgefährdung.

Verkehrsgleichung (Quantitätsgleichung), *Volkswirtschaftslehre:* → Quantitätstheorie.

Verkehrsinsel (Schutzinsel), meist erhöhte Einrichtung auf der Fahrbahn (z. B. Haltestelle, Fußgängerinsel), die der Sicherheit der Fußgänger und der Kanalisierung des Straßenverkehrs dient.

Verkehrsleitsysteme (Verkehrsleittechnik, Verkehrsmanagement, Verkehrstelematik), Verfahren und Einrichtungen zur Sicherstellung oder Unterstützung einer günstigen Abwicklung des Verkehrsablaufs, durch Einsatz von Kommunikations- und Informationstechnik. Die gegenwärtige Entwicklung konzentriert sich auf die Einführung bzw. nachhaltige Funktionsausweitung von V. im Straßenverkehr. Hierzu gehören u. a. Park-and-ride-Konzepte, ein EDV-gestütztes Parkraummanagement sowie fallweise elektronische Konzepte zur nutzerbezogenen Zurechnung von Straßenbenutzungskosten (»Roadpricing«). Mithilfe von Verkehrsleitrechnern werden Prognosewerte für die Verkehrsentwicklung ermittelt, die zur Optimierung des Verkehrsflusses genutzt werden können. Dies geschieht durch Verkehrsempfehlungen an die Verkehrsteilnehmer über offene Anzeigen (Schilderbrücken mit Wechselanzeigen über der Fahrbahn) oder über fahrzeuginterne Installationen (z. B. fahrzeugeigene Rechner, die routenspezifische Leitinformationen auf einem Monitor grafisch darstellen).

📖 *Die Bedeutung von Informations- u. Kommunikationstechnologien für den Verkehr, Beiträge v.* M. HÖLLER *u. a. Göttingen 1994. – Telematik im Verkehr, hg. v.* G. SIEGLE. *Heidelberg 1996.*

Verkehrsmedizin, Bereich der Medizin, der sich mit physiolog. und psycholog. Fragen v. a. des Straßenverkehrs beschäftigt; dazu gehören u. a. Beziehungen zw. Krankheiten, Arzneimitteln, Genussmitteln, Drogen und Fahrverhalten bzw. Verkehrstüchtigkeit.

Verkehrspolitik, sektorale Wirtschaftspolitik des Staates und der öffentl. Körperschaften, die sich auf den Transport von Personen, Gütern und Nachrichten bezieht und der Realisierung wachstums-, struktur-, raumordnungs- und verteilungspolit. sowie sicherheits-, umwelt- und energiepolit. Ziele dient. In ordnungspolit. Hinsicht befasst sich die V. mit der Regulierung des Verkehrs durch Wettbewerbsverbesserung, Regulierung der Märkte, Kontrolle und Angleichung der Preise und Kosten, soweit Differenzen nicht durch techn. Verschiedenartigkeit bedingt sind. Unter strukturpolit. Aspekten ist die V. u. a. auf Verkehrswegeplanung, Bereitstellung von Investitionsmitteln, Beeinflussung der Anteile konkurrierender Verkehrsträger (im Güterverkehr zw. dem öffentl. betriebenen Schienenverkehr und dem privatwirtsch. Straßenverkehr) ausgerichtet. In den 1990er-Jahren galten für die V. in Dtl. folgende Schwerpunkte: Ausbau der Verkehrsinfrastruktur in den neuen Bundesländern, Organisations- und Strukturreform der Bahn, Beschleunigung der Verkehrsplanung, Einstieg in die Privatfinanzierung von Infrastrukturprojekten, Harmonisierung der Wettbewerbsbedingungen innerhalb der EU als Voraussetzung eines freien Verkehrsmarktes.

📖 KÖBERLEIN, C.: *Kompendium der V. München u. a. 1997.*

Verkehrspsychologie, ein Teilgebiet der Psychologie, erforscht menschl. Verhalten (z. B. Reaktionsbereitschaft, Belastbarkeit) im Straßen-, Luft-, Bahn- und Schiffsverkehr und damit zusammenhängend die Zweckmäßigkeit der jeweiligen Verkehrsanlagen.

Verkehrsrecht, die Gesamtheit der Vorschriften zur Ordnung des Luft- (→Luftrecht), Binnenschifffahrts- (→Binnenschifffahrt), See- (→Seerecht), Eisenbahn- (→Eisenbahnrecht) und Straßenverkehrs (→Straßenverkehrsrecht).

Verkehrsregelung, Maßnahmen zur sicheren und flüssigen Gestaltung des Verkehrs, bes. des Straßenverkehrs. Der V. dienen v. a. die Zeichen und Weisungen der Polizeibeamten sowie die Verkehrseinrichtungen und Verkehrszeichen (§§ 36 ff. StVO); allg. Verkehrsregeln sind in den §§ 1–35 enthalten. Eine weitere gesetzl. Regelung stellt das Gesetz über Ordnungswidrigkeiten dar.

Verkehrssicherungspflicht, die Pflicht, Orte, die der Allgemeinheit oder einem bestimmten Personenkreis zugänglich sind, zu deren Schutz ausreichend abzusichern. Die V. trifft den, der eine Gefahrenquelle (z. B. Baugrube) geschaffen hat, ansonsten den Verfügungsberechtigten und den Eigentümer der Sache. Bei Verletzung der V. sind i. d. R. Ansprüche aus unerlaubter Handlung gegeben, ggf. auch aus Amtshaftung. Ein Sonderfall der V. ist die Streupflicht bei Schnee und Glatteis.

Verkehrssitte, ständige Übung eines bestimmten Verhaltens im Rechtsverkehr. Die V. ist im Ggs. zum →Gewohnheitsrecht keine Rechtsnorm, wird jedoch bei der nach Treu und Glauben vorzunehmenden Auslegung von Verträgen herangezogen (§§ 133, 157, 242 BGB). →Handelsbrauch

Verkehrssprache, Sprache, mit deren Hilfe sich Angehörige versch. Sprachgemeinschaften auf einzelnen Gebieten (u. a. im Handel) verständigen können (z. B. Englisch); auch Umgangssprache zw. Angehörigen versch. Mundarten einer Sprache.

Verkehrssünderkartei (Verkehrszentralregister), →Kraftfahrt-Bundesamt.

Verkehr|steuern, Steuern, die an Vorgänge des Rechts- und Wirtschaftsverkehrs anknüpfen, z. B. Grunderwerb-, Umsatz-, Versicherung- und Kraftfahrzeugsteuer sowie Rennwett- und Lotteriesteuer.

Verkehrsunfall, jedes Ereignis, das mit dem Straßenverkehr und seinen Gefahren in ursächl. Zusammenhang steht und zur Verletzung eines Menschen oder Beschädigung einer Sache geführt hat. Jeder Beteiligte muss am Unfallort verbleiben und sich über die Unfallfolgen vergewissern. Er hat den Verkehr zu sichern, Verletzten Hilfe zu leisten, anderen Beteiligten auf Verlangen Name und Anschrift bekanntzugeben sowie Angaben über seine Haftpflichtversicherung zu machen (§ 34 StVO).

Verkehrsunfallflucht (strafrechtlich: unerlaubtes Entfernen vom Unfallort, umgangssprachlich: Fahrerflucht), Straftat, die begeht, wer sich als Beteiligter an einem Verkehrsunfall vom Unfallort entfernt, bevor er anderen Beteiligten oder Geschädigten die Feststellung seiner Person, seines Fahrzeugs usw. ermöglicht hat bzw. bevor er eine angemessene Zeit gewartet hat, ohne dass jemand bereit war, die entsprechenden Feststellungen zu treffen (§ 142 StGB; Freiheitsstrafe bis zu drei Jahren oder Geldstrafe). Ebenso wird der Unfallbeteiligte bestraft, der sich zwar berechtigt vom Unfallort entfernt hat, die Feststellungen aber nicht unverzüglich nachträglich ermöglicht (bes. durch Mitteilung an die Polizeibehörden).

Verkehrsunterricht, Unterweisung über das Verhalten im Straßenverkehr, eine erzieher. Maßnahme (keine Strafe), die nach § 48 StVO durch

Vorladung bei jedem – auch nicht schuldhaften – Verstoß gegen Verkehrsvorschriften verhängt werden kann. Für Schüler dient V. zur Einübung im Straßenverkehr.

Verkehrsverbund, → Verkehr.

Verkehrsvertrag, 1972–90 gültiges Abkommen zw. der Bundesrep. Dtl. und der DDR zur Regelung von Rechtsfragen für den Transitverkehr im Gebiet der DDR.

Verkehrswacht, Bez. für gemeinnützige Selbsthilfeorganisationen, die zur Unfallverhütung, Verkehrssicherheit und Hebung des Verantwortungsbewusstseins im Straßenverkehr beitragen wollen; organisiert in Vereinen auf Orts-, Landes-, Bundesebene.

Verkehrswirtschaft, → Marktwirtschaft.

Verkehrszeichen, Zeichen zur → Verkehrsregelung, i.e.S. zur Regelung des Straßenverkehrs nach der StVO. Die V. werden unterschieden in: **Gefahr-** (an Gefahrenstellen), **Vorschrift-** (Gebots- und Verbotszeichen) und **Richtzeichen** (Hinweise, z.B. Wegweiser). **Verkehrseinrichtungen** sind: Schranken, Sperrpfosten, Parkuhren, Parkscheinautomaten, Geländer, Absperrgeräte, Leiteinrichtungen sowie Blinklicht- und Lichtzeichenanlagen (Ampeln). Die Nichtbeachtung der V. und der durch Verkehrseinrichtungen getroffenen Anordnungen gilt als Ordnungswidrigkeit.

Verkehrszeichen

Die allererste Ampel wurde 1868 in London vor dem Parlament aufgestellt. Es war eine Fußgängerampel, und das rote Licht für »Halt« sowie das grüne Licht für »Gehen« waren von den Eisenbahnsignalen übernommen worden. Das Gerät war aber nicht gerade ein rasender Erfolg: Kurz nach seiner Installation explodierte die Ampel und tötete dabei einen Schutzmann. Die erste Rot-Grün-Ampel zur Regelung des Straßenverkehrs wurde dann 1914 in der Euclid Avenue in Cleveland, Ohio, USA, aufgestellt.
Lange Zeit wurden noch viele Ampeln, auch bei uns, horizontal über der Straße angebracht. Seit den fünfziger Jahren ändert man das: den Farbenblinden zuliebe.

Verkehrszentralregister, → Kraftfahrt-Bundesamt.

Verkieselung (Silifikation, Silifizierung), *Geologie:* Ersetzung der Substanz eines Gesteins oder Fossils oder Porenfüllung derselben (»Einkieselung«) durch Kieselsäure; als Quarz, seltener Chalcedon oder Opal.

Verkiesung, Ersetzung der ursprüngl. Substanz eines Gesteins oder Fossils durch Pyrit oder Markasit, bes. bei tonigen Gesteinen.

Verklappen (Verklappung), das Einbringen von Abfallstoffen durch Spezialschiffe ins → Meer. Die Schiffe öffnen auf hoher See die Klappen bzw. Ventile der Abfallbehälter, sodass die Abfallstoffe ins Meer fließen können. Verklappt werden v.a. Klärschlämme und Dünnsäuren. Das V. ist teilweise (u.a. von Dtl.) wegen der Schadstoffbelastung der Schelfmeere eingestellt worden.

Verklärung Jesu (Transfiguration), im N.T. (Mt. 17, 1ff. u.a.) die Offenbarung der messian. Würde Jesu auf dem Berg → Tabor und seine Verwandlung in die Daseinsweise der himml. Wesen. – Häufiges Thema der *christl. Kunst,* älteste Darstellungen in der byzantin. Kunst auf einem Mosaik von Sant' Apollinare in Classe in Ravenna (um 445).

Verkleinerung, *Musik:* die Veränderung eines Themas oder Motivs durch proportionale Kürzung (Halbierung, Drittelung usw.) aller Notenwerte.

Verknüpfung, binäre algebraische Operation, eine Abbildung f der Produktmenge $M \times M$ in eine Menge M, die jedem Paar (a, b) mit $a, b \in M$ das eindeutig bestimmte Bild $f(a, b)$ zuordnet (**innere V.;** auch V. in M gen.). Beispiel: Addition und Multiplikation in der Menge der natürl. Zahlen.

Verknüpfungsglieder (Gatter, logische Schaltungen), Schaltungen zur Realisierung einfacher log. Funktionen der → Schaltalgebra.

Verkohlung, die Zersetzung organischer Stoffe durch Erhitzen unter Sauerstoffmangel oder durch Einwirken Wasser abspaltender Substanzen (z.B. konzentrierte Schwefelsäure), wobei stark kohlenstoffhaltiges Material zurückbleibt.

Verkokung, → Kokerei.

Verkröpfung, *Architektur:* das Vorspringen eines durchlaufenden Gesimses oder waagerechten Gebälks über einem aus der Mauer hervortretenden Bauglied (z.B. Säule oder Vorkragung).

Verkündigung, die Vergegenwärtigung der christl. Heilsbotschaft (→ Kerygma).

Verkündigung Mariä, im N.T. (Lk. 1, 26–38) die Mitteilung des Engels Gabriel an Maria über die Empfängnis Jesu **(Engl. Gruß);** als häufiges Thema der *christl. Kunst* schon im 5. Jh. belegt. BILDER Broederlam, Crivelli, Limosiner Email, Tura

Verkündung, *Recht:* die öffentl. mündl. Bekanntmachung gerichtl. Entscheidungen; auch die Veröffentlichung von Gesetzen u.a. Rechtsvorschriften in einem Gesetzblatt.

Verkupfern, Beschichten metall. oder nichtmetall. Teile mit Kupfer; meist galvanisch in Bädern durchgeführt (→ Galvanotechnik), die Kalium- oder Natriumkupfercyanid enthalten, oder bei starken Überzügen auch in sauren Kupfersalzbädern (Kupfersulfat und Schwefelsäure). Die Kupferüberzüge dienen als Zwischenschicht vor dem Vernickeln und Verchromen von Stahl und Zinkdruckguss, für Druckwalzen und -platten, zur Herstellung von Schallplattenmatrizen, von gedruckten Schaltungen, als Korrosionsschutz.

Verladebrücke, spezielle Bauart des → Krans.

Verlag, Unternehmen, das die Veröffentlichung (Herstellung und Vertrieb) von Druckerzeugnissen, einschl. elektron. Medien, betreibt. Man unterscheidet im Wesentlichen den als Teil des Buchhandels (→Verlagsbuchhandel) fungierenden Buch-V. und den der journalist. Presse zuzuordnenden Zeitungs- und Zeitschriftenverlag.

Verlagsbuchhandel, der Zweig des Buchhandels, der sich gewerbsmäßig mit der Vervielfältigung (Produktion) und Verbreitung von Büchern, Presseerzeugnissen, elektron. Medien, Landkarten, Musikalien und Werken der Kunst. Der **Verlagsbuchhändler** oder **Verleger** erwirbt das Manuskript vom Verfasser oder dessen Erben i.d.R. aufgrund eines Verlagsvertrages (→Verlagsrecht). Der Verleger kann ferner selbst Werke anregen und von einem Autor aufgrund eines Werk- oder Dienstvertrages verfassen lassen. Außerdem sind auch urheberrechtlich frei gewordene Werke Gegenstand verleger. Unternehmungen. Bedeutende Verleger haben wesentlichen Anteil an der Entwicklung der geistigen Kultur. Institute oder einzelne Autoren lassen Werke auch auf eigene Kosten drucken und geben sie dann einem Verleger zum buchhändler. Vertrieb **(Kommissionsverlag)** oder vertreiben sie im **Selbstverlag.** (→Buchhandel)

🕮 RÖHRING, H.-H.: *Wie ein Buch entsteht. Einf. in den modernen Buchverlag. Darmstadt* [6]*1997.*

Verlagsrecht, i.w.S. die Gesamtheit der gesetzl. Bestimmungen über das Verlagsvertragsverhältnis, i.e.S. das vom Urheberrecht abgeleitete ausschl. Recht des Verlegers zur Vervielfältigung und Verbreitung eines Werkes. Das V. ist geregelt durch das Ges. über das V. vom 19. 6. 1901 **(Verlags-Ges.),** geändert durch das Urheberrechts-Ges. vom 9. 9. 1965 ; das Verlags-Ges. bezieht sich nur auf Werke der Literatur und Musik.

Der **Verlagsvertrag** hat insbesondere zum Inhalt: die Verpflichtung des Verf., dem Verleger das druckreife Werk zur Vervielfältigung und gewerbsmäßigen Verbreitung zu überlassen, und die Verpflichtung des Verlegers, das Werk zu vervielfältigen und zu verbreiten. Die vertragl. Vereinbarungen können i.d.R. von den gesetzl. Bestimmungen abweichen. Letzteren zufolge hat der Verf. Anspruch auf Honorar, das in einer festen Summe oder Beteiligung am Absatz oder Gewinn bestehen kann. Der Verleger hat dem Verf. für je 100 Abzüge ein Freistück zu liefern (mindestens 5, höchstens aber 15) und im Übrigen weitere Exemplare zum Buchhändlernettopreis zu überlassen. Eine Verpflichtung zu Folgeauflagen besteht nicht. Der Verf. kann jedoch vom Vertrag zurücktreten, wenn der Verleger die Neuauflage nicht innerhalb einer angemessenen, vom Verf. zu setzenden Frist besorgt. Das Recht, den Ladenpreis zu bestimmen, steht dem Verleger für jede

Verkehrszeichen (Auswahl): 1–3 Gefahrzeichen; 1 Schleudergefahr bei Nässe oder Schmutz, 2 Gegenverkehr, 3 unbeschrankter Bahnübergang; 4–8 Vorschriftzeichen; 4 Andreaskreuz (dem Schienenverkehr Vorrang gewähren), 5 Halt! Vorfahrt gewähren!, 6 Einbahnstraße, 7 Überholverbot für Kraftfahrzeuge aller Art, 8 Halteverbot (in beiden Richtungen); 9–12 Richtzeichen; 9 verkehrsberuhigter Bereich, 10 Autobahn, 11 Fußgängerüberweg, 12 Wegweiser auf Bundesstraßen

Auflage zu. Die Rechte des Verlegers sind übertragbar, jedoch ist die Zustimmung des Verf. erforderlich, wenn das V. nur an einzelnen Werken übertragen wird. Nach §36 Urheberrechts-Ges. kann der Urheber eine Änderung des Vertrages verlangen, wenn das Honorar in grobem Missverhältnis zu den Erträgen des Werkes steht.

In *Österreich* besteht kein eigenes Verlags-Ges.; der Verlagsvertrag ist in §§1172 f. ABGB geregelt, ergänzend gilt Urheberrecht. In der *Schweiz* ist das V. ähnlich wie in Dtl. geregelt (Art. 380–393 OR).

🕮 *Recht im Verlag. Ein Handbuch für die Praxis, mit Beiträgen v.* K. MÜLLER VON DER HEIDE *u.a. Frankfurt am Main 1995.*

Verlagssystem, frühe Form der arbeitsteiligen und dezentralisierten Gütererzeugung; Übergangsstadium von der handwerkl. Produktion zur Manufaktur und zum späteren Fabrikbetrieb, das sich im 14. und 15. Jh. in Norditalien und Flandern herausbildete. Beim V. stellt der Verleger (Großkaufmann) die Rohstoffe zur Produktion in Heimarbeit und garantiert dafür die Abnahme des Produkts. Das bes. im 17. und 18. Jh. von den absolutist. Staaten geförderte V. passte sich wegen mangelnder Arbeitsteilung dem steigenden Bedarf nicht an und stand der weiteren Entwicklung der industriellen Produktion im Wege. Seine Ablösung führte zu sozialen Unruhen (z.B. Weberaufstand 1844 in Schlesien).

Verlaine [vɛrˈlɛːn], Paul, frz. Dichter, *Metz 30. 3. 1844, †Paris 8. 1. 1896; war 1864–71 Verwaltungsbeamter in Paris, dort Verbindung zu den →Parnassiens, unter deren Einfluss seine ersten

Dichtungen stehen (»Saturn. Gedichte«, 1866; »Galante Feste«, 1867). 1871–73 reiste er mit A. Rimbaud durch N-Frankreich, Belgien und Großbritannien, fand dabei, angeregt von C. Baudelaire, seinen eigenen Stil, der auf den →Symbolismus weist: freie Versstrukturen, ungleiche Rhythmen, hohe Musikalität der Sprache, die feinste seel. Stimmungen sichtbar macht (»Lieder ohne Worte«, 1874). Nach einer Auseinandersetzung mit Rimbaud in Brüssel 1873, während der er den Jüngeren durch einen Schuss verletzte, musste er für 18 Monate ins Gefängnis, danach versuchte er die Rückkehr ins bürgerl. Leben (u.a. Lehrer in Großbritannien), ab 1880 wieder, vom Alkoholismus gezeichnet, in Paris. V.s poet. Kredo ist in dem Gedicht »L'art poétique« (entstanden 1874, veröffentlicht in der Ged.-Sammlung »Jadis et naguère«, 1885, dt. Ausw. 1922 u. d. T. »Einst und jüngst«) niedergelegt. Er artikulierte das illusionslose Lebensgefühl der Künstler der 1880er-Jahre. In dem Essay »Les poètes maudits« (1884, erweitert 1888) definierte er die Rolle des »verfemten Dichters«, der sich gegen den Strom der bürgerl. Gesellschaft stellt. Weiteres BILD Rimbaud

Paul Verlaine: Ausschnitt eines Gemäldes von Eugène Carrière (1891; Paris, Musée d'Orsay)

📖 ROBICHEZ, J.: *V. entre Rimbaud et Dieu. Paris 1982.* – LE ROUGE, G.: *Verlainiens et décadents. Neuausg. Paris 1993.*

Verlandung, das Zuwachsen der Wasserfläche stehender oder langsam fließender Gewässer durch Sedimentation von Schwebe- und Sinkstoffen und Vorrücken der Ufervegetation, deren abgestorbene Reste sich am Boden anhäufen. Die V. wird auch durch die Zufuhr von Nährstoffen (Einleitung von Abwässern, Einschwemmung von Düngemitteln) beschleunigt. (→Eutrophierung)

Verlandung: Die Verlandungszonen um den Federsee in Oberschwaben sind als gelbbraune Flächen zu erkennen; im Vordergrund Bad Buchau

verlängertes Mark, →Gehirn.

Verleger, Unternehmer 1) im →Verlagsbuchhandel (→Verlagsrecht), 2) im →Verlagssystem.

Verletzung, *Medizin:* →Trauma.

Verleumdung, *Recht:* →Beleidigung.

Verlöbnis (Verlobung), das gegenseitige Versprechen zukünftiger Eheschließung und das dadurch geschaffene Rechtsverhältnis. Aus dem V. kann nicht auf Eingehung der Ehe geklagt werden. Rücktritt vom V. ohne wichtigen Grund verpflichtet zum Schadenersatz (z.B. für in Erwartung der Eheschließung gemachte Aufwendungen). Beim Rücktritt sind die Verlobungsgeschenke zurückzugeben. §1300 BGB, der den Anspruch einer »unbescholtenen« Verlobten auf Ersatz eines Nichtvermögensschadens (sog. Deflorationsanspruch, Kranzgeld; z.B. bei unberechtigtem Rücktritt des Verlobten, wenn diesem der Geschlechtsverkehr gestattet worden war, wegen verminderter Heiratsaussichten) regelte, wurde aufgehoben. – Ähnliches zum V. gilt in *Österreich* und der *Schweiz.*

verlorene Generation, →Lostgeneration.

Verlust, *Wirtschaft:* in der Gewinn-und-Verlust-Rechnung Jahresfehlbetrag, der sich am Ende als Differenz zw. Aufwendungen und Erträgen ergibt (Saldo auf der Habenseite); in der Bilanz Überschuss des Eigenkapitals am Anfang einer Periode über den Bestand am Ende der Periode nach Abzug von Einlagen und zuzüglich Entnahmen.

Verlust|abzug, nach §10d EStG bestehende Möglichkeit, Verluste, die bei der Ermittlung des Gesamtbetrages der Einkünfte nicht ausgeglichen werden, bis zu einem Betrag von 10 Mio. DM wie Sonderausgaben vom Gesamtbetrag der Einkünfte des vorletzten bzw. letzten Veranlagungszeitraums abzuziehen **(Verlustrücktrag).** Soweit die Verluste 10 Mio. DM übersteigen oder der Verlustrücktrag nicht möglich ist, sind die Verluste in den folgenden Veranlagungszeiträumen vom Gesamtbetrag der Einkünfte abzuziehen **(Verlustvortrag).**

Verlust|ausgleich, im Rahmen der Veranlagung zur Einkommenssteuer der Ausgleich von Gewinnen und Überschüssen mit Verlusten im gleichen Veranlagungszeitraum. Der V. ist bei bestimmten Verlusten eingeschränkt (z.B. bei Spekulationsgeschäften, bei Verlusten aus gewerbl. Tierzucht).

Verlustfaktor, *Elektrotechnik:* das Verhältnis der in einem verlustbehafteten Bauelement mit Blindwiderstand umgesetzten Wirkleistung zur Blindleistung.

Vermächtnis (Legat), die Zuwendung einzelner Vermögensvorteile oder Nachlassgegenstände durch eine Verfügung von Todes wegen an eine Person, die nicht als Erbe eingesetzt wird (**V.-Nehmer;** § 1939 BGB). Der V.-Nehmer erwirbt mit dem Erbfall einen (schuldrechtl.) Anspruch auf Gewährung des Vermachten, der sich bei dem Erbschafts-V. gegen den Erben, beim Unter-V. gegen einen anderen V.-Nehmer richtet (§§ 2147–2191 BGB). – In *Österreich* (§§ 647–694 ABGB) und der *Schweiz* (Art. 484 ff. ZGB) bestehen ähnl. Vorschriften.

Vermännlichung, → Virilisierung.

Vermarkung, die dauerhafte Kennzeichnung von Vermessungs- und Grenzpunkten u.a. mit Steinen, Bolzen oder Rohren.

Vermeer, Jan (Johannes V., auch van der Meer), gen. V. van Delft, holländ. Maler, getauft Delft 31. 10. 1632, begraben ebd. 15. 12. 1675; einer der Hauptmeister der holländ. Malerei des 17. Jh. Sein gesichertes Werk umfasst knapp 40 Bilder. Auf erste großfigurige Gruppendarstellungen (darunter »Bei der Kupplerin«, 1656; Dresden, Gemäldegalerie) folgten sittenbildl. Darstellungen ruhiger, meist auf Einzelfiguren oder wenige Personen beschränkter Innenraumszenen, z.B. »Die Briefleserin« (um 1662–64; Amsterdam, Rijksmuseum), »Die Spitzenklöpplerin« (um 1665; Paris, Louvre), »Allegorie der Malerei« (um 1665; Wien, Kunsthistor. Museum). Der Klarheit in der Komposition entspricht eine subtile Farbgebung; durch Verwendung großer Farbintervalle wird eine außergewöhnliche Lichtwirkung erzielt. V. malte auch Landschaften (»Ansicht von Delft«, um 1658–60; Den Haag, Mauritshuis). Weiteres BILD Interieur

📖 SCHNEIDER, N.: *J. V. 1632–75. Köln 1993.*

Vermeil [vɛrˈmɛːj, frz.] *das, Kunsthandwerk:* in Feuer vergoldetes Silber.

Vermessungs|ingenieur [-ɪnʒenjøːr] (Geodät, Geometer, Landmesser), im Vermessungswesen (v.a. Landes-, Kataster- und Agrarvermessung) tätiger Diplomingenieur.

Vermessungskunde, die → Geodäsie.

Vermessungswesen (Vermessungstechnik), Sammelbegriff für alle Tätigkeiten, die dazu dienen, die Landesvermessung durchzuführen, laufend zu ergänzen und in Kartenwerken festzuhalten. Dazu gehören die das Gelände darstellenden topograph. Karten sowie die zum Nachweis rechtmäßiger Grenzen und der Bebauung erstellten Katasterkarten und Spezialkarten (Verkehrsanlagen, Wasserbauten u.a.).

📖 *Vermessung im Wandel. Entwicklungen, Trends, Perspektiven, Redaktion:* W. GRUNAU. *Wiesbaden 1995. – Zur Geschichte des V., Redaktion:* D. KLEMP *u.a. Wiesbaden 1995.*

Vermeylen [vərˈmɛjlə], August, fläm. Schriftsteller und Kunsthistoriker, *Brüssel 12. 5. 1872, †Uccle 10. 1. 1945; geistiger Führer der Emanzipation der fläm. Literatur in der 1. Hälfte des 20. Jh.; die Erzählung »Der ewige Jude« (1906) ist eine symbol. Schilderung menschl. Wahrheitssuche. Daneben schrieb er Romane und Essays.

Vermischung, *bürgerl. Recht:* → Verbindung.

Jan Vermeer: »Die Spitzenklöpplerin« (um 1665; Paris, Louvre)

Vermisste, Personen, deren Aufenthalt infolge besonderer Ereignisse (Krieg, Katastrophen u.a.) längere Zeit unbekannt ist oder über die keine sicheren Nachrichten vorliegen. Seit 1945 werden Kriegs-V. und Zivil-V. unterschieden. Zur Rechtslage Verschollener → Todeserklärung.

Vermittlungsausschuss, in Dtl. ein Ausschuss aus je 16 Mitgl. des Bundestags und Bundesrats, der bei Meinungsverschiedenheiten zw. beiden Körperschaften über eine Gesetzesvorlage nochmals berät, um eine Fassung zu finden, der beide zustimmen können (Art. 77 Abs. 2 GG).

Vermittlungstechnik, Verfahren und Einrichtungen in der Fernmeldetechnik, die den wahlweisen Aufbau von Verbindungen zw. allen an das Netz angeschlossenen Fernsprech- bzw. Fernschreibteilnehmern ermöglichen. Zur Kontaktgabe zw. ankommenden und abgehenden Leitungen dienen in der Wählvermittlungsstelle Koppeleinrichtungen (Wähler, Koordinatenschalter oder vollelektron. Koppelnetzwerke), die durch vom Teilnehmer ausgelöste Wählimpulse gesteuert werden (→Fernsprecher).

Vermittlungstheologie, Richtung innerhalb der evang. Theologie des 19. Jh., deren Denkansatz zw. modernem wiss. Geist und kirchl. Konfessionalismus bei Wahrung des unverkürzten theolog. Erbes der Reformation »vermitteln« wollte; Vertreter u.a. K. A. v. Hase. (→liberale Theologie)

Vermögen, 1) *Recht:* die Gesamtheit der in Geld schätzbaren, die Schulden übersteigenden Güter und Rechte einer Person, z. B. Eigentum an Grundstücken und bewegl. Sachen, Forderungen u.a. Rechte.

2) *Wirtschaft:* Summe aller, meist in Geld bewerteter Wirtschaftsgüter im Eigentum eines Wirtschaftssubjekts. In der Betriebswirtschaftslehre die auf der Aktivseite der Bilanz ausgewiesenen V.-Gegenstände: Anlage-V., Umlauf-V.; nach Abzug der Schulden ergibt sich das Rein-V. V. gemäß dem Bewertungs-Ges. ist die Summe der Einheitswerte des land- und forstwirtsch. V., des Grund- und Betriebs- sowie des sonstigen V. nach Abzug der Schulden und Lasten.

Vermögensabgabe, →Lastenausgleich.

Vermögensbeschlagnahme, in gesetzlich geregelten Fällen zulässige Beschlagnahme des Vermögens eines abwesenden Beschuldigten, gegen den der Erlass eines Haftbefehls möglich wäre. Die V. soll dazu führen, dass sich dieser den Strafverfolgungsbehörden stellt (§§ 290 ff, 443 StPO).

Vermögensbildung, 1) Umwandlung von Einkommen in Vermögenswerte, d. h. die Bildung von Geld und Sachvermögen durch Unternehmen sowie private und öffentliche Haushalte; 2) die durch das 5. Vermögensbildungsgesetz i. d. F. v. 4. 3. 1994 geförderte, meist tariflich vereinbarte Zuwendung vermögenswirksamer Leistungen der Arbeitgeber an Arbeitnehmer. Nach dem V.-Ges. wird dem Arbeitnehmer vom Staat eine **Arbeitnehmer-Sparzulage** von 10 % für Bausparen und 20 % für Beteiligungen am Produktivkapital gewährt, sofern sein zu versteuerndes Einkommen im Kalenderjahr der vermögenswirksamen Leistung 35 000 DM (bei Zusammenveranlagung von Ehegatten 70 000 DM) nicht übersteigt. Arbeitnehmer-Sparzulagen sind im Ggs. zu den vermögenswirksamen Leistungen nicht steuerpflichtig. Förderungsfähig sind z. B. Sparbeiträge aufgrund eines Sparvertrages über Wertpapiere u.a. Vermögensbeteiligungen, Bausparbeiträge.

Vermögensbildungsgesetze, seit Beginn der 1950er-Jahre in der Bundesrep. Dtl. erlassene Gesetze, die die private Vermögens- und Kapitalbildung einkommensschwacher Bev.schichten durch Zulagen der Arbeitgeber und steuerl. Prämien fördern sollen: u.a. Wohnungsbau-Prämien-Ges., Ges. über Bergmannsprämien, 5. Vermögensbildungsgesetz (→Vermögensbildung).

Vermögenseinkommen (Besitzeinkommen), Entgelt für die Überlassung von Finanzkapital, Boden und immateriellen Werten zur Nutzung durch andere Wirtschaftseinheiten (z. B. Zins, Pacht, Dividenden und sonstige Ausschüttungen der Unternehmen).

Vermögensgesetz, Kurzbez. für das Ges. zur Regelung offener Vermögensfragen (VermG), das seine ursprüngl. Fassung durch das V. vom 23. 9. 1990 der DDR-Volkskammer erhielt und nach Änderungen nunmehr i. d. F. v. 21. 12. 1998 vorliegt. Das V. regelt die vermögensrechtl. Ansprüche an Vermögenswerten, die in der ehem. DDR 1) entschädigungslos enteignet und in Volkseigentum überführt wurden, 2) gegen eine geringere Entschädigung enteignet wurden, als sie Bürgern der DDR zustand, 3) durch staatl. Verwalter oder nach Überführung in Volkseigentum durch den Verfügungsberechtigten an Dritte veräußert wurden, 4) auf der Grundlage des Beschlusses des Präsidiums des Ministerrates der DDR vom 9. 2. 1972 in Volkseigentum übergeleitet wurden. Ferner

Vermögensbildung: Geldvermögensbildung und Geldvermögen der privaten Haushalte in Deutschland[1] (in Mrd. DM)

	1980	1990	1991	1992	1993	1994	1995	1996
Geldanlage bei Banken	51,4	57,5	79,8	109,3	151,0	26,5	77,5	85,9
Bargeld und Sichteinlagen	3,9	16,4	14,2	41,7	35,1	15,7	23,6	33,5
Termingelder[2]	38,7	54,8	55,9	47,5	47,3	−56,6	−54,0	−38,4
Spareinlagen	8,8	−13,7	1,8	16,9	88,9	80,6	103,1	95,3
Geldanlage bei Bausparkassen	6,3	4,2	6,4	6,6	6,8	6,2	3,4	9,5
Geldanlage bei Versicherungen	22,0	41,8	52,0	60,3	69,6	74,6	86,0	86,8
Erwerb von Wertpapieren[3]	24,8	74,6	94,1	62,7	−2,3	110,3	56,9	47,3
Erwerb von Aktien	−0,9	−1,8	0,5	−3,9	−13,4	2,0	−3,4	10,5
sonstige Forderungen[4]	17,3	26,3	15,9	18,9	10,2	11,7	11,7	11,7
Geldvermögensbildung insgesamt	120,8	202,6	248,1	257,8	235,3	229,2	235,5	241,2
gesamtes Geldvermögen[5]	1475,7	2964,9	3473,7	3721,6	4109,8	4290,0	4657,1	4955,0

[1] seit 1991 einschließlich neue Bundesländer. – [2] bis 1990 einschließlich Sparbriefe. – [3] bis 1990 nur festverzinsliche Wertpapiere. – [4] hauptsächlich Ansprüche aus betrieblichen Pensionszusagen. – [5] ab 1991 Jahresbestände

erfasst das V. bebauten Grundbesitz, der aufgrund nicht kostendeckender Mieten oder daher eingetretener oder unmittelbar bevorstehender Überschuldung durch Enteignung, Verzicht, Schenkung oder Erbausschlagung in Volkseigentum übernommen wurde. Das Ges. gilt nicht für →Enteignungen nach Besatzungsrecht. Das V. stellt den Grundsatz auf, dass Enteignungen auf Antrag der früheren Eigentümer oder ihrer Rechtsnachfolger rückgängig zu machen sind. Dies wird für den Fall ausgeschlossen, dass die Rückübertragung nicht mehr möglich ist oder wenn redl. Eigentumserwerb vorliegt. In diesen Fällen ist der frühere Eigentümer zu entschädigen; dieser hat aber grundsätzlich die Wahl zw. Rückgabe und Entschädigung, bes. in den Fällen, in denen Vermögenswerte aufgrund unlauterer Machenschaften (Machtmissbrauch, Nötigung, Täuschung) erworben wurden.

Obgleich durch das Entschädigungs- und Ausgleichsleistungs-Ges. vom 23. 9. 1994 positiv-rechtlich geregelt, bleiben die Bestimmungen zu den entschädigungslosen Enteignungen, insbesondere von Grundbesitz, umstritten: Sofern eine Rückgabe des enteigneten Vermögens nach dem V. ausgeschlossen ist, erhalten die Alteigentümer Entschädigungen, deren Höhe sich bei Grundstücken nach dem Einheitswert von 1935 richtet; der erhaltene Lastenausgleich wird angerechnet. Die Entschädigungsansprüche werden durch die Übertragung von handelbaren Schuldverschreibungen erfüllt, die ab dem Jahre 2004 mit 6 % verzinst und in fünf Jahresraten eingelöst werden. Die Entschädigungen werden aus einem neu eingerichteten Entschädigungsfonds bestritten (geplantes Ausgabevolumen: rd. 1,6 Mrd. DM). →Privatisierung

Vermögenssorge, →elterliche Sorge.

Vermögensstrafe, neben Freiheits- und Geldstrafe eine Kriminalstrafe, durch die die Gewinne aus kriminellen Handlungen abgeschöpft werden sollen (§43a StGB). Bei Verurteilungen zu Freiheitsstrafen von mehr als zwei Jahren kann das Gericht zudem auf Zahlung eines Geldbetrages erkennen, der durch die Höhe des Tätervermögens begrenzt ist.

Vermögensteuer, direkte Steuer als Ergänzung der Einkommensteuer, die das Gesamtvermögen natürl. und jurist. Personen zusätzlich belastet. In Dtl. wird seit dem 1. 1. 1997 eine V. nicht mehr erhoben. Das V.-Ges., zuletzt i. d. F. v. 14. 11. 1990, ist zwar vom Gesetzgeber nicht aufgehoben worden, wird jedoch nicht vollzogen, nachdem die vermögensteuerrechtliche Bewertung von Grundbesitz vom Bundesverfassungsgericht für verfassungswidrig erklärt worden war und der Gesetzgeber bis zum 31. 12. 1996 keine verfassungskonforme Neuregelung vorgenommen hat. – In *Österreich* wurde die V. zum 1. 1. 1994 abgeschafft. In der *Schweiz* wird V. durch die Kantone und Gemeinden erhoben.

vermögenswirksame Leistungen, →Vermögensbildung.

Jules Verne

Wer reiste 1870 wirklich in 80 Tagen um die Welt?

*Der amerikanische Kaufmann, Abenteurer und Sonderling George Train (*1829, †1904). Er reiste von New York nach San Francisco, auf einem Segelschiff weiter nach Japan, von dort über Hongkong, Saigon, Singapur durch den Sueskanal nach Marseille. In Lyon kam er ein paar Tage ins Gefängnis, nahm sich dann einen Privatzug zur Kanalküste, setzte nach England über und erwischte in Liverpool gerade noch ein Schiff, das ihn wieder nach New York brachte. Drei Jahre später erschien Jules Vernes Roman, worin Train als Phileas Fogg unsterblich wurde. Noch drei weitere Male raste Train um die Erde. 1892 schaffte er es in 60 Tagen.*

Vermont [vəːˈmɔnt], Abk. **Vt.,** Staat im NO der USA, einer der Neuenglandstaaten, 24 900 km², (1995) 584 800 Ew.; Hptst. ist Montpelier. V. liegt im W-Teil der nördl. Appalachen und wird von den Green Mountains durchzogen. In der Landwirtschaft dominieren Rinderzucht und Molkereiwirtschaft; die Wälder (über 70 % der Staatsfläche) liefern Ahornsirup; wichtige Ind.zweige sind Maschinenbau, elektron., Papierind., Verarbeitung von Natursteinen; Fremdenverkehr; Staatsuniv. in der größten Stadt Burlington. – Das 1609 von S. de Champlain erkundete Gebiet von V. war zw. Franzosen (1666 Errichtung von Fort Sainte Anne) und Briten (1724 Gründung von Fort Dummer) umstritten; ab 1763 im Besitz Großbritanniens. Es konstituierte sich 1777 als eigenständiger Staat (zunächst als New Connecticut) mit der ersten nordamerikan. Verf., die die Sklaverei verbot, und schloss sich am 4. 3. 1791 als 14. Staat der Union an. BILD Vereinigte Staaten von Amerika

Vermutung, im *Recht* die Annahme einer Tatsache als wahrscheinlich wahr. Man unterscheidet widerlegbare und unwiderlegbare V., je nachdem, ob der Gegenbeweis zugelassen ist (immer dann, wenn er nicht ausdrücklich ausgeschlossen ist) oder nicht. Widerlegbar wird z. B. vermutet, dass der Besitzer einer bewegl. Sache auch deren Eigentümer sei (§1006 BGB), unwiderlegbar, dass eine Ehe gescheitert ist, wenn die Gatten drei Jahre getrennt leben (§1566 BGB).

Vernalisation [v-, lat.] *die* (Jarowisation), Einleitung der Blütenbildung, also des Übergangs einer Pflanze (z. B. Wintergetreide) aus der vegetativen in die generative Phase ihrer Entwicklung, durch Kälte.

Verne [vɛrn], Jules, frz. Schriftsteller, *Nantes 8. 2. 1828, †Amiens 24. 3. 1905; schrieb bis heute

Jules Verne

viel gelesene, häufig verfilmte utopisch-techn. Abenteuer- und Entdeckerromane, die am Beginn der →Sciencefiction stehen, u.a. »Reise nach dem Mittelpunkt der Erde« (1864), »20000 Meilen unterm Meer« (1870), »Die Reise um die Erde in 80 Tagen« (1873), »Der Kurier des Zaren« (1876). Während – vor dem Hintergrund der positivist. Zeitströmung – in den frühen Romanen der ungebrochene Glaube an den techn. Fortschritt dominiert, spiegeln die späteren eine stärkere Hinwendung zu sozialen und polit. Fragen.

📖 COSSART, A. VON: *J. V.s Lebensreise. Köln 1986.* – DEHS, V.: *J. V. Reinbek 9.–11. Tsd., [2]1993.*

Vernehmung (Verhör), im *Prozessrecht* die mündl. Befragung von Zeugen, Sachverständigen, auch der Partei selbst, ferner des Beschuldigten (→Kreuzverhör) zur Person und zu verfahrensrechtlich bedeutsamen Sachverhalten. Nach § 136 StPO ist dem Beschuldigten bei der ersten richterl. V. zu eröffnen, welche Tat ihm zur Last gelegt wird und welche Strafvorschriften in Betracht kommen; er ist auf sein Aussageverweigerungsrecht hinzuweisen sowie darauf, dass er auch erst einen Verteidiger befragen kann; ohne diesen Hinweis ist die Aussage unverwertbar. Der Vernommene darf in seiner freien Willensäußerung nicht beeinträchtigt werden, bes. nicht durch Misshandlung, Ermüdung oder Drohung. Zeugen dürfen nur sachlich relevante und keine entehrende Fragen gestellt werden. (→Parteivernehmung)

Jules Verne: Karikatur von Philippe Gill auf dem Titelblatt einer 1874 erschienenen Ausgabe der Zeitschrift »L'Eclipse«

Verner [v-], Karl, eigtl. Werner, dän. Sprachforscher, *Århus 7. 3. 1846, †Kopenhagen 5. 11. 1896; ebd. Prof. für slaw. Philologie; erkannte (vernersches Gesetz), dass bei der ersten →Lautverschiebung die indogerman. Verschlusslaute (p, t, k) sowie der Spirant (s) noch in urgerman. Zeit in stimmhafter Umgebung nur dann zu den entsprechenden stimmhaften Reibelauten (β, ð, ɣ und z) wurden, wenn nicht der indogerman. Akzent die unmittelbar vorhergehende Silbe traf. Das vernersche Gesetz erklärt auch den grammat. Wechsel beim Verb, d.h. den Wechsel d–t, h–g, s–r (z.B. in schneiden – geschnitten).

Vernetzung, 1) *Chemie:* Bez. für Reaktionen, bei denen lineare oder verzweigte →Makromoleküle gleicher oder unterschiedlicher chem. Identität miteinander zu dreidimensionalen Netzwerken verknüpft werden. V. kann durch Ausbildung von kovalenten und nichtkovalenten (z.B. koordinative, ionische) Bindungen erfolgen.

2) *Systemtheorie:* die wechselseitige Verknüpfung und Beeinflussung der Elemente eines komplexen Systems. Dabei kann es sich um natürl., techn., soziale oder ökonom. Systeme handeln, deren Elemente untereinander in Wechselwirkung stehen oder in ein Beziehungsgeflecht eingebunden sind (vernetztes System); u.a. in der öffentl. Diskussion über Ökologie, Datenverarbeitung, neue Medien und soziolog. Fragestellungen verwendeter Begriff.

Verneuil-Verfahren [vɛrˈnœj-; nach dem frz. Chemiker A. L. Verneuil, *1856, †1913], Verfahren der →Kristallzüchtung.

Vernichtungslager, von der SS ab Herbst 1941 entweder neu oder durch Erweiterung bestehender Konzentrationslager (KZ) eingerichtete Lager im besetzten Polen, die – im Unterschied zu den KZ – der systemat. Ermordung der europ. Juden dienten, in denen aber auch viele Menschen nichtjüd. Herkunft ums Leben kamen. V. entstanden in Culm (ab Herbst 1941), in Bełżec (bei Zamość; ab Nov. 1941), in Sobibór (ab März 1942) und Treblinka (ab Mai/Juni 1942); Auschwitz (KZ ab 1940, V. ab 1941) und Lublin-Majdanek (KZ ab Dez. 1941, V. ab Herbst 1942) waren dagegen Arbeitslager und V. zugleich. – Mit dem Vorrücken der sowjet. Armee wurden, um die Spuren der industriemäßig betriebenen Massenvernichtung (zunehmend perfektionierte Ermordung durch das Giftgas »Zyklon B« [Blausäure]; z.T. auch Tod durch Massenerschießungen, sadist. Quälereien, Seuchen, Hunger; daneben Zwangsarbeit) zu beseitigen, ab 1943 (zuletzt in Auschwitz ab Nov. 1944) die Tötungen eingestellt, die Vernichtungsanlagen zerstört und die V. unter erhebl. Verlusten evakuiert. Insgesamt kam in den V. mehr als die Hälfte der 6 Mio. Opfer der nat.-soz. Judenverfolgung ums Leben, der überwiegende Teil der Opfer (in Culm 152 000, in Bełżec 600 000, in Sobibór 250 000, in Treblinka zw. 700 000 und 900 000, in Lublin-Majdanek um 250 000, in Auschwitz-Birkenau etwa eine Million) waren Juden. Weiteres BILD Auschwitz

📖 *Nat.-soz. Massentötungen durch Giftgas, hg. v.* E. KOGON. *Frankfurt am Main 7.–8. Tsd. 1989. – Dimension des Völkermords. Die Zahl der jüd. Opfer des Nationalsozialismus, hg. v.* W. BENZ. *München 1996.*

Vernichtungsstrahlung, →Paarbildung.

Vernickeln, Beschichten metall. oder nichtmetall. Gegenstände mit Nickel, galvanisch in Bädern (→Galvanotechnik), die vorwiegend Nickelsulfat und -chlorid enthalten; als Korrosionsschutz, auch als Zwischenschicht vor dem Verchromen.

Vernis mou [vɛrniˈmu; frz. »weicher Firnis«] *das, Maltechnik:* Radierung, bei der durch Papier in den bes. weichen Ätzgrund gezeichnet wird, wodurch beim Druck die Härte der Linien abgeschwächt wird.

Vernissage [-ˈsaːʒ(ə), frz.] *die,* Eröffnung einer Ausstellung mit Werken eines lebenden bildenden Künstlers.

Vernon [vɛrˈnɔ̃], Konstanze, Tänzerin und Ballettpädagogin, *Berlin 2. 1. 1939; 1962–80 Primaballerina an der Bayer. Staatsoper in München; Leiterin der von ihr gegr. Ballettakademie des Freistaates Bayern und Direktorin des 1989 von ihr gegr. Bayer. Staatsballetts in München.

Vernunft, allg. das Denkvermögen, die Einsicht; in der *Philosophie* nach I. Kant das Vermögen der Ideenbildung, die geistige Fähigkeit des Menschen, alle Einzelerfahrungen auf regulative Ideen wie »Welt«, »Seele« usw. hin zu orientieren und sie dadurch zu einer Gesamterfahrung zusammenzuschließen; demgegenüber gilt der Verstand als das Vermögen der Begriffsbildung. (→Rationalismus)

📖 MITTELSTRASS, J.: *Neuzeit u. Aufklärung. Berlin u. a. 1970.* – GADAMER, H.-G.: *V. im Zeitalter der Wissenschaft. Frankfurt am Main 1991.*

Verödung (Obliteration), *Medizin:* 1) Verschluss von Hohlräumen, Gängen und Gefäßen, z. B. infolge Entzündung oder Arteriosklerose; 2) →Venenverödung.

Verona, 1) Provinz in N-Italien, Venetien, 3 097 km², (1995) 799 600 Einwohner.

2) Hauptstadt von 1), beiderseits der Etsch, am Ausgang in die Poebene, 254 700 Ew.; Bischofssitz; zwei Fakultäten der Univ. Padua; Bibliotheken, Museen, mehrere Theater, jährl. Opernfestspiele

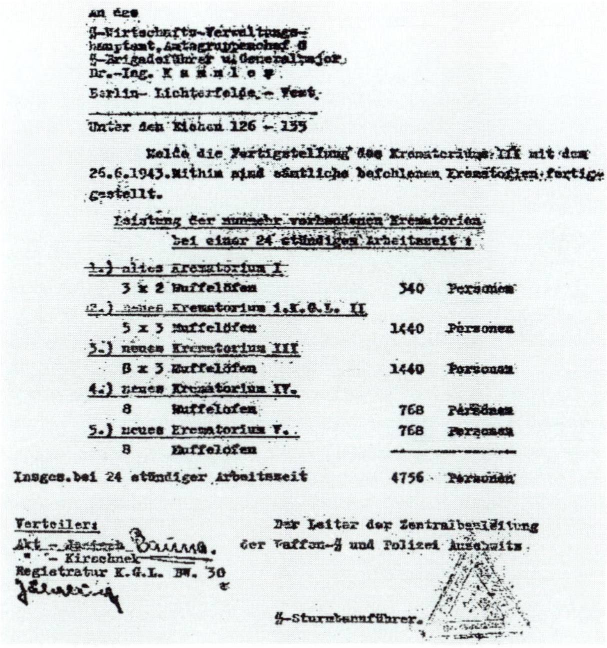

An den
SS-Wirtschafts-Verwaltungs-
hauptamt, Amtsgruppenchef C
SS-Brigadeführer u. Generalmajor
Dr.-Ing. K a m m l e r
Berlin - Lichterfelde - West.

Unter den Eichen 126 - 135

Melde die Fertigstellung des Krematoriums III mit dem 26.6.1943. Mithin sind sämtliche befohlenen Krematorien fertiggestellt.

Leistung der nunmehr vorhandenen Krematorien
bei einer 24 stündigen Arbeitszeit:

1.) altes Krematorium I
3 x 2 Muffelöfen 340 Personen
2.) neues Krematorium i.K.G.L. II
5 x 3 Muffelöfen 1440 Personen
3.) neues Krematorium III
5 x 3 Muffelöfen 1440 Personen
4.) neues Krematorium IV.
8 Muffelöfen 768 Personen
5.) neues Krematorium V. 768 Personen
8 Muffelöfen

Insges. bei 24 stündiger Arbeitszeit 4756 Personen

Verteiler:
Akt - [illegible]
" - Kirschnek
Registratur K.G.L. BW. 30

Der Leiter der Zentralbauleitung
der Waffen-SS und Polizei Auschwitz

SS-Sturmbannführer.

Vernichtungslager: Das 1993 aus einem russischen Archiv freigegebene Dokument gibt die von der Zentralbauleitung in Auschwitz 1943 errechnete Vernichtungskapazität der Krematorien wieder

in der röm. Arena (BILD Oper); Agrarhandel, Maschinen- und Waggonbau, Textil-, Nahrungsmittel- u. a. Ind., graf. Betriebe und Verlage; Landwirtschaftsmesse, Pferdemesse, internat. Weinmesse (Vinitaly); bed. Fremdenverkehr; Flugplatz. – V. besitzt ein röm. Amphitheater (Arena, 1. Jh.), ein röm. Theater (aus der Zeit des Augustus), röm. Stadttore; Kathedrale Santa Maria Matricolare (12. und 15./16. Jh.), zahlr. weitere Kirchen, darunter die roman. Kirche San Zeno Maggiore (11. Jh.) mit hohem Campanile, die got. Kirchen Sant' Anastasia (13.–15. Jh.) und San Fermo Maggiore (Unterkirche 11./12. Jh., Oberkirche 13./14. Jh.); Palazzo della Ragione (1193, später verändert, Hauptfassade von 1524), Casa di Giulietta (13. Jh.), Loggia del Consiglio (15. Jh.), unweit die roman. Kirche Santa Maria Antica mit den Scaligergräbern (14. Jh.). Scaligerburg Castelvecchio (1354–75, Museum) und -brücke (Nachbildung der 1945 gesprengten Brücke von 1355 mit Torturm von 1375) bilden eine Einheit. – V., urspr. eine kelt. Siedlung, wurde 89 v. Chr. röm. Kolonie, später eine der Residenzen Theoderichs d. Gr. (→Dietrich von Bern). Seit dem 10. Jh. gehörte die Mark V. zum Herzogtum Kärnten; seit dem 12. Jh. freie Kommune, beteiligt an der Gründung des Lombard. Städtebundes 1164. Unter →Ezzelino da Romano war es in stauf. Hand. 1259–1387 übte die Familie Della Scala (Scaliger)

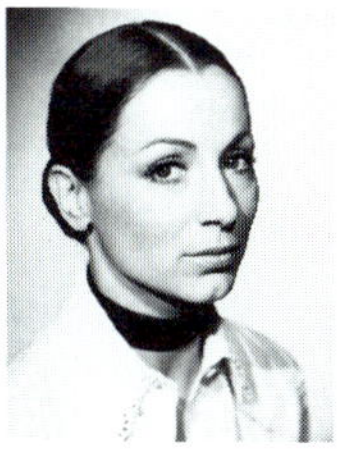

Konstanze Vernon

Verona 2)
Stadtwappen

Verona 2): Die Ponte Pietra über die Etsch geht auf eine in augusteischer Zeit errichtete Steinbrücke zurück; sie wurde nach der Sprengung 1945 originalgetreu wieder aufgebaut; im Hintergrund links ist die Kathedrale Santa Maria Matricolare zu sehen

die Stadtherrschaft aus; 1387 kam V. an die Visconti von Mailand, 1405 an Venedig. Mit diesem wurde es 1797 österreichisch (starke Festung), 1866 fiel V. an das Königreich Italien.

Veronese [v-], Paolo, italien. Maler, →Paolo Veronese.

Veroneser Klause [v-] (Berner Klause, italien. Chiusa di Verona), von der Etsch durchströmter Engpass der Südalpen in Italien, 18 km nordwestlich von Verona (alter dt. Name »Bern«), mit Straße und Bahnlinie Brenner–Verona.

Veronika [v-], legendäre Frauengestalt um Jesus; überreicht nach der V.-Legende (4. Jh.) dem kreuztragenden Jesus ihren Schleier, damit er sich sein Gesicht abtrockne, worauf sein Gesichtsabdruck darauf zurückblieb **(Schweißtuch der hl. V.)**. Heilige; Tag: 4. 2.

Verordnung, *Recht:* 1)→Rechtsverordnung; 2) im europ. Gemeinschaftsrecht ein auf Art. 189 Abs. 2 des EG-Vertrages fußender, von Rat oder Kommission erlassener verbindl. Rechtsakt mit allg. und unmittelbarer Geltung in den Staaten der EU.

Verpackung, Umhüllung von Waren mit Papier, Pappe, Kunststoffen, Holz, Textilien, Metall-, Kunststofffolien, Blech, Glas zum Schutz gegen Verderb, Schmutz oder Beschädigung (häufig auch Werbemittel). Unterschieden werden **Verkaufs-V.** (z.B. verschweißte Folien), **Um-V.** (Pappschuber bei Büchern, Schuhkartons u.a.) und **Transport-V.** (Fässer, Paletten u.a.). Verpackt wird in versch. Formen (u.a. Beutel, Dosen, Tuben, Kanister), von Hand oder mit V.-Maschinen. Gasfeste Folienbeutel (bes. bei der Vakuum-V.) erhöhen die Haltbarkeit der Waren (Lebensmittel, Medikamente). Der Reduzierung des V.-Abfalls dient die →Verpackungsverordnung.

Verpackungsverordnung, VO über die Vermeidung von Verpackungsabfällen vom 12. 6. 1991; danach sollen Verpackungen aus umweltverträgl. und die stoffl. Verwertung nicht belastenden Materialien hergestellt werden und so beschaffen sein, dass sie möglichst wieder verwendet werden können (Mehrwegverpackungen). Die V. enthält für die versch. Verpackungsstoffe konkrete Wiederverwertungsquoten. Neben dem vorrangigen Recycling läßt die V. aber auch eine energet. Verwertung zu, also eine Verbrennung und gezielte Nutzung der anfallenden Wärme. Um eine generelle Rücknahmeverpflichtung für den Handel zu vermeiden, wurde die →Duales System Deutschland GmbH aufgebaut.

Verpfändung, Bestellung eines →Pfandrechts.

Verpflichtungsklage (Vornahmeklage), verwaltungsgerichtl. Leistungsklage auf Verurteilung zum Erlass eines abgelehnten oder unterlassenen Verw.-Akts (§ 42 Verwaltungsgerichtsordnung). Hat die Behörde dem Antragsteller (noch) keinen Bescheid erteilt, spricht man von **Untätigkeitsklage.**

Verpuffung, selbstständige Flammenfortpflanzung in explosionsfähiger Atmosphäre (→Explosion) oder in einem Explosivstoff mit Geschwindigkeiten unterhalb der Schallgeschwindigkeit (→Deflagration).

Verpuffungsstrahltriebwerk, ein →Strahltriebwerk.

Verpuppen, Entwicklungsvorgang bei Insekten (→Puppe).

Verputz, *Bautechnik:* angeworfener (»Bewurf«), abgezogener und geglätteter Mörtel als Deckschicht am Rohbau (→Putz).

Verrat, schwerer Treubruch, Preisgabe von Geheimnissen; →Betriebsgeheimnis, →Hochverrat, →Landesverrat, →Spionage, →Staatsgeheimnisse.

Verrechnung, Ausgleich von Forderungen und Verbindlichkeiten zw. zwei oder mehreren Wirtschaftssubjekten (→Abrechnungsverkehr, →Aufrechnung, →Clearing).

Verrechnungseinheit, Abk. **VE,** in internat. Zahlungsabkommen vereinbarte Währungseinheit, zu der unabhängig von Kursschwankungen zu leistende Zahlungen zw. den beteiligten Ländern abgerechnet werden.

Verrechnungspreise, *Rechnungswesen:* preis- oder kostenorientierte Rechnungsziffern zur Vereinfachung und Erleichterung der innerbetriebl. Abrechnung und zur Ausschaltung von Marktpreisschwankungen.

Verrenkung (Luxation), meist durch Unfall hervorgerufene gewaltsame Verschiebung gelenkbildender Knochenenden gegeneinander über das normale Bewegungsmaß hinaus; dabei kommt es häufig zu einer Kapsel- und Bandzerreißung.

Kennzeichen sind neben einer schmerzhaften Schwellung und Einschränkung der Beweglichkeit die Fehlstellung der betroffenen Gliedmaße und die Lagerung des Gelenkkopfs außerhalb der Pfanne (Auskugelung). Die *Behandlung* besteht in der möglichst frühzeitigen gewebeschonenden Wiedereinrichtung (Reposition) und anschließender Ruhigstellung des Gelenks im Gipsverband zur Ausheilung der Kapselbandverletzung.

Verrichtungsgehilfe, Hilfsperson, die von einer anderen, dem »Geschäftsherrn«, zur Erledigung einer Aufgabe (Verrichtung) bestellt ist. Der Geschäftsherr ist nach §831 BGB zum Schadensersatz wegen unerlaubter Handlungen verpflichtet, wenn der V. in Ausführung seiner Verrichtung widerrechtlich einem Dritten Schaden zufügt. Anders als beim Erfüllungsgehilfen (der in einem vertragl. Schuldverhältnis zw. Geschäftsherrn und Geschädigtem tätig ist, →Erfüllung) kann sich der Geschäftsherr durch den Nachweis sorgfältiger Auswahl des V. oder durch den Nachweis, dass der Schaden auch trotz dieser Sorgfalt entstanden wäre, von der Schadensersatzpflicht befreien.

Verrocchio [ver'rɔkkjo], Andrea del, eigtl. A. di Cioni, italien. Bildhauer und Maler, *Florenz um 1435/36, †Venedig 7. 10. 1488; einer der bedeutendsten Bildhauer der florentin. Frührenaissance, schuf in spannungsreich bewegten Formen Bronze-, Marmor- und Tonbildwerke. Zu seinen Hauptwerken gehören das Bronzestandbild des »David« (um 1465/75; Florenz, Museo Nazionale del Bargello), die Bronzegruppe des ungläubigen Thomas in einer Außennische von Or San Michele in Florenz (aufgestellt 1483), das Reiterdenkmal des →Colleoni in Venedig, das Gemälde »Taufe Christi« (unter Mitarbeit Leonardo da Vincis; um 1470–80; Florenz, Uffizien). Weiteres BILD Colleoni

Ver|rohrung, *Bergbau:* die teleskopartige Auskleidung einer Bohrung mit Stahlrohren in nichtstandfesten Gesteinen.

Verrucano [v-; nach dem Berg Verruca bei Pisa], *Geologie:* vom Oberkarbon bis in die untere Trias gebildete, vorwiegend bunt gefärbte, schlecht sortierte, feldspathaltige, konglomerat. Sandsteine in den Alpen und im Apennin.

Vers [f-; lat. versus, eigtl. »das Umwenden (der Erde durch den Pflug)«] *der,* durch Metrum, Rhythmus, Zäsuren gegliederte, eine bestimmte Anzahl von Silben, oft einen Reim aufweisende Zeile einer Dichtung in gebundener Rede (v.a. in Gedicht, Drama, Epos). Die Lehre von den Gesetzmäßigkeiten des V.-Baus und den V.-Maßen ist die →Metrik. – V. kann auch die Bedeutung →Strophe eines Gedichtes oder Liedes haben.

Ver sacrum [v-, lat.] *das,* nach altitalischem Brauch der in besonderer Not den Göttern (Mars, Jupiter) geweihte »heilige Frühling«; in dieser Zeit geborenes Vieh wurde geopfert, Kinder wurden nach ihrem Heranwachsen zur Auswanderung gezwungen.

Versailler Vertrag [vɛr'zajər-], wichtigster der Pariser Vorortverträge, die 1919/20 den 1. Weltkrieg auch völkerrechtlich beendeten. Der V. V. wurde am 28. 6. 1919 im Versailler Schloss zw. dem Dt. Reich und 27 alliierten und assoziierten Mächten unterzeichnet und trat am 10. 1. 1920 in Kraft. Der Schwerpunkt der Verhandlungen war beim »Rat der Vier« (W. Wilson, D. Lloyd George, G. Clémenceau, V. Orlando) gelegen. Versch. Länder ratifizierten ihn jedoch nicht oder beendeten den Kriegszustand mit dem Dt. Reich durch besondere Verträge (v.a. die USA 1921). – Der V. V. umfasste 440 Artikel in 15 Teilen. Teil I enthielt die Satzung des Völkerbunds (ohne dass damit das Dt. Reich dessen Mitgl. wurde). Die Teile II und III legten die neuen Grenzen Dtl.s und die polit. Bestimmungen über Europa fest. Dtl. verlor durch Gebietsabtretungen 70579 km^2 Territorium mit etwa 7,3 Mio. Ew.: Moresnet und – nach einer strittigen Volksbefragung – Eupen-Malmedy fielen an Belgien; Luxemburg schied aus dem Dt. Zollverein aus und verlor seinen neutralen Status; das Elsass und Lothringen kamen ohne Abstimmung an Frankreich; fast ganz Westpreußen, die Prov. Posen, das Gebiet um Soldau und Teile Pommerns fielen an Polen (Poln. Korridor); Danzig wurde als Freie Stadt dem Schutz des Völkerbunds unterstellt; das Memelland kam unter alliierte Verwaltung; das Hultschiner Ländchen fiel an die Tschechoslowakei. Volksabstimmungen wurden für die

Andrea del Verrocchio: »David«, Bronze, Höhe 126 cm (um 1465/75; Florenz, Museo Nazionale del Bargello)

Versailler Vertrag: Wesentlichen Anteil an der Gestaltung des Versailler Vertrags hatte der aus (von rechts) Woodrow Wilson, Georges Clémenceau, Vittorio Orlando und David Lloyd George bestehende »Rat der Vier«

sog. →Abstimmungsgebiete vorgesehen. Sie führten zur Teilung Oberschlesiens, wobei die kohlenreichen Gebiete im SO an Polen kamen, und zur Abtretung Nordschleswigs an Dänemark. Das

Versailler Vertrag

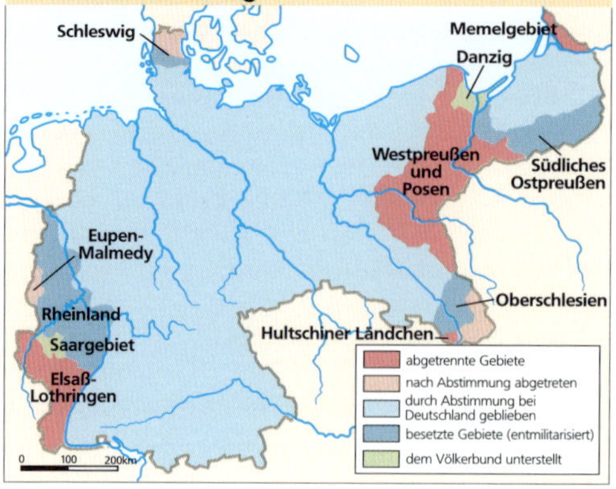

Saargebiet wurde für 15 Jahre vom Völkerbund verwaltet und konnte danach über seinen Status entscheiden. Der von der Rep. Österreich proklamierte Anschluss an das Dt. Reich wurde untersagt (Art. 80). Art. 42–44 bestimmten die linksrhein. Gebiete und einen 50 km breiten Streifen rechts des Rheins zu einer entmilitarisierten Zone, in der bestehende Festungen geschleift und dt. Garnisonen aufgelöst werden mussten. Teil IV legte die Übergabe der Kolonien als Mandate an den Völkerbund fest. Teil V enthielt militär. Bestimmungen: Das Heer wurde auf 100 000 Mann, die Marine auf 15 000 Mann mit geringem Schiffsbestand beschränkt; Wehrpflicht, Generalstab und Kriegsakademie wurden abgeschafft. Die Teile VIII und IX behandelten die dt. Reparationen. Sie wurden mit der in Art. 231 genannten dt. Alleinschuld am 1. Weltkrieg begründet. In den Teilen X–XII musste das Dt. Reich der Konfiskation des dt. Eigentums und sonstiger Rechte im Ausland, dem Meistbegünstigungsrecht für die alliierten Staaten ohne Gegenseitigkeit, der Beschränkung der dt. Eisenbahnhoheit sowie der Privilegierung der Alliierten in der Luftfahrt und den dt. Häfen und der Internationalisierung der dt. Flüsse zustimmen. Teil XIV bestimmte den Rückzug der dt. Truppen aus den ehem. russ. Gebieten und die alliierte Besetzung des Saargebietes sowie des linken Rheinufers (rechtsrhein. Brückenköpfe bei Köln, Koblenz und Mainz für 15 Jahre).

Bei aller materiellen Belastung beließen die Bedingungen des V. V. dem Dt. Reich dennoch den Status einer potenziellen Großmacht. Die Forderung nach Revision des V. V. galt in der dt. öffentl. Meinung grundsätzlich als außenpolit. Ziel; so fanden die antidemokrat. Kräfte von rechts wie links im »Diktat von Versailles« einen entscheidenden Ansatzpunkt für ihre Agitation gegen die den V. V. billigenden polit. Kräfte der Weimarer Rep. Nachdem bereits viele Artikel revidiert bzw. umgangen worden waren, erfolgte nach 1933 der offene Bruch des Vertrages durch die nat.-soz. Reg.; durch einseitiges Aufkündigen am 30. 1. 1937 wurde der V. V. auch offiziell beendet.

📖 *Der Vertrag von Versailles, Beiträge v.* S. Haffner *u. a. Neuausg. Frankfurt am Main u. a. 1988.*

Versailles
Stadtwappen

Versailles [vɛrˈzaɪ, frz. vɛrˈsɑːj], Hptst. des Dép. Yvelines, Frankreich, südwestlich von Paris, 91 000 Ew.; Fachhochschule für Gartenbau, landwirtsch. Forschungsinstitut; Museen; bed. Fremdenverkehr; elektron., chem. u.a. Industrie. – V. war 1682–1789 Residenz der frz. Könige. Seit 1661 ließ Ludwig XIV. das kleine Jagdschloss Ludwigs XIII. zum Komplex des **Schlosses von V.** erweitern, anfangs unter der Leitung von L. Le Vau, seit 1678 von J. Hardouin-Mansart, mit den Prunk- und Wohnräumen Ludwigs XIV., der Spiegelgalerie (Dekoration von C. Le Brun, vollendet 1686) und der Schlosskapelle (1710 von R. de Cotte vollendet); im Park (seit 1661 von A. Le Nôtre angelegt) die Lustschlösser →Trianon. König Louis Philippe ließ das Schloss nach einer Zeit des Verfalls 1833–37 als Nationalmuseum wiederherstellen. V. ist die größte Schlossanlage in Europa und wurde richtungweisendes Vorbild für die Residenzanlagen des übrigen Europa. Von der UNESCO wurden Schloss und Park zum Weltkulturerbe erklärt. (Weitere Bilder Ehrenhof, Gabriel, Jacques-Ange). – 1789 war V. Versammlungsort der frz. Generalstände; 1870/71 dt. Hauptquartier und Ort der Kaiserproklamation (→deutsche Geschichte); 26. 2. 1871 Vorfriede von V. (→Deutsch-Französischer Krieg 1870/71). 1871–79 war V. Tagungsort der Frz.

Versailles

Lag es nun am absoluten Willen eines absolutistischen Herrschers oder am Leichtsinn seiner Baumeister – jedenfalls wurde das Schloss des Sonnenkönigs Ludwig XIV. in Versailles an einem Ort errichtet, wo es an Wasser mangelte. Also baute man mit riesigen Summen die Maschine von Marly, ein gigantisches Wasserhebewerk an der Seine, das Versailles und die Orte Marly und Trianon mit Wasser versorgte.
*Dazu konstruierte der Mechaniker René Sualem (*1645, †1708) an der Seine vierzehn Wasserräder. Diese trieben 221 Saug- und Druckpumpen über Gelenkstangen an. So wurde das Flusswasser in drei Stufen um 154 m in die Höhe und 1300 m weit zu einem Aquädukt gepumpt, in dem es nach Versailles floss. Dieses wassergetriebene Hebewerk am Hang von Louveciennes wurde zwischen 1681 und 1684 errichtet und war eine technische Meisterleistung des 17. Jahrhunderts sowie ein letztes großes Beispiel einer Ingenieurkunst, die das Wasser als ihr wesentliches Antriebselement in kunstreicher Weise einzusetzen wusste.*

Nationalversammlung; am 28. 6. 1919 wurde der →Versailler Vertrag unterzeichnet.

📖 *V., mit Beiträgen v.* J.-M. Pérouse de Montclos *u.* R. Polidori. *Köln 1996.*

Versalilen [v-; zu lat. versus »Vers«], die Großbuchstaben des Alphabets.

Versammlungsfreiheit, als wesentl. Grundrecht jedes freiheitl. Staates das Recht der Staatsbürger, sich gemeinsam zu einem bestimmten Zweck in einem geschlossenen Raum oder unter freiem Himmel zu versammeln. – In Dtl. haben alle Deutschen das Recht, sich ohne Anmeldung oder Erlaubnis friedlich und unbewaffnet zu versammeln (Art. 8 Abs. 1 GG). Beschränkungen der V. (bei Versammlungen in geschlossenen Räumen nur in Ausnahmefällen möglich) sind im Versammlungs-Ges. i.d.F.v. 15. 11. 1978 geregelt. Öffentl. Versammlungen unter freiem Himmel sowie Auf- und Umzüge (→Demonstration) sind mit Ausnahme von Spontanversammlungen aus akutem Anlass vorher anzumelden. Versammlungen, die die öffentl. Sicherheit und Ordnung gefährden, können aufgelöst werden; das Tragen von Waffen und Uniformen ist verboten. – In *Österreich* besteht V. nach Art. 12 Staatsgrund-Ges. vom 21. 12. 1867, näher bestimmt im Versammlungs-Ges. 1953. In der *Schweiz* wird die V. als ungeschriebenes Verfassungsrecht anerkannt.

Versandhandel, Form des Direktvertriebs; im funktionellen Sinn die Tätigkeit von Einzel- und Großhandelsbetrieben sowie teilweise auch Herstellern, Waren aus fremder oder eigener Produktion sowie versch. Dienstleistungen durch Kataloge, Prospekte, Anzeigen, im Internet oder über Kontaktstellen (Sammelbesteller, Vertreter im Nebenberuf, Katalogschauräume, Verkaufsagenturen, Verkaufsausstellungen) anzubieten, Bestellungen entgegenzunehmen, die bestellten Waren über Verkehrsbetriebe, auf dem Postweg, durch eigene Transportmittel oder über die Kontaktstellen auszuliefern. V. im institutionellen Sinn ist eine Handelsbetriebsform, die ihre Waren ausschließlich oder überwiegend auf dem Versandweg absetzt. Diese Handelsbetriebe kommen vornehmlich im Einzelhandel vor **(Versandgeschäfte, Versandhäuser).**

Versatz, *Bergbau:* Füllmaterial (taubes Gestein, Kesselasche u.Ä.) für ausgeräumte Grubenbaue zur Einsturzsicherung.

Versatzstück (Setzstück, Versetzstück), *Theater:* bewegl., versetzbares Teil der Bühnenausstattung.

Versäumnis (Säumnis), das Nichterscheinen oder Nichtverhandeln einer ordnungsgemäß geladenen Partei in einem festgesetzten mündl. Verhandlungstermin (→Versäumnisverfahren). Die **Versäumung** sonstiger Prozesshandlungen hat meistens zur Folge, dass die Partei von der Vor-

Versailles: In der 1686 vollendeten Spiegelgalerie haben die hohen, halbrund schließenden Fenster an der Gartenseite (rechts) ihr entsprechendes Gegenbild in den Spiegeln an der Wandseite; das Motiv der Spiegel wurde hier zum ersten Mal als Prinzip für die Wanddekoration einer Galerie angewendet

nahme der Prozesshandlung ausgeschlossen wird (→Wiedereinsetzung in den vorigen Stand). – Bei wesentl. Überschreitung einer steuerl. Zahlungsfrist entsteht kraft Gesetzes und verschuldensunabhängig ein **Säumniszuschlag** in Höhe von 1% für jeden angefangenen Monat der Säumnis.

Versäumnisverfahren, *Zivilprozess:* Verfahren, das bei Versäumnis einer Partei stattfindet. Auf Antrag der erschienenen Partei ergeht gegen die nicht erschienene das **Versäumnisurteil:** gegen den nicht erschienenen Kläger auf Klageabweisung, gegen den Beklagten auf Verurteilung, soweit das Vorbringen der das Versäumnisurteil beantragenden Partei schlüssig ist. Hiergegen steht der säumigen Partei der Einspruch zu (Frist zwei Wochen ab Zustellung), durch den der Prozess in die Lage vor Eintritt der Versäumnis zurückversetzt wird (§§ 330–347 ZPO).

Verschiebung, 1) *Geologie:* Bewegung eines Erdkrustenteils entlang einer Verwerfungsfläche.

2) *Mathematik:* die →Translation.

3) *Musik:* beim Klavier ein Pedalzug zur Dämpfung des Tones (una corda).

4) *Physik:* ([di]elektr. V., V.-Fluss[dichte]) die →elektrische Flussdichte.

Verschiebungsstrom, →Elektrizität.

Verschleimung, vermehrte Schleimabsonderung im Bereich der Luftwege, v.a. bei Bronchitis.

Verschleiß, bleibende Form- und/oder Stoffänderung von festen Körpern durch Reibung; **adhäsiver V.** entsteht durch punktweises Verschweißen oder Adhäsion der Reibpartner; **abrasiver V.**

durch Reibung; **korrosiver V.** durch chem. Umsetzungen; **Ermüdungs-V.** durch wiederholte elast. oder plast. Verformungen der Oberflächenschichten. (→Kavitation)

Verschleppte, (gewaltsam) aus ihrer Heimat bzw. von ihrem Aufenthaltsort verbrachte Personen, v.a. in Kriegszeiten (z.B. →Displaced Persons; →Zwangsarbeit).

Verschleppung, Straftat, die begeht, wer einen anderen durch List, Drohung oder Gewalt in ein Gebiet außerhalb Dtl.s verbringt oder veranlasst, sich dorthin zu begeben, oder davon abhält, von dort zurückzukehren, und ihn dadurch der Gefahr aussetzt, aus polit. Gründen in Widerspruch zu rechtsstaatl. Grundsätzen Schaden zu erleiden. V. ist, außer in minder schweren Fällen, mit Freiheitsstrafe nicht unter einem Jahr bedroht. Auch die Vorbereitung einer V. ist strafbar (§234a StGB).

Verschluss, 1) *Fotografie:* Einrichtung an Kameras zur zeitl. Steuerung der Belichtung. Der **Zentral-V.** wird in das Objektiv oder dicht dahinter eingebaut. Beim »Auslösen« wird von mehreren Lamellen vom Zentrum aus beginnend eine (runde) Öffnung freigegeben und wieder geschlossen. Das erfolgt durch eine Spannfeder, elektromagnetisch oder auch elektronisch. Die kürzesten Belichtungszeiten liegen zw. $1/_{500}$ bis $1/_{1000}$ s. Der **Schlitz-V.** mit kürzesten Belichtungszeiten zw. $1/_{8000}$ bis $1/_{12000}$ s besteht meist aus zwei gelenkig miteinander verbundenen Lamellen (aus Titan), die dicht vor der fotograf. Schicht vorbeigezogen werden. Die Belichtung erfolgt streifenweise, was z.B. zur verzerrten Abbildung sich schnell bewegender Objekte führen kann. Ein **Synchron-V.** wird für Blitzaufnahmen benötigt. Der X-Kontakt löst zur Volloffenzeit des V. den Blitz aus, der M-Kontakt löst ihn kurz vorher aus, damit der Blitz in die Volloffenheit trifft, der F-Kontakt erfüllt diesen Zweck für Schlitzverschlüsse. – Für Highspeedfotografie benötigte V. mit Öffnungszeiten bis herab zu 10^{-9} s nutzen optisch-magnet. **(Kerr-V.)** und optisch-elektr. Effekte **(Faraday-V.)** zum Schalten des Strahlungsflusses aus.

2) *Waffentechnik:* der den Lauf oder das Rohr nach hinten abschließende bewegl. Teil der Hinterlader, bei Handfeuerwaffen meist **Schloss** genannt.

Verschlusslaut, *Sprachwiss.:* →Laut.

Verschmelzungsniere, die →Hufeisenniere.

verschneiden, versch. Weinsorten zur Geschmacks- und Qualitätsverbesserung miteinander mischen. Das Ergebnis heißt **Verschnitt.** Bei Branntwein muss der namengebende Bestandteil in Geruch und Geschmack noch deutlich erkennbar sein.

Verschollenheit, →Todeserklärung.

Verschulden, 1) *Strafrecht:* →Schuld.

2) *Zivilrecht:* die Beurteilung menschl. Verhaltens als objektiv pflichtwidrig und vorwerfbar und damit als Schuld. Die beiden Formen des V. sind →Vorsatz und →Fahrlässigkeit (§276 BGB). Der Schuldner hat grundsätzlich für jedes V. einzustehen, d.h. Schadensersatz zu leisten, es sei denn, ihm kann die Verletzung seiner Pflichten mangels Schuldfähigkeit nicht zugerechnet werden. Die Schuldfähigkeit ist bei Minderjährigen bzw. bei Personen, die sich in einem Zustand der krankhaften Störung der Geistestätigkeit befinden, ausgeschlossen bzw. eingeschränkt (§§827, 828 BGB, →Deliktsfähigkeit). Ein V. des gesetzl. Vertreters und des Erfüllungsgehilfen im Rahmen eines bestehenden Schuldverhältnisses hat der Schuldner wie eigenes V. zu vertreten (§278 BGB). Trifft den Geschädigten bei der Entstehung des Schadens selbst ein V. **(Mit-V.),** so ist bei der Höhe des Schadensersatzes sein V. mit zu berücksichtigen. (→Verrichtungsgehilfe) – In *Österreich* und der *Schweiz* gilt Entsprechendes.

Verschuldungsgrenze, nicht exakt definierbare Grenze, bis zu der sich ein Staat verschulden kann. I.d.R. zeigt sich die V. erst in den Folgewirkungen staatl. Schuldenaufnahme (z.B. Gefährdung des Konjunktur- und Preisstabilisierungsziels). Mögl. Indikatoren zur Beschreibung und Beurteilung der Verschuldungssituation sind die **Verschuldungsquote** (Anteil der Staatsverschuldung an den Gesamtausgaben des Staates bzw. am Bruttosozialprodukt), der **Zinsendienstkoeffizient** (Verhältnis zw. Zinsverpflichtungen eines Staates und dem Steueraufkommen) sowie die **Zinsausgabenquote** (Belastung der Ausgabenseite des öffentl. Haushalts durch den Zinsendienst). Gesetzl. Vorschriften zur V. in Dtl. finden sich in §20 Bundesbank-Ges. und §6 Stabilisierungsgesetz.

Verschwörung, →Komplott.

Verseifung, urspr. die hydrolyt. Spaltung der Fette (Glycerin-Fettsäure-Ester) durch Kochen mit wässrigen Alkalien zu Glycerin und Seifen (Alkalisalze der Fettsäuren). Der Begriff wird heute allgemein für die hydrolyt. Spaltung von Estern zu Säuren und Alkoholen verwendet. Die V. ist die der →Veresterung entgegengesetzte Umsetzung und steht mit dieser im Gleichgewicht.

Versender, im Speditionsgeschäft derjenige, für dessen Rechnung der Spediteur die Versendung (Beförderung von Ort zu Ort) der Güter betreibt.

Versendungskauf, Kauf, bei dem der Verkäufer die zusätzl. Pflicht übernimmt, die verkaufte Sache auf Verlangen des Käufers nach einem anderen Ort als dem Erfüllungsort zu versenden (§447 BGB). Mit Auslieferung der Kaufsache an die mit der Versendung beauftragte Person (Spediteur,

Frachtführer) geht die Gefahr des zufälligen Untergangs oder der Beschädigung der Sache auf den Käufer über.

Versenkung, *Theater:* Teil der Untermaschinerie der Bühne: ein Versenkpodium, mit dem Personen oder Gegenstände durch einen Ausschnitt des Bühnenpodiums hinabgelassen oder emporgehoben werden können.

Vers|erzählung [f-], Kurzerzählung in Versen; im MA. z.B. Bispel, Fabliau, Lai; auch beliebtes Genre der Romantik.

Versetzung, 1) *Physik:* linearer Gitterbaufehler in Kristallen.

2) *Recht:* arbeitsrechtlich die längerfristige Zuweisung eines anderen Arbeitsbereichs, die voraussichtlich einen Monat überschreitet oder die mit einer erhebl. Änderung der Arbeitsumstände verbunden ist. Keine V. sind die berufsbildlich übl. Wechsel des Leistungsorts, z.B. bei Monteuren. Bei V. hat der Betriebsrat ein Mitbestimmungsrecht. Im Beamtenrecht bezeichnet V. die auf Dauer bestimmte Übertragung eines neuen Amtes bei einer anderen Dienststelle. Während auch ohne Zustimmung des Beamten die V. innerhalb des Dienstbereichs seines Dienstherrn grundsätzlich zulässig ist, bedarf die V. in den Bereich eines anderen Dienstherrn seiner Zustimmung.

Versetzungszeichen, *Musik:* Zusatzzeichen vor den Noten, die die chromat. Erhöhung und Erniedrigung eines Tons (Stammtons) der Grundtonleiter oder die Wiederherstellung der ursprüngl. Tonhöhe anzeigen. Ein V. gilt für den ganzen Takt. Das Kreuz (Diesis, ♯) erhöht um einen Halbton, das Doppelkreuz (𝄪) um zwei Halbtöne; B (♭) erniedrigt um einen Halbton, Doppel-b (𝄫) um zwei Halbtöne; das Auflösungszeichen (♮) hebt bisherige Erhöhung und Erniedrigung auf.

Versfuß [f-], →Metrik (ÜBERSICHT).

Versicherung, Deckung eines durch zufällige Ereignisse hervorgerufenen schätzbaren Bedarfs unter (organisierter) Verteilung auf zahlr., gleichartig bedrohte Wirtschaftseinheiten oder Personen (Atomisierung des Risikos). Der Eintritt und die Höhe der Bedarfsfälle (z.B. der Schäden) lassen sich umso sicherer berechnen, je größer die Zahl der zu einer Gefahrengemeinschaft vereinigten Einheiten ist (Gesetz der großen Zahlen).

Arten und Unternehmensformen: Die V. gliedert sich in die →Sozialversicherung und die meist freiwillige Individual-V. (Assekuranz). Weitere Einteilungen sind: Personen-V., Sach- u.a. Vermögens-V., ferner Schaden- und Summen-V. (der Versicherer hat nach dem V.-Fall den vereinbarten Betrag an Kapital oder Rente zu zahlen). Die Mischformen zw. diesen V.-Arten sind vielgestaltig. Die **Individual-V.** liegt in den Händen von AGs, →Versicherungsvereinen auf Gegenseitigkeit (VVaG) sowie öffentlich-rechtl. V.-Anstalten. Für die Lebens-, Unfall-, Haftpflicht-, Feuer- und Hagel-V. sind in Dtl. nur diese Unternehmensformen zugelassen. Die **öffentlich-rechtl. Unternehmen,** den VVaG sehr ähnlich, sind Organisationen (Anstalten oder Körperschaften) des öffentl. Rechts. Sie sind entweder Zwangs- (z.B. für die Gebäudefeuer-V.) oder Monopolversicherungsanstalten in einem bestimmten Gebiet oder stehen meist, wie z.B. die öffentlich-rechtlichen Lebensversicherungsanstalten, im freien Wettbewerb mit der Privat-V.; Pflicht-V. gibt es nur ausnahmsweise (z.B. Kraftfahrzeughaftpflicht-V.). Zu den **Personen-V.** gehören die Lebens-, Renten-, Kranken- und Unfall-V., zu den **Sach-** u.a. **Vermögens-V.** die Feuer-, Betriebsunterbrechungs-, Einbruchdiebstahl-, Hagel-, Hausrat-, Tier-, Transport-, Kraftfahrt-, Haftpflicht-V. u.a. (→Rückversicherung)

Recht: Im öffentl. Interesse und zum Schutz des V.-Nehmers wurden die V.-Unternehmen (nicht die Sozial-V.) unter →Versicherungsaufsicht gestellt. Für Privatunternehmen gelten das Versicherungsaufsichts-Ges. (VAG) und das Versicherungsvertrags-Ges. (VVG). Daneben sind für die in §§778ff. HGB geregelte See-V. weitgehend die Allg. Seeversicherungsbedingungen gültig, während die Rück-V. nur vertraglich geregelt ist. Der Vertrag zw. der V.-Gesellschaft und dem V.-Nehmer **(V.-Vertrag)** kann nach dem VVG formlos geschlossen werden, der Versicherer muss dem V.-Nehmer eine Urkunde über den V.-Vertrag **(V.-Schein, Police)** und die für jeden V.-Zweig bestehenden allg. V.-Bedingungen (AVB) aushändigen. Der V.-Nehmer hat die vertraglich bestimmte einmalige oder laufende Prämie zu zahlen. Er muss Gefahrenerhöhungen anzeigen und unverzüglich den Eintritt des V.-Falles melden.

In *Österreich* ist die Privat-V. im Versicherungsvertrags-Ges. geregelt. Vereinzelt (z.B. Kraftfahrt-V.) besteht V.-Zwang. Einzelne V.-Sparten werden staatlich gefördert. Die öffentl. (z.B. für Brandschaden) und privaten V.-Anstalten unterliegen der V.-Aufsicht. In der *Schweiz* regelt das Versicherungsvertrags-Ges. (VVG) den Abschluss privatrechtlicher V.-Verträge (Vorschriften zum Schutze der V.-Nehmer). Der Abschluss von V.-Geschäften durch private Unternehmen unterliegt der Aufsicht des Bundes und ist bewilligungspflichtig.

Geschichte: Erste Ansätze der V. finden sich im Altertum (Griechenland, Kleinasien, Rom); die Entwicklung der Erwerbs-V. beginnt mit dem Entstehen des Seeversicherungsvertrags (Italien, Ende 14. Jh.). Die erste öffentl.-rechtl. Versicherungsanstalt wurde 1676 in Hamburg gegründet. Durch

Anwendung von Mathematik, Wahrscheinlichkeitsrechnung und Statistik wurde im 18. und 19. Jh. die Bildung größerer V.-Unternehmen ermöglicht.

📖 *Versicherungsenzyklopädie, hg. v.* W. GROSSE *u. a., auf 5 Bde. ber. Wiesbaden 1991 ff.*

Versicherungs|aufsicht, staatl. Überwachung der Individualversicherung, eingeführt duch das V.-Gesetz vom 12. 5. 1901. Sie umfasst die Zulassung der V.-Unternehmen und die ständige Beaufsichtigung ihres Geschäftsbetriebs. Dem Bundesaufsichtsamt für das Versicherungswesen (gegr. 1951), Berlin, unterstehen nach dem Prinzip der Sitzlandaufsicht seit 1994 auch Versicherungsunternehmen aus einem anderen EG-Land.

Versicherungsbetrug, das Herbeiführen eines Schadens mit dem Zweck, Versicherungsleistungen zu erhalten. V. wird als gewöhnl. Betrug bestraft (§ 263 StGB). Nur betrüger. In-Brand-Setzen einer gegen Feuersgefahr versicherten Sache, auch das Sinken- oder Strandenlassen eines versicherten Schiffs, wird als Sonderdelikt nach § 265 StGB mit Freiheitsstrafen von ein bis zehn Jahren geahndet.

versicherungsfremde Leistungen, Leistungen der Sozialversicherung, die nicht oder nur z. T. dem eigentl. Versicherungszweck dienen. Die Abgrenzung von originären und v. L. ist umstritten, u. a. wegen der Verteilung der Finanzierungslasten. Beispiele für v. L. sind die Kriegsfolgelasten, DDR-Folgelasten, Kindererziehungszeiten, beitragsfreie Familienversicherung und Arbeitsbeschaffungsmaßnahmen.

Versicherungskarte (Internationale Grüne V.), im internat. Kfz-Verkehr der Nachweis, dass ausländ. Fahrzeugführer über eine den inländ. Anforderungen genügende Kfz-Haftpflichtversicherung verfügen.

Versicherungskennzeichen, für Kleinkrafträder, Fahrräder mit Hilfsmotor und maschinell angetriebene Krankenfahrstühle, die am öffentl. Straßenverkehr teilnehmen sollen, vorgeschriebenes Kennzeichen zum Nachweis des Bestehens einer Kfz-Haftpflichtversicherung (§ 29e StVZO).

Versicherungs|pflicht, die gesetzl. Verpflichtung zum Eingehen einer → Versicherung.

Versicherungsschein (Police), → Versicherung.

Versicherungsteuer, Steuer auf die Zahlung des Versicherungsentgelts aus einem Versicherungsverhältnis, das inländ. Gegenstände betrifft oder mit einem inländ. Versicherungsnehmer geschlossen wurde. Der V.-Satz beträgt in Dtl. seit 1. 1. 1995 15 %. Steuerschuldner ist der Versicherungsnehmer, zu seinen Lasten ist die Steuer vom Versicherer zu entrichten. Ausgenommen von der V. sind die Arbeitslosenversicherung und bestimmte Unfall-, Lebens-, Kranken-, Pensions- und Sozialversicherungen. Das Aufkommen der dem Bund zufließenden V. betrug (1996) 14,35 Mrd. DM.

Versicherungsverein auf Gegenseitigkeit, Abk. **VVaG,** privater rechtsfähiger Verein, bei dem die Gesamtheit der Versicherten zugleich den Versicherer bildet. Die Organisation ähnelt derjenigen der AG.

Versicherungsvertreter (Versicherungsagent), eine Person, die für Versicherungsgesellschaften Versicherungsverträge vermittelt oder abschließt (Versicherungsvertragsges. §§ 43 ff.). Bei Selbstständigkeit und ständiger Betrauung ist der V. auch Handelsvertreter.

Versiegeln, Oberflächenbehandlung von Fußböden aus Holz, Natur- oder Kunststein mit Kopal- oder Kunstharzlacken zur Haltbarmachung.

Versilbern, Beschichten von Gegenständen mit Silber, vorwiegend galvanisch (→ Galvanotechnik), z. B. Bestecke, Schmuck. Durch chem. Reduktion oder durch Aufdampfen im Vakuum werden sehr dünne Silberüberzüge für Reflektoren, Glasspiegel u. a. erzeugt.

Versilia [v-], italien. Küstenlandschaft am Fuß der dem Apennin vorgelagerten Apuan. Alpen (Toskana); Hauptort ist Massa, größtes Seebad Viareggio.

Verslehre [f-], → Metrik.

Vers libre [vɛːrˈliːbr, frz.] *der,* frz. Bez. für → freie Verse.

Versmold [f-], Stadt im Kr. Gütersloh, NRW, im östl. Münsterland, 19 900 Ew.; Zentrum der ostwestfäl. Fleischwarenind. und -vermarktung; Kronkorkenfabrik.

Verso [v-, lat.] *das,* Rückseite eines Blattes (in einem Buch oder einer Handschrift); Ggs.: Rekto.

Versöhnung, *Religionsgeschichte:* in vielen Religionen die Wiederherstellung der durch die → Sünde beeinträchtigten oder zerstörten personalen Verbindung des Menschen zu Gott bzw. den Göttern; in der christl. Theologie das Erlösungswerk Gottes in Tod und Auferstehung Jesu Christi (→ Gnade).

Versöhnungstag (hebr. Jom Kippur), höchster jüd. Feiertag, am 10. Tischri (Sept./Okt.), letzter der mit dem Neujahrsfest (Rosch ha-Schana) beginnenden zehn Bußtage, gekennzeichnet durch strenges Fasten und feierl. Sündenbekenntnis; urspr. im Tempelkult mit der rituellen Entsühnung des jüd. Volkes verbunden (→ Sündenbock).

Versorgung, Sicherung des Lebensunterhalts für Arbeitsunfähige, Ruheständler und Hinterbliebene; insbesondere die Maßnahmen des Staates zugunsten bestimmter eigener Bediensteter, bes. geschädigter Personenkreise sowie aller alten Staatsbürger. Hauptformen der V. in Dtl. sind die → Kriegsopferversorgung, die Soldaten-V. und die V. ihrer Hinterbliebenen sowie die V. der im Ruhestand lebenden Beamten und der Witwen und Waisen von Beamten. Im Ggs. zur Sozialversicherung beruhen die V.-Leistungen nicht auf der Vorsorge der Berechtigten durch Beitragsleistung, sie werden aus öffentl. Mitteln finanziert.

Die **Beamten-V.** ist einheitlich für alle Beamten des Bundes, der Länder und der Gemeinden im Beamtenversorgungs-Ges. i. d. F. v. 16. 12. 1994 geregelt; es umfasst →Ruhegehalt, Unterhaltsbeitrag, Hinterbliebenen-V. (Sterbegeld, Witwen-, Witwer- und Waisengeld), Bezüge bei Verschollenheit, Unfallfürsorge (Erstattung von Sachschäden und besonderen Aufwendungen, Heilverfahren, Unfallausgleich, Unfallruhegehalt oder Unterhaltsbeitrag, Unfall-Hinterbliebenen-V.), Abfindung u. a. Da die öffentl. Haushalte die Kosten für die V.-Ansprüche i. d. R. aus laufenden Einnahmen bestreiten und versäumt wurde, angesichts des in den vergangenen Jahrzehnten stark vermehrten Personals Rücklagen für die V.-Ansprüche zu bilden, sehen sich die öffentl. Haushalte längerfristig vor ernste Probleme zur Deckung dieser Ansprüche gestellt. Auch **Arbeiter und Angestellte des öffentl. Dienstes** erhalten – neben den Renten der Sozialversicherung – eine allerdings durch Beiträge finanzierte überbetriebl. Alters-V. durch die →Versorgungsanstalt des Bundes und der Länder. Über die V. der freien Berufe, der Arbeiter und Angestellten der Wirtschaft →Lebensversicherung, →Rentenversicherung, →Altersversorgung; über die V. der Landwirte →Alterssicherung der Landwirte. (→Opferentschädigung) – In *Österreich* ist die V. der Beamten und der Vertragsbediensteten ähnlich wie im dt. Recht geregelt. In der *Schweiz* sind die Beamten und Angestellten des Bundes und der Kantone gegen die wirtsch. Folgen von Invalidität, Alter und Tod pflichtversichert.

Versorgungsanstalt (Versorgungseinrichtung), Einrichtung für eine zusätzl. pflichtgemäße Alters- und Hinterbliebenenversorgung bes. für Angestellte und Arbeiter des öffentl. Dienstes. Die größte V. ist die **V. des Bundes und der Länder, VBL,** Karlsruhe, eine dem Bundesmin. der Finanzen unterstellte rechtsfähige Anstalt des öffentl. Rechts. An der Anstalt sind beteiligt: die Bundesverwaltung (ohne Bundeseisenbahnvermögen und Dt. Post), die Bundesländer (ohne Hamburg und Saarland), Gemeindeverwaltungen, Träger der Sozialversicherung u. a. Arbeitsrechtl. Grundlage für die zusätzl. Alters- und Hinterbliebenenversorgung bilden Tarifverträge. Gewährt werden Ruhegeld, Witwen-, Witwer- und Waisenrente, Sterbegeld, Kinderzuschläge.

Versorgungsausgleich, →Ehescheidung.

Versorgungswirtschaft, Teil der Wirtschaft, der in Gemeinwesen die Versorgung mit Energie (Elektrizität, Gas, Fernwärme) und Wasser sowie den öffentl. Nahverkehr betreibt; häufig werden auch Gesundheitseinrichtungen (Krankenhäuser) einbezogen. Die **Versorgungsbetriebe** sind meist →kommunale Betriebe.

Versprechen (Sichversprechen), *Psychologie:* im Unterschied zu organisch bedingten Sprachfehlern ein als →Fehlhandlung gedeuteter Sprechfehler.

Versprödung, das Absinken der Zähigkeit und damit der Festigkeit metall. Werkstoffe (v. a. Stahl) durch äußere oder innere Einflüsse (tiefe Temperaturen, Langzeitbeanspruchung u. a. bzw. Gefügeumwandlungen, z. B. durch Alterung); bei Reaktordruckbehältern zusätzlich durch Neutronenbestrahlung (Neutronenversprödung).

Verstaatlichung, eine Form der →Vergesellschaftung.

Verstädterung, im dt. Sprachraum häufig Bez. für die Vermehrung, Vergrößerung oder Ausdehnung der Städte (nach Anzahl, Bev. oder Fläche) im Ggs. zur **Urbanisierung,** die die Ausbreitung städt. Lebens-, Wohn-, Sozial- oder Wirtschaftsformen bezeichnet. In internat. Vergleichen wird häufig von 20 000 Ew. ausgegangen, ab der eine Gemeinde als Stadt definiert wird (erhebl. Unter-

Verstädterung: Die zehn größten Agglomerationen der Erde (1950–90)

Rang	*1950* Städtische Agglomeration	*Ew. in Mio.*	*1970* Städtische Agglomeration	*Ew. in Mio.*	*1990* Städtische Agglomeration	*Ew. in Mio.*
1	New York	12,3	New York	16,2	Mexiko	20,2
2	London	8,7	Tokio	14,9	Tokio	18,1
3	Tokio	6,7	Schanghai	11,2	São Paulo	17,4
4	Paris	5,4	Mexiko	9,4	New York	16,2
5	Schanghai	5,3	London	8,6	Schanghai	13,4
6	Buenos Aires	5,0	Buenos Aires	8,4	Los Angeles	11,9
7	Chicago	4,9	Los Angeles	8,4	Kalkutta	11,8
8	Moskau	4,8	Paris	8,3	Buenos Aires	11,5
9	Kalkutta	4,4	Peking	8,1	Bombay	11,2
10	Los Angeles	4,0	São Paulo	8,1	Seoul	11,0

schiede in nat. Statistiken). V. meint einerseits einen Zustand (V.-Grad oder V.-Quote), d.h. den prozentualen Anteil der Stadt-Bev. an der Gesamt-Bev. eines bestimmten Raumes (z.B. eines Staates), zum anderen aber auch den Zuwachs des Anteils der Stadt-Bev. an der Gesamt-Bev. in einem bestimmten Zeitraum (V.-Rate). Während der Anteil der Stadt-Bev. an der Gesamt-Bev. der Erde um 1800 lediglich 3% betrug, ist er zum Ausgang dieses Jh. auf rd. 50% gestiegen. Die demograph. V. konzentriert sich dabei immer mehr auf die großen städt. Agglomerationen mit mehr als 1 Mio. Ew. (Metropolen). Der V.-Grad der Industrieländer ist mit 76% höher als in den Entwicklungsländern mit 37%, allerdings leben mittlerweile bereits mehr als zwei von drei Stadtbewohnern in der Dritten Welt. Die Extreme reichen von Ländern mit einem V.-Grad von unter 10% (z.B. einige asiat. und afrikan. Länder wie Nepal und Burundi) bis zu einer Reihe von Industrie-, aber auch Entwicklungsländern mit mehr als 80% städt. Bev. (z.B. Großbritannien, Niederlande, Dtl., Australien, Chile, Argentinien).

Ursachen der V. sind neben statist. Umklassifizierung von bislang als »ländlich« aufgeführten Gemeinden insbesondere das hohe natürl. Bev.-Wachstum (v.a. in den Entwicklungsländern, wo die Geburtenüberschüsse heute wesentlich höher sind als in den Industriestaaten zur Zeit ihres raschesten Städtewachstums) und Wanderungsgewinne in der Migration (Land-Stadt-Wanderungen, Landflucht). Letztere sind durch »Push«-Faktoren (z.B. agrare Überbevölkerung und ländl. Besitzstrukturen in den Entwicklungsländern) und »Pull«-Faktoren (u.a. potenziell bessere Arbeitsmöglichkeiten in den Großstädten der Dritten Welt, Bedarf an städt. Konsumgütern) beeinflusst. Die negativen Folgen der V. wie Gesundheits- und Umweltbelastung, Ausbreitung von Elendsvierteln (→Slum) machen sich v.a. in Entwicklungsländern bemerkbar und bedürfen zu ihrer Reduzierung des Einsatzes stadt- und regionalplaner. Mittel (v.a. Bekämpfung der Landflucht, z.B. durch Investitionen in die Landwirtschaft).

Verstand, in der *Philosophie* das Vermögen des begriffl. und schlussfolgernden Denkens (Aristoteles); nach I. Kant als Vermögen der Begriffsbildung, mit deren Hilfe Erfahrung aufgebaut wird, der →Vernunft untergeordnet.

Verstärker (Amplifier), *Elektrotechnik:* Schaltung oder Gerät zur Verstärkung (Vergrößerung) von Spannungen **(Spannungs-V.),** Strömen **(Strom-V.)** oder Leistungen **(Leistungs-V.)** unter Verwendung aktiver Bauelemente, deren Impedanz von der Stärke einer Steuergröße abhängt, bes. von Transistoren **(Transistor-V.),** seltener (auf Spezialgebieten) von Elektronenröhren **(Röhren-V.).** Die Funktion eines V. ist damit im Prinzip die eines gesteuerten Widerstands im Ausgangskreis: Mit der vergleichsweise geringen Leis-

Verstädterung: In der städtischen Agglomeration von Tokio leben 18,1 Millionen Menschen

tung eines Eingangssignals wird eine vergleichsweise große, aus einer äußeren Energiequelle (z. B. Batterie) gespeiste Ausgangsleistung gesteuert.

Die Verstärkung geschieht häufig in mehreren Stufen **(Kaskaden-V., V.-Stufen,** z. B. Vor-V., End-V.), wobei man nach der Art der Schaltung zw. Eintakt-V. (A-Betrieb) und Gegentakt-V. (B-Betrieb oder AB-Betrieb) unterscheidet. Bei mehrstufigen V. ist eine Koppelung der einzelnen Stufen notwendig, diese erfolgt induktiv, kapazitiv, galvanisch oder optisch. Zur Verbesserung bestimmter Eigenschaften kann ein Teil des Ausgangssignals durch Rückkoppelung auf den Eingang zurückgeführt werden. Bei einer linearen Abhängigkeit zw. Ausgangs- und Eingangsgrößen spricht man von einem **Linear-V.,** andernfalls von einem **nichtlinearen V.** In der Analogtechnik hat der → Operationsverstärker besondere Bedeutung. Komplexe mehrstufige V., die aus einer Vielzahl von Transistoren u. a. Bauelementen aufgebaut sind, können heute als integrierte Schaltungen hergestellt werden; bei größeren Leistungen muss für ausreichende Ableitung überschüssiger Wärme vom Chip (z. B. durch spezielle Kühlkörper) gesorgt werden. V. werden vielfältig eingesetzt, u. a. in Sendern und Empfängern aller Art (z. B. bei Hörfunk, Fernsehen, Telekommunikation, Sprechfunk), in elektroakust. Aufnahme- und Wiedergabegeräten und in Geräten der elektron. Datenverarbeitung und -übertragung. Für die Rauscharmut des V. ist v. a. die erste Stufe maßgebend. Deshalb verwendet man für sie im Mikrowellenbereich in der Radioastronomie und Raumfahrt und bei Nachrichtensatelliten wegen der schwachen Eingangssignale bes. rauscharme V., z. B. den → Maser.

📖 Gad, H. *u.* Fricke, H.: *Grundlagen der V. Stuttgart 1983.* – Ehrhardt, D.: *Verstärkertechnik. Braunschweig u. a. 1992.*

Verstärkerhypothese, in der Medienwirkungsforschung aufgestellte These, dass Massenkommunikation nicht Veränderung, sondern v. a. Verstärkung bestehender Einstellungen bewirkt.

Verstärkung (Reinforcement), *Lernpsychologie:* die Erhöhung der Motivation oder Handlungsbereitschaft durch Erfolg oder Belohnung **(positive V.)** bzw. der Nichtbereitschaft durch Misserfolg oder Bestrafung **(negative Verstärkung).**

Verstauchung (Distorsion), Schädigung der Gelenkkapsel und der Gelenkbänder **(Bänderzerrung)** durch äußere Gewalteinwirkung ohne Knochenbeteiligung; tritt v. a. am Fuß (durch Umknicken) und an der Hand auf.

Verstehen, unmittelbares Begreifen eines ursächl. oder Sinnzusammenhangs, des Wesens einer Person und ihrer Äußerungen. Eine allg. Theorie des V. (→ Hermeneutik) entwarf W. Dilthey.

verstehende Psychologie, auf W. Dilthey zurückgehende, die Einmaligkeit des Individuums betonende und auf gesetzmäßige Erklärung verzichtende psycholog. Richtung.

Versteigerung (Auktion), der öffentl. Verkauf einer Sache an den Meistbietenden. Jedes Gebot erlischt durch ein höheres; der Abschluss erfolgt durch den Zuschlag. Zwangs-V. werden i. d. R. durch Gerichtsvollzieher, freiwillige durch berufl., vielfach öffentlich bestellte **Versteigerer** durchgeführt. Das **Versteigerergewerbe** ist nach § 34 b GewO genehmigungspflichtig. (→ Zwangsvollstreckung)

Versteinerung: Die versteinerten Baumstämme im Petrified Forest National Park in Arizona stammen aus dem Trias

Versteinerung (Fossil, Petrefakt), Überrest von Tieren oder Pflanzen der geolog. Vergangenheit. Neben Schalen- und Knochenerhaltung sind u. a. auch Abdrücke verbreitet; Lebensspuren sind z. B. Wohn- und Fressbauten, Weide-, Ruhe- und Kriechspuren. (→ Fossilisation, → Paläontologie)

Versteppung, früher die Umwandlung einer Waldlandschaft in eine Ackerlandschaft **(Kultursteppe);** heute die Verarmung einer Natur- oder Kulturlandschaft an Sträuchern und Bäumen durch übermäßige Rodungen, Überbeanspruchung der natürlichen Wasservorräte (Sinken des Grundwasserspiegels), falsche Flussregulierungen, ständigen Anbau von Monokulturen u. a.; Folgen: Bodenaustrocknung und → Bodenerosion.

Verstopfung (Stuhlverstopfung, Obstipation, Konstipation, Darmträgheit, Hartleibigkeit), verzögerte Stuhlentleerung (d. h. seltener als dreimal in der Woche) infolge Erschlaffung der Darmwand oder Krampfes der Darmmuskulatur; zu den Ursachen gehören organ. Erkrankungen, nervöse Darmregulationsstörungen, Arzneimittel oder falsche Lebensweise (ballaststoffarme Ernährung, Bewegungsmangel u. a.). Die chron. V. führt zu allg. Unwohlsein, Völlegefühl und Appetitlosigkeit. Zur *Behandlung* gehört die Gewöhnung des Darms an eine regelmäßige Tätigkeit (v. a. durch ballaststoffreiche Nahrung). Die Einnahme von → Abführmitteln (bes. über längere Zeit) ist möglichst zu vermeiden.

Verstrahlung, im militär. Bereich übl. Bez. für die Wirkung radioaktiver Substanzen (aus Kernwaffenexplosionen) auf Kleidung, Waffen und Gerät. Im zivilen Bereich spricht man meist von radioaktiver Verseuchung.

Verstrickungsbruch (Arrestbruch, Pfandbruch), vorsätzl. Beiseiteschaffen, Zerstören und Beschädigen von Sachen, die rechtswirksam gepfändet oder beschlagnahmt worden sind; nach § 136 StGB strafbar.

Verstromung, Bez. für die Umwandlung der Energie primärer Energieträger in elektr. Energie.

Versuch, 1) *Sport:* Möglichkeit zum Leistungsnachweis, u. a. in der Leichtathletik in den techn. und Sprungdisziplinen (Qualifikation, Vor- und Endkampf je drei V., Hoch- und Stabhochsprung bei jeder Höhe drei V.) sowie im Gewichtheben.

2) *Strafrecht:* die Verwirklichung des Entschlusses, eine Straftat zu begehen, durch Handlungen, die einen Anfang der Ausführung der Straftat bilden. Einen Anfang der Ausführung nimmt vor, wer nach seiner Vorstellung von der Tat zur Verwirklichung des Tatbestandes unmittelbar ansetzt (§ 22 StGB). Der V. ist von der grundsätzlich straflosen Vorbereitungshandlung abzugrenzen (z. B. Kauf von Einbruchswerkzeugen für eine Straftat). Bei einem Verbrechen ist der V. stets strafbar, doch kann er milder bestraft werden als die vollendete Tat. Bei einem Vergehen ist der V. nur in den Fällen strafbar, in denen das Gesetz es ausdrücklich bestimmt (§ 23 Abs. 1,2 StGB). Der freiwillige Rücktritt vom **nicht beendeten V.** bewirkt Straflosigkeit (§ 24 StGB), beim **beendeten V.** Straflosigkeit unter der Voraussetzung der Abwendung des Erfolgs vor Entdeckung der Handlung **(tätige Reue).** Bei **untaugl. V.** wird die Ausführungshandlung entweder mit untaugl. Mitteln unternommen (z. B. jemand drückt in Tötungsabsicht ein ungeladenes Gewehr, das er für geladen hält, auf einen Menschen ab) oder gegen ein untaugl. Objekt gerichtet (z. B. jemand versucht einen Menschen im Schlaf zu töten, der kurz zuvor einem Herzschlag erlegen war). Der untaugl. V. ist ebenfalls strafbar. – Im Strafrecht *Österreichs* gilt für den V. dieselbe Strafdrohung wie für die vollendete Tat; der freiwillige Rücktritt führt zur Straflosigkeit, ebenso der untaugl. V. (§§ 15 ff., 34 StGB). Das *schweizer.* StGB (Art. 21 ff.) bedroht den V. zu Verbrechen und Vergehen mit Strafe, die gegenüber dem vollendeten Delikt gemildert werden kann, beim freiwilligen Rücktritt kann von einer Bestrafung abgesehen werden.

🕮 VEHLING, K.-H.: *Die Abgrenzung von Vorbereitung u. V. Frankfurt am Main u. a. 1991.*

3) *Wissenschaft:* das → Experiment.

Versuchsperson, → Proband.

Versuchs|schule, ältere Bez. für → Modellschule und Schulversuch.

Versuch und Irrtum (engl. Trial and Error), Problemlösungsverfahren, bei dem Handlungsschritte, wenn sie als falsch erkannt werden, wieder zurückgenommen werden und das Verfahren (Probieren) erneut so lange wiederholt wird, bis entweder eine Lösung gefunden ist oder sich das Problem als unlösbar herausstellt; eine Form des Lernens.

Versuchung, der (innere) Anreiz, etwas dem moralisch, rechtlich oder religiös Vorgeschriebenen Widersprechendes zu denken, zu wollen oder zu tun; in der Religionsgeschichte oft in einem **Versucher** (z. B. dem Teufel, Dämonen) personifiziert und als Erprobung der Glaubenstreue bes. auserwählter Menschen (z. B. der Religionsstifter) interpretiert. BILDER Antonius der Große, Dalí

Vertauschungsrelationen, → Quantenmechanik.

vertebral [v-, lat.], den Wirbel oder die Wirbelsäule betreffend.

Vertebraten [v-, lat.], die → Wirbeltiere.

Verteidiger, 1) *Sport:* Abwehrspieler bei Mannschaftsspielen.

2) *Strafprozessrecht:* Fürsprecher, bes. vor Gericht (→ Verteidigung).

Verteidigung, 1) *Militärwesen:* Handlungen und Maßnahmen, die auf die Abwehr gegner. Angriffe gerichtet sind. Auf takt. Ebene als Gefechtsart definiert, auf militärstrateg. Ebene und z. T. auch auf der der operativen Führung wird die Bez. Defensive verwendet.

2) *Strafprozessrecht:* die Wahrnehmung der Rechte des Beschuldigten durch ihn selbst oder durch einen **Verteidiger.** Zum Verteidiger kann vom Beschuldigten jeder bei einem dt. Gericht zugelassene Rechtsanwalt und jeder Rechtslehrer einer dt. Hochschule gewählt werden **(Wahlverteidiger,** § 138 StPO), andere Personen i. d. R. nur mit Genehmigung des Gerichts. In den Fällen der **notwendigen V.** (u. a. Hauptverhandlung vor dem Oberlandesgericht oder Landgericht im ersten Rechtszug; bei zur Last gelegten Verbrechen; bei Berufsverbotsverfahren) wird dem Beschuldigten, der von seinem Wahlrecht keinen Gebrauch macht, ein Verteidiger durch den Vors. des Gerichts bestellt (Pflicht- oder Offizialverteidiger, §§ 140 ff. StPO). In manchen Fällen kann sich der Beschuldigte durch einen mit schriftl. Vollmacht versehenen Verteidiger vertreten lassen. Der Verteidiger hat Akteneinsichtsrecht (vor Abschluss der Ermittlungen nur bedingt), stellt Beweis- u. a. Anträge, befragt Zeugen und Sachverständige und erörtert im Schlussvortrag die Sach- und Rechtslage. Rechtsmittel kann der Verteidiger nicht gegen den Willen des Beschuldigten einlegen (§ 297 StPO). Ein Verteidiger kann in bestimmten Fällen von der V. ausgeschlossen werden (§§138a–138d StPO). – Ähnl. Bestimmungen enthalten das *österr.* und das *schweizer.* Strafprozessrecht.

📖 *Strafverteidigung u. Strafprozeß, hg. v.* R. Brüssow *u. a. Heidelberg 1989.* – Burhoff, D.: *Handbuch für die strafrechtl. Hauptverhandlung. Herne u. a. 1997.* – Kniemeyer, C.-D.: *Das Verhältnis des Strafverteidigers zu seinem Mandanten: Vertrauen u. Unabhängigkeit. Frankfurt am Main u. a. 1997.*

3) *Völkerrecht:* die zulässige Abwehr eines bewaffneten Angriffs (→Gewaltverzicht).

Verteidigungsfall, äußerer, durch einen mit Waffengewalt geführten oder unmittelbar drohenden Angriff auf das Bundesgebiet verursachter Notstand (Art. 115a GG, →Notstandsverfassung).

Verteiler, 1) *Fernmeldetechnik:* Bauelement oder -stufe zur Verbindung von ankommenden und abgehenden Leitungen in Fernsprechzentralen.

2) *Verbrennungsmotoren:* beim Ottomotor ein umlaufender Kontakt, der den von der Magnet- oder Batteriezündung erzeugten Hochspannungsimpuls auf die Zündkerzen der Zylinder in vorgeschriebener Folge verteilt **(Zündverteiler).**

Verteilung, *Sozialwissenschaften:* Prozess oder Ergebnis der Aufteilung materieller oder immaterieller Größen, die die objektiv messbare und subjektiv empfundene Lebensqualität maßgeblich bestimmen, auf die Mitgl. einer Gesellschaft.

In demokratischen Staaten mit marktwirtsch. Wirtschaftssystemen dominiert bei der V. von Einkommen (→Einkommensverteilung) und Vermögen die marktmäßig bewertete Leistung des Wirtschaftssubjekts. Das marktwirtsch. Leistungsprinzip führt zu einer prinzipiellen Ungleichheit von Einkommen und – auch bedingt durch Privateigentum und Vererbung von Vermögenswerten – Vermögen (Einkommens-, Vermögens-, Unternehmenskonzentration). Um eine soziale Marktwirtschaft mit V.-Gerechtigkeit zu erreichen, verfolgt der Staat als Sozialstaat eine **Verteilungspolitik,** die auf eine gleichmäßigere Einkommens- und Vermögensverteilung abzielt. Die V.-Politik ist ein Teilgebiet der Wirtschafts- und Finanzpolitik; in Form der neutralisierenden V.-Politik, die zu Korrekturen des Marktergebnisses führt, umfasst sie v. a. die Besteuerung der laufenden Einkommen (progressive Einkommensteuer), der Vermögenszuwächse (Kapitalertragsteuern) oder bestimmter privater Ausgaben (z. B. Luxussteuern) sowie die Gewährung versch. Transfers. V.-Fragen stellen sich auch aufgrund regionaler (z. B. Nord-Süd-Konflikt) oder sektoraler (Entwicklungs-)Unterschiede, die Gegenstand von Entwicklungs-, Regional- sowie Strukturpolitik sind.

Verteilungsfunktion, *Statistik, Wahrscheinlichkeitsrechnung:* die einer Zufallsgröße X zugeordnete Funktion $F(X) = P(X \leqq x)$, die die Wahrscheinlichkeit $P(X \leqq x)$ dafür angibt, dass X höchstens den Wert x annimmt. Mithilfe einer Dichtefunktion kann man die Häufigkeitsverteilung angeben. Wichtige V. stetiger Zufallsgrößen sind die Normal- und die Poisson-Verteilung sowie die maxwellsche Geschwindigkeitsverteilung.

Verteilungstheorie, *Wirtschaftswiss.:* die Distributionstheorie, →Einkommensverteilung.

Verteilungsverfahren, amtl. Verfahren innerhalb der Zwangsvollstreckung, wenn ein aufgrund der Pfändung erlangter Geldbetrag hinterlegt worden ist, der zur Befriedigung der Gläubiger nicht ausreicht. Das Amtsgericht stellt, wenn sich die Gläubiger nicht einigen, einen Verteilungsplan auf, nach dem der hinterlegte Betrag unter Beachtung des Ranges der Pfändungspfandrechte verteilt wird.

Vértesgebirge ['ve:rtɛʃ-] (Schildgebirge), Teil des Ungar. Mittelgebirges, Ungarn, nordöstlich vom Bakonywald, bis 480 m ü. M.; waldreich; auf der SO-Seite Bauxitlager, im nördlichen Vorland Braunkohlevorkommen.

Vertex [v-, lat.] *der,* Zielpunkt (Flucht-, Konvergenzpunkt) der gemeinsamen Bewegung von Sterngruppen an der Himmelssphäre.

vertikal [v-, lat.], senkrecht; Ggs.: horizontal.

vertikale Preisbindung [v-], →Preisbindung der zweiten Hand.

Vertikalkreis [v-], 1) *Astronomie:* a) (Höhenkreis, Vertikal) ein durch Zenit, Gestirn und Nadir gehender Kreis; b) im Aufbau dem →Meridiankreis ähnl., aber in Azimut und Höhe drehbares Winkelmessgerät v. a. zur Bestimmung der Höhe von Gestirnen.

2) *Geodäsie:* (Höhenkreis) zur Höhen- oder Erhebungswinkelmessung dienender Teilkreis an opt. Instrumenten. (→Theodolit)

Vertikalstartflugzeug [v-], der →Senkrechtstarter.

Vertiko [v-] *das,* selten *der,* kleiner Schrank, meist mit zwei Türen, der oben mit Schubladen und einem zurückgesetzten Überbau abschließt; kam in der 2. Hälfte des 19. Jh. auf.

vertikutieren [v-, lat.-frz.], die Grasnarbe eines Rasens aufreißen (mit einem Vertikutiergerät), um den Boden zu lockern.

Vertrag, ein Rechtsgeschäft, das durch übereinstimmende Willenserklärungen, d. h. durch Angebot und Annahme, zustande kommt. Man unterscheidet öffentlich-rechtl. V. (Staatsverträge, Konkordate) und privatrechtl. V., unter Letzteren schuldrechtl. (obligator., z. B. Kauf, Miete), dingl. (Auflassung), familienrechtl. (Ehe-V.) und erbrechtl. (Erb-V.), ferner entgeltl. und unentgeltl., je nachdem, ob für die Leistung des einen Teils eine Gegenleistung des andern vereinbart ist oder nicht. Unter einem **V. zugunsten Dritter** versteht man das vertragl. Versprechen der Leistung an einen Dritten, nicht am V.-Abschluss Beteiligten (§§ 328 ff. BGB). Ein V.-Angebot kann nur innerhalb der gesetzten Frist angenommen werden, ein unter Anwesenden oder telefonisch gemachtes V.-Angebot kann nur sofort, der einem Abwesenden gemachte Antrag nur bis zu dem Zeitpunkt angenommen werden, in dem der Antragende den Eingang der Antwort unter regelmäßigen Umständen erwarten darf (§ 147 BGB). Verspätete Annahme gilt als neuer Antrag. V. können formlos (auch mündlich oder durch schlüssige Handlungen) abgeschlossen werden, soweit keine gesetzl. →Formvorschriften bestehen. Die auf Verschulden beruhende Verletzung eines V. (V.-Verletzung) verpflichtet zu Schadensersatz.

📖 FÖRSCHLER, H.: *Verträge im geschäftl. Alltag. Stuttgart 1993.* – REHBINDER, E.: *Vertragsgestaltung. Neuwied u. a. ²1993.*

Vertragsfreiheit, als Teil der Privatautonomie der Grundsatz im bürgerl. Recht, nach dem Verträge frei abgeschlossen und frei gestaltet werden können, sofern sie nicht gegen zwingende Regeln, gesetzl. Verbote oder gegen die guten Sitten verstoßen.

Vertragshäfen, insges. etwa 100 Häfen in China, die seit Mitte des 19. Jh. kraft bes. Vereinbarungen (»ungleiche Verträge«) für ausländ. Niederlassungen und ausländ. Handel offen waren. Als erste wurden durch den Vertrag von Nanking 1842 zwischen China und Großbritannien u. a. die Häfen Fuzhou, Kanton, Schanghai geöffnet.

Vertragshändler, rechtlich selbstständiger Händler, der, oft auf Dauer, vertraglich mit einem Hersteller vereinbart hat, nur dessen Produkte im Sortiment zu führen. Die Hersteller räumen meist Vorzugsrechte und Gebietsschutz ein und gestatten das Auftreten unter ihrem Namen oder Markenzeichen.

Vertragslehre (Vertragstheorie), eine auf dem Naturrecht der Aufklärung beruhende staatsphilosoph. Lehre, nach der sich die Menschen als gleiche und freie Wesen aufgrund eines Vertrages zu Staat und Gesellschaft (Gesellschafts-, Sozial- oder Staatsvertrag) zusammengetan haben. Die V. richtete sich bes. gegen das absolutist. Dogma des von Gott eingesetzten Herrschers. Hauptvertreter sind u. a. J. Althusius, H. Grotius, S. Pufendorf, T. Hobbes, J. Locke, C. Thomasius, J.-J. Rousseau, I. Kant, T. Jefferson und T. Paine. In seiner normativen Philosophie knüpft J. Rawls an die V. an.

Vertrags|strafe (Konventionalstrafe), vom Schuldner versprochene Leistung für den Fall, dass er seine Verbindlichkeit nicht oder nicht gehörig erfüllt. Eine unverhältnismäßig hohe V. kann durch Richterspruch herabgesetzt werden (gilt nicht unter Kaufleuten, § 348 HGB). Die V. kann statt oder neben der Erfüllung versprochen werden (§§ 339–345 BGB).

Vertrauensarzt, Arzt, der im Auftrag der gesetzl. Kranken- und Rentenversicherung gutachterl. Funktionen ausübt, z. B. als Rentengutachter.

Vertrauensfrage, in parlamentar. Reg.systemen vom Reg.chef gestellter Antrag an das Parlament, ihm das Vertrauen auszusprechen; bei Ablehnung erfolgt i. d. R. der Rücktritt der Reg. und/oder Auflösung des Parlaments. Wenn in Dtl. die vom Bundeskanzler gestellte V. nicht von der Mehrheit der Mitgl. des Bundestages bejaht wird, kann der Bundespräs. den Bundestag auf Vorschlag des Bundeskanzlers binnen 21 Tagen auflösen. Das Auflösungsrecht erlischt, sobald der Bundestag mit der Mehrheit seiner Mitgl. einen neuen Bundeskanzler wählt (Art. 68 GG). (→Misstrauensvotum)

Vertrauens|schaden (Vertrauensinteresse), →Schadensersatz.

Vertreibung, die mit Drohung oder Gewalt bewirkte Ausweisung oder (Zwangs-)Umsiedlung einer Bev. oder eines Bev.teils (v. a. Minderheiten) aus ihrer Heimat über die Grenzen des vertreibenden Staates hinweg; bei der Deportation oder Verschleppung (Grenzen zur V. fließend) kommt es hingegen nicht zum Verlassen des Machtbereichs des deportierenden Staates (z. B. eine fremde Besatzungsmacht). – Die V. der eigenen Staatsangehörigen ist ein Verbrechen gegen die Menschlichkeit und ein Verstoß gegen Menschenrechte; die grenzüberschreitende V. ist völkerrechtswidrig. Die V. fremder Staatsangehöriger, d. h. der Zivilbev. aus einem besetzten Gebiet, stellt einen Verstoß gegen Art. 49 des Genfer Abkommens zum Schutz der Zivilbev. von 1949 dar. Die vorübergehende Räumung eines besetzten Gebietes aus militär. Gründen kann zulässig sein. – Die V. basiert häufig auf Bestrebungen, sprachl. und ethn.(-religiöse) Übereinstimmung im Staatsgebiet herzustellen, v. a. im Gefolge von Kriegen und im Zuge der Entkolonialisierung (wobei die Grenzen zw. V. und Flucht fließend sind): z. B. die Zwangsumsiedlung von Türken und Griechen nach dem Grch.-Türk. Krieg 1919–22, von Hindus und Muslimen bei der Unabhängigkeit Indiens und Pakistans 1947, die V. der Palästinenser aus Palästina, die Ausweisung der (wirtsch. führenden) ind. Minderheit aus Uganda 1972, die V. der Mescheten durch Usbeken (1989/90) oder die sog. ethn. Säuberungen nach dem Zerfall Jugoslawiens (Kroatien und Bosnien-Herzegowina 1992–95).

Die auf den Konferenzen von Teheran, Jalta und Potsdam festgelegte **Aussiedlung der Deutschen** aus den ehem. →deutschen Ostgebieten und den dt. Siedlungsgebieten im Ausland (bei Kriegsende etwa 16,6 Mio.; nur etwa 2,5 Mio. verblieben in ihrer alten Heimat) entwickelte sich in der prakt. Durchführung zur V. und erfolgte in mehreren Etappen. Schon in der Endphase des 2. Weltkrieges kam es beim Vormarsch der sowjet. Truppen im Frontbereich zur Evakuierung bzw. Flucht der Hälfte der dt. Bev. in den Ostgebieten des Dt. Reiches und eines Großteils der dt. Bev. in den dt. Siedlungsgebieten im Ausland; im Sommer 1945 begann mit der ersten (ungeregelten) V.-Welle die fast vollständige Ausweisung bzw. teilweise Zwangsumsiedlung der dt. Bev. östlich der Oder-Neiße-Linie und in SO-Europa; gleichzeitig fanden Massenaustreibungen der →Sudetendeutschen in der Tschechoslowakei statt. Trotz der Verfügung von Artikel VIII des Potsdamer Abkommens vom 2. 8. 1945, die »Überführung« in »geordneter und humaner Weise« und erst nach Aufstellung eines Ausweisungsplans durch den Alliierten Kontrollrat vorzunehmen, erfolgte die V. zunächst weiter ungeregelt. Seit dem »Überführungsplan« (17. 10. 1945) auch in geschlossenen Transporten durchgeführt, waren die systemat. Massenausweisungen i. Allg. 1947 abgeschlossen; am 20. 11. 1945 hatte der Alliierte Kontrollrat die Aufnahmequoten der dt. Besatzungszonen festgelegt. Später kam es noch zur V. von »Volksdeutschen« aus dem ehem. poln. Staatsgebiet und aus dem an die UdSSR gefallenen Ostpreußen. – Auch ein Großteil der verbliebenen Deutschen übersiedelte ab 1951 in die Bundesrep. Dtl. (→Aussiedler).

📖 TRAUTMANN, W.: *Tod u. Gewalt. Die V. als völkerrechtl., polit., eth., soziales u. geschichtl. Problem. Tübingen 1989.*

vertretbare Sache, *Recht:* →Sache.

Vertreter, 1) *Handel:* →Handelsvertreter.

2) *Recht:* →Stellvertretung; V. des öffentl. Interesses: →Bundesanwaltschaft, →Verwaltungsgerichtsbarkeit.

Vertretung ohne Vertretungsmacht, das Fehlen oder Überschreiten der Vertretungsmacht (→Stellvertretung). Ein von einem Vertreter ohne Vertretungsmacht abgeschlossener Vertrag ist schwebend unwirksam, d. h., er bedarf der Genehmigung durch den Vertretenen. Der Vertreter ohne Vertretungsmandat haftet, wenn der Vertretene die Genehmigung des Vertrages verweigert, dem anderen Teil, wenn er auf die Vertretungsmacht vertrauen durfte, nach dessen Wahl auf Erfüllung oder auf Schadensersatz wegen Nichterfüllung (§179 BGB).

Vertrieb, zusammenfassende Bez. für Vorbereitung, Anbahnung, Durchführung und Abwicklung absatzorientierter Tätigkeiten; häufig synonym für Absatz und Verkauf gebraucht.

Vertriebene, i. w. S. Personen, die ihre Wohn- und Heimatgebiete zwangsweise verlassen mussten; i. e. S. dt. Staatsangehörige oder dt. Volkszugehörige, die ihren Wohnsitz in den ehem. →deutschen Ostgebieten oder in den Gebieten außerhalb der Grenzen des Dt. Reiches nach dem Gebietsstand vom 31. 12. 1937 (sog. Volksdeutsche) hatten und diesen durch und nach dem 2. Weltkrieg infolge →Umsiedlung und →Vertreibung verloren haben (1950 in der Bundesrep. Dtl. und der DDR etwa 12,3 Mio.; →Deutsche).

Gesetzl. Grundlage für die Kriegsfolgenrechte der V. ist das Bundesvertriebenen-Ges. von 1953 (jetzt gültig i. d. F. v. 2. 6. 1993). Unterschieden werden V., Heimat-V. (V., die am 31. 12. 1937 oder vorher ihren Wohnsitz im Gebiet des Staates hatten, aus dem sie vertrieben wurden, und dieses Gebiet vor dem 1. 1. 1993 verlassen haben), Sowjetzonenflüchtlinge, Aussiedler und Spätaussiedler. Ihre Eingliederung wurde u. a. durch Zulassung zur Berufs- und Gewerbeausübung, Kredite, steuerl. Vergünstigungen und Wohnraumversorgung gefördert. Durch →Lastenausgleich sollte u. a. die wirtsch. und gesellschaftl. Eingliederung beschleunigt werden. Anträge auf Ausgleichsleistungen nach dem Lastenausgleichs-Ges. i. d. F. v. 2. 6. 1993 konnten vom berechtigten Personenkreis nur bis zum 31. 12. 1995 gestellt werden.

Die V. wurden 1945/46 vorwiegend in landwirtsch. Gebiete gelenkt; in der Bundesrep. Dtl. erfolgte Ende Nov. 1949 bis Ende 1962 noch einmal eine Umlenkung der V. von Schleswig-Holstein, Niedersachsen und Bayern in die übrigen Bundesländer. Die in der DDR verbliebenen V. (1945–49 4,4 Mio., dann bis auf 1,7 Mio. zurückgegangen; 1993 noch etwa 0,6 Mio.), dort **Umsiedler** gen., erhielten keinen Lastenausgleich; etwa 91 000 Familien wurden durch die Enteignungen im Zusammenhang mit der sog. →Bodenreform (1945–49) auf dem Land angesiedelt. – Ein kleiner Teil der V. ist (seit 1948) in **V.-Verbänden** (Bund der V., gebildet 1957; →Landsmannschaft) organisiert.

📖 HÄUSSER, O. *u. a.: Statusfeststellung nach dem Bundesvertriebenengesetz. Stuttgart u. a. 1990. – Die Vertreibung der Deutschen aus dem Osten, hg. v.* W. BENZ. *Frankfurt am Main 14.–20. Tsd. 1991.*

Vertriebsgesellschaft, von einem Ind.unternehmen gegründete, rechtlich selbstständige Gesellschaft für den Absatz der Produkte der Muttergesellschaft.

Verunglimpfung, Verächtlichmachung, strafbar als a) V. des Andenkens Verstorbener (§189 StGB); b) V. des Bundespräs. (§90); c) V. des Staates und seiner Symbole (§90a); d) verfassungsfeindl. V. von Verfassungsorganen (§90b).

Veruntreuung, →Unterschlagung, →Untreue.

Verursacherprinzip, Grundsatz des Umweltrechts und der Umweltpolitik, wonach der Verursacher von Umweltschäden die Kosten für deren Beseitigung, Ausgleich oder Vermeidung tragen soll. Mit der Einbeziehung dieser Aufwendungen in die Kostenrechnungen der Wirtschaft sollen eine Verminderung der Ausgaben für Umweltschutz bes. in den öffentl. Haushalten und eine Reduzierung der Umweltbelastung erzielt werden.

Verursachung (Kausalität, Kausalzusammenhang), der bedingungsmäßige Zusammenhang zw. einem Tun oder Unterlassen und dem dadurch bewirkten Erfolg (Ergebnis). Im Strafrecht wird als kausal jede Bedingung für den Erfolg gewertet, die nicht weggedacht werden kann, ohne dass der Erfolg entfiele **(Bedingungs-** oder **Äquivalenztheorie);** im Zivilrecht wird nur die Bedingung als V. berücksichtigt, die nach der Lebenswahrscheinlichkeit zur Herbeiführung des eingetretenen Erfolges (z.B. eines Schadens) geeignet war **(adäquate Kausalität, Adäquanztheorie).**

Ve̲rus [v-], Lucius Aurelius, urspr. Lucius Ceionius Commodus, röm. Kaiser (161–169), *Rom 15. 12. 130, †Altinum (heute Quarto d'Altino, bei Venedig) Jan./Febr. 169; von Antoninus Pius adoptiert und zu seinem Nachfolger bestimmt; 161 von Mark Aurel zum Mitkaiser ernannt.

Vervielfältigungsrecht, das dem Urheber vorbehaltene ausschließl. Recht, Vervielfältigungsstücke seines Werks (gleich welcher Art) herzustellen. Als erlaubt gelten lediglich Vervielfältigungen geschützter Werke zu privatem oder sonstigem eigenen Gebrauch oder für Ausbildungszwecke (§ 53 Urheberrechtsgesetz).

Vervielfältigungsverfahren, Sammelbegriff für alle techn. Verfahren zur Herstellung von Duplikaten nach einer Vorlage (Original) auf mechanisch-physikal. oder chem. Wege (z.B. Druckverfahren), elektrostat. (→Xerographie) oder durch Strahlung (→Kopieverfahren).

Verviers [vɛr'vje], Stadt in der Prov. Lüttich, Belgien, 53 900 Ew.; Museen; Woll- und Textilind., Textilmaschinenbau, Lederwaren-, chem., elektrotechn. u.a. Industrie. – Kirche Notre-Dame (17. Jh.; Glockenspiel mit 40 Glocken).

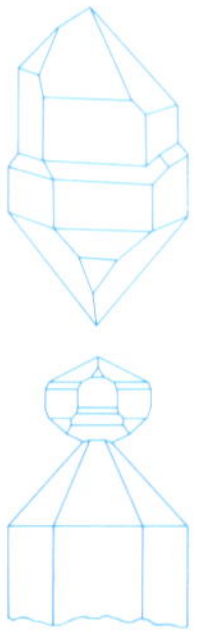

Verwachsung 2): Parallelverwachsung bei Szepterquarz

Verwachsung, 1) *Medizin:* entzündl. Verklebung, flächenhafte oder strangförmige, schließlich dauerhafte Vereinigung bes. von serösen Häuten im Brust- und Bauchraum.

2) *Mineralogie:* Zusammenwachsen von gleichen oder versch. Kristallen zu einem festen Verband; regelmäßige V., gesetzmäßige V. (Aufwachsungen) treten auf zw. Kristallen desselben Minerals (z.B. als einfache **Parallel-V.** bei Szepterquarz oder als streng symmetr. Zwillinge) oder zw. versch. Mineralen (→Epitaxie).

Verwahrlosung, ein Zustand der menschl. Persönlichkeit, der durch das Fehlen einer Minimalanpassung an gesellschaftl. Verhaltensanforderungen gekennzeichnet ist. V. beruht auf – v.a. milieubedingten – Sozialisationsdefiziten. Der Begriff V. wird häufig, auch auf der Grundlage von Vorurteilen, subjektiv beliebig verwendet.

Verwahrung, im *Zivilrecht* die Aufbewahrung einer bewegl. Sache aufgrund selbstständiger Vertragsverpflichtung (V.-Vertrag) oder als Nebenpflicht eines anderen Vertrages (z.B. Kauf; §§ 688 ff. BGB). Die unentgeltl. V. ist ein Gefälligkeitsverhältnis, bei dem der Verwahrer nur für die Sorgfalt haftet, die er in eigenen Angelegenheiten anzuwenden pflegt; die entgeltl. V. ist ein gegenseitiger Vertrag mit normalem Haftungsmaßstab. Die wichtigsten Fälle der V. sind durch spezielle Vorschriften geregelt (v.a. die V. von Wertpapieren durch Banken, →Depot; die V. durch Hinterlegung und im Lagergeschäft). Im *Verwaltungsrecht* liegt eine öffentlich-rechtl. V. vor, wenn eine Verwaltungsbehörde in Wahrnehmung ihrer Befugnisse Sachen in Besitz genommen hat (die Regeln des BGB gelten entsprechend).

Verwahrungsbruch, das Beschädigen, Vernichten oder Beiseiteschaffen dienstlich aufbewahrter oder einem Beamten oder Dritten amtlich übergebener Gegenstände oder Schriftstücke; mit Freiheitsstrafe bis zu zwei Jahren (bei Amtsträgern bis zu fünf Jahren) oder Geldstrafe bedroht (§ 133 StGB).

Verwạllgruppe [f-], vergletscherter Teil der Zentralalpen in Tirol und Vorarlberg, Österreich, im Hohen Riffler 3 168 m ü. M.; Fremdenverkehr.

Verwaltung (Administration), Tätigkeit, die bestimmte Lebensbereiche nach gegebenen Weisungen oder Richtlinien ordnet und gestaltet. Während man im Privatrecht mit V. i.d.R. eine Tätigkeit in Ansehung fremder Objekte (Vermögen) meint, z.B. V. eines fremden Gebäudes, versteht man im öffentl. Recht unter **öffentlicher V.** eine bestimmt geartete Tätigkeit des Staates oder anderer Träger der öffentl. Gewalt. Die Tätigkeit der öffentl. V. wird wegen ihrer Vielgestaltigkeit meist definiert als diejenige staatl. Tätigkeit, die nicht Gesetzgebung oder Rechtsprechung ist. Sie gehört im Gewaltenteilungsschema zur Exekutive oder vollziehenden Gewalt. Die **Staats-V.** gliedert sich in vielfältige Aufgabenbereiche: Auswärtige V., Innere V., Militär-, Justiz-, Finanz-, Wirtschafts-, Verkehrs-, Arbeits-, Kultus-V. u.a. Nach den Trägern spricht man von Staats- und Kommunal-V. oder unterscheidet die Staats-V. von der →Selbstverwaltung als der Wahrnehmung an sich staatl. Aufgaben durch verselbstständigte V.-Träger (rechtsfähige V.-Einheiten; →Körperschaft, →Stiftung des öffentl. Rechts). Mit dieser Einteilung deckt sich weithin die der **unmittelbaren** und der **mittelbaren Staats-V.,** je nachdem, ob die staatl. Aufgaben von unmittelbaren Staatsbehörden oder von verselbstständigten V.-Trägern unter Staatsaufsicht (mit Weisungsrecht) wahrgenommen werden. Die V. der verselbstständigten V.-Träger ist **Eigen-** oder **Auftrags-V.** (→Auftragsangelegenheiten). Im Bundesstaat sind **Bundes-** und **Landes-V.** zu unterscheiden. In Dtl. führen die Länder die Bundesgesetze als eigene Angelegenheit aus, soweit das Grundgesetz nichts anderes bestimmt oder zulässt (Art. 83 ff., 108 GG). In **bundeseigener V.** mit eigenem V.-Unterbau werden nur wenige V.-Zweige geführt **(unmittelbare Bundes-V.;** →Bundesverwaltung). Im Übrigen ist alle V. von Bundesangelegenheiten **mittelbare Bundes-V.** Die Tätigkeit der V. erfolgt im V.-Verfahren, in bloßer Vollziehung der Gesetze und der inneren Dienstanweisungen oder mit eigener Initiative im Rahmen der Gesetze (»Recht der freien Selbstgestaltung«). – Neben der staatl. V. gibt es die kirchl. V. (Selbst-V.; →Religionsgesellschaften).

In *Österreich* wird die öffentl. V. herkömmlich in **Hoheits-V.** und **Privatwirtschafts-V.** gegliedert. Die V. der dem Bund vorbehaltenen Angelegenheiten wird in den Ländern entweder durch eigene Bundesbehörden in **unmittelbarer Bundes-V.** oder durch den Landeshauptmann und die ihm unterstellten Landesbehörden in **mittelbarer Bundes-V.** geführt (Art. 102 Bundesverfassungs-Ges.). Auch in der *Schweiz* werden Bundesgesetze meist durch kantonale Organe unter Bundesaufsicht vollzogen **(kantonale Vollzugsverwaltung).**

📖 *Allgemeine Verwaltungslehre, hg. v.* K.-H. MATTERN. *Berlin u. a. ⁴1994.* – ELLWEIN, T.: *Das Dilemma der V. Verwaltungsstruktur u. Verwaltungsreformen in Deutschland. Mannheim u. a. 1994.*

Verwaltungsakademi|en (Verwaltungs- und Wirtschaftsakademien), i. e. S. Bundeseinrichtungen zur Weiterbildung der Angehörigen des höheren öffentl. Dienstes (Führungskräfte), auch Führungsakademien der Wirtschaft (neben anderen Bez. wie Bildungswerk, Institut u. a.). Fachl. Aus- und Fortbildungsstätten sind im Bundesverband Dt. Verwaltungs- und Wirtschaftsakademien (gegr. 1959; Sitz: Köln) zusammengeschlossen.

Verwaltungsakt, hoheitliche Maßnahme (im Sinne von Verfügung, Entscheidung, Anordnung), die eine Behörde zur Regelung eines Einzelfalles auf dem Gebiet des öffentl. Rechts trifft und die auf unmittelbare Rechtswirkung nach außen gerichtet ist. Es gibt formlose und formgebundene, begünstigende (z. B. Baugenehmigung) und belastende (z. B. Steuerbescheid), feststellende (z. B. Prüfungszeugnis) und gestaltende V. (z. B. Einbürgerung). Rechtswidrige V. können binnen einer Frist von i. d. R. einem Monat durch Einlegung von Widerspruch und anschließend Erhebung einer Anfechtungsklage angegriffen werden. Ein V., der nicht innerhalb der Frist angefochten ist, wird unanfechtbar (bestandskräftig). Nur V., die an bestimmten schweren, offenkundigen Fehlern leiden, sind von vornherein nichtig. Kein V. ist der öffentlich-rechtl. Vertrag. Nebenbestimmungen von V. sind →Bedingung, →Auflage und Widerrufsvorbehalt (→Widerruf).

Verwaltungsfachhochschulen, Fachhochschulen des Bundes oder eines Bundeslands zur Vorbereitung auf die nichttechn. gehobenen Laufbahnen in der öffentl. Verwaltung einschließlich des Polizeivollzugsdienstes.

Verwaltungsgebühren, →Gebühren.

Verwaltungsgerichtsbarkeit, die Gerichtsbarkeit für öffentlich-rechtl. Streitigkeiten nichtverfassungsrechtl. Art. Die allgemeine V. ist einheitlich geregelt in der **Verwaltungsgerichtsordnung (VwGO)** i. d. F. v. 19. 3. 1991; ergänzend gilt die ZPO. Die V. umfasst drei Instanzen: die Verwaltungsgerichte, die Oberverwaltungsgerichte (in Bad.-Württ. und Hessen: Verwaltungsgerichtshof, VGH) und das →Bundesverwaltungsgericht. (→Gericht)

Nach § 40 VwGO entscheiden die Verwaltungsgerichte über sämtl. öffentlich-rechtl. Streitigkeiten, soweit diese nicht verfassungsrechtl. Art sind und nicht kraft Gesetzes eine andere Zuständigkeit begründet wird. Kraft Gesetzes ist eine anderweitige Zuständigkeit für die Finanz-, Sozial- und Disziplinargerichte bestimmt (besondere V.). Das Verfahren vor den Verwaltungsgerichten umfasst v. a. die Klage des Einzelnen auf Aufhebung eines fehlerhaften Verwaltungsakts (Anfechtungsklage), die Verpflichtungs- sowie die Feststellungsklage. Wendet sich der Kläger gegen einen Verwaltungsakt oder begehrt er einen solchen, muss er i. d. R. zuvor fristgebunden ein Widerspruchsverfahren durchlaufen und dann binnen Monatsfrist Klage erheben. Das Gericht erforscht den Sachverhalt von Amts wegen (Untersuchungsgrundsatz). Die Entscheidung ergeht i. d. R. aufgrund mündl. Verhandlung; in einfach gelagerten Fällen kann ein Gerichtsbescheid erlassen werden (§ 84 VwGO). Anwaltszwang besteht nur vor dem Bundesverwaltungsgericht.

Zur Wahrung des öffentl. Interesses ist bei allen Instanzen der V. ein **Vertreter des öffentl. Interesses** tätig, der Weisungen der Exekutive unterliegt. Das Verwaltungsstreitverfahren ist weitgehend dem Zivilprozess nachgebildet. – In *Österreich* ist die V. im Wesentlichen beim Verwaltungsgerichtshof in Wien konzentriert. In der *Schweiz* werden das Bundesgericht und besondere kantonale sowie eidgenöss. Verwaltungsgerichte tätig.

📖 *Die Gerichtsbarkeit des öffentl. Rechts, hg. v.* H. R. KLECATSKY *u. a. Wien 1984.* – OERTZEN, H.-J. VON: *V. Stuttgart 1990.* – KOPP, F. O.: *Verwaltungsgerichtsordnung. München ¹⁰1994.* – BOSCH, E. *u.* SCHMIDT, JÖRG: *Prakt. Einführung in das verwaltungsgerichtl. Verfahren. Stuttgart u. a. ⁶1996.*

Verwaltungsprivatrecht, von der Rechtslehre entwickelter Begriff zur Bezeichnung der besonderen Bindungen, denen die öffentl. Verw. auch dann unterliegt, wenn sie sich zur Erfüllung öffentl. Aufgaben privatrechtl. Formen bedient (z.B. gemeindl. Schwimmbad mit privatrechtl. Nutzungsverhältnis). Die Verw. kann sich durch die Wahl der Privatrechtsform nicht bestimmten öffentlich-rechtl. Bindungen – bes. an die Grundrechte – entziehen. Der Bereich des V. ist von der fiskal. Tätigkeit zu unterscheiden (→Fiskus).

Verwaltungsrat, bei öffentlich-rechtl. Anstalten, Körperschaften und Stiftungen neben dem Vorstand an der Aufsicht und Leitung nach der Satzung oder den Gesetzen beteiligtes Organ.

Verwaltungsrecht, die für die Handhabung der Verwaltung herausgebildeten Vorschriften, ein Teil des →öffentlichen Rechts. Das allg. V. beinhaltet die für die Verwaltung allg. geltenden Regelungen (im Verwaltungsverfahrens-Ges. des Bundes vom 25. 5. 1976 und den entsprechenden Ges. der Länder teilweise kodifiziert). Das besondere V. umfasst die jeweiligen speziellen Materien (z.B. Polizei-, Bau-, Gemeinde-, Wehr-, Beamten-, Gewerbe-, Schulrecht).

Verwaltungsreform, umfassende Veränderung der Verwaltungsorganisation, meist verbunden mit einer räuml. Neugliederung der Verwaltungseinheiten (Gebietsreform). In der Bundesrep. Dtl. wurden seit Mitte der 1960er-Jahre in allen Bundesländern unterschiedl. Reformpläne aufgestellt. Sie betrafen die Schaffung größerer kommunaler Einheiten mit leistungsfähigen Gemeindeverwaltungen (→Gemeinde). – Die Neugliederung auf Ortsebene ist abgeschlossen und hat die Zahl der Gemeinden erheblich vermindert. Die Kreisreform zielt generell auf eine Vergrößerung der Landkreise ab, z.T. unter Einbeziehung bisher kreisfreier Städte. Verschiedentlich wurde die Zahl der Regierungsbezirke vermindert (in Hessen, Rheinland-Pfalz, NRW). In der DDR wurden 1990 die Länder gebildet; nach dem Beitritt wurden Kreisreformen durchgeführt. – Im Ggs. zur territorialen Neuordnung unterer Verw.-einheiten hat eine V. in anderen Bereichen der öffentl. Verwaltung kaum stattgefunden.

📖 ELLWEIN, T.: *Das Dilemma der Verwaltung. Verwaltungsstruktur u. Verwaltungsreformen in Deutschland. Mannheim u. a. 1994.*

Verwaltungsstreitverfahren, Verfahren der (allg.) →Verwaltungsgerichtsbarkeit.

Verwaltungsunrecht, rechtswidriges Verhalten gegenüber Anordnungen der Verwaltungsbehörden ohne kriminellen Charakter, z.B. →Ordnungswidrigkeiten.

Verwaltungsverfahren, i.w.S. jedes von einer Verwaltungsbehörde durchgeführte Verfahren; i.e.S. nach dem Bundesverwaltungsverfahrens-Ges. vom 25. 5. 1976 (in den Ländern aufgrund eigener Ges. entsprechend) die nach außen wirkende Tätigkeit einer Behörde, die auf den Erlass eines Verwaltungsakts oder auf den Abschluss eines öffentlich-rechtl. Vertrages gerichtet ist. Den Regelfall bildet das einfache (nichtförml.) V.; ein förml. V. oder ein Planfeststellungsverfahren finden nur statt, wenn dies bes. vorgeschrieben ist. Zum V. gehören auch die Maßnahmen zur Ausübung der staatl. Zwangsgewalt **(Verwaltungszwang, Verwaltungsvollstreckung),** d.h. Verfahren zur Erzwingung von Handlungen, Duldungen oder Unterlassungen und solche zur Beitreibung von Geldbeträgen (Vollstreckung wegen Geldforderungen; Verwaltungsvollstreckungs-Ges. vom 27. 4. 1953). **Zwangsmittel** sind die Ausführung der Handlung auf Kosten des Pflichtigen (→Ersatzvornahme), die Verhängung von Zwangsgeld und die Anwendung →unmittelbaren Zwangs (Ges. über den unmittelbaren Zwang bei Ausübung öffentl. Gewalt durch Vollzugsbeamte des Bundes vom 10. 3. 1961). Alle Maßnahmen des Vollstreckungsverfahrens können mit →Rechtsmitteln angefochten werden. Sondervorschriften bestehen im Abgaben- und im Sozialrecht.

Verwaltungsvermögen, Teil des →Staatsvermögens.

Verwaltungsverordnung, →Rechtsverordnung.

Verwandtschaft, 1) *Biologie:* das auf bestimmten Ähnlichkeiten beruhende Verhältnis zweier Lebewesen zueinander (→System).

2) *Chemie:* die →Affinität.

3) *Recht:* das Verhältnis zw. mehreren Personen, die voneinander **(V. in gerader Linie)** oder von derselben dritten Person **(V. in der Seitenlinie)** abstammen **(Bluts-V.).** Die Nähe der V. wird nach **V.-Graden** bestimmt; diese richten sich nach der Zahl der die V. vermittelnden Geburten. Eltern und Kinder sind z.B. im ersten Grad in gerader Linie verwandt, Onkel und Neffen im dritten Grad in der Seitenlinie. Die V. schließt auch nichtehel. Kinder sowie adoptierte Kinder (→Annahme als Kind) mit ein. Nahe V. ist ein Ehehindernis (→Eherecht). Die Verwandten eines Ehegatten sind mit dem anderen Ehegatten verschwägert (→Schwägerschaft). Eheleute sind nicht miteinander verwandt.

Verwarnung, 1) *Recht:* a) im *Jugendstrafrecht* ein Zuchtmittel, eine Maßnahme des Gerichts, mit der dem Jugendlichen das Unrecht der Tat eindringlich vorgehalten werden soll (§§ 13, 14 JGG); b) im *Strafrecht* **(V. mit Strafvorbehalt)** ein Schuldspruch, bei dem die Verhängung der Strafe während einer Bewährungszeit ausgesetzt ist (§§ 59 ff. StGB); bewährt sich der Verwarnte nicht, wird er zur vorbehaltenen Strafe verurteilt; c) im *Verwaltungsrecht* eine Maßnahme von Ordnungsbehörden und Polizei, um geringfügige Ordnungswidrigkeiten zu ahnden; vielfach wird eine **gebührenpflichtige V.** (10–75 DM gemäß §56 OWiG) erteilt.

2) *Sport:* Aufforderung zur Fairness durch den Kampf- bzw. Schiedsrichter nach Regelverstoß, z.B. in Sportspielen nach grobem Foulspiel, in Laufwettbewerben der Leichtathletik nach Fehlstart. In Kampfsportarten beeinflussen V. die Punktwertung.

Verweis, Disziplinarmaßnahme des →Disziplinarrechts.

Verweisung, *Prozessrecht:* die förml. Abgabe eines Rechtsstreits aus Zuständigkeitsgründen an ein anderes Gericht zur Vermeidung eines zweiten Rechtsstreits (→Kompetenzkonflikt). Die auf Antrag einer Partei erfolgte V. zwischen Zivilkammern und den Kammern für Handelssachen ist unanfechtbar (Art. 102 Gerichtsverfassungsgesetz).

Verweltlichung, →Säkularisierung.

Verwendungen, vermögenswerte Leistungen des Besitzers einer Sache auf die Sache, deren wirtschaftl. Erfolg dem Eigentümer der Sache zugute kommt. **Notwendige V.,** d.h. Maßnahmen, die zur Erhaltung oder Wiederherstellung der Sache erforderlich sind, sowie deren gewöhnl. Lasten, z.B. Grundsteuer, sind dem redl. Besitzer stets, dem bösgläubigen und dem Besitzer nach Rechtshängigkeit des Eigentumsherausgabeanspruchs nur nach den Vorschriften über die Geschäftsführung ohne Auftrag zu ersetzen. **Nützl. V.,** die, ohne notwendig zu sein, den Wert der Sache erhöhen (z.B. Einbau), sind nur dem redl. Besitzer, **Luxus-V.,** die den Wert der Sache nicht erhöhen, sind überhaupt nicht zu ersetzen (§996 BGB).

Verwendungsnachweis, in Österreich der →Befähigungsnachweis.

Verwerfen (Abort), das vorzeitige Ausstoßen der (nichtlebensfähigen) Leibesfrucht, bes. bei Haustieren, vor Ablauf der normalen Tragezeit.

Verwerfung (Bruch, Sprung, Störung), *Geologie:* tektonisch gebildete Gesteinsfuge **(V.-Fläche)** oder Spalte **(V.-Spalte),** die einen Gesteinsverband in zwei Schollen zerlegt, die längs der V. merklich horizontal (Horizontal- oder Blatt-V.) oder vertikal (Vertikal-V.) gegeneinander verschoben sind. Gleichsinnig mit den Gesteinsschichten einfallende V. heißen **synthetisch,** gegensinnig einfallende **antithetisch.** Je nach der relativen Bewegung der Schollen unterscheidet man Ab-, Auf- und Überschiebung. Mehrere V. können einen →Staffelbruch, einen →Horst oder einen →Graben bilden. Der Schnitt der V. mit der Erdoberfläche heißt **V.-Linie.** Eine bed. V. ist die →San Andreas Fault (Calif.).

Verwertungsgesellschaften, Abk. **VG,** Zusammenschlüsse von Urhebern, Leistungsschutzberechtigten (Inhaber verwandter Schutzrechte) und Verlegern zur gemeinsamen Wahrnehmung ihrer Verwertungs- (→Urheberrecht) und Leistungsschutzrechte; in Dtl. unterstehen die V. der vom Bundespatentamt wahrgenommenen Staatsaufsicht. Sie wurden in den meisten Ind.staaten zunächst für Komponisten geschaffen. Die älteste dt. VG ist die →GEMA. Die Rechte an Sprachwerken nimmt die **VG Wort,** Sitz: München, wahr. Zur Wahrnehmung der Rechte der ausübenden Künstler und Schallplattenproduzenten besteht die **Gesellschaft zur Verwertung von Leistungsschutzrechten mbH (GVL),** Sitz: Hamburg. Für bildende Künstler und Bildautoren besteht die **VG Bild-Kunst,** Sitz: Bonn. Die Rechte und Pflichten der VG sind durch Ges. vom 9. 9. 1965 geregelt. VG Wort, GEMA und GVL haben sich zur **Zentralstelle für private Überspielungsrechte (ZPÜ),** Sitz: München, zusammengeschlossen. Entsprechende V. gibt es in *Österreich* (bes. Gesellschaft der Autoren, Komponisten und Musikverleger, A.K.M.; Austro-Mechana, Wien) und in der *Schweiz* (bes. SIUSA für musikal. Werke, PRO LITTERIS für schriftlich verfasste Werke; Sitz: Zürich).

Verwertungsrechte, →Urheberrecht.

Verwesung, mikrobieller (durch Bakterien und Pilze bewirkter) Abbau organ. (menschl., pflanzl., tier.) toter Substanz unter Luftzufuhr zu einfachen anorgan. Verbindungen (v.a. durch Oxidation und Nitrifikation); bei mangelndem Sauerstoffzutritt geht die V. in Fäulnis über.

Verwey [vər'wɛi̯], Albert, niederländ. Dichter und Kritiker, *Amsterdam 15. 5. 1865, †Noordwijk-aan-Zee (Prov. Südholland) 8. 3. 1937; als Führer der Tachtigers Erneuerer der niederländ. Dichtung aus romantisch-klassizist. Erbe.

Verwindung, 1) *Luftfahrt:* Änderung der Stellung oder der Form der Tragflügelprofile entlang der Spannweite, wodurch die Auftriebsverteilung so beeinflusst wird, dass der induzierte Widerstand vermindert und das Überziehverhalten des Flügels verbessert wird.

2) *Physik:* die →Torsion.

Verwirkung, 1) *Strafrecht:* das Sichzuziehen eines Übels durch eigene Handlung (z.B. §59 StGB: »Hat jemand eine Geldstrafe ... verwirkt ...«).

2) *Verfassungsrecht:* durch das Bundesverfassungsgericht ausgesprochener Verlust von Grundrechten für denjenigen, der sie zum Kampf gegen die freiheitlich-demokrat. Grundordnung missbraucht (Art. 18 GG).

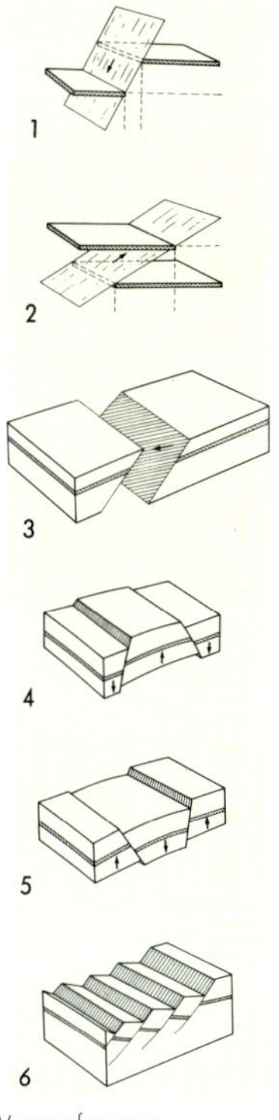

Verwerfung: schematische Darstellung der wichtigsten Arten von Verwerfungen; 1 Abschiebung, 2 Aufschiebung, 3 gleichzeitige Aufschiebung (vertikal) und Blattverschiebung (horizontal), 4 Horst, 5 Graben, 6 Staffelbruch

3) *Zivilrecht:* 1) das Fälligwerden des Anspruchs auf eine Vertragsstrafe; 2) die von der Rechtsprechung entwickelte, aus dem Grundsatz von Treu und Glauben (§242 BGB) hergeleitete Einwendung gegen einen noch nicht verjährten Anspruch bei dessen verspäteter Geltendmachung. Es muss ein so langer Zeitraum verstrichen sein, dass mit der Geltendmachung des Rechts nicht mehr zu rechnen war; auch muss der Vertragspartner sich darauf eingerichtet haben.

Verwirkungsklausel (kassatorische Klausel, Verfallklausel), die Vertragsabrede, dass der Schuldner bei Nichterfüllung seiner Verpflichtungen seiner Rechte aus dem Vertrag verlustig gehen soll (§360 BGB). Der Gläubiger ist in diesem Fall nur zum Rücktritt vom Vertrag berechtigt, nicht zum Behalten dessen, was der Schuldner schon geleistet hat.

Verwirrtheit (Confusio mentalis), zu den qualitativen Bewusstseinsstörungen gehörender psych. Zustand mit formaler Denkstörung, bei der die Zusammenhänge der gedankl. Vorstellungen verloren gehen; die Orientierung ist gestört.

Verwitterung, *Geologie:* alle an der Gesteins- und Mineralzerstörung an oder nahe der Erdoberfläche beteiligten Vorgänge. Ergebnis der **mechan.** oder **physikal. V.,** durch Temperatur-, Wasser- und Frosteinwirkung und Salzsprengung verursacht, ist der Gesteinszerfall. Die **chem. V.,** in Form von Lösungs-, Kohlensäure-, Oxidations- und hydrolyt. V., führt zur Gesteinszersetzung. Auch pflanzl. und tier. Organismen können zur V. beitragen **(biolog. V.).** Die V. wird wesentlich vom Klima beeinflusst. Sie schafft die Voraussetzung für die Bildung des Bodens und der Sedimentgesteine.

Verwoerd [fərˈvuːrt], Hendrik, südafrikan. Politiker (Nationalpartei), *Amsterdam 8. 9. 1901, †(ermordet) Kapstadt 6. 9. 1966; war 1950–58 Min. für Eingeborenenfragen, 1958–66 MinPräs., verfolgte rigoros die Politik der →Apartheid und gründete die Homelands. Er setzte 1961 den Austritt seines Landes aus dem Commonwealth und die Umwandlung Südafrikas in eine Rep. durch.

Verzeichnung, *Optik:* ein →Abbildungsfehler.

Verzerrung, 1) *Kartographie:* Maß für die in →Kartennetzentwürfen auftretende geometr. Deformation bei der Abbildung der sphär. Erdoberfläche in eine ebene Fläche (Karte). V. in der Photogrammmetrie werden durch Entzerrungsgeräte (→Entzerrung) ausgeschaltet.

2) *Übertragungstechnik:* bei einem Übertragungssystem allg. die Abweichung eines Ausgangssignals (Veränderungen der Amplitude und/oder Phase) von dem zugehörigen Eingangssignal. V. sind meist unerwünscht und beruhen dann auf nichtidealen Eigenschaften des Übertragungssystems.

Tarjei Vesaas

Andreas Vesal
(Ausschnitt eines zeitgenössischen Holzschnitts)

Verzicht, die Aufgabe eines Rechts. Der V. ist eine Verfügung und insoweit wirksam, als ein Recht übertragbar ist. Er wird i.d.R. einseitig erklärt (bes. der prozessuale Verzicht auf Rechtsmittel oder die Klage); jedoch ist zum V. auf Forderungen ein Vertrag zw. Gläubiger und Schuldner erforderlich (Schulderlass, §397 BGB).

Verzierung, 1) *bildende Kunst:* →Ornament.

2) *Musik:* in der Vokal- und Instrumentalmusik das ausschmückende Umspielen eines Melodietones in versch. Floskeln (z.B. Triller, Pralltriller, Mordent, Doppelschlag, Vorschlag, Nachschlag, Schleifer, Arpeggio), meist durch besondere Zeichen oder kleinere Noten angedeutet.

Verzinken, das Beschichten von Metallteilen, bes. Stahl, mit Zink zum Schutz vor Korrosion. Die Zinküberzüge werden nach dem Schmelztauchverfahren **(Feuer-V.,** →Metallspritzverfahren) galvanisch in alkal., sauren oder cyanidhaltigen Zinksalzbädern oder durch Diffusion (→Sherardisieren) aufgebracht.

Verzinnen, das Beschichten von Metallen, v.a. Stahl, Gusseisen, Kupfer und -legierungen, mit Zinn zum Schutz vor Korrosion, zur Verbesserung der Lötbarkeit, der Gleitfähigkeit (z.B. in Lagern), der Haftfähigkeit von Kautschuküberzügen (z.B. auf Leitungsdraht) u.a. Angewandt wird heute v.a. das **Feuer-V.** (→Metallspritzverfahren).

Verzinsung, Zahlung von (in Prozenten ausgedrückten) Teilbeträgen auf den Nennwert einer ausgeliehenen Summe von Geldkapital als Preis für die Bereitstellung (→Zins).

Verzollung, die zollamtl. Abfertigung sowie die Bezahlung der Zollschuld.

Verzuckerung, *Chemie:* hydrolyt. Spaltung von Polysacchariden zu niedermolekularen Zuckern, z.B. Spaltung von Cellulose zu Glucose bei der →Holzverzuckerung.

Verzug, *Recht:* →Gläubigerverzug, →Schuldnerverzug.

Verzweigung, *Botanik:* Entwicklung gleichartiger Glieder an Thallus, Wurzel und Achse; Hauptformen: **gabelige V. (Dichotomie),** z.B. bei niederen Pflanzen, und **einachsig-monopodiale V. (Monopodium),** z.B. bei Fichte, Tanne.

Vesaas [ˈveːsoːs], Tarjei, norweg. Schriftsteller, *Vinje (Prov. Telemark) 20. 8. 1897, †Oslo 15. 3. 1970. Seine Themen entstammen dem bäuerl. Milieu und der Welt der Kinder und Jugendlichen; zentrales Motiv seines Werkes ist die Bewahrung humanist. Grundwerte (Romane: »Das große Spiel«, 1934; »Eine Frau ruft heim«, 1935; »Drei Menschen«, 1966); schrieb auch Erzählungen, Gedichte, Hörspiele.

Vesal [v-] (Vesalius), Andreas, fläm. Anatom dt. Herkunft, *Brüssel 31. 12. 1514/1. 1. 1515, †auf der Insel Zakynthos um den 15. 10. 1564; Leibarzt

Karls V. und Philipps II.; begründete die neuzeitl. Anatomie durch Auswertung der Sektionsbefunde menschl. Leichen.

Vesica [v-, lat.] *die, Anatomie:* die Blase; **V. fellea,** die Gallenblase; **V. urinaria,** die Harnblase.

Vesoul [vəˈzul], Hptst. des frz. Dép. Haute-Saône, 19400 Ew.; Metallwaren-, Textilindustrie.

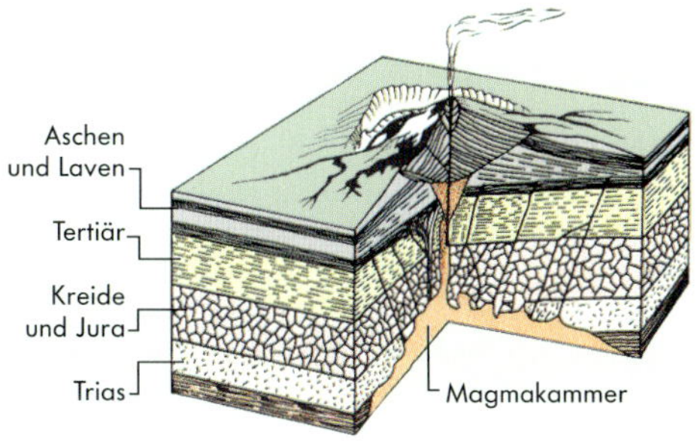

Vesuv: Blockbild des Vesuv

Vespasian [v-], Titus Flavius Vespasianus, röm. Kaiser (69–79), *Falacrinae (bei Reate, heute Rieti) 17. 11. 9 n. Chr., †Aquae Cutiliae (bei Reate) 24. 6. 79; wurde 69 von seinen Legionen zum Kaiser ausgerufen; schlug 70 den Aufstand der Bataver unter Julius Civilis nieder. Er stellte die in den Bürgerkriegen zerrüttete Ordnung wieder her, betrieb eine harte Finanz- und Steuerpolitik (→non olet), ließ u. a. das Kolosseum errichten und in den Provinzen Straßen bauen; Gründer der flav. Dynastie.

Vesper [f-; lat. vespera »Abend«] *die,* **1)** *allg. (im oberdt. Bereich):* Zwischenmahlzeit am Vor- oder Nachmittag; Arbeitspause.

2) *evang. Kirchen:* ein Abendgottesdienst.

3) *kath. Kirche:* Teil des →Stundengebets.

Vesper [f-], Guntram, Schriftsteller, *Frohburg (Kr. Leipziger Land) 28. 5. 1941; übersiedelte 1957 in die Bundesrep. Dtl.; Verfasser knapper Situationslyrik (»Fahrplan«, 1964; »Leuchtfeuer auf dem Festland«, 1989); auch Hörspiele und Radioessays.

Vesperbild [f-], →Andachtsbild.

Vespucci [vesˈputtʃi], Amerigo, italien. Seefahrer, *Florenz 9. 3. 1451, †Sevilla 22. 2. 1512; war an der Vorbereitung der 2. und 3. Reise von C. Kolumbus beteiligt; unternahm in span. und portugies. Diensten mehrere Reisen nach Mittel- und Südamerika (nach eigenen Angaben 1497–1504 vier Fahrten, von denen nur zwei – 1499/1500 und 1501/02 – sicher verbürgt sind). V. erkannte, dass die entdeckten Gebiete nicht ein Teil Indiens, sondern eines neuen selbstständigen Kontinents waren, der nach dem Vornamen V.s »America« benannt wurde (erstmals 1507 auf einer Weltkarte von M. →Waldseemüller belegt).

Vesta [v-], **1)** *Astronomie:* 1807 entdeckter drittgrößter und hellster →Planetoid.

2) *röm. Mythologie:* altitalische Göttin des Herdfeuers (→Hestia), hatte im alten Rom einen Tempel mit einem ewig brennenden Feuer, das Priesterinnen **(Vestalinnen)** unterhielten; diese waren für die Dauer ihres 30-jährigen Dienstes zur Jungfräulichkeit verpflichtet.

Vestdijk [ˈvɛstdɛi̯k], Simon, niederländ. Schriftsteller, *Harlingen 17. 10. 1898, †Utrecht 23. 3. 1971; schrieb psycholog. Romane (»Das fünfte Siegel«, 1937), ferner Erzählungen, Gedichte, Essays.

Vesterålinseln [ˈvɛstəro:l-], Inselkette in Nordnorwegen, die nordöstl. Fortsetzung der Lofotinseln; die größten Inseln sind →Hinnøy, Langøy (860 km²) und Andøy (489 km²).

Vestibül [v-, frz.-lat.] *das,* Eingangs-, Vorhalle (z. B. im Theater).

Vestmannaeyjar [ˈvɛstmanaɛijar], isländischer Name der →Westmännerinseln.

Vesuv [v-] *der* (italien. Vesuvio), Vulkan bei Neapel, Italien, 1281 m ü. M. (1930: 1186 m ü. M.; die Gipfelhöhe verändert sich bei jedem Ausbruch); Schichtvulkan aus Laven und Tuffen. Der heutige Kegel baut sich über der Ruine eines älteren Vulkans von 4 km Durchmesser auf. Im N liegt der alte Kegel Monte Somma (1132 m ü. M.), an dessen Rand in 608 m Höhe ein Observatorium. Die unteren Hänge sind sehr fruchtbar (Obst-, Weinbau). – 79 n. Chr. vernichtete ein großer Ausbruch die Städte Herculaneum, Pompeji, Stabiae. Die letzten größeren Ausbrüche waren 1906 und 1944. Weitere BILDER Krater, Neapel

Vesuvian [v-; zu Vesuv] *der,* tetragonales Mineral, chemisch ein Calcium-Magnesium-Eisen-Silikat, meist braun oder grün, dem Granat ähnlich.

Veszprém [ˈvɛspre:m] (dt. Veszprim), Hauptstadt des Bezirks V. in Ungarn, 64000 Ew.; Bischofssitz; TU für Chemie; Zentrum des Bergbau- und Ind.gebiets des Bakony. – Auf dem Burgberg neben der Kathedrale St. Michael (11. Jh., 1723 neu erbaut) Baureste der St.-Georgs-Kapelle (13.–15. Jh.), Kirche St. Stefan (18. Jh.), Gisela-Kapelle (13. Jh., nach Zerstörung durch die Türken 1723 wiederhergestellt) mit bed. byzantin. Fresken (13. Jh.), barocker Bischofspalast (1765–76). – Residenz der Fürsten des Großmähr. Reiches; im 11.–13. Jh. bevorzugte Residenz der Árpáden.

Vetera Castra [v-, lat.], um 15 v. Chr. von Drusus angelegtes Römerlager bei →Xanten.

Veteran [v-, lat.] *der,* altgedienter Soldat; jemand, der sich in langer Dienstzeit bewährt hat.

Veteranenkrankheit [v-], die →Legionärskrankheit.

Veterinärmedizin [v-], die →Tiermedizin.

Veterinärmediziner [v-], der →Tierarzt.

Veto [v-, lat.] *das* (Vetorecht), das Recht eines Einzelnen, einer Behörde oder Körperschaft, durch Einspruch einen Beschluss unwirksam **(ab-**

Vespasian, römischer Kaiser, römische Büste (Florenz, Uffizien)

Vesuvian: Kristallaggregate

Amerigo Vespucci (Ausschnitt eines Kupferstichs nach einer zeitgenössischen Vorlage, 1673)

Vevey am Nordostufer des Genfer Sees

solutes V.) zu machen oder aufzuschieben **(suspensives V.).** In Dtl. hat der Bundesrat gegenüber Gesetzesbeschlüssen des Bundestags im Regelfall ein aufschiebendes V., bei →Zustimmungsgesetzen ein absolutes V. (Art. 77 GG). – Im UN-Sicherheitsrat besitzen die fünf ständigen Mitgl. ein absolutes Veto.

Heinz Oskar Vetter

Vetter, der →Cousin.

Vetter [f-], **1)** Heinz Oskar, Gewerkschafter, *Bochum 21. 10. 1917, †Mülheim an der Ruhr 18. 10. 1990; 1969–82 Vors. des DGB, 1974–79 Präs. des Europ. Gewerkschaftsbundes; 1979–89 MdEP (SPD).

2) Michael, Blockflötist und Komponist, *Oberstdorf 18. 9. 1943; trat als Interpret von vorklass. und zeitgenöss. Blockflötenmusik hervor; lebte zwölf Jahre in Japan, wurde Zenmönch und brachte die Technik des Obertonsingens nach Europa.

Vetternehe, Ehe zw. Vetter und Base; bei Naturvölkern weit verbreitet.

Vetternwirtschaft, →Nepotismus.

Vettersfelde [f-] (poln. Witaszkowo), Dorf südöstlich von Guben, Polen; Fundort eines skyth. Goldschatzes aus dem 6./5. Jh. v. Chr.

Vevey [vəˈvɛ], Bezirkshauptort und Kurort im Kt. Waadt, Schweiz, am Genfer See, 15 900 Ew.; Museen (u. a. Alimentarium); Nahrungs- und Genussmittelind. (Sitz der Nestlé AG), Apparatebau, Aluminiumverarbeitung, graf. Ind.; Weinbau; Fremdenverkehr. – Gotische Kirche Saint-Martin (1174, Chor 13./14. Jh.), Rathaus (1710) mit mittelalterl. Turm, ehem. Kornhalle (1808), neugot. Schloss Couvreu (1840–42). – V. entstand als röm. Siedlung **Vibiscum.**

Boris Vian

Vexierbild [v-, lat.], Suchbild, das eine nicht sofort erkennbare Figur enthält.

Vézelay [vezˈlɛ], Gemeinde im Dép. Yonne, Frankreich, in Burgund, 600 Ew. – Die 864 gegründete Benediktinerabtei war im 11. Jh. ein bed. Wallfahrtsort; die hochroman. Abteikirche Sainte-Madeleine (seit 1096, im 19. Jh. von E. E. Viollet-le-Duc restauriert) wurde von der UNESCO zum Weltkulturerbe erklärt; berühmt ist die Vorhalle mit ihren Figurenkapitellen und den drei reich geschmückten Stufenportalen.

Vézère [veˈzɛ:r] *die,* rechter Nebenfluss der Dordogne in SW-Frankreich, 192 km lang, entspringt im Limousin, mündet bei Limeuil. Am Unterlauf der V. liegen die vorgeschichtl. Fundstätten Cro-Magnon, La Madelaine, Lascaux, Le Moustier u. a. mit bed. Höhlenmalereien, die von der UNESCO als Weltkulturerbe geschützt werden.

VFR-Flug [Abk. für engl. **v**isual **f**light **r**ules »Sichtflugregeln«], →Sichtflug.

v. g. u., Abk. für **v**orgelesen, **g**enehmigt und **u**nterschrieben, Vermerk, z. B. bei polizeil. Protokollen.

via [v-, lat.], (auf dem Weg) über; durch.

Via Aemilia [v-], Römerstraße, →Emilia-Romagna.

Via Appia [v-], von Appius Claudius Caecus 312 v. Chr. angelegte Militärstraße von Rom nach Capua, später bis Brundisium fortgeführt; in der Nähe Roms von Gräbern und Villen gesäumt.

Via Aurelia [v-], von Aurelius Cotta um 241 v. Chr. angelegte Straße von Rom nordwärts an der W-Küste Italiens nach Pisa.

Viadana [v-], Lodovico, eigtl. L. Grossi da V., italien. Komponist, *Viadana (bei Mantua) um 1560, †Gualtieri (bei Guastalla) 2. 5. 1627; schrieb als Erster geistl. Konzerte für 1–4 Singstimmen und Generalbass.

Via Appia in der Nähe von Rom; die Militärstraße wurde 312 v. Chr. unter Appius Claudius Caecus angelegt

Viadukt [v-, lat.] *der,* eine Brücke, die aus mehreren, auch übereinander angeordneten Bogenstellungen besteht.

Vézelay: Das Giebelfeld des mittleren Portals der Abteikirche Sainte-Madeleine zeigt den thronenden Christus und die Jünger umrahmt von Darstellungen der Völker der Erde; im Hintergrund das im 11./12. Jh. erbaute hochromanische Langhaus

VIAG AG, über seine Beteiligungsgesellschaften in den Bereichen Energie (Bayernwerk AG), Verpackung (VAW aluminium AG, Schmalbach-Lubeca AG, Gerresheimer Glas AG), Chemie (SKW Trostberg AG), Logistik (Klöckner & Co AG, Kühne & Nagel) und Telekommunikation (VIAG Interkom) tätige Holdingges.; gegr. 1923 als Vereinigte Industrie-Unternehmungen AG; Sitz: München.

Via Mala [v-; italien. »böser Weg«], 6 km lange, bis 600 m tiefe Schlucht des Hinterrheins zw. Schams und Domleschg im Kt. Graubünden, Schweiz, mit einer 1822 erbauten Straße.

Vian [vjã], Boris, frz. Schriftsteller, *Ville-d'Avray (Dép. Hauts-de-Seine) 10. 3. 1920, †Paris 23. 6. 1959; war Ingenieur, dann Jazzmusiker, Sänger, Schauspieler, galt Ende der 1940er-Jahre als Leitfigur der antibürgerl. Pariser Jugend. V. schrieb (unter dem Pseud. Vernon Sullivan) Romane nach dem Muster amerikan. Kriminalromane und dann, beeinflusst von Surrealismus und Existenzialismus, fantastisch-groteske Romane (»Ich werde auf eure Gräber spucken«, 1946; »Cloé«, 1947, auch u. d. T. »Die Gischt der Tage«; »Der Herzausreißer«, 1953) und Novellen, Chansons sowie dem absurden Theater nahe stehende Dramen.

Vianden [f-], Stadt in Luxemburg, beiderseits der Our, im Dt.-Luxemburg. Naturpark, 1 600 Ew.; elektrotechn. Ind.; Fremdenverkehr. – Oberhalb die mächtige Burg (12.–17. Jh.).

Viangchan [vjaŋtʃan], Hauptstadt von Laos, →Vientiane.

Viareggio [via'reddʒo], Stadt und Seebad in der Prov. Lucca, Italien, am Tyrrhen. Meer, in der Toskana, 57 800 Ew.; Marmorverarbeitung, Töpfereien, Schiffbau u. a. Ind.; Fremdenverkehr.

Viborg, 1) ['vibɔr], Hauptstadt des Amtes V., Mitteljütland, Dänemark, 39 400 Ew.; luther. Bischofssitz; Museen; Textil-, Maschinenbau-, Möbel- u. a. Industrie. – Der urspr. roman. Dom wurde bis auf die Krypta (12. Jh.) 1864–74 erneuert, Rathaus (18. Jh., Museum). – V. (früher **Wibjerg**) war urspr. wohl eine heidn. Kultstätte und wurde 1065 Bischofssitz; schon im MA. bed. Handelsplatz, bis 1340 Wahlort der dän. Könige und bis ins 17. Jh. die größte Stadt Jütlands.

2) ['vi:bɔrj], schwed. Name von →Wyborg.

Vibo Valentia [v- v-], **1)** Provinz in Kalabrien, S-Italien, 1139 km², (1995) 179 400 Einwohner.

2) (bis 1928 Monteleone de Calabria), Hauptstadt von 1), 566 m ü. M., 35 200 Ew.; Waggonbau und Zementwerke; im Ortsteil V. V. Marina am Golf von Santa Eufemia Hafen; Seebad.

Vibraphon [v-, lat.-grch.] *das,* Schlaginstrument aus klaviermäßig angeordneten Metallstäben oder -platten (Tonumfang f–f³), die mit Schlägeln angeschlagen werden. Unter den Klangplatten sind senkrecht Resonanzröhren angebracht, die sich während des Spiels durch elektr. Antrieb öffnen und schließen und so das typ. Vibrato bewirken; seit den 1920er-Jahren bes. in der Jazz- (L. Hampton) und Unterhaltungsmusik verwendet. BILD S. 458

Vibration [v-, lat.] *die,* mechan. Schwingung von geringer Amplitude, Zitterbewegung.

Vézelay

Die bereits 864 gegründete Benediktinerabtei von Vézelay in Burgund wurde im 11. Jahrhundert ein wichtiger Wallfahrtsort, sodass 1096 mit dem Bau einer größeren Abteikirche begonnen wurde. Im hochromanischen Langhaus und in der Vorhalle der Kirche Sainte-Madeleine befinden sich über 100 Figurenkapitelle; die Vorhalle besitzt außerdem drei reich geschmückte Stufenportale. Berühmt wegen seiner dynamischen Expressivität ist vor allem das Giebelfeld des mittleren Portals mit dem Relief des thronenden Christus und der Jünger. Es ist umrahmt von Darstellungen der Völker der Erde und verbindet das Thema der Aussendung der Apostel mit dem Pfingstwunder. Kurz nach der Fertigstellung des Langhauses erlebte Vézelay den Höhepunkt seiner Geschichte: Ostern 1146 rief Bernhard von Clairvaux vor einer riesigen Menschenmenge im Beisein des französischen Königspaares zum 2. Kreuzzug auf. Schon Ende des 13. Jahrhunderts begann der Niedergang des Wallfahrtsortes, da die Pilgermassen zu einem anderen Ziel strebten.
1835 befand sich die Kirche kurz vor dem Einsturz. Sie wurde im 19. Jahrhundert von Eugène Emmanuel Viollet-le-Duc restauriert und steht heute als Weltkulturerbe unter dem Schutz der UNESCO.

Vibrato [v-, italien.] *das,* leichtes Beben des Tones durch rasche Wiederholung von geringen Tonhöhenschwankungen beim Gesang sowie beim Spiel auf Blas- und Streichinstrumenten.

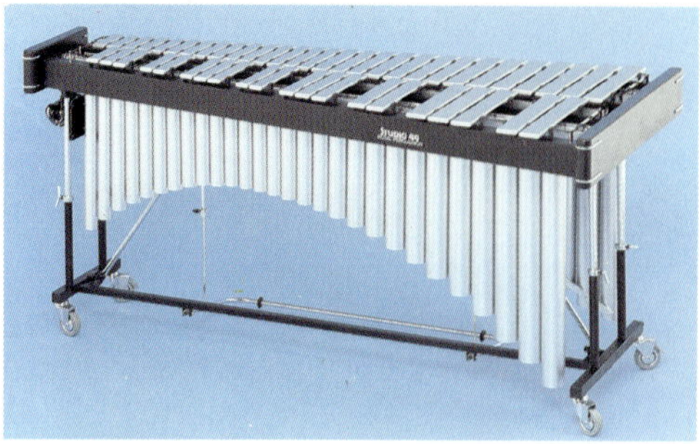

Vibraphon

Vibrator [v-, lat.] *der,* Schwingungserzeuger, verwendet als Rüttler (Verdichter) in der Bautechnik, als Schwingungs- oder Zittersieb bei der Klassierung; in der Elektrotechnik eine elektr. Schaltung.

Vibrionen [v-, lat.], *Mikrobiologie:* Bakterien der Gattung Vibrio; leben in Süß- und Salzgewässern. Einige sind Krankheitserreger (→Cholera).

Vicente [vi'sentə], Gil, portugies. Dichter, *Lissabon (?) um 1465, †ebd. (?) um 1536; war wahrscheinlich Goldschmied; gilt als Schöpfer des portugies. Theaters und bedeutendster portugies. Dichter neben L. Vaz de Camões; schrieb mehr als 40 Stücke, zu denen er z.T. auch die Musik komponierte: Comédias (Dramen; u.a. »Der Indienfahrer«, Uraufführung 1509, hg. 1562), Farcen und Moralidades (geistl. Stücke; u.a. »Die Fahrt zur Hölle«, Uraufführung 1517, hg. 1562).

Vicenza 2)
Stadtwappen

Vicentiner Alpen [vits-], Teil der Südl. Kalkalpen, Italien, in der Cima Dodici über dem Suganatal 2341 m ü.M.

Vicenza [vi'tʃɛntsa], **1)** Provinz in Venetien, Italien, 2722 km^2, (1995) 762500 Einwohner.

2) Hauptstadt von 1), am Bacchiglione, 107900 Ew.; Bischofssitz; Museen und Theater; Textil-, chem., keram., Schuhind., Schmuckwarengewerbe; internat. Keramikausstellung; Fremdenverkehr. – Kirche Santi Felice e Fortunato (10. und 12. Jh.) mit Bodenmosaik (4. Jh.) und Märtyrerkapelle (5. Jh.) des frühchristl. Vorgängerbaus, roman. Krypta (um 1000) und Campanile (v.a. 14. Jh.); Dominikanerkirche Santa Corona (1261 und 15./16. Jh.; mehrfach restauriert); Franziskanerkirche San Lorenzo (1280–1344); Dom (im Kern 15./16. Jh., über frühchristl. Vorgängerbau); Wohnbauten des 15. Jh. (Palazzo Da Schio, Casa Longhi u.a.). Das Stadtbild ist geprägt von den Bauten A. Palladios: Basilica (1548–1617), Palazzo Chiericati (seit 1551), Loggia del Capitano (1571 von Palladio begonnen, aber nur zur Hälfte vollendet), Teatro Olimpico (seit 1580); nahe der Stadt die Villa »La Rotonda« (1566/67 ff.; von Palladio entworfen) und die Villa Valmarana dei Nani (1669 ff., mit Fresken von G. B. und G. D. Tiepolo). – V., das röm. **Vicetia,** gehörte seit dem 10. Jh. der Mark Verona an; im 12. Jh. freie Kommune und Mitglied des Lombardenbunds. 1236 wurde es von Ezzelino da Romano zerstört und blieb bis 1259 unter dessen Herrschaft; seit 1311 stand es unter der Herrschaft Veronas; kam 1404 zu Venedig. Weiteres BILD Palladio

Vicenza 2): Die von Andrea Palladio 1550/51 entworfene Villa »La Rotonda« vor den Toren Vicenzas gilt als Höhepunkt des Villenbaus in der venezianische Spätrenaissance

Vichy [vi'ʃi], Stadt und Heilbad im Dép. Allier, Frankreich, in der Limagne, am Allier, 263 m ü.M., 28000 Ew.; zwölf Heilquellen; Versand von Tafelwasser; Museen, Kasinos, Oper, mehrere Theater, Reitbahn. – 1940–44 war V. Sitz der mit dem nat.-soz. Dtl. zusammenarbeitenden Regierung **(V.-Regime, État Français).**

Vickers ['vɪkəz], Jon, eigtl. Jonathan Stuart, kanad. Sänger (Tenor), *Prince Albert (Saskatchewan) 29. 10. 1926; trat in Rollen des dt., frz. und italien. Fachs an den internat. bed. Opernhäusern sowie bei Festspielen (Bayreuth, Salzburg) auf.

Vickershärte [v-], Abk. **HV,** →Härteprüfung.

Vickrey ['vɪkrɪ], William, kanad. Wirtschaftswissenschaftler, *Victoria 21. 6. 1914, †New York 11. 10. 1996; Prof. an der Columbia University (New York), Mitbegründer der Informationsökonomie. V. erhielt 1996 zusammen mit J. Mirrlees den Nobelpreis für Wirtschaftswissenschaften für seine Arbeiten über die wirtsch. Anreize bei asymmetr. Informationsverteilung.

Vicksburg ['vɪksbə:g], Stadt im Staat Mississippi, USA, am Mississippi, 25000 Ew.; Baumwollhandel, Holzverarbeitung; Flusshafen. – Im Sezessionskrieg war V. ein wichtiger Stützpunkt der Konföderierten am Mississippi, dessen Kapitulation am 4. 7. 1863 (nach 47-tägiger Belagerung durch General U. S. Grant) zus. mit dem fast gleichzeitigen Sieg der Unionstruppen bei Gettysburg (Pa.) als Wendepunkt des Krieges gilt.

Victoria: Die Schwimmblätter der Art Victoria amazonica erreichen bis zu 2 m im Durchmesser

Jon Vickers

William Vickrey

Victoria 1) Landeswappen

Vico [v-], Giovanni Battista (Giambattista), italien. Philosoph, *Neapel 23. 6. 1668, †ebd. 23. 1. 1744; lehrte seit 1699 an der Univ. Neapel; heftiger Gegner des Rationalismus R. Descartes'. Getreu seiner These, dass der Mensch nur erkennen könne, was er selbst hervorgebracht habe, verneint V. die Möglichkeit der Naturerkenntnis, wendet sich der Geschichte zu – da diese vom Menschen gemacht sei – und wird der Begründer der Geschichtsphilosophie und der Völkerpsychologie. In allen Bereichen der Kultur sieht er histor. Gesetze wirksam. Er versuchte, einen typ. Kreislauf der Gesch. nachzuweisen mit je einem theokrat., heroischen und menschl. Zeitalter in einem Zyklus von Aufstieg, Blüte, Verfall und ständiger Wiederkehr.

Vicomte [viˈkɔ̃t; frz. »Vizegraf«] *der* (engl. Viscount, span. Vizconde, italien. Visconte), in den roman. Ländern und England ein Adelstitel zw. Graf und Baron.

Victoria [v-; nach Königin Viktoria von Großbritannien], Gattung der Seerosengewächse mit zwei Arten im trop. Südamerika. Die bekannteste, im Amazonasgebiet heim. Art ist **V. amazonica** (V. regia) mit bis zu 2 m im Durchmesser erreichenden, kreisrunden Schwimmblättern und bis zu 6 cm hoch aufgebogenem Rand; Blüten 25–40 cm im Durchmesser, duftend, nur zwei Nächte geöffnet, beim ersten Erblühen weiß, beim zweiten Erblühen rot.

Victoria [v-], röm. Siegesgöttin (→Nike); ihr Kult wurde Bestandteil des Kaiserkults.

Victoria, 1) [vɪkˈtɔːrɪə], Staat des Austral. Bundes, im SO des Kontinents, 227 600 km², (1995) 4,487 Mio. Ew.; Hptst. ist Melbourne. V. hat Anteil an vier Großlandschaften: dem Murraybecken im N, dem südl. Bergland, der Great Dividing Range und der schmalen Küstenebene im O. Das Klima ist vorwiegend mediterran; Eukalyptuswald im Bergland. Vielseitige Landwirtschaft, zu über 70 % Weideland: Schafzucht, Mast- und Milchvieh, Getreideanbau, Obstbau im Murraybecken, Weinbau; Fördcrung von Braunkohle, Erdöl, Erdgas; die Ind. konzentriert sich um Melbourne, das auch wichtigster Hafen ist; internat. Flughafen in Tullamarine. – Seit den 1830er-Jahren bes. von Tasmanien aus durch Europäer besiedelt (1835 Gründung von Melbourne); ab 1851 eine separate brit. Kolonie. Goldfunde (1851 bei Ballarat und Bendigo) lösten eine Masseneinwanderung (neben Europäern v. a. von Chinesen) aus. 1901 wurde V. Mitgl. des Austral. Bundes.

2) [vɪkˈtɔːrɪə], Hauptstadt der kanad. Provinz British Columbia, auf der SO-Seite der Insel Vancouver, 71 200 Ew. (Agglomeration: 287 900 Ew.); Univ.; Observatorium; Museen; Schiffbau, Fischkonserven-, Maschinen-, Holzind.; Hafen; Fremdenverkehr.

3) [viktɔrˈja], Hauptstadt der Seychellen, auf der Insel Mahé, 24 300 Ew.; Bischofssitz; Konsumgüterind.; Tiefwasserhafen, internat. Flughafen.

4) [vɪkˈtɔːrɪə], Verw.sitz und wirtsch. Mittelpunkt von →Hongkong, 1,1 Mio. Ew.; Univ.; seit 1972 mit Kowloon auf dem Festland durch einen Unterwasserstraßentunnel verbunden.

Victoria [vɪkˈtɔːrɪə], Königin von Großbritannien, →Viktoria.

Victoria [span. bɪk-], Tomás Luis de, span. Komponist, *Ávila um 1548, †Madrid 20. 8. 1611; einer der bedeutendsten span. Vertreter der röm. Schule; schrieb 20 Messen, 44 Motetten, 34 Hymnen, Psalmen, Requiem.

Victoria and Albert Museum [vɪkˈtɔːrɪə ənd ˈɔːlbət mjuːˈzɪəm], Kunstgewerbemuseum in London, aus dem nach der Weltausstellung (1851) gegr. »Museum of Manufacturers« hervorgegangen; mit Errichtung des Neubaus (1899–1909) von Aston

Victoria

Die römische Siegesgöttin Victoria, die der griechischen Göttin Nike entsprach, besaß seit 294 v. Chr. auf dem Palatin in Rom einen eigenen Tempel. Gegen Ende der Republik im 1. vorchristlichen Jahrhundert nahm ihr Kult aufgrund innerstaatlicher Machtkämpfe stark zu. Victoria galt als die jungfräuliche Hüterin des Römischen Reiches. Ihr von Augustus errichteter Altar in der Senatskurie wurde Ende des 4. Jahrhunderts zum erbittert umkämpften Symbol des Heidentums. (Symmachus, der dem heidnischen Adel entstammte und die nichtchristliche klassische Kultur Roms zu bewahren suchte, beantragte als Stadtpräfekt von Rom 384 im Namen des Senats seine Wiedererrichtung im Senatsgebäude.)

In der bildenden Kunst ist die stets geflügelte Victoria mit der Personifikation des Friedens (Pax) so eng verschmolzen, dass auch ihr Füllhorn und Früchteschale zugeordnet werden. Kranz und Palmzweig hat sie von der griechischen Nike. Sie wird auch auf dem Himmelsglobus dargestellt oder mit einem Ehren- oder Tugendschild, auf dem die Tugenden des Kaisers verzeichnet sind. In enger Verbindung zu den römischen Kaisern findet sie sich auf Münzen, in der Kleinkunst und Großplastik, außerdem auf Grabreliefs. In der Kunst der Neuzeit erscheint sie wieder als allgemeine Allegorie des Sieges.

Webb 1899 nach dem Herrscherpaar benannt. Das Museum umfasst heute neben Kunsthandwerk der verschiedenen Epochen und Länder die nat. Skulpturensammlung mit Werken der italien. Renaissance sowie die National Library of Art.

Victoriafälle: Der Sambesi stürzt bei Livingstone an der Grenze zwischen Simbabwe und Sambia rund 110 m tief in eine Schlucht

Victoriafälle [v-] (Kololo: Mosioa-Tunya »donnernder Rauch«), Wasserfälle des Sambesi, im südl. Afrika, bei Livingstone an der Grenze von Sambia zu Simbabwe. Der 1700 m breite Strom stürzt hier 110 m tief in eine nur 50 m breite Schlucht. Die V. wurden zum UNESCO-Welterbe erklärt.

Victorialinsel [v-] (Victoria Island), Insel im Kanadisch-Arkt. Archipel, 217290 km² groß, meist flach, unvergletschert und von Tundra bedeckt; im S und W von etwa 350 Eskimo bewohnt.

Victorialand [v-] (früher Süd-Victoria-Land), Teil der Ostantarktis, westlich des Rossmeeres.

Victoriasee [v-], größter See Afrikas und drittgrößter der Erde, ein natürl. Stausee in 1134 m ü.M., 68000 km², bis 85 m tief, reich an Inseln (größte ist Ukerewe); wichtigster Zufluss ist der Kagera (von W), sein Abfluss der Victorianil (im N). Anteil am V. haben Uganda, Kenia und Tansania; Fischfang. – 1858 von J. H. Speke entdeckt. BILD Uganda

Victoria-Versicherungsgruppe [v-], Versicherungskonzern, gegr. 1853 als Allg. Eisenbahn-Versicherungs-Gesellschaft. Dachgesellschaft ist seit 1989 die **VICTORIA Holding AG;** Sitz: Berlin und Düsseldorf.

Gore Vidal

Vidal [vaɪdl], Gore, amerikan. Schriftsteller, *West Point (N. Y.) 3. 10. 1925; schrieb Essays, Detektivgeschichten und Romane mit gesellschaftskrit. Akzent. – *Werke:* Romane: Washington, D. C. (1967); Myra Breckinridge (1968); Kalki (1978); Lincoln (1984); Empire (1987); Golgatha live (1992).

Videla [b-], Jorge Rafael, argentin. General und Politiker, *Mercedes (Prov. Buenos Aires) 2. 8. 1925; 1975–78 Oberbefehlshaber der Streitkräfte; errichtete nach einem Militärputsch (1976) als Chef einer Junta (1976–78) und Staatspräs. (1976–81) ein diktator. Regime; 1985 wegen Menschenrechtsverletzungen verurteilt, 1990 begnadigt.

Video [v-; engl., zu lat. videre »sehen«], 1) Sammelbez. für einen Komplex der Unterhaltungselektronik, der sich mit der Aufzeichnung und Wiedergabe von Fernsehbildern befasst (V.-Technik), sowie die Gesamtheit der dazu benötigten techn. Einrichtungen und Geräte; 2) Kurzbez. für V.-Band, V.-Clip, V.-Film.

Videoband [v-] (Videomagnetband), magnetisierbarer, bandförmiger Informationsträger. Die Magnetschicht bestimmt die erreichbare Ton- und Bildqualität. Verwendet werden Eisen(III)-oxid, Chromdioxid, kobaltdotiertes Eisenoxid sowie Reineisen- und Metallschichtbänder.

Videoclip [v-] *der* (Clip), Videoaufzeichnung, die v.a. zu Werbezwecken gleichzeitig mit einem Musiktitel erscheint; Sänger oder Band bringen mit dem V. eine visuelle Interpretation ihres Songs.

Videokamera [v-], kompakte, leichte elektron. Kamera für Bild- und oft zugleich Tonaufnahmen; häufig als tragbare Handkamera ausgeführt. Sie enthält alle zur Umwandlung und Aufbereitung der opt. und akust. Eingangssignale in elektr. Ausgangssignale notwendigen Baugruppen. Moderne V. arbeiten mit lichtempfindl. Halbleitersensoren (→CCD). Das Bild wird in eine Vielzahl von Bildpunkten zerlegt. Jeweils drei Punkte bilden eine Einheit; die Anteile der Farben Rot, Grün und Blau werden mit einem integrierten Komplementärfarbfilter ermittelt. Die Helligkeit jedes in die Grundfarben zerlegten Bildpunktes wird in den nachfolgenden elektron. Schaltungen in Videosignale umgewandelt. Die Aufnahmeszene wird je nach Betriebsart mit einem elektron. Sucher (Mini-Fernsehbildröhre) oder über den Monitor gewählt und beobachtet. Zur Tonaufnahme dient ein der V. integriertes (Richt-)Mikrofon.

Videokunst [v-], Fixierung gestalteter zeitl. Abläufe und Bewegungen mittels elektronisch-opt. Medien (Videoaufzeichnungen bzw. Direktübertragung), sichtbar gemacht durch Monitore; eingesetzt bei Projekten der Land-Art und der Body-Art bzw. darstellerisch-gestischen Aktionen (Performances), auch als Medium für rein graf. Werte oder mit eigens entwickeltem **Videosynthesizer** zur Umsetzung von akust. Ereignissen in optische. Häufig wird in großen Installationen und mit Multivision gearbeitet. Bei Closed-Circuit-Installationen erscheint das von der Videokamera aufgenommene Bild sofort auf Monitoren. In **Videoskulpturen** oder **-objekten** sind die Monitore künstlerisch verarbeitet. V. steht im gestalter. Anspruch dem kommerziellen Fernsehen kritisch gegenüber. Als Videokünstler arbeiten u.a. Nam June Paik, Marina Abramović, V. Acconci, Peter Campus, D. Graham, Rebecca Horn, Ed Emshwiller, Ron Hays, Kubota Shigeko, B. Nauman, Friederike Pezold, Ulrike Rosenbach und Bill Viola. BILDER Hill, Multimedia, Paik

Videoplatte [v-], die → Bildplatte.

Videorekorder [v-, -rɪkɔdə, engl.], Gerät zur Aufnahme, Speicherung und Wiedergabe von Fernsehbildern (Videosignalen) und zugehörigem Ton durch gemeinsame, zeitlich aufeinander folgende Aufzeichnung von Bildpunkten und Tonsignalen auf ein magnetisierbares Videoband (→ magnetische Bildaufzeichnung). V. für den Heimgebrauch arbeiten mit dem sog. Schrägspurverfahren. Das ½ Zoll = 12,7 mm breite Magnetband enthält auf schräg liegenden Spuren die Videosignale. Die Unterschiede der verschiedenen europ. (VCR-System, Abk. für Video-Cassetten-Recorder; Video 2000) und japan. V.-Systeme (VHS, Abk. für Video-Home-System; Betamax) beruhen u.a. auf unterschiedl. Aufnahme- bzw. Bandgeschwindigkeiten und auf unterschiedl. Art der Bandführung. Der herkömmliche V. soll in den nächsten Jahren von DVD-Recordern (→ DVD) abgelöst werden. Derzeit sind versch. Systeme in Entwicklung.

📖 BURGHARDT, J.: *Handbuch der professionellen Videorecorder. Essen 1994.*

Videospiele [v-] (Bildschirmspiele, Telespiele), Bez. für Spiele, die mithilfe eines an einen Fernsehempfänger anschließbaren Zusatzgeräts auf dem Bildschirm (der als Spielfeld oder Spielbrett dient) gespielt werden können, wobei die Spieler ihre »Züge« oder Aktivitäten nach bestimmten Spielregeln von Hand steuern (z.B. mit einem Joystick); auch Bez. für die Zusatzgeräte selbst. Spiele, die auf dem Bildschirm eines Computers gespielt werden, bezeichnet man als **Computerspiele.** Als aktive Steuereinheit dient die Tastatur oder Maus.

Videotechnik [v-], Bez. für die Gesamtheit der Verfahren, Anlagen, Geräte und Hilfseinrichtungen zur elektron. Aufnahme, Übertragung, Speicherung und Wiedergabe von Bildinformationen.

Videotext [v-], Verfahren zur Übertragung von Daten innerhalb des Fernsehsignals und ihre Darstellung auf dem Bildschirm des Fernsehgeräts. Außer Texten können auch grob gerasterte Grafiken dargestellt werden. Die digital codierte Information kann von Fernsehgeräten mittels eines Zusatzgerätes **(V.-Decoder)** empfangen und entschlüsselt werden. Die Textinformation ist in Form durchnummerierter Seiten **(V.-Tafeln),** bestehend aus 24 Zeilen zu je 40 Zeichen, aufbereitet, die vom Benutzer mithilfe der Fernbedienung aus dem Inhaltsverzeichnis ausgewählt werden. Der von versch. Rundfunkanstalten über V. ausgestrahlte Informationsdienst (in der Bundesrep. Dtl. seit 1980) umfasst über 10 000 V.-Seiten u.a. aktuelle Nachrichten, Sportergebnisse, Wetterhinweise, Programminformationen und Untertitel zu Fernsehsendungen.

Vidikon [v-, lat.-grch.] *das* (Endikon, Resistron), eine zu den Bildspeicherröhren zählende Fernsehaufnahmeröhre, die zur Abtastung der Speicherplatte langsame Elektronen verwendet und dabei den inneren Photoeffekt ausnutzt. Die Speicherschicht aus halbleitendem Material befindet sich

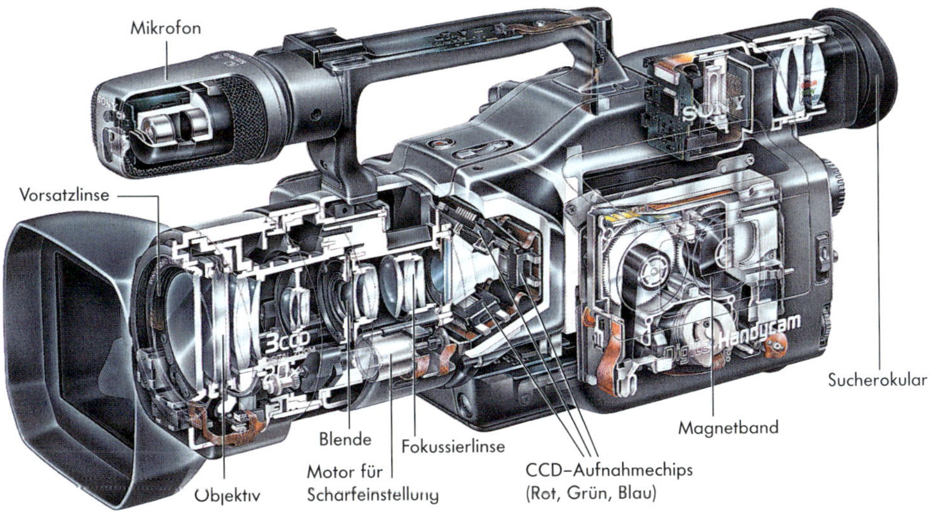

Videokamera: Schnittzeichnung einer tragbaren Handkamera

auf einer durchsichtigen, elektrisch leitenden Schicht, die als Signalplatte dient, und wird vom Elektronenstrahl negativ aufgeladen. Durch das auf sie geworfene opt. Bild bildet sich ein von Punkt zu Punkt unterschiedlicher elektr. Widerstand aus, sodass die Ladungen unterschiedlich rasch zur positiven Signalplatte abwandern; es entsteht ein entsprechendes Ladungsbild, das beim nächsten Abtastzyklus wieder gelöscht wird. Die so entstehenden Strom- und Spannungsschwankungen liefern dann das Bildsignal. Eine Weiterentwicklung ist das Plumbikon.

Maria Elena Vieira da Silva: »Die Bibliothek« (1949; Paris, Musée National d'Art Moderne)

Vidor [vɪˈdɔ:], King, amerikan. Filmregisseur, *Galveston (Texas) 8. 2. 1894, †Paso Robles (Calif.) 1. 11. 1982; trat mit sozialkrit. Filmen hervor: »Die große Parade« (1925), »Ein Mensch der Masse« (1928), »Duell in der Sonne« (1946), »Krieg und Frieden« (1956, Co-Regie).

Clara Viebig

Viebig [f-], Clara, Schriftstellerin, *Trier 17. 7. 1860, †Berlin (West) 31. 7. 1952; emigrierte 1937 nach Brasilien, lebte ab 1942 in Schlesien, ab 1946 in Berlin; schrieb naturalist. Novellen (»Kinder der Eifel«, 1897) sowie Romane: »Das Kreuz im Venn« (1908), »Unter dem Freiheitsbaum« (1922), »Der Vielgeliebte und die Vielgehaßte« (1935).

Viechtach [f-], Stadt im Landkreis Regen, Bayern, im Tal des Schwarzen Regen, 435 m ü. M., 8600 Ew.; Kristallmuseum; Kunststoffverarbeitung. – Pfarrkirche (Spätrenaissance). – Nach 1100 erstmals erwähnt, seit 1272 Markt, seit 1953 Stadt.

Vieh, Sammelbez. für landwirtsch. Nutztiere. Man unterscheidet **Groß-V.** (z. B. Rinder, Schweine, Pferde, Esel) und **Klein-V.** (z. B. Ziegen, Kaninchen, Geflügel).

Viehkauf, der Kauf bestimmter Tiere (Pferde, Esel, Maulesel, Rinder, Schafe, Schweine), bei dem der Verkäufer, abweichend von der für den Kauf geltenden Mängelhaftung, nur **Hauptmängel** (aufgeführt in der VO vom 27. 3. 1899) innerhalb bestimmter kurzer Fristen **(Gewährfristen)** zu vertreten hat (§§ 481 ff. BGB). Der Käufer kann nur Wandlung verlangen, nicht Minderung.

Viehsalz, mit Eisenoxid als Vergällungsmittel versetztes Natriumchlorid (→Kochsalz) für die Tierhaltung.

Viehzucht, die →Tierzucht.

Vieira [ˈvjejra], **1)** João Bernardo, Politiker in Guinea-Bissau, *Bissau 27. 4. 1939; seit 1980 Staatsoberhaupt, 1980–84 gleichzeitig Reg.chef; seit 1981 Vors. der PAIGC. Nach Aufgabe des Einparteienregimes (1991) wählte ihn die Bev. im Aug. 1994 zum ersten frei gewählten Staatspräsidenten.

2) Luandino, eigtl. José V. Mateus da Graça, angolan. Schriftsteller portugies. Herkunft, *Lagoa do Fuardouro (bei Aveiro) 4. 5. 1935; wegen seines Protestes gegen die portugies. Kolonialpolitik 1961–72 auf den Kapverd. Inseln interniert, bis 1974 nach Portugal verbannt; bekleidete später öffentl. Ämter in Angola. Sein literar. Werk gilt als einflussreicher Beitrag zu einer eigenständigen angolan. Lit. (»Das wahre Leben des Domingos Xavier«, Erz., 1974).

Vieira da Silva [ˈvjejra ða-], Maria Elena (Marie-Hélène), frz. Malerin und Grafikerin portugies. Herkunft, *Lissabon 18. 6. 1908, †Paris 6. 3. 1992; lebte seit 1928 in Paris; gestaltete lyrisch-abstrakte Kompositionen, deren räuml. Komponente durch ein Liniengitterwerk geschaffen wird.

Vielborster (Polychäten, Polychaeta), Klasse fast ausschl. meerbewohnender Ringelwürmer von weniger als 1 mm bis etwa 3 m Länge; jedes Segment trägt ein Paar mit Borstenbüscheln versehene Stummelfüße.

Viel|eck, das →Polygon.

Vielflach, der →Polyeder.

Vielfraß [umgedeutet aus norweg. fjeldfross »Bergkater«] *der* (Järv, Jerf, Gulo gulo), Art der Marder; Raubtier von 85 cm Länge mit 15 cm langem Schwanz, braun, bärenhaft plump, in Skandinavien, N-Asien und Nordamerika.

Vielkanal|analysator, Gerät zur →Impulshöhenanalyse.

Vielkörperproblem, →Mehrkörperproblem.

Vielkristall, der →Polykristall.

Vielseitigkeit (Vielseitigkeitsprüfung, engl. Military), *Pferdesport:* aus mehreren Teilprüfungen bestehender Wettbewerb: Dressur, Geländeprüfung (vier Phasen: Wegestrecke I, Rennbahn, Wegestrecke II, Querfeldeinstrecke) und Springprüfung.

Vielstoffmotor, ein Dieselmotor mit besonderem Einspritz- und Verbrennungssystem, der versch. flüssige Kraftstoffe innerhalb eines Siedebereichs von etwa 30 bis 450 °C verbrennen kann, z. B. Benzin, Dieselöl.

Vienenburg [f-], Stadt im Landkreis Goslar, Ndsachs., am N-Rand des Harzes, an der Oker, 11600 Ew.; Eisenbahnmuseum; Heizkörperherstel-

Vierauge (Länge bis zu 17 cm)

lung, Käserei. – Von der ehem. Burg (um 1300 errichtet) ist der mittelalterl. Bergfried erhalten; im Stadtteil Wöltingerode Kirche (1174 ff.; im 18. Jh. verändert) des ehem. Zisterzienserinnenklosters.

Vienne [vjɛn], **1)** *die,* linker Nebenfluss der Loire im westl. Frankreich, 350 km lang, entspringt im NW des Zentralmassivs und mündet unterhalb von Chinon.

2) Stadt im Dép. Isère, Frankreich, an der Rhône, 30 400 Ew.; Textil-, pharmazeut., Metall verarbeitende Ind.; in der Umgebung Weinbau (Côtes du Rhône). – Aus röm. Zeit stammen der Tempel des Augustus und der Livia, das Theater (heute Freilichttheater), Reste des Zirkus; aus dem MA. Kathedrale Saint-Maurice (12.–15. Jh.), die Kirchen Saint-Pierre (5. Jh., im 9./10. Jh. umgebaut; heute Lapidarium) und Saint-André-le-Bas (9.–12. Jh.; Museum). – V. war Hauptort der Allobroger, seit Augustus röm. Kolonie **(Vienna).** Im MA. gehörte V. zu den wichtigsten Städten Burgunds. Die Grafschaft Viennois fiel 1349 an Frankreich.

3) Dép. in W-Frankreich, 6 990 km^2, (1995) 387 000 Ew.; Hptst. ist Poitiers.

Vientiane [vjɛnti'a:nə] (Viangchan), Hauptstadt von Laos, am Mekong, 442 000 Ew.; Univ., Hochschulen, Nationalbibliothek; Textil-, Zigarettenherstellung, Ziegeleien, Sägemühlen; Flusshafen, internat. Flughafen. – Bedeutendstes Bauwerk ist das 1586 gegründete buddhistische Heiligtum That Luang (jetziger Zustand 18./19. Jh.), ein 35 m hoher, auf einem quadrat. Unterbau errichteter Stupa. Tempel Vat Pra Keo (1612) und Königstempel Vat Sisakret (um 1820); Anousavari-Monument (1960 ff.). – V., früher **Vieng Chang** (»Stadt des Sandelholzes«), gehörte ab dem 14. Jh. zum laot. Königreich Lan Chang und wurde 1563 dessen Hptst., um 1707 Zentrum des Königreichs V.; 1778 von Siamesen erobert und 1827/28 zerstört; unter frz. Protektorat (ab 1893) Handels- und Verwaltungsmittelpunkt von Laos.

vier, als Ziffer **4,** die erste Quadratzahl. – Im Ggs. zur Drei, die der göttlichen Sphäre zugerechnet wird, gilt die Vier als Zahl des irdischen Universums (4 Elemente, 4 Jahreszeiten, 4 Temperamente des Menschen usw.). Im kirchl. Bereich ist v. die Zahl u. a. der Evangelisten, der Kardinaltugenden und der Kirchenväter.

Vierauge (Anableps anableps), bis zu 17 cm lange Art der **Vieraugenfische** (Familie **Anablepidae**) in Süßgewässern und Flussmündungen Mittelamerikas und des nördl. Südamerika. Die Augen sind durch ein waagerechtes Hautband zweigeteilt; beide Teile können zugleich über und unter der Wasseroberfläche beobachten.

Vier|eck, jede von vier geraden Linien (Seiten) eingeschlossene ebene geometr. Figur, ein →Polygon.

Viereck|schanze, quadrat. oder rechteckige Wall-Graben-Anlage der Kelten aus dem 1. Jh. v. Chr., wohl als Kultstätte und Versammlungsplatz angelegt. V. finden sich in Süd.-Dtl., Österreich, der Schweiz, in Mähren und Mittelfrankreich. Die »Opferschächte« erwiesen sich z. T. als Brunnen.

Vier Edle Wahrheiten, →Buddhismus.

Viererbande, (abwertende) Bez. für die vier Exponenten des ultralinken Flügels der KP Chinas, die nach Mao Zedongs Tod 1976 verhaftet und 1977 offiziell aus der Partei ausgeschlossen wurden: Maos Witwe Jiang Qing, Wang Hongwen, Zhang Chunqiao und Yao Wenyuan. Der 1980/81 gegen die V. geführte Prozess wegen Verbrechen während der →Kulturrevolution endete mit Todesurteilen gegen Jiang Qing und Zhang Chunqiao (in lebenslange Freiheitsstrafen umgewandelt) und hohen Haftstrafen für die anderen Angeklagten.

Vierfarbenproblem, ein mathemat. Problem der Graphentheorie: Kann man die Länder einer beliebigen Landkarte mit nur vier Farben so einfärben, dass benachbarte Länder stets verschiedene Farben haben? Dieses topolog. Problem spielte in der Geschichte der Mathematik eine bedeutende Rolle und wurde erst 1976 bejahend gelöst.

Vientiane: Das in den 1960er-Jahren erbaute Anousavari-Monument, ein den Gefallenen des Bürgerkriegs geweihtes Denkmal mit typisch laotischer Dachform, ist das Wahrzeichen der Stadt

Vierfingerfurche (Affenfurche), Beugefalte am Handteller, die vom Zeige- zum Kleinfinger parallel zu den Fingergrundgelenken verläuft; charakterist. Hautfalte bei den Menschenaffen. Beim Menschen tritt die V. in der Normalbevölkerung mit einer Häufigkeit von etwa 4% auf, ohne dass ihr eine patholog. Bedeutung zukommt; beim →Down-Syndrom hingegen findet sich die V. in 40% der Fälle.

Vier Freiheiten (Four Freedoms), die von Präs. F. D. Roosevelt am 6. 1. 1941 in seiner Jahresbotschaft an den Kongress verkündeten »wesentl. menschl. Freiheiten«, die einer friedl. Nachkriegsordnung als Grundlage dienen sollten: Meinungs- und Redefreiheit, Religionsfreiheit, Freiheit von Not (d.h. internat. wirtsch. Kooperation) und Freiheit von Angst (d.h. internat. Abrüstung).

Viergespann, die →Quadriga.

Vierkampf, *Sport:* Eisschnelllauf: Herren: 500, 1500, 5000, 10000 m; Damen: 500, 1500, 3000, 5000 m, sowie Sprinter-V. (für Damen und Herren) über 2×500 und 2×1000 m. Ferner im Schießsport und seit 1996 im Kunstturnen (→Turnen).

Vierlande, Elbmarschniederung im südöstl. Teil von Hamburg, zw. Elbe und Geestrand, geschützt durch Deiche. Die Altarme der Elbe (Gose-Elbe und Dove-Elbe), die die V. durchfließen, sind abgeschleust; in den Marschhufendörfern Gemüse-, Blumen-, Obstanbau; Erdölförderung (seit 1937).

Viermächteabkommen über Berlin, offizielle Bez. für das →Berlinabkommen.

Viermächtepakt, ein am 15. 7. 1933 in Rom zw. Dtl., Frankreich, Großbritannien und Italien geschlossener Vertrag über Zusammenarbeit; wurde durch den Austritt Dtl.s aus dem Völkerbund nicht wirksam.

Viernheim [f-], Stadt im Landkreis Bergstraße, Hessen, im südl. Hessischen Ried, 31600 Ew.; Metallverarbeitung, elektrotechn., chem. u.a. Ind.; in der Umgebung Tabak- und Spargelanbau. – Erstmals 777 bezeugt, seit 1948 Stadt.

Vierpass

Vierpass, *Baukunst:* eine got. Maßwerkfigur, gebildet aus vier Kreisbögen; auch als Umrahmung von Reliefs und Bildtafeln oft verwendet.

Vierpol, elektr. Schaltung (Netzwerk) mit einem Eingang und einem Ausgang, die aus je zwei Klemmen oder Polen bestehen, sodass insgesamt vier Pole vorhanden sind; z.B. Doppelleitung, Filter, Verstärker, Transformator.

Viersen [f-], **1)** Kreis im RegBez. Düsseldorf, NRW, 563 km², (1996) 291100 Einwohner.

2) Kreisstadt von 1) in NRW, im Niederrhein. Tiefland, 77000 Ew.; Narrenmuseum in V.-Dülken; Nahrungsmittel-, Textil-, chem., Kunststoff-, elektrotechn. Ind., Maschinenbau. – Pfarrkirche St. Remigius (v.a. 2. Hälfte des 15. Jh.). – 1182 erstmals erwähnt, 1856 Stadtrecht; 1970 Zusammenschluss mit Dülken, Süchteln und Boisheim.

Viertaktmotor, ein →Verbrennungsmotor.

vierte Dimension, *Relativitätstheorie:* die zum dreidimensionalen →Raum als neue Dimension hinzugenommene Zeit.

Vierteilen, eine historisch weit zurückreichende, im MA. fast ausschließlich für Verräter bestimmte Strafe. Sie wurde entweder bei lebendigem Leibe (so wohl die ursprüngl. Form) oder nach vorhergehender Tötung, und zwar mit der Axt oder durch Auseinanderreißen des Körpers mithilfe angespannter Pferde, vollzogen.

Viertel, früheres dt. Flächen- und Hohlmaß, als Flächenmaß = ¼ Morgen, als Flüssigkeitsmaß zw. 7 und 196,4 l; in der Schweiz: 1 V. = 15 l; heute Bez. für ¼ l (mitunter auch für 0,2 l) Wein.

Vierteltonmusik, Musik auf der Grundlage einer Tonordnung, in der die zwölf chromat. Halbtöne der Oktave zu Vierteltönen halbiert sind, sodass eine gleichschwebend temperierte 24-stufige Leiter entsteht; bes. von A. Hába verfochten, der dazu durch die mähr. Volksmusik angeregt wurde.

Vierte Republik, die frz. Republik 1946–58.

vierter Stand, im 19. Jh. Bez. für die als Folge der industriellen Revolution entstandene Schicht lohnabhängiger Arbeiter.

Vierte Welt, von der UNO geprägte Bez. für die am wenigsten entwickelten Länder der Erde **(Least developed Countries),** die am stärksten von Hunger, Armut, Auslandsverschuldung usw. betroffen sind. (→Entwicklungsländer)

Vierung, im Kirchenbau ein Raumteil, in dem sich Langhaus und Querhaus durchdringen. Bei gleicher Breite entsteht das V.-Quadrat; es ist Grundlage des →gebundenen Systems. Die **ausgeschiedene V.** entsteht durch Verstärkung der V.-Pfeiler durch Vorlagen und durch V.-Bögen. Über der V. wurde oft ein **V.-Turm** errichtet.

Vierwaldstätter See, viel verzweigter, von der Reuß durchflossener Alpenrandsee in der Schweiz, zw. den vier Waldstätten Uri, Schwyz, Unterwalden und Luzern, 434 m ü.M., 114 km² groß, bis 214 m tief; gliedert sich in den Urner, Gersauer, Weggiser, Küssnachter, Luzerner, Alpnacher und Buochser See. Aussichtsberge sind Rigi, Pilatus und Bürgenstock, geschichtl. Erinnerungsstätten die Tellplatte mit Tellskapelle, Rütli. Die landschaftl. Schönheit und das milde Klima machten den See frühzeitig zu einem bed. Fremdenverkehrsgebiet mit dem Zentrum Luzern; reger Seeverkehr. BILD Küssnacht am Rigi

vierzehn Heilige, die 14 →Nothelfer.

Vierzehnheiligen, den 14 Nothelfern geweihte Wallfahrtskirche oberhalb von Staffelstein, Oberfranken; an der Stelle einer 1448 errichteten Kapelle 1743 ff. nach Plänen von J. B. Neumann erbaut; Altäre und Ausstattung von J. M. Feuchtmayer und J. G. Üblhör. BILD Barock

Vierzehn Punkte, Friedensprogramm des amerikan. Präs. W. Wilson vom 8. 1. 1918 zur Beendigung des 1. Weltkriegs; enthielt 14 Grundsätze: 1. Öffentlichkeit der Diplomatie, 2. uneingeschränkte

Vietnam

Fläche: 329 566 km²
Einwohner: (1995) 74,545 Mio.
Hauptstadt: Hanoi
Verwaltungsgliederung: 60 Provinzen und die der Regierung direkt unterstehende Stadt Da Nang
Amtssprache: Vietnamesisch
Nationalfeiertag: 2. 9.
Währung: 1 Dong (D) = 10 Hào = 100 Xu
Zeitzone: MEZ +7 Std.

Freiheit der Schifffahrt, 3. allg. Wirtschafts- und Handelsfreiheit, 4. internat. Abrüstung, 5. unparteiische Regelung aller kolonialen Ansprüche, 6. Räumung der besetzten russ. Gebiete, 7. Wiederherstellung der vollen Souveränität Belgiens, 8. Räumung und Rückgabe des besetzten frz. Gebietes (einschl. Elsass-Lothringens), 9. Neufestlegung der Grenze in Oberitalien entsprechend der Sprachgrenze, 10. autonome Entwicklung der Völker Österreich-Ungarns, 11. Wiederherstellung von Serbien, Rumänien, Montenegro, 12. Lösung der nichttürk. Völker aus dem Osman. Reich; freie Schifffahrt durch die Dardanellen, 13. Errichtung eines unabhängigen poln. Staates mit freiem Zugang zum Meer, 14. Gründung eines Völkerbundes. Die V. P. wurden von den Alliierten mit gewissen Modifikationen gebilligt, ohne den Versailler Vertrag maßgeblich zu bestimmen.

Vietcọng [viɛt-] *der,* Abk. für **Viet**-nam **Cong** San [»Kommunisten von Vietnam«], seit 1957 in Süd-Vietnam, dann auch in der westl. Welt gebräuchl. Bez. für die südvietnames. Guerillakämpfer im →Vietnamkrieg. Als deren Dachorganisation entstand 1960 unter kommunist. Führung der Front National de Libération du Viet-nam Sud (FNL; Nat. Befreiungsfront von Süd-Vietnam).

Viète [vjɛt], François (latinisiert Franciscus Vieta), frz. Mathematiker, *Fontenay-le-Comte (Dép. Vendée) 1540, †Paris 23. 2. 1603; führte die Verwendung von Buchstabenbez. in die Algebra ein, die er auf die Lösung von Gleichungen und geometr. Problemen anwandte, und erkannte u. a. den Zusammenhang zw. den Koeffizienten und den Lösungen von quadrat. Gleichungen (vietascher Wurzelsatz).

Vietmịnh [viɛt-] *die,* Abk. für **Viet**-nam Doc Lap Dong **Min(h)** Hoi [»Liga der Verbände für die Unabhängigkeit von Vietnam«], 1941 von Ho Chi Minh in S-China gegr. vietnames. Unabhängigkeitsbewegung, stand unter kommunist. Führung; ihre militär. Verbände führten 1941–45 einen Guerillakrieg gegen die japan. Besatzungsmacht und 1946–54 gegen die frz. Kolonialmacht.

Vietnạm [viɛt-] (amtlich Công Hòa Xã Hôi Chu Nghĩa Viêt Nam; dt. Sozialistische Republik V.), Staat in Südostasien, an der O- und SO-Küste Hinterindiens, grenzt im N an China, im W an Laos und Kambodscha, im S und O an den Golf von Thailand bzw. an das Südchines. Meer. V. erhebt außerdem Ansprüche auf die Paracel- und Spratlyinseln.

Staat und Recht: Nach der Verf. vom 15. 4. 1992 ist V. eine sozialist. Volksrepublik. Das neue Grundgesetz fixiert Wirtschaftsliberalisierung, zugleich aber die Beibehaltung des Machtmonopols der KPV. Staatsoberhaupt, Oberbefehlshaber der Streitkräfte und Vors. des Nat. Verteidigungs- und Sicherheitsrates ist der Präs. (Amtszeit fünf Jahre). Die Legislative liegt bei der Nationalversammlung (395 Abg., auf fünf Jahre gewählt), die den Präs., den Vizepräs. und den Premiermin. wählt. Exekutivorgan ist die dem Parlament verantwortliche Reg. unter Vorsitz des Premierministers. Staatstragende Partei ist die Kommunist. Partei V. (KPV).

Landesnatur: Im N liegt Tongking mit dem von Hochländern umgebenen fruchtbaren Delta des Roten Flusses als Zentrallandschaft mit Hanoi und dem Hafen Haiphong. Die Mitte nimmt Annam mit der nach O steil zu schmalen Küstenebenen abfallenden Annamit. Kordillere (im Ngoc Linh 2 598 m ü. M.) ein; hier liegen die alte Kaiserstadt Huê und der Hafen Da Nang. Cochinchina im S ist sumpfreiches Tiefland beiderseits des Mekongdeltas mit Ho-Chi-Minh-Stadt als städt. Zentrum. Das überwiegend feuchtheiße, im N subtrop., im S trop., in Höhenlagen (ab 1500 m ü. M.) kühlere Klima wird vom Monsun geprägt. Trop. Regenwälder reichen bis 1 300 m ü. M., darüber folgen Misch- und Laubwälder; an der Küste sind Mangroven verbreitet. Große Überschwemmungen und alljährlich auftretende Taifune richten schwere Schäden an. Primär- und Sekundärvegetation haben durch den Krieg, bes. im N des Landes, stark gelitten (Pflanzenvernichtung, Entlaubung durch chem. Kampfmittel). Weitere BILDER Asien, Ho-Chi-Minh-Stadt, Hanoi

Staatswappen

VN

Internationales Kfz-Kennzeichen

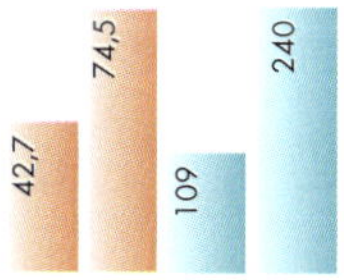

Bevölkerung (in Mio.) Bruttosozialprodukt je Ew. (in US-$)

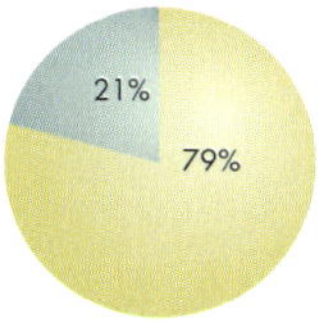

Bevölkerungsverteilung 1995

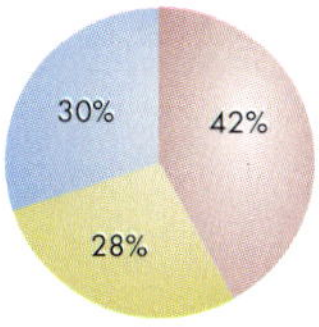

Bruttoinlandsprodukt 1995

Bevölkerung: Die fast ausschl. in den Tieflandsgebieten lebenden Vietnamesen (Kinh) machen etwa 85% der Gesamtbev. aus. In den agrar. Gunsträumen des Tongking- und Mekongdeltas übersteigen die Bev.dichten 1000 Ew./km² z.T. erheblich. Die Konzentration der Vietnamesen auf die beiden Deltagebiete und die Küstenzone beruht auf der Wirtschaftsform des Nassreisanbaus. Die menschenarmen Berg- und Gebirgsländer werden von über 50 Minderheiten bewohnt, v.a. von Tai (und verwandten Stämmen), Miao, Muong, Yao, Dao u.a., im südvietnames. Siedlungsgebiet von Cham, Khmer und Chinesen. Der Bev.zuwachs ist mit über 2% sehr hoch, der Urbanisierungsgrad mit rd. 20% gering. – Es besteht Schulpflicht vom 7. bis 11. Lebensjahr. V. verfügt über zahlreiche Hochschuleinrichtungen, darunter sieben Univ. und zwei offene Universitäten. – Traditionell bekannte sich die Bev.mehrheit zum Buddhismus; daneben Konfuzianismus und Daoismus, im S auch Katholizismus und Caodaismus.

Wirtschaft, Verkehr: V. ist ein Agrarstaat mit einer v.a. auf der Verarbeitung von Agrarprodukten und Bodenschätzen basierenden Industrie.

Vietnam

Nach dem Pro-Kopf-Einkommen zählt der Staat zu den ärmsten Ländern der Welt. Die sich seit 1985 erneut verschärfende Wirtschaftskrise, verbunden mit einer hohen Arbeitslosenzahl und stark angewachsener Inflationsrate, konnte zwischenzeitlich durch wirtschaftspolit. Maßnahmen (Reformen im Lohn-, Preis-, Steuer- und Währungssystem; ausländ. Kapitalinvestitionen) z.T. eingedämmt werden. Eine Weiterführung marktwirtsch. Reformen soll die Wirtschaft konsolidieren. Die Landwirtschaft beschäftigt etwa 70% aller Erwerbstätigen. Hauptanbaukultur ist Reis (Anbau auf rd. 80% der landwirtsch. Nutzfläche, v.a. im Mekongdelta), für den Export werden Tee, Ananas, Tabak, Zuckerrohr, Kaffee, Kautschuk und Baumwolle angebaut. Infolge der Rohstoffvorkommen (Steinkohlen- und Braunkohlenabbau, Förderung von Eisen-, Wolfram-, Chrom- und Zinnerzen) dominieren im N des Landes Eisen- und Stahlerzeugung, Maschinenbau, chem. und Zementind., während im S (wichtigstes Ind.zentrum) Nahrungsmittel-, Textil- und Elektroind. vorherrschen. Im S hat sich außerdem ein stark ausgebauter Handels- und Dienstleistungssektor erhalten. Seit 1984 werden im Schelf des Sondergebietes Vung Tau-Con Dao Erdöl und Erdgas gefördert. Hauptind.standorte sind Hanoi, Haiphong, Da Nang und Ho-Chi-Minh-Stadt. Haupthandelspartner sind Singapur, Japan, Hongkong und Frankreich. – Das Straßennetz ist rd. 90000 km lang, davon haben 10% eine feste Decke. Die Hauptverkehrsader bildet zus. mit der parallel verlaufenden Küstenstraße die 1730 km lange Eisenbahnverbindung zw. Hanoi und Ho-Chi-Minh-Stadt. In den Deltagebieten spielt die Binnenschifffahrt eine große Rolle. Die wichtigsten Überseehäfen sind Haiphong, Ho-Chi-Minh-Stadt und Da Nang. Internat. Flughäfen sind Hanoi und Ho-Chi-Minh-Stadt.

Geschichte: Im N des seit dem Paläolithikum besiedelten Territoriums von V. entwickelte sich im 1. Jt. v.Chr. die früheste Bronzekultur SO-Asiens (Dongsonkultur). Als erstes, halblegendäres Königreich gilt Van Lang (7.–3. Jh. v.Chr., im Mythos 2879 v.Chr. gegr.) im Delta des Roten Flusses. Dort entstand um 210 v.Chr. der erste geschichtl. Staat, Au Lac, der 179 v.Chr. von dem 207 v.Chr. im südchines. Raum gegr. Reich Nam Viet erobert wurde. Dieses wurde 111 v.Chr. für ein Jahrtausend eine chines. Provinz. Nach vielen Aufständen (z.B. unter Führung der Schwestern Trung 39/40–42/43 n.Chr.) gelang 939 die Vertreibung der Chinesen; das neue vietnames. Reich Annam (Dai Co Viet) entstand; in der 2. Hälfte des 10. Jh. wurde es zum Kaiserreich unter dem bis 1804 offiziellen Namen **Dai Viet.** Hauptstadt wurde Thang Long (heute Hanoi). Die Ly-Dynastie

(1009/10–1225) zentralisierte das Staatswesen; die Tran-Dynastie (1225–1400) wehrte 1285 und 1288 Invasionsversuche der mongol. Yuan-Dynastie ab. Die späte Le-Dynastie (begr. 1428) unterwarf 1471 das Reich Champa. Die als Gegendynastie auftretende Mac-Dynastie (1527–92/93) wurde durch die Feudalfamilien Nguyen und Trinh entmachtet; diese bauten bei nomineller Wiederherstellung der Le-Dynastie ihre eigene Macht aus. Das Haus Trinh stellte von nun an die Reichsverweser; die Nguyen errichteten in Süd-V. ein seit 1620 autarkes Herrschaftsgebiet (Hptst. Phu Xuan, heute Huê) und nahmen dabei einen florierenden Handelsverkehr mit den Europäern (bes. den Portugiesen) auf, die ihnen auch Waffen lieferten. Der 1771/72 ausgebrochene Tay-Son-Aufstand beendete diese Zweiteilung des Landes. Nach dem Sieg über die Nguyen und Trinh rief sich Nguyen Hue aus dem Geschlecht Tay Son zum Kaiser einer neuen Dynastie aus, deren Macht aber schon 1802 mit frz. Hilfe durch Nguyen Anh wieder gebrochen wurde (als Gia Long 1802–20 Kaiser). Unter seiner Herrschaft wurde das Land in **Viet Nam** umbenannt. 1859 besetzten frz. Truppen Saigon. Die Nguyen-Dynastie musste 1862 (Vertrag von Saigon) die reichsten Prov. in Süd-V. (Cochinchina) an Frankreich abtreten, das Annam und Tongking in den 1880er-Jahren ein Protektoratsverhältnis aufzwang und diese dann 1887 mit Cochinchina sowie Kambodscha zur Indochines. Union (→Indochina) vereinte.

In der 1. Hälfte des 20. Jh. entstand eine Unabhängigkeitsbewegung (Intellektuellengesellschaften, 1926 Gründung der bürgerl. Vietnames. Nationalpartei), deren Führung nach einem gescheiterten Aufstand (1930) an die kommunistisch dominierte, 1941 von Ho Chi Minh gebildete →Vietminh überging; diese richtete ihren Widerstand nach der frz. Niederlage im 2. Weltkrieg v. a. gegen die Besetzung des Landes durch die Japaner (ab 1940). Nach der Kapitulation Japans im Aug. 1945 dankte Kaiser Bao Dai ab. Am 2. 9. 1945 rief Ho Chi Minh die Demokrat. Rep. V. (DRV) aus. Entgegen dem frz.-vietnames. Abkommen vom 6. 3. 1946, das der DRV den Status eines freien Staates innerhalb der Frz. Union zuerkannte, betrieb Frankreich eine Rekolonialisierungspolitik; der militär. und polit. Widerstand der Vietminh führte zum Indochinakrieg (Vietnamkrieg). Entschieden wurde der verlustreiche Kampf Frankreichs gegen die von General Vo Nguyen Giap geführte Befreiungsarmee durch die Niederlage des frz. Expeditionskorps in →Dien Bien Phu (7. 5. 1954). Die Genfer Indochinakonferenz (1954) fixierte die provisor. Teilung in eine nördl. Zone, die den Vietminh zugewiesen wurde, und eine südl. Zone, in die sich das frz. Expeditionskorps zurückziehen sollte (vorläufige Demarkationslinie am 17. Breitengrad). Für 1956 wurden gesamtvietnames. Wahlen vereinbart (→Genfer Konferenzen).

Vietnam: Landschaft bei Da Nang südöstlich von Huê

In **Nord-V.** festigte die seit 1955 durchgeführte Landreform die Macht der Kommunisten, die unter Staatspräs. Ho Chi Minh Hilfsabkommen mit der UdSSR und China abschlossen. 1960 trat eine neue Verf. in Kraft, und die ersten Wahlen seit 1946 wurden abgehalten. Die Abhängigkeit von den sowjet. Kriegsmateriallieferungen für den Guerillakrieg in Süd-V. bewirkte die zunehmende Orientierung nach Moskau. Die amerikan. Bombenangriffe während des Vietnamkrieges auf Nord-V. ab 1964 brachten zwar erhebl. Verluste (etwa 4 % der Zivilbev.) und Zerstörungen (45 % der Städte, 75 % der Ind.anlagen, 25 % der landwirtsch. Produktion), unterbanden jedoch den Nachschub nach Süd-V. nicht. (→Ho-Chi-Minh-Pfad)

Ho Chi Minh

In **Süd-V.** wurde 1954 der von den USA unterstützte Katholik Ngo Dinh Diem zum Reg.chef berufen, der im Okt. 1955 die Republik Süd-V. ausrief (deren erster Präs.). Seine Gewaltherrschaft führte zum Anschluss auch der nat. gesinnten bürgerl. Kräfte an die kommunistisch geführte Nat. Befreiungsfront von Süd-V. (Vietcong, FNL), die sich auf eine seit 1956 ausgeweitete Guerillatätigkeit stützen konnte. Nach dem Sturz und der Ermordung Ngo Dinh Diems (1963) durch eine Militärrevolte wurde 1965 General Nguyen Van Thieu Staatsoberhaupt (1967 Präs.). Nur widerwillig nahm die Saigoner Reg. ab 1969 an den Friedensgesprächen teil, die die USA und Nord-V. seit Mai 1968 in Paris führten. Nachdem sie unter amerikan. Druck dem Friedensabkommen vom Jan. 1973 zugestimmt hatte, verhinderte sie die dort vorgesehene polit. Lösung. Unterdessen versuchten die Saigoner Reg. und die FNL, ihre Gebiete

Vo Nguyen Giap

Tran Duc Luong

mit Waffengewalt zu vergrößern. Diese Auseinandersetzung endete im April 1975 mit dem Zusammenbruch der Rep. Süd-V., der Besetzung Saigons durch FNL-Truppen und der Übernahme der Reg.gewalt durch die Provisor. Revolutionsreg. von Süd-Vietnam.

Mit der Gründung der Sozialist. Republik V. (SRV) am 2. 7. 1976 wurde die offizielle Wiedervereinigung von Nord- und Süd-V. unter kommunist. Herrschaft vollzogen. Der Prozess der Integration von Süd-V. (Wiederaufbau der Wirtschaft, Angleichung an die Planwirtschaft Nord-V.s, Umsiedlungsprogramm u.a.) verschärfte sich ab 1978 und führte zu einem Flüchtlingsstrom (→Boatpeople). Ein Wirtschaftsembargo der USA erschwerte die Situation zusätzlich. Ende 1977 begannen krieger. Auseinandersetzungen mit dem von den →Roten Khmer beherrschten, prochinesisch orientierten Kambodscha, das vietnames. Truppen im Jan. 1979 besetzten (Einsetzung der kommunist. Reg. Heng Samrin). Die VR China reagierte mit dem Einmarsch in Nord-V. Anfang 1979, zog sich aber nach verlustreichen Kämpfen nach einigen Wochen zurück. Nachdem es V. im Rahmen der zentralist. Planwirtschaft trotz beträchtl. Entwicklungshilfe (insbesondere aus der UdSSR) nicht gelungen war, den Wiederaufbau nach dem Vietnamkrieg in erforderl. Maße voranzubringen, leitete die KPV nach dem Rücktritt von Vertretern der alten polit. Führungsriege (1986) unter ihrem neuen Gen.-Sekr. Nguyen Van Linh (1986–91) 1987 wirtsch. Reformen mit marktwirtsch. Orientierung ein (u.a. Zulassung von Privatunternehmen, Subventionsabbau). 1987 übernahm Vo Chi Cong das Amt des Vorsitzenden des Staatsrats (Staatsoberhaupt). Aufgrund des internat. Drucks zog V. 1989 seine Truppen aus Kambodscha vollständig zurück. 1991 löste der bisherige MinPräs. Do Muoi den KP-Gen.-Sekr. Nguyen Van Linh ab; neuer Reg.chef wurde der reformorientierte Vo Van Kiet. 1992 wurde Le Duc Anh zum Staatspräs. gewählt. Unter dem Eindruck der weltpolitischen Veränderungen seit 1989/90 hielt V. am Herrschaftsmonopol der KP fest (Verf. vom 15. 4. 1992), suchte aber einen Weg zur »sozialist. Marktwirtschaft«. Trotz hohen Wirtschaftswachstums (1994 etwa 8%) und relativ niedriger Inflationsrate (1994 etwa 7%) blieb V. eines der ärmsten Länder der Erde. Nach der Aufhebung des amerikan. Wirtschaftsembargos (1994) kam es 1995 zur Wiederaufnahme der diplomatischen Beziehungen mit den USA. 1995 trat V. der ASEAN bei. 1997 vollzog sich ein grundlegender Wechsel in der Staats- und Parteiführung: Im Sept. wählte die Nationalversammlung Tran Duc Luong zum Staatspräs. und Phan Van Khai zum MinPräs.; im Dez. wurde Le Kha Phieu Gen.-Sekr. der KPV.

📖 LÊ THÀNH KHÔI: *3000 Jahre V. Schicksal u. Kultur eines Landes, bearb. v.* O. KAROW. *A. d. Frz. München 1969.* – DUIKER, W. J.: *The communist road to power in V. Boulder, Colo., 1982.* – TAYLOR, K. W.: *The birth of V. Berkeley, Calif., 1983.* – JONES, J. R.: *V.-Handbuch. A. d. Engl. Kiel 1990.* – KARNOW, S.: *V. A history. Neuausg. New York 1991.*

Vietnamesen [viɛt-] (Kinh, früher Annamiten), zu den Mongoliden gehörendes Volk in Hinterindien, mit eigener Sprache (Vietnamesisch); Staatsvolk Vietnams mit rd. 65 Mio. Angehörigen, davon etwa 1,5 Mio. im Ausland. Die V. leben überwiegend im Tiefland, treiben Ackerbau (Reis auf bewässerten Feldern). Urspr. nur in Tongking ansässig, standen sie vom 2. Jh. v. Chr. bis zum 10. Jh. n. Chr. unter der Herrschaft der Chinesen, von denen sie Elemente der Kultur und Religion übernahmen. Seit dem 15. Jh. nach S vorstoßend, eroberten sie das Reich Champa und angrenzende Teile SO-Asiens.

vietnamesische Kunst [viɛt-], die Kunst der auf dem gegenwärtigen Staatsgebiet Vietnams lebenden Völker (Vietnamesen, Cham, Tai- und Mon-Khmer-Gruppen). Sie vereint mannigfache kulturelle Einflüsse v.a. aus China und Indien mit ethn. Eigenheiten. In vorgeschichtl. Zeit war die nach dem Fundort Dong-Son in N-Vietnam benannte Dongsonkultur (Blütezeit 2. Hälfte 1. Jt. v. Chr.–1. Jh. n. Chr.; Bronzewaffen und bes. Bronzetrommeln) weithin verbreitet. Die Kunst in dem sich entlang der Ostküste erstreckenden Reich Champa nahm wiederholt ind. Elemente in Architektur und Plastik auf. Seit dem 7. Jh. erbauten die Cham Tempeltürme (Kalan) mit eigener Formsprache, die Einflüsse der Khmer sowie aus Java zeigen. Ihre bed. sakrale Plastik gibt den ethn. Typ der Cham wieder. Diese Strenge wurde im 10. Jh. durch die eleganten Skulpturen von Mi Son und Tra Kieu abgelöst. Mit dem Abschütteln der chines. Herrschaft über N-Vietnam (111 v. Chr. bis 939 n. Chr.) setzte die eigentl. v. K. ein, die durch den Buddhismus und die Kunst Chinas beherrscht wurde. In Dai La, der Hptst. des chines. Statthalters (bei Hanoi), verbanden sich eigene Traditionen mit Elementen aus China, Champa, Indien und Zentralasien. Die sakralen Ziegelbauten überwogen offenbar (Stupa von Binh-Son aus der Zeit der frühen Le-Dynastie, 980–1009), die Skulptur ist v.a. indisch beeinflusst. Hoch entwickelte Keramik entstand nach chines. Vorbild unter der Ly-Dynastie (1009/10–1225) v.a. in der neuen Hauptstadt Thang Long (heute Hanoi) und in Thanh Hoa. Unter der Tran-Dynastie (1225–1400) Anlage großzügiger Zitadellen (u.a. in Thanh Hoa, 1397). Aus der späteren Le-Dynastie (1428–1527 bzw. 1788) stammen königl. Grabbauten (Kalksteinstelen), bevorzugtes Ornament sind Drachen. Aus dem 16.–18. Jh. sind zahlr. Pagoden, Tempel und Stupas erhalten; es überwiegt der chinesische Einfluss. Die Kunst der Nguyen-Dynastie (1802–1945) wird v.a. vertreten durch die nach dem Vorbild Pekings errichtete Palaststadt in der Hauptstadt Huê. Das moderne Kunsthandwerk versucht, alte Techniken der Schnitzerei und der Perlmuttinkrustation neu zu beleben. In der bildenden Kunst sind traditionelle Techniken wie Aquarellmalerei auf Seide, kolorierter Holzschnitt, Farbholzschnitt, Schleiflacktechnik und Lackmalerei von Bedeutung; die Ölmalerei nach europ. Vorbild wurde durch die Hochschule für bildende Künste in Hanoi (gegr. 1925) vermittelt.

vietnamesische Kunst: urnenartiges Deckelgefäß aus Thanh Hoa (10.–12. Jh.; Privatbesitz)

📖 PATKÓ, I. *u.* RÉV, M.: *Die Kunst Vietnams. A. d. Ungar. Leipzig 1967.* – FORMAN, W. *u. a.: V. K. Hanau 1973.* – *Vietnam. Götter, Geister u. Pagoden, bearb. v.* A. H. UNGER *u.* W. UNGER. *München 1997.*

vietnamesische Literatur [viet-]. Die Mehrzahl der Gattungen und Genres der Van hoc dan gian (Volksliteratur) ist in Reimform überliefert, so das Cheo (Volkstheater), das Mua roi nuoc (Wassermarionettentheater), der intonierte Sinn- oder Lehrspruch, der alternierend vorgetragene Liebesgesang sowie z.T. auch die Fabel und das Märchen. Bis in das 20. Jh. wird in der v. L. zwischen Van hoc mieng (mündl. Literatur) und Van hoc bac hoc (Gelehrtenliteratur) unterschieden. Mit der Überwindung der 1000-jährigen chines. Herrschaft (111 v. Chr. bis 10. Jh. n. Chr.) und der Gründung des ersten vietnames. Staates (939) entwickelte sich eine eigenständige v. L. Vom 10. bis Anfang des 15. Jh. wurde die Gelehrtenliteratur fast ausschl. in chines. Sprache (chu Han) verfasst, obgleich eine vietnames. Schriftsprache (chu Nom) seit dem 13. Jh. existierte. Erhalten geblieben sind religiöse Texte, Verse, eine Geschichte in 30 Bänden sowie Legenden, Sagen, histor. Berichte und Biographien. Eine erste Blüte erlebte die v. L. nach dem Sieg über die Armee der Ming-Dynastie (1428) und mit der Einführung des Konfuzianismus als Staatsdoktrin; damit kam der Literatur eine herausragende Rolle zu. Literaten wie Nguyen Trai schrieben in chines. und in vietnames. Sprache. Das Gattungssystem, bestehend aus Versliteratur, Parallelliteratur (Mischung zw. Vers und Prosa) und Prosa, stabilisierte sich und trat in fast allen Genres, außer in denen der Prosa, zweisprachig auf. Bed. ist das Werk »Bach Van am thi tap« (Gedichtsammlung in der Pagode »weiße Wolke«) von Nguyen Binh Khiem. Im 17. Jh. entstand mit über 8000 Verszeilen das umfangreichste Werk der v. L. in chu Nom »Thien Nam ngu luc« (Annalen des göttl. Südens). Die unterdrückte Stellung der Frau, die Scheinheiligkeit der Mönche und Heuchelei der Beamten waren wichtige Themen der v. L. des 18. Jh. (Doan Thi Diem, Ho Xuan Huong). Der Versroman (als Volks- und Gelehrtenroman) war die beliebteste Gattung des 18. und 19. Jh. Das bis dahin bedeutendste Sittengemälde und eines der sprachlich schönsten Werke schuf Nguyen Du mit dem Versroman »Truyen Kieu« (dt. »Das Mädchen Kieu«; Anfang des 19. Jh.). Im 20. Jh. kam es v. a. durch europ. Einflüsse zu einer völligen Veränderung des vietnames. Gattungssystems. Vers- und Parallelliteratur wurden durch eine moderne Epik und Dramatik verdrängt. Die Sprengung der strengen Regeln der Dichtkunst ließ auch eine neue Lyrik entstehen. Diese Prozesse waren etwa mit Beginn der 30er-Jahre abgeschlossen. Neue literar. Methoden, die sich in realist., romant. und revolutionären Strömungen und Bewegungen niederschlugen, trugen zur Herausbildung einer modernen v. L. bei. Wichtige Vertreter der vielfältigen v. L. in den 30er- und 40er-Jahren waren Nguyen Cong Hoan, Khai Hung und To Huu. In der Zeit des Vietnamkrieges dominierten Lyrik und Kurzformen der Epik. Themen und Methoden waren fast ausschließlich auf den Befreiungskrieg und die Herausbildung des »neuen Menschen« im Sozialismus ausgerichtet. Auch in Süd-Vietnam fand die moderne Literaturentwicklung keine Fortführung. Erst seit den 80er-Jahren erhielt die v. L. durch Schriftsteller wie Le Luu, Ma Van Khang, Nguyen Huy Thiep und Duong Thu Huong neue Impulse, v. a. durch die krit. Auseinandersetzung mit der eigenen Geschichte.

📖 DURAND, M. M. *u.* NGUYEN TRÂN-HUÂN: *An introduction to Vietnamese literature. New York 1985.* – *BI-Lexikon ostasiat. Literaturen, hg. v.* J. BERNDT. *Leipzig* ²*1987.* – LIES, U.: *Literaturakademie der 28 Sterne. Der vietnames. Roman. 1000 Jahre Literaturtradition in Geschichte u. Theorie. Unkel u. a. 1991.*

vietnamesische Musik [viet-]. Steinzeitliche Lithophone (geschlagene Idiophone aus Stein), bronzezeitl. Kesselgongs und Glocken sind die ältesten belegbaren Musikinstrumente in Vietnam. Die v. M. ist geprägt von der ind. und chines. Musikkultur. Ein verhältnismäßig eigener nat. Stil bildete sich im Kontakt mit der Musik des Abendlandes (vom 19. Jh. bis zur Gegenwart) heraus. Die Volksmusik der zahlr. Nationalitäten Vietnams umfasst u. a. Singspiel, Tanz, Lied (z. B. Liebeslied als Wechselgesang), Instrumentalmusik. Typische nat. Instrumente sind Bambus-Mundorgel (Khen), Xylophon (To Rung) und das einsaitige Zupfinstrument Danbau. Die Tonskala ist pentatonisch und halbtonlos. – Während in der Gegenwart die volkstüml. Kultmusik und die regional unterschiedl. Unterhaltungsmusik weiter gepflegt werden, scheint es ein Problem zu sein, die rituellen Gattungen der Hofmusik von Huê und die traditionelle Theatermusik lebendig zu erhalten. Als neue Gattungen entstehen Chöre, Tänze, Sinfonien und Musiktheater.

🕮 PHAM DUY: *Musics of Vietnam. Carbondale, Ill., 1975.* – TRÂN VAN KHÊ: *Die Musik Vietnams. A. d. Frz. Wilhelmshaven 1982.*

vietnamesische Schrift [viɛt-], im 17. Jh. von Missionaren entwickelte Lateinschrift für das Vietnamesische (Quoc ngu; v. a. von Alexandre de Rhodes gefördert); seit 1945 offizielle Schrift in Vietnam. Die alten Silbenzeichen (chu Nom), auf der Grundlage der chines. Schriftzeichen (chu Han) Ende des 13. Jh. entwickelt und neben diesen bis in das 20. Jh. gebraucht, wurden völlig verdrängt. Dem vietnames. Alphabet liegen 26 Buchstaben zugrunde, außerdem gibt es zusätzl. Laute, elf Buchstabengruppen und versch. diakrit. Zeichen (u. a. zur Bez. der Tonhöhen der Vokale). Die v. S. fixiert Silben, keine Wörter.

vietnamesische Sprache [viɛt-], eine unterschiedlich zugeordnete Sprache: Im Rahmen der austroasiat. Sprachfamilie der Mon-Khmer-Gruppe, im Rahmen der sinotibet. Sprachfamilie den Taisprachen und als mit der Mon-Khmer-Gruppe wie mit den Taisprachen verwandte Sprache mit diesen der austroasiat. Sprachfamilie; auch als eigene Sprachfamilie behandelt. Das Vietnamesische ist eine isolierende Sprache, d. h., es gibt keine Flexion, die Wörter bleiben unverändert. Vietnamesisch gehört zu den monosyllab. Sprachen. Fast jede Silbe hat eine eigene Bedeutung (Morphem). Es wird jedoch durch Kombination (bes. mit chines. Morphemen), Reduplikation und Iteration ständig neues Wortgut gebildet. Die Sprache hat sechs (bedeutungsunterscheidende) Silbentöne. Sie weist drei Dialekte auf: den nördl., den zentralen und den südl.; der einheitl. Nationalsprache liegt der Norddialekt zugrunde (Zentrum Hanoi). Bis zum 20. Jh. wurde in Vietnam neben der v. S. das Chinesische verwendet.

🕮 MEIER, GEORG F. *u.* MEIER, BARBARA: *Sprache, Sprachentstehung, Sprachen. Berlin (Ost) 1979.* – BOSCHER, W.: *Wörterbuch Vietnamesisch–Deutsch. Leipzig [5]1989.* – HÔ, G.-H. *u. a.: Wörterbuch Deutsch–Vietnamesisch. Leipzig [12]1989.*

Vietnamkrieg [viɛt-], militär. Konflikt in Indochina (daher auch **Indochinakrieg**) 1946–75, der seinen Ursprung und Hauptschauplatz in Vietnam hatte.

In der 1. (»frz.«) Phase (1946–54) kämpfte die von Vo Nguyen Giap aufgestellte vietnames. Partisanenarmee der → Vietminh gegen ein frz. Expeditionsheer; dieses sollte nach dem Abzug der Japaner aus dem von ihnen im 2. Weltkrieg besetzten Frz.-Indochina und der Proklamation einer Demokrat. Rep. Vietnam unter der Führung des Kommunisten Ho Chi Minh 1945 die frz. Kolonialmacht wiederherstellen. Auslöser des Krieges war der Haiphong-Zwischenfall (Beschießung der Hafenstadt Haiphong durch frz. Kriegsschiffe am 23. 11. 1946, als der Forderung des frz. Oberbefehlshabers nach sofortigem Abzug der Vietminh aus der Stadt nicht entsprochen wurde). Daraufhin wurden im Dez. 1946 die frz. Garnisonen durch Vietminh-Einheiten angegriffen, die sich jedoch zunächst zurückziehen mussten und ihr Hauptquartier in der unzugängl. Gebirgsgegend westlich von Hanoi (Viet Bac) errichteten. 1949 setzten die Franzosen den ehem. vietnames. Kaiser Bao Dai formell als »Staatschef« wieder ein. Das frz. Expeditionskorps (rd. 160 000 Mann) erwies sich jedoch bald als unterlegen. Seit dem Sieg der Kommunisten im angrenzenden China (1949) erhielt die Vietminh von dort militär. Ausrüstungshilfe und polit. Unterstützung; die seitdem gehegte Befürchtung, ein Erfolg im V. würde auch in den benachbarten Staaten zum kommunist. Umsturz führen (Dominotheorie), veranlasste die amerikan. Reg. ab 1950 nach einem frz. Hilfeersuchen zu Finanzhilfe und zur Entsendung amerikan. Militärberater nach Saigon. 1953 war die militärisch offensive und von der bäuerl. Bev. unterstützte Vietminh in weiten Teilen des Landes präsent. Nach der endgültigen frz. Niederlage in der Schlacht bei Dien Bien Phu (7. 5. 1954) wurden auf der Genfer Indochinakonferenz am 21. 7. 1954 Waffenstillstandsabkommen abgeschlossen (→ Genfer Konferenzen), die u. a. zur militär. Entflechtung in Vietnam eine vorläufige Demarkationslinie am 17. Breitengrad vorsahen. Die in der (von der Garantiemacht USA nicht unterzeichneten) Schlusserklärung der Konferenz angekündigten gesamtvietnames. Wahlen zur Wiedervereinigung Vietnams scheiterten am Widerstand des von den USA protegierten südvietnames. Reg.chefs Ngo Dinh Diem (1954–63), der die Franzosen aus dem Land drängte, dieses zu einem antikommunist. Vorposten ausbaute (300 000-Mann-Heer) und alle oppositionellen Kräfte ausschaltete. Dagegen richteten sich die seit 1957 ständig zunehmenden Guerillaaktionen des → Vietcong, der sich 1960 in der von Nord-Vietnam gelenkten »Nat. Befreiungsfront von Süd-Vietnam« (FNL) organisierte und immer größere ländl. Gebiete unter seine Kontrolle brachte.

Nachdem die USA bereits unter Präs. J. F. Kennedy ihre Militärpräsenz in Süd-Vietnam ständig verstärkt hatten (Ende 1963 16300 Militärberater), ließ sich der amerikan. Präs. L. B. Johnson nach dem **Tongking-Zwischenfall** (angebl. Beschießung von zwei amerikan. Zerstörern durch nordvietnames. Kriegsschiffe im Golf von Tongking am 2. und 4. 8. 1964) vom Kongress eine Generalvollmacht für den Einsatz amerikan. Truppen in Indochina geben, womit die 2. (»amerikan.«) Phase des V. begann. Truppenverstärkung (rd. 540000 amerikan. Soldaten 1969), systemat. Bombardierung wirtsch. und militär. Ziele in Nord-Vietnam (ab Febr. 1965), Luftangriffe gegen das von den Nordvietnamesen benutzte Straßennetz des **Ho-Chi-Minh-Pfades** in Laos und Kambodscha und die direkte Beteiligung einiger mit den USA verbündeter Staaten (Süd-Korea, Thailand, Australien, Neuseeland, Philippinen) folgten. In Süd-Vietnam konnten die Amerikaner durch den Einsatz ihrer überlegenen Luftwaffe zwar einen militär. Gesamterfolg ihres Gegners verhindern, aber keinen Sieg erzwingen. Umsiedlung von Vietnamesen in »Wehrdörfer«, Napalmeinsätze, chem. Entlaubung durch Herbizide und die anhaltenden Bombardements sollten den FNL-Guerillas die Lebensbasis entziehen. Die amerikan. Luftangriffe schadeten der Infrastruktur Nord-Vietnams enorm und machten es abhängig von sowjet. sowie chines. Rüstungs- und Wirtschaftshilfe, sie wirkten aber zugleich innenpolitisch solidarisierend. Obwohl die groß angelegte Tet-Offensive der Truppen Vo Nguyen Giaps (Ende Jan. 1968) militärisch letztlich erfolglos blieb, wirkte sie aufgrund der unerwarteten Schlagkraft der Vietnamesen in den USA als Schock. Insbesondere dort, aber auch weltweit nahm die Kritik an der amerikan. Vietnampolitik zu (v. a. an den Bombenabwürfen auf die Zivilbev., an den Ausschreitungen von Truppen [→My Lai], am Einsatz chem. Mittel). Mit der Einstellung der amerikan. Bombardements auf Nord-Vietnam wurde die wichtigste Bedingung für die Aufnahme von Verhandlungen (ab Mai 1968 in Paris) erfüllt. Die Lösung der USA aus dem V. strebte Präs. R. M. Nixon durch den Abbau der amerikan. Streitmacht in Vietnam seit Anfang 1969, in bilateralen Geheimverhandlungen seines Sonderbeauftragten H. A. Kissinger mit Nord-Vietnam (Verhandlungsführer Le Duc Tho) seit Aug. 1969 und durch die »Vietnamisierung« des Konflikts (d. h. den massiven Aufbau der südvietnames. Armee) an. Das Waffenstillstandsabkommen vom 27. 1. 1973 bestimmte den Abzug des gesamten militär. Personals der USA, ohne Festlegungen über die im S befindl. nordvietnames. Truppen (etwa 145000 Mann) zu treffen. Die polit. Regelung sah vor, dass ein »Nat. Versöhnungsrat« aus Vertretern der Saigoner Reg. unter Nguyen Van Thieu, der von der FNL 1969 gebildeten Revolutionsreg.« (PRRSV) und der »Dritten Kraft« (Oppositionelle außerhalb der FNL) allg. Wahlen in Süd-Vietnam durchführen sollte, doch die Verhandlungen blieben ergebnislos. Stattdessen versuchten die Saigoner Reg. und die kommunist. Truppen, die von ihnen kontrollierten Gebiete mit Waffengewalt zu vergrößern, was die 3. (Bürgerkriegs-)Phase des V. einleitete. Nach Einstellung der finanziellen Hilfe durch die USA und dem Fall der militär. Stützpunkte im Hochland von Annam im März 1975 zogen sich die südvietnames. Reg.truppen rasch zurück und lösten sich unter dem Druck der nachrückenden kommunist. Truppen auf. Am 21. 4. 1975 trat der

Vietnamkrieg: Eine Stellung der nordvietnamesischen Flugabwehr beschießt amerikanische Bomber, die ab Februar 1965 über dem Ho-Chi-Minh-Pfad operierten (links); Kinder auf der Flucht nach einem Napalmangriff der südvietnamesischen Luftwaffe auf Trang Ban am 8. Juni 1972

Gustav Vigeland: Das Zentrum der 1906 entworfenen Figurengruppen im Frognerpark bei Oslo besteht aus einer Treppenanlage mit einem 17 m hohen, aus steinernen Leibern gebildeten monolithischen Obelisken

südvietnames. Präs. Nguyen Van Thieu zurück. Am 30. 4. 1975 wurde Saigon von Einheiten der »Provisor. Revolutionsregierung« der FNL mit nordvietnames. Unterstützung besetzt; ein großer Flüchtlingsstrom setzte ein. Im Gefolge dieser letzten Phase des V. kam es am 2. 7. 1976 zur Wiederherstellung eines gesamtvietnames. Staates unter kommunist. Führung (Sozialist. Republik Vietnam). Weitere BILDER ABC-Waffen, außerparlamentarische Opposition, Washington (D. C.)

Vincent du Vigneaud

📖 SMITH, RALPH B.: *An international history of the Vietnam war, 3 Bde. London 1983–91.* – ARENTH, J.: *Johnson, Vietnam u. der Westen. Transatlant. Belastungen 1963–69. München 1994.* – MACNAMARA, R. S. *u.* VAN DE MARK, B.: *Vietnam. Das Trauma einer Weltmacht. A. d. Amerikan. Hamburg ²1996.* – SCHOLL-LATOUR, P.: *Der Tod im Reisfeld. München 16.–18. Tsd., ³1996.*

Viëtor [vi'e:tɔr], Wilhelm, Anglist, *Kleeberg (heute zu Immenhausen, Kr. Kassel) 25. 12. 1850, †Marburg 23. 9. 1918; einer der Begründer der wiss. Phonetik (»Einführung in das Studium der engl. Philologie«, 1888).

Alfred de Vigny (zeitgenössische Lithographie)

Vieuxtemps [vjø'tã], Henri, belg. Violinist und Komponist, *Verviers 17. 2. 1820, †Mustafa (bei Algier) 6. 6. 1881; gefeierter Virtuose, trat zunächst mit eigenen Kompositionen auf; lehrte 1871–73 am Brüsseler Konservatorium; schrieb u. a. sieben Violinkonzerte.

Vigée-Lebrun [viʒelə'brœ̃], Élisabeth-Louise, frz. Malerin, *Paris 16. 4. 1755, †Louveciennes (Dép. Yvelines) 30. 3. 1842; malte Porträts (bes. von Frauen des frz. Hochadels), deren gefällige Anmut dem Gesellschaftsgeschmack der Zeit entsprach. BILDER Maria (Marie Antoinette), Stael

Vigeland ['vi:gəlan], Gustav, norweg. Bildhauer, *Mandal (Prov. Vest-Agder) 11. 4. 1869, †Oslo 12. 3. 1943; schuf, von A. Rodin beeinflusst, stark bewegte, naturalist. Bildwerke. Monumentale Wirkung erstrebte er mit seiner Skulpturenanlage im Frognerpark bei Oslo (etwa 100 symbolist. Figurengruppen und Reliefs, die von einem Obelisken bekrönt werden; Entwurf 1906).

Vigevano [vi'dʒɛ:-], Stadt in der Lombardei, Prov. Pavia, Italien, am Tessin, 59 800 Ew.; Lederfachschule; Zentrum der italien. Schuhind.; Schuhmaschinenfabriken. – Dom (16./17. Jh., mit Chor und Apsis von 1364), Kastell (1345–50, 1491–94 durch Bramante umgebaut).

Vigil [lat.] *die* (Vigilie), *kath. Kirche:* gottesdienstl. Feier mit Schriftlesung, Gebet und Gesang am Vortag bestimmter (hoher) Feste; in der frühen Kirche als nächtl. Gebetsversammlung begangen.

Vigneaud [vɪn'jəʊ], Vincent du, amerikan. Biochemiker, *Chicago (Ill.) 18. 5. 1901, †White Plains (N. Y.) 11. 12. 1978; isolierte und synthetisierte (nach der Strukturanalyse) die Hypophysen-Hinterlappenhormone Oxytocin und Vasopressin; erhielt dafür 1955 den Nobelpreis für Chemie.

Vignette [vin'jɛtə, frz.] *die,* **1)** *Buchkunst:* kleine, meist ornamentale Verzierung, z. B. am Kapitelanfang.

2) *Verkehrswesen:* Gebührenmarke für Autobahnbenutzung; 1985 in der Schweiz als »Nationalstraßenabgabe« eingeführt; seit 1997 in Österreich. Seit 1992 wird in Dtl. über die Einführung einer V. diskutiert; mittelfristig soll die V. durch ein elektron. Zahlungssystem ersetzt werden. (→Straßenbenutzungsgebühren)

Vignettierung [vinjɛ-] (Abschattung), *Optik, Fotografie:* bei Vergrößerungen die Veränderung der Bildhelligkeit zum Bildrand hin bzw. Helligkeitsabfall an den Bildrändern durch den Blickwinkel von Gegenlichtblenden, die nicht zum Objektiv passen, oder wegen Objektivmängeln.

Vignola [viɲ'ɲɔ:la], eigtl. Giacomo Barozzi da V., italien. Baumeister, *Vignola (bei Modena) 1. 10. 1507, †Rom 7. 7. 1573; nach dem Tod Michelangelos (1564) dessen Nachfolger als Bauleiter der Peterskirche und führender Architekt. Die von ihm seit 1568 erbaute Jesuitenkirche Il Gesù in Rom, eine tonnengewölbte Basilika mit Vierungskuppel, wurde wegweisend für die weitere Entwicklung des barocken Kirchenbaus. Unter seinen weltl. Bauten ist der Palazzo Farnese in Caprarola von besonderem Interesse (1559–73); bed. ist sein Lehrbuch über Architektur »Regola delli cinque ordini d'architettura« (1563).

Vigny [vi'ɲi], Alfred Comte de, frz. Dichter, *Schloss Loches (Dép. Indre-et-Loire) 27. 3. 1797,

† Paris 17. 9. 1863; 1815–27 in der Armee, verbrachte die letzten 20 Jahre seines Lebens zurückgezogen auf seinem Landsitz. V.s Dichtung ist Ausdruck seines pessimist. Weltbildes, das die frz. Gesellschaft als kunstfeindlich empfand. Sein Werk stand zunächst ganz im Zeichen der Romantik (»Poèmes antiques et modernes«, 1826; histor. Roman »Cinq Mars«, 1826; dt.); mit den späteren philosoph. Dichtungen nahm er z. T. den Symbolismus vorweg (»L'esprit pur«, 1864). Den größten Erfolg hatte er mit dem romant. Drama »Chatterton« (1835; dt.) um das trag. Schicksal des engl. Dichters.

Vigo [span. 'biγo], Hafenstadt in Galicien, in der Prov. Pontevedra, Spanien, an der über 30 km langen Ria von V., 276 100 Ew.; Standort der größten Fischereiflotte Spaniens; Muschel- und Austernzucht; Werften, Fischverarbeitung, Eisen-, Holzverarbeitung, Auto-, Porzellan-, Glasfabriken; Seebad; Überseehafen, Flughafen. – Schon in der Antike war **Vicus,** von den Römern gegr., ein bed. Hafen.

Viipuri ['viː-], Stadt in Russland, → Wyborg.

Vijayawada [vɪdʒaːjə'vaːdə], Stadt in Andhra Pradesh, S-Indien, an der Krishna, 701 400 Ew.; medizin. Univ.; hinduist. Pilgerzentrum; chem. Ind., Maschinenbau.

Vik [viːk], Bjørg, norweg. Schriftstellerin, * Oslo 11. 9. 1935; mit Novellen und Romanen von maßgebl. Einfluss auf die feminist. Bewegung und Literatur in Norwegen (»Fünf Frauen«, Drama, 1974); auch Hörspiele und Erzählungen »Das Frauenaquarium« (1972).

Vikar [v-, lat.] *der, kath. Kirche:* der Vertreter eines geistl. Amtsträgers (z. B. Apostol. V., Kapitular-V., Pfarr-V.); *evang. Kirchen:* der → Pfarrvikar.

Viking ['vaɪkɪŋ, engl.], Name von zwei 1975 gestarteten amerikan. → Raumsonden zur Erforschung des Mars.

Viktimologie [v-; zu lat. victima »Opfer«] *die,* die Lehre vom Opfer einer Straftat, zumeist eine Teildisziplin der Kriminologie. Sie betrachtet die Straftat aus der Sicht des Opfers, wobei sie sich v. a. mit der Täter-Opfer-Beziehung beschäftigt.

Viktor [v-], Herrscher:

Italien: **1) V. Emanuel II.,** König von Sardinien (1849–61) und Italien (1861–78), * Turin 14. 3. 1820, † Rom 9. 1. 1878, Großvater von 2); gelangte durch die Abdankung seines Vaters Karl Albert auf den Thron und ließ seinem Min. C. → Cavour freie Hand in der Einigungspolitik (→ Italien).

2) V. Emanuel III., König (1900–46), * Neapel 11. 11. 1869, † Alexandria (Ägypten) 28. 12. 1947, Enkel von 1); widersetzte sich nicht dem drohenden Faschismus, ernannte nach dem »Marsch auf Rom« am 30. 10. 1922 B. Mussolini zum MinPräs. Politisch machtlos, unterstützte er jedoch 1943 den Sturz Mussolinis, dankte 1944 (endgültig 1946) unter Druck ab und ging ins Exil.

Sardinien-Piemont: **3) V. Amadeus I.,** König von Sizilien (1713–20), dann von Sardinien (1720–30), vorher als **V. Amadeus II.** Herzog von Savoyen (1675–1730), * Turin 14. 5. 1666, † Moncalieri (bei Turin) 31. 10. 1732; kämpfte im Span. Erbfolgekrieg gegen Ludwig XIV. von Frankreich. Der Utrechter Frieden (1713) brachte ihm v. a. Sizilien mit der Königskrone, das er 1720 gegen Sardinien eintauschen musste.

Viktor Emanuel II., König von Sardinien und Italien

Viktoria [v-], Herrscherinnen:

Dt. Reich: **1) V.,** Königin von Preußen und (seit 1888) dt. Kaiserin, * London 21. 11. 1840, † Schloss Friedrichshof (in Kronberg im Taunus) 5. 8. 1901, älteste Tochter von 2); heiratete 1858 den späteren Kaiser Friedrich, auf den sie großen Einfluss nahm (daher nach 1888 »Kaiserin Friedrich«); politisch entschieden liberal eingestellt, geriet oft in Ggs. zu Bismarck; Mutter Wilhelms II., dessen Reg.stil sie später scharf kritisierte.

Viktor Emanuel III., König von Italien

Großbritannien und Irland: **2) Victoria,** Königin (1837–1901), Kaiserin von Indien (1876–1901), * Kensington Palace (in London) 24. 5. 1819, † Osborne House (bei Coves, Isle of Wight) 22. 1. 1901, Mutter von 1); einziges Kind des Herzogs Eduard von Kent (4. Sohn König Georgs III.) und einer Prinzessin von Sachsen-Coburg; folgte ihrem Onkel, Wilhelm IV., auf den brit. Thron; seit 1840 ⚭ mit ihrem Vetter Albert, Prinz von Sachsen-Coburg-Gotha, der sie in ihrer Reg.führung maßgeblich beeinflusste. Nach seinem frühen Tod 1861 zog sie sich aus der Öffentlichkeit zurück. V. war durch ehel. Bindungen ihrer neun Kinder mit vielen europ. Fürstenhöfen verwandt (»Großmutter Europas«; u. a. war der dt. Kaiser Wilhelm II. ihr Enkel). Während ihrer langen Herrschaft (letzte Monarchin aus dem Hause Hannover) erlebte Großbritannien eine Blütezeit als Wirtschafts- und Kolonialmacht, aber auch eine Zeit kultureller Verflachung und Prüderie **(Viktorian. Zeitalter).** Weiteres BILD Großbritannien und Nordirland

Victoria, Königin von Großbritannien und Irland

Viktoriafälle [v-], die → Victoriafälle.

Viktoriasee [v-], der → Victoriasee.

Viktualien [v-, lat.], *veraltet:* Lebensmittel.

Vikunja [v-] *das* oder *die* (Vicuña, Vikugna), eine Art der Lamas (→ Kamele).

Vila Nova de Gaia [-ðə 'γaja], Stadt in NW-Portugal, gegenüber von Porto am linken Ufer des Douro, 61 000 Ew.; Zentrum der Portweinbereitung; Maschinenbau, Schuh-, chem., keram. Industrie. – In der Oberstadt das ehem. Kloster Nossa Senhora da Serra do Pilar (Kirche 1598–1602).

Vilar [v-], **1)** Esther, Schriftstellerin argentin. Herkunft, * Buenos Aires 16. 9. 1935; Ärztin, dann auch Übersetzerin, Rundfunkautorin. Ihre provokanten Thesen zur Situation des Mannes in der Gesellschaft wurden viel diskutiert (»Der dressierte Mann«, 1971; »Das Ende der Dressur«, 1977;

Esther Vilar

Heitor Villa-Lobos

»Die Mathematik der Nina Gluckstein«, 1985; »Heiraten ist unmoralisch«, 1994).

2) Jean Louis-Côme, frz. Schauspieler, Regisseur und Theaterleiter, *Sète 25. 3. 1912, †ebd. 28. 5. 1971; gründete 1947 das »Festival d'Avignon« (Festspieldirektor 1947–71) und leitete 1951–63 das »Théâtre National Populaire« in Paris, das er zu einem Volkstheater ausbaute.

Vilbel [f-], **Bad,** →Bad Vilbel.

Vildrac [vil'drak], Charles, eigtl. C. Messager, frz. Schriftsteller, *Paris 22. 11. 1882, †Saint-Tropez 25. 6. 1971; schrieb vom →Unanimismus beeinflusste Gedichte und Dramen aus dem Milieu der kleinen Leute: »Le paquebot Tenacity« (1920), »La brouille« (1930); auch Kinderbücher.

Villa [v-, lat.] *die,* im röm. Altertum urspr. das zum Landgut gehörende Wohnhaus, dann auch das Landhaus der Stadtbewohner in schöner Lage (Gebirge, Meer), häufig von Gartenanlagen umgeben. In der italien. Renaissance bezeichnet V. die gesamte Besitzung; das zugehörige Gebäude wird Casino, Castello oder Palazzo genannt. Villen der Frührenaissance entstanden u. a. in der Umgebung von Florenz, so die Medici-V. in Poggio a Caiano, Fiesole, Careggi (heute zu Florenz) und Pratolino (heute zu Vaglia). – In neuerer Zeit nennt man das frei stehende, mit Garten versehene größere Wohnhaus (meist Einfamilienhaus) Villa.

Francisco Villa

Für 25 000 $ erhielt Hollywood das Recht, den von Pancho Villa angeführten Aufstand gegen den Diktator Victoriano Huerta im Jahre 1914 mitzufilmen.
*Um optimale Lichtverhältnisse zu haben, brachte Regisseur Raoul Walsh (*1892, †1980) den Revolutionär dazu, dass nur zwischen 9 Uhr morgens und 4 Uhr nachmittags gekämpft wurde. Zudem wurden Schlachten so lange verzögert, bis alle Kameras auf Position waren. Dann rief Walsh: »Action!«*
Verwertet wurde das Material allerdings nicht, weil man es in Hollywood zu unrealistisch fand.

Villa [span. 'bija], Francisco, gen. Pancho V., eigtl. Doroteo Arango, mexikan. Revolutionär, *4. 10. 1877, †(ermordet) 20. 7. 1923; leitete im NW Mexikos eine Aufständischenarmee, eroberte mit E. Zapata 1911 und nochmals 1914 die Hptst. Mexiko, führte danach (bis 1915) einen Guerillakrieg.

Villach [f-], Stadt mit eigenem Statut in Kärnten, Österreich, an der Drau, 501 m ü. M., 54 600 Ew.; Fachschulen, Museen; Maschinenbau, Elektro-, elektron., Textil-, Leder-, Holz- u. a. Ind.; Verkehrsknotenpunkt. Fremdenverkehr; Wintersportgebiet **Villacher Alpe;** im Stadtteil **Warmbad V.** radonhaltige Thermalquellen. – Spätgot. Stadtpfarrkirche St. Jakob (14.–16. Jh.), got. Martinskirche mit roman. Bauresten (nach 1962 verändert wiederhergestellt), got. und Renaissancehäuser. – V. entstand an der Stelle zweier Römersiedlungen **(Bilachinium** und **Santicum),** 878 erstmals erwähnt (Draubrücke); 1239/40 Stadt gen.; kam 1759 an Österreich.

Philippe Auguste Graf von Villiers de l'Isle-Adam (zeitgenössische Radierung)

Villa Hammerschmidt [v-], Sitz des Bundespräs. der Bundesrep. Dtl. in Bonn, benannt nach dem Großindustriellen R. Hammerschmidt (*1853, †1922), 1863–65 errichtet, 1878 umgebaut. – Jan. 1994 Verlegung des 1. Amtssitzes nach Berlin (Schloss Bellevue).

Villahermosa [bijaɛr'mosa], Hauptstadt des Staates Tabasco, Mexiko, 261 000 Ew.; Univ.; archäolog. Museum (La-Venta-Kultur); rasche Entwicklung mit Ausbau der Erdölförderung in der Umgebung; internat. Flughafen.

Villa Hügel [v-], Palais in weitläufigem Park über dem Baldeneysee in Essen, früherer Wohnsitz der Familie Krupp (nach Plänen von A. Krupp 1870–72 errichtet), seit 1953 Stiftung für kulturelle Zwecke (Kunstausstellungen).

Villa-Lobos [v-, portugies. -'lobus], Heitor, brasilian. Komponist und Dirigent, *Rio de Janeiro 5. 3. 1887, †ebd. 17. 11. 1959. Sein Werk, das neben folklorist. Einflüssen romant., impressionist. und neobarocke Stilelemente aufweist, umfasst u. a. Opern, Ballette, Sinfonien, sinfon. Dichtungen, Kammer- und Klaviermusik, Lieder, Chorwerke.

Villa Massimo [v-], Sitz der Dt. Akademie (Accademia Tedesca) in Rom, nimmt kulturelle Aufgaben wahr und ist Wohnsitz der Preisträger der »V.-M.-Stipendien« während ihres zwölfmonatigen Studienaufenthaltes in Rom (jeweils sechs bildende Künstler und je zwei Architekten, Autoren und Komponisten). Der 1910–13 errichtete Bau wurde von dem Berliner Bankier E. Arnhold (†1925) dem preuß. Staat geschenkt, um die Gewinner des Rompreises der Preuß. Akademie der Künste aufzunehmen; 1957 von der Bundesrep. Dtl. wieder eröffnet.

Villanelle [v-; italien., zu villano »derb«, »bäurisch«] *die* (Villanella), Strophenlied in schlichtem dreistimmigem Satz auf volkstüml. Text. Die V. verbreiteten sich im 16. Jh. von Neapel aus über Italien, Frankreich, Dtl. und England.

Villanovakultur [v-; nach dem Fundort Villanova bei Bologna], früheisenzeitl. Kultur der ersten Hälfte des 1. Jt. v. Chr. in Oberitalien und der Toskana; typisch sind u. a. Keramikgefäße mit kon. Hals und geometr. Verzierungen (sog. **Villanova-Urnen**), auch Bronzegefäße und figürl. Metallschmuck.

Villanueva [bija'nueβa], Carlos Raúl, venezolan. Architekt und Stadtplaner, *London 30. 5. 1900, †Caracas 16. 8. 1975; einer der führenden Architekten Venezuelas; baute u. a. die Univ.stadt in Caracas sowie Wohnsiedlungen.

Villard de Honnecourt: Bär und Schwan, Blatt aus dem »Bauhüttenbuch« (um 1230–35; Paris, Bibliothèque Nationale)

Villard de Honnecourt [viˈlaːrdə ɔnˈkuːr], frz. Baumeister des 13. Jh.; hinterließ das einzige aus dem MA. erhalten gebliebene Bauhüttenbuch (Paris, Bibliothèque Nationale). Es enthält eine Mustersammlung von Federzeichnungen, die, mit erklärenden Texten, Bauten, Bildwerke, Tiere, Werkzeuge u. a. darstellen. INFOKASTEN Bauhütte

Villavicencio [bijaβiˈsensjo], Hauptstadt des Dep. Meta in Zentralkolumbien, am Rand der Anden, 239 500 Ew.; Univ.; Handelszentrum mit Verarbeitung trop. Agrarprodukte.

Ville [v-] *die* (Vorgebirge), schmaler Höhenrücken im S der Niederrhein. Bucht, zw. Erft und Rhein, NRW; bis 177 m ü. M. aufragend, Teil des →Rheinischen Braunkohlenreviers (Abbau bei Garzweiler und Niederaußem, Großkraftwerke). Im S der Naturpark **Kottenforst-Ville,** eine als Erholungspark rekultivierte Abbaufläche.

Villeurbanne [vilœrˈban], Industriestadt im Dép. Rhône, Frankreich, im Vorortbereich von Lyon, 119 800 Ew.; Forschungsinstitute der Univ. Lyon; Théâtre National Populaire; chem., Metall-, Elektroindustrie.

Villiers de l'Isle-Adam [vilˈje dəlilaˈdã], Philippe Auguste Graf von, frz. Schriftsteller, *Saint-Brieuc 7. 11. 1838, †Paris 18. 8. 1889; mit S. Mallarmé befreundet; schrieb poet. Dramen (»Axel«, hg. 1890), den fantast. Roman »Die Eva der Zukunft« (1886) und von E. A. Poe beeinflusste Novellen, die Neigung zum Okkultismus und die Opposition zur bürgerl. Gesellschaft belegen, u. a. »Grausame Geschichten« (1883).

Villikation [v-, lat.] *die,* ein Verband von mittelalterl. Fronhöfen (seit Ende 7. Jh.) in Streulage mit Zentrum in einem Fronhof des Grundherrn.

Villingen-Schwenningen [f-], Kreisstadt des Schwarzwald-Baar-Kreises in Bad.-Württ., am O-Rand des Schwarzwalds und auf der Baar, 80 700 Ew.; Große Kreisstadt; FH für Polizei, Staatl. Feintechnikschule; Heimat- und Uhrenmuseum, Franziskaner-Museum (volkskundl. Sammlung); Uhren-, Elektro-, elektron. Ind., Maschinenbau, Aluminiumgießerei. – Im Stadtteil Villingen ist der mittelalterl. Stadtkern weitgehend erhalten: Reste der Stadtbefestigung (15. und 16. Jh.), Liebfrauenmünster (um 1130 begonnen, gotisch erneuert nach 1271), ehem. Franziskanerkloster (1268 gegr.; Kirche, Neubau, 1711; Museum); ehem. Klarissen-, jetzt Ursulinenkloster (Neubau von 1731/37), Benediktinerstiftskirche St. Georgen (1692), Altes Rathaus (1534, Stadtmuseum), Neues Rathaus (18. Jh.). – **Villingen** (999 Marktrecht, als Stadt 1119 neu gegr., 1326–1805 zu Vorderösterreich) und **Schwenningen am Neckar** (817 erstmals erwähnt; 1907 Stadt) wurden 1972 zu V.-S. vereinigt. – Bei V.-S. liegt der **Magdalenenberg** (106 m Durchmesser, 8 m hoch), ein hallstattzeitl. Grabhügel des 6./7. Jh. v. Chr.

Villingen-Schwenningen: Stadtwappen Villingen (oben) und Schwenningen

Villon [viˈjɔ̃], **1)** François, eigtl. F. de Montcorbier oder F. des Loges, frz. Dichter, *Paris 1431, †nach dem 5. 1. 1463; aus ärml. Verhältnissen, genannt nach seinem Gönner, dem Kaplan Guillaume de V., der ihn an der Sorbonne studieren ließ; 1452 Magister der Sorbonne, 1455 Flucht wegen Totschlags, führte dann ein Vagabundenleben, mehrmals im Gefängnis; nach Todesurteil und Begnadigung zur Verbannung 1463 verliert sich seine Spur. – V. ist der bedeutendste frz. Lyriker des MA. Seine Gedichte (Rondeaus und Balladen) spiegeln die Schrecken der Zeit in persönlichsten Empfindungen ohne Rücksicht auf moral. Konventionen. Hauptwerk ist »Das große Testament« (2023 Verse, entstanden 1461, Erstdruck 1489 zus. mit dem »Kleinen Testament«, 320 Verse, entstanden 1456). Die Nachwirkungen von V.s Dichtung setzten im 19. Jh. ein (A. Rimbaud, G. Apollinaire; dt. Nachdichtung u. a. von B. Brecht).

📖 BROCKMEIER, P.: *F. V. Stuttgart 1977.* – PINKERNELL, G.: *F. V.s Lais. Versuch einer Gesamtdeutung. Heidelberg 1979.*

2) Jacques, eigtl. Gaston Duchamp, frz. Maler, *Damville (Dép. Eure) 31. 7. 1875, †Puteaux (bei

François Villon (Holzschnitt aus der Erstausgabe von »Das große Testament«, 1489)

François Villon

Villons Gedicht »Ballade über die Frauen von einst« spiegelt seine Klage über die Vergänglichkeit alles Irdischen wider (zweite Strophe):

»Wo ist die neunmalkluge Heloise,
für die man Abälard kastrierte,
der darauf wurde Mönch in Saint-
Denis?
Für seine Liebe trug
er diese Last.
Wo ist zugleich die Königin,
die Auftrag gab, in einem Sack
Herrn Buridan im Seine-Flusse
zu versenken?
Wo aber ist der Schnee vom
vergangenen Jahr?«

Paris) 9. 6. 1963; ging vom Kubismus aus und gelangte später zu einer Synthese geometr. Formen und klarer, heller Farben.

Jacques Villon: »Marschierende Soldaten« (1913; Paris, Musée Nationale d'Art Moderne)

Vilm [f-], kleine, bewaldete Ostseeinsel vor der S-Küste von Rügen, Meckl.-Vorp., 0,9 km^2; internat. Naturschutzzentrum (Südbalt. Naturschutz-Akademie).

Vilmar [f-], August Friedrich Christian, evang. Theologe, Schriftsteller und Literaturhistoriker, *Solz (heute zu Bebra) 21. 11. 1800, †Marburg 30. 7. 1868; zunächst Gymnasialdirektor und Ministerialrat, seit 1855 Prof. in Marburg; reformierte das kurhess. Schulwesen; vertrat theologisch die Positionen der neuluth. Orthodoxie und versuchte die kurhess. Kirche im Sinne eines streng konfessionellen Luthertums umzugestalten.

Vilnius (dt. Wilna, russ. Wilnjus, poln. Wilno), Hauptstadt von Litauen, an der Wilija, 590100 Ew.; kultureller und wirtsch. Mittelpunkt Litauens; kath. Erzbischofssitz, orth. Bischofssitz; Akademie der Wiss., Univ. (seit 1579), mehrere Hochschulen, Theater, Opern- und Balletthaus, Museen; Philharmonie; Maschinen- und Gerätebau, elektrotechn., Textil- u.a. Ind.; Messestadt; Verkehrsknotenpunkt, internat. Flughafen. – Städtebaulich bemerkenswerte Altstadt; erhalten sind Reste der Oberen (14./15. Jh.) und Unteren Burg (u.a. Wehrturm, 13. Jh. ff.); spätgot. Kirchen (Nikolaikirche, Johanniskirche, Bernhardinerkloster und -kirche, Annakirche). Die 1570 als Jesuitenakademie gegr. Univ. ist ein aus 13 Gebäuden bestehendes Ensemble; nach einem Brand im 17. Jh. Neuaufbau der Stadt mit zahlr. Kirchen (Kasimirkirche, Peter-und-Paul-Kirche, St. Theresa, Heiliggeist-, Katharinen- und Allerheiligenkirche). Ende 18./Anfang 19. Jh. entstanden die klassizist. Bauten der Kathedrale (an der Stelle von Vorgängerbauten, Kasimirkapelle von 1636), des Rathauses (heute Museum) und des Gouverneurspalastes. In der Nähe, auf einer Insel im Galvesee, die Burg Trakai (2. Hälfte 14. Jh./Anfang 15. Jh.). – V., im 10. Jh. gegr., wurde 1323 Hptst. Litauens; erhielt 1387 Magdeburger Stadtrecht und kam nach 1569 unter poln. Einfluss; 1655–60 von den Russen besetzt, 1702 und 1706 durch die Schweden erobert und zerstört; nach Angliederung Litauens an das Russ. Reich (1795) Gouvernements-Hptst. und ein Zentrum poln. Geisteslebens. V. wurde 1915–18 von dt. Truppen besetzt, 1920 von Polen annektiert und im Sept. 1939 von sowjet. Truppen besetzt; 1940–90 Hptst. der Litauischen SSR, seit 1990 der Rep. Litauen. BILD Litauen

Joseph Vilsmaier

David Viñas

Vilsbiburg [f-], Stadt im Landkreis Landshut, Bayern, an der Großen Vils, 10900 Ew.; Kraftfahrzeugzulieferind., Textilindustrie. – Maler. Stadtbild mit Oberem Tor (15. Jh.).

Vilshofen [f-], Stadt im Landkreis Passau, Bayern, an der Mündung der Vils in die Donau, 16500 Ew.; Afrikamuseum; Metall-, Textilindustrie. – Reste der Stadtmauer, Kirchen aus dem 14.–18. Jh.; nahebei Abtei Schweiklberg (gegr. 1904).

Vilsmaier [f-], Joseph, Filmregisseur, Kameramann, *München 24. 1. 1939; debütierte mit dem Film »Herbstmilch« (1988), mit dem das Genre des dt. Heimatfilms eine Aufwertung erfuhr; schuf außerdem »Rama dama« (1991), »Stalingrad« (1993), »Schlafes Bruder« (1995), »Und keiner weint mir nach« (1996).

Viminal [v-; lat. »Weidenhügel«] *der,* einer der sieben Hügel Roms.

Viña del Mar ['biɲa -], urspr. Villenvorstadt von Valparaíso, Chile, heute auch wichtige Industriestadt, 302800 Ew.; TU, Kath. Univ., meeresbiolog. Institut mit Museum; Kongressort; internat. Seebad mit Spielkasino; Sommerresidenz des chilen. Staatspräsidenten.

Viñas ['biɲas], David, argentin. Schriftsteller, *Buenos Aires 28. 7. 1929; politisch aktiver Journalist, 1976–83 im Exil; schreibt Romane, Dramen, Essays, die zur Entmythologisierung offizieller Geschichtsschreibung seines Landes beitragen, u.a. »Cayó sobre su rostro« (R., 1955), »Anarquistas en América Latina« (Essay, 1983); Herausgeber der »Historia social de la literatura argentina« (1989 ff.; auf 12 Bde. berechnet).

Vinca|alkaloide [v-], Gruppe von zytostatisch wirkenden Alkaloiden aus Immergrünarten, bes. Catharantus roseus (Vinca rosea); zur Tumorchemotherapie werden v.a. Vinblastin, Vincristin und Vindesin verwendet.

Vinčakultur ['vintʃa-], jungsteinzeitl. Kultur auf der Balkanhalbinsel (Serbien, W-Bulgarien, NW-Rumänien), ben. nach dem aus 8–11 m hohen Siedlungsschichten bestehenden Hügel von Vinča (heute zu Belgrad); u.a. zahlr. Idolplastiken.

Vincennes [vɛ̃'sɛn], Stadt im Dép. Val-de-Marne, Frankreich, im östl. Vorortbereich von Paris, 43000 Ew.; Univ.; Maschinen-, Optik-, Parfümerie-, Elektronik- u.a. Ind. – Im parkartigen Bois de V. zoolog. Garten, Pferderennplatz und Kolonialmuseum. – Das Schloss war bis zu Ludwig XIV. vielfach Residenz der frz. Könige. Die jetzige Schlossanlage im Bois de V. wurde von Philipp VI. begonnen und von Karl V. als Zitadelle (14. Jh., unter Verwendung eines älteren Baus) mit mächtigem, 42 m hohem Donjon erbaut; spätgot. Sainte-Chapelle (Glasfensterzyklus des 16. Jh.); unter J. Mazarin Bau von zwei Pavillons.

Vinci ['vintʃi], Leonardo da, → Leonardo da Vinci.

Vindelizilen [v-], im Altertum das Land der kelt. **Vindeliker** oder **Vindelizier,** südlich der Donau vom Bodensee bis zum Inn, deren Hauptort vermutlich bei → Manching lag. Das Gebiet wurde im 1. Jh. n. Chr. der röm. Prov. Rätien angegliedert; Hauptort: Augusta Vindelicorum (Augsburg).

Vindhyakette [v-] (engl. Vindhya Range), Höhenzug auf dem nördl. Dekhan, Indien, 1 000 km lang, bis 881 m ü. M.; aus Sandstein aufgebaute Tafelberge; im S eine bis 500 m hohe Bruchstufe entlang des Narmada.

Vindikation [v-, lat.] *die,* der → Herausgabeanspruch des nicht besitzenden Eigentümers einer Sache gegen deren Besitzer (§ 985 BGB).

Vindonissa [v-], röm. Legionslager am Zusammenfluss von Aare und Reuß, heute Gemeinde **Windisch,** Kt. Aargau, Schweiz. Die Ruinen des im 1. Jh. n. Chr. angelegten Lagers (mit Thermen und Amphitheater) zählen zu den bedeutendsten Überresten der Römerzeit der Schweiz.

Vineta [v-], sagenhafter untergegangener Ort auf → Wollin.

Vinkulationsgeschäft [v-], Vorfinanzierung von Waren in Ex- oder Importgeschäften auf dem Transport (Eisenbahn, Lastzug, Schiff) durch Banken. Der Verkäufer (Exporteur) erhält den Kredit (Vinkulationsbetrag) gegen Sicherungsübereignung der Ware unter Übergabe eines Duplikatfrachtbriefes. Dem Käufer wird die Ware gegen Zahlung des Kaufpreises ausgehändigt.

Vinkulierung [v-; zu spätlat. vinculare »binden«], Bindung von Wertpapieren, sodass sie ohne Zustimmung des Emittenten nicht auf einen Dritten übertragen werden können. **Vinkulierte Aktien** sind Namensaktien, deren Übertragung und Verkauf von der Zustimmung der Gesellschaft abhängig ist.

Vinland [v-; »Weinland«, nach den wild wachsenden Reben], normann. Name für einen Teil der Ostküste Nordamerikas, wahrscheinlich Massachusetts, an dem um 1000 Leif Eriksson landete.

Vintschgau [f-] (früher Vinschgau, italien. Val Venosta), Talschaft der obere Etsch in Südtirol, Italien, vom Reschenpass bis Meran; Obstbau und Viehzucht; bed. Fremdenverkehr; mehrere karoling. und roman. Kirchen.

Vinyl... [v-] (Äthenyl..., Ethenyl...), Bez. der chem. Nomenklatur für die einbindige ungesättigte Kohlenwasserstoffgruppe $-CH{=}CH_2$. Verbindungen mit der V.-Gruppe sind zur Polymerisation befähigt.

Vinyl|acetat [v-] (Essigsäurevinylester), leicht polymerisierende, süßlich riechende Flüssigkeit (Siedepunkt 73 °C), deren Dampf die Augen stark reizt. V. wird v.a. zu Polymerisaten für Klebstoffe und Dispersionsfarben verarbeitet (Polyvinylester, Polyvinylalkohol).

$CH_3{-}COO{-}CH{=}CH_2$
Vinylacetat

Vinylchlorid [v-] (Chloräthylen, Chlorethylen), leicht entflammbares, farb- und geruchloses, in höheren Konzentrationen süßlich riechendes Gas. V. ist ein wichtiges Monomer für die Herstellung von → Polyvinylchlorid u. a. Polymeren. Es gehört zu den Krebs erzeugenden Arbeitsstoffen.

$CH_2{=}CH{-}Cl$
Vinylchlorid

Vinylierung [v-] (Ethenylierung), Bez. für die Einführung einer Vinylgruppe in organ. Verbindungen. Die V. erfolgt v. a. durch die Reaktion von Acetylen mit Verbindungen, die ein bewegl. (abspaltbares) Wasserstoffatom besitzen (z. B. Chlorwasserstoff, Carbonsäuren, Alkohole).

Vinzentiner [v-], kath. Männerorden, die → Lazaristen.

Vinzenz von Beauvais [v-, -bo'vɛ], frz. Pädagoge und Dominikaner, * zw. 1184 und 1194, † Beauvais 1264; wirkte am Hof König Ludwigs IX.; sein dreiteiliges »Speculum maius« (erstmals gedruckt 1474, entstanden wohl um 1256) ist die erste und umfassendste Enzyklopädie des Mittelalters.

Vinzenz von Paul [v-] (Vincent de Paul), frz. kath. Theologe, * Pouy (heute Saint-Vincent-de-Paul, bei Dax) 24. 4. 1581, † Paris 27. 9. 1660; gründete 1617 eine Frauenvereinigung zur Betreuung armer und allein stehender Kranker, aus der später die → Barmherzigen Schwestern **(Vinzentinerinnen)** hervorgingen, und 1625 die → Lazaristen **(Vinzentiner);** gilt als geistiger Vater der neuzeitl. Caritas; Heiliger, Tag: 27. 9.

Vinzenz von Paul (Ausschnitt eines zeitgenössischen Gemäldes)

Viola [v-, italien.] *die,* **1)** die → Bratsche.

2) Sammelbez. für Streichinstrumente, die ihre Blütezeit im 16. und 17. Jh. hatten. Nach der Spielhaltung werden unterschieden die in Armhaltung gespielten Instrumente der V.-da-Braccio-Familie (kurz Violinfamilie) und die mit Kniehaltung gespielten Instrumente der V.-da-Gamba-Familie (kurz Violen- oder Gambenfamilie). Bei der stets 4-saitigen V. da Braccio, dem Vorbild der → Violine und ihrer Ableitungen (→ Bratsche, → Violoncello), ist der Hals rechtwinklig angesetzt und der Boden gewölbt. Der Bogen wird obergriffig geführt. Die wichtigsten Gambentypen waren neben der Tenorgambe die Diskant- und die Altgambe sowie die Großbass-V. da Gamba. Während alle bald durch die Violinfamilie verdrängt wurden, be-

Viola d'Amore: deutsche Arbeit aus dem 18. Jh. (Berlin, Musikinstrumentenmuseum des Staatlichen Instituts für Musikforschung)

Violoncello

hauptete sich die Tenorgambe bis ins 18. Jh. bes. in der Kammermusik gegen das Violoncello. Zur stilgerechten Aufführung barocker Musik benutzt man heute wieder die alten Violen. Abarten sind u. a. die → Viola d'Amore und das → Baryton.

Viola d'Amore [v-; italien. »Liebesgeige«] *die,* im 17./18. Jh. beliebtes Altinstrument der Viola-da-Gamba-Familie mit 5–7 Spiel- und bis zu 14 unter dem Griffbrett verlaufenden Resonanzsaiten.

Violett [v-, lat.-frz.] *das,* Bez. für den Farbenbereich zw. Blau und Rot, insbes. für eine gleichteilige Mischung aus Rot und Blau; ein aufgehelltes V. ist das Lila.

Violine [v-, italien.] *die,* Abk. **V** (volkstümlich Geige), Diskantinstrument der modernen Streichinstrumentenfamilie vom Viola-da-Braccio-Typus, das sich Anfang des 16. Jh. aus älteren Streichinstrumenten (Rebec, Fidel, Lira da Braccio) entwickelte. Der in der Mitte eingezogene Resonanzkörper der V. besteht aus zwei leicht gewölbten Platten, der Decke aus Fichtenholz und dem Boden aus Ahornholz, die durch die Seitenwände (Zargen) miteinander verbunden sind. Zw. den beiden in die Decke eingeschnittenen f-förmigen Schalllöchern steht der zweifüßige Steg aus Hartholz. Der Hals aus Ahorn trägt das Griffbrett (Ebenholz) und den in die Schnecke auslaufenden Wirbelkasten mit den seitl. Stimmwirbeln. Mit ihnen werden die vier in Quinten gestimmten Saiten ($g\,d^1\,a^1\,e^2$) der V. gestimmt. Die Tonerzeugung erfolgt durch Streichen der Saiten mit einem in Obergriffhaltung geführten Bogen. Gelegentlich werden die Saiten auch gezupft (pizzicato). – Der **Geigenbau** hat im 16.–18. Jh. berühmte Schulen hervorgebracht, so die Schulen von Brescia (Gasparo da Salò, * 1540, † 1609) und Cremona (A. Amati, A. Stradivari, G. A. Guarneri) sowie die Tiroler (J. Stainer) und Mittenwalder Schule (M. Klotz).

📖 KOLNEDER, W.: *Das Buch der V. Bau, Geschichte, Spiel, Pädagogik, Komposition. Zürich u. a.* ^{5}*1993. – V. u. Viola, Beiträge v.* Y. MENUHIN *u.* W. PRIMROSE. *A. d. Engl. Frankfurt am Main u. a.* ^{2}*1993.*

Violinschlüssel [v-], in der Notenschrift der G-Schlüssel (→ Schlüssel).

Viollet-le-Duc [vjɔlɛlə'dyk], Eugène Emmanuel, frz. Baumeister und Architekturhistoriker, * Paris 27. 1. 1814, † Lausanne 17. 9. 1879; bed. sein zehnbändiger »Dictionnaire raisonné de l'architecture française du XIe au XVIe siècle« (10 Bde., 1854–68) u. a. Schriften; restaurierte seit 1840 mittelalterl. Bauten, u. a. Sainte-Chapelle und Notre-Dame in Paris, Sainte-Madeleine in Vézelay.

Ausgabe: Entretiens sur l'architecture. Paris 1863–72. 2 Bde. Nachdr. Brüssel u. Lüttich 1977.

Violoncello [v-, -'tʃɛllo, italien.], Kw. **Cello,** Abk. **Vc,** das Tenor-Bass-Instrument der Viola-da-Braccio-Familie (Viola, Bratsche, Violine) mit 75 cm Korpus-, etwa 120 cm Gesamtlänge und der Stimmung C G d a, das wegen seiner Größe zw. den Knien gehalten wird (der Gebrauch des Stachels wurde erst um 1860 üblich); zunächst als Generalbassinstrument, seit dem Ende des 17. Jh. als Soloinstrument verwendet. Eine Sonderform des V. im 18. Jh. war das von J. S. Bach verwendete fünfsaitige **V. piccolo** in der Stimmung $C\,G\,d\,a\,e^1$.

Violone [v-, italien.] *der,* der → Kontrabass.

Vionville [vjɔ̃'vil], Ort in Lothringen, im Dép. Moselle, Frankreich, westlich von Metz. – Die Schlacht bei **V. und Mars-la-Tour** am 16. 8. 1870 (→ Deutsch-Französischer Krieg 1870/71) war die letzte Schlacht der Kriegsgeschichte, in der die Kavallerie im Angriff schlachtentscheidend wirkte.

Viotti [v-], Giovanni Battista, italien. Geiger und Komponist, * Fontanetto Po (Prov. Vercelli) 12. 5. 1755, † London 3. 3. 1824; 1819–22 Direktor der Pariser Grand Opéra; komponierte u. a. 29 Violinkonzerte, 10 Klavierkonzerte sowie zahlr. Kammermusikwerke. Als Geiger gilt er als einer der Begründer der modernen Violintechnik.

VIP [vɪp; Abk. für engl. **v**ery **i**mportant **p**erson] *der,* »sehr wichtige Person« des öffentl. Lebens (u. a. aus Politik und Geschäftswelt).

Vipern [v-, lat.] (Ottern, Viperidae), Familie kurzschwänziger, 30 cm bis 1,8 m langer, meist lebend gebärender Giftschlangen in Afrika und Eurasien; durch bestimmte Drohreaktionen (s-förmig angehobener Hals, lautes Zischen, schnelles Vorstoßen des Kopfes) gekennzeichnete Reptilien mit breitem, dreieckförmigem, deutlich vom Hals abgesetztem Kopf und meist senkrecht-ellipt. Pupille; u. a. Aspisviper, Sandotter (Sandviper), Kreuzotter, Puffotter. BILD Kreuzotter

Vipiteno [v-], Stadt in Südtirol, → Sterzing.

Viracocha [v-, -tʃa], Inkagott, → Huiracocha.

Vir|ämie [v-] *die,* Ansiedlung, Vermehrung und Verbreitung von Viren im Blut eines Organismus nach einer Infektion.

Virchow ['vɪrço], Rudolf, Pathologe, Anthropologe und Politiker, * Schivelbein (heute Świdwin) 13. 10. 1821, † Berlin 5. 9. 1902; begründete die mikroskopische patholog. Anatomie. V. vertrat die Ansicht, dass Zellen nur aus Zellen entstehen können. Als Begründer der Zellularpathologie, die den Krankheitsprozess durch Veränderungen der Zelle erklärt, war er bis weit in das 20. Jh. hinein maßgebend für die gesamte Medizin. Er befasste sich auch mit Medizingeschichte, Geschwulstlehre, Hygiene (Desinfektion u. a.; beeinflusste die Gesetzgebung) und war Mitbegründer der Dt. Gesellschaft für Anthropologie, Ethnologie und Urgeschichte in Berlin. – 1861 Mitbegründer der Dt. Fortschrittspartei, seit 1862 Mitgl. des preuß. Abgeordnetenhauses, Gegner Bismarcks im preuß. Verf.konflikt; prägte als liberaler

Gegner der Kirche die Bez. →Kulturkampf; 1880–93 MdR.

Virelai [vir'lɛ] *das* (Chanson baladée), altfrz. dreistrophiges Tanz- und Liebeslied, eingeleitet durch einen Refrain, der nach jeder Strophe wiederholt wird.

Viren [v-, lat.], **1)** *Biologie:* meist nur im Elektronenmikroskop sichtbare, kugel- oder stäbchenförmige krankheitserregende Partikel. V. sind in Proteinhüllen verpackte Stücke genet. Materials, die den biochem. Apparat geeigneter Wirtszellen auf Produktion neuer V. derselben Art umprogrammieren können. V. haben keinen eigenen Stoffwechsel; sie sind für ihre Vermehrung ganz auf chem. Bausteine, Energie und Enzyme lebender Zellen angewiesen. Die Grenze zw. V. und zellulärem genet. Material ist fließend. Manche V. können über lange Zeit frei oder ins Genom einer Wirtszelle integriert existieren und dabei symptomlos oder unter Transformation der Zelle im Rhythmus der Zellteilung mitvermehrt werden. V. bestehen im Wesentlichen aus Nucleinsäuren und Protein. Jedes Virus enthält nur eine Art von Nucleinsäure, entweder DNS oder RNS. Isolierte virale Nucleinsäure ist in vielen Fällen infektiös. Bei allen V. ist die Nucleinsäure von einer Proteinhülle, dem →Capsid, umgeben. Bei der Infektion gelangt entweder nur die Nucleinsäure (z.B. Bakteriophagen) oder (meistens) das intakte Viruspartikel (Virion) in die Zelle, in der dann die Nucleinsäure freigegeben wird. Während der folgenden Periode der Eklipse (während dieser Zeit werden in der Zelle neue V. produziert) lässt sich kein infektiöses Virus mehr nachweisen, dieses ist in seine Teile zerfallen. Die in die Zelle gelangte virale Nucleinsäure dirigiert den Zellstoffwechsel so um, dass v.a. Virusbausteine synthetisiert werden. Die Virionen werden entweder durch Zellyse (Zellauflösung) frei oder treten unter Knospung durch die Zellmembran. – V. werden mit Trivialnamen bezeichnet, die auf Wirt, Krankheitssymptome und Vorkommen bezogen sind (z.B. Afrikan. Schweinefiebervirus), doch wird eine Nomenklatur mit latinisierten Gattungsnamen und Kurzbez. für die einzelnen Typen angestrebt. – Manche V. haben ein enges Wirtsspektrum, andere besiedeln sehr viele Arten. – Eine Virusvermehrung gelingt nur in lebenden Wirtsorganismen oder Zellkulturen. V. werden durch Hitze, Desinfektionsmittel, oft auch durch organ. Lösungsmittel zerstört. (→Viroide)

📖 LEVINE, A. J.: *V. Diebe, Mörder u. Piraten. A.d. Amerikan. Heidelberg u.a. 1992.* – DOERFLER, W.: *V. Krankheitserreger u. Trojan. Pferd. Berlin u.a. 1996.*

2) *Computertechnik:* →Computerviren.

Virginal [v-, Herkunft unsicher] *das,* dem Spinett ähnl. Hauptinstrument der engl. Musik der Elisabethan. Zeit **(V.-Musik).** Diese ist in Sammlungen **(V.-Bücher)** erhalten, bes. im »Fitzwilliam Virginal Book« (Anfang 17. Jh.) mit etwa 300 Stücken der Virginalisten.

Virginalisten [v-], engl. Komponisten des 16./17. Jh., die Stücke für das Virginal schrieben, u.a. J. Bull, W. Byrd, O. Gibbons, T. Morley.

Virginia [vɪr'dʒi:nia, engl. və'dʒɪnjə], Abk. **Va.,** Staat im SO der USA, 105586 km², (1995) 6,618 Mio. Ew. (18,8% Schwarze); Hptst. ist Richmond, Sitz der Staatsuniv. in Charlottesville. V. reicht von der buchtenreichen, sandigen Küstenebene bis in die südöstl. Appalachen (Blue Ridge, Großes Appalachental, Allaghenygebirge). Die Bergzüge sind noch weitgehend bewaldet. Die Landwirtschaft erzeugt Tabak, Mais, Heu, Erdnüsse; bed. Milchviehhaltung; Bergbau (Kohle, Natursteine); führende Ind.zweige sind Schiffbau, elektrotechn., chem., Tabak verarbeitende Ind.; wichtige Wirtschaftsfaktoren sind die zivilen und militärischen Behörden in Arlington (Pentagon) und Hampton; Fremdenverkehr.

Geschichte: Nach einem gescheiterten Ansiedlungsversuch auf Roanoke Island (1584–89) im Auftrag Sir W. Raleighs wurde V. 1607 (Gründung von Jamestown) erste engl. Kolonie in Nordamerika (Tabakanbau, ab 1619 Einfuhr afrikan. Sklaven). Seit 1624 Kronkolonie, spielte V. in der Unabhängigkeitsbewegung seit den 1760er-Jahren eine führende Rolle (u.a. Wirken von T. Jefferson, J. Madison, G. Washington; 1776 Annahme der →Virginia Bill of Rights) und war einer der Gründerstaaten der USA. 1861 zählte V. zu den von der Union abgefallenen Südstaaten (einer der Hauptkriegsschauplätze im Sezessionskrieg); eine Ausnahme bildete der sklavenlose W des Landes, der sich 1863 zu einem neuen, der Union angehörenden Staat (West-V.) konstituierte. Nach Ausarbeitung einer neuen Verf. wurde V. 1870 wieder in die Union aufgenommen.

Virginia Bill of Rights [və'dʒɪnjə 'bɪl əv 'raɪts], am 12. 6. 1776 vom Konvent von Virginia angenommene Menschenrechtserklärung; sie diente als Vorbild für die ersten Sätze der Declaration of Independence und war eine der Grundlagen der amerikan. Bill of Rights.

Virginiahirsch [vɪr'dʒi:nia-] (Weißwedelhirsch, Odocoileus virginianus), Art der Trughirsche in Nord-, Mittel- und dem nördl. Südamerika mit auffallend großem Schwanz, der unterseits weiß ist; 85–200 cm körperlang.

Virgin Islands ['və:dʒɪn 'aɪləndz], die →Jungferninseln.

Virginität [v-, lat.] *die,* die →Jungfräulichkeit.

Virgo [v-, lat.], das Sternbild →Jungfrau, in dem sich der **V.-Haufen,** ein markanter Galaxienhaufen, befindet (→Superhaufen).

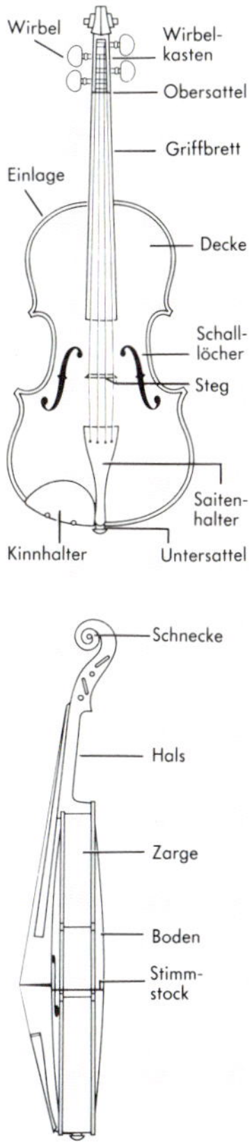

Violine

Rudolf Virchow

viril [v-; lat., zu vir »Mann«], männlich.

Virilisierung [v-] *die* (Maskulinisierung), **1)** *Entwicklungsphysiologie:* vorzeitige Geschlechtsreife bei Knaben.

2) *Medizin:* Sammelbez. für Symptome der Vermännlichung bei Frauen (Bartwuchs, Rückbildung der Brüste, Amenorrhö, Stimmbruch, Klitorishypertrophie) infolge Hormonstörungen.

Virilstimme [v-], Einzelstimme bei Abstimmungen in verfassungsrechtl. Kollegien; bes. im Reichstag des Hl. Röm. Reichs (bis 1806) und im Bundestag des Dt. Bundes (1815–66) die Einzelstimme eines Fürsten oder Gliedstaats; Ggs.: →Kuriatstimme.

Artturi Ilmari Virtanen

Virion [v-, lat.] *das,* einzelnes infektionsfähiges Viruspartikel (→Viren).

Viroide [v-, lat.], sehr kleine, virusähnl. Erreger von Pflanzenkrankheiten, die aus einer einzelsträngigen, ringförmigen RNS bestehen, die nicht von einer Proteinhülle umgeben ist.

Virosen [v-, lat.], die →Viruskrankheiten.

Virtanen [v-], Artturi Ilmari, finn. Biochemiker, *Helsinki 15. 1. 1895, †ebd. 11. 11. 1973; Prof. in Helsinki; entdeckte die Einführung des Phosphorylrestes $-PO(OH)_2$ (Phosphorylierung) bei der Milchsäuregärung und entwickelte eine Methode zur Konservierung von Futterpflanzen; erhielt hierfür 1945 den Nobelpreis für Chemie.

virtuell [v-; zu lat. virtus »Tüchtigkeit«], der Kraft oder Möglichkeit nach vorhanden; anlagemäßig; simuliert, künstlich.

virtuelle Realität [v-] (Virtual Reality, Cyberspace), Abk. **VR,** *Informatik:* mittels Computer simulierte dreidimensionale Räume, in die der Benutzer mithilfe elektron. Geräte, wie Monitorbrille, Datenhandschuh sowie umfangreicher Software (u.a. für die Spracherkennung und Geräuschsynthese) versetzt und interaktiv eingebunden wird. Die in die Brille auf zwei kleine Bildschirme stereoskopisch eingespielten Bilder vermitteln den Eindruck, selbst Teil der künstl. Welt zu sein. Bewegungen der Person werden in Echtzeit sensorisch erfasst und Bildausschnitt und -perspektive laufend angepasst. Über den ebenfalls mit Sensoren ausgestatteten Datenhandschuh kann der Träger aktiv auf die modellhafte Umwelt einwirken. Anwendung insbesondere zur Simulation von Flügen, Gebäuden, techn. Systemen sowie in der Medizin und Unterhaltungselektronik.

virtueller Zustand, ein quantenmechanischer Zustand, dessen Existenz mit dem Energiesatz nicht verträglich ist, der aber aufgrund der heisenbergschen →Unschärferelation $\Delta E \cdot \Delta t \geqq h/4\pi$ (h plancksches Wirkungsquantum) für sehr kurze Zeit Δt dennoch auftreten, jedoch nicht beobachtet werden kann. V. Z. sind mit der Annahme **virtueller Teilchen** verbunden, als Zwischenzustände von Elementarprozessen eingeführte, real nicht existierende Elementarteilchen, die sich aufgrund der Energieunschärfe ΔE im spontanen Entstehen und Verschwinden von Teilchen äußern. So kann z.B. für die Zeit Δt ein Photon ein Elektron-Positron-Paar erzeugen, das anschließend wieder in ein Photon zerstrahlt, obwohl die Energie des Photons für eine reale Paarerzeugung nicht ausreichen würde.

virtuelles Bild [v-], *Optik:* scheinbare →Abbildung.

virtuelle Verschiebung [v-] (virtuelle Verrückung), mit den Bedingungen der Beweglichkeit eines Systems von Körpern verträgl. (lediglich gedachte), infinitesimal kleine Verschiebung seiner Elemente. Bei v. V. um die Gleichgewichtslage eines reibungsfreien Systems ist die Arbeit, die die auf die Elemente des Systems wirkenden Kräfte verrichten **(virtuelle Arbeit),** gleich null (Prinzip der virtuellen Arbeit).

Virtus [v-, lat.] *die,* Tüchtigkeit, Tapferkeit, Inbegriff altröm. Manneswürde.

Virulenz [v-, lat.] *die,* unterschiedl. Angriffskraft von krankheitserregenden (pathogenen) Mikroorganismen, d.h. deren Fähigkeit, in einen Organismus einzudringen, sich dort zu vermehren und ihn toxisch zu schädigen (Giftigkeit) mit dem hieraus folgenden Krankheitsbild.

Virungavulkane [v-], Vulkankette im Zentralafrikan. Graben mit zahlr. noch aktiven Vulkanen, nördlich und nordöstlich vom Kiwusee, in der Demokrat. Rep. Kongo, Uganda und Ruanda; höchste Erhebung ist der Karisimbi (4507 m ü. M.). Im Bereich der V. grenzen drei Nationalparks aneinander: Kiwu-Nationalpark, Virunga-Nationalpark (auch Nationalpark der Vulkane; UNESCO-Welterbe) und Ruwenzori-Nationalpark.

Virus [v-, lat.] *das* auch *der,* →Viren.

Viruskrankheiten [v-] (Virosen), durch Viren hervorgerufene akute, seltener auch chron. Infektionskrankheiten bei Mensch, Tier und Pflanzen. Zu den V. des Menschen gehören z.B. Grippe, Masern, Röteln, Mumps, Hepatitis, Pocken und Kinderlähmung. Sie hinterlassen oft eine langfristige Immunität. Eine Vorbeugung ist durch Schutzimpfung z.T. möglich. – V. bei Haustieren verursachen je nach Art und Ausbreitung erhebl. wirtsch. Schäden, z.B. Maul- und Klauenseuche, Schweinepest, Geflügelpest, Influenza bei Pferd und Schwein, Leukosen. Sie werden durch verbesserte Impfverfahren und Sperrmaßnahmen verhindert bzw. bekämpft. – V. bei Pflanzen äußern sich häufig in Störungen der Blattgrünbildung (Mosaikkrankheiten) sowie in Blattmissbildungen. Pflanzenpathogene Viren können nahezu alle Kulturpflanzen befallen (Folge: Ertragsausfälle).

Virusträger [v-], der →Dauerausscheider.

J. RIZZI